KB135617

60년대	1970년대	1980년대	1990년대	2000년대

——— 승계 통합 관계
——— 참여 협력 관계

사회당
(최근우)

사회대중당

혁신당

일사회당(준)

대중당

민중의당

신정사회당
사회당
(김 철)

사회민주당

민중당

사회당

통일사회당
민사당

한겨레
민주당

청 년
진보당

사회당
(최광은)

진보정치
연   합

꼬마민주당

평민당
(김대중)

새정치
국민회의

통합
민주당

민주당

열린우리당
(노무현)

더불어
민주당

국민의당

민평당

미래당

국민승리 21

민노당

진보신당

통진당

정의당

민중당

통혁당
남민전

무림
학림

민추위
삼민투

자민투
전학련
전대협
한총련

민민투
제헌의회파
인민노련
사로맹

민청학련
민청협
민청련
민통련
전민련
전국연합
진보연대

	유신독재	광주항쟁	6·29선언	동구권붕괴	북한핵개발

도서의 국립중앙도서관 출판예정도서목록(CIP)은 서지정보유통지원시스템 홈페이지
ttp://seoji.nl.go.kr)와 국가자료공동목록시스템(http://www.nl.go.kr/kolisnet)에서 이용
실 수 있습니다. (CIP제어번호 : CIP2018016269)

책 초판은 삼성언론재단의 저술지원을 받아 출간되었습니다.

개정증보판
한국 진보세력

정신이 살아 있는 출판

청미디어
CHEONG MEDIA

Updated and Revised Edition

A Study of Progressives in Korea

by Si-Uk Nam

CHEONG MEDIA

이 책은 2009년에 초판이 발간된 이후 지금까지 9년 동안 한국의 진보세력이 걸어온 발자취를 추가 설명하기 위해 씌어진 것이다. 그동안 이 책이 독자들로부터 많은 관심의 대상이 되고, 때로는 과분한 평가까지 받게 된 이유는 무엇보다도 국민들이 한국정치에 막강한 영향력을 행사하기 시작한 진보좌파세력의 실상을 알고 싶어 했기 때문이다. 특히 소련권 붕괴 후 근 20년이 지났음에도 불구하고 왜 한국에서는 서구식 온건한 사회민주주의세력은 위축되고 반대로 이 지구상 유례없는 김일성세습왕조에 동조하는 친북·종북세력이 판을 치고 있는지 국민들이 궁금해했던 탓이라고 저자는 판단하고 있다.

해방과 더불어 한국의 정치무대에 등장한 진보좌파세력은 1998년 김대중정부의 등장으로 보수 일색이던 그동안의 한국정치 판도를 일변시키더니 2017년에는 헌정사상 유례없는 대통령 탄핵을 계기로 제3기 진보정권인 문재인 정부를 탄생시켰다. 이 개정증보판은 따라서 2007년 제17대 대통령선거에서 진보세력이 패배해 야당이 된 시기부터 문재인 정부 출범 2년째인 올해 봄까지 약 10년간을 연구대상으로 삼았다. 이 때문에 당연히 문재인정부의 탄생을 가능하게 했던 촛불시위와 그 문제점, 그리고 출범 2년째를 맞은 제3기 진보정권에 대한 잠정적 중간평가를 그 주된 내용으로 했다. 이와 함께 국가위기상황에 직면한 대한민국의 운명을 손에 쥔 한국진보세력의 과제도 결론에서 분석을 시도해 보았다. 그리고 제1기, 제2기 진보정권인 김대중과 노무현 정권 시대의 외교와 내정에 관해서도 약간 보충했다.

아울러 이번 개정증보판에는 이 책에 등장하는 주요 인물과 사건을 독자들이 친숙하게 접할 수 있도록 책의 본문 사이사이에 간단한 화보 페이지를 신설했다. 무릇 어떤 역사의 서술이든 백 마디 말보다 한 장의 사진이 훨씬 더 어필할 경우가 있기 때문이다.

이 책을 접하실 독자 여러분께 계속적인 격려와 함께 지도 편달을 바라면서 이번 개정증보판 발간을 서둘러 주신 청미디어의 신동설 대표와 편집진에 대한 감사를 표하고자 한다.

2018년 6월

남 시 욱

한국의 진보세력은 대체 누구이며 그 뿌리와 사상과 이념은 무엇인가. 이 책은 한국의 진보세력이 해방 후 현재까지 60여 년 동안 걸어온 발자취를 시대별로 추적함으로써 그들의 인맥, 사상, 이념, 그리고 활동상과 상호간 차이점을 종합적으로 서술, 분석, 평가하기 위해 쓰여 졌다. 그런 의미에서 이 책은 저자가 2005년 말에 출간한 졸저 《한국보수세력연구》의 자매편이라 할 것이다.

'진보'라는 용어는 원래 변화에 대한 적극적 내지 급진적 태도를 말하는 개념이어서 사회주의 같은 이념적 좌표를 의미하는 '좌파'와는 다른 개념이다. 그렇기는 하나 두 용어가 최근까지 동의어처럼 혼용되어 온 것도 사실이다. 마르크스주의자들은 변증법적 유물론에 입각해 역사의 발전과정을 원시공산사회, 고대노예사회, 중세봉건사회, 자본주의사회, 사회주의사회/공산주의사회로 규정했다. 그들에게 '진보'란 다름 아닌 사회체제의 진보, 즉 '사회주의체제로의 이행'을 의미했다. 이 같은 진보에 대한 인식은 한국의 공산주의자들에게도 확고한 믿음이 되었으며, 건국 후 최초로 '진보'라는 단어를 정당 명칭에 붙인 진보당의 조봉암 역시 진보주의를 '사회체제의 발전을 지향하는 사상'으로 생각했다.

그러나 1990년 초에 일어난 소련과 동구 여러 나라의 공산주의체제 붕괴는 이 같은 유물론적 진보사관에 파산선고를 내렸다. 그 결과 구 공산권에서는 보수와 진보의 역전현상이 일어나고 용어 사용에도 혼선이 빚어졌다. 이제 공산주의를 지키려는 세력이 보수파가 되고, 이에 반대하는 세력이 진보파가 되고 말았다. 이념갈등이 첨예한 한국의 경우는 파급력이 더욱 컸다. 소련의 붕괴로부터 큰 충격을 받은 한국 좌파운동권은 퇴조를 맞았다. 좌파혁명세력, 특히 친북혁명세력, 그 중에서도 시대착오적인 주사파들에게는 청천벽력이 아닐 수 없었다. 그들에게 더 이상 진보라는 용어를 쓰는데 대해서는 사람들이 강한 거부감을 느끼기 시작했다. 그 대신 진보라는 단어는 변화와 개혁을 추구하는 많은 사람들이 즐겨 쓰는 주관적이고 정치적인 용어가 되었다. 제17대 대통령선거 패배 후 통합민주당 대표에 선출된 손학규가 '새로운 진보' 노선을 내걸면서 자신의 '진보'는 '좌도, 우도 아닌 진보'라고 말했듯이 '진보'라는 용어는 이제 마르크스주의적 역사철학적 개념이나 좌우이념과 무관한, 또는 이를 초월하는 의미로 쓰이는 상황이 되었다. 제18대 총선 후 출범한 정세균 체제 하의 민주당이 '그릇된 보수'와 '낡은 진보'를 극복하고 성장과 분배를 동시에 추구하는 제3의 발전모델을 제시한 당지도부의 뉴민주당선언안을 둘러싸고 현재 치열한 당내논쟁을 벌이고 있는 것도 주목된다. 이제 '중도적 진보'도, '시장진보'도, '진보주의 없는 진보'도, '비좌파적 진보'도, 심지어는 '우파적 진보'도 모두가 가능한 혼돈의 시대가 온 것이다. 그 혼돈이 단순한 혼란인지, 아니면 새로운 창조를 위한 과도기적 혼돈인지는 아직 아무도 단언할 수 없지만 말이다.

이 책은 이 같은 시대상황을 감안해서 한국의 다양한 진보세력을 체계적으로 살펴보려 한다. 저자가 다루려는 한국의 진보세력은 8·15해방 그날부터 활동을 개시한 조선공산당 등 좌익세력에서부터 현재의 민주노동당과 진보신당 및 사회당에 이르는 여러 갈래의 진보표방 정치세력들, 그리고 한국적 '제3의 길'을 추구한 제15대 대통령 김대중과 '유연한 진보' 또는 '비주류 진보'를 자임한 제

16대 대통령 노무현 및 그의 386운동권출신 참모들이다. 저자는 한국의 진보세력을 총체적으로 파악하기 위해 좌파정당들 뿐 아니라 시기별로 부침을 거듭해온 급진적인 친북단체들과 학생조직들 및 각종 지하혁명조직들, 그리고 여러 갈래의 진보파 지식인들을 아울러 살펴보고자 한다. 전대협과 한총련은 표면상으로는 각 대학 총학생회 대표들로 구성된 대학생조직이지만 이들 조직은 단순한 학생조직이 아닌, 급진적 좌파전위조직이다. 독자들은 이들 조직 출신 인사들이 나중에 정치인으로 성장해서 진보정당에서 활동하고 있음을 보게 될 것이다. 독자들은 또한 해방 후에 활동한 남로당 계열, 심지어는 빨치산출신 인물들이 얼마 전 까지 좌파 진영에서 상당한 역할을 한 사실도 발견할 수 있을 것이다. 이 점은 정당과 급진단체, 그리고 지하조직 및 진보적 지식인 4자간에 상호 인맥과 이념의 고리가 있음을 의미한다. 따라서 한국 진보세력의 전체 그림을 보기 위해서 이들 조직과 인물들에 대한 역사적 조명이 불가결하다. 저자가 한국 진보세력을 종적 횡적 관점에서 고찰하려는 것은 바로 이 때문이다.

저자의 중요한 관심사 중 하나는 한국 진보세력이 어떤 역사적 이유로 인해 현재와 같은 모습으로 형성되었는지를 규명하는 일이다. 이런 문제의식에서 저자는 특히 한국에서는 왜 서구 민주주의국가에서 국정운영의 한 축이 되고 있는 사회민주주의 내지 민주사회주의 세력이 발을 붙이지 못하고 있는가를 중점적으로 따져 보려 한다. 이를 위해 저자는 1980년대 신군부통치 시기에 싹이 돋은 좌파학생 운동권의 혁명적 열기를 집중적으로 조명하려 한다. 이 혁명적 열기는 때로는 광풍처럼 모든 이성적 토론을 집어삼키면서 기존의 가치와 권위를 파괴했다. 독자들은 이미 1920년대부터 싹이 튼 한국의 온건한 사회민주주의 운동이 1980년대의 질풍과 노도 앞에서 어떻게 사라져 갔는가를 발견하게 될 것이다. 독자들은 또한 이 같은 급진좌파세력의 혁명적 열기 뒤에는 1960년 초반부터 줄기차게 전개된 북한 공산주의자들의 지원이 있었음도 아울러 보게 될 것이다.

이 책에서는 1950년대 이전까지의 좌파세력을 당시에 불린 그대로 좌익세력이라고 표현했음을 밝혀둔다. 그 편이 훨씬 시대상황에 충실한 서술이기 때문이다. 아울러 이 책은 해방 후의 진보세력을 집중적으로 살피려다가 보니 지면 관계상 해방이전의 좌익세력은 다루지 못했음을 밝혀둔다. 이 부분은 앞에 든 저자의 졸저에 그런대로 상세하게 서술되어있다.

이 책을 쓰는 데는 많은 분들의 협조가 컸다. 일일이 거명하지는 않지만 그분들의 도움이 없었더라면 이 책은 나오지 못했을지 모른다. 그렇기는 하나 이 책 내용 중 잘못된 대목이 있다면 그것은 전적으로 저자의 책임이다. 독자들의 기탄없는 지적과 비판을 기대하고 있다. 마지막으로, 이 책을 저술하는데 재정적 지원을 베푼 삼성언론재단의 홍승오 이사장과 엄철민 상임이사를 비롯한 이사진, 그리고 이 책의 출판을 맡아준 청미디어의 신동설 대표와 편집에 애쓴 편집부 여러분들에게 감사를 드린다.

2009. 5
남 시 욱

c·o·n·t·e·n·t·s

제3부 민주화와 세계화 시기

Ⅴ. 민주화 과정의 변혁세력

Ⅵ. 민주주의 공고화와 진보세력

Ⅷ. 노무현 정부와 진보세력

제5부 북핵과 안보위기 시기

Ⅸ. 이명박·박근혜 정권하의 진보세력

제1부
건국과 전쟁 시기

朝鮮同胞여!

重大한 現段階에 잇서 絕對의 自重과 安

靜을 要請한다

우리들의 將來에 光明이 잇스니

輕擧妄動은 絕對의 禁物이다

諸位의 一語一動이 民族의 休戚에 至大

한 影響잇는것을 猛省하라!

絕對의 自重으로 指導層의 佈告에 싸르

기를 留意하라

八月十六日

朝鮮建國準備委員會

1. 해방정국의 두 좌익지도자 박헌영(좌)은 1945년 8월 18일 서울로 상경해 일제 때 해산된 조선 공산당을 재건했으며, 여운형(우)은 해방 당일인 1945년 8월 15일 저녁 건국준비위원회를 결성 했다. 건준은 16일자로 민중들의 자중과 안정, 그리고 경거망동 자제를 촉구하는 격문을 거리에 게시했다.

2. 여운형은 1945년 8월 17일 서울 YMCA 강당에서 건준 중앙조직 구성을 발표, 건준의 정식 활동 을 개시했다. 사진=손치웅 제공, 《동아닷컴》, 2004.10.9

1. 건국준비위원회 소속 치안대 본부가 자리 잡았고, 나중에는 건준 사무실이 YMCA로부터 옮겨온 서울 종로구 안국동 로터리 부근의 옛 풍문여중 자리(2018.3.5 찍음).

2. 전국인민대표자회의가 조선인민공화국 수립을 의결한 서울 종로구 북촌로의 경기여중 강당 자리-현재는 헌법재판소가 들어서 있다(2018.3.5 찍음).

1. 1945년 8월 15일 저녁 서울 종로2가 장안빌딩에 좌익세력들이 모여 밤샘 토의 끝에 이튿날 새벽 조선공산당을 출범시켰다. 이 당은 '장안파 공산당'이라 불렸다. 장안빌딩은 지금도 그대로 있다(2018.3.5. 찍음).

2. 박헌영의 조선공산당(세칭 재건파 공산당)이 접수해 중앙당사로 쓰던 서울 소공동 소재 근택빌딩 자리-이 곳에는 일제가 조선은 행권을 인쇄하던 조선정판사가 있었는데 미군정청의 적산반환 명령으로 조선공산당은 1946년 5월 30일 이곳을 비운 다음 경향 신문사 사옥이 되었다.

3. 경향신문사가 있던 자리는 현재 롯데주차타워 건물이 들어서 있다(2018.6.8. 찍음).

2

1. 원래 조선공산당의 두 번 째 당사 였다가 남로당 중앙당사로 바뀐 서울 남대문 앞 일화생명빌딩
자리-지금은 새로운 흰색 빌딩(왼쪽에서 두 번째)이 세워져 있다(2018.3.12. 찍음).

2. 여운형이 1945년 11월 창당한 조선인민당 중앙당사가 있던 종로구 인사동 135번지
옛 종로구청 자리-현재는 주차장과 임시건물들이 들어서 있다(2018.3.28. 찍음).

1. 여운형이 1947년 5월 24일 천도교 대교회당에서 조선인민당, 남조선신민당, 근로대중당, 조선민족해방동맹 등을 통합해 사회노동당의 후신인 근로인민당을 창당하는 모습. 사진 〈몽양여운형선생기념사업회〉.

2. 1946년 10월 대구폭동 진압 현장-2일 대구시 태평로 삼국상회(나중의 SK주유소 자리) 부근에서 경찰이 진압작전을 벌이고 있는 가운데 왼편에 시위군중들이 경찰의 발포에 쫓기고 있다. 길가에 여러 명이 쓰러진 모습도 보인다. 사진 미국 NARA, 진실화해위원회, 〈2010년 상반기조사보고서〉, p. 76.

1. 1948년의 제주4.3사건 당시 모습. 군인들이 혐의자들을 억류하고 있다.

2. 1948년 10월 여순반란사건 진압작전을 하는 국군병사들. 사진《동아일보》.

좌파군소세력 지도자들 ①1946년 4월 조선민족혁명당을 발족시킨 김원봉-그는 1947년 6월 당명을 인민공화당으로 바꾸었으며 나중에 월북했다. ② 유림은 1946년 7월 독립노동당을 창당했다. ③ 여운형의 동생인 여운홍-1946년 8월 사회민주당을 결성했다. ④ 소설가 벽초 홍명희-1947년 9월 민주독립당을 결성했으며 나중에 월북했다. ⑤ 1947년에 민주주의독립전선(독전)을 결성한 조봉암-그는 9년후 진보당을 창당했다.

1. 1948년 4월 평양의 남북연석회의장 마당에서 환담하는 김일성(좌)과 박헌영(중앙), 그리고 허헌.

2. 북한정권 수립 때 김일성의 초대내각에 들어간 남한 출신 좌익세력들-앞 줄 왼쪽으로부터 3번째가 부수상 홍명희, 5번 째가 부수상 겸 외무상 박헌영, 둘째 줄 왼쪽 2번째가 국가검열상 김원봉, 3번째가 교육상 백남운, 셋째줄 1번째가 농림상 박문규, 2번째가 무임소상 리극로, 5번째가 사법상 리승엽, 6번째가 노동상 허성택이다. 사진〈NARA/ 박도 제공〉.

Ⅰ. 해방 직후 좌익세력의 형성과 분화

① 좌익세력의 정국 주도와 건준 및 인공

> 비상한 때에는 비상한 인물들이 비상한 방법으로 일을 하지 않으면 안 된다.… 혁명가는 먼저 정부를 조직하고 그 뒤에 가서 인민의 승인을 받을 수 있다. 급격한 변화가 있을 과도기에 비상조치로 생긴 것이 인민공화국이다.
>
> —여운형, 기자회견에서(1945)

1. 건국준비위원회

여운형, 건준 결성으로 전면 부상

1945년 8월 15일 해방의 그날이 오자 맨 먼저 활동을 개시한 정치세력은 좌익계열의 여운형(呂運亨)과 장안파 공산당 세력이다. 여운형은 해방 당일 저녁 건국준비위원회(약칭 건준)를 전격적으로 결성, 이튿날부터 건준 활동을 개시하고 17일에는 집행부를 임명했다. 장안파 공산당도 거의 같은 시기에 출범함으로써 이들 두 갈래의 좌파세력들이 해방정국을 주도했다. 이에 비해 보수세력인 민족주의진영은 사흘 후인 18일에 출범한 고려민주당(원세훈, 元世勳)을 시발로 28일 조선민족당(김병로, 金炳魯, 백관수, 白寬洙), 9월 7일 한국국민당(백남훈, 白南薰, 윤보선, 尹潽善)이 출범하고, 송진우(宋鎭禹)를 중심으로 한 한국민주당은 9월 16일에야 결성되었다. 해방 직후 하루하루가 긴박했던 이 기간 동안 좌파세력은 완전히 정국의 기선을 잡은 것이다. 먼저 여운형의 건준을 살펴보고 장안파 공산당에 대해서는 Ⅰ-②(좌익혁명세력: 조공과 남로당)에서 설명키로 한다.

여운형이 건준을 결성한 것은 15일 아침 일본총독부의 엔도(遠藤柳作) 정무총감에게 불려간 것이 직접적인 계기가 되었다. 엔도는 그에게 이날 정오에 천황의 항복방송이 있다는 것을 알려주면서 치안유지에 협력해 줄 것, 즉 일본거류민을 보호해 줄 것을 간청했다. 엔도는 나중에 잘못된 정보로 밝혀졌지만 소련군이 늦어도 17일 오후 2시까지는 서울에 진주할 것이라고 전해주었다.[1] 여운형은 엔도의 간청을 수락하고 그날 오후 민족주의 좌파 지도자 안재홍(安在鴻)을 찾아가 협의한 끝에 이날 밤 종로구 계동 임용상(林龍相) 저택에서 좌우합작 성격의 건준을 발족시켰다. 건준이라는 명칭은 안재홍이 지었다고 한다. 건준 위원장은 여운형이 맡고 부위원장에는 안재홍을 앉혔다. 여운형은 우선 우파 지도자 송진우의 협력을 얻기 위해 측근인 이여성(李如星)과 정백(鄭栢)으로 하여금 송진우의 참모인 이인(李仁)과 김준연(金俊淵)과 교섭케 하고 나중에는 직접 그를 찾아갔다. 그러나 중경(重慶) 임시정부의 법통을 존중하는 송진우 측에서는 여운형에게 경거망동하지 말고 임정 귀국을 기다리라면서 합작 제의에 응하지 않았다.[2] 결국 건준은 우파가 참여하지 않은 채 중도파와 좌파세력만으로 구성하게 되었다. 해방이 되면 과도정부를 수립하고자 생각한 여운형[3]이 세운 건준으로서는 이것은 바로 치명적인 한계이자 실패의 원인이 되었다.

건준 위원장으로 활동을 시작한 여운형은 15일 첫 조치로 당시 YMCA 유도 사범인 장권(張權)을 시켜 건국치안대를 조직하고 이튿날 아침에는 이강국(李康國) 최용달(崔容達) 등을 대동, 서울 서대문형무소를 찾아 정치범과 경제범의 석방에 입회했다. 그는 곧 이어 마포형무소로 가서 사상범의 석방에도 입회했는데, 이때 석방된 정치범 경제범 사상범은 수천 명에 달했다. 여운형은 17일 일제 때 그가 조직한 건국동맹 인맥을 중심으로 건준의 집행부를 임명했다. 총무부장에는 최근우(崔謹愚), 재정부장에는 이규갑(李奎甲), 조직부장에는 정백, 선전부장에는 조동호(趙東祜), 무경(武警)부장에는 권태석(權泰錫)이 임명되었다.[4] 이들 집행부 책임자 가운데 장안파 공산당 핵심세력인 정백 조동호 등은 여운형에게 개인적으로 발탁되어 건준에 참여했다. 건준 부위원장인 안재홍을 비롯해 여운형의 측근이자 건국동맹 재정부장을 지낸 이임수(李林洙) 등은 건준에 공산주의자를 참여시키는 것을 반대했으나 여운형은 "해방된 이 땅에서 그들을 배척할 수야 없지 않소. 서로 이해하고 도와주면서 함께 손잡고 일해 봅시다"라면서 이들을 설득했다.[5] 그러나 그의 기대와는 달리 공산계열은 곧 건준을 장악하는 작업에 착수, 건준의 핵심조직을 손에 넣었다. 이로 인해 건준의 좌우합작 성격은 곧 퇴색하고 말았다.

두 차례 조직 개편 통해 공산세력이 조직 완전 장악

건준은 8월 22일의 조직 확대강화를 위한 1차 개편에서 신간회 간부였던 허헌(許憲)을 부위원장에 추가로 임명, 안재홍과 함께 복수의 부위원장제를 만들었다. 핵심부서에는 기왕의 공산주의자들 외에 윤형식(尹亨植, 조직부 대행) 김교영(金敎英, 식량부장) 이광(李珖, 식량부 대행) 이강국(건설부장) 박문규(朴文奎, 기획부 대행) 고경흠(高景欽, 서기국) 최성환(崔星煥, 서기국) 등이 더 들어와 조직부 선전부 치안부 건설부 조사부 기획부 식량부 서기국 등 핵심부서의 부장 또는 그 대리 자리를 공산주의자들이 차지했다. 이것은 박헌영(朴憲永)의 직계인 홍증식(洪璔植)이 제안한 '환골탈태' 전략에 의한 것이다.[6]

건준은 8월 28일 선언과 강령을 발표했다. 이 두 문건은 이미 건준이 좌우합작이나 중립적 입장이 아닌, 좌경화한 조직으로 변해 있음을 잘 보여주고 있다. 강령은 "① 우리는 완전한 독립국가의 건설을 기함, ② 우리는 전민족의 정치적 사회적 기본요구를 실현할 수 있는 민주주의정권의 수립을 기함, ③ 우리는 일시적 과도기에 있어서 국내질서를 자주적으로 유지하며 대중생활의 확보를 기함"이라고 밝혔다. 강령은 단순하게 '민주주의정권'의 수립을 언급하고 있으나 선언에는 '진보적 민주주의'와 '반동세력'을 강조해[7] 사실상 좌경노선을 밝히고 있다. 건준 내부의 공산계열이 여운형을 압박해서 만든 좌경노선이었다. 이런 상황에서 건준을 좌우균형의 조직으로 확대개편하기 위해 '국민대표'로 135명의 위원을 뽑았다가 여운형으로부터 거부당한바 있는[8] 안재홍은 8월 31일 건준이 "초계급적 협조정신으로 명실상부한 과도적 기구여야 했음에도 불구하고" 좌경화했다고 선언하면서 부위원장 자리에서 사퇴했다. 이로 인해 부위원장에 허헌만 남게 되었다. 그런데 9월 4일의 2차 개편에서는 1차 때보다 더 많은 박헌영계의 재건파 공산주의자들이 들어왔다. 조직부를 장안파의 정백 대신 재건파의 이강국이 맡게 된 것은 박헌영의 영향력이 그 만큼 강화되었음을 의미하며, 김세용(金世鎔, 재정부장) 김형선(金炯善, 교통부장) 이순근(李舜根, 기획부 대리) 등 조공 간부가 추가로 들어간 것[9] 역시 건준이 박헌영의 지배 아래 놓이게 되었음을 뜻한다.

2. 조선인민공화국

미군 진주 앞두고 급조된 벽상정부

건준을 장악한 공산당세력은 9월 6일 전국인민대표자회의를 소집해 '조선인민공화국'(약칭 인공)의 수립을 선포했다. 전국인민대표자회의는 이날 서울 종로구 북촌로(재동) 옛 경기여중(현 헌법재판소 자리) 강당에서 전국의 '인민대표' 약 3백여 명이 참석한 가운데 여운형 임시의장의 사회로 개최되어 조선인민공화국 임시조직법안을 통과시켰다. 이 법에 의하면 국호는 조선인민공화국이라 하고 정부로 중앙인민위원회를 서울에 두며 지방에는 지방인민위원회를 둔다는 것이다. 이날의 '전국인민대표자회의'에 참석한 '인민대표'는 사실은 건준 구성원, 공산당 당원 및 김삼룡(金三龍)이 동원한 노조원들로 인민들이 뽑은 대표와는 거리가 멀며 이들 참석자 3분의 2는 공산계열이었다.

인공은 조선공산당 재건위 대표이자 해방 후 좌파혁명세력의 최고지도자인 박헌영 주도로 급작스럽게 만들어졌다. 여운형은 해외의 독립지사들이 아직 귀국하지 않았고 북측(소련군정당국)과도 협의 없이는 인공을 수립해서는 안 된다는 이유로 소극적이었으나 박헌영의 설득에 끌려 결국 그는 인공 수립에 앞장서는 모양세가 되었다.[10] 여운형은 좌파 독립운동가로서 상징적 존재였으나 정치지도자로서는 지지기반이 미약해 당시 압도적이던 공산당 조직을 이용하지 않을 수 없었고, 박헌영은 통일민족전선 결성을 통해 자신의 세력을 확장하기 위해 여운형의 명망을 이용하려 한 것이다.

여운형 측은 국호에 대해서 '조선인민공화국'이라는 표현이 과격하니 '조선민주공화국'으로 하자고 회의장에서 주장했다. 그러나 김응빈(金應彬) 직계의 노조 대표들이 들고일어나 여운형 측 주장은 좌절되고 말았다.[11] 이때는 아직 박헌영의 재건파 조선공산당이 정식 출범하기 전이었지만 그 만큼 인공의 수립이 긴급하다고 박헌영은 판단하고 미군이 인천에 상륙하기 이틀 전에 인공 수립을 서둘러 선포한 것이다. 박헌영이 인공을 급조한 것은 미군의 진주에 앞서 잠정적인 임시정부를 미리 수립해서 기정사실로 만들자는 속셈에서였다. 뒤에서 설명하는 바와 같이 그가 발표한 8월테제는 당장의 사회주의혁명 수행보다는 민족주의세력을 포함한, 각 정파가 참여하는 인민정부를 먼저 수립할 것을 밝히고 있다. 박헌영은 인공을 그 주춧돌로 삼고자 한 것이다. 인공의 수립으로 건준은 9월 7일 발전적 해체를 선언했는데 완전한 해체는 1개월 후인 10월 7일에 이루어졌다.

인공의 정강은 "일본제국주의와 봉건적 잔재세력을 일소한다"와 "대중생활의 급진적 향상을 기함"이라는 대목을 건준의 강령에 추가한 것 이외는 내용이 서로 대동소이하다.[12] 인공은 본부를 구한국 마지막 황후인 윤비의 백부이자 일제로부터 자작 작위를 받은 윤덕영(尹德榮)의 종로구 옥인동 소재 별장인 송석원(松石園)에 차렸다. 이날 오후 늦게 발표된 중앙인민위원은 이승만(李承晚) 김일성(金日成) 허헌 김규식(金奎植) 이관술(李觀述) 김구(金九) 김성수(金性洙) 김원봉(金元鳳) 이용설(李容卨) 홍남표(洪南杓) 김병로 신익희(申翼熙) 등 55명이고 후보의원은 최창익(崔昌益) 등 20명으로 외견상 좌우가 망라되었다. 그러나 중앙위원 중 39명, 후보위원 중 16명이 공산당원으로 좌익계가 압도적으로 많았다.[13] 이정식 교수의 집계에 따르면 중앙인민위원과 후보위원 20명을 모두 합치면 전체의 79.3%가 공산계열이다.[14] 중앙인민위원회는 위원장에 여운형을, 부위원장에 허헌을 선출하고 인공의 부서책임자 선출, 즉 조각은 이들 두 사람에게 일임했다.

그런데 여운형이 공산주의자들에게 끌려서 인공 수립에 동의하자 그의 직계인 온건좌파세력은 크게 반발했다. 이에 대해 여운형은 인공 급조를 합리화하면서 이들을 설득했다.[15] 그렇기는 했지만 여운형은 조각, 즉 인공의 중앙인민위원회 부서 책임자 인선을 지연시킴으로써 인공의 출범을 연기시키려 했다. 그러나 허헌을 비롯한 박헌영 세력은 같은 달 14일, 테러를 맞아 경기도 가평에서 요양 중인 여운형의 찬성을 얻지 않고 "승낙을 받았다"고 거짓말을 하고[16] 그들 독단으로 인공 중앙인민위원회 주석에 이승만, 부주석에 여운형을 비롯한 부서 책임자(각료) 선출을 발표하고 말았다. 그 명단은 다음과 같다.[17]

주 석	이승만(李承晚)	부 주 석	여운형(呂運亨)	국무총리	허 헌(許憲)
내무부장	김 구(金九)	외교부장	김규식(金奎植)	군사부장	김원봉(金元鳳)
재정부장	조만식(曺晩植)	보안부장	최용달(崔容達)	사법부장	김병로(金炳魯)
문교부장	김성수(金性洙)	선전부장	이관술(李觀述)	경제부장	하필원(河弼遠)
농림부장	강기덕(康基德)	보건부장	이만규(李萬珪)	체신부장	신익희(申翼熙)
노동부장	이주상(李冑相)	서 기 장	이강국(李康國)	법제국장	최익한(崔益翰)
기획국장	정 백(鄭栢)				

이 명단에도 좌우파가 망라되고 해외의 독립투사들과 북한에 거주하는 조만식까지 포함되었으나 이들 52명 중 38명은 공산계열이다.[18] 이승만 김구 김규식 등 임정 요인들은 아직 귀국하지 않았기 때문에 본인의 동의를 받지 못했다. 김성수는 국내에 있었지만 인공 측이 일방적으로 위촉한 것이다. 중경 임시정부의 주석 김구를 내무부장에 앉히고 여운형을 부주석으로 임명한 것은 임정을 부인하고 그 요인들을 노골적으로 견제하기 위한 것이다. 박헌영은 장차 조공의 책임비서가 될 계획으로 중앙인민위원과 조각에서는 제외되었다. 아직 북한의 실력자로 부상하지 않은 김일성은 중앙인민위원에는 들어 있으나 조각에서는 빠졌다.

인공 출범은 박헌영의 중대 과오

인공의 급조는 박헌영이 해방정국에서 범한 최초의 과오였다. 그 자신은 인민정부 수립이라는 사회주의혁명 제1단계 전략에서 이를 결행했지만 그가 인민정부의 파트너를 삼아야 할 우파들이 참여를 거부했다. 박헌영의 인공 선포에 격분한 국내의 우파세력은 인공을 한낱 '벽상정부'(壁上政府)에 지나지 않는다고 비난했다. 벽상정부란 공산 계열이 인공 수립을 알리는 벽보를 시내 요소 요소의 건물 벽에다 붙인 데서 유래된 말로 인공은 오로지 벽보 상에만 존재하는 엉터리정부라는 뜻이다.[19]

인공은 이틀 후 인천에 상륙한 미군당국으로부터 승인을 거부당했다. 미군정 사령관 하지(J. R. Hodge) 장군은 서울 입성 사흘 후인 9월 12일 경성부민관에서 각 정파 대표 1,200명을 초청한 가운데 연설하면서 미군정은 한국의 어떤 정당이나 단체도 정부로 승인할 의사가 전혀 없다고 명백히 했다.[20] 이에 대해 인공은 표면적으로는 조선의 독립 준비와 경제안정책을 수립하는데 군정청에 협력하겠다고 공표했지만 뒤로는 군정의 조기 철폐를 요구하면서 지방조직을 강화, 남북 13개도와 25개시 175개군에 지방 인민위원회 조직을 마쳤다고 공표했다. 인공은 또한 이듬해 3월에 전국 인민대표자회의를 소집해서 총선거를 실시하겠다고 발표했다. 이렇게 되자 10월 10일 미군정장관 아놀드(Archibald V. Arnold) 소장은 기자회견에서 강경하고 모욕적인 인공 부인 성명을 발표했다. 그는 이 성명에서 "북위 38도 이남의 조선에는 오직 하나의 정부가 있을 뿐이다. 이 정부는 통치의 모든 영역에서 배타적 통제력과 권위를 보유하고 있다. 자칭 '관리'나, 자칭 '보안대' 집단이나, '전 인민을 대표한다'는 대소 규모의 회의나, 자칭 '조선인민공화국' 정부는 전혀 아무런 정통성이나 권한이나 실체가 없다. 만약 그와 같은 어마어마한 직함을 스스로 참칭하는 자들이 오락적 가치조차 의심스러운 흥행을 위해 인형극 무대에서 연기를 하고 있다면 그들은 즉각 그 인형극 무대에 막을 내려야 한다고 격렬하게 비난했다. 그는 이어 인공의 총선거 계획에 언급, "최근 자유로운 언론에 조선인민에 대한 사기사건 1건이 보도되었는데, 그것은 1946년 3월 1일에 실시한다는 가공적인 선거 실시 발표"라고 인공을 비난했다.[21]

이에 대해 인공 측은 맹렬하게 반발하면서 "인공은 미군상륙 전의 기정사실이며 신국가가 건설될 때까지 인민의 총의를 모아야 하는 것은 국제헌장의 정신이며 규정이다"라고 정면으로 반박했다.[22] 인공 측 반발이 계속되자 군정청은 10월 15일 하지 장군 명의로 인공을 부인하는 성명을 낸 데 이어 그달 27일에는 박헌영과 최초로 면담한 자리에서 인공과 조공은 어떤 관계에 있는가를 물었다. 박헌영은 인공과 조공은 아무 관계가 없으며 인공은 장차 수립될 정부를 준비하기 위한 학교와 같은 존재이며 미군정에 대립하는 기관이 아니라고 해명했다.[23] 여운형은 11월 12일 인공 부주석 사임과 조선인민당 창당을 선언함으로써 박헌영과 결별했다.[24] 인공은 12월 12일 하지 장군에 의해 최종적으로 불법화되었다.[25]

소련 군정 역시 인공을 탐탁하게 생각하지 않았다. 당시 평양의 소련점령군 사령부 선전책임자이자 정치공작위원회 소속이었던 메클레르(Grigory Mekler) 중령은 인공이 미군정의 사주에 의해 만들어졌다고 판단했다.[26] 소련 붕괴 후 공개된 소련 외교문서에 의하면 당시 서울에 주재했던 소련 총영사 폴리안스키(Alexander Polianski)는 모스크바에 보낸 보고서에서 "인공은 조선혁명의 토대가 북조선에 있다는 사실을 간과했다"고 지적했다. 10월 13일 평양에서 소련 점령군의 감독 아래 열린 조선공산당 북조선 5도 열성자대회는 북한에 조공 북조선분국을 창설할 것을 결의하면서 그 결정서에서 인공을 부정하는 조항을 삽입했다. 김일성은 11월 15일 조공 북조선분국 제2차 확대집행위원회에서 인공은 몇몇 사람들이 골방에 모여 만든 것이라고 비판한 다음 "우리는 누구도 이것을 정부라고 인정할 수 없다"고 선언했다.[27] 박헌영은 6·25전란 이후인 1956년 김일성에게 간첩죄로 몰려 처형되었을 때 그가 이승만을 주석으로 하는 부르주아공화국을 수립, 우경 투항주의적 과오를 범한 것으로 단죄되었다.[28]

② 좌익혁명세력: 조공과 남로당

금일의 정세는 혁명적으로 발전되고 있다.…이렇게 중대하고 절박한 시기에 노동계급의 전위인 조선공산당이 시각을 다투어 속히 대중 앞에 나서야 한다. 그러므로 전국적으로 통일된 볼셰비키 공산당을 다시 건설하기 위하여 조선 공산주의자들은 모든 힘을 집중할 것이 첫째 가장 중요한 당면의 과업이 되고 있다.

−조선공산당, "현 정세와 우리의 임무"(1945)

1. 장안파 조선공산당

해방정국 최초의 정당

장안파(長安派) 공산당은 해방 직후 남북한을 통틀어 최초로 결성된 정당이다. 일제 때 서울청년회계였던 장안파 핵심세력은 일본이 항복한 1945년 8월 15일 저녁부터 이튿날 새벽에 걸쳐 서울 종로구 종로2가의 장안빌딩에서 재빠르게 회동하고 조선공산당을 결성했다. 이 모임은 서울청년회 소속이던 이영(李英), 정백(鄭栢) 등과 경성제대 그룹의 최용달(崔容達) 등이 주축이 되어 소집되고, 화요계의 이승엽(李承燁) 조동호(趙東祜) 조두원(趙斗元, 일명 趙一明) 홍남표(洪南杓) 최원택(崔元澤), 상해파 고려공산당계의 서중석(徐重錫) 등이 참석한 가운데 열렸다. 이들은 밤을 새우면서 28년 전에 해체된 조선공산당(약칭 조공)의 복원 문제를 토의한 끝에 이튿날 당장 당을 출범시키기로 합의했다. 이들은 장안빌딩에 당 간판을 내걸었기 때문에 세상에서는 이 정당을 '장안파 공산당'이라고 불렀으며 8월 15일에 창당을 준비했다 해서 '15일당'이라고 부르기도 했다.[1]

장안파 핵심들은 장안빌딩 모임에서 이영을 책임비서로, 이승엽을 제2비서로 각각 뽑고, 각파 대표들로 구성된 12명의 중앙위원도 선출했다. 얼마 후 이승엽이 제2비서를 사임한 다음에는 ML계의 최익한(崔益翰)이 그 자리를 이어받았다. 18일에는 장안파 공산당의 청년조직인 조선공산주의청년동맹이 결성되고 23일에는 학병 출신 좌익계 청년조직인 조선학병동맹이 조직되어 외곽조직도 갖추어졌다.[2] 그렇기는 하나 장안파 공산당은 너무 성급하게 결성되는 바람에 당의 강령과 규약은 물론 당면 활동목표조차 정할 겨를이 없었다. 당의 조직 역시 중앙당만 있고 하부가 없는 기형적인 모습이었다. 이들의 성급한 행동 방식과 상당수 핵심간부들이 일제시기에 전향, 변절, 이탈 등의 불투명한 경력을 가진 사실 때문에 당 내외로부터 우경 기회주의적인 좌파 그룹이라는 비난을 받았다.[3]

박헌영의 귀경으로 타격 받은 장안파

장안파 공산당은 8월 17일부터 지방조직에 착수했다. 그러나 일제시기인 1925년 조선공산당 결성 때 창당의 주역을 맡았고 1928년 당이 해체된 후 해방될 때까지 줄곧 당 재건운동을 벌여온 정통파 공산운동 지도자 박헌영이 은신처인 광주에서 귀경하면서 장안파 공산당은 흔들리기 시작했다. 박헌영은 일제 말기인 1939년에 다른 동지들이 만들려던 경성콤그룹(京城Communist Group)에 합류, 조선공산당을 재건하려 했으나 일제의 탄압으로 끝내 실패한 다음 약 3년 동안 김성삼(金成三)이라는 가명으로 광주의 벽돌공장 노동자로 일하다가 해방을 맞았다.

박헌영은 해방 3일 후인 8월 18일 상경, 그날 밤 종로구 계동에 있는 직계동지였던 홍증식(洪璔植)의 집에서 그동안 감옥에 수감되어 있었거나 지하에 숨어 있던 경성콤그룹 동지들과 1차 모임을 가졌다. 이날부터 경성콤그룹과 일부 화요계 공산주의자들은 서울 거리에 "박헌영 동지 만세!" "위대한 지도자 박헌영 선생 나오시라"라는 등의 벽보를 내붙어 박헌영 롤백을 위한 분위기를 조성하고 장안파를 제압했다. 이 같은 벽보는 이미 해방 당일에도 서울 장안 요소요소에 등장했다.[4] 일제시기 박헌영의 조선공산당의 동지이자 조선일보 영업국장을 지낸 홍증식은 당초 장안파에 가담했으나 박헌영의 상경을 계기로 장안파 공산당을 이탈, 그의 진영으로 옮겨갔다. 이날 모인 박헌영의 동지들은 이주상(李冑相) 이관술(李觀述) 김삼룡(金三龍) 이현상(李鉉相) 등 18명이었다. 이들은 그날로 조선공산당 재건위원회 결성을 결의했다.[5]

장안파의 와해

조선공산당을 재건한다는 것은 바로 장안파 공산당을 와해·흡수하는 것을 의미했다. 이 작업은 권오직(權五稷) 최원택이 담당하여 우선, 원래 박헌영 계열이면서 장안파에 가담한 이승엽 정재달(鄭在達) 등을 손쉽게 포섭하고 이들을 통해 장안파의 핵심인 정백과 최익환을 상대로 포섭 공작을 벌였다.

이 무렵 박헌영은 서울에 있는 소련총영사관을 방문, 부영사 샤브신(A. I. Shabsin)과 만나 한반도의 현황 및 장래문제, 그리고 조공 재건문제를 비롯한 현안들을 협의했다. 박헌영은 상경한 바로 그날인 18일 소련총영사관을 최초로 방문한 것으로 알려졌다. 박헌영은 샤브신에게 조선공산당 재건문제를 자기에게 맡겨달라고 요청했다. 박헌영의 3차례에 걸친 10여 년간의 감옥생활 등 끈질긴 투쟁경력과 그의 뛰어난 마르크스 레닌주의 이론을 높이 평가한 샤브신은 그를 '적극' 지원하겠다고 약속했다. 샤브신은 이때부터 박헌영이 1946년 9월 내려진 미군정의 체포령을 피해 월북하기까지 약 1년 1개월간 거의 매일 박헌영과 비밀리에 만날 정도로 긴밀한 접촉을 가지면서 그의 후견인 노릇을 했다. 샤브신은 또한 박헌영이 평양에 들어가 김일성과 소련군정 당국자들을 만나도록 주선하고 김일성과 함께 모스크바를 방문, 스탈린과 면담할 수 있도록 힘을 썼다. 그는 소련군정 당국자에게 장차 조선을 통치할 지도자로 박헌영을 추천하기도 했다.[6] 소련영사관 측이 박헌영의 후견 역할을 한 사실은 바로 장안파의 패배와 와해를 촉진하는 것이다.

2. 재건파 조선공산당 출범

조공 재건준비위 결성

박헌영의 조선공산당 재건파는 8월 20일 보성전문 교수이자 공산주의 동조자인 김해균(金海均)의 서울 종로구 명륜동 자택에서 조선공산당 재건준비위를 정식으로 결성했다. 재건위는 일제시기에 조직된 경성콤그룹을 개편한 것이다. 경성콤그룹은 1925년에 지하당으로 조직된 조선공산당이 일제의 탄압으로 4차례나 해체와 재건을 거듭하다가 1928년에 코민테른(Comintern,

Communist International, 국제공산당)의 지시로 해산하자 이를 재건하려고 노력해온 지하조직이다. 박헌영은 제1차 조공사건으로 재판을 받던 중 보석으로 풀려난 다음 1928년 소련으로 탈출, 모스크바에 체재하던 시기에 김단야(金丹冶) 김정하(金鼎夏) 조두원(趙斗元) 권오직 외 30여 명의 동지들과 함께 해체된 조공의 재건을 위해 움직였다. 박헌영은 그 때의 사연을 감안해서 경성콤그룹을 조공 재건위로 개편했다는 것이다.[7]

재건준비위원회가 공식으로 출범하면서 조공 재건준비위 명의의 '일반 정치노선에 대한 결정'이 같은 날 채택되었다. 이것이 유명한 '8월테제'이다. 박헌영이 직접 쓴 이 문건은 장안파 공산당을 전면 부인, 장안파에 큰 충격을 주었다. 장안파는 나흘 후인 8월 24일 중앙집행위원회를 열어 당 해체를 결의했다. 이 때는 벌써 이영 최익한 정백을 제외한 대부분의 장안파 핵심세력들이 박헌영 쪽으로 기울어져 있었다. 장안파는 당 해체 결의 후 사태 수습을 위해 9월 8일 홍증식의 집에서 열성자대회를 열었다. 이 대회에는 장안파뿐 아니라 재건파의 대표도 참석했다. 회의는 장안당의 해체와 당 통합의 불가피성을 역설하는 박헌영의 연설로 시작되어 조선공산당의 재건사업을 모두 박헌영에게 일임한다는 결의안을 채택했다. 박헌영은 장안파에 대한 시비는 역사의 평가에 맡기자고 선언하고 전권을 위임받음으로써 장안파가 소집한 이 대회는 재건파의 의도대로 끝이 났다.[8]

김일성은 조공 제2인자로

조선공산당은 9월 11일 정식으로 발족했다. 조공 재건위는 자동적으로 해소되고 박헌영 김일성 등 28명의 중앙위원과 이관술 등 4명의 중앙검열위원 명단이 발표되었다.[9] 박헌영은 중앙위원뿐 아니라 총비서라는 직함의 최고지도자가 되고, 김일성은 정치국 서열 제2인자로 추대되었다. 이들 중 김일성 무정(武亭) 최창익(崔昌益) 등 북한에 있는 인물들을 제외하면 모두가 박헌영계 일색이었다. 김일성이 당의 제2인자로 선출된 것은 박헌영 지도하의 조선공산당이 남북한을 관할한다는 의미이다. 장안파의 핵심인 이영 정백 최익한 이정윤(李廷允)은 중앙당 간부직에서 배제되었다.[10] 이들 장안파의 핵심세력이 당직에서 소외된 것은 후일 당내 노선갈등과 종파싸움의 원인이 되었다. 재건파는 장안파와의 갈등 때문에 시간을 끌다가 11월 23일에야 비로소 서울 중구 소공동의 근택(近澤)빌딩(과거의 경향신문사 건물)에 조선공산당 중앙당사 간판을 정식으로 내걸었다. 조공은 이로써 1928년 4차당이 해체된 지 17년 만에 역사상 최초의 합법적 공산주의정당으로 재건되었다. 창당대회 다음날인 12일에는 조공의 출범을 자축하고, Ⅰ-①(좌익세력의 정국 주도와 건준 및 인공)에서 살펴본 조선인민공화국(약칭 인공)의 수립을 경축하는 대규모 시가행진이 서울에서 벌어졌다.

당의 투쟁목표와 8월테제

조공은 9월 14일 "조선공산당은 마침내 통일·재건되었다"는 역사적인 선언문을 발표했다. 9월 19일자 기관지 《해방일보》에 실린 이 선언문은 1928년에 조공이 해체된 이래 당 재건투쟁이 계속되어 왔고 37년 이후로는 경성콤그룹 중심의 지하운동 형태로 재건운동이 활발하게 전개되어 왔다고 밝히고 장안당은 공산주의 운동의 통일을 위해 재건위에 통합하기로 결정했다고 설명했다.[11] 선언문은 말미에서 다음과 같은 '조선공산당의 주장' 4개항을 밝혔다.

1. 조선공산당은 조선의 노동자 농민 도시빈민 병사 인텔리겐치아 등 일반 노동인민의 정치적 경제적 사회적 이익을 옹호하여 그들의 생활의 급진적 개선을 위하여 투쟁한다.
2. 조선민족의 완전해방과 모든 봉건적 잔재를 일소하고 자유발전의 길을 열어주기 위하여 끝까지 투쟁한다.
3. 조선인민의 이익을 존중하는 혁명적 민주주의적 인민정부를 확립하기 위하여 싸운다.
4. 프롤레타리아트의 독재를 통하여 조선노동계급의 완전 해방으로써 착취와 압박이 없고 계급이 없는 공산주의사회의 건설을 최후의 목적으로 하는 인류사적 임무를 주장한다.[12]

이 같은 주장들은 이미 20일 전인 8월 20일 박헌영이 발표한 8월테제의 노선 그대로였다. 여기서 8월테제의 내용을 자세히 살펴보기로 하자. 8월테제는 먼저, ① 당시의 '현 정세'에 관해 파시즘의 완전한 패배로 인해 진보적 민주주의와 사회주의의 승리가 세계혁명을 더 높은 단계로 끌어올렸다고 평가했다. 그리고 소련과 함께 미국을 '진보적 민주주의 국가'로 인식하고 미소협력에 의한 평화적 정권 수립과 평화적 혁명 가능성을 전망했다. 이와 관련, 8월테제는 "지금과 같은 세계혁명 발전과정에서 조선과 같은 나라가 평화적인 혁명의 성공이 가능하다는 실례를 보여주었다"고 분석했다. 그러나 국내정세에 대한 평가에서는 "우리 노동자 농민 도시 하층민과 인텔리겐치아는 진보적 민주주의 국가를 희망하고 있지만 민족 부르주아지(지주 자본가 상인)는 친일파의 영향을 벗어나지 못하고 반민주주의 국가 건설을 기대하고 있다"고 비난했다. ② 이 문건은 이어 '조선혁명의 현 단계'에서 조선혁명은 제1차 단계인 '부르주아지민주주의 혁명' 단계에 있다고 규정하고 이 혁명의 가장 중요한 과업은 완전한 민족적 독립 및 농업혁명을 완수할 수 있는 새 정권의 수립이라고 밝혔다. 토지문제는 혁명적으로 해결해야 하며, 이를 위해 대지주들의 토지를 몰수, 토지 없는 농민들에게 분배해야 한다고 밝혔다. 또한 언론 출판 집회 및 시위의 자유를 보장하고 공산당 및 기타 혁명적 단체를 합법화하며 정부정책에 공산당의 참여권을 획득하고, 8시간 노동, 의무교육, 여성의 지도적 역할 강화, 소득액수에 따른 세제(稅制)의 실시 등을 주장했다. 8월테제는 이 같은 목표를 달성하기 위해 좌파민족주의자, 민족개량주의자, 사회개량주의자(계급투쟁을 거부하는), 사회파시트(반역자 일제 주구) 등과 비타협 투쟁을 전개해야 하며 조공은 노동자 농민 소부르주아지 등 혁명적 대중의 선두에 서야 한다고 밝혔다. ③ 이 문건은 또한 조공의 운동방향으로서 인민대중을 선도하는 전투적 볼셰비키 당이 되어야 하며 노동운동과 농민운동 등 대중운동을 전개, 노동자와 농민을 조직화할 것을 당면목표로 규정하고 조직화된 노동자 농민은 민주주의적 독재를 실현하기 위해 프롤레타리아의 헤게모니를 확립해야 한다고 주장했다. 8월테제는 정권 수립을 위한 투쟁을 전국적 범위에서 전개하며 노동자 농민이 중심이 되고 도시 소시민과 인텔리겐치아가 참가하는 인민정부를 조직해 이것이 점차 노

동자 농민의 민주주의적 독재정권으로 발전하도록 한다는 제2단계 혁명노선을 제시했다.[13]

8월테제는 같은 날짜에 소련공산당 중앙위원회와 스탈린에게도 보내졌다.[14] 아마도 서울에 있던 소련총영사관을 통해서 전달된 것으로 보인다. 박헌영은 이 문건을 만들기 위해 소련총영사관에서 자료를 얻었는데 완성 즉시 이를 소련에 전달한 것은 흥미 있는 사실이다.

9월문건으로 내용 보완

8월테제는 약 1개월 후인 9월 25일 조공 중앙위원회가 내용을 보완해 '현 정세와 우리의 임무−정치노선에 대한 결정'이라는 문건으로 발표되었다. 9월문건은 8월테제에서 밝힌 당의 노선을 재확인하고 8월테제가 발표된 이후에 일어난 조선인민공화국 탄생, 보수계의 한국민주당의 창당, 장안파 공산당의 동향, 2단계 혁명론 등 문제를 추가로 언급했다. 이 때문에 흔히 9월문건을 8월테제와 동일시하는 경우가 많다. 8월테제와 이를 보완한 9월문건은 조선공산당의 혁명노선을 자세히 밝히고 있기 때문에 해방 이후 최초의 구체적인 '조선혁명 지침'이라 할 수 있다. 이 같은 노선은 그 후 60여년이 지난 21세기 초까지도 여전히 한국의 혁명적 좌파세력의 사상적 지표가 되고 있다.

9월문건에 추가된 사항 중 특히 주목할 만한 것은 2단계 혁명론을 보다 체계화한 점이다. 이 문건은 부르주아 민주주의혁명이 그 높은 단계인 프롤레타리아혁명으로 전환하는 것의 중요성을 강조하면서 장안파 공산당의 지도자들을 '사회 파시스트'(일본제국주의자와 협력하는 변절자 일파)라고 매도했다. 이 문건은 또 최익한 이영 정백 3명을 구체적으로 거명하면서 이들이 해방에 의해 부르주아혁명이 이미 완수되었으므로 곧바로 부르주아지의 반동적 저항을 진압하고 프롤레타리아혁명으로 나아가야 한다고 주장하는 것은 극좌적 파벌주의들의 종교적 경향이라고 맹렬히 비난했다. 문건은 또한 일본에서 귀국한 일부 '동지'들이 부르주아혁명과 프롤레타리아 혁명은 단계적 과업이 아니라 양개 혁명이 동시에 추진되어야 하는 이중혁명이라고 주장하고 있는 것 역시 좌경극좌노선이라고 비판했다. 9월문건은 "우리 자체의 준비공작도 없이 폭동을 일으키려는 것은 옳지 못한 것이니 폭동을 일으키려면 적어도 대중을 동원할 수 있는 조직과 옳은 전술이 있어야 한다"고 주장했다. 이 문건은 또한 "해외에 있는 망명정부와 결탁해 저 미국식 데모크라시적 사회제도 건설을 최고이상으로 삼는 반동적 민족 부르주아지 송진우와 김성수를 중심으로 하는 한국민주당(약칭 한민당)은 지주와 자본계급의 이익을 대표한 반동적 정당"이라고 매도하면서 이들과의 투쟁을 주장했다.[15]

코민테른 노선에 충실했던 박헌영

박헌영이 8월테제를 작성하면서 코민테른이 1928년 12월 제6차 회의에서 만든 '12월테제'(정식 명칭 '조선문제에 대한 코민테른 집행위원회 결의')의 기본노선을 충실하게 추종한 것은 흥미로운 점이다. 앞으로 살펴보겠지만 박헌영의 대소의존은 거의 절대적이어서 그는 소련점령당국의 방침에 순응했다. 12월테제는 지식인과 학생 위주의 조선공산당의 해체와 노동자 농민 중심의 새로운 재건을 지시한 문서이다. 이 문건은 조선에서의 당면과업은 토지혁명을 통한 농업혁명이라고 전제하고 "제국주의 억압에 대한 승리는 동시에 농업문제 해결의 혁명적 방법과 프롤레타리아와 농민들의 민주주의적 독재의 수립(소비에트의 형태)을 전제로 하는 바, 이를 통해 부르주아-민주주의혁명은 프롤레타리아의 지도하에 사회주의 혁명으로 진화할 것"이라고 밝혔다. 이것은 바로 2단계 혁명론이다. 민족개량주의에 대한 12월테제의 비난 내용도 8월테제와 비슷하다. 이 문건은 "현 단계에서 조선 공산주의운동의 기본노선은 한편으로는 프롤레타리아적 혁명운동의 강화, 소부르주아적 민족혁명운동에 대한 완전한 자립성 보장이며, 다른 면으로는 민족혁명운동의 강화, 이 운동에 계급적 성격 부여, 타협적인 민족개량주의로부터, 즉 그 동요가 부단히 또 무자비하게 폭로되어야 할 부르주아 민족주의 운동으로부터 떼어놓는 것"이라고 주장했다.[16] 민족개량주의란 당시 조선공산당이 민족주의 좌파와 만든 신간회와 천도교 조직을 지칭한다.

12월테제는 당면과업으로 직업동맹과 노동자 단체들의 권리의 쟁취와 확장, 노동법 분야에서의 8시간 노동제, 소년들의 6시간 노동제, 남녀 노동자를 위한 동일한 노동조건과 조선인 노동자들과 일본인 노동자들의 노동조건 균등화 등을 제시한데서[17] 8월테제와 유사성이 있다. 박헌영이 8월테제를 작성하면서 17년 전인 1928년 코민테른의 노선을 답습한 것에 대해 1970년대의 명저인《한국공산주의운동사》의 공동저자인 스칼라피노와 이정식(李庭植)은 "1945년 이전에 잔뼈가 굵은 혁명가들은 이 시기에도 여전히 12월테제에 집착했다"고 지적하고 지주와 부르주아에 대한 박헌영의 반감을 그 증거로 제시했다.[18]

박헌영은 1929년 12월 모스크바의 레닌대학에 유학하던 시기에 동방노력자공산대학에서 코민테른 동양비서부 조선위원회가 주최한 '조선의 현 상황과 공산주의자들의 과제'라는 제목의 토론회에 참석, 2단계 혁명론에 입각한 코민테른의 결정을 지지한다고 발언했다. 그는 조선혁명의 임박한 과제는 부르주아민주주의혁명이며 그 추진세력은 노동계급과 농민이라고 주장하고 한마디로 나는 코민테른의 훌륭한 일꾼이 되기를 바란다고 언명했다.[19] 코민테른의 2단계 혁명론은 1935년의 코민테른 7차 대회에서 더욱 보강되었다. 이 대회는 스탈린의 방침에 따라 계급혁명보다 파시즘과 제국주의에 대항하는 반파시즘 인민전선전술로 선회해 소비에트 국가권력에 이르는 과도단계로서 인민전선정부 수립을 당면 목표로 설정한 이른바 '디미트로프(Dimitrov)테제'를 채택했다. 당시는 조선공산당이 해체된 기간이었지만, 조공 재건을 추진하던 조선의 공산주의자들에게는 새로운 지침이 되었다.[20]

장안파 공산당은 창당 당시에는 강령과 규약을 제정할 여유가 없었으나 나중에 극좌적인 혁명노선을 표방하고 나섰다. 장안파는 박헌영의 8월테제 발표 직후 이에 대응하는 '조선독립과 공산주의자의 긴급임무'를 발표하고 라이벌인 재건파 조공의 출범 이후인 9월 15일에도 "현 단계의 정세와 우리의 임무"라는 테제를 연이어 발표했다.[21] 장안파는 재건파의 주장에 대항해서 프롤레타리아혁명을 당면과제로 내세움으로써 민족주의자 및 민족개량주의자들과의 투쟁이 당장 불가피하다고 주장했다.

3. 박헌영의 합작 노선 실패와 신전술

이승만 및 미군정청과의 협조 모색과 좌절

이승만이 1945년 10월 환국하면서 거족적인 환영을 받게 되자 박헌영의 조공 역시 그를 대대적으로 환영했다. 박헌영은 이승만을 통일전선전술의 대상으로 보고 이번 기회에 자신이 앞서 발표한 인공 주석 자리에 기필코 취임토록 하려는 것이었다. 그는 이승만이 귀국하는 날 인공 명의로 "우리 인공의 주석, 이승만 박사 귀국하셨다. 그는 3천만 민중의 경앙의 적(的)이었던 만큼 전국은 환호에 넘치고 있다. 위대한 지도자에게 충심의 감사와 만강의 환영을 바친다"라는 성명을 발표했다. 그리고 홍남표 최용달 이강국 이여성 등 7명으로 환영준비위원회를 구성했다. 이승만 귀국 다음날에는 인공 부주석 여운형과 국무총리 허헌이 이강국 최용달을 대동하고 그가 머물던 조선호텔을 방문했다. 그와의 면담은 이루지 못했으나 이들은 8·15 이후의 경과보고 문서와 참고자료를 전달하는 등 이승만을 문자 그대로 인공의 주석으로 예우했다.[22]

이승만은 귀국 직후에는 박헌영과 여운형을 모두 포용할 것 같은 제스처를 취했다. 그는 10월 21일 하지 장군의 주선으로 서울 중앙방송을 통해 연설하는 가운데 "나는 공산당에 대해 호감을 갖고 있는 사람이다. 그 주의에 대해서도 찬성하므로 우리나라의 경제대책을 세울 때 공산주의를 채용할 점이 많이 있다"고 말했다.[23] 이승만으로서는 조공 등 좌파세력을 그의 휘하에 넣기 위해 쓴 제스처이다. 그는 인공 주석과 한민당이 공석으로 남겨놓고 그를 기다리고 있던 한민당 총재 자리, 어디에도 취임하지 않았다. 박헌영은 두 번 직접 이승만과 면담하고 인공 주석 취임을 간곡히 부탁했으나 이승만이 끝내 이를 거부하자 이승만이 인공 주석에 취임하지 않으면 그를 민족통일전선 실패의 최고책임자로 규정하겠다고 공개적으로 언명하기에 이르렀다. 이승만은 이에 대해 이튿날 자신은 임정에 복종하여 김구를 옹호해 온 터이므로 다른 방법으로 정식 타협이 있기 전에는 다른 정부나 정당에 이름을 둘 수 없다고 맞섰다. 박헌영은 마지막으로 11월 16일 그의 거처인 돈암장으로 이승만을 찾아갔다. 그러나 이승만이 여전히 태도를 바꾸지 않자 박헌영은 "당신은 미제국주의 앞잡이가 아니요?”라는 투로 비난하고 “반동들이 모이는 데 안 나오려고 했는데, 그만 갑시다”하고 자신을 수행한 인사들에게 외치면서 돈암장을 박차고 나왔다.[24] 박헌영은 같은 날 정당통합운동 실패 책임을 이승만에게 지우고 이승만이 이끌던 독립촉성중앙협의회(약칭 독촉)에서 탈퇴한다고 선언했다. 조공은 이때부터 인공의 지방조직을 강화해 독촉과 대결하면서 사사건건 이승만을 비난하기 시작했다. 이승만은 12월 20일 ‘공산당에 대한 나의 입장’이라는 성명을 발표하고 “온 세계를 파괴하는 자도 공산당이요, 조선을 파괴하는 자도 공산주의자”라면서 조공과의 완전한 관계 단절을 선언했다. 박헌영은 사흘 뒤 이승만을 “민족반역자 및 친일파의 수령”이라고 비난하는 성명을 조공 중앙위 대표 명의로 발표했다.[25]

박헌영은 미군정청이 인공 불승인 정책을 공표한 다음에도 꾸준하게 하지 사령관과 아놀드 군정장관을 만나 조공의 입장을 납득시키려는 노력을 기울였다. 그는 앞장에서 설명한 바와 같이 10월 27일 하지와의 최초 회담에서 인공수립의 정당성을 주장하면서 조공이 군정청과 긴밀한 우호협력관계를 유지할 것이라고 말했다.[26] 박헌영은 11월 13일에는 아놀드 군정장관을 만나 조공이 군정청에 반대하고 있다는 지적을 듣고 조공은 군정청이 친일파나 민족반역자들을 끌어들이고 있는 사실을 비판할 뿐 협력 자체는 변함이 없다고 다짐했다. 15일에는 하지 장군과 두 번째 회담을 갖고 조공의 협력을 약속하면서 군정청이 모든 정파에 대해서 공평하게 대해 줄 것을 요구했다. 12월 11일에는 아놀드가 박헌영을 불러 군정청 자문기관인 민주의원 설립에 조공이 협력해 줄 것을 요청하자 박헌영은 확답을 피한 채 친일파를 제외한 모든 정치세력의 통일전선 형성이 우익의 반대로 이룩되지 못하고 있다고 설명했다. 박헌영은 같은 달 19일 하지 장군의 부름을 받고 비슷한 내용의 담화를 주고받았다. 1946년 1월 11일에는 박헌영이 하지를 찾아가 서울에서 벌어지는 신탁통치반대 집회를 중지시켜 줄 것을 요구했다가 하지로부터 반탁데모와 미군정은 무관하며 공산당이 방해작전만 쓰지 않는다면 시위는 평화적으로 끝날 것이라고 박헌영의 시위중지 조치 요청 수락을 거부했다.[27]

결국, 박헌영은 미군정청과의 협력관계 수립에 실패하고 좌파 연합전선 결성으로 방향을 바꾸었다. 박헌영은 우파 지도자 이승만 및 미군정당국과의 협력 관계를 맺는데 모두 실패하자 실력행사로 정책을 전환해 그 후 남한에서 피비린내 나는 좌우이념대결이 시작된다. 좌파세력은 1946년 1월 31일 민주주의민족전선(민전) 결성준비위원회를 구성하고, 북한에서 1946년 2월 9일 김일성을 위원장으로 하는 북조선임시인민위원회를 설치하자 이튿날 조공 중앙위원회가 앞장서서 이를 찬양하는 성명을 발표했다.[28] 조공은 3월 15일 중앙위원회 성명을 통해 민주의원이 설립된 이후 미군정청의 시책이 억압적인 방향으로 바뀌고 있다고 비난했다.

조공의 '신전술'

박헌영은 미군정청이 자신을 배제하고 조공에 대한 단속을 강화하자 그 대항책으로 파업과 시위 전술을 강구하기 시작했다. 그것이 조공이 1946년 7월에 결정한 이른바 '신전술'이다. 이 신전술은 시티코프 장군의 건의를 받아들인 스탈린이 같은 달 초 모스크바에서 시티코프, 김일성, 박헌영을 불러 지시한 것으로 보인다.[29] 미소공위의 소련 측 대표였던 시티코프는 1차 공위가 실패로 돌아가고 미군정의 조공 단속이 강화되자 "남한의 좌익을 탄압하려는 미군정의 기도를 좌절시키기 위해 미군정과 우익에 의해 가중되는 좌익에 대한 테러와 탄압을 체계적으로 폭로·규탄하는 활동을 전개할 것"을 모스크바에 건의했다. 이 무렵에는 미소간의 관계 악화로 서울의 소련총영사관이 전격 폐쇄되었다.[30]

미군정청은 1946년 5월 정판사(精版社) 위조지폐사건을 적발, 조공 간부인 이관술 권오직 박낙종(朴洛鍾) 등을 체포하고 전국의 조공본부를 수색했다. 정판사는 서울 중구 소공동 조공본부 건물에 함께 있던 조공 기관지《해방일보》의 인쇄소인데 일제 때는 조선은행의 지폐를 찍던 조폐공장이었다. 이날 장택상(張澤相) 수도경찰청은 조공 간부 체포를 발표하면서 이들이 정판사에서 약 3백만 원의 위조지폐를 찍어 유포한 사실이 드러났다고 밝혔다. 이들은 조공의 활동 자금 마련과 남한 경제의 교란 목적을 동시에 달성하기 위하여 이런 일을 저질렀다는 것이 경찰의 주장이었다. 경찰은 위조지폐 중 약 50만원이《해방일보》제작에 사용되었다고 발표했다. 경찰에 의하면 이 사건의 주범은 조공 재정부장인 이관술(李觀述)과 《해방일보》 사장 권오직으로, 이들의 지시로 정판사 사장 박낙종, 서무과장 송언필(宋彦弼)이 위조지폐를 인쇄했다는 것이다. 일제 때 화폐를 찍던 시절부터 정판사 직원이었던 조공 당원 한 사람이 지폐 인쇄판을 미리 훔쳐서 보관하고 있었다는 것이다. 조공 측에서는 이를 조작된 사건이라고 부인했지만 재판 결과 관련자는 무기징역 등 중형을 선고받았다.

이 사건을 계기로 조공과 미군정청은 정면충돌을 하게 되었다. 조공은 7월 26일 다음과 같은 결정을 내리고 그 때까지의 타협적 자세에서 공세적이고 비판적인 입장으로 전환했다.

> 지금까지 우리는 미군정에 협력하여 왔으며 미군정을 비판함에 있어서는 미군정을 직접 치지 않고…간접적으로 비판하였으나 앞으로는 우리가 이런 태도를 버리고 미군정을 노골적으로 치자…지금까지 미군정과 그 비호하의 반동들의 테러에 대하여 그저 맞고만 있었으나 지금부터는 맞고만 있을 것이 아니라 정당방위의 역공세로 나가자. 테러는 테러로써, 피는 피로써 갚자.[31]

조공을 비롯한 좌익세력은 해방 직후에는 우익세력에 비해 조직력이 강했으므로 통일임시정부 수립과 신탁통치를 통한 정치적 방법으로 남한에서 인민정권을 수립하려 했다. 그러나 신탁통치가 우익들의 반대로 어렵게 되고 점차 미군정의 단속이 심해지자 투쟁방법을 달리하게 된 것이다. 원래 공산주의자들의 계급투쟁에는 정치투쟁 경제투쟁 사상투쟁 등 3가지가 있는데 정권탈취를 목적으로 하는 정치투쟁 중에서는 폭력투쟁이 가장 높은 형태이다.[32] 박헌영은 이 같은 레닌의 혁명이론을 교조적으로 실천함으로써 그 후 피비린내 나는 유혈폭력투쟁으로써 미군정에 맞서게 된다.

9월총파업

조공이 '신전술'을 선언하면서 밝힌 '정당방위의 역공세'란 총파업과 테러를 의미했다. 조공 산하조직인 전평(정식 명칭 노동조합전국평의회)은 당으로부터 '신전술'을 지시받고 노동운동이 준비 없이 분산적으로 조직된 탓에 '거둘 수 있는 성과를 거두지 못하고 있는 부족점'에 관해 자아비판을 했다. 전평은 보다 '조직적이며 집단적인 대중적 파업투쟁'을 벌이기로 결정하고 파업을 10월에 단행하기로 했다. 10월은 추수기여서 노동자들이 파업을 벌이면 농민들도 호응해 더욱 효과적인 추수투쟁을 전개할 수 있을 것으로 판단했기 때문이다. 전평은 노동자와 농민이 합류하면 미군정도 손을 쓰기가 어렵게 파업이 확대되고 노농간의 동맹도 강화될 것으로 기대했다. 이 계획은 전평 상무위원회에서 채택되어 조공 지도부(박헌영)의 비준에 회부되었으나 조공 측에서 시간을 끌다가 8월 중순에 들어 비준이 났다.[33]

전평의 이러한 움직임에 대해 미군정청은 일찌감치 8월에 기선을 잡아 전평 본부를 수색하고 서류를 압수했다. 그런데 때마침 미군정청 운수부는 그달 20일 적자해소와 노동자 인력관리의 합리화를 기한다는 이유로 운수부 종업원의 25%를 감원하고 나머지 운수부 직원에 대해서는 월급제를 일급제로 바꾸는 구조조정을 단행키로 결정했다. 이를 호기로 판단한 조공은 전평이 당초 10월에 단행키로 한 총파업을 9월로 앞당기기로 결정했다. 전평 지도부는 긴급회의를 소집해 총파업 방침을 결정했다. 전평 지도부는 북한의 노동자들도 전평의 총파업에 호응해 동정파업을 해주도록 대표를 평양에 파견하기로 하고 박헌영에게 신임장을 발부해 주도록 요청했다. 그러나 박헌영은 이를 허가하지 않았다. 당시만 해도 박헌영은 아직 미군정과 정면대결을 하려 하지 않았다.[34] 조공이 총파업 전술로 나간 데는 미군정청의 강경책에 대한 대응책 이외에 반탁운동이 기세를 올리자 이에 초조해진 탓도 있었다.

이 무렵 북조선 인민위원회 평양보안국 특찰과는 미군정의 단속을 받는 조공을 응원이라도 하려는 듯 남한의 요인 암살 및 경제교란을 위해 11명의 프락치 대를 서울에 파견했다. 이들은 경기도 포천경찰서 순경을 매수해서 38선을 넘어 서울에 잠입, 이승만, 장택상, 그리고 한민당의 김성수 장덕수(張德秀) 등을 8월 30일까지 제거하라는 지령을 수행하려 했다. 그러나 이들은 최종 목표일 나흘 전에 경찰에 검거되었다.[35] 이런 상황에서 미군정청은 9월 6일 박헌영을 비롯해 이주하(李舟河) 이강국 권오직 등 조공 간부들에 대해 사회교란 폭동음모 혐의로 체포영장을 발부했다. 이주하는 9월 8일 체포되었으나 박헌영과 이강국의 행방은 묘연했다.[36] 박헌영은 이때부터 지하에 잠입했다가 10월 북한으로 들어갔다. 같은 날 미군정청은 《조선인민보》, 《중앙신문》 및 《현대일보》의 3개 좌파신문을 폐간시키고 해당 신문사의 간부들을 체포했다. 소공동의 조공 중앙당사는 이미 군정당국의 지시로 경찰에 의해 폐쇄된 상태였다.

전평의 총파업은 9월 23일 부산철도 노조원 7천여 명의 파업을 시발로 전신 전화 전기 운수 섬유 금속 화학 출판 신문 등 40여 개의 노조단체 노동자 25만 1천여 명이 가담함으로써 해방 후 최대 규모로 발전했다. 시위자들의 요구사항 중에는 구속된 공산주의자 석방과 권력의 인민위원회 이양을 요구하는 내용도 들어가 있었다. 주한미군사령관 하지 장군은 9월 26일 방송을 통해 "파업은 조선 주둔 미군을 괴롭히고 불신하도록 하기 위해 선동자들이 조장한 것"이라고 비난했다.[37]

10월폭동

총파업사태는 대구에서 폭동사태로 발전했다. 총파업으로 대구시내의 식량 등 생필품 공급이 원활하게 되지 않자 경북인민위원회 조공 경북도위원회 전평 경북평의회 등 좌익단체들은 10월 1일 부녀자와 어린이를 포함한 2백~3백여 명의 시민들에게 식량배급을 요구하는 시위를 하도록 선동했다. 이들을 해산하기 위해 무장경찰관 수십 명이 현장에 투입되었으나 오히려 경찰관이 폭행을 당하는 사태로 발전했다. 경찰의 위협발포로 군중 가운데 시위자 1명이 유탄에 맞아 사망하는 사건이 일어나자 사태는 크게 악화되었다. 조공은 이튿날 1천여 명의 시민들을 동원, 시위대원들이 전날 죽은 시위자의 시체를 메고 대구 시가지를 행진함으로써 9월총파업은 마침내 폭동사태로 이어졌다. 시위자들은 대구경찰서 등 경찰관서를 습격, 무기를 탈취해 경찰서장 지서장 등 경찰관들과 군수 면장 등 행정관리 및 그 가족들을 닥치는 대로 살해하기 시작했다. 대구시내에서만 경찰관 38명이 살해당했다. 폭동사태는 삽시간에 경북 일원으로 확대되더니 연말까지는 전남·북 및 경기 강원 등 전국 73개 시군으로 파급되었다. 미군정은 대구 지역에 계엄을 선포하고 수습에 나섰는데, 이 사태로 사망자 1천여 명(이 중 피살된 경찰관 2백여 명), 행방불명자 3천6백여 녕, 부상자

2만 6천여 명, 피체자가 3만여 명에 이르는 막심한 피해가 일어났다. 폭동진압 과정에서 많은 무고한 시민들도 인명피해를 입었다.[38] 조공 측도 그해 말까지 검거된 당원이 7천명을 넘었고 그 중 1천5백명은 구속되었으며 폭동의 주동자인 대구시 인민위 및 조공 지방당의 간부 최문학(崔文學) 이광렬(李光烈) 이삼택(李三澤) 박학구(朴鶴九) 이재희(李在熙) 5명은 사형선고를 받았다.[39]

그런데, 과거 박헌영 아래서 조공 기관지《해방일보》정치부 기자와 월북 후 문화선전성 유럽부장으로 활동하다가 북한을 탈출한 박갑동(朴甲東)에 의하면, 9월총파업은 당초부터 폭동의 전초전으로 기획된 것이었다고 한다. 조공은 조선인민당과 남조선신민당과의 3당합당 추진으로 빚어진 당내 분규를 은폐하고 미군정청을 압박, 조공의 세력을 확대하려는 정치적 목적에서 9월파업을 시작했다는 것이다. 총파업과 폭동은 중앙당부의 지시를 받은 현지의 하급 당부에 의해 철저하게 준비되었다. 당시 이 같은 깊은 사정을 잘 모르는 일반당원들은 9월총파업이 끝나면 어디선가 무슨 사태가 일어날 것으로 예측했다는 것이다. 그 이유는 조공 중앙당부가 각급 세포조직을 통해 선동에 능숙한 당원을 개별적으로 불러 교육을 시키는 등 분주한 움직임을 보였고 일부 특수공작대원들이 서울근교에서 훈련을 받는다는 소문도 있었다는 것이다.[40]

북한과 소련의 지원

조공이 10·1대구폭동사건을 '10월인민항쟁'이라고 선전하고 현재까지도 일부 좌파학자들이 그대로 부르는 것은 이 사태를 민중봉기로 미화하고 정당화하기 위해 사실을 왜곡한 표현이다. Ⅰ-**3**(좌익온건세력: 인민당과 사로-근민당)에서 살펴보는 바와 같이 당시에도 조공 대회파, 즉 박헌영 반대진영에서는 9월총파업과 10·1폭동에 관련해서 조공 지도부를 맹렬하게 비판했지만,[41] 이 사태는 결코 '민란'이 아니다. 이 유혈폭동사태는 조공 지도부가 조직적으로 선동하고 지휘하고 직접 행동했으며, 배후에서는 북한의 김일성이 지원하고 개입했을 뿐 아니라 소련군당국이 총파업 단계에서부터 자금을 지원한 사실이 소련 붕괴 후 공개된 비밀문서에서 밝혀졌다.

소련군정의 최고책임자인 연해주군관구 정치사령관 시티코프(T. F.

Shtykov) 상장은 1946년 9월 9일자 일기에서 박헌영이 조선공산당은 사회단체들을 어떻게 지도해야 하는지에 대해 소련군당국에 문의했다고 썼다.[42] 그는 박헌영이 어떤 경로를 통해 그런 문의를 했는지는 밝히지 않았지만 이때는 당초 10월로 예정되었던 총파업을 1개월 앞당기도록 조공이 전평 지도부에 지시한 무렵이어서 이미 파업 시작 단계에서부터 조공이 소련당국과 협의한 사실을 말해 주는 것이다. 이때 박헌영은 미군정청으로부터 체포령이 내려져 지하에 잠복한 시기였다. 시티코프는 즉시 북조선노동당 위원장 김두봉(金枓奉)을 호출, 남조선 정세와 지원대책에 대해 토의한 다음 소련군 참모들과 이 문제를 협의했다고 10일자 및 11일자 일기에서 밝혔다.[43] 그 결과 그는 평양주재 소련군 민정사령관 로마넨코(Andrei A. Romanenko)를 통해 9월 28일 평양에서 개최된 서울주재 소련 부영사 샤브신, 김일성, 여운형 등과의 연석회의에서 노조원들의 임금인상, 체포된 공산주의자들의 석방, 좌익신문의 복간, 조공 지도자들에 대한 미군정청의 체포령 철회 등 요구조건이 받아들여질 때까지 파업을 계속하라고 지시했다. 다만 그는 인민위원회로의 행정권 이양문제를 파업의 요구조건으로 삼지 말고 미군당국과 협상할 것을 제의하는 성명을 발표하는 선에서 그치라고 지시했다. 행정권 이양을 파업의 요구조건으로 삼지 말라는 것은 9월총파업이 미군정 타도 투쟁으로 확대하지 않도록 배려한데서 나온 것이다. 로마넨코는 이 자리에서 파업 지원 자금으로 500만 엔을 요청받고 200만 엔을 지급했다.[44]

또한 시티코프 상장은 10월폭동이 한창 진행되던 10월 21일자 그의 일기에서 조공 중앙위원 조두원이 김일성에게 남한의 빨치산부대가 '반동진영'을 상대로 벌이고 있는 전투를 본격적으로 벌여야 할지를 문의하는 보고서를 보낸 사실을 김일성이 자신에게 보고했다고 썼다. 시티코프는 이어 평양으로 도피한 박헌영이 산으로 들어간 빨치산부대원들에게 식량과 탄약이 부족하다고 자신에게 보고하고 앞으로의 투쟁방침에 관해 교시해 줄 것을 요청했다고 기록했다.[45] 그는 자신이 어떤 조치를 취한지에 대해서는 기록을 남기지 않았지만 로마넨코의 예를 보아 지원조치를 취했을 것으로 추측된다. 시티코프 일기에 따르면 그는 그해 12월 6일과 7일 두 차례에 걸쳐 박헌영에게 다시 혁명자금으로 각각 39만

엔과 122만루블을 지급했다고 한다.[46]

4. 남로당 결성

소련 지시에 따른 3당통합 결정

조선공산당과 조선인민당(약칭 인민당), 그리고 남조선신민당(약칭 신민당)은 1946년 11월 23일 남조선노동당(약칭 남로당)으로 통합되었다. 3당통합은 소련의 지시에 의해 추진되었다. 소련은 2차 대전 이후 위성국이 된 동유럽 각국과 북한에서 좌익정당의 통합을 지령, 전체 9개국 중 5개국에서 '노동당'이 탄생했다. 북한에서는 1946년 8월 북조선공산당과 조선신민당이 합쳐 북조선노동당이 창당되었는데 위원장에는 조선신민당의 김두봉, 부위원장에는 북조선공산당의 김일성과 주영하(朱寧河) 두 사람이 선출되었다. 스탈린은 명예위원장에 추대되었다. 같은 해 동독에서는 사회민주당과 공산당이 합해 사회주의통일당이 탄생했다. 동유럽의 다른 나라들은 1948년에 좌익정당 통합이 실현을 보았다.[47]

소련의 남한 좌익정당 통합 지시는 스탈린에 의해 직접 내려졌다. 스탈린은 1946년 7월 1일부터 약 10일간 모스크바를 방문한 박헌영과 김일성 등 조선공산당 대표단을 접견한 자리에서 조공 인민당 신민 3당의 통합 필요성을 강조했다. 이 자리에 배석한 소련 부영사 샤브신에 의하면, 스탈린은 "공산당이 사회민주당 또는 노동당을 표방하면서 가까운 장래의 과제만을 제기하는 것은 불가능한가?" 하고 질문했다고 한다. 이에 '조선의 동지들'이 "그것이 가능하기는 하지만 인민들과 상의를 해보아야 한다"고 대답하자 스탈린은 "인민이라니? 인민이야 땅 가는 사람들이잖소. 결정은 우리가 해야지" 하고 강하게 반응했다는 것이다.[48]

박헌영은 소련을 방문하고 귀국하는 길에 평양에서 김일성과도 3당통합 등 당면문제들을 협의했다. 6월 7일 서울을 떠났던 박헌영은 7월 12일 서울에 돌아온 즉시 여운형에게 3당통합 결정을 통고했다. 박헌영은 그해 7월 16일부터 22일까지 5차로 북한을 방문하고 김일성과 회동을 가졌다. 이 자리에서도 3당

합당문제가 논의되었다. 그는 서울에 돌아온 다음 8월 1일 정례기자회견에서 북한에서 진행되고 있는 2당합당운동은 옳은 일이라고 찬양하면서 "(남조선에서는) 벌써부터 주요 정당의 지도자들 사이에 (합당문제가) 논의된 일까지 있었는데 그 실현을 우리가 먼저 못한 것이 유감"이라고 말하면서 3당통합을 서두를 뜻을 명백히 했다.[49]

3당통합은 8월 3일 조선인민당 중앙위원장 여운형이 제안하고, 다음날 조공이 중앙위원회 토의를 거쳐 총비서 박헌영 이름으로 이를 수락한다는 회신을 여운형에게 보내는 형식으로 추진되었다. 이 같은 방식은 북한에서 북로당을 만들 때 소련군당국이 조선신민당으로 하여금 북조선공산당에 합당을 제의토록 한 방식과 같다. 박헌영은 여운형에게 보낸 회신에서 북한에서는 이미 신민당과 공산당이 합당하기로 결정해 민주개혁이 급속도로 진행되고 있다고 상기시키고 남한에서도 민주개혁과 완전 자주독립을 위한 투쟁을 강화하기 위해 3당합당이 필요하다고 역설했다.[50]

3당 내부의 반대로 진통 겪어

그러나 3당통합 문제는 순조롭게 진척되지 않았다. 우선 박헌영의 조공 내부에서 문제가 불거졌다. 조공이 여운형의 합당제의를 협의하기 위해 소집한 8월 4일의 중앙위원회에서 정치국위원 강진(姜進) 등 반대파는 합당문제는 당대회를 열어서 결정할 문제라고 주장하면서 박헌영의 당중앙을 타도하고 새로운 당중앙을 선출하자고 제안했다. 이들은 당대회를 소집해서 합당문제를 논의하자고 주장했다 해서 '대회파'(大會派) 또는 '반간부파'라고 불리게 되었다. 그러나 이날 토의 끝에 대회파의 주장은 합당 추진파의 다수에 밀려 부결되고 합당준비위원 9명의 인선은 박헌영에게 일임하도록 결정되었다.

그렇지만 이날의 중앙위 토의는 조공 내부에 과거 장안파와 재건파의 대립 못지않은 심각한 갈등을 불러왔다. 대회파인 강진과 중앙위원 서중석(徐重錫) 등 6명은 5일 '합당문제에 대하여 당내 동지제군에 고함'이라는 성명을 발표하고 합당하기 전에 당대회를 열어 당 지도체제를 개편해야 한다고 거듭 주장했다.[51] 당내갈등은 박헌영이 사흘 후인 8월 8일 다시 중앙위를 소집, 이들 6인의

'반당분자'들에 대한 징계를 결정하자 폭발했다. 이들 중 끝까지 소신을 굽히지 않은 이정윤은 제명되고, "어느 정도 반성의 빛을 보인" 문갑송(文甲松)과 아예 이날 중앙위에 출석치 않은 강진 서중석 김철수(金錣洙) 김근(金槿) 등 5명에게 는 무기 정권처분이 내려졌다. 대회파 간부들은 9일 기자회견을 갖고 이 징계 조치를 전면 거부한다는 담화를 발표하고 정면대결에 나섰다.[52]

3당합당을 둘러싼 분란은 조공뿐 아니라 신민당과 인민당에서도 일어났다. 두 당내에는 박헌영 계열과 장안파 출신의 급진파 공산주의자들이 대거 침투 해 있었기 때문에 3당합당에 적극 찬성하는 주장이 나와 당의 분열이 빚어졌 다. 구체적으로 보면, 신민당에서는 3당합당을 원칙적으로 찬성하면서도 조공 에 의한 신민당 흡수가 아닌, 당 대 당의 대등한 합당을 내세우면서 신중론을 편 백남운(白南雲) 위원장 지지파와 무조건적인 합당을 주장하는 공산계열의 중 앙당 간부파가 대립했다. 백남운 등 신중파는 적극 합당파인 중앙당 '간부파'를 반대했기 때문에 '반간부파'라고 부르기도 한다. 신민당은 원래 1946년 평양에 서 조직된 조선신민당의 남조선 분국 성격을 띤, 좌익지식인 중심의 좌파정당 이다. 그 지도자인 백남운(1894~1979)은 전북 고창 출신으로 동경상과대학을 졸업하고 연희전문과 경성대학 법문학부 교수를 역임한 마르크스주의 경제학 자이다. 그는 1946년 조선독립동맹 경성특별위원회 위원장 취임을 계기로 정 계에 입문했다. 조선독립동맹은 해방 전 중국 연안(延安)에서 활동하던 김두봉 이 이끈 독립운동조직이다. 김두봉은 일본 항복 후 요동반도의 중심지인 심양 (瀋陽)에 조선독립동맹 병력을 집결시킨 다음 4개 지대로 편성, 중공군을 도와 국공내전에 참여하느라고 귀국이 늦었다. 이 조선독립동맹이 귀국, 평양에서 조선신민당으로 개편되면서 김두봉이 위원장이 되고, 남한에서는 경성특별위 원장인 백남운이 남조선신민당 위원장을 맡았다. 백남운은 온건파 공산주의자 였으므로 3당합당문제에 신중했다. 인민당에서도 합당을 적극 추진하는 이른 바 '47인파'와 신중론을 주장하는 '31인파'가 대립했다. 인민당 위원장 여운형은 신민당의 백남운처럼 박헌영 주도의 조급한 합당에 반대하는 신중론자였다.

그런데 신민·인민 양당에는 3당합당을 적극적으로 주장하는 급진파들이 신 중파인 지도부 보다 다수를 차지해 이들이 당 지도부를 제치고 3당합당을 추진시켰다.[53] 백남운과 여운형은 박헌영이 조급하게 3당합당을 추진하고 신민·인민 양당에 침투한 공산세력이 당 지도부를 흔들자 이들의 움직임에 브레이크를 걸었다. 3당합당 문제가 상당기간 동안 진전을 보지 못하는 것을 보고 북한의 김일성은 북조선공산당 중앙위원회 통일전선부 부부장인 성시백(成始伯)을 서울에 밀파해 상황을 조사시켰다. 해방 이전에 중국에서 중국공산당 지하공작원으로 장개석(蔣介石) 지역에서 활동하면서 임정 요인들과 친밀한 관계를 맺은 성시백은 김일성의 직접 지시를 받는 심복이 되었다.[54]

3당합당문제는 앞에서 설명한 바와 같이 스탈린의 지시로 논의가 시작되었으므로 김일성과 박헌영 등 조공의 일부 수뇌부들 외에는 자세한 배경이나 전말을 알 수 없었다. 그러나 1946년 8월 북로당 창립대회에서 3당합당과 박헌영에 대한 지지 결정서를 채택하는 단계에 오자 정세는 3당통합파에 결정적으로 유리하게 되었다. 이에 힘을 얻은 3당 내의 합당 추진파들은 9월 4일 신민당 회의실에서 3당합당준비위원회 연석회의를 가졌다. 이 회의에서는 각 당 대표들로부터 3당합당에 관한 최종적 결정보고가 있은 다음 합당결정서를 정식으로 채택하는 한편 남로당 준비위원회를 구성하고 기초위원들이 제출한 신당의 선언 및 북로당의 강령과 거의 같은 강령 초안도 통과시켰다.[55]

그러나 9월 4일의 3당합당준비위원회의 강령 초안 통과에도 불구하고 막상 3당합당 작업은 여전히 순조롭게 진행되지 못했다. 9월총파업과 10·1폭동의 영향 이외에 여운형 강진 백남운 등 합당반대파들이 9월 하순부터 평양을 찾아가 3당통합 문제를 가지고 김일성과 소련당국과 담판을 벌였기 때문이다. 이들의 평양에서의 교섭결과 소련당국은 시티코프의 지시로 한때 3당통합을 잠시 중단하는 조치를 취하기도 했지만[56] 10월 들어서는 소련당국과 김일성이 남로당 결당을 최종 결정하게 된다.

민주주의인민공화국 수립을 다짐

남로당 창당대회는 11월 23~24일 이틀 동안 서울 종로구 견지동 시천교당에서 열렸다. 첫날 회의에서 실시된 임시집행부 선거에서 여운형(불참) 허헌(許憲) 이승엽 이기석(李基錫) 정노식(鄭魯湜) 이석구(李錫玖) 구재수(具在洙) 최원택(崔元澤) 유영준(劉英俊) 김형선(金炯善) 김광수(金光洙) 안기성(安基成) 김상철(金相喆) 정칠성(丁七星) 등 14명을 의장으로 뽑았다.[57] 둘째 날 회의에서는 당의 강령 및 규약의 통과에 이어 중앙위원 및 중앙감찰위원 선출을 허헌 이승엽 이기석 구재수 김형선 등 5명에게 일임키로 했다. 이날 회의에서 채택된 당 강령은 조선에 '민주주의인민공화국'을 건설할 것을 다짐하는 등 조공의 그것과 별로 다를 것이 없었다(조공은 '혁명적 민주주의적 인민정부' 건설을 다짐, 저자 주).[58] 이날 회의에서는 또 북조선노동당 중앙위원회가 보낸 메시지가 낭독되었다. 낭독이 끝난 다음 북측 메시지에 대한 회답과 '남조선 인민봉기'(10·1폭동)에 대한 성원에 감사를 표하는 메시지를 북로당에 보내자는 긴급동의가 가결되었다. 대회 폐막식에서 한 대의원이 단상에 뛰어 올라 월북한 박헌영의 이름을 부르면서 "우리의 위대한 지도자 박헌영 동지는 지금 어디 있느냐"고 외친 다음 "박헌영 만세"를 부르자 대의원들도 이에 호응했다.[59]

남로당 중앙본부는 결당식이 끝난 약 20일 뒤인 12월 10일, 3당 합동준비위원 연석회의를 열고 창당대회의 위임을 받아 허헌 등 5명의 전형위원이 선정한 중앙위원 29명(조공 14명, 인민당 9명, 신민당 6명), 중앙감찰위원 11명(조공 6명, 인민당 4명, 신민당 2명)을 정식으로 선출하고 당 위원장에 허헌(신민당), 부위원장에 박헌영(조공)과 이기석(인민당)을 선출했다.[60] 허헌이 당 위원장이 되고 이기석이 부위원장이 된 것은 백남운과 여운형이 남로당 결성대열에서 이탈, 사회노동당 결성에 나섰기 때문이다. 사회노동당은 Ⅰ–**3**(좌익온건세력: 인민당과 사로당–근민당)에서 설명한다. 소련 붕괴 후 밝혀진 시티코프의 일기에 의하면, 남로당의 이날 중앙당 간부 인선 내용과 3당간의 구성비율(조공 20명, 인민당 8명, 신민당 7명, 사회단체 10명)은 이미 10월 22일 평양에서 시티코프 김일성 박헌영의 회담에서 결정된 것이다.[61] 일제 때 독립투사들의 변호를 맡아 이름을 날린 변호사 출신의 허헌(1885~1951)은 해방 후 건준 부위원장을 지내고 인공 국무총리에 지명되었으며 민전 공동의장을 맡아 있다가 남북정치지도자연석회의 참석차 평양에 간 다음 돌아오지 않고 남아서 북한정권의 최고인민회의 의장에 선출된다.

남로당 간부 명단을 보면 좌익3당 출신 인물들이 적절하게 안배된 것처럼 보이지만, 실제로는 인민당과 신민당 출신 남로당 간부들 중 대다수가 두 당에 침투해 있던 공산주의자들이어서 이들 혁명좌익세력이 남로당 간부 자리를 사실상 차지한 셈이다. 특히 책임부서에서 조공이 압도적이었다. 조직부장 김삼룡(金三龍), 선전부장 강문석(姜文錫), 간부부장 이현상(李鉉相), 총무부장 김계림(金桂林), 문화부장 김태준(金台俊), 부녀부장 김상혁(金相赫) 등 중요부서 책임자는 모두 박헌영 직계였다.[62] 이 같은 사실은 남로당이 이름만 바뀐 조공에 지나지 않음을 의미한다. 남로당의 결성은 박헌영 측에서 보면 조공 내의 반박헌영파를 축출하고 북한의 김일성과 직접 거래하던 여운형과 백남운 세력도 따돌린 점에서 박헌영의 정치적 승리였다. 박갑동에 의하면, 남로당의 결성은 조공 인민 신민 3당 내의 반 박헌영파 일부세력이 김일성 추종파였다는 점에서 김일성에 대한 박헌영의 승리였다는 것이다.[63]

흥미로운 사실은 소련군정 당국의 입장이었다. 시티코프는 12월 2일 로마넨코로부터 남로당 결성에 관한 보고를 받고 ① 성공적으로, 그러나 어렵게 성취된 합당사업에 대해 박헌영에게 축하할 것, ② 다른 정당들이 파악할 수 없도록 당중앙위원회를 구성할 것, ③ 김일성과 박헌영은 업무상 긴밀한 연계를 확보할 것, ④ 남로당의 향후 행동방침에 대해서는 북한에 있는 박헌영이 서울의 허헌에게 지령을 하달하도록 하라고 지시했다.[64] 이 같은 소련당국의 지시는 그들이 어느 정도 남로당을 통제하려 했는지를 알 수 있는 자료이다.

5. 북으로부터의 지령

박헌영의 월북과 대남사업 중앙연락소 설치

남로당은 1946년 11월 창당된 이후 1949년 6월 북로당과 합당, 조선노동당으로 통합될 때까지 약 2년 7개월 동안 사실상 이원적인 지도체제 아래 있었다. 남로당의 지도체제는 공식적으로는 위원장인 허헌 아래 놓여 있었지만 실질적으로는 북한에서 비밀로 하달되는 부위원장 박헌영의 지령이 더 무게가 있었다. 이는 바로 앞에서 본 바와 같이 소련군당국의 방침이기도 했다. 당시 남로당에서는 박헌영의 비밀지령을 '박헌영 선생의 서한'이라고 불렀다.[65]

박헌영은 1946년 9월 6일 밤 자신과 이주하 이강국 권오직 등 다른 조공 간부들에 대해 미군정청으로부터 체포령이 내려 경찰이 7일 아침부터 이들의 일제 검거에 나서자 월북을 결심한다. 그로서는 6차 북한방문이자 6·25 발발 때까지는 최종적인 월북이었다. 시티코프 상장의 일기에 따르면, 박헌영은 20여일간 비밀장소를 옮겨가면서 숨어 지내다가 9월 29일부터 산악지대를 헤맨 끝에 10월 6일 평양에 도착했다고 한다. 시티코프는 박헌영이 죽은 사람처럼 관속에 넣어져 38선을 넘어 입북했다고 그의 일기에 기록했다.[66] 박갑동에 의하면 박헌영은 이미 9월 5일 경찰의 눈을 속이기 위해 관속에 누운 채 트럭편으로 서울을 빠져 나갔다는 것이다.[67] 당시 조선공산당 책임비서였던 박헌영에게는 좌익3당통합문제가 당면 과제인데다가 9월총파업과 뒤이은 10·1폭동이 일어난 어려운 시기였다. 이 때문에 그의 월북 날짜를 둘러싸고 여러 가지 이설이 제기되었다. 1990년 중앙일보 특별취재팀이 조선노동당 고급간부였던 서용규(徐容奎)로부터 취재한 바에 의하면, 박헌영의 월북을 돕기 위해 김일성의 밀사가 서울에 파견된 것은 10월 8일이며, 그가 강원도 철원부근의 38선을 넘은 것은 10월 10일, 그리고 평양에 도착한 것은 10월 11일이라는 것이다.[68] 이 주장이 옳다면 박헌영은 남한에서 10·1일 폭동을 지휘하고 난 뒤에 월북했다는 이야기가 된다.

　박헌영은 월북 직후인 1946년 10월 이후 평양의 숙소 근방에 대남사업 중앙연락소를 설치하고 그 곳에서 조공(나중에는 남로당)에 비밀 지령을 하달했다. 그는 이듬해 1월에는 황해도 해주에도 해주연락소를 만들었다. 박헌영은 남한에서 10·1폭동이 전국으로 번진 10월 10일에는 자신의 이름으로 '민주독립을 위한 투쟁의 남조선의 현 단계와 우리의 임무'라는 담화를 발표하고 3당합당의 시급성과 미군정 및 우익에 대한 대중투쟁의 필요성을 강조했다. 임경석의 연구에 의하면 그는 10월 15일에는 평양에서 김일성 김두봉 김책(金策) 허가이(許可而) 최창익(崔昌益) 박일우(朴一禹) 주영하(朱寧河) 박정애(朴正愛) 등 북조선노동당 간부들과 10월폭동을 협의했다 한다. 그는 10월 하순에는 38선 이남인 개성에 잠입, 1주일간 머물면서 이승엽 김삼룡 등 조공 간부들과 접촉했다. 김일성은 이때 그에게 경호원을 제공했다 한다. 박헌영은 이어 서울에서 발행되는 《독립신문》 10월 26~27일자에 '좌우합작 7원칙 비판'이라는 성명서를 2 회에 걸쳐 발표했다. 그는 이 성명서에서 좌우합작을 추진하는 김규식(金奎植) 과 여운형을 미군정의 연장기도를 돕는 우경기회주의라고 비난했다.[69]

사실상의 남로당 최고지도자

남로당 결당식은 이미 앞에서 설명한 바와 같이 3당내의 내분과 미군정청 의 당대회 개최 허가 지연으로 박헌영의 입북 후인 1946년 11월 23~24일 열 렸다. 그러나 박헌영이 남로당 부위원장에 선출된 정확한 날짜는 1946년 12 월 10일이었다. 남로당 결성대회는 중앙위원 및 집행부 선출을 허헌 위원장 등 간부들에게 일임했던 것이다. 당시 북한 주재 소련민정청장 레베데프(N. G. Lebedev) 소장이 작성한 박헌영 신상평가서에는 박헌영은 부위원장에 선출 되 었음에도 불구하고 사실상 남로당의 최고지도자로 활동했다고 기록했다.[70] 이 무렵 박헌영은 레베데프와 만나 남한정세를 검토하고 협의했다. 박헌영은 이때 평양에서 소련군사령부로부터 남한 혁명자금을 받기도 했다.[71]

남로당은 약 3년 후인 1949년 6월 북로당에 흡수되어 조선노동당이 되면서 법적으로는 소멸했지만, 당시에는 남로당의 흡수합병 사실이 공표되지 않았기 때문에 1949년 10월 19일 대한민국 정부에 의해 남로당을 포함한 좌익정당들 이 일제히 등록이 취소된 뒤에도 일반사람들은 구 남로당 출신 세력을 여전히 '남로당'이라고 불렀다. '남로당' 지하조직은 조선노동당 서울지도부(남한총책) 의 김삼룡과 군사부책 이주하가 1950년 3월 경찰에 체포되어 궤멸상태에 빠질 때까지 비밀공작을 벌였다. 박헌영은 그 때까지 남한의 지하조직에 계속 비밀 지령을 내림으로써 변함없이 남로당 지도자의 역할을 했다. 그는 이 기간 동안 마치 남한에서 쓴 것 같은 논문을 자주 발표했다.[72]

6. 남로당의 지하공작

합법·비합법 투쟁의 양면작전

남로당은 창당 2개월 전에 발족한 준비위원회 당시부터 그 전신인 조공처럼 합법·비합법투쟁을 혼합한 혁명투쟁 노선을 견지했다. 남로당은 1946년 9월 4일 3당 합동 준비위원 연석회의를 정식으로 열고 남조선노동당이라는 신당의 이름과 선언, 그리고 강령 초안을 정식으로 통과시켰다. 남로당의 강령은 미군정청에 대해 권력을 인민위원회로 넘길 것 등 당면 요구들을 명백히 했다.[73] 아마도 이것이 남로당의 첫 합법적인 활동일 것이다. 남로당은 11월 11일 준비위 명의로 10·1폭동에 관련된 성명을 발표하고 인민봉기에 참가한 자에 대한 탄압을 중지하고 투옥된 인사들을 무조건 석방하라고 요구했다.[74] 남로당이 정식으로 출범한 11월 24일부터는 빈번하게 성명과 담화를 발표하는 등 활발한 선전전을 재개했다.

이 같은 합법적 활동과는 달리 남로당은 여러 건의 지하공작을 진행했다. 소련군 민정사령관 로마넨코는 3당합당 전인 1946년 9월 김일성에게 남한의 인민당과 신민당은 합법성을 유지해야 하지만 공산당(조공)은 지하투쟁을 전개해야 한다고 지시했다.[75] 조공은 각 직장 학교 공장 등 요소요소에 세포원을 침투시키고 있었는데 조공의 지하공작 첫 사례는 이른바 국대안(國大案) 반대투쟁이었다. 국대안이란 미군정청 문교부가 경성대학을 비롯해서 경성고상과 치과 법학 의학 공업 농림 전문학교와 경성사범 등을 새로 설립하는 국립서울대학교에 흡수, 문리대 상대 치대 법대 의대 공대 농대 사대 등 단과대학으로 만들고 미국인을 총장에 임명한다는 것이 골자였다. 좌익계열의 학생들과 교수들은 이에 대한 반대운동을 벌였으나 군정청이 1946년 8월 22일 군정법령 공포로 국대안의 시행에 들어가자 반발은 더욱 확산되었다. 박헌영은 1946년 9월 4일 조공 책임비서 자격으로 기자회견 석상에서 "국립대학안의 강제실시는 여론을 무시한 것이며, 교육의 민주화와 학원의 자유를 억압하고 식민지 교육제도의 수립을 목적으로 하는데 대한 학생들과 교수들의 투쟁은 가장 정당하며 조선의

민주교육 문화건설을 위해 반드시 있어야 할 투쟁"이라고 찬양했다.[76]

조공과 나중에 남로당이 국대안에 개입하게 된 원인 가운데는 각 전문학교가 서울대학교로 통합되고 미군정청이 교수 인사권을 행사하게 되면 그 때까지 각 학교 별로 독서회 등 명목으로 유지하던 학생세포조직과 좌파교수로 구성된 교직원세포가 약화되기 때문이다. 국대안 반대운동이 학생들의 동맹휴학으로 발전하자 군정청은 문리대 법대 등 일부 단과대학에 휴학령을 내렸다. 남로당은 산하조직인 민주청년동맹과 민주학련을 통해 학생들을 선동하면서 서울시당을 동원, 중앙 숙명 이화 연희 국학 등 사립대학의 세포책임자들을 후암동 비밀아지트로 불러 동맹휴학의 필요성을 강조했다.[77] 남로당의 지도로 16개 대학 40개 중학교를 투쟁 속에 몰아넣고 교수 380명과 학생 4,956명이 학교를 떠나게 한 국대안 반대투쟁은 1947년 3월 15일 미군정청이 당초의 방침을 바꾸어 서울대 총장과 이사진에 한국인을 임명키로 결정함으로써 일단 수습국면에 들어가 남로당의 학원침투작전은 성공을 거두지 못했다.[78]

3·1절 충돌사건

1947년의 3·1절은 남로당에게 있어서 우파세력의 신탁통치반대운동을 무력화시키고 무기휴회에 들어간 미소공동위원회를 성공시키기 위한 '인민적 투쟁'을 벌일 절호의 기회였다. 남로당은 전년의 9월총파업과 10·1폭동으로 타격을 입은 조직과 당세를 이 해의 3·1절 행사를 계기로 만회하려 했다.

이날의 3·1절 기념행사는 서울에서는 남산공원과 서울운동장 두 곳에서 좌우익 양파에 의해 따로따로 열렸다. 당초 양측 모두 일체 시가행진이나 시위를 하지 않기로 했기 때문에 쌍방 모두 행사를 끝내고 산회했더라면 사고가 나지 않았을 것이다.[79] 그러나 다수의 군중을 동원하는 데 성공한 남로당은 집회의 여세를 몰아 우익진영을 압도하려 했다. 남산대회를 마친 좌익 측은 수건으로 머리를 질끈 동여맨 수백 명의 민청 대원들을 선두로 남산에서 남대문으로 향해 행진했다. 서울운동장에서 행사를 끝낸 우익은 학련(정식 명칭 반탁전국학생총동맹)을 선두로 학생과 청년단체들이 시가행진을 벌여 미군정청 앞과 광화문, 그리고 서대문을 거쳐 서울역 앞에 이르러 일단 해산했다. 그러나 그 중 일부

시위대원은 남대문 앞을 통과하면서 좌익계 행진대원들과 맞부딪치게 되었다. 바로 이 순간 어느 쪽에서 먼저 돌을 던졌는지 투석전이 벌어지면서 거의 동시에 요란한 총소리가 잇따라 울렸다. 이로 인해 남대문 부근에서 중학생 1명과 청년 1명이 죽고 많은 부상자가 생겼다. 피해자는 모두 우익 측이었다. 경찰은 남로당본부가 있는 일화(日華)빌딩 측에서 총소리가 계속 나서 경비경찰관이 공포를 쏘았다고 발표했으나 끝내 사상자가 누구의 총에 맞았는지 밝혀지지 않았다. 이날 부산에서도 좌익인 민전 주최로 열린 시민대회에서 연사가 이승만을 이완용이라고 매도하자 광복청년단원 3명이 연단으로 뛰어 올라가 연사를 구타, 사달이 생겼다. 경찰이 이들을 체포하자 군중이 그들을 넘겨달라고 요구했으나 경찰측이 거부, 군중이 경찰에 투석하게 되고 경찰은 이에 발포로 맞섬으로써 사망자 7명, 중상자가 10여 명이 났다. 제주에서도 도민대회를 개최하려 했으나 군정당국이 허가를 하지 않자 남로당은 군중을 동원해서 경찰서 등을 습격, 6명의 사망자와 8명의 부상자가 나왔다.[80]

3·22파업

남로당은 미군정청과 우익세력이 좌파들을 단속하고 압박하자 그 대응책으로 대규모 파업계획을 세웠다. 미군정청은 10·1폭동 이후 공산계의 모든 집회를 사전허가를 받도록 하고 우익세력은 좌익계의 전평 민청 전농 등에 대한 파괴공작을 증가시켰다. 1947년 2월 서울 영등포 조선피혁회사의 전평 소속 노동자와 대한노총 측과의 충돌이 일어나 좌익계 노동자 135명이 체포되어 군사재판에 회부되었다. 또한 전평 중앙집행위원회가 무허가 집회를 가졌다는 이유로 전평 위원장 허성택(許成澤)과 부위원장 박세영(朴世榮), 그리고 남로당 중앙상임위원 이현상 등 51명이 체포되어 군사재판에 넘겨졌다. 이와 함께 민전회관을 지키고 있던 민청 대원 45명이 검거되고 이어 민전 사무국장 박문규와 김오성이 체포되어 군사재판에 넘겨졌다.[81]

남로당과 민전 등 좌익단체는 미군정을 상대로 테러와 폭압을 반대하는 '항의투쟁'을 전개하기로 했다. 3월 10일 민전은 테러폭압반대 대책위원회를 조직하고 이튿날에는 서울시 민전 주최로 항의투쟁의 일환으로 테러방지 시민대회를 개최토록 했다. 민전은 또한 적극적인 투쟁방법으로 전평과 지방당에 조직적인 실력 과시를 지시했다. 조직적인 실력 과시란 전국의 동시 파업을 의미한다. 이에 따라 3월 22일 아침 서울 부산 대구 광주 인천 부평 등 전국 각지에서 24시간 시간 총파업이 개시되었다. 이 총파업에서 나타난 요구사항은 3·1절 기념대회에서 '만행'을 저지른 경찰관을 즉시 처벌할 것, 노동자의 권리를 보장하고 노조운동의 자유를 보장할 것, 박헌영의 체포령을 취소할 것, 허성택 등 전평 간부들을 즉시 석방할 것, 진보적인 노동법을 즉시 실시할 것, 《조선인민》《중앙신문》《해방일보》등 좌익신문의 정간을 취소할 것 등이다. 서울에서는 경성전기를 비롯한 철도 출판 노조의 부분파업이 있었고 전신 전화 등 각 기관과 용산공작소, 종방(鐘紡)공장 이외 약 40여 공장에서 파업이 단행되었다. 인천에서는 부두노조를 비롯해 조선제강 조선알루미늄 인천자동차 등에서 부분파업이 있었다. 부산에서는 경부선 열차가 삼랑진에서 정차하는 등 파업이 일어났으며 부평에서는 조병창에서 파업이 단행되었다. 그러나 3·22파업은 전년의 9월총파업에 비하면 그 규모가 작았으며 모두 2천76명이 체포되어 남로당 등 좌익세력은 크게 위축되었다.[82]

7. 총선 저지 투쟁

7·27투쟁

남로당은 1947년에 들어 미소공위의 성공을 위해 소위 7·27투쟁에 이은 8·15 기념대회를 연속적으로 개최했다. 전자는 그해 7월의 '미소공동위원회 재개 경축 및 임시정부 수립촉진 인민대회'라는 대규모 시위였고, 후자는 광복절을 맞아 대규모의 8·15 2주년기념 시민대회를 열어 일제봉기를 획책한 사건이다. 이와 같은 남로당의 투쟁은 신탁통치를 반대하는 이승만을 비롯한 우익진영이 미소공위에 협력하지 않을 뿐 아니라 미소 양국 역시 상호간 이견을 보여 5월 21일 재개된 제2차 미소공위의 전망이 불투명해졌기 때문에 이에 대비하기 위한 것이었다. 남로당은 많은 군중을 동원, '조선인민의 강력한 의지'를 과시함으로써 미국 측에 심리적 압력을 가하기 위해 계획된 것이다.

전년 11월 하순의 창당 직후부터 당원을 1백만 명으로 늘리기 위해 이른바 5배가(倍加, 나중에는 10배가)운동을 전개한 남로당은 1947년 여름 들어 당의 외곽단체들로 하여금 미소공동위원회에 진정서를 제출케 하는 이른바 '진정운동'을 대대적으로 전개했다. 당세를 확장한 것은 남로당이 조선인민의 절대적 지지를 받는 다수당임을 과시해 미소공위가 임시정부 수립과정에서 자신들을 가장 유력한 협의대상 정당으로 지정케 함으로써 친공적인 임시정부를 수립하도록 하자는 목적에서였다. 진정서는 지방으로부터 민전 외교부를 통해 미소공위에 전달했다. 민전 측에 의하면 그해 6월 27일 현재 각지에서 모두 6만7천여 통의 진정서가 전달되었다고 한다.[83]

남로당은 진정운동에 이어 보다 효율적인 시위를 위해 7월 27일을 기해 전국 각지에서 집회를 개최키로 했다. 이를 위해 민전은 준비위원회를 구성했는데 준비위원장에는 허헌, 부위원장에는 김원봉 유영준(劉英俊)이, 위원에는 홍남표 성주식(成周寔) 등 32명이 취임했다. 이날 서울 남산공원에서 열린 서울 대회에서는 미소공위 양측 대표인 브라운 소장과 시티코프 상장이 군중들의 환호와 박수를 받으면서 입장, 축사를 했다. 대회는 스탈린 트루먼 하지 시티코프 브라운 등에게 보내는 메시지를 채택키로 하고 이를 대회집행부에 일임했다. 남산 인민대회에서 채택한 결정서의 주요 내용은 임시정부의 수립을 위한 미소공위의 성공적 개최, 한민당 한독당 독촉 계열의 협의대상 배제, 토지개혁, 산업국유화, 남녀평등권 실시, 이승만 김구의 국외추방, 한민당 한독당 독촉 계열의 해산, 박헌영에 대한 체포령 취소 등이다.[84]

이날의 인민대회는 서울뿐 아니라 전국 도청 소재지와 지방의 중소도시에서도 일제히 열렸다. 각 지방에서 개최된 대회의 대표 45명이 8월 1일 서울로 올라와 자신들이 지방별로 채택한 결정서를 미소공위에 제출했다. 그러나 대부분의 지방 대회는 집회허가를 받지 않았거나 옥내집회를 허가받고 옥외에서 개최하는 등 허가조건을 위반한 회의여서 경찰의 해산과정에서 적지 않은 사상자를 냈다. 결국 남로당은 지방에서는 비합법 투쟁을 전개한 셈이다.

8·15투쟁계획의 실패

남로당은 1947년의 7·27투쟁에 이어 계속해서 8·15를 기해 대규모 군중동원을 함으로써 세를 과시했다. 민전 중앙상무위원회는 산하 정당·사회단체 대표자회의를 소집해서 8·15해방 2주년기념 시민대회를 열기로 결정하고 허헌 박헌영 김원봉 김창준(金昌俊) 4명을 대회장, 성주식 이기석(李基錫) 등 9명을 부대회장, 이승엽을 위원장으로 하는 준비위원회를 조직했다. 민전 뿐 아니라 전평 전농 여성동맹 민애청 등 남로당 외곽단체들도 중앙상임위원회를 열고 각각의 시민대회 준비위원회를 결성했다. 그러나 미군정청은 8월 4일 민정장관 안재홍으로 하여금 행정명령 제5호를 공포케 해 8·15집회를 불허했다. 이 명령은 8·15기념식은 행정관서 주관 아래 옥내행사로서만 할 수 있으며 정당이나 사회단체에는 허가되지 않는다는 것이다. 미군정청이 이 같은 조치를 취한 것은 그해 들어서만 3·1절 좌우익충돌사건, 3·22총파업사건, 5·1메이데이시위 불상사, 7·27투쟁, 8·3 여운형 인민장(人民葬) 행사 등 연거푸 개최된 좌익들의 시위에 골머리를 앓았기 때문이다.[85]

그렇다고 미군정청의 명령에 순종할 좌익이 아니었다. 대회 준비위원회는 8월 5일 민정장관 안재홍의 행정명령 5호에 대한 반대와 항의투쟁을 전개했다. 민전은 같은 날 적당한 집회장소와 시위의 코스를 허가해 줄 것을 미군정청에 거듭 요구했다. 민전과 함께 여맹 근로대중당 청우당 민주학련 서울학생통일촉진회 전농 전평 문련 근민당 인공당 과학동맹 등 좌익단체가 일제히 나서서 행정명령 5호의 철회와 집회의 자유를 요구하는 담화를 발표했다. 남로당은 7일, 기관지 《노력인민》을 통해 박헌영에 대한 체포령 취소, 미소공위의 협의대상에서 친일파의 제외 등 좌익 측의 8·15 기념구호를 거듭 주장하면서 그 실천을 위해 "용감히 투쟁할 것"을 당원들에게 선동했다. 그리고 계획된 8·15해방 제2주년기념 시민대회를 강행할 것을 촉구했다.[86]

미군정청은 민전 측의 대회강행 방침에 단호하게 대처, 준비위원회 간부들에 대한 대대적인 검거작전에 나섰다. 대회준비위원인 민전 사무국장 홍증식과 김광수(金光洙) 오영(吳英) 등 3명은 이미 8월 3일 경찰에 구금되고 11일 밤부터 14일 사이에는 수도청과 산하 경찰서가 총동원되어 남대문 일화빌딩에 있는 남로당본부를 수색, 대대적인 검거작전을 단행했다. 또한 민전을 비롯하여 전평 전농 민애총 등의 중앙위원회 사무실이 폐쇄되고 《우리신문》《노력인민》 등 좌익계열 신문사와 인쇄공장이 우익청년들에 의해 폐쇄되었다. 《노력인민》은 이때부터 1950년 2월까지 지하에서 발행되었다. 당시 검거된 인사는 남로당 부위원장 이기석과 근로인민당 위원장 백남운 등 1,300명에 달했다.[87]

이 같은 대대적인 예비검속으로 폭동화할 뻔한 8·15시민대회는 열리지 못했다. 이로써 남로당이 계획한 군중투쟁도 막다른 골목에 처해진 셈이다. 그런데 '8·15투쟁계획'에서 박헌영이 중요한 역할을 한 사실이 경찰 수사결과 드러났다. 미군정 수도관구 경찰청이 그해 10월 13일 발표한 바에 의하면, 8·15투쟁계획은 소련 부영사 샤브신과 월북한 박헌영이 협의해서 수립한 전국적인 폭동계획이라는 것이다. 이 계획에 따라 남로당은 8개 항목의 폭동지령을 마련, 조직적으로 8·15폭동을 준비했다는 것이다. 박헌영은 황해도 해주에 허헌 이기석 김삼룡 등 7명으로 구성된 남로당 정치위원회를 설치했으며, 평양의 김일성이 소련군사령부와의 협의 아래 남로당의 투쟁노선을 결정하고 있다고 경찰은 밝혔다.[88]

2·7구국투쟁과 4·3제주사태

남로당의 투쟁방식이 본격적으로 폭력화한 것은 1948년의 5·10총선거를 방해할 목적으로 일으킨 2·7구국투쟁이 그 시초이다. 이것은 1946년 조선공산당의 '신전술'이 선언된 이후 처음으로 남로당이 채택한 폭력혁명전술이다. 1947년 10월 미국의 제안으로 유엔 총회에서 한국에서 총선거를 실시한다는 결의가 통과되고 선거실시를 위해 1948년 1월 유엔한국위원단이 서울에 도착하자 남로당은 이를 적극적으로 반대키로 했다. 남로당 중앙위원회는 이미 그 전해 11월 26일 "국토를 양단하고 민족을 분열하는 단독정부 수립과 단독선거를 반대하며 소련의 제의대로 미소양군의 동시철퇴를 실현시켜 인민의 손으로 민주자립정부 수립을 위해 모든 구국운동을 적극 지원할 것"이라는 성명을 발표한 바 있다.

남로당은 1948년 2월 7일을 기해 전국 각지에서 동시에 파업과 폭동을 일으키도록 지령했다. 남로당 조직원들은 전평과 함께 파업으로 각 생산공장을 마비시키는 동시에 전신 전화의 파업을 일으키고 교통 수송을 혼란에 빠뜨렸다. 이들은 한 걸음 더 나아가 전신 전화선의 절단과 전신주의 파손 및 교량 폭파, 그리고 철도 기관차의 파괴도 서슴지 않았다. 또한 부산항의 선박노조원들은 해상파업을 감행하고 전남의 장성탄광과 화순탄광 등의 노동자도 파업에 들어갔다. 목포와 인천 강릉 등지에서는 관상대와 측후소에서도 일부 직원들이 파업에 가담해 기상관측도 중단되고 수원과 경남지방에서는 농민들이 경찰관서를 습격하는 사건도 일어났다. 2월 7일 경남 밀양에서는 경찰지서를 습격, 경찰 1명과 우익청년 2명을 포함한 7명이 사망하고 10여 명이 중상을 입었다. 서울과 지방에서는 민주학생연맹의 선동으로 일부 학생들이 맹휴에 들어갔다.[89]

민전은 2·7구국투쟁에 즈음한 성명을 통해 "괴뢰적 단선 단정을 분쇄하고 미제의 앞잡이 유엔한국위원단을 국외로 구축하고 미소양군을 철병시켜 조국의 주권을 방어하고 통일 자유 독립을 쟁취하기 위해 성스러운 투쟁에 기립했다"고 밝혔다. 남로당은 2·7구국투쟁의 구호로 '유엔한국위원단 반대', '남조선 단독정부 수립 반대', '미소 양군의 동시 철퇴', '조선인민에 의한 통일민주주의 정부 수립', '이승만 김성수 타도', '조선민주주의인민공화국 헌법 지지' 등을 외치도록 했다. 이 구호 중 북조선인민회의가 2월 11일 발표한 조선민주주의인민공화국 수립을 위한 헌법초안을 지지하는 대목이 포함된 것은 남로당이 남한 단독정부 수립 반대뿐 아니라 북한정권의 수립을 지지하는 여론을 만들기 위한 목적으로 보인다. 2·7폭동은 10·1폭동과는 달리 사전에 치밀하게 계획된 것이었으며 남로당이 향후 무장투쟁으로 나아가는 중요한 계기가 되었다. 이때부터 각 지방에는 남로당의 야산대(野山隊)라는 무장 게릴라 소조가 생겨났다.[90] 이 무렵에는 남로당과 함께 북로당도 남한의 단독선거를 방해하기 위한 공작을 꾸몄다. 군사력으로 5·10총선을 저지하기 위해 군 출신자 42명이 조직했다가 미군정청 경무부에 탐지되어 그해 2월 22일 일제히 검거된 이른바 '인민혁명군사건'은 직접 북로당의 공작에 의한 것이다.[91]

남로당의 2·7구국투쟁은 바로 제주4·3사태라는 최악의 5·10총선 반대투쟁으로 이어졌다. 제주4·3사태는 1948년 4월 3일 새벽 2시를 기해 한라산 영봉을 비롯한 전도의 산악, 고지에 일제히 올라간 봉화를 신호로 좌익행동대원들이 경찰서와 지서를 습격함으로써 시작되었다. 이날 거사는 남로당 제주도당부의 김달삼(金達三) 이덕구(李德九) 지휘 아래 유격대인 '자위대'를 비롯한 여맹원 등 모든 외곽단체 조직을 총동원함으로써 3천여 명이 가담했다. 남로당이 폭력투쟁으로 전술을 바꾸면서 지방에 야산대를 편성한 것은 앞에서 설명했지만 제주도의 경우는 '자위대'를 편성했다. 4·3사태로 경찰관서 35개소가 피습당하고, 그 중 4개소와 경찰관 사택 9개소와 일반 관공서 4개소 등이 불탔다. 인명피해를 보면, 경찰관 22명, 경찰가족 13명과 일반공무원 3명이 피살되고 경찰관 등 3백여 명이 납치되었다. 사태 진압을 위해 군경이 출동하자 다수의 무장대원들이 한라산으로 들어가 이듬해 5월까지 항전을 계속, 그 결과 사살자 7,895명, 생포 7,061명, 귀순 2,004명을 기록했다.[92] 군인전사자는 186명, 경찰전사자는 140명, 우익단체원전사자(보훈처 등록 국가유공자)는 639명으로 파악되었다.[93] 그런데 군경과 우익청년단체원들의 토벌작전 과정에서 수많은 양민들이 피해를 입어 사건이 더욱 커졌다. 이 사건의 희생자는 총 2만5천명 내지 3만명으로 추산되었으나 2017년 7월까지 정부에서 인정한 피해자는 1만4,232명(사망자 1만245명, 행불자 3,575명, 후유장애자 164명, 수형자 248명)이었다. 신고누락자들 배려해서 2018년 한 해 동안 추가신고를 받기로 했다.[94] 제헌국회를 구성할 5·10총선은 이런 와중에도 제주도 일부 지역을 제외하고 무사히 실시되어 대한민국의 건립을 보게 된다.

5·10총선 저지 위해 대중봉기 지시

남한에서 유엔 감시하의 총선거가 임박하자 박헌영은 새로운 대중봉기를 남로당에 지령했다. 1948년 1월 하순 미군정 정보문서에 따르면, 박헌영은 유엔 한국위원단의 총선거에 반대하는 또 다른 '인민항쟁'을 개시할 것을 지령하면서 다음 3가지를 당부했다는 것이다.[95]

1. 반동적 탄압이 너무 혹심하기 때문에 우리는 '치고 빠지는' 전술을 구사해야 한다.

2. 우리는 10월인민항쟁을 겪었다. 우리는 유엔의 총선거에 반대하는 또 다른 인민항쟁을 개시해야 한다.

3. 남로당은 반동적인 이승만과 김구 및 그 추종자들과 투쟁해 왔다. 이후로 우리는 김규식 및 그 추종자들과도 투쟁해야 한다.

박헌영은 4월 1일에는 북조선 민전이 '유엔결정과 남조선 단선 단정을 반대하고 조선의 통일 자주 독립을 위한 전조선 정당사회단체 연석회의'를 개최하자고 제의한 데 대해 남로당을 대표해서 이를 수락한다는 회신을 보냈다. 그는 이 편지에서 "국토를 양단하려는 반동파들의 온갖 기도를 파탄시키고 조국통일을 촉진시키는 문제를 토의하는 것을 열렬하게 찬성하고 환영한다"고 답했다.[96] 제주에서 4·3폭동사건이 일어난 것은 그로부터 2일 후였다.

박헌영은 그해 4월 19~4일 평양에서 열린 남북한 정당사회단체 대표자연석회의에 참석해 '남조선 정치정세'를 보고하는 등 적극적인 5·10총선 반대운동을 벌였다. 그는 또한 평양 남북정당연석회의가 열리던 기간인 4월 20일 남로당 기관지 《노력인민》에 게재된 '인민들에게 고함'이라는 성명서에서 5·10선거가 남한의 미국 예속화를 초래할 뿐이므로 전인민은 이를 배격하는 운동에 나서라고 촉구했다. 2일 후 민주여성동맹 연극동맹 반일운동자구원회 등 남로당 외곽 단체들은 박헌영의 호소문을 지지하는 성명을 발표했다.[97] 남로당의 적극적인 공세에 따라 그해 1월부터 5월까지 사이에 전국에서는 5·10제헌국회의원 총선거를 저지하기 위해 기관차 탈취, 우체국 방화, 경찰관서 습격 등 끊임없는 폭력투쟁이 전개되었다.[98]

③ 좌익온건세력: 인민당과 사로당—근민당

우리 인민당은 정강정책이 공산당과는 다를 뿐 아니라 계급적 처지에서는 중간적 성격이 있으므로 구별해야 된다.…인민당이 취급하는 군중은 공산당과는 다르다. 이러한 점은 앞으로 더욱더욱 현저히 나타날 것이다.

—이여성, 담화(1945. 12)

1. 조선인민당

한민당과 조공을 모두 비판

여운형의 조선인민당(약칭 인민당)은 해방 후에 결성된 최초의 본격적인 온건좌파정당이다. 기독교계열의 사회민주당[1]과 원세훈이 발기한 고려민주당(고려사회민주당)[2]이 사회주의정당을 표방하고 인민당보다 조금 빨리 등장했으나 얼마 못가 단명으로 끝났다.

인민당은 창당 배경부터가 특이하다. 인민당은 여운형이 박헌영에게 떠밀려 급조한 조선인민공화국(인공)이 미군정청의 인정을 받지 못하고 유명무실해지자 그 대응책으로 창설된 것이다. 인민당의 창당은 미군정청에서도 권했다. 미군사령관 하지 중장은 여운형에게 '조선인민공화국'이라는 호칭에서 '공화국'이라는 단어를 떼고 정당이라는 단어를 넣으라고 요구했던 것이다.[3] 여운형은 이런 상황에서 일제 때 그가 조직한 건국동맹을 모태로 하고 고려국민동맹과 인민동지회, 일오회(一五會) 등 3개 군소정치단체를 흡수, 1945년 11월 12일 서울 종로구 경운동 천도교대강당에서 인민당 창당대회를 가졌다. 그는 당수를 맡고, 서기장에는 이만규(李萬珪)를 임명했다.[4]

인민당은 창당대회에서 채택한 선언문에서 "기본이념을 등한시하고 현실적인 요청에만 얽매어 있는 것이 역사의 진전을 지연시키는 행위라면, 기본이념에만 급급하여 그 현실적 과제를 무시하는 것도 역사의 발전을 지연시키는 동일한 결과를 가져오는 것"이라고 한민당과 조공을 함께 비판했다. 이 선언은 이어 "한국민주당이 자산계급을 대표한 계급당이요, 조선공산당이 무산계급을 대표한 계급당임에 비하여 우리 당은 반동분자만을 제외하고 노동자 농민 근로자 인텔리 소시민 양심적 자본가와 지주까지를 포함한 전 인민을 대표하는 대중정당이다"라고 선언했다.[5]

진보적 민주의를 제시

인민당이 창당대회에서 채택한 강령은 ① 조선민족의 총역량을 집결하여 (경제적 민주주의가 실현되는) 진정한 민주주의 국가의 건설을 기함 ② 계획경제제도를 확립하여 전민족의 완전한 해방을 기함 ③ 진보적 민족문화를 건설하고 전 인류문화 향상에 공헌함을 기함이라고 밝히고 있다.[6] 모두 30개 항에 이르는 정책은 인민대표회의 소집과 헌법 제정, 민족반역자의 재산 몰수 및 국유화, 몰수한 토지의 국영화 또는 농민에게 적의(適宜)한 분배, 의료기관 탁아소 양로원 임산부 보호소 등의 국영 및 공영시설 확충, 의무교육 및 수재교육 실시, 국민개병제에 의한 국군 편성이 중요내용이다.[7]

혁명적 공산주의자들의 전위정당인 조공에 비해 인민당은 개방적인 대중정당을 지향하지만 강령에서 밝힌 계획경제제도의 확립은 바로 사회주의경제제도를 의미한다. 인민당은 그런 점에서 자유당정권 때의 진보당이나 요즘의 서구 사회민주주의 정당과는 다른 정통 사회주의정당이다. 여운형은 인민당과 조공의 관계를 설명하면서 "일제 때는 일본제국주의 타도라는 공동목적 때문에 인적 교분도 서로 두터워 혼동되었을지 모르나 현재는 근로층과 노동자 농민을 위한 정당인 점에서는 동일하나 그 방법에서 차이가 있음을 우리 당의 정강에 명시하고 있다"고 밝혔다. 그는 "8·15 이후 공산당에서 조선혁명의 현 단계를 계급혁명이 아니라 민족혁명으로 규정하고, 진보적 민주주의의 건설정책을 내세우고 운동을 전개하고 있는데 이 방향은 인민당과 일치되는 점이 많다. 그렇기 때문에 자연히 서로 협조하고 악수하여 일을 하는 경향이 많았다.…건국동맹도 인민당이라는 정당으로 발전하게 되니 공산당에 갈 사람은 공산당으로, 인민당 동지는 인민당으로 서로 자리를 잡게 되었다"고 주장했다.[8]

그러나 여운형은 "조선의 역사적 특수성으로 노동자 농민은 프롤레타리아적 정치의식이 빈약하다. 전 농민의 7.5할을 점하고 있는 빈농의 대부분은 금일 공산당의 전략과는 거리가 있다. 이러한 층을 계몽하여 다음에 오는 정치적 조직화에 대한 전단계적 훈련을 하는 것이 우리당의 역할이다"라고 말하고 "정치적 의식수준이 높은 층은 공산당 산하로 집결될 것이고 그 이외의 층은 우리 산하로 모이게 될 것"이라고 말해 인민당의 정체성을 모호하게 설명했다.[9]

당내의 노선갈등과 공산계의 당 장악

인민당은 선언에서 '개방적인 대중적 정당'을 지향한다고 밝혔음에도 불구하고 당내의 공산주의적 요소 때문에 끊임없는 노선갈등을 겪었다. 그것은 바로 당 지도부에 포진한 볼셰비키들이 여운형의 온건노선과는 배치되는 방향으로 당을 이끌어 가려고 했기 때문이다. 당내 급진좌파들은 김오성(선전부장) 이석구(조직부장) 이걸소(李傑笑, 총무국장) 등 박헌영을 추종하는 쟁쟁한 공산주의 이론가들이다. 김오성은 '조선인민당의 성격'이라는 당의 선언 강령 및 정책의 해설서에서 프롤레타리아 계급당의 지도 아래 부르주아민주주의혁명, 즉 박헌영의 8월테제에 입각한 부르주아민주주의혁명론을 개진했다. 그는 조선의 부르주아민주주의혁명은 아직 형성되지 않은 토착자본에 의해 수행할 것을 바랄 것이 아니라, 곧바로 근로대중이 중심이 되어 전인민이 부르주아를 대신해서 성취해야 하며 그러기 위해서는 당면 문제인 토지문제의 해결과 산업의 재편성이 시급하다고 주장했다. 그는 이에 따라 토지를 국유로 하고 농민에게 경작권을 분배하며 산업을 개개의 자본가의 이윤착취를 위한 경영이 아닌, 국영 또는 국가의 지도하의 경영으로 해야 한다고 주장했다. 따라서 "현 단계의 혁명적 성격에 비추어 조선에는 사회개량주의의 입지도 전혀 없는 것이다"고 그는 주장했다. 김오성에 의하면 인민당은 이데올로기 절충적인 중간당이거나 서유럽식 사회민주주의 정당이 될 수가 없으며 반파시스트연합적인 '인민전선의 당'이며 '혁명의 당'이라는 것이다. 따라서 인민당은 공산당에 흡수되지 않은 광범한 사회계층에 호소해 보다 대중성을 띤 세력을 흡수하기 위해서 탄생된 것이라고 주장했다. 요즘 식으로 말하자면 인민당은 '조공의 제2중대'라는 뜻이다.[10]

이러한 급진주의노선은 계급투쟁과 유물사관을 배격하는 반 볼셰비키 사회주의자인 여운형의 노선과는 정면으로 배치된다. 여운형은 인민당을 자본주의의 대안으로 사회주의를 이상으로 삼는 정당으로 규정하지만 소유형태에 대해서는 무조건적인 국유에 반대했다. 그는 산업시설 중 대규모의 것은 국영으로 하고 소규모는 민영으로 하되, 토지에 대해서도 일본 재벌 또는 군이 소유하던 토지는 몰수해서 농민에게 적정분배하며 대농장은 국가가 경영하고 소규모의 자작농을 인정하는 국공유와 사유의 혼합소유형태를 이상으로 삼고 있다. 여운형의 측근으로 12월의 당직개편 때 당무국장에서 정치국장이 된 이여성은 기자회견에서 여운형을 대변해서 "우리 인민당은 정강정책이 공산당과는 다를 뿐아니라 계급적 처지에서는 중간적 성격이 있으므로 구별해야 된다"고 말하고 "인민당이 취급하는 군중은 공산당과는 다르다. 이러한 점을 앞으로 더욱더욱 현저히 나타날 것"이라고 주장했다.[11]

여운형과 중앙당 수뇌부를 차지한 급진좌파세력의 이념적 갈등은 약 2개월 만에 급진파의 승리로 종결되어 여운형은 건준을 공산주의자에 탈취 당했던 것처럼 인민당 역시 그들에게 장악되고 만다.

4당 합작 노력과 민전 결성

1946년 1월 반탁운동과 찬탁운동의 갈등 속에서 두 갈래의 통일전선운동, 즉 우익세력인 김구가 추진한 비상정치회의 결성 계획과 여운형이 이끈 4당대표자회담이 경합했다. 김구는 1월 4일 그의 임정을 확대개편, 인공의 좌파세력을 영입해 과도정부 구성을 목표로 한 비상정치회의를 구성하자고 제의했다. 김구는 비상정치회의에서 합의를 도출해 과도정부를 구성하고 과도정부가 국민대표회의(국회)를 소집, 헌법을 제정해 이 헌법에 따라 정식 정부를 수립함으로써 신탁통치를 배격하자는 복안이었다. 이것은 임정이 요인들의 환국 이후 처음으로 내놓은 독립정부 수립방안이었다. 그러나 이 안은 좌익세력에 의해 거부되었다.

인민당은 두 '정부', 즉 임정과 인공의 통합에 대한 대안으로 정당 차원의 합작을 위해 4당대표회담 개최를 제의했다. 인민당 이여성의 제의에 따라 1월 한민당의 원세훈(元世勳) 김병로(金炳魯), 국민당의 안재홍 백홍균(白泓均) 이승복(李昇馥), 인민당의 이여성 김세용 김오성, 조선공산당(조공)의 이주하 홍남표 등 4당 대표 10명이 모여 간담회를 열었다. 임정 측에서는 김약산(金若山) 장건상(張建相) 김성숙(金星淑)이, 인공 측에서는 이강국이 옵서버로 참석했다. 회의 끝에 4당은 합의에 도달, 공동코뮤니케가 발표되었다. 그 내용은 3상회의결정의 정신은 지지하지만 신탁통치는 "장래 수립될 정부로 하여금 자주독립의 정신에 기해 해결하게 한다"는 것이 골자이다. 이에 대해 한민당은 반탁에 관한 명확한 표현이 없다 해서 승인을 반대하고 국민당 역시 비슷한 이유로 이를 반대했다. 양당의 승인거부로 이 공동코뮤니케는 결국 실효 되었다. 이에 따라 임정 측 알선으로 권동진(權東鎭)과 오세창(吳世昌)이 대표인 신생정당 신한민족당이 4당회의에 참여, 이틀 후 5당회의가 개최되었다.[12] 5당회의는 3차례 열렸지만 한민당이 불참한 가운데 이 회담을 비상정치회의 예비회담으로 만들려는 우익측과 4당회담의 연장으로 하려는 좌익측 사이의 이견으로 양측의 협상을 실패로 돌아가고 말았다.[13]

　여운형이 추진한 4당회담이 실패하자 인민당은 조공과 함께 민족주의민주전선(민전)이라는 좌익만의 통일전선조직을 결성했다. 29개 좌익 정당 및 사회단체들은 1946년 1월 인민당의 소집으로 민전 발기위원회를 개최, 민전 결성작업이 본 궤도에 올랐다. 민전에는 박헌영의 조공과 장안파 공산당계의 최익한 정백, 그리고 여운형의 건준과 인민당에 참여했던 온건좌파 인물들이 대거 참여했다. 민전 참여인물은 김원봉 한빈(韓斌)을 비롯한 임정 좌파와 연안에서 귀국한 좌익세력 및 백남운, 그리고 조공계 노동운동단체인 전평(정식 명칭 노동조합전국평의회)과 전농(정식 명칭 전국농민조합총연맹)도 합류했다. 이 밖에 임정의 우경화에 반발해 탈퇴한 김성숙(金星淑) 성주식(成周寔) 장건상 등과 국내의 중간파인 이극로(李克魯)와 천도교의 오지영(吳知泳) 등도 참가했다.[14] 2월 중순에 열린 민전 창립총회에서는 여운형 허헌 박헌영 김원봉(金元鳳) 4명을 의장에 선출하고 사무국장에는 이강국을 임명했다.[15] 민전은 형식상으로는 좌파연합이지만 실권은 사무국 부서를 장악한 조공이 차지했다.

　민전은 결성식에서 채택한 선언문에서 조선인민의 총투표로써 선출될 인민대표자대회가 결성될 때까지 과도적 임시국회의 역할을 하게 될 것이라고 밝혔다. 민전은 이날 민족문제의 해결, 민주주의정권의 수립, 경제건설 및 부흥, 토지문제 해결과 8시간 노동제, 문화건설, 국제적 협조, 민생문제와 식량정책, 행동슬로건 등 9개항에 달하는 강령을 채택하고 우파의 비상국민회의와 민주의원을 반민주주의적 회합이라고 규탄·배격하는 결의도 채택했다. 민전은 결성 즉시 소련이 북한에서 북조선임시인민위원회에 행정권을 위임한 것처럼 미군정도 같은 조치를 취한다면 통일이 앞당겨질 것이라고 주장했다.[16] 미군정청이 설립한 민주의원에 대항하는 좌익연합체로 출범한 민전은 사실상 인공의 후계 조직이기도 했다. 민전의 출현으로 남한의 정계판도는 우익인 민주의원과 좌익인 민전으로 양분되었다.

당내 우파의 탈당과 여운홍의 사회민주당 창당

인민당의 분열은 당내 우파의 탈당으로 시작되었다. 1946년 2월 인민당이 민전에 가입함으로써 당의 노선이 좌경화하자 당내 우파의 동요가 일어났다. 미군정청은 그해 2월 민주의원을 설립하고 비상국민회의의 최고정무위원회 구성원들을 모두 의원으로 영입했는데 28명의 의원 가운데는 인민당의 여운형 최익한 황진남(黃鎭南) 백상규(白象圭) 4명이 포함되었다. 인민당은 민주의원이 우파일색으로 구성된 데 항의, 이에 참여치 않기로 결의하고 이들을 소환하기로 결정했다. 그러나 네 사람 중 미국 브라운대 출신인 백상규는 당의 결정에 불응, 인민당 탈당을 통고하고 민주의원에 남기로 했다.[17]

백상규에 이어 인민당을 탈당한 사람은 여운형의 동생 여운홍(呂運弘)이다. 그는 1946년 5월 인민당이 독자성을 상실했으므로 급진적인 사회민주주의 정당을 결성하기 위해 탈당한다고 특별방송을 했다. 그가 결성한 사회민주당에 대해서는 뒤에서 자세히 설명한다. 여운홍의 인민당 이탈에 이어 그해 5월에는 중앙집행위원인 장권(張權) 박한주(朴漢柱)와 감찰위원 김규칠(金奎七) 허규(許珪) 조복세(趙覆世) 등 10여 명의 간부를 포함한 당원 94명이 연서로 탈당성명을 냈다. 이들은 탈당성명에서 신탁통치를 찬성하는 사람은 공산주의자 몇몇에 불과하다고 지적하고 인민당은 인민의 소리에 귀를 기울여 봉건잔재를 일소하

고 계급독재를 배제해 전민족의 완전해방을 기하라고 촉구했다.[18]

3당통합의 여파로 양분

좌익3당의 통합문제는 인민당의 분열을 더욱 촉진했다. 3당합당 제의를 조공이 아닌 인민당에서 행하는 방식을 취한 것은 스탈린의 지시에 따른 것이다. 스탈린은 조선에서 부르주아민주주의혁명을 수행하기 위해 전위당적인 성격을 지닌 조공을 다른 좌익정당과 합쳐 단일의 대중정당으로 그 성격을 바꾸고자 했다. 인민당은 1946년 8월 3일 부위원장인 장건상 사회로 열린 중앙집행위원회에서 합당을 제의하기로 결정하고 합당교섭위원으로 여운형 장건상 이만규 이여성 김오성 송을수(宋乙秀) 신철(辛鐵) 도유호(都宥浩) 등 9명을 선출한 다음 이들이 합당제안 문건을 만들어 조공과 신민당에 보내기로 결의했다. 이 결의에 따라 합동교섭위원들은 즉시 여운형 명의로 된 합당 제안문을 만들어 조공 책임비서 박헌영과 신민당 위원장 백남운에게 발송했다.[19]

인민당은 이처럼 3당합당을 외견상 주도했음에도 불구하고 당내 기류는 조공과 똑 같이 복잡했다. 당내 지도부를 구성하고 있던 극좌파와 온건파의 갈등이 합당문제를 계기로 표면화한 것이다. 극좌파는 조공의 프락치나 다름없는 세력이었기 때문에 '무조건'의 합당을 주장했으나 온건파 간부들은 '조건부'로 맞섰다. 여운형 장건상 등 인민당의 최고 수뇌부는 당 대 당 합당 등의 조건을 내세운 조건부 신중론인데 비해 김오성 이석구 등 박헌영 계열의 당 실세들은 무조건적인 통합파였다. 인민당이 합당을 제의한 지 10여일 만에 열린 8월 16일의 인민당 중앙확대위원회는 이 문제를 표결에 부쳤는데 그 결과 47대 31로 극좌파가 승리했다. 이 표결을 계기로 인민당은 무조건 합당을 주장하는 47인파와 조건부 합당을 주장하는 31인파로 양분된다. 무조건 합당을 주장한 47인파는 박헌영을 필두로 하는 조공의 합당파와 손을 잡게 되고, 31인파는 조공의 비주류파인 대회파와 제휴하게 된다.[20]

2. 사회노동당

여운형과 박헌영의 결별

조공의 박헌영과 신민 인민 양당에 침투한 공산주의자들이 좌익3당합당을 추진하면서 일어난 3당의 당내분규는 1946년 9월까지 1개월 이상 계속되어 3당 모두 합당찬성파와 반대파로 세 당이 양분되었다. 조공에서는 이미 앞에서 설명한 바와 같이 박헌영파가 8월 8일 중앙위원회에서 박헌영 중심의 3당합당에 반대한 대회파의 핵심인 6명의 반당분자를 제명 또는 정권처분하자 당사자들은 이튿날 그 부당성을 지적하고 박헌영 일파의 보수주의와 종파주의를 비난하는 강경한 성명을 발표했다.[21] 조공 대회파는 박헌영계의 3당합당 추진에 대항하기 위해 신속하게 움직였다. 그들은 1946년 8월 말 조선공산당대회(전당대회) 소집 준비위원회를 구성하고 그 위원장에 윤일(尹一)을 선출했다. 준비위원회는 3당 합동의 기본원칙은 ① 합당은 3당 당원의 전체적인 합당이 되어야 한다 ② 각 당과 각 당 내부의 자색(自色)주의와 분파를 청산한다 ③ 한 개의 당이 다른 3당을 흡수하고 영도하는 것이 아니라, 3당이 평등한 위치에서 공평하게 합당한다는 것을 결의했다. 대회파는 이 원칙을 세운 다음 9월 2일 대표 2명을 신민당의 합당신중파인 반간부파와 인민당의 합당신중파인 31인파에 파견, 정식으로 합당교섭을 하게 했다.

신민당과 인민당의 합당 신중파들은 조공 대회파가 밝힌 3당합당 3개 기본원칙에 찬성하는 입장이어서 3개 당에서 각기 9명씩의 합당준비위원들을 내어 합당문제를 협의하기로 합의했다. 이들의 명단은 다음과 같다.[22]

조　공 김철수 강진 김대희(金大熙) 문갑송 이영 최익한 신표성 윤일 서중석
인민당 여운형 장건상 이여성 이만규 조한용 함봉석(咸鳳石) 외 3명
신민당 고철우(高哲宇) 이명섭(李明燮) 최성환(崔星煥) 신동일 이장하 허윤구 외 3명

이들 27명은 박헌영계가 9월 4일 3당합당준비위원회 연석회의에서 남로당을 결성하기로 합의했다는 결정을 발표하자 이에 자극을 받아 자신들의 3당합

당을 적극 추진하기 시작했다. 인민당은 이튿날 남로당 결성 합의에 대해 여운형의 지시로 이 결정이 불법이라고 규탄하는 결정서를 발표했다.[23] 신민당 역시 백남운을 비롯한 합당신중파들이 즉각, 당 위원장도 모르게 일부 종파분자들과 프락치분자들이 모략으로 허위 기만하여 합당을 날조했다고 발표하고 신민당을 참칭하고 3당합당준비위원회에 참가한 소수분자의 책임을 추궁하기로 결의했다.[24] 이로써 신민당은 양분되어 백남운 대신 강경파인 허헌이 신민당의 당권을 쥐게 되고 허헌은 나중에는 남로당 위원장에 선출된다.

조공 대회파, 9월총파업과 10월 폭동 비난

3당의 양쪽 연합세력들이 성격이 다른 합당을 별도로 추진하고 있는 상황에서 9월 6일 박헌영 이주하 이강국 권오직 등 조공 간부들에 대해 미군정청으로부터 체포령이 내렸다. 미군정청이 조공에 강공책으로 나온 이유는 5월의 정판사위조지폐사건에 이어 7월에는 조공이 '신전술'이라는 이름의 폭력투쟁노선으로 나왔기 때문이다.[25] 이런 가운데 조공 대회파는 당대회를 소집했지만 박헌영 계의 지령에 의한 9월총파업과 연이은 10·1폭동사태로 당대회 개최가 불가능하게 되었다.

9월총파업을 강력히 규탄하고 나선 조공 대회파는 자신들의 영향 아래 있는 지방당에 파업을 거부하라는 지시를 내렸다. 대회파는 총파업이 한창 진행 중이던 9월 28일 당대회 준비모임을 갖고 총파업 반대와 당대회 소집을 거듭 주장했다. 뒤이어 강진을 비롯한 대회파는 조공 중앙위원회 서기국 명의로 10·1 폭동을 반대하는 성명을 발표하고 "현하 남조선 정세에 있어 군중투쟁을 폭력으로 유도하거나 혹은 지도부대로서 테러를 감행하는 것은 우리 진영의 파괴를 유치하고 전위를 대중으로부터 고립케 하고 국제문제를 험악하게 하는 크나큰 죄악이라고 단언한다"고 주장했다.[26]

나중에 조공의 내회파인 책임비서 강진에 대해 김일성은 종파주의자라고 극렬하게 비난했다. 소련군정의 로마넨코도 사회노동당이 무장봉기를 구실로 조공을 비난했다고 보고했다.[27] 이로써 박헌영계와 화해가 불가능한 지경에 이른 조공 대회파는 박헌영계의 남로당 결성 결정보다 40일 늦게 그들 자신의 3당

합당 결정을 보게 되는데 그것이 바로 사회노동당 창당이다.[28]

김일성과 소련군정의 반대

3당통합이 지지부진하자 여운형은 9월 25일부터 30일까지 소련군당국의 소환으로 평양을 방문하고 10월 1일 서울로 돌아왔다. 그는 평양 체재 중 소련 민정장관 로마넨코와의 회담에서 좌익3당의 통합이 이루어지면 새로 결성되는 통합당(남로당)은 미군정에 의해 불법화된다는 이유를 들어 합당을 반대했다.[29] 그러나 김일성은 그에게 사회노동당을 결성하는 것은 인민을 기만하는 행위라고 비판하면서 스탈린이 지시한 남로당 결성에 적극적으로 나서라고 압박했다.[30] 여운형뿐 아니라 10월 중순에는 조공의 강진도 김일성 김두봉과 협의하기 위해 평양을 방문했으며, 신민당 위원장 백남운도 평양본부의 소환에 따라 같은 기간에 북행했다. 강진은 김일성과 김두봉으로부터 합당사업이 실패한 점에 대해 책임을 추궁당했다. 김일성은 미국인들이 박헌영을 체포하려고 하는데 강진이 분파활동을 하고 있다고 비난했다.[31] 백남운 역시 김두봉으로부터 왜 좌우합작에 동조하면서 북조선의 지시를 이행하지 않았느냐고 문책당했다.[32]

이 같은 김일성과 김두봉의 배후에는 스탈린의 3당합당 지시를 실천에 옮기려는 소련군당국이 있었다. 사로당 추진파에게 박헌영 계열의 방해보다 김일성과 소련군당국의 압력은 당시로서는 거역하기 어려운 압력이었다. 사로당 임시 중앙위원 중 최백근(崔百根)은 원래 조선공산당 당원이었으나 여운형을 존경해서 남로당으로 가지 않고 그를 따라 사로당 창설에 합류했는데 사로당 창당이 박헌영 계열의 방해에 부딪치자 당에서 이탈했다. 그는 뒤의 Ⅲ-1(혁신세력의 재기와 분열)에서 보는 바와 같이 4·19 이후에 사회당을 결성했다가 5·16 이후 군사정부에 의해 간첩죄로 사형을 당한다.

여운형 병실에서 열린 창당결의 모임

박헌영과 김일성, 그리고 소련군정의 반대가 계속되는 가운데 조공, 인민당 및 신민당의 반 박헌영 계열 소속 합당교섭위원 27명은 1946년 10월 서울대학병원의 여운형 병실에서 모임을 갖고 3당합동문제를 토의한 후 사회노동당(약칭 사로당)을 결성하기로 합의했다. 이들은 10월 15일 3당 합동의정서와 당 강령(초안)을 발표했다. 강령초안은 '조선민주공화국'의 건설, 정권형태로 인민위원회 구성을 다짐한 것이 핵심 내용이다.[33] 사로당의 강령은 대체로 남로당의 그것과 대동소이하지만 강령 제1항에서 '조선민주공화국'을 건설한다고 밝힌 것은 남로당이 수립하겠다고 선언한 '민주주의인민공화국'에서 '인민'을 뺀 것이어서 뚜렷한 대조를 보인다. 사로당은 사회주의정당이기는 하지만 공산주의와는 다르다는 것을 부각하기 위한 것으로 보인다. 그러나 정부형태로 인민위원회 방식을 규정한 것은 남로당과 같다. 사로당의 결성 결의로 남한의 좌파세력은 남로당과 사로당의 두 갈래로 나누어지게 되었다.

그런데 사로당 준비위원회 내부에는 반 박헌영파이기는 하지만 근본적으로 공산주의를 신봉하는 사람들이 많았다. 이들 공산계열 사로당 추진 핵심들은 여운형이 좌우합작을 추진하고 미군정청 자문기관인 남조선과도입법의원 참여에 미련을 버리지 못하는 점을 비난하는 성명을 발표해 혼선이 빚어졌다. 여운형의 좌우합작노력과 입법의원 참여 방침은 그가 평양으로 불려갔을 때 시티코프 장군의 지시에 의해 로마넨코가 강력하게 반대했다. 김일성도 이를 극구 반대해 여운형은 그에게 입법의원 불참만은 약속한 것으로 보인다.[34]

여운형은 서울에 돌아온 다음 그가 좌우합작위원회에 참여하는 것은 사로당 준비위 중앙위원회 위원장 자리와는 무관하게 개인자격으로 하는 것이라고 해명하고 민전의 수석의장 자리를 사퇴하기로 했다. 그것은 여운형이 어떤 경우에도 좌우합작에 의한 좌우연합정부 수립이 민족통일을 가능케 하는 유일한 길이라고 믿었기 때문이다. 여운형은 이를 위해 미군정당국과 협력을 유지하려한 것이다.

사로당 결성 결의가 발표되자 박헌영계는 이를 저지하기 위해 총력전을 폈다. 남로당 준비위원회, 조공 서기국, 민전, 전평 등 조공 계열의 단체들이 일제히 사로당 공격에 나섰다.[35] 조공뿐 아니라 인민당 합당추진파, 즉 47인파도 비난성명을 발표하고 사로당 추진파에게 포문을 열었다.[36] 그러나 사로당 추진파들은 남로당계의 비난 공격에도 아랑곳하지 않고 창당 작업을 강행했다. 사로당 준비위원회는 11월 1일 사회노동당 임시중앙위원과 감찰위원을 선출하고 3당 연합 임시중앙위원회를 결성했다. 임시중앙위원장에는 여운형, 부위원장에는 백남운과 강진을 각각 선출했다.[37] 그런데 여운형은 이날의 사로당 준비위원회 회의에 참석치 않았다. 또한 사로당 임시중앙위원회 위원장에도 취임하지 않았다. 남로당 준비위원회 위원장이기도 한 그는 사로당과 남로당 사이에서 고민하고 있었다.

여운형의 기회주의 작전

여운형은 곤경에 빠졌다. 그는 이러지도 저러지고 못하고 남로당과 사로당 중간에서 고민한 끝에 결국 창당절차를 끝내지 못한 두 당을 합당하는 방향으로 문제를 해결하기로 했다. 여운형도 박헌영처럼 북한의 김일성과 소련군정당국에는 저자세이기는 마찬가지였다. 여운형은 1946년 11월 초순 사로당 준비위원회로 하여금 남로당 준비위원회에 대해 무조건 합당을 제의케 했다. 그러나 사로당의 해체를 요구하는 남로당은 사로당 측이 제시한 회답시한인 11월 11일 정오까지 회답을 거부했다. 남로당은 여운형이 제시한 당 대 당 합동을 받아들이지 않는 입장이기 때문에 사로당이 자진 해체하고 소속 당원들은 개별적으로 남로당에 입당하라는 방침을 견지했다.

남로당의 강경한 거부에 봉착한 사로당은 이튿날 인민당 당사에서 제1차 임시중앙위원회를 열고 남로당과의 합동문제를 토의했다. 여운형은 자신과 백남운, 그리고 임시중앙위원 90여 명이 참석한 이날 회의에서 3가지 합당방안을 제시하고 회의장을 퇴장했다. 즉 ① 민주역량을 총집결하기 위해 사로당을 해체하고 남로당과의 합동 ② 합동교섭위원을 뽑아 남로당과 합동문제의 재교섭 ③ 기정방침대로 사로당 창당의 완료 등 세 가지 방안 중 하나를 택하라는 것이었다. 백남운 역시 비슷한 내용의 인사말을 했다. 그러나 난상토론 결과 임시중앙위원회는 사로당에 비교적 유리한 제2의 방안을 택하기로 하고 교섭위원을 선출, 남로당과 재교섭하기로 결정했다. 임시중앙위원회는 교섭위원으로 여운형 백남운 윤일(尹一) 3인을 선출하고 무조건 합당의 원칙 아래 1주일 시한부로 남로당 측과 재교섭키로 결의했다.

그러나 남로당의 이승엽은 사로당 측의 제안을 거부하고 사로당 준비위원회를 즉시 해산하라고 요구했다. 사로당 측은 이에 굴하지 않고 당 대 당 합당 원칙을 관철하기 위해 신당 발족을 서둘기로 하고 11월 18일에는 집행부서도 선출했다. 위원장에 여운형, 부위원장에 백남운 강진, 사무국장에 이여성을 임명했다.[38]

남로당 창당대회에 나간 여운형

사로당 준비위가 신당추진을 하고 있는 사이 기왕에 사로당에 합류했던 조공대회파와 신민당 계 및 인민당 계 간부들이 남로당계의 조직파괴공작으로 사로당을 이탈하는 사태가 발생했다. 그 예가 인민당 중앙위원 염정권(廉廷權) 등 11명이 탈당한 사건이다. 이로 인해 여운형의 정치적 입지는 더욱 약화되었다.

사로당에 대한 공세는 평양 쪽에서도 내려왔다. 11월 16일 평양의 북로당 중앙위원회는 사로당에 극히 불리한 결정서를 채택, 발표했다. 이 결정서는 북로당이 박헌영의 노선을 지지하며 강진과 백남운 등을 분열주의자로 매도하는 내용이었다. 이 결정서는 이어 "(사로당 분자들의) 행동은 소위 좌우익합작을 찬의(贊意)하며 남조선에 식민지적 통치를 합리화시키는 입법기관 창립을 지지하는 분자들에게 도움을 주는 것"이라고 비난하면서 사로당을 맹렬히 규탄했다. 이에 대해 사로당 선전부장 이우적(李友狄)은 당초의 합당 및 정치노선의 집행에 있어서 부동의 신념으로 관철해 나가겠다고 강조함으로써 북로당의 지시에 불복종할 것을 분명히 했다.[39]

그러나 사로당은 11월 23~24일 남로당 창당대회가 열려 허헌을 위원장에, 박헌영을 부위원장에 선출함으로써 남로당이 본격적으로 출범하자 큰 동요를 일으켰다. 여운형은 이날 남로당 창당대회에 처음에는 출석치 않았으나 제2일째 회의에 참석하는 기회주의적 태도를 취했다. 그는 첫날 임시집행부 선거에서 의장단의 일원으로 뽑혔다. 그가 보낸 축사는 조한용(趙漢用)에 의해 대독되었다. 대회 첫날인 23일 어느 대의원은 "오늘 회의에 지금까지 협력해 온 여운형의 얼굴이 보이지 않는 것은 대단히 유감된 일이다. 그는 지금까지 우리 진영으로부터 떨어져 방황하고 있으나 우리는 그를 아끼며 같이 걸어 나가야 할 줄 안다"면서 대회에 참석케 하자고 제안했다. 대회 집행부로부터 연락을 받은 여운형은 이튿날 대회장에 나와서 인사말을 했다. "나는 여러분과 같은 배를 타고 출범하지 못하는 것을 유감으로 생각한다. 그러나 이것은 여러분과의 이별을 의미하는 것은 아니다. 왜냐하면 지금 여러분과 같은 배를 타지 않고 남아있는 사람들이 있기 때문이다. 나는 그 사람들을 배에 태워 여러분의 뒤를 따라가려고 하고 있다. 나의 마음은 항상 여러분과 같이 있다는 것을 이 마당에서 다시 한번 명백히 하며 여러분의 새 출발을 축하한다"고 그는 말했다.[40]

상황이 이렇게 되니 사로당에서 탈당하는 당원이 늘어났다. 사로당의 주요조직 기반인 영등포지구 당원들과 중앙당의 일부 중앙위원들이 집단 탈당, 남로당에 합류했다. 탈당사태가 계속되면서 박헌영계로부터 정권처분을 받은 대회파의 중요인물인 서중석은 자기비판을 하고 남로당 결당식에 참여했다. 여운형을 더욱 난처하게 만든 것은 북한을 방문하고 돌아온 신민당의 백남운이 당대 당 합당 원칙에서 후퇴, 남로당에 의한 사로당의 흡수통합을 수용하는 무조건 통합원칙을 펴면서 사로당원의 남로당 개별입당을 지지하고 나선 것이다.[41] 백남운은 북한에서 로마넨코에게 자신은 사로당과 입장이 다르다고 변명했던 것이다.[42] 백남운의 이런 태도변화는 여운형에게 있어서 정치적 우군의 상실을 의미한다.

남로당과의 합당 실패와 사로당 해체

당초 여운형은 11월 23일 남로당 창당대회 첫날에 메시지를 보내 좌익진영의 통일이 무조건적으로 요청되고 있다고 말하면서 합당을 요구했다. 그러나 남로당은 이를 거부하고 단독으로 창당을 완료했다. 남북의 노동당으로부터 냉대를 받은 사로당은 이틀 뒤 남로당과의 합당교섭 전말을 발표하고 사로당의 정당성을 주장했다. 그러나 사로당의 붕괴는 급속도로 진행되었다.

결국 여운형은 12월 4일 "좌우합작과 합당 공작을 단념하면서"라는 일종의 자기비판서를 발표하고 백의종군하겠다고 선언했다. 여운형에게는 시련의 시기였다. 그가 추진한 좌우합작은 앞에서 설명한 바와 같이 10·1폭동으로 사실상 중단되고 사로당과 남로당의 합당 노력 역시 그해 말에 이르러 남로당의 고

압적인 태도로 벽에 부딪친 것이다. 평양을 다녀온 후 남로당의 사로당 흡수방식을 지지하기 시작한 신민당의 백남운과 조공의 강진은 본격적으로 당 해체에 나섰다. 백남운은 사로당 부위원장 자리를 사퇴했으며 강진은 당내에서 사로당 해체를 주장하는 발언을 거듭했다.[43]

여운형의 은퇴 발표 후, 그의 직계인 신기언(申基彦)과 김학배(金鶴培)가 황진남(黃鎭南)과 함께 입법의원 관선의원을 수락했다 해서 11일 사로당으로부터 제명[44]되자 그날로 이들을 포함한 사로당 잔류 인민당 31인파 가운데 11명이 사로당을 탈퇴, 다시 여운형 당수가 건재한 인민당으로 되돌아가겠다고 발표했다. 이들은 사로당의 성격이 대중정당이 아닌 것을 지적하면서 이제는 무의미해진 제2의 좌익3당합동을 탈퇴한다고 밝혔다.[45] 이 무렵 사로당은 당을 해체하고 북한의 결정을 다시 받자는 강진 이우적 계열과 정치노선은 남로당과 같이 하되 사로당을 사수하자는 최익한 고철우 허윤구(許允九) 문갑송(文甲松) 김대희(金大熙) 계열, 그리고 인민당 노선으로 나가자는 함봉석(咸鳳石), 김명진(金明鎭), 이여성 계열의 3파로 분열되었다

그 후의 사태는 더욱 어렵게 전개되었다. 11명의 인민당계가 당을 떠난 다음날 열린 사로당 긴급상임위원회는 중앙부서 책임자 개편인사에서 비 인민당계, 즉 조공과 신민당계를 중용하는 인사를 단행했다. 말하자면 사로당은 뒤늦게 혁명적 계급정당으로 나아갈 참이었다.[46] 사로당 준비위원회는 12월 25일 중앙위원회를 소집, 합당문제를 토의했으나 강진 이우적 강병도(姜炳度) 등 당해체파와 김대희 고철우 등 합당추진파간에 격론만 벌였다. 결국 아무 결론을 내지 못하고 표결 끝에 당을 유지한 채 남로당과 통일하자는 주장이 20대 3(기권 2)으로 승리했다.[47] 사로당은 중앙위원회가 끝난 뒤 탈당의사를 가진 이우적 주진경(朱鎭璟) 정희영(鄭禧永) 강병도 반상규(潘象圭) 등 14명을 당규 위반으로 제명했다.[48]

해가 바뀌면서 중진 당원들의 탈당사태가 다시 시작되었다. 1947년 1월 6일, 제명당했던 사로당 해체파인 이우적 주진경 반상규 등을 포함한 중앙위원 20명은 "모든 좌익 요소는 남로당으로 집중되며 그것을 확대 강화하는 것만이 우리 동지들의 임무이다"라는 탈당성명과 함께 당을 떠났다.[49] 사로당 부위원장

이며 조공 책임비서인 강진도 1월 하순 탈당성명을 발표하고 탈당을 결행했다.[50] 또한 반 박헌영파로 사로당 결성에 적극적이었던 김철수와 김근(金槿)도 남로당에 참여하겠다는 탈당성명을 발표했다. 사로당 서울시위원회와 인천시위원회는 남로당을 지지한다는 성명을 발표하고 각각 지부를 해체했다.[51]

사로당은 위원장 부위원장 중앙위원의 탈퇴와 지방조직의 해체로 위기가 절정에 달했다. 이제 남은 절차는 사망선고뿐이었다. 사로당은 드디어 1947년 2월 27일 서울 종로구 시천교당에서 당수뇌부가 결원인 가운데 처음이자 마지막인 전당대회를 열었다. 대의원 570명 중 378명이 참석한 이날 전당대회는 대의원들의 긴급제의에 따라 당의 '발전적 해체'를 만장일치로 결의했다. 이와 함께 대회는 북로당에 보내는 메시지, 사로당이 남조선 좌익진영을 분열시켰음을 반성하는 자기비판 결의문, 그리고 3상회의 결정을 존중한다는 결의문을 채택했다.[52] 이로써 해방 후 최초의 제2의 좌파통합 정당인 사로당은 정식 출범도 못하고 해체되고 말았다.

3. 근로인민당

당내 노선 갈등으로 창당작업 늦어져

근로인민당(약칭 근민당)은 남로당과 북로당의 와해공작으로 해체된 사로당의 후신이라 할 수 있다. 근민당은 여운형이 중심이 되어 사로당 핵심이었던 조공 대회파, 인민당의 31인파, 그리고 신민당의 반간부파가 강순(姜舜)의 근로대중당과 김성숙(金星淑)이 해방 전에 만든 조선민족해방동맹(약칭 해방동맹)을 영입해서 창당한 해방 후 두 번째의 온건 좌파연합정당이다.

여운형은 좌우합작과 사로당 창당작업을 하다가 실패하고 정계후퇴한 지 3개월만인 1947년 2월 26일, 미소공동위원회 2차 회의 개막을 앞두고 '광범위한 민주세력의 집결'을 목표로 하는 가칭 근로인민당 준비위원회 명의의 신당 창립선언 초안을 발표했다. 이 선언 초안은 근로인민당의 성격을 '조선 노동자 농민 소시민 전 근로인민과 애국적 정의인사의 전위당'으로 규정했다.[53] 이 같은 근로당의 노선은 인민당과 비슷하다.

여운형의 창당작업은 2단계로 진행되었다. 제1단계는 구 인민당의 31인파(사로당 추진파)인 이만규 이여성 이상백 등으로 하여금 인민당재건위원회를 만들게 하는 작업이다. 제2단계는 사로당의 해체작업이었다. 여운형은 사로당의 발전적 해체를 종용해 이를 실현시킨 다음 해체파들로 하여금 신당 창설 작업을 추진케 하면서 "우리가 당을 해체했으므로 인민당 재건위도 스스로 해체해 동격으로 신당을 만들자"고 요구토록 했다. 여운형은 이런 방법으로 3월 11일 인민당 재건위원회 해산과 함께 신당결성 준비위원회를 조직하고 다른 정파를 영입하는 순서를 밟았다.[54] 이렇게 해서 구성된 신당 추진그룹인 민우구락부(民友俱樂部)는 여운형을 비롯, 백남운 장건상 김성숙 이만규 조한용 이여성 이임수 황진남 외 수명이 핵심을 이루었다. 이 같은 구성으로 보아 남로당 아닌 모든 좌익을 총망라한 제2의 좌익신당이 탄생할 것 같은 인상을 주었다.[55]

근민당 창당작업은 신당 추진그룹 내의 정파들끼리 노선갈등을 빚어 예정대로 추진되지 못하고 지연되었다. 사로당 해체파인 조공의 강진 이우적 강병도는 중간정당이나 제3당이 아닌 제1 계급정당을 만들어 남로당과 정면으로 대결하자고 주장한 데 반해 인민당 계열은 중간 좌파노선을 주장하면서 근민당이 절대로 사로당의 재판이 되어서는 안 된다고 맞섰다. 여운형은 이 같은 노선갈등을 해결하는 방법으로서 측근자 중심의 창당작업을 포기하고 조직대중을 가진 모든 지도급 인사를 고루고루 영입해 당을 운영하기로 결정했다.[56] 이에 따라 신당 준비위원회는 7명의 전형위원이 뽑은 각파 대표로 구성되었다. 준비위원들은 사로당계 12명, 인민당 재건파 9명, 신민당 해방동맹 기타 정파 10명, 합계 31명이다. 이들 준비위원은 창당대회 때까지 임시중앙위원의 역할을 했다.

3상결정에 의한 '진보적 신흥국가' 수립 지향

준비위원회는 1947년 4월 7일 제1차 회의를 열어 당명을 근로인민당으로 확정하고 12일에는 신당발기인대표 여운형의 명의로 11명의 정치협의회 구성원과 38명의 중앙준비위원회 구성원 이름을 공개했다. 26일에는 창당선언문을 발표했다. 정치협의회 위원은 여운형 장건상 이만규 이여성 등이다.[57] 창립선언문에서 주목할 점은 일체의 민주세력을 망라한 '진보적 신흥국가'를 건설하고, 봉건적 생산관계, 즉 자본주의경제체제를 지양하되 이윤동기와 개인의 창의를 존중하는 민주주의적 신경제체제를 도입한다는 대목이다.

근민당의 정강은 인민당의 그것과 비슷하며 대체적으로 사로당의 노선이 그랬듯이 남로당과도 큰 차이가 보이지 않으나 과거 조공의 혁명노선에 반대하는 온건좌익정당의 성격을 부각시켰다. 근민당의 정강은 인민당의 그것에 모스크바 3상 결정에 의한 남북통일정부를 수립하되 민주주의 정당 및 사회단체는 자율적으로 임시정부 구성에 참여하고 미소공동위원회는 이에 협찬 원조할 것을 주장한다는 대목을 추가했다. 이 때문에 근민당은 좌파 지식인들의 관심을 끌었다. 근민당의 정강은 ① 조선민족의 총역량을 집결하여 진정한 민주주의국가의 건설을 기함. ② 계획경제제도를 확립하여 전 민족의 완전해방을 기함. ③ 진보적 민족문화를 건설하여 인류문화 향상에 공헌함을 기함을 다짐했다.[58] 그리고 정책은 통일민주독립국가의 건설, 중요산업의 국유화, 민족문화의 건설, 인민의 생활조건의 개선과 노동조건의 보장, 사대주의 배격과 자주적 대외정책 수행을 선언했다.[59] 근민당은 정책에 따라 어느 세력과도 연합 혹은 제휴를 시도한다는 입장이었기 때문에 우파에서는 물론 좌파계열로부터도 외면을 받았다. 지방조직으로는 주요 도시에만 지부를 조직할 수 있었으며 노동자 농민층에는 남로당 조직 때문에 뿌리를 내리기 어려운 상황이었다.[60]

공산주의자 다수 포진

결당대회는 1947년 5월 24일 서울 종로구 광화문 옛 국제극장 자리에서 중앙 및 지방 대의원 3백여 명이 참석한 가운데 개최되어 위원장에 여운형, 부위원장에 백남운 이영 장건상, 사무국장에는 문갑송, 조직국장에는 이만규가 각각 선임되었다.[61] 그런데 근민당 중앙위원들 중에는 약 반수가 공산계열로서 근민당 역시 사로당과 비슷한 인적 구성이 되고 말았다. 결당대회는 이튿날 속개되어 향후의 당 사업을 토의한 끝에 근민당은 민전에 원칙적으로 참여하되 그 시기와 방법을 중앙위원회에 일임하고 농민 노동자 부녀문제 등은 남로당의 외곽단체인 전농 전평 민주여성동맹과 각각 협의하기로 결정했다.[62] 근민당은 Ⅰ

—⑤(제3세력)에서 설명하는 바와 같이 여운형의 방침에 따라 좌우합작 단체인 시국대책협의회(약칭 시협)에 가입했다.

그런데 근민당의 창당에는 북한 김일성의 지원이 있었다는 설이 있다. 김일성은 근민당과 남로당이 합작케 함으로써 박헌영의 독선으로 위태로워진 좌익 내부의 공동보조를 이룩하고 근민당으로 하여금 좌우익을 포함하는 통일전선을 주도하도록 하기 위한 것이라 한다. 이 같은 공작을 구체적으로 맡은 사람은 대남공작책임자 성시백이었다 한다. 원래 여운형은 근민당 창당 후 북한을 방문토록 되어 있었으나 암살당하는 통에 이루어지지 않았다는 것이다.[63]

당 간부 대거 검거로 위축

인민당 계열과 사로당 계열간의 갈등이 심화되고 있는 가운데 창당 2개월도 채 안된 1947년 7월 19일 위원장 여운형이 테러범에게 피살되자 근민당은 일대 위기에 빠졌다. 여운형 피살 이후 장건상이 위원장 대리를 맡고 이영 백남운 등 부위원장의 합의제로 당을 운영했으나 점차 중요부서를 맡은 사로당계 간부들이 제1선에서 후퇴하고 인민당계가 실권을 잡았다. 사무국장에는 이임수, 조직국장에는 김성숙, 선전국장에는 조한용 등 인민당 계의 비공산·비사회주의 인물들이 기용되었다. 근민당은 그해 10월에는 당의 노선에도 일대 변화를 가져오는 선언을 채택했다. 선언의 골자는 민족 내부의 극좌적 기회주의를 청소하고 민주주의적 민족통일전선을 재편성하며 미소양군의 동시철퇴와 조선민족의 자주자결권 승인 등이다.[64]

그러나 근민당은 미소공동위원회가 결렬된 다음부터는 거의 활동을 하지 못했다. 민전 측이 그해 광복절 행사 때 벌이기로 한 8·15투쟁을 봉쇄하기 위해 미군정당국이 1947년 8월 11일 밤 단행한 좌익세력에 대한 일제검거조치는 근민당에도 치명적인 타격을 주었다. 장건상 백남운 이여성 정백 조한용 등 당 간부들이 체포되자 근민당은 사실상 마비상태가 되었다. 이때 검거된 사람들은 남로당 위원장 허헌 등 좌익계열 인사가 1천명에 달했으며 그 중 5백 명은 포고령 위반으로 사법처리되었다. 1948년 평양 남북협상에 참여하고 5·10총선 참여를 거부한 근민당은 정부 수립 이후인 1949년 10월 19일 정당등록이 취소되어 명실공히 역사 속으로 사라졌다. 당 수뇌급 중 좌파인 백남운 이영 등은 남북협상과 6·25를 전후하여 월북하고 장건상 김성숙 등 우파는 잔류했다. 잔류 근민당 간부들은 1950년 5월, 제2대 국회의원 총선에 무소속으로 출마했으나 장건상만 당선되었다. 이들은 6·25 후에도 자주 투옥되고 진보당사건 직전인 1956년에는 이른바 '근민당 재건사건'이 날조되어 관련자들이 다시 투옥되었다. 이들 중 일부는 4·19 이후 사회대중당에 참여했다.

4 박헌영과 여운형

자본주의사회는 그 자신에게 내재된 모순과 결함의 작동에 의해 필연적으로 새로운 사회가 생겨나게 되며, 이것이 인류사회가 계속해서 진화한다는 사회진화의 법칙이다.…이것은 곧 생산기술이라는 확실성을 갖춘 객관적 조건으로서 공산주의 실현의 가능성이며 역사의 필연이다

—박헌영, 자백서(1926)

나 개인으로서의 주의는 마르크스주의자요. 그러나 조선독립운동에 대해서는 민족주의적 행동을 한 것이요.…조선에는 여운형주의를 가지고 하는 것이 조선해방의 길이라고 생각하오. 조선에 있어서는 계급투쟁을 하는 것은 불가하오. 공산주의, 사회주의, 민족주의 등 각 주의를 고집하는 것은 불가한 일이오.

—여운형, "우리나라의 정치적 진로"(1946)

1. 비운의 혁명가 박헌영

희생양이 된 박헌영

　남침전쟁으로 공산통일을 이룩하려다가 실패해 북한전역을 잿더미로 만든 김일성은 1953년 봄 남로당 계열을 체포하고 휴전협정 조인 사흘 뒤인 1953년 7월 30일 1차로 이승엽 등 12명을 미국 스파이 등 혐의로 기소했다. 이른바 '이승엽사건'에 연루되어 재판을 받고 처형당한 사람은 이승엽을 비롯해서 조일명(趙一明) 임화(林和) 박승원(朴勝原) 이강국[1] 등 박헌영의 직계들이다. 박헌영은 이들에 대한 처리가 끝난 2년여 뒤인 1955년 12월 3일 최고검찰소 검사총장 이송운(李松雲)에 의해 미제를 위한 간첩행위, 남반부 민주역량의 파괴·약화행위, 공화국 정권전복 음모행위 등 세 가지 혐의로 기소되었다. 박헌영은 기소되기 앞서 노동당 중앙위원회에서 제명되었다. 그와 함께 출당된 남로당계는 주영하 장시우(張時雨) 김오성 안기성(安基成) 김광수 김응빈 권오직 등이다.[2]

　박갑동에 의하면 조사관들은 박헌영의 감방에 사나운 셰퍼드를 집어넣어 그를 물어뜯게 하는 방식으로 고문을 해서 터무니없는 기소사실을 시인토록 했다고 한다.[3] 박헌영은 그 해 12월 15일 민족보위상 최용건이 재판장인 최고재판소 특별재판에서 사형 및 전재산 몰수형을 선고 받고 이듬해 7월 19일 총살

당했다.[4] 우연하게도 여운형이 암살(1947년 7월 19일) 당한 같은 달, 같은 날이다. 박헌영은 이때 불과 56세로 한창 활동할 나이였다. 코민테른과 스탈린의 지시를 그대로 따랐던 충실한 볼셰비키이자 일생동안 공산사회라는 유토피아를 좇던 박헌영은 소련이 그 대리자로 김일성을 선택하자 그에게 협력하다가 결국 그 대리자에 의해 한 많은 죽임을 당했다.[5]

북한의 동독주재대사를 역임한 전직 고위관리 박길룡(朴吉龍)이 박헌영의 아들 원경스님에게 밝힌 바에 의하면, 당시 동유럽과 소련을 순방 중 급거 귀국한 김일성은 그날 저녁 내무상 방학세(方學世)에게 박헌영의 처형을 긴급 지시했다는 것이다. 김일성이 서둘러 박헌영을 처형하라고 지시한 것은 이른바 8월종파사건의 핵심들과 박헌영 세력이 손을 잡을 것을 우려했기 때문이라고 한다. 8월종파사건이란 1953년 조선노동당 중앙위원회 8월 전원회의에서 연안파와 소련파가 김일성의 중공업 우선 및 경공업과 농업의 동시적 발전을 골자로 하는 전후복구정책과 김일성에 대한 개인숭배를 비판한 사건을 지칭한다. 방학세의 부하들은 내무성 지하 감옥에 수감 중이던 그를 밤중에 끌어내 허리까지 자란 잡풀을 헤치면서 산속으로 끌고 가 방학세가 직접 박헌영의 머리에 권총을 두 발 발사해 처형하고 시신은 그 자리에 묻었다는 것이다.[6]

공산혁명가의 청년시절

박헌영(1900~1956)은 대한제국이 한창 러시아와 일본의 쟁탈전 대상이 되고 있던 1900년 5월 28일(음력 5월 1일) 충남 예산군 신양면(新陽面) 신양리에서 농사와 여관업을 겸업한 비교적 여유 있는 영해 박씨 집안의 서자로 출생했다. 어려서부터 총명했던 그는 고향에서 보통학교 4학년 재학 중 서울의 경성고등보통학교(후일의 경기중학교)에 입학해 1학년 때부터 YMCA학관 영어과에 적을 두고 과외로 영어공부를 했다. 그는 1919년 졸업을 며칠 앞두고 3·1운동이 일어나자 전단을 돌리는 역할로 독립운동에 참여하고 어수선한 시국 때문에 졸업식도 거행하지 못한 가운데 학교를 졸업했다. 박헌영은 학교 졸업 후 김억(金億) 신봉조(辛奉祚) 홍명희(洪命熹) 백남규(白南奎) 등과 함께 조선에스페란토협회의 창립에 참여해 활동하다가 동경에서 고학을 할 생각으로 일본으로

밀항했으나 여의치 않아 금방 귀국한 다음 1920년 11월 상해로 망명했다.[7]

박헌영은 상해에 도착하자마자 김만겸(金萬謙) 이동휘(李東輝) 등 그곳 조선인 공산주의자들이 만든 한인공산당에 가입, 공산주의운동에 첫 발을 내디뎠다. 한인공산당이 1921년 상해파와 이르쿠츠크파 고려공산당으로 분리되자 그는 후자에 가입하고 고려공산청년단 상해회 결성에도 참여, 비서가 되었다. 이듬해 상해상과대학에 입학한 박헌영은 1년 2개월간 공부하다가 학자금이 없어 퇴학하고 그가 속한 고려공산당에서 운영하는 사회주의연구소에서 사상공부를 했다. 박헌영은 1922년 3월 23세의 나이로 고려공산청년회 제2차 중앙총국 결성에 참석, 책임비서에 선출됨으로써 공산주의자로서 입신하기 시작했다. 그는 국제공청의 지령에 의해 고려공청을 서울로 이전하기 위한 준비를 위해 귀국하던 중 1922년 4월 중국 안동(安東, 현재의 丹東)에서 김단야(金丹冶, 金泰淵) 임원근(林元根)과 함께 일본 경찰에 체포되어 1차 옥고를 치른다. 평양형무소에서 징역1년6개월을 복역하고 1924년 1월 만기출옥한 그는 고려공청 책임비서에 재임명된 다음 곧 동아일보사에 입사, 1년4개월의 재직기간 중 처음에는 판매부 서기를 하다가 나중에는 지방부기자가 되었다. 이때 그는 처음으로 제10회 국제청년데이를 맞아 《개벽》지에 "국제청년데이의 의의"라는 글을 썼다. 이 글에서 그는 국제무산청년운동의 역사를 개관하고 개량주의적 사회당의 조류와 혁명적 공산주의의 조류가 어떻게 교차했는지를 소개했다. 이 무렵 그는 또 자신이 결성에 참여한 신흥청년동맹 주최 청년문제 강연회에도 연사로 나가 "식민지 청년운동"이라는 제목의 연설을 했다.[8]

박헌영은 1925년 4월 서울 아서원에서 비밀리에 한국 최초의 마르크스−레닌주의 정당인 조선공산당이 창당될 때 창립당원 14명의 한 사람으로 참여했다. 그는 이때 새로 조직된 조선공산당 청년조직인 고려공청 책임비서에 선출되어 국내 공산주의운동의 핵심적 존재로 부상하기 시작했다. 그는 동아일보에서 동맹파업을 선동하다가 퇴사하고 3개월 만에 조선일보사에 입사, 약 1년2개월 간 사회부기자로 근무한 뒤 좌익기자 일제해임 때 퇴사했다. 박헌영은 1925년 10월 《개벽》지에 다시 "역사상으로 본 기독교의 내면"이라는 글을 써 기독교가 제국주의 첨병 역할을 한다고 비판했다. 그는 그해 11월 고려공청의 비밀문서가 일제 경찰에 발각되자 2번째로 투옥되어 재판을 받던 중 '정신이상'을 이유로 2년 후 보석되었다. 그는 병보석 중이던 1928년 8월 아내 주세죽(朱世竹)과 함께 비밀리에 두만강을 넘어 소련으로 탈출했다. 그 이듬해 모스크바로 간 박헌영은 국제레닌학교에 들어가 3년간 공산주의 이론을 연마하고 졸업하는 한편 소련공산당에 입당, 국제공산주의 운동가의 길로 들어섰다. 이 기간 중 그는 코민테른 동양비서부 조선위원회 회의에도 참석하고 국제혁명가구원회 기관지(모쁘르의 길)에 "우리의 길, 혁명이냐 죽음이냐"라는 글을 기고하기도 했다.[9]

해방의 날까지 혁명가의 소신 지켜

박헌영이 모스크바 체류 3년만인 1932년 1월 코민테른의 지시에 따라 조선공산당을 재건하기 위해 상해로 파견된 때는 그가 32세 된 해였다. 조선공산당은 1928년 4차 공산당 사건을 계기로 해체되었는데, 코민테른은 이를 재건코자 그를 상해로 파견한 것이다. 그는 상해에서 우선 《콤무니스트》라는 코민테른 동양비서부 조선위원회 기관지를 김단야와 함께 발간했다. 박헌영은 이 잡지에 여러 편의 글을 발표했다. 그 중에서도 4호에 발표한 "과거 1년과 조선 공산주의자의 당면 임무"라는 글은 한국에서의 공산주의운동의 기본방향을 제시한 것이다. 그러나 박헌영은 상해에 온 지 1년 반 만인 1933년 7월 일본 영사관 경찰에 체포된다. 서울로 압송된 그는 재판에 회부되어 징역 6년을 선고받고 복역하다가 39세가 된 1939년 9월 대전형무소에서 만기출옥을 한다.[10]

박헌영은 출옥직후부터 불사조처럼 비밀리에 조선공산당 재건운동에 착수, 그해 12월 이관술(李觀述)과 김삼룡이 지도하는 서울의 지하 공산당 조직과 관계를 맺어 이른바 경성콤그룹(京城Communist Group)에 합류, 그 지도자가 된다. 박헌영은 지방의 비밀아지트를 순회하면서 조직을 확충하고 기관지《공산주의자》도 발행했다. 그는 1940년 이관술을 경성콤그룹의 대표에 임명, 모스크바의 코민테른에 파견했으나 이관술이 국경을 넘지 못하고 경찰에 체포됨으로써 경성콤그룹에 대한 2차례에 걸친 검거선풍이 불었다. 박헌영은 대구로 피난했다가 다시 광주로 잠입, 처음에는 변소 청소부 일을 하다가 나중에는 해방될

때까지 벽돌공장에서 일했다. 그는 광주에서 숨어 있으면서도 서울의 소련총영
사관과 비밀리에 연락을 취하고 전남 일대의 콤그룹 조직원들과 비밀활동에 종
사했다. 해방 때 그는 45세였다.[11]

그의 혁명관과 진화론적 진보주의

박헌영은 충실한 마르크스·레닌주의자였다. 마르크스의 유물론적 진보사관
을 신봉한 그는 다윈의 진화론이 생물계의 진화학설인 것처럼 마르크스의 공
산주의이론은 인간사회의 진화학설이자 사회진화론이라고도 할 수 있다고 썼
다. 사회진화를 신봉한 박헌영은 이 같은 진보사관 때문에 자신의 노선을 '진보
적 민주주의'로 생각했다. '진보적 민주주의'는 해방 직후에 나온 《조선인민보》
등 좌익계열 신문들이 한결같이 주장하던 정치적 슬로건이었다.[12] 박헌영은 해
방 전인 1925년 11월의 이른바 제1차 조선공산당 사건으로 구속되어 1926년 4
월 26일 신의주 형무소에서 쓴 자백서에서 "봉건사회에서 자본주의사회가 생
겨 나왔듯이 공산주의사회 조직은 당연히 그 모체인 자본주의사회로부터 생겨
나는 것이라고 공산주의사회 도래의 필연성을 주장했다.[13]

박헌영이 책임비서였던 고려공산청년회는 1925년 결성 당시 채택한 강령에
서 사회주의사회의 도래를 필연적인 것이라고 선언했다. 김태연(김단야)이 미
리 작성한 초안을 회의석상에서 낭독해 만장일치로 채택된 고려공청 강령의 골
자는 사회제도의 기초를 이루는 경제제도는 사회진화의 법칙에 따라 필연적으
로 진화한다는 것이다. 이 강령은 "자본주의 경제조직은 지금까지의 법칙에 의
해서 사회주의 경제조직으로 대체될 운명에 처해 있기에 우리들은 이 사회진화
의 법칙에 따라 도래할 사회를 준비하는 임무를 담당하며 점점 격화하고 있는
계급투쟁에 의해 일어나는 수많은 희생자를 극소화하는 데 노력할 것을 맹세한
다"고 선언했다.[14]

앞에서 설명한 바와 같이 해방 직후 남한의 두 좌익지도자인 박헌영과 여운
형은 다 같이 그들의 꿈을 이루지 못한 채 비극적 죽음을 당한 공통점도 있지만
혁명가로서의 스타일은 달랐다. 1946년에 《지도자군상》[15]이라는 책을 쓴 조선
인민당 선전국장 김오성은 박헌영을 강철 같은 의지와 무서운 담력을 갖고 있

으면서도 침착하고 결단력이 있고 총명하고 구체적인 것에 문제제기를 하는 실제적인 지도자라고 분석했다. 이에 비해 여운형은 늠름한 풍채와 호걸풍의 기상, 그리고 생기발랄한 스타일로 누구에게나 좋은 인상을 주는 만년청춘형이며 활달 명랑한 성격에 타인의 추종을 불허하는 현하의 웅변가로 무서운 설득력을 갖고 있으며 겸허함과 포용력과 성실성이 특징이라고 평가했다.[16]

소련에 맹목적 충성 보인 박헌영

공산주의혁명에 대한 박헌영의 강력한 신념은 후대의 한국 좌파들에게 교조주의적 경향을 유산으로 남겼다. 그것은 그가 평생 동안 레닌과 스탈린의 영향 아래서 활동한 볼셰비키 였기 때문이다. 박헌영은 해방 후에도 소련에 대해서는 맹목적이라 할 정도로 충성심을 발휘했다. 그는 조선공산당 책임비서 시절에나 남로당 부위원장 시절에나 그의 공산주의혁명노선에 있어서 결코 독자적인 입장을 유지하지 못하고 소련군정당국의 지시를 충실하게 따랐다.

그는 1945년 8월 해방 직후 일제 때의 은신처였던 광주에서 상경 즉시 소련 총영사관을 찾아가 자신의 주도로 조선공산당을 재건하겠다는 계획을 설명하고 동의를 얻은 다음 거의 매일 샤브신 부영사와 만나 당무를 협의하고 남한정세를 보고했다. 그가 쓴 '8월테제' 역시 코민테른의 '12월테제'에서 밝힌 혁명노선을 충실하게 반영한 것이었다.

박헌영은 모스크바 3상합의 찬성문제, 조공 북조선분국 설치문제, 그리고 3당통합 문제에 관해서도 소련의 지시를 성실하게 이행했다. 그는 월북 후에는 소련군정의 감독과 함께 직접 김일성의 감시와 통제 아래 들어가게 된다. 3당통합에 관해서는 이미 앞에서 자세히 설명한 바와 같이 그가 스탈린의 지시를 충실하게 수행한 대표적인 예이다. 다른 예를 보면, 1945년 10월의 조공 북조선분국 설치 결정은 박헌영이 소련군정에 양보한 최초의 예일 것이다. 평양의 소련군사령부는 사회주의정권으로 가는 과도정부 형태로서 부르주아민주주의 정권을 북한에 세우라는 스탈린의 지시를 수행하기 위해 정치공작 전담 고급 장교들로 특별위원회를 만들었다. 북한에 부르주아민주정권을 세우려면 북한 지역 안에 통일적 공산당 조직을 만들 필요가 있었던 것이다. 소련군 특별위원회는 이에 따라 서울에 있는 박헌영의 조공본부를 평양으로 이전하거나 평양에 독자적인 조선공산당을 발족시켜 한반도 전역의 공산주의운동을 지휘·통제하도록 결정했다. 그러나 소련의 방침은 코민테른의 일국일당(一國一黨)주의를 내세운 박헌영의 반대에 부딪친다. 당시 북한에는 박헌영에게 충성하는 조공 지방당부가 각 도에 이미 조직되어 있었으며 아직 김일성은 공식적으로 등장하기 전이었다.[17]

박헌영은 1945년 10월 8일 개성 북방의 소련군 38경비사령부에서 김일성 및 로마넨코 소련군 민정사령관이 회동했다. 이 자리에서 평양에 독자적인 공산당본부를 설치하자는 김일성과 이를 반대하는 박헌영의 논쟁이 끝없이 계속된 끝에 박헌영은 로마넨코의 견해를 물었다. 로마넨코가 "김일성 동지와 같은 생각"이라고 답하자 박헌영은 태도를 바꾸어 "그러면 중앙당에 속하되 북부지역 공산당 조직을 지도할 수 있는 중간기구로 북조선분국을 설치하자"고 후퇴했다.[18] 이로써 북한지역의 조공 조직은 명실공히 김일성의 손으로 넘어갔다. 북조선분국은 김일성과 소련의 희망으로 이듬해 4월부터는 '북조선공산당'으로 불리게 되었다.[19]

신탁통치 반대 주장도 후퇴

박헌영은 처음에는 모스크바 3상회의에서 결정한 신탁통치를 반대했다. 1945년 12월 28일 국내 신문에 신탁통치 보도가 나오자 그날 조공 대변인 정태식(鄭泰植)은 사견임을 전제로 "우리는 확실한 자료를 갖지 못해 지금 경솔히 이 문제에 관하여 운운할 수 없으나 만일 조선에 대한 신탁통치 합의가 사실이라면 우리는 절대로 반대한다. 5년은커녕 5개월의 통치도 절대로 반대한다"고 밝혔다. 12월 31일 조공 서울시위원회는 신탁반대 전단을 살포했는데 그 안에서 "신탁통치는 참으로 우리 민족의 치욕"이라고 개탄했다.[20] 당시 반탁은 조공뿐 아니라 여운형의 조선인민당을 비롯해서 인공 문학동맹 조선청년동맹 국군준비대 과학자동맹 학병동맹 전평 등 모든 좌익단체와 홍명희 백남운 정태식 이여성 등 거의 모든 좌파 지도자들의 한결같은 입장이었다.

그런데 이듬해 1월 2일 조공의 태도는 돌변했다. 조공이 반탁에서 찬탁으로 태도를 바꾼 것은 평양을 방문하고 돌아온 박헌영의 지시에 의한 것이다. 소련 총영사관 직원 샤브시나의 증언에 의하면 그의 남편인 부영사 샤브신이 박헌영을 불러 물어보았더니 박헌영은 "모스크바 결정은 조선의 정세와 민족문제를 바로 보지 못한 것"이라고 불만을 표시했다고 한다. 총영사관 측은 "소련의 지시이니 찬탁에 앞장서 달라"고 요구했지만 박헌영은 겉으로는 따르는 척했지만 속으로는 여전히 반탁을 고수했다는 것이다. 이런 그의 태도가 평양에 보고되자 치스차코프 대장과 레베데프 소장 등이 그를 평양으로 불러 소련의 정책이니 찬탁을 따르라고 명령식 설득을 했다는 것이다. 그는 평양에서도 처음에는 반탁입장이었다. 그러나 로마넨코 민정사령관이 박헌영과 김일성을 만나 소련의 입장을 설명하면서 "미국이 신탁통치를 주장해서 하는 수 없이 절충안으로 5년간 후견제를 실시하기로 했다. 후견제는 신탁통치와는 근본적으로 다르다"고 설득하자 박헌영은 태도를 바꾸고 서울로 돌아왔다. 조공 중앙위원회는 이날 즉시 찬탁입장을 밝히는 신문호외를 제작해서 뿌렸다. 샤브시나에 의하면 조공은 반탁에서 찬탁으로 급선회했지만 당 내에서는 여전히 신탁통치문제를 둘러싸고 의견갈등이 있어 박헌영은 소련군 최고지도부로부터 신임을 잃었다는 것이다.[21]

소련 의도대로 김일성 추종 끝에 비극

소련은 한국에 뿌리가 있는 조선공산당 최고지도자인 박헌영 대신 김일성을 북한의 통치자로 삼기로 방침을 세웠으나 박헌영은 이 사실에도 불구하고 소련을 절대시하고 소련군당국의 방침에 순종했다. 이것은 박헌영이 스탈린 치하의 소련 독재정치 실상이나 북한지역에 소련위성국을 세우려는 스탈린의 의도를 간파하지 못했기 때문이다. 이 점은 박헌영에게 비극의 단초가 되었지만 한국공산주의운동에 있어서도 자주성의 상실이라는 문제를 제기했다.

박헌영은 1948년 9월 김일성이 정권을 수립하자 내각인사에서 실권 없는 부수상 겸 외무상에 임명되었다.[22] 남로당의 이승엽(사법상)을 비롯해서 박문규(朴文圭, 농림상) 허성택(許成澤, 노동상) 이병남(李炳南, 보건상) 등 남로당 간부들 중 10여 명이 북한정권의 상(相, 장관)급 또는 부상(副相, 차관)급에 임명되었다. 이들은 모두 박헌영처럼 권력을 행사하는 자리가 아닌 실권 없는 보직을 받았다. 박헌영의 지위는 이미 1948년 여름 들어 변화의 징조를 보였다. 북로당과 남로당이 북한정권 출범 준비를 위해 연합중앙위원회를 구성했는데 박헌영은 김일성 아래서 실권 없는 중앙위원 겸 제2비서에 선출되었다.[23] 지하당화했던 남로당의 '서울지도부'는 이때부터 연합중앙위원회의 통제를 받게 되었다.

그로부터 약 1년 뒤인 1949년 6월 24일 이룩된 조선노동당 발족은 형식적으로는 북로당과 남로당이 합당한 것이지만 실제로는 남로당이 북로당에 흡수되었다고 하는 것이 정확할 것이다. 허가이와 함께 중앙위원회 위원장 김일성 아래서 부위원장에 선출된 박헌영은 이제 명실공히 제2인자가 되었다.[24] 다만 새로 탄생한 조선노동당의 정치위원회에는 북로당계가 5명(김일성 김책 박일우 김두봉 허가이)이고, 남로당계가 4명(박헌영 이승엽 김갑룡 허헌)으로, 남로당계가 북로당계보다 1명밖에 적지 않아 남로당계의 목소리도 만만치 않게 되었다. 이 같은 조선노동당의 권력구조, 즉 일부 북한연구가가 말하는 이른바 '1949년 6월 질서'는 6·25전쟁 발발로 김일성이 당의 완전한 헤게모니를 잡을 때까지 김일성과 남로당, 그리고 김일성과 연안파 및 소련파 간의 갈등소지를 제공했다.[25]

조선노동당 출범 바로 이튿날인 1949년 6월 25일에 발족한 조국통일민주주의전선(약칭 조국전선) 역시 마찬가지였다. 북한의 민전(정식 명칭 북조선민주주의민족전선, 1946년 7월 결성)과 남한의 민전(정식 명칭 남조선민주주의민족전선, 1946년 2월 결성)을 통합, 양측의 소속단체를 총망라한 형식을 밟은 조국전선 역시 조선노동당처럼 실질적으로는 남민전이 북민전에 흡수된 것이다. 조국전선 발족은 조선노동당 발족과 하나의 세트로서 남북 양측의 두 개 조직들이 정비된 것이라고 하는 것이 옳을 것이다. 박헌영은 조국전선의 중앙상무위원의 한 사람으로 선출되었다.[26] 조국전선의 대남정치공세 내용은 Ⅱ-1(이승만 정부와 남로당의 대결)에서 자세히 설명한다.

한 가지 주목할 사실은 1980년대에 남한에서 친북세력이 득세하기 시작하면서 박헌영이 북한에서 비판받은 것과 같은 시각에서 일부 진보·좌파 학자들이 그의 노선을 비판한 점이다. 그가 조선공산당을 비민주적으로 재건하고 파벌주의와 좌경모험주의에 흘러 남로당을 붕괴시키는 오류를 범했다는 것이 비판의 골자이다. 이와 함께 그가 미국의 고용간첩이라는 북측 판결에 동조하는 사람들이 남한에서도 많이 나와[27] 박헌영은 저승에서도 눈을 제대로 감지 못할 비참한 상황이 되었다.

2. 실패한 합작주의자 여운형

민족주의적 사회주의자 여운형

여운형은 해방정국에서 온건파 좌익세력의 정상에 자리한 거물이었다. 박헌영이 코민테른의 국제노선에 충실한 혁명적 공산주의자인 데 비해 여운형은 민족주의적 온건파 사회주의자였다. 여운형은 미군정이 추진한 좌우합작에서는 좌파의 대표였지만 동시에 자신의 정치적 입장이 온건노선이어서 좌우 양쪽으로부터 불신의 대상이 되었다. 해방정국에서 좌우연합노선은 민족주의를 앞세워 좌우 양파를 초월하려는 자세를 취했기 때문에 무정견한 기회주의라는 비난도 받았다. 호의적으로 보자면 그는 이정식의 지적대로 "공산주의자 사회주의자 등의 용어에 끼워 맞출 수 없는"[28] 융통성을 지녔다. 여운형은 결코 공산주의자는 아니었지만 기본적으로 좌편향이어서 뒤에서 보는 바와 같이 건준과 인공을 결성했을 때 박헌영 등 좌익 측에 대해 독자적이고 일관된 원칙을 유지하지 못했다. 그러면서 좌익 3당통합과 사회노동당 창당 때는 소련과 김일성에 대해 지나치게 의존적이었다.

몽양(夢陽) 여운형(1886~1947)은 조선조 말 풍운이 감돌던 1886년 5월 25일(음력 4월 22일) 경기도 양평군 양서면 신원리 묘골(妙谷)에서 소론에 속한 양반 가문의 9대 종손으로 태어났다. 5세부터 14세까지 향리에서 한문을 수학한 그는 8세 때인 1894년 동학란이 일어나자 약 1년간 충청도 단양으로 피난했다. 신학문에 뜻을 두고 14세 때인 1900년에 상경한 그는 미국선교사 아펜젤러(H. G. Appenzeller)가 세운 서울의 배재고등보통학교와 시종무관을 지낸 민영환(閔泳煥)이 교장으로 있던 홍화(興化)고등보통학교, 그리고 관립 한성고등우체

학교 일반학부에서 1년씩 공부를 한 다음 1907년 귀향, 양평 고향집에서 사립 기독교 학원인 광동(光東)학교를 세워 학생들을 가르쳤다. 여운형은 2년 후 이 학교를 구한국군 상등병 황봉연(黃鳳淵)에게 인계하고 강릉 초당의숙의 교사로 초빙되어 학생을 가르치던 중 일본의 명치(明治) 연호 사용을 거부하다가 강릉 으로부터 퇴거명령을 받았다. 그는 25세인 1911년, 서울에서 알게 된 클라크(C. H. Clark) 목사의 권유로 평양 장로교신학교에 입학, 2년간 수학했다.[29]

여운형이 만주 서간도의 신흥(新興)무관학교와 그 지역 일대를 돌아본 것은 그가 27세 때인 1913년이었다. 대한제국이 일본에 합병된 지 3년 만이었다. 그는 이듬해 중국 본토로 옮겨가 남경의 금릉(金陵)대학 영문과에 입학, 3년간 공부했다. 여운형은 1917년에는 미국인이 지배인으로 일하던 상해 협화서국(協和書局)에 들어가 일하던 중 《자립보》 기자 진한명(陳漢明)의 소개로 중국 혁명가 손문(孫文)을 만났다.

중국에서의 독립운동

여운형이 상해에서 신한청년당을 조직, 당수 자리를 맡음으로써 본격적인 독립운동에 나선 것은 32세 때인 1918년이었다. 신한청년당은 중국에서 결성 된 최초의 독립운동단체인 신규식(申圭植)의 동제사(同濟社) 청년조직이다. 여운형 이외에 장덕수(張德秀) 김철(金澈) 선우혁(鮮于爀) 조소앙(趙素昻) 한진교(韓鎭敎) 조동호(趙東祜) 등이 중심인물이었다. 여운형은 같은 해 상해에서 고려교민친목회도 조직했으며 때마침 중국을 방문한 미국 윌슨 대통령의 특사 크레인(Charles R. Crane)을 통해 한국의 독립을 주장하는 진정서를 윌슨에게 보냈다. 또한 신한청년당이 주동이 되어 김규식(金奎植)을 파리강화회의에 대표로 보내기로 하고 국내에는 선우혁과 신익희(申翼熙)를, 일본에는 장덕수와 조소앙을, 만주와 연해주에는 여운형을 각각 보내 김규식의 활동을 뒷받침하고 한민족의 결의를 전 세계에 과시하기 위해 일제히 독립시위운동을 벌이도록 독려했다.[30] 이 사실은 여운형과 신한독립당이 3·1운동에 결정적 역할을 수행한 것을 뜻하며, 초기의 독립운동사에 여운형이 차지한 비중이 어느 정도였는지를 잘 말해 준다.

여운형은 3·1운동 직후인 1919년 4월 상해임시정부 수립에 참여, 자신은 경기도 대표로 의정원 의원이 되어 외무부위원장에 선출되었다. 그는 일본정부의 척식국장관 고가렌조(古賀廉造)의 초청으로 그해 11월 14일 상해를 출발, 일본에 도착한 다음 열흘 동안 동경에 머물면서 고가와 육군대신 다나카 기이치(田中義一) 등과 만나 조선독립의 당위성을 당당하게 역설했다. 그는 또한 동경 제국호텔에서 기자회견을 열고 공개적으로 조선독립을 주장했다. 통역은 일본에서 합류한 와세다(早稻田)대학 출신의 장덕수가 맡았다. 당시 여운형은 33세였고 장덕수는 25세였다. 일본정부가 여운형을 동경에 초대한 것은 하라(原敬)수상이 고가에게 조선의 자치운동을 벌일 사람으로 여운형이라는 청년을 발탁하자고 제안한 데서 비롯되었다. 고가가 이 문제를 조선총독부 정무총감 미즈노(水野錬太郎)에게 문의한 결과 조선 내외에 여운형만한 인물이 없다는 긍정적인 답변이 옴으로써 여운형 초청계획이 추진된 것이다. 그러나 그의 일본방문은 일본정부의 의도와는 반대되는 결과를 가져왔다. 여운형은 일본 당국에 포섭되기는커녕 도리어 조선독립을 당당하게 주장해 일본 정계를 흔들어놓았다. 여운형은 12월 1일 개선장군이 되어 일본을 출발, 상해로 돌아왔고 반대로 하라 수상은 야당으로부터 정책실패를 추궁 받고 사과했다.[31]

여운형은 1920년 여름 이동휘(李東輝)의 한국공산당(일명 대한공산당, 나중에 상해파 고려공산당)에 입당, 번역부 일을 맡음으로써 좌익운동에 가담했다. 그는 이듬해 여름에는 이동휘의 한국공산당과 대립관계에 있던 이르쿠츠크파 고려공산당 상해지부 조직에 참여했다. 상해지부의 책임자는 김만겸(金萬謙)이었고, 여운형과 조동호는 위원을 맡았으며 임원근 박헌영 안공근(安恭根)등은 평당원이었다.

이르쿠츠크파 고려공산당에 들어간 여운형은 다음 해인 1922년 모스크바에서 열린 극동피압박민족대회에 참석했다. 그는 신한청년당 대표 자격으로 대회 의장단의 일원에 선출되어 레닌과 트로츠키 등 소련공산당 지도자들을 만났다. 1925년에는 상해에서 중국공산당 중앙당 간부 구추백(瞿秋白)과 만나 중공당의 특별당원이 되었다. 그러나 상해시절 그의 공산당 활동은 공산주의적 신념보다는 독립운동을 위한 동기가 강했다.

일제 때 옥고 치르고 건국동맹 조직

여운형은 4년 후인 1929년 7월 상해에서 일본 영사관 경찰에 검거되어 본국으로 송환됨으로써 그의 상해생활은 마감된다. 그는 징역 3년을 선고 받고 복역 중 형기만료를 얼마 남기지 않은 1932년 대전감옥에서 가출옥했다. 이때부터 그의 활동은 국내에서 전개되었다. 1933년 조선중앙일보 사장에 취임한 그는 3년 후 이 신문의 손기정선수 일장기 말소사건으로 사장직에서 물러나고 신문은 폐간되었다. 1940년 3월 일본당국의 초청을 받은 여운형은 동경에서 일본 육군참모본부 다나카(田中隆吉) 소장과 우익논객 오카와(大川周明), 고노에(近衛文磨) 수상, 우가키(宇垣一成) 대장, 오오바시(大橋忠一) 외무차관 등 요인들과 면담하고 이들로부터 일본의 대중국공작에 협력을 요청받았으나 거절하고 돌아왔다.[32] 그는 1942년 4월에도 동경을 방문하고 우가키 등을 만났는데 이때 미군기의 동경공습을 목격하고 일본이 패배할 것이라는 확신을 갖게 되었다.[33]

그는 그해 여름 서울의 집으로 놀라온 친구들과 이야기하던 중 "이제 머지않아 일제는 망할 것"이라고 말한 것이 새나가 그해 11월 일본헌병대에 체포된 다음 호된 고문을 받은 끝에 유언비어를 퍼뜨린 죄로 기소되어 이듬해 7월 징역1년에 집행유예3년을 선고받고 풀려났다. 이때 일제는 여운형에게 일본검사가 작성한 전향서에 날인할 것을 강요해 그의 건강을 염려하는 가족의 손으로 날인을 받았다. 얼마 후에는 총독부 기관지인 《경성일보》에 조선청년들의 학병 입대를 권유하는 글이 그의 명의로 3회나 연재되었다. 물론 이 글은 그를 잠시 회견한 기자가 마음대로 조작한 것이라 한다.[34] 여운형은 일본의 패망을 예견하고 장권(張權)에게 치안대 조직을 연구케 했으며, 1944년 8월에는 조동호 현우현(玄又玄), 황운(黃雲), 이석구, 김진우(金振宇) 등과 비밀조직인 조선건국동맹을 조직했다.[35]

광복 후 좌우합작과 전성기 시절

해방을 맞아 여운형의 활동은 기민했다. Ⅰ-**1**(좌익세력의 정국 주도와 건준–인공)에서 설명한 바와 같이 그는 1945년 8월 해방당일 좌우합작 성격의 건국준비위원회를 결성했다. 그는 이어 자신의 입지를 오판, 박헌영과 손을 잡고 인공수립에 나섰다. 그러나 여운형은 결국 박헌영에게 말려들어 좌우익으로부터 테러대상이 되었다.

여운형은 1945년 12월 박헌영의 조공이 그랬듯이 모스크바 3상회의가 조선에 대한 신탁통치를 결정하자 처음에는 이를 반대하다가 나중에는 찬성으로 돌아섰다. 그의 인민당은 12월 3일 담화를 통해 조선의 자주독립은 포츠담회담이래 연합국이 꾸준히 약속해 왔다고 환기시키고 그럼에도 불구하고 신탁통치운운하는 것은 해석하기가 어려운 문제라고 논평했다.[36] 그 후 신탁통치결정이 차츰 사실로 밝혀지자 인민당은 이를 반대하는 태도를 분명히 했다. 선전부장 김오성은 12월 28일 "5년은 고사하고 단 몇 개월이라도 절대 반대한다"고 선언했다.[37] 인민당은 모스크바 3상회의에서 신탁통치가 결정된 다음 12월 29일 당 명의의 성명을 발표하고 반탁의사를 분명히 밝히면서 즉각적인 독립을 요구했다. 이어서 긴급집행위원회를 열고 민족을 노예화하려는 신탁통치에는 절대 반대한다고 결의했다. 그러나 여운형은 해가 바뀌어 1946년으로 접어들면서 박헌영과 김일성 그리고 소련 측 요청을 받아들여 반탁에서 찬탁으로 태도를 바꾸었다. 1946년 1월 5일 인민당의 공식적인 찬탁지지 발표에 이어 여운형은 기자회견에서 "개인적으로는 탁치가 실시되지 않기를 바라며 탁치라는 용어에 대해 불안감을 갖는 것은 마땅하며 만약 탁치가 실시된다면 그 기간이 가능한한 짧게 되기를 바란다"고 밝혔다.[38] 그는 앞에서 설명한 바와 같이 좌우합작을 위해 4당합작을 시도하다가 실패하자 박헌영과 함께 좌파세력의 단일전선인 민전을 결성했다.

미군정청이 온건 우파세력과 온건 좌익세력으로 하여금 정국의 주도권을 행사케 할 목적으로 좌우합작을 시도한 1946년 5월부터 10월까지의 5, 6개월간은 여운형을 비롯한 온건좌익세력의 전성기였다 해도 과언이 아니다. 그동안 건준과 인공을 만들어 우익세력으로부터 따돌림을 받고 미군정청 측으로부터도 환영을 받지 못하던 여운형으로서는 정치적 역량을 발휘할 절호의 기회가 왔다고 할 수 있다. 좌우합작원회 회의는 민주의원을 대표한 김규식과 원세훈, 민전을 대표하는 여운형과 허헌 등 대표들이 참석한 가운데 진행되어 10월 7일

쌍방의 제안을 절충한 합작 7원칙에 합의했다. 합작 7원칙은 남북을 통한 좌우합작에 의한 임시정부 수립, 미소공위의 속개, 농지의 농민에 대한 무상분여, 민족반역자 처벌조례 제정, 정치범 석방, 입법기구 대안 마련, 언론 집회 결사의 자유 등이다.[39] 그러나 박헌영의 조공과 우파 측이 이승만과 한민당의 반대에 봉착, 결국 좌우합작노력은 유산되었다. 여운형은 미군정청이 1946년 10월 우익세력 지배하의 민주의원을 해산하고 좌우온건파로 구성되는 남조선과도입법의원을 설치키로 하고 이에 참여하도록 요청받고 입법의원 선거에 출마했으나 낙선하고 말았다. 미군정당국은 우익일색의 선거결과를 좌우균형이 되도록 '보완'하기 위해 여운형을 비롯한 좌우합작위 참여파 온건좌파인사를 대거 임명직 입법의원에 임명했으나 그를 비롯한 7명이 이를 거부, 결국 남조선과도입법의원은 우익지배 아래 들어갔다. 여운형은 1947년 5월, 제2차 미소공위가 열리게 되자 좌우합작노력을 재개했으며 이를 위해 그해 6월에는 김규식과 함께 시국대책협의회(약칭 시협)를 결성했다. 이에 대해서는 Ⅰ-**5**(제3세력)에서 설명한다.

암살

여운형은 61세 때인 1947년 7월 19일 정치테러리스트의 손에 끝내 암살당하는 비운을 맞았다. 그가 주도한 좌우합작노력도 끝나고 말았다. 8·15 바로 그날 재빨리 건준을 만들어 활동을 시작한 지 불과 2년도 채 안된 시점에서 그는 불귀의 객이 되어 자신의 포부와 경륜을 제대로 펴볼 기회를 영영 잃어버렸다. 여운형은 암살될 무렵 테러를 피해 자택에서 잠을 못자고 친지 집에서 기거하면서 활동을 하고 있었다. 그는 이미 11번에 걸쳐 테러를 당했었다. 운명의 그날 오후 1시경 여운형은 은신처인 명륜동의 친지 집을 나서서 계동 자택을 향해 승용차를 타고 가던 중이었다. 그는 이날 오후 서울운동장에서 해방된 조선이 국제올림픽위원회 회원국이 된 것을 축하하기 위해 열리는 영국팀과의 친선축구경기를 참관하기 위해 서울운동장으로 가려고 옷을 갈아입기 위해 자택으로 가고 있던 것으로 알려졌다. 여운형은 당시 조선체육회회장이면서 조선올림픽위원회 위원장을 겸하고 있었다.[40]

그런데 미군정청 초대 민정장관(Civil Administrator)을 지내고, 안재홍이 민정장관에 취임한 다음에는 남조선과도정부(SKIG)의 수석고문(Chief Adviser)을 맡던 존슨(Edgar A. J. Johnson) 박사의 회고에 의하면, 여운형은 이날 서울운동장이 아니라 자신과 비밀리에 면담하기 위해 그의 관저로 오는 길이었다고 한다. 존슨은 당시 극우파들이 미군정청의 경무부와 사법부의 주요한 자리를 차지하고 있었고, 자신의 추천으로 미군정청 민정장관에 임명된 안재홍이 우익의 협력뿐 아니라 좌익의 격려도 받지 못했기 때문에 미군정청 당국자들은 극우파의 영향력을 뒤집고 자유주의자그룹과 중도좌파의 지지를 끌어들이기 위해 어떤 결정적인 조치의 필요성을 느꼈다는 것이다. 미군정 당국자들은 이에 따라 신뢰하는 한국인들[41]과 협의한 결과 저명한 중도좌파 지도자인 여운형에게 남조선과도정부의 어떤 중요한 직책을 맡기는 것이 현명한 조치라는 데에 합의를 보고 여운형을 이날 면담하려 했다는 것이다.[42] '어떤 중요한 직책'이란 여운형의 비중으로 보아 새 민정장관이나 그와 비슷한 고위직으로 보는 것이 타당할 것이다. 그렇다면 여운형이 그날 암살당하지 않았다면, 예상되는 보수세력의 반발 등 여러 가지 상황으로 미루어 그가 실제로 그런 고위직에 임명되었다 하더라도 그 직을 제대로 수행할 수 있었을지는 의문이지만 최소한 그의 향후 정치적 위상은 달라졌을 가능성이 있다.

베일에 싸인 범인

운명의 그날, 여운형의 승용차는 혜화동 로터리를 돌고 있었다. 그의 차가 로터리에 도착한 순간 트럭 한 대가 갑자기 앞을 가로 막았다. 이 바람에 그의 차는 일단 정거할 수밖에 없었다. 이 순간 괴한 한 사람이 여운형의 승용차 뒤 범퍼에 뛰어 올라 그에게 권총 두 발을 발사했다. 괴한이 쏜 한 발은 여운형의 등에서 복부를, 다른 한 발은 어깨 뒤쪽에서 심장을 정통으로 관통했다. 수행원이 피를 흘리는 여운형을 안고 부근의 서울대학병원으로 달렸으나 그는 2분도 채 안되어 절명하고 말았다.[43]

여운형이 총에 맞자 그의 경호원은 권총을 빼어들고 괴한을 뒤따랐다. 그러나 도망치던 괴한은 부근 남의 집 담장을 넘어 달아나고 도리어 경호원이 경찰에 붙잡히는 바람에 끝내 범인을 놓치고 말았다. 나중에 경찰은 체포된 범인이 '건국단'이라는 극우단체 회원인 19세의 한지근(韓智根)이었다고 발표했다. 범인은 경찰에서 건국단은 '민족반역자' 김일성과 여운형 박헌영 허헌을 조선독립의 방해자로 규정해 처단키로 했다고 진술했다. 한지근은 가벼운 처벌을 받았다. 그러나 이 사건의 공소시효가 완성된 후인 1974년, 사건 27년 만에 그의 공범이라는 5명이 나타났다. 이들은 당시 역할을 분담해서 범행을 저질렀으며 이 사실을 알고 있던 경찰과의 협상을 통해 일당이 기념촬영까지 하고 한지근 한 사람만을 경찰에 넘겨주었다는 것이다. 당시 한지근의 나이는 19세가 아니라 21세이며, 본명은 이필형(李弼炯)이었다고 한다. 이들의 배후세력에 대해서는 우익진영의 김구설, 좌익진영의 박헌영설 등 여러 설[44]이 있으나 아직 역사의 수수께끼로 남아 있다. 그런데 국회의원을 지낸 김두한(金斗漢)은 이 조직이 백의사(白衣社)라는 결사대로서 자신이 이에 간여, 한지근에게 사건 전날 밤 일본장교용 권총을 직접 수교했다고 주장했다. 김두한은 사건 발생 얼마 후 수도청장 장택상(張澤相)에게 불려갔다. 장택상은 그에게 "죽이지는 말라고 하지 않았나? 그저 혼만 내주라고 했는데 이렇게 되면 시끄럽지 않은가" 하고 난처한 표정을 지었다는 것이다. 김두한은 며칠 뒤에는 사상검사 조재천(曺在千)에게 소환되었으나 조 검사를 향해 수사에 착수하면 일가족을 몰살하겠다고 협박, 자신에 대한 수사를 못하게 했다고 주장했다.[45] 그러나 그는 사건 당시 다른 일로 구속 중에 있었으므로 이 주장은 사실과 다른 것으로 보인다.

여운형의 장례는 8월 3일 한국 최초로 '인민장'으로 치러졌다. 오전 8시 광화문의 근민당사 앞 광장에서 발인식을 마치고 영구차가 종로 네거리를 거쳐 종로 3가와 을지로 3가를 거쳐 영결식장인 서울운동장으로 향했을 때 많은 시민들이 연도에서 그의 죽음을 애도했다. 11시 40분 근민당 조직국장 이만규의 개식사로 시작된 영결식에는 하지 사령관과 브라운 장군, 시티코프 상장, 랭던 미국총영사, 평양에서 온 북한 민전대표, 김규식 좌우합작위 대표, 송성철(宋性徹) 민전 대표, 인민대회 대표 이기석, 그리고 각 정당 사회단체 대표 홍명희, 인민장의위원 대표 장건상 등이 참석했다. 파란만장의 독립운동가이자 불운한 온건좌파 최고지도자인 여운형은 젊은 날 불태운 조국독립의 꿈을 끝내 이루지 못하고 천추의 한을 품은 채 북한산 기슭의 우이동 태봉(胎峯)의 장지에 묻혔다.[46)]

5 제3세력

나는…공산당과 극우파의 반민족적인 정치행동을 규탄하고 민족자주의 정신을 고취하고 민족자주의 입장에서 독립운동이 계속되어야 할 것을 강력히 주장한 바 있습니다. 그래서 나는…소위 중앙노선이라 해서 민주주의독립전선이라는 단체를 만들고 극좌·극우 배척운동을 한 것입니다.

―조봉암, "나의 정치백서"(1957)

1. 단명한 군소 진보정당들

김원봉의 인민공화당

해방 직후 결성된 좌파 온건세력 가운데 김원봉의 조선민족혁명당(약칭 민족혁명당)이 있다. 당초 임정 요인으로 귀국, 김구와 함께 비상국민회의를 만든 독립운동가인 김원봉(金元鳳, 1898~1959)은 반탁문제 등으로 김구 측과 대립하자 1946년 2월 비상국민회의를 탈퇴하고 좌파진영의 민족민주전선(민전)에 참여, 공동의장이 되었다. 그는 그해 4월부터 노동자 농민 소자산계급에 기초를 두고 또한 신민주주의에 찬동하는 반일적 지주와 민족자본가를 집결시킨다는 목표아래 중국 시절의 조선민족혁명당을 서울에서 복원했다.[1] 김원봉은 중국에서 독립운동을 하면서 1935년 7월 5일 신한독립당 한국독립당 대한독립당 조선혁명당 의열단 등 5개 단체를 규합, 조선민족혁명당을 결성했다.[2] 조선민족혁명당은 5개 단체 중 하나인 한국독립당을 이끌던 조소앙(趙素昂)의 삼균주의(三均主義)를 당의 이념으로 삼았다.[3] 해방 후에 복원된 민족혁명당의 노선이 혁신적인 것은 여기에 연유한다.

민족혁명당은 박헌영계가 주도한 3당통합에 참여하지 않고 제2차 미소공동위원회가 개최 중이던 1947년 6월 1일 10차 전당대회에서 보다 적극적으로 미소공위의 성공과 이를 통한 민주적 임시정부 건설에 노력하겠다는 취지에서 당명을 '인민공화당'으로 바꾸었다. 이날 당대표는 김원봉이, 중앙위원에는 김원봉 성주식(成周寔) 윤징우(尹澄宇) 등 41명이, 중앙감찰위원에는 이해명(李海

鳴) 등 11명이 선출되었다.[4] 인민공화당은 대표인 김원봉이 1948년 4월 평양에서 열린 남북정당사회단체대표연석회의(약칭 남북연석회의)에 참석 차 입북하고 되돌아오지 않아 사실상 지도자 없는 정당이 되어 소멸했다.

김원봉은 북한정권 수립 때 국가검열상에 임명된 후 노동상, 최고인민회의 상임위원회 부위원장 등을 역임했다. 그는 1954~56년에 북한에서 최고인민회의와 조선노동당이 '조국의 평화통일 선언'을 채택하고 납북된 조소앙 엄항섭(嚴恒燮) 유동열(柳東說) 등 다수 인사가 여기에 서명했을 때 홍명희와 함께 이를 주선하는 역할을 한 것으로 알려졌다. 그러나 김원봉은 1958년 김일성과 대립해 국제간첩 혐의로 연행되자 음독자살,[5] 그와 그의 인민공화당 동지들은 평양 근교의 열사릉에 묻히지 못했다.

여운홍의 사회민주당

여운형의 동생 여운홍(呂運弘, 1891~1973)은 1946년 5월 그의 형이 이끄는 조선인민당이 독자성을 상실했기 때문에 급진적인 사회민주주의 정당을 결성하기 위해 탈당한다고 특별방송을 했다. 그는 공산분자 몇몇 사람을 제외하고 신탁통치를 찬성하는 사람은 없으며 인민당은 불순분자의 책동으로 독자성을 잃었다고 주장하고 자신이 인민당에 남아 있으면 그의 이념을 이룰 수 없다면서 당을 떠났다. 그는 친형인 여운형과 함께 경기도 양평의 유복한 집안에서 태어나 서울 중앙중학교를 졸업한 다음 미국에 유학, 1918년 오하이오 주의 우스터대학(Wooster University)을 졸업하고 상해 임정에 합류해 독립운동을 했으며, 1920년대에 귀국, 보성전문학교 영문학 교수를 지낸 인텔리였다. 그는 형이 인민당 내의 극렬분자를 숙청하든지 그렇지 않으면 탈당할 것을 여러 차례 건의했으나 형이 단안을 내리지 못해 자신이 탈당하는 것이라고 밝혔다. 여운홍의 탈당은 인민당이 공산당의 지배 아래 있으므로 탈당하라는 미군정당국의 권유에 의해 이루어졌다는 설도 있다.[6]

여운홍은 그를 따라 인민당을 탈당한 20명의 동지들과 함께 사회민주당(약칭 사민당)을 결성했다. 여운홍은 자신과 최근우(崔謹愚) 두 사람을 중심으로 사회민주당 결성준비위원회를 결성한 다음 그해 8월 3일 서울 종로 YMCA회관에서 창당대회를 가졌다. 창당식에는 이승만 엄항섭 및 미군정청 정치고문이며 좌우합작 실무책임자인 버취(Leonard Bertsch) 중위 등이 하객으로 참석했다. 사민당은 최고집행기관으로 총무회를 두고 여운홍을 총무회대표로 선출했다. 다른 당처럼 위원장을 두지 않은 것은 여운홍이 형인 여운형을 그 자리에 모시기 위해 배려한 것이다.[7]

여운홍은 이날 창당대회에서 소련식 무산계급독재도 적당하지 않고 미국식 자본독재인 자유민주주의도 적당하지 않다고 주장하면서 조선을 위한 '조선민주주의'를 실행해야 한다고 역설했다. 그러나 그의 사회민주당은 강령이나 정책은 인민당과 큰 차이가 없었다. 사민당의 강령은 민주주의국가의 건설, 계획경제제도의 확립과 전 민족 균등생활의 실현, 민족문화의 앙양이 그 골자이다.[8]

여운홍은 그해 7월 3일 방송을 통해 민주의원과 민전은 모두 발전적인 해산을 하고 좌우의 완전한 합작에 의해 정치적 통일기관을 결성한 다음 이 기관이 미소공위와 협의해서 임시정부를 즉시 수립하라고 촉구했다.[9] 여운홍은 남조선과도의원 관선의원에 지명되고, 뒤에서 설명하는 바와 같이 나중에 좌우합작위원회와 김규식이 조직한 민족자주연맹에 참여했으며 건국 후에는 2대 국회의원에 당선되었다.

유림과 독립노농당

독립노농당은 1946년 7월 7일, 중국에서 활약하던 중경 임시정부 국무위원 유림(柳林, 1894~1961)이 창당한 특이한 정당이다. 그해 4월 경남 안의(현재의 함양군)에서 열린 전국아나키스트대표자대회는 만장일치로 유림을 당수로 하는 세계 최초의 합법적인 아나키스트 정당을 결성키로 결의했다.[10] 유림은 1945년 12월 임정 요인들과 함께 귀국, 신탁통치문제를 둘러싸고 좌우가 격렬하게 대립한 가운데 일체의 외세의존 배격 원칙에 입각한 과도정부의 수립을 주장했다.

유림은 "무정부라는 말은 아나키즘(anarchism)이라는 그리스어를 일본 사람들이 악의로 번역해 정부를 부인한다는 의미에서 쓴 표현이지만, 원래 '안(an)'

은 '없다'의 뜻이고 '아르키(archi)'는 우두머리 강제권력 전제정치 따위를 가리키는 말로서, '안아르키'는 이런 것들을 배격한다는 뜻이다. 따라서 나는 강제권력을 배격하는 아나키스트이지, 정부 자체를 부정하는 자가 아니다. 아나키스트는 타율정부를 배격하지, 자율정부를 배격하지 않는다"고 정의했다. 유림의 말에도 불구하고 아나키스트들은 대체로 정치활동, 특히 정당활동에 대해 일종의 거부반응을 보여 온 것이 사실이었다. 그러나 자주독립과 통일국가 수립을 위해서는 현실적인 조직이 필요하다고 판단한 유림은 임정에 참여했으며 환국 이후에는 독자적인 정당을 결성했다.[11]

1946년 7월 7일 서울 중구 필동의 역경원에서 열린 창당대회는 유림을 위원장에, 그와 이을규(李乙奎, 재중국무정부주의자연맹), 양일동(梁一東, 동경동흥노동동맹), 이시우(李時雨, 동경 흑우연맹), 신재모(申宰模), 방한상(方漢相, 이상 대구 진우眞友연맹)을 집행위원으로 선출했다. 일본 천황과 세자를 폭사시키려 한 혐의로 체포되어 22년간 옥고를 치른 독립투사이자 아나키스트인 박열(朴烈)이 이듬해에 부위원장으로 선출되었다.[12]

독립노동당은 그 '창당 선언'에서 국가란 것은 인민의 복리를 위해서만 존재 의의가 있거니와, 인민의 복리는 인민 자신만이 가장 잘 지켜나갈 수 있다는 것이 불문의 철칙임을 확인하면서 포악한 일제 통치하에서 가장 가혹한 착취를 당하면서도 이 땅을 지키고 이 땅 위에 모든 것을 시설해놓은 노동자, 농민, 근로대중은 이 나라의 진정한 주인이요, 새나라를 건설할 유일한 자격자 라고 규정했다. 당강은 완전한 자주독립을 위한 투쟁, 농민 노동자 근로대중의 최대복리를 위한 투쟁, 진정한 민주주의 세력과의 합작을 다짐했다.[13]

신탁통치를 반대한 유림은 미소공위를 배격하고 평양에서 열린 남북정당사회단체연석회의에 김구 등이 참석하는 것도 반대하는 동시에 단독정부 수립에도 반대하는 특이한 입장을 견지했다. 그는 남북협상에 참석하기 위해 김구가 북한으로 가려고 하자 "백범 선생, 가지 마시오. 가시면 웃음거리가 되기 십상입니다. 백범선생이 독립운동을 하니까 백범선생이지, 신탁통치 찬성자들과 무엇을 협상하자는 것입니까? 그들의 속셈을 모르십니까?"라고 만류했다.[14]

유림은 제헌국회를 뽑는 5·10선거에는 단독선거 반대 입장을 고수해서 나가지 않았다가 2대와 4대 총선에 출마했으나 낙선의 고배를 마시고 Ⅲ-1(혁신 세력의 재기와 분열)에서 설명하는 바와 같이 1960년 4·19 이후 혁신계의 대동 단결을 위해 장건상, 정화암(鄭華岩), 김창숙, 조경한(趙擎韓), 김학규(金學奎), 권오돈(權五惇)과 함께 범혁신계통합조직 구성작업을 주도했다. 그러나 혁신 계의 주도권이 사회대중당으로 옮겨간 가운데 유림은 그해의 7·29 선거(5대)에 서 혁신동지협의회 후보로 안동 을구에 입후보했으나 또 다시 낙선했다. 그는 계속적인 정치적 실패로 실의에 빠졌다가 1961년 4월 1일 심장마비로 별세했 다.[15] 유림이 세상을 떠난 다음 독립노농당은 Ⅱ-4(민주사회주의 정당들)에서 설명하는 바와 같이 4월 12일 민주사회당을 흡수 통합했으나 1962년 군사정권 에 의해 폐쇄되었다.[16]

홍명희와 민주독립당

홍명희(1888~1968)의 민주독립당은 특이한 정당이었다. 홍명희는 당초 문 학활동에 전념하면서 정치활동을 하지 않았으나 1946년 8월부터 정치일선에 나섰다. 1945년 12월 13일 결성된 조선문학가동맹(1946년 2월 전국문학가동맹 으로 개칭)의 위원장을 맡은 홍명희는 처음에는 신탁통치문제를 둘러싸고 대립 하던 좌우 어느 쪽에도 가담하지 않다가 1946년 12월 좌우합작운동이 실패로 돌아가자 남조선과도입법의원의 관선의원직을 사퇴하고 문학가동맹 위원장직 을 지닌 채 본격적인 중간파 정당 통합운동을 시작했다.[17]

여운형 안재홍과 함께 정당통합운동을 벌인 홍명희는 여운형 피살 후인 1947년 9월 들어 자신이 주도해서 신당 발기위원회를 만들었다. 민중동맹, 신 진당(新進黨)의 일부세력, 신한국민당, 건민회의 일부세력, 민주통일당 등 5당 의 합당 형식이었다. 이런 방식을 통해 홍명희는 과거의 신간회 서울지부 인사 들과 학계·언론계·실업계 인사를 중심으로 하고 좌익3당통합에서 배제된 '진보 적 민족주의자들'을 규합했다. 9월 8일 민주독립당 결성에 참여한 이들 5당 대 표인 김병로(민중동맹) 김호(金乎, 신진당) 김원용(金元容, 신진당) 안재홍(신 한국민당) 박용희(朴容羲, 신한국민당) 이극로(李克魯, 건민회) 홍명희(민주통 일당) 등은 민족의 절대적 사명인 완전독립을 위해 소의를 버리고 단결한다는

7인공동성명을 발표했다.[18]

민주독립당은 9월 11일 통합신당발기대회를 개최한 데 이어 10월 19일 발기인대회 겸 결당대회를 열고 임원선거와 선언, 강령, 정책 낭독을 청취했다. 원래 다수의 발기인들은 당 대표에 김규식을 추대하고자 했으나 김규식이 정당활동을 하지 않겠다고 고사하자 간곡한 권유 끝에 홍명희를 그 자리에 앉혔다. 창당대회는 자주 민족 통일조선 정부의 수립, 사대주의적 매판행위와 반민주적 독재행위의 배격, 계획성 있는 경제체제 확립을 다짐하는 강령을 채택하고 간부진을 선임했다.[19]

민주독립당은 광범위한 중간파 연합세력인 김규식의 민족자주연맹(약칭 민련)에 가입, 참여정당 중 가장 규모가 크고 영향력이 강한 당이 되었다. 홍명희의 민주독립당과 김규식이 이끈 민련은 그 후 단독정부 수립 저지운동에 나서 1948년 4월 평양에서 열린 남북연석회의의 중요참가단체가 되었다. 홍명희는 남북연석회의에 참석하기 전에 이미 평양을 네 차례나 방문, 북한의 김일성 김두봉 등 최고지도부와 협의했으며 서울에서 북의 밀사들과 만나 협의를 한 다음 김구와 김규식의 남북연석회의 참석을 권유했다.[20]

홍명희는 평양의 남북정당사회단체대표자연석회의에 참가하고 남한으로 돌아오지 않은 채 비밀리에 전 가족을 입북시켜 북한에 정착한 다음 해주에서 열린 '남조선인민대표자회의'에 참석해 제1기 조선최고인민회의 대의원으로 선출되었다. 그해 9월 북한정권 출범 때는 박헌영, 김책과 함께 일약 부수상에 임명된 홍명희는 김일성의 극진한 배려를 받아 과학원장과 북조선올림픽위원회 위원장, 조국평화통일위원회 위원장, 최고인민회의 상임위원회 부위원장 등을 지낸 다음 1968년 노환으로 사망, 평양 교외 애국열사릉에 안장되었다.[21]

2. 조봉암과 독전

민전 대항조직으로 탄생

민주주의독립전선(약칭 민독 또는 독전)은 조선공산당에서 이탈한 조봉암(曺奉岩, 1899~1959)이 주동이 되어 만든 온건 좌파 통일전선 조직이다. 초창기

한국 공산주의운동가로 활발한 활동을 편 조봉암은 해방직후 조공 인천지구당 위원장과 인천의 민주주의민족전선(약칭 민전) 의상으로 공산주의 활동을 재개 했으나 박헌영으로부터 냉대를 받아 인공(조선인민공화국)이나 조공의 중앙위 원은 물론 민전의 중앙위원에도 선출되지 못했다. 이에 반발해 조공을 탈퇴한 조봉암은 박헌영이 이끄는 민전에 대항하는 독자적인 조직을 만들었다. 그는 조공의 노선을 반민족적이라고 비난하면서 극좌 극우를 배척하고 중간노선을 택했다.

독전은 국어학자 출신인 이극로(李克魯)의 건민회(建民會)를 비롯한 통일건 국회 근로대중당 한국농민총연맹 등 32개 단체의 대표들이 참여한 중도 좌파 내지 중간파의 통일전선조직이다. 조봉암은 추진과정에서 결성준비 임시위원 회 상임위원에 선출되어 준비작업을 진행 했다. 이들 단체 대표들로 구성된 임 시위원회는 1947년 2월 1일 발족취지를 다음과 같은 담화를 통해 밝혔다.

> 우리가 기도하는 조선민족독립전선(가칭)은 현 좌우익 정객들의 반민족적 편향
> 을 극복하고 자주독립을 완수하기 위하여 혁명적 애국자를 중심으로 하여 민족
> 의 통일전선을 결성코자 하는 것이다…그러므로 좌우익 편향을 버리고 먼저 민
> 족의 자주독립을 전취하려는 모든 혁명적 정당단체와 애국자들의 총집결 이어
> 야 한다.[22]

이에 따라 2월 15일 김찬(金燦) 이극로 조봉암 배성룡(裵成龍) 등 임시준비위 원 19명의 발기로 통일전선 결성준비위원회가 개최되어 명칭을 '민주주의독립 전선'으로 결정하고[23] 26일 준비위원 전체회의를 거쳐 3월 6일 독전의 상임위 원 45명과 부서 책임자를 결정했다.[24]

좌우파간 협상을 촉구

독전의 구성을 보면 과거에 좌익활동을 했거나 박헌영과 여운형의 민전에서 활동하다가 중간노선으로 전향한 인사들이 많다. 이 때문에 이들은 중도좌파적 성향이라고 할 수 있지만 이들 이외에 우파 민족주의 세력도 있어 독전은 극좌

극우를 배제한 세력들을 결집시켜 미소 어느 쪽에도 치우지지 않는 자주독립노선을 추구했다고 할 수 있다.

독전은 1947년 3월 17일 9개항의 결의를 발표했다. 그 내용은 민족의 기본적인 통일전선으로서 독전을 자리매김하며, 통일공작을 적극 추진하고, 좌우협조에 노력하고, 파쟁과 동족상잔행위를 절대 배격하며 민생확립을 건의하고, 사대주의를 배격한다는 것 등이다.[25] 조봉암은 미소간의 외교전이 활발한 시점에서 민족자주성을 잃고 어느 일국의 외교전략에 이용되어 동포 상잔을 하는 행위를 삼가야 한다고 강조하면서 임시정부와 자주독립을 쟁취할 것을 촉구했다.[26]

독전은 29일 건민회관에서 열린 친일파 처단법안 제정을 위한 각 단체연합간담회에서 당시 남조선과도입법의원에서 심의 중이던 부일협력자 민족반역자 전범 간상배에 대한 특별법률조례안을 통과시켜 친일파를 처벌한 후에 선거를 실시하라고 결의했다. 이는 대내적으로는 친일행위자를 처벌함으로서 민족의 정기를 바로 잡고, 대외적으로는 미소공동위원회의 속개를 통해 임시정부를 수립하여 자주독립국가를 건설하도록 하는 데 그 목적이 있었다.[27]

독전은 미국을 방문하고 귀국한 이승만이 단독정부 수립계획을 구체적으로 밝히자 4월 29일 미소공위대책 각 정당 사회단체 연합간담회를 열고 ① 당면한 조선독립의 첩경은 미소공위의 조속한 성공에 있음을 확인하고 우리의 통일주권 확립을 위하여 거족적인 국민운동을 전개 할 것 ② 미소공위가 정돈된 원인이 미소의 의견대립과 우리 민족내부의 불통일에 있음을 지적하고 금차 속개된 공위를 성공시키기 위해서는 민족통일이 급무임을 강조할 것 ③ 우리 문제를 미소공위에만 일임하려는 일종의 방관적 또는 위임적인 의존주의를 포기하고 미소공위와 병행하여 민주적 입장에서 충실한 정치협상을 촉진할 것을 결의했다.[28] 독전은 뒤에서 보는 바와 같이 미소공위대책각정당사회단체협의회(약칭 공협)로 발전한 다음 김규식이 이끄는 민족자주연맹에 합류했으나 조봉암은 여기서 배제된다. 조봉암은 민족자주연명의 단독정부 수립 반대노선에 찬성하지 않고 단독정부 수립에 적극 참여한다.

3. 제3세력의 좌우합작노력

민족통일전선 결성 기도와 실패

이극로와 조봉암의 민주주의독립전선(독전)이 태동할 무렵, 이와는 별개로 좌우합작위원회(Coalition Committee, 약칭 합위)에 참여한 신진당 민중동맹 사민당 해방동맹 근로대중당 한독당 유지 등이 중심이 되어 미소공위의 속개를 촉진하기 위해 민족통일전선(약칭 통전)을 만들기로 하고 결성준비위원회를 조직했다. 1차 좌우합작위원회가 실패로 돌아간 직후인 1946년 12월 이래 상호접촉을 해온 이들은 1947년 1월 28일 제1차 회합을, 30일에는 제2차 회합을 가진 끝에 통전을 결성키로 대체적인 의견접근을 보았다.[29]

그런데 독전과 통전은 통일전선을 결성한다는 점에서 서로 공통성을 지녔으므로 이들 양파를 하나로 합하자는 주장이 양측에 다 같이 제기되었다. 양파는 몇 차례 회합을 갖고 교섭을 벌인 끝에 2월 2일 서울 시내 태양관 식당에서 양측 대표 38명이 모여 간담회를 갖고 양파의 합동에 합의, 통일전선 결성준비위원회를 구성하기로 하고 상무위원으로 김병순(金炳淳) 조봉암 등 15인을 선출, 준비 실무를 맡게 했다.[30] 그러나 양측의 노선차이로 합동작업은 지지부진하다가 끝내 실패하고 말았다.

이에 따라 양파는 원점으로 되돌아가 따로따로 통일전선 결성을 추진하게 되었다. 그런데 건민회 중심의 제3전선인 독전 측은 순조롭게 되었으나 좌우합작위 중심의 통전 측은 각 당의 이견으로 지지부진했다. 그런 가운데 2월 중순 들어 독전이 먼저 결성되자 이에 자극을 받은 통전 측의 사민당 신진당 민중동맹 한독당(민주파)은 같은 달 17일 당면정치문제와 모스크바 3상 결정에 관한 공동콤뮤니케를 기초한 다음 3독회까지 마치고 3월 6일 문안을 확정, 이를 17일 발표키로 했다. 그러나 17일이 되자 4개 정당 중 최동오(崔東旿, 1차 합작위 우측 대표 중 하나)가 이끄는 신진당이 불참, 3당만으로 공동콤뮤니케를 발표했다. 이렇게 되자 4개 정당 중심의 통전 결성은 끝내 무산되었다.[31]

공협의 발족

이미 Ⅰ-**3**(좌익온건세력: 인민당과 사로당-근민당)에서 살펴본 바와 같이
제2차 미소공위가 1947년 5월에 열리도록 결정되자 개점휴업상태였던 좌우합
작위원회(약칭 합위)도 활동을 재개했다. 이 무렵 합위와는 별도로 미소공위
에 공동으로 대처하기 위한 제3세력의 연합기구로서 이극로의 건민회가 중심
이 된 미소공위대책각정당사회단체협의회(약칭 공협)가 결성되었다. 공협에는
건민회 이외에 사민당 신진당 청우당 근로대중당 등 4개 정당과 위에서 설명한
독전(민주주의독립전선)계의 61개 사회단체가 참여했다. 5월 29일 채택한 공
협 결의문은 미소공위의 조속한 성공, 일국편중의 선동을 하는 언론과 행동의
배격, 미소공위와 병행한 정치협상의 개시, 남북 분할독립의 배격 등 4개 항을
다짐했다.[32]

공협의 주석에는 김규식, 부주석에는 이극로와 박용직(朴容稷)이 선출되었
다. 공협은 5월 30일 "(우리는) 모스크바 결정을 지지하며, 일국편의를 배제하
고 연합(국)제국과 우호친선을 위주로 하는 바이며 조선통일임시정부의 기초를
조성함에 있어서 적극 협력할 용의가 있음을 표명하는 바"라는 메시지를 미소
공위에 보냈다. 미소공위의 협의 참가 자격을 얻은 정당·사회단체의 하나가 된
공위는 민전, 합위, 그리고 근민당과 함께 미소공위가 자문한 문제에 대해 답
신서를 보내는 등 미소공위에 성실히 협조했다.[33]

시국대책협의회

시국대책협의회(약칭 시협)는 6월 15일 김규식 여운형 안재홍 홍명희 등 20
여 명이 만나 결성키로 합의함으로써 준비위 발족을 보게 되었다. 이들 추진
세력은 근민당을 가입시켜 중간파의 정치적 외연을 만드는 동시에 한국민주당
을 비롯한 우익진영과도 제휴하는 작업을 폈다. 이것은 시협이 중간세력의 세
력 확장을 위해 만들어진 조직이라는 사실을 말해 준다. 민중동맹 민주파한독
당 사회민주당 청우당 등 4개당과 이극로와 조봉암이 이끈 독전도 이에 참여했
다. 시협 준비위원회는 주석 김규식 여운형 양인을 비롯해서 안재홍 강순 이극
로 이선근(李瑄根) 유기태(劉起兌) 손두환(孫斗煥) 박시성(朴是聲) 외 12인으로

구성되었다.[34) 시협을 추진한 5당은 모스크바 3상 결정이 조선의 자주독립국가 건설을 보장하는 국제공약임을 확인하고 반탁운동을 벌인 반민주진영의 공위 참여를 반대한다는 성명을 발표했다.[35)

시협은 6월 19일 정식 발족할 예정이었으나 주도권 다툼이 벌어져 시간을 끌다가 7월 3일 서울 교외에서 김규식 여운형을 중심으로 홍명희 안재홍 오하영 (吳夏英) 원세훈 정구영(鄭求瑛) 등 각 단체 대표 90명이 모여 가까스로 결성 대회를 가졌다. 연락위원으로는 윤기섭(尹琦燮) 손두환 서세충(徐世忠) 정이형 (鄭伊衡) 등이 선출되었다.[36) 임시정부 수립에 관한 미소공위의 협의대상이 된 시협은 국호를 '고려공화국'으로 하고 국체를 민주공화국으로, 정체를 3권분립, 정부형태를 대통령제로 하는 것을 골자로 한 답신을 미소공위에 제출했다.[37)

그러나 7월 중순 시협 지도자의 한 사람인 여운형이 암살되자 시협은 발족 16일 만에 제대로 기능을 할 수 없게 되었다. 좌우합작 노력 역시 2차 합위 발족 3개월도 채 안 되어 종지부를 찍었다. 여운형의 암살로 유명무실해진 시협을 해체하고 보다 확대된 민족자주연맹(약칭 민련)을 결성하기로 각 파 간에 합의가 성립되었다.[38)

민족자주연맹에 참여

제3세력은 해방정국에서 온건우파 및 중간파들과 합작하기 위해 민련 설립에 적극 참여했다. 이들은 1947년 9월 26일 합위 회의실에 모여 그동안 조직된 독전(정식명칭 조선민족독립전선) 합위(정식명칭 좌우합작위원회) 공협(정식 명칭 미소공동위원회대책각정당사회단체협의회) 시협(시국대책협의회) 등 유명무실한 4개 단체를 발전적으로 해체해 단일기구를 만들기로 했다. 대표에는 온건우파 지도자인 김규식을 추대하기로 했다. 이들은 1947년 10월 1일 중앙청 회의실에서 14개 정당과 5개 단체 대표 및 개인이 참가한 가운데 정식으로 민련 준비위원회를 발족시켰다.[39) 민련 준비위에 참여한 이들 정당들은 대체로 중도좌파, 중도파, 중도우파로 나눌 수 있다. 김규식 원세훈 안재홍 최동오 김병로 김붕준(金朋濬) 홍명희 이극로 여운홍 김약수 등 30명이다. 준비위는 4일 열린 제1차 회의에서 준비위원 20명을 증원하고 8일에는 제2차 회의에서 부시

책임자를 임명했다. 위원장에 김규식이, 위원장 다음으로 중요한 직책인 정치위원장에 홍명희가 선출되었다.[40]

이극로는 독전의 대표로 초기에 선전국장에 임명되었으나 같은 독전 소속이며 민련의 결성에 핵심적 역할을 한 조봉암은 극좌인 조선공산당 당원이었다는 이유로 김규식이 반대해 상임위원이 되지 못했다. 김규식은 공산주의자를 불신하는 김구 등 우파세력과 조봉암을 싫어하는 사로당 계열, 그리고 그를 배신자로 보는 남로당을 배려해 부득이 그와 그의 일파를 제거했다. 이로 인해 조봉암 지지자들로부터 상당한 반발이 있었다.[41] 민련 결성식은 준비위가 조직된 지 두 달 만인 1947년 12월 20일 종로구 천도교강당에서 대의원 800여 명이 참여한 가운데 개최되었다. 민련 창립선언문은 독점자본주의사회도 무산계급사회도 아닌 '조선적 민주주의' 사회를 건설해야 한다고 주장했다.[42]

민련은 1948년 초 유엔결의에 의해 남한 단독선거가 실시되기로 결정되자 이를 반대하고 그해 4월 평양에서 열린 남북연석회의에 참가했다. 회의에 참석했던 민련 대표들 가운데 홍명희 이극로 등은 서울로 돌아오지 않고 평양에 남게 되어 민련은 그 후부터 김규식 계열의 정치조직이 되다시피 했다. 민련 간부들은 그해 9월의 북한정권 수립 시기까지 상당수가 월북해 김일성 정권에 합류했다. 홍명희는 내각부수상이 되었고, 이극로는 무임소상을, 이용(李鏞)은 도시계획상을, 강순 장권은 최고인민회의 상무위원을, 성대경(成大慶) 주해(朱海) 김충규(金忠圭) 등은 대의원을, 손두환은 도시경영성 국장을 지냈다.[43]

Ⅱ. 건국 이후의 좌파세력

① 이승만 정부와 남로당의 대결

크렘린의 명령에 유유 맹종하는 한국의 공산당은 미군정의 자유주의적 관용과 천진 난만성을 이용하면서 신생 한국의 내부적 혼란을 크게 격화시키려고 하였다.···이들 공산도배들은 음모-테러-공갈-기만 등 온갖 파괴적 수단으로써 자주-독립-통일의 민주적 한국의 건설을 극력 방해하여 오다가 드디어는···6·25남침을 감행함으로써 우리 민족 전체를 처참무비한 큰 비경(悲境)에 빠뜨리고 말았다.

─이동화, "한국적 사회주의의 길"(1960)

1. 건국 직후의 국가전복투쟁

지하 활동에 들어간 '서울지도부'

제1공화국, 즉 이승만 정부(1948~1960) 12년 가운데 휴전 성립(1953년) 때까지의 5년간은 남로당 세력의 국가전복 공작에 직면한 시기였다. 남로당은 1948년 봄부터 중앙당 간부들이 대거 월북하고 일부는 체포된 데다가 그해 8월 대한민국이 수립되면서 사실상 합법적, 공식적 활동이 중단상태에 들어갔다. 그해 가을 남북한에 각각의 정부가 수립될 때까지 월북한 남로당원 수는 5만 명 내외에 달한다는 통계가 있다.[1]

남로당은 북한 정권 수립 9개월 후인 1949년 6월 북로당과 합당, 조선노동당이 탄생했는데, 조선노동당이 결성되자 남한의 남로당 조직은 '조선노동당 남반부당'으로 개칭되었다. 이때부터 남조선혁명운동에 관련된 지령도 모두 평양의 당 중앙에서 내려왔다. 당 중앙이란 바로 조선노동당 부위원장 자리에 있던 박헌영이었다. 그는 서울에 '서울지도부'라는 특별조직을 설치하고 그의 측근인 김삼룡과 이주하로 하여금 남한 전역을 관활토록 했다. 사실상 남반부당의 중앙당부 역할을 한 서울지도부는 그 안에 조직부 선전부 특수부 등 몇 개의 부서를 두고 이를 통해 각 도당을 지휘했다.[2]

인공기 게양투쟁

대한민국 정부는 1949년 10월 18일 공산주의정당·단체를 정식으로 불법화하고, 11월 19일에는 남로당 및 민전 산하 133개 정당 단체의 등록을 취소했다.[3] 그런데 남로당은 앞에서 설명한 바와 같이 이미 4개월 전에 북로당과 합당했기 때문에 법적으로는 존재하지 않는 상태였으나 북한 측이 1950년 7월까지 조선 노동당의 결성사실을 비밀에 부친 탓으로 여전히 북로당, 남로당으로 분리 호칭되었다.[4] 이 무렵 남로당 조직은 사실상 붕괴상태여서 합당사실까지 공표되는 경우 남한의 잔존 지하당원들의 집단 이탈로 당조직이 명실 공히 소멸될 것을 우려한 것이다. 따라서 이들 잔존세력은 1950년 3월 27일 서울에서 총책 김삼룡과 군사총책 이주하가 체포되어 서울지도부가 사실상 완전 괴멸될 때까지 여전히 '남로당'으로 불렸다.[5]

남로당계열의 비합법투쟁은 대한민국 건국 후부터 한국동란을 전후한 기간에 박헌영의 지도 아래 전개되었다. 그 대표적인 예가 1948년의 인공기 게양투쟁, 여순반란사건, 대구 6연대반란사건, 1949년의 9월공세 등이다. 남로당이 이들 사건을 일으킨 목적은 모두 대한민국을 무력으로 전복하는 데 있었다. 말하자면 월남의 베트콩과 같은 투쟁을 벌인 것이다. 만약 이때 대한민국의 군경이 이들을 효과적으로 토벌하지 못했더라면 6·25전쟁까지 가지 않고 한반도는 월남처럼 되었을 가능성이 있었다.

인공기 게양투쟁은 북한의 인공정권 수립 직후인 1948년 10월 5일 새벽을 기해 서울 개성 인천 대구 광주 등 전국 중요도시의 공공건물에 일제히 인공기를 내건 사건을 말한다. 당시의 북한헌법은 "조선민주주의인민공화국의 수부(首府)는 서울시"라고 규정하고 있었기 때문에 남로당은 평양정권이 전체 한반도를 대표하는 정부라는 의미의 '인민공화국 만세!'라는 전단도 뿌렸다. 남로당은 11월 30일에는 인공 만세를 외치면서 미군철퇴를 요구하는 '2시간 총파업'을 전국적으로 강행했다. 이날 총파업에는 서울을 비롯한 8개 시군에서 304개 기업과 104개 학교가 동참, 낮 1시를 기해 전차 111대가 2시간 멈춰 섰다.[6]

여순반란사건

건국 후 발생한 남로당의 유혈투쟁 가운데 여순반란사건은 아마도 최대 규모의 사건일 것이다. 5·10총선을 방해하기 위해 일어난 1948년의 제주 4·3사건은 건국 후에도 평정되지 않아 그해 10월 19일 전남 여수군 여수읍 근교에 주둔한 제14연대가 1개 대대를 현지에 출동시키려고 준비를 하던 중 부대 안에서 반란이 일어났다. 남로당원과 그 동조자가 많이 입대한 탓에 '붉은 연대'라고 불린 14연대에는 남로당 전남도당 군사부에서 침투시킨 사병 수가 한때는 절반에 달했다고 한다. 연대 내 세포조직책 지창수(池昌洙, 상사) 김지회(金智會, 중위) 홍순석(洪淳錫, 중위) 등이 주동이 된 반란군은 이날 밤 10시 병기고와 탄약고를 점령하고 부대원들을 연병장에 집결시켜 놓은 다음 '경찰타도'와 '제주도 출동거부'를 외치면서 "지금 조선인민군이 남조선해방을 위해 38도선을 넘어 남진하고 있는 중이다. 우리는 북상하는 인민해방군으로 행동한다"고 선동해 삽시간에 연대를 장악했다.[7] 이때 반란에 반대한 하사관 3명은 즉석에서 사살되었다. 이들 반란군 약 1천여 명은 곧 부대 밖으로 진출, 민간인들과 함께 여수읍내의 지서와 경찰서를 습격해 경찰관을 무차별 사살하고 군청 등 관공서 등 중요기관을 접수했다. 반란군은 이튿날까지 동조자 3천여 명과 함께 여수 일대를 완전 장악하고 인민위원회를 설치, 관공서에 인공기를 게양했다. 반란군은 우익인사들을 '반동분자'로 몰아, 닥치는 대로 즉결처분하거나 인민재판에 회부했다. 이들은 또한 여수 시내 중앙광장에서 군중 약 4만 명을 집합시킨 가운데 '인민대회'를 열고 인민위원회의 행정권 접수, 북한정권에 대한 충성 맹세, 대한민국 분쇄 맹세, 대한민국의 모든 법률 무효화, 친일파와 민족반역자 처단, 무상몰수 무상분배에 의한 토지개혁을 단행한다는 결정서를 채택했다. 반란군 중 일부 병력은 20일 인근 순천읍으로 진격, 순천경찰서를 점령하고 인민재판을 열어 수많은 우익인사들을 학살했다. 폭도들은 계속 주변의 구례 곡성 방면으로 진격해 이들 지역에서도 비슷한 만행을 저질렀다. 벌교의 창성(昌城) 지서를 습격한 반란군은 경찰관 약 30명을 발가벗긴 채 총살했다.[8]

여수읍이 인공 천하가 된 지 닷새만인 24일, 5개 연대가 참가한 국군의 진압작전이 시작되었다. 진압작전은 순천 방면으로부터 개시되었다. 순천읍은 이틀날 탈환되었으나 다른 지역에서는 반란군의 끈질긴 저항으로 시간을 끌다가 이틀 후인 26일부터 겨우 진압작전을 본격화, 장갑차 항공기 등 기동부대가 공격을 개시했다. 국군과 반란군과의 전투가 치열하게 전개되자 여수읍내는 순식간에 불바다가 되었다. 여수읍은 반란군 치하에 들어간지 1주일 만에 국군에게 탈환되었다. 국군의 진압작전에 밀려 도주한 반란군은 지리산을 중심으로 경남 및 전남일대를 '유격구'로 설정하고 항전을 계속했다. 여순반란사건으로 반란군에게 학살된 인원은 1,200명, 중경상자는 1,150명에 달했다.[9] 육군사령부가 1948년 1월 발표한 바에 의하면, 사건진압 후 군사재판에 회부된 군인 2,817명 중 410명이 사형, 568명이 종신형에 처해졌다.[10] 이 사건 역시 제주4·3사건처럼 국군의 진압과정에서 많은 인명피해가 생겼다.

대구 6연대 반란사건

대구 제6연대 반란사건이란 1948년 11월, 부대 내부의 남로당 세포조직이 대구로 진격하기 위해 반란을 일으킨 사건이다. 대구 교외에 주둔한 제6연대는 여수 지방의 제14연대처럼 남로당계열의 침투가 심한 부대였다. 1946년 10·1 대구폭동사건 후 많은 좌익계열이 경찰의 추적을 피해 대거 이 부대에 입대했으며 창설 이래 2명의 연대장들이 좌익프락치였다.[11]

제6연대는 남로당 경북도당이 부대안의 세포를 완전 장악하고 있었던 탓으로 2차에 걸쳐 1천여 명의 부대 주력병력이 제주 4·3사태 진압 목적으로 차출되자 이 틈을 타서 병사들을 쉽게 동원할 수 있었다. 부대 안의 남로당 세포조직은 1948년 11월 11일 밤, 여수의 14연대 반란군이 대구에 들이닥쳤다는 거짓말을 하면서 부대원들을 비상소집한 다음 병기고를 털어 이들에게 무기와 탄약을 지급하고 행동에 나설 것을 선동했다. 반란군은 이에 불응하는 장교와 병사 7, 8명을 그 자리에서 사살했다. 그러나 이들이 대구로 진격하려던 찰나 연대 지휘부의 재빠른 설득작업으로 반란가담 병사 150명이 투항하자 나머지 수십 명은 김천 방면으로 도주함으로써 반란은 진정되었다. 도망간 반란가담 병사 일부는 현지에 주둔중인 중대원 일부를 선동, 반란에 동조시키려 했으나 그곳 파견중대 병력에 의해 포위되자 일부는 체포되고 일부는 팔공산으로 들어가 빨치산이 되었다. 이로써 제6연대 반란사건은 일단락이 났다.

그러나 이 사건을 계기로 육군본부가 부대를 정리하기 위해 지리산 일대에 파견된 제6연대 병력을 원대복귀시키자 귀대하던 세포조직원들이 12월 6일 반란을 일으켜 사건이 재연되었다. 반란병사 42명은 연대본부에 도착하기 직전 인솔장교 9명을 사살하고 선도차량을 정지시킨 다음 다른 대원들에게 반란에 가담할 것을 선동했다. 그러나 호응을 얻지 못하자 근처의 팔공산으로 도주, 역시 빨치산이 되었다. 제6연대에서는 이듬해 1월말, 포항에 주둔 중인 예하 제3중대에서 다시 비슷한 사건이 일어나 소대장과 하사관 1명이 반란군에게 사살되었다. 다행히 다른 병사들이 호응하지 않아 새로운 반란 기도는 좌절되었다.[12]

군부 프락치와 대숙군

제주4·3사건과 여순반란사건은 군내부에 침투한 남로당 프락치에 대한 대대적인 숙청, 즉 당시 용어로 숙군(肅軍)을 단행하는 계기가 되었다. 남로당은 이미 조선공산당 시절부터 군대에 대한 정치공작을 활발하게 벌여, 여순반란사건을 일으킨 제14연대의 경우 '붉은 연대'로 소문이 날 정도로 군내부에 공산주의자들이 많았다는 것은 이미 앞에서 설명한 대로이다. 군에 공산주의자들이 많이 들어간 원인은 경찰에 쫓긴 공산주의자들이 대거 군에 입대한 데서 비롯되었다. 당시에는 연대별로 모병을 실시했다. 앞에서 살펴본 대구의 제6연대는 1946년의 10·1폭동사건 관련자들이 많이 들어간 예이다. 거기다가 당시 미군정청에서는 국방경비대에 입대하는 지원자에 대해 신원조사를 하지 않았기 때문에 공산주의자들이 군부대를 '정치적 피난처'로 생각하게 되었다. 남로당은 군사부총책 이재복(李在福)을 통해 상급 장교들을 포섭했다.

군당국이 숙군을 단행하게 된 것은 이승만 대통령의 지시에서 비롯되었는데 그 경위가 흥미롭다. 숙군작업을 총지휘한 당시의 육군본부 정보국장 백선엽(白善燁)에 의하면, 이승만은 1949년 2월 주한미군 임시군사고문단의 로버츠(William L., Roberts) 단장을 불러 "당신네들이 미군정 때, 국방경비대 모집을 잘못해 군대를 이 지경으로 만들어 놨으니 책임지고 처리해 달라"면서 군내 남로당 조직원 명단이 든 큰 서류보따리를 건넸다는 것이다. 이 서류는 김태선(金泰善) 치안국장이 이승만에게 올린 것이었다. 로버츠 단장은 즉각 이 보따리를 이응준(李應俊) 육군총참모장에게 전달하고 이응준은 그날 밤중에 자기 집으로 백선엽 대령과 헌병사령관 신상철(申尙澈) 중령을 호출해서 두 사람이 중심이 되어 숙군작업을 비밀리에 진행하라고 지시했다.13)

군당국이 잡아들인 인원수는 당시 전체 군병력의 5%에 달하는 4,749명이었다. 이들을 수용할 시설이 없어 영등포의 창고중대를 임시 구치소로 만들어 수감했다. 피검자 중에는 연대장 출신인 최남근(崔楠根) 김종석(金鍾碩) 오규범(吳圭範) 중령과 육사의 생도대장 또는 구대장인 박정희(朴正熙), 오일균(吳一均), 조병건(趙炳乾), 김학림(金鶴林) 소령 등 10여 명의 영관급 장교가 포함되어 있었다. 나머지는 대부분 위관급 장교와 사병들이었다. 주목할 것은 육사 3기생 임관자 281명 중 258명이 조사를 받아 60여 명이 좌익으로 드러나 처벌을 받은 사실이다. 대표적인 인물은 여순사건의 주모자 김지회, 홍순석 중위와 제주4·3사건 때 토벌부대의 연대장 박진경(朴珍景) 대령을 사살한 문상길(文相吉) 중위 등이다. 체포된 이들 중 반란 주모자와 적극적인 활동자, 폭력, 파괴 행위에 가담한 10%는 사형 또는 유기징역 등에 처해지고 나머지 90%는 일부 무죄판결을 받은 자를 제외하고는 모두 불명예제대 조치로 끝냈다.14) 처형당한 사람은 최남근 김종석 오일균 등이다. 이런 와중에도 억울한 사람이 없도록 이응준 참모총장이 열흘 동안 구치소로 찾아가 중요한 혐의자를 일일이 직접 면담하고 처리 방침을 결정했다는 것이다. 숙군작업은 그해 7월로 일단 매듭을 지었으나 8월에도 서울지역에서 163명(장교 28명 포함)이 추가로 적발되었다.15) 당시 숙군을 둘러싸고 많은 논란이 있었으나 만약 숙군 없이 1년 후에 6·25를 맞이했더라면 그 피해는 엄청났을 것이다.

2. 정치공작

북민전과 남민전 통합, 조국전선 결성

1949년 모스크바에서 스탈린으로부터 남침계획을 승인받는 데 실패한 김일성은 귀국 즉시 남한 정부 파괴를 목표로 한 게릴라 전략의 수립에 들어갔다. 스탈린은 그해 3월 남침을 승인받기 위해 모스크바를 찾아간 김일성과 박헌영에게 이승만 정부가 북침을 하지 않는 한 남침은 불가하다고 못 박고 그 대신 남쪽에서 게릴라전을 수행할 것을 지시했던 것이다. 게릴라전을 위해서는 남로당세력을 앞세우는 전략이 필요했다. 이에 따라 김일성은 이 작전을 효율화하기 위해 정치공세를 병행했다. 그는 앞에서 설명한 바와 같이 1949년 6월 말 먼저 북로당과 남로당을 합쳐 조선노동당을 결성하고 이어 통일전선조직인 북민전(정식 명칭 북조선민주주의민족전선)과 남민전(남조선민주주의민족전선)을 합쳐 조국통일민주주의전선(약칭 조국전선)을 결성했다. 조선노동당과 조국전선의 결성은 남북한을 통틀어 단일의 정치조직으로 통합하기 위한 것이다. 조선노동당의 결성에 대해서는 이미 앞에서 설명했으므로 여기서는 조국전선에 관해서만 설명하기로 한다.

남북의 통일전선 조직을 하나로 만들기 위한 김일성의 움직임은 그가 모스크바로부터 귀국한 직후인 4월부터 시작되었다. 김일성은 이 계획을 남로당을 비롯한 남한 측 좌익정당들이 먼저 제의하는 형식을 취했다. 1949년 5월 남로당 민주독립당 조선인민공화당 근로인민당 남조선청우당 사회민주당 남조선여성동맹 전평 등 좌익단체들은 공동명의로 북조선 및 남조선 제 정당 사회단체와 북민전에 서한을 보냈다. 서한의 골자는 주한미군의 철퇴와 조국통일을 위해 '한층 광범한 전 조선적 민족통일전선'을 결성하자는 것이었다. 북민전 중앙위원회는 나흘 후 이에 적극 찬동하기로 결의하고 결성준비위원회 제1차 회의를 평양에서 개최할 것을 남로당 등 남측 정당에 제의했다. 북민전 측에서 김두봉 김일성 허가이 등이, 남민전 측에서 허헌, 박헌영 김삼룡 등이 참여한 양측의 준비위원 40명(31개 정당단체 대표)은 북민전이 6 대 4로 우세했다.[16]

대한민국 정부 타도를 결의

조국전선 결성대회는 1949년 6월 평양 모란봉극장에서 남북 71개 정당 사회단체 대표 7백4명이 참석한 가운데 열렸다.[17] 대회는 조국통일민주주의전선(조국전선)을 결성하고 중앙위원회를 구성한다는 등 6개 항의 결정서와 강령 및 남북조선의 제 정당 및 사회단체들과 전체 인민에게 보내는 평화통일선언서도 채택했다. 강령은 미군과 유엔위원단의 철거 및 완전 독립을 위한 투쟁, 통일 달성에 인민의 총역량 동원, 남한에서의 인민위원회 부활과 합법화를 위한 투쟁, 투옥된 좌익인사들의 석방 등을 골자로 하고 있다. 평화통일선언서는 1949년 9월 통일된 입법기구 구성을 위한 남북동시선거의 실시, 남북 정당단체 대표들의 협의회에서 선거지도위원회 구성, 선거에서 수립된 입법기관의 인공헌법 채택, 제주도 인민항쟁과 유격운동 진압에 참가한 경찰대 해산 등을 핵심내용으로 하고 있다. 대회 마지막 날 열린 조국전선 중앙위원회는 의장단을 구성할 공동의장에 김두봉 허헌 김달현(金達鉉) 이영(李英) 유영준(劉英俊) 정노식(鄭魯湜) 이극로 등 7명을, 서기국장에는 김창준(金昌俊)을 선출했다.[18] 북로당은 이 무렵 대남공작대를 직접 밀파해 정보수집과 공작을 벌였다. 그 대표적인 사건이 1949년 1월 검거된 이른바 북한내무성 정보공작대사건과 북로당직계 남한정보공작대 사건, 그리고 북한 대남정보원사건이다. 이 3개 사건은 모두 20명 이내의 대원으로 남한에서 공작을 벌인 간첩사건이다.[19]

조국전선은 1950년 5월 7일에는 남북간에 통일된 최고입법기관 설치를 위해 8월에 총선거를 실시하자는 대남평화공세를 다시 폈다. 이것은 6·25남침을 앞두고 남측을 혼란시키기 위한 평화선전공세였는데 대한민국 정부는 이철원(李哲源) 공보처장 담화를 통해 '어린애장난'을 하고 있다고 일축했다.[20]

국회프락치사건

남로당은 경찰 정당 법조계 언론계 등 각계에 비밀공작원을 침투시켜 정치공작을 벌였다. 대표적인 프락치사건만 살펴보기로 한다. 제헌국회 당시 주로 무소속의 소장파 의원들은 기회있을 때마다 미군철수와 평화통일을 주장하고 반민족행위자처벌법과 농지개혁법 제정운동을 앞장서 벌임으로써 이승만과 한민당의 보수노선에 도전했다.[21] 무소속의 박종남(朴鍾南, 광산) 의원 등 소장파 45명은 제헌국회 개원 직후인 1948년 10월 주한외국군철퇴 결의안을 긴급동의 형식으로 제출했다. 이들은 국회 본회의에서 기습적인 의사진행발언을 통해 이 결의안에 대한 표결을 즉각 하자고 요구했다. 이들 중 10여 명이 발언신청을 위해 한꺼번에 단상에 뛰어 올라 소란이 일어나자 국회사상 최초의 경위권이 발동되었다. 옥신각신 실랑이 끝에 표결에 부친 결과는 재석 133명 중 보류 찬성 68, 반대 65표로 결의안이 부결되었다. 이 무렵 공보처는 연일 성명을 내어 이들 국회의원 배후에 공산당이 있다고 비난했다.[22]

1949년 3월 들어 소장파의 대표격인 노일환(盧鎰煥, 한민당, 순창)은 긴급동의 형식으로 내각불신임안을 기습적으로 제출했다. 국정감사 실시 결과 과거 1년간 정부의 예산집행의 무계획성이 드러났으므로 정부의 무능과 시국혼란의 책임을 내각에 물어야 한다는 것이었다. 그는 주한미군의 철수도 주장했다. 건국 후 최초로 제기된 이 불신임안은 표결 결과 재석 114명 중 찬성이 불과 14표가 나와(반대 67표, 기타 33표) 부결되었다. 그러나 소장파들은 이에 굴하지 않고 그해 6월 다시 이범석(李範奭) 국무총리 이하 전 국무위원 인책결의안을 국회에 제출했다. 그 이유는 친 이승만계 청년단체들이 각 지방에서 경찰의 묵인 아래 공공연하게 불법기부금을 징수하고 있다는 것이었다. 이 결의안은 재석 144명 중 찬성 82표, 반대 61표로 통과되었다. 그러나 '인책' 결의안은 불신임안과는 달리 법에 없는 것이어서 이승만은 "국회의 결의는 권고에 불과하기 때문에 아무 영향도 없다"고 받아들이기를 거부했다.[23]

국회프락치사건은 이런 상황에서 발생했다. 이 때문에 당시부터 사건이 조작되었다는 주장이 제기되었다.[24] 국회프락치사건이란 국회의원 13명이 남로당의 정치자금을 받고 그들의 7개 원칙에 따라 미군철수결의안 제출 등의 원내활동을 한 혐의로 구속 기소된 사건이다(구속은 15명). 7개 원칙이란 외군 완전철퇴, 남북한 정치범 석방, 남북 정치회의 구성, 정치회의의 최고입법기관 역할 수행, 정치회의에서의 헌법 제정과 정부 구성, 반민족행위자 처단, 조국방위군 재편성 등이다. 국회가 휴회 중인 1949년 5월 1차로 이문원(李文源) 최태규(崔泰奎) 이구수(李龜洙) 3명이 구속되었으며 6월에는 노일환, 김옥주(金沃周), 강욱중(姜旭中), 김병회(金秉會), 박윤원(朴允源), 황윤호(黃潤鎬)와 소장파의 지도자인 김약수(金若水) 국회부의장 등 7명이 구속되고, 8월에는 서용길(徐容吉), 신성균(申性均), 배중혁(裴重赫), 차경모(車庚模), 김봉두(金奉斗) 등 5명이 3차로 구속되었다. 이들은 1차 구속자들이 구속된 지 6개월이 지난 그해 11

월에야 1심 재판이 열려 이듬해 3월 선고공판에서 징역10년 내지 3년을 선고받았다. 노일환 이문원 이외에는 적극 가담하지 않았지만 고문에 의해 혐의가 조작된 것으로 알려졌다. 이들은 전원 서울고법에 공소를 제기했으나 곧 6·25사변이 일어나자 수감 중이던 서대문형무소에서 인민군에 의해 풀려나 서용길을 제외한 대부분이 월북했다.[25]

홍미로운 사실은 당시에 남로당뿐 아니라 김일성의 직접 지시를 받은 북로당의 공작책 성시백도 이들 소장파들을 포섭하는 공작을 벌였다는 것이다. 그러나 성시백은 전술상 이들로 하여금 공공연하게 집단적으로 결의안을 내는 방식의 투쟁은 바람직하지 않다는 판단 아래 남로당세력이 꾸미는 방식의 큰 소리를 내는 정치공작을 의도적으로 회피했다고 한다. 체포된 13명 중 최소한 3명은 성시백에게 포섭된 것으로 보도되었다.[26]

법조계 프락치사건

남로당은 법조계에도 깊숙이 침투해 있었다. 이 사건은 좌익법률가 모임인 법학자동맹(위원장 조평재, 趙平載)을 중심으로 조직된 남로당 법조계 프락치사건이다. 국회프락치사건과 거의 같은 시기에 관련자들이 연이어 검거되어 많은 논란을 불러일으켰다. 특히 재판에 회부된 다수의 관련자들이 기소사실을 부인하고 판사의 판결도 검찰의 구형량과 크게 차이가 나는 가벼운 형이나 무죄가 선고되어 당시부터 이 사건은 말썽이 끊이지 않았다.

경찰은 검찰의 지휘 아래 1949년 7월, 1차로 김영재(金寧在) 서울지검 차석검사와 백석황(白錫璜) 변호사 등 11명을, 그해 12월에는 2차로 김진홍(金振弘) 서울지법 판사와 이정남(李正男) 서울지검 검사 등 판·검사 7명을 남로당 프락치 혐의로 검거했다. 1차 법원프락치사건 때 적발되어 수배되었던 양규봉(楊奎鳳) 변호사는 이듬해인 1950년 1월에 경찰에 체포되었다. 이들 법조프락치사건 관련자들 중 일부는 조공, 남로당 또는 북조선노동당에 가입한 사실을 자백했다. 관련자 중 김영재 차석검사는 남로당으로부터 좌익피의자들을 가능하면 불기소하고 여의치 않을 때는 집행유예나 최소형량으로 판결이 떨어지도록 힘쓰라는 지령을 받았다고 시인했다 한다. 또한 다른 일부 검사는 수사기밀을 누설하는 수법으로 남로당을 도우거나 좌익피의자들에게 사식이나 돈을 차입해주는 등 편의를 제공했다는 것이다.[27]

따로 따로 기소된 두 사건 중 2차사건의 선고공판은 1950년 3월 20일 서울지법 송문현(宋文炫) 판사 주심, 서울지검 정희택(鄭熹澤) 검사 관여로 열렸는데 김진홍 등 2명만 징역5년 내지 2년을 선고받고 나머지 5명은 무죄를 선고받았다. 이어 같은 달 25일 서울지법 이봉규(李奉奎) 판사 주심, 서울지검 선우종원(鮮于宗源) 검사 관여로 열린 제1차사건 선고공판에서는 양규봉 등 4명만 징역4년 내지 2년을 선고받고 나머지 피고인들은 집행유예 또는 무죄를 선고받았다. 검찰은 구형보다 선고 형량이 너무 차이가 나자 "법원을 신뢰할 수 없다"고 공개적으로 비난하고 나서서 검찰과 법원 간에 공방전이 벌어졌다.[28] 관련자들 중 1심에서 실형을 선고받은 제2차사건 피고인 4명은 공소를 제기했으나 6·25 발발로 2심 재판이 중단되고 말았다.[29]

2대 총선거 공작사건

1950년 5·30총선거를 앞두고 벌어진 좌익세력의 정계침투공작은 남로당세력이 거의 괴멸된 상황에서 성시백에 의해 진행되었다. 성시백은 북측이 크게 기대를 걸었던 제2대 국회에 프락치를 침투시켜 앞에서 설명한 그들의 조국전선 결의에 부응하는 '평화통일 정치공작'을 국회 안에서 펴도록 하기 위해 20여 명의 입후보자들에게 정치자금을 지원했거나 지원하려 했다. 그는 민주국민당 소속의 김승원(충남 보령) 후보에게 185만원을 지원하는 한편 남북협상파 계열의 후보인 박건웅 장건상 김성숙 김명준 김찬 유석현 윤기섭 조소앙 원세훈 등을 중요 포섭대상으로 선정, 그들에게 지원할 미화 1만4,800달러를 김승원에게 맡겼다는 것이다. 그러나 성시백이 총선투표일을 보름 앞둔 5월 15일 경찰에 체포되는 통에 자금 지원은 이루어지지 않았다. 당시 검찰은 성시백사건을 '북조선노동당 남반부정치위원회사건'이라고 불렀다.[30]

성시백은 정계뿐 아니라 군부와 언론계에도 손을 뻗혀 헌병사령부를 비롯해 사단급 연대급에 이르기까지 침투했다 한다. 육군참모총장 이응준 소장을 물러나게 했던 1949년 춘천지역 주둔 8연대 소속 2개 대대의 월북사건을 비롯, 같은 해의 공군 항공기 월북사건과 미국 상선 스미스호의 납치월북사건도 그의 공작성과였다 한다. 6·25 발발 후 인민군이 서울에 입성하기 직전인 1950년 6월 27일 육군형무소에서 처형된 성시백은 김일성으로부터 '공화국영웅1호'로 추서되어 북한에서 사망한 부인과 함께 평양 교외의 애국열사릉에 합장되었다. 인민군은 김일성의 특별지시에 따라 성시백의 시체를 수습하려고 백방으로 노력했으나 끝내 발견하지 못했기 때문에 평양 애국열사릉에는 시신 없는 무덤만 조성되었다.[31]

성시백의 체포와 그의 공작 차질에도 불구하고 북한정권은 북측의 최고인민회의와 남한 국회를 전조선의 단일입법기관으로 연합해 헌법을 제정하고 그해 8월 15일까지 통일정부를 수립하며 이 문제 협의를 위한 남북국회회담을 개최할 것 등 8개항의 평화통일방안을 조국전선 중앙위원회 이름으로 6·25 발발 6일 전인 6월 19일 발표했다.[32] 이 제의는 정부에 의해 거부되었다.

3. 군사공작과 빨치산 활동

서울봉기계획

남로당은 Ⅰ-**2**(좌익혁명세력: 조공과 남로당)에서 설명한 바와 같이 1948년의 2·7구국투쟁을 계기로 지방당부에 일본군 출신 등 군인경력이 있는 당원들로 야산대라는 무장조직을 편성했다. 경북지방에서는 이미 1946년의 10·1폭동 때 산으로 들어간 남로당원들이 야산대에 합류했다. 남로당 야산대는 각 도에 야산대 도사령부를 설치하고 도당 부위원장에게 사령관을 맡겼다. 그 아래에는 각도를 몇 개의 블록으로 나누어 야산대 지구사령부를 두고 지구사령부 밑에는 시·군 야산대를 두어 3단계 조직으로 편성했다. 시·군 야산대는 50명 내지 1백 명으로 구성되었다. 서울시당부에는 행동대라는 이름의 무장조직이 조직되었다.[33] 이들 야산대와 행동대의 무기는 초기에는 일본군이 사용하던 38식 소총과 도검, 그리고 국방경비대에서 유출된 무기 등이었다.[34] 이들은 남로당이 1948년의 5·10총선을 저지하기 위해 본격적인 무력항쟁으로 투쟁방향을 바꾸자 곧바로 유격대원들로 변했다.

남로당은 1948년 10월 여순반란에 가담한 정규군 병사들이 지리산으로 들어가자 이를 계기로 게릴라 활동을 조직적으로 전개하기 위해 지리산유격전구(戰區), 오대산유격전구, 호남유격전구, 태백산유격전구, 영남유격전구 및 제주유격전구를 설치했다.[35] 북한정권은 1949년 3월 1일 현재 전국 8개 도, 3개 시, 77개 군, 128개 읍에서 유격투쟁이 벌어지고 있다고 발표했다.[36]

1949년 1월에 접어들면서 남로당은 중앙당부에는 군사위원회를, 그리고 서울시당과 각도 당에는 군사부를 각각 설치하고 본격적인 대한민국 파괴활동 계획을 세웠다. 남로당 중앙당부는 이 해 4월을 '남조선해방의 달'로 정하고 서울에서 폭동을 일으켜 이를 신호탄으로 전국에서 일제히 봉기한다는 계획을 세웠다. 남로당은 이를 위해 서울 동대문구 전농동에 '해방혁명사령부'를 설치하고 동대문구당책 홍민표(洪民杓, 일명 양한모)를 총책에 임명했다. 그러나 4월계획이 준비 부족과 당원들의 이탈로 5월로, 다시 6월로 순연되자 평양의 박헌영은 최종적으로 8월을 거사시기로 확정했다. 이것은 앞에서 설명한 조국전선이 결의한 9월 남북동시선거계획을 실현하는 것이다. 이 계획은 남로당세력이 8월 20일까지 폭동을 일으켜 정부를 접수하고, 9월 1일에는 박헌영이 선거위원장으로 내려와 9월 20일에 반드시 총선거를 실시, 이튿날 조선민주주의인민공화국 중앙정부를 수립한다는 것이 골자이다.[37] 그러나 이 계획 역시 홍민표가 8월 다른 혐의로 예비검속되었다가 석방되고 9월에는 그가 부하들을 거느리고 자수하는 바람에 수포로 돌아갔다.[38] 이들은 폭동을 일으킬 때 중요시설을 일제히 공격해서 서울을 불바다로 만들기 위해 수류탄 6천발을 마련하기로 했는데 수류탄 제조에 필요한 탄피와 화약 뇌관 등 부품이 압수되었다.[39]

게릴라전 지원 위해 '조선인민유격대' 창설

지방의 빨치산활동 역시 정부의 토벌작전으로 저조하게 되자 1949년을 기점으로 김일성 정권이 직접 병력을 파견, 적극적인 지원에 나섬으로써 양상이 바뀌었다. 김일성 정권은 조선노동당과 조국전선 결성 직후인 1949년 7월 '조선인민유격대'를 창설하고 그때까지 지역별로 작전을 벌이던 남한의 빨치산병력을 그 산하에 통합했다. 북측은 조선인민유격대 창설계획에 따라 오대산지구에 이호제(李昊濟)를 사령관으로 하는 인민유격대 제1병단을, 지리산지구에 이현상(李鉉相)을 사령관으로 하는 제2병단을, 태백산지구에 김달삼(金達三)이 사령관, 남도부(南道富, 본명 河準洙)가 부사령관인 제3병단을 각각 배치했다. 북측은 전투요원을 10차례에 걸쳐 강원도 오대산을 통해 비밀리에 남파했다. 1개 병단은 강동(江東)정치학원[40] 출신 유격대원 360명 정도로 편성되었다.[41]

이들 3개 병단에 대한 통일적 지도는 북한에 머물고 있는 조선노동당 부위원장 박헌영과 그의 최측근 참모인 이승엽이 행했다. 유격대원들은 그해 9월 전국 각 지방에서 경찰관서와 면사무소 등을 습격, 경찰관과 면장 등을 죽이고 '악질지주'를 처단한 다음 토지를 농민에게 분배하는 '토지개혁'을 단행했다. 이들 유격대는 이 무렵 관공서가 밀집한 도시나 지방의 경찰서 또는 군부대를 포위·공격하는 이른바 '아성(牙城)공격' 전술을 도입해 상대에게 많은 피해를 입히고 자신들도 대거 희생되는 결사적인 돌격전을 벌였다.[42]

당시 이를 '9월공세'라 불렀는데 이 공세는 1949년에 절정에 달했다. 국방부의 공식집계에 의하면 북측이 1948년 11월에서 1950년 3월까지 남측에 파견한 유격대의 규모는 2,400명으로 추산되었다.[43] 앞에서 설명한 남로당 서울지도부의 집단적 전향으로 실패한 서울대봉기 계획도 이때 마련되어 있었다. 9월공세로 인해 남한 일부 지역에서는 일종의 내전상태가 벌어짐으로써 민심이 극도로 흉흉했다.

그러나 전국 각 산악지대를 휩쓸던 빨치산들의 유격작전은 군경의 강력한 토벌작전으로 1950년 봄에 들어서면서부터 소강국면에 접어들었다. 1950년 3월에 접어들어서는 서울지도부의 책임자인 김삼룡과 그의 참모 이주하도 경찰에 체포되어 남로당의 지하조직은 거의 완전한 붕괴를 맞았다. 6·25 발발 시점에는 남파된 유격대원 270명, 지방빨치산 190명, 도합 460명 정도가 명맥을 유지하고 있었다.[44]

4. 돌아온 남로당 세력들

점령지역에서 당 지부와 인민위원회 설치

1950년 6월 28일 북한 인민군이 서울을 점령하자 김일성은 군사위원회 위원장 자격으로 그날 저녁 평양에서 방송연설을 통해 인민군과 서울시민들에게 축하메시지를 보냈다. 김일성은 이 연설에서 전체 조선인민은 전쟁을 조속한 시일 내에 승리로 종결시키기 위해 인민군에게 협력할 것과 '미해방지구' 인민은 빨치산 활동을 전개해 후방을 교란시킬 것, 지역마다 인민폭동을 일으켜 군수물자 수송을 하지 못하도록 방해할 것, 그리고 '해방된' 서울시민은 복구건설에 착수하고 인민위원회를 조직, 인민군대를 적극 지원할 것을 당부했다.[45)

그때까지 일부 산악지대에 남아있던 빨치산들, 즉 조선인민유격대는 김일성의 남침 개시에 고무되어 인민군이 낙동강에 도착하자 현지의 좌익청년들을 모아 단독작전 또는 인민군과의 협동작전을 벌였다. 그 대표적인 예는 지리산의 이현상부대가 8월 10일 경북 달성군 가창면 일대에서 미군통신부대를 습격해 미군 20여 명을 살상하고 통신시설을 파괴한 다음 25일에는 경남 창녕에서 미군부대를 공격, 미군 1백여 명을 살상한 사건이다.[46)

점령지역의 당 재건은 행정구역에 따라 중앙(서울), 도 시 군 면 순서로 하향식 조직을 통해 이루어졌다. 서울에는 남한지역의 당 사업을 총괄하는 중앙당 지부격인 '서울지도부'를 다시 설치했다.[47) 당 재건사업에 참여한 간부들은 북한에서 파견된 북로당계, 월북했다가 돌아온 남로당계, 출옥한 남로당계, 유격대 출신, 그동안 지하에 숨었던 현지 당원 등이다. 인민군은 서울 점령 즉시 서대문형무소에 수감 중이던 사상범들을 석방했다.[48)

당 재건과 함께 남한지역 행정을 맡을 각급 임시인민위원회도 긴급 설치되었다. 임시인민위원회는 당위원회처럼 행정단위별로 조직되었다. 김일성은 인민군 서울 진격 직후 서울특별시장에 해당하는 서울시임시인민위원장에 남로당 출신이며 박헌영의 최측근인 이승엽(조선노동당 중앙위원 겸 사법상)을 임명했다.[49) 이승엽은 박헌영의 지시와 감독 아래 점령지역의 모든 점령업무를 총지휘했다. 각도에는 도임시인민위원회를 설치하고 그 아래에 군, 면, 리 단위 임시인민위원회를 설치해 점령행정을 실시했다.[50] 이들이 수행한 중요 과제는 무상몰수 무상분배에 의한 토지개혁과 의용군 모집, 우익인사 색출과 처단, 그리고 공산체제 선전 업무 등이었다.[51]

체제선전은 북에서 파견된 정치공작원들이 주로 맡았으나 미처 피난을 못가고 인민군이나 보안요원에게 붙잡힌 남한의 유명인사를 이용하는 방법이 동원되었다. 조완구(趙琬九) 엄항섭(嚴恒燮) 김규식 안재홍 조소앙 김용무(金用茂) 등 정치지도자와 김효석(金孝錫) 내무장관이 인민군에게 보낸 서한 또는 방송을 통해 남한정부를 비난하는 연설을 했다. 이들 중 일부는 자발적으로 북측에 협조하기도 했다.[52] 6·25기간 중 북한에 납치된 수는 내무부가 작성해서 미국 대사관에 통보한 바에 의하면 12만 6,325만명이었다.[53] 반면 남로당계 등 좌익세력에게 색출되어 학살당한 수는 정확히 파악되지 않고 있으나 1952년 10월 공보처 통계국이 발간한 《대한민국통계연감》에는 민간인 피살자 수가 23만 6,475명으로 기록되어 있다.[54]

인민군 후퇴시의 유격대 작전

1950년 9월 맥아더 장군의 인천상륙작전으로 유엔군이 대대적인 반격작전에 들어가자 평양의 인민군 전선사령부는 인민군 부대에 후퇴명령을 내리는 동시에 노동당 서울시당 및 각 도당에 긴급지시를 내렸다. 그 내용은 당을 비합법적인 지하당으로 개편할 것, 군사시설로 이용될 수 있는 것은 파괴할 것, 산간지대 부락을 접수, 식량을 확보할 것, 입산 경험자 및 입산활동이 가능한 자는 입산시키고 기타 간부들은 즉시 강원도까지 후퇴할 것 등이다. '입산'시킨다는 것은 유격대에 편입시킨다는 의미다. 이 지시에 따라 경남북과 전남북의 4개 도당은 지하로 들어가면서 중요 시설을 관내의 산악지대로 이동시키고 입산한 당원들로써 유격대를 조직했다. 유격대는 주로 지방의 민청 회원과 자위대원으로 구성되었으나 지역에 따라서는 북에서 파견된 내무서원, 정치보위부원, 정치공작대, 그리고 후퇴하지 못한 인민군 병사들도 끼어있었다. 호남지구에서는 미처 철수하지 못한 약 1만명의 인민군 병사들이 유격대에 합류했다.[55]

서울시당도 중앙당의 지시에 따라 유격대를 조직, 서울로 진격해 들어오는 국군과 유엔군에 대항하는 방어전에 참여했다. 서울시당은 특수부를 설치하고 각 구역당별로 특수자위대를 조직했다. 서울시당 특수부의 총지휘자는 시당위원장 김응빈(金應彬)이었는데 서울시인민위원장 이승엽도 앞장서서 이들을 독려했다. 예컨대 성북구역당의 경우 특수자위대 약 50명은 종로구 혜화동 로터리와 성북구 보문동 및 동소문동에 바리케이드를 구축하고 버티다가 27일 밤 가평 쪽으로 도주했다.[56] 이들 지방과 서울의 유격대 전체 인원은 약 6만명, '공산부역자', 즉 공비에 협력한 민간인은 55만 905명(검거 15만 3,825명, 자수 39만 7,080명)에 달했다 한다.[57]

5. 남부군 결성

처음에는 '남반부 인민유격대'로 발족

인민군이 유엔군의 총반격작전에 밀리자 강원도까지 후퇴한 지리산 제2병단 사령관 이현상은 1950년 9월 남한 점령지역 총책임자인 이승엽으로부터 새로운 임무를 부여받았다. 즉 이현상에게 남한 내의 유격대를 지휘할 권한이 주어졌다. 이현상은 부대를 이끌고 곧 남하했는데 이때는 조선인민유격대 독립4지대로 불리었다. 이현상 부대는 남하 과정에서 청주형무소를 습격해서 좌익수들을 탈옥시켰다. 이 부대는 지리산에 도착한 다음부터는 남조선인민유격대 또는 남부군(일명 남부군단)이라는 명칭을 사용했다.[58]

이현상은 지리산으로 이동하는 도중인 1951년 7월 충남 덕유산 기지에서 제2병단 정치위원 여운철(呂運哲)과 함께 6개 도당회의를 열고 그때까지 각 도당이 개별적으로 벌이던 독자적인 유격작전을 전남과 경북지역을 제외하고는 남부군 아래서 통일적으로 전개하기 위해 이들 도당 유격대 병력을 그 휘하에 재편성했다. 남부군 사령관은 이현상, 부사령관은 이영회(李永會)가 각각 맡고, 전투단위를 사단체제로 재편, 남부군 휘하의 제1전구(전북의 북부지구와 충남 일대)와 제2전구(전북의 남부지구)에 각각 2개 사단씩을 배치하되, 남부군 직속부대로 4개 사단을 별도 편성했다.[59]

6개 지대 편성, 제2전선 목표

1950년 10월 중공군이 참전하자 북한정권은 인민군의 2차 남진작전을 개시하면서 남부군에 새로운 임무를 부여했다. 인민군총사령관 김일성 명의로 각 유격부대에 하달된 지령문은 전선후방에서 '제2전선'을 형성하라는 것이었다. 이를 위해 각 도당 조직을 군사활동을 목적으로 하는 '유격지대'(支隊)로 개편해서 도당위원장이 지대장 또는 정치부지대장(政治副支隊長)이 되도록 했다. 이 지령에 따라 6개 유격지대가 편성되었다. 말하자면 재건된 도당부가 다시 전투부대로 개편되는 것이다.[60]

이때 북한당국은 인민군총사령부 작전국 직속으로 유격지도처(일명 526군부대)를 설치하고 남한의 각 유격지대를 통솔케 했다. 유격지도처의 처장(부대장)은 6·25전 남로당 경북도당 위원장이었던 배철(裵哲)이었다. 그러나 북측이 창설한 이들 유격지대들의 활동은 국군의 공비섬멸작전으로 인해 극히 미미한 성과밖에 거두지 못했다. 결국 이들의 제2전선 계획도 한계를 드러내 그 결과는 전투요원이 된 남로당원들의 처절한 패배로 끝나면서 휴전회담이 시작되자 더욱 곤경에 빠지고 말았다.

6. 휴전과 지하당 재건

유격대 체제에서 지구당 체제로

1951년 7월부터 휴전회담이 시작되자 조선노동당은 그때까지 남한 지역에서 '제2전선' 임무를 수행하던 유격지대 체제를 다시 당 사업을 주로 하는 지하당 체제로 개편했다. 노동당은 휴전회담이 시작된 1개월 후인 1951년 8월 '미해방구에 있어서의 우리 당 사업과 조직에 대하여'라는 결정서 94호를 채택했다. 이 결정서는 당 사업 강화를 위해 종래의 행정지역에 따라 조직체를 만드는 것을 일단 보류하고 잠정적으로 전국을 5개 지역으로 나누어 지구당 조직위원회를 결성, 일체의 당 사업을 지도하도록 했다.[61]

북측은 이와 함께 평양의 조선노동당 당 중앙에 연락부를 설치, 인민군최고사령부의 유격지도처 사업을 이어받도록 했다. 연락부장에는 인민군총사령부

유격지도처 처장이던 배철이 임명되었다.[62] 연락부의 간부는 모두 남로당 출신 이었으며 이 사업은 박헌영의 직계인 이승엽이 총지휘했다. 이 결정서는 또한 남한 각 지구당의 간부와 유격대 지도자들을 교육하기 위해 1천여 명의 인원을 훈련시킬 수 있는 간부훈련소를 설치키로 했다. 이에 따라 1951년 10월 황해도 시흥군에 금강정치학원[63]이 개설되었다. 이 같은 조치들은 북한당국이 남한지 역에 지하당을 재건하면서 유격전도 염두에 두었다는 것을 의미한다.

5개의 비밀 지구당(지하당)을 재건하고 지구당별로 전개한 유격대 활동은 초 기에는 어느 정도 성과를 거두었다. 제4지구당 유격부장 남도부(南道富)가 이 끈 유격부대는 1951년 11월 중앙당에서 부산지구의 공작 임무를 띠고 남파된 정지렴(鄭芝濂)과 협력, 부산 조병창에 방화하는데 성공했다. 제5지구당 위원 장 이현상 역시 추풍령 터널을 폭파하는 등 전과를 냈다. 그러나 이 같은 새로 운 방식의 유격대 활동도 차츰 평양 중앙당의 기대에 못 미쳤다. 특히 국군이 1951년 11월 지리산 공비토벌을 위해 전북 남원에 전투사령부를 설치하고 그 해 12월부터 이듬해 3월까지 대대적인 겨울철 토벌작전을 전개하자 호남 일대 의 유격대는 곧바로 붕괴위기에 빠졌다. 이에 따라 북한 노동당 연락부는 1952 년부터 수백 명의 금강정치학원 출신들을 정치공작원으로 남파했다.[64]

111호 결정과 지구당의 하산 정책

노동당 정치위원회는 1952년에 이른바 '111호 결정'이라는 결정서를 채택했 다. 그 내용은 산악지대를 근거지로 활동하던 남한지역의 비밀지구당과 유격대 를 도시와 농촌지역에 진출시켜 당세를 늘리라는 것이 핵심이다. 이 결정이 나 오게 된 배경은 노동당 연락부가 금강정치학원 출신자들과 여러 무장부대를 남 한지역 지구당에 파견, 정치공작과 무장투쟁을 벌이도록 했지만 거의 실패로 돌 아감으로써 당 조직조차 유지하기가 어렵게 되었기 때문이다.[65] 111호 결정은 지구당의 새로운 사업 방향을 유격투쟁, 지하당 사업, 합법·비합법의 투쟁방법 결합, 통일전선 사업, 연락문제 등 다섯 가지로 규정했다. 이 중 지하당 사업은 당 요원들이 산으로 올라가지 말고 중요산업부문과 노동자 농민 군부 속에 당 조직을 침투시켜 당세를 확장하며, 지구당 지도부를 도시로 진출시키고 일반이

의심치 않도록 각자 직업을 갖고 생활을 영위하도록 했다. 그러나 당시의 국내 실정은 지구당이 도시와 농촌으로 침투하기가 어려운 환경이어서 이 지시를 받은 각 지구당은 새로운 체계로 전환하지 못한 채 종전대로 산속에 거점을 두고 생존을 위한 보급투쟁만을 전개했다. 1952년 중반기와 하반기에는 제5지구당(지리산지역)을 제외한 모든 지구당은 지도부가 부여된 역할을 다하지 못하고 소수인원으로 빨치산활동만 계속했다.[66]

1952년 말~53년 초 사이에 남한지역에 잔존해 있던 이현상부대와 남도부부대는 모두 국군에게 섬멸되었다. 이현상을 비롯한 빨치산대장들은 사살되거나 스스로 목숨을 끊었다. 여기다가 북한에서 벌어진 남로당 계열에 대한 대규모 숙청작업까지 겹쳐 구 남로당 조직을 통한 조선노동당의 대남공작 역량은 크게 약화되었다. 북한은 이로 인해 휴전 성립 후 대남공작을 원점에서 다시 시작했다. 조선노동당은 휴전협정 조인 직후인 1953년 8월 5일 소집된 당중앙위원회 6차 전원회의에서 남한에 확고한 지하당 조직을 완성해 인민폭동을 야기함으로써 최후의 승리를 쟁취한다는 투쟁방법을 결정했다.[67] 그러나 이 계획 역시 북한의 전후 복구사업과 경제난으로 인적 재정적 뒷받침을 제대로 받지 못해 거의 유명무실하게 되었다.

피비린내 나는 이념대결의 유산 남겨

지금까지 살펴본 바와 같이 1946년의 10·1폭동을 시발로 1953년 휴전에 이르기까지 약 7년간 계속된 좌우익간의 피비린내 나는 무력대결은 양측의 전투원을 제외하고도 수백만명의 민간인 인명피해를 초래했다. 10·1대구폭동과 제주 4·3사태 및 여순반란사건으로 희생된 우파인사들과 북한으로 납치된 인사들만도 수십만에 달한다. 피해당사자들은 물론이고 그 가족들도 사상과 이념문제 이전에 공산주의자들을 생리적으로 증오하게 되었다. 한국 우파인사들에게 반공의식이 강한 원인은 바로 여기에 있다.

반면 제주4·3사태와 여순반란사건, 그리고 전쟁 중에 군경의 토벌작전으로 사망하거나 처형된 공산주의자들의 수 역시 수십만명에 달했다. 이들 이외에 6·25 발발 직후 군경에 사살당한 보도연맹원들의 수도 20만~30여만 명에 이른다.

이런 과정에서 살아남은 공산주의자들 중 골수분자들은 지하에 잠복해 있다가 4·19 이후의 민주화분위기에 편승, 일부는 혁신계 활동을 벌여 1980년대 이후에는 '운동권'의 원로가 되었다. 사살당한 남로당원과 빨치산, 그리고 보도연맹 가족들은 우선 심정적으로 공산주의자를 이해하고 동정함으로써 본능적으로 대한민국에 반감과 원한을 가지는 경향이 커졌다. 이들에게 굴레가 된 연좌제는 잠재적인 좌파동조세력을 양산했다. 우리가 뒤에서 살펴보는 바와 같이 많은 좌경 작가와 예술인들이 그런 가정적 배경을 가진 것은 결코 우연이 아니다. 이 점은 한국에서의 이념갈등의 특징을 말하는 것이다.

② 사회당과 노농당

공산당과 싸우는 나라에서는 사회당이 반드시 있어야 한다. 우익정당 일색인 마당에 사회당이 생긴다니 반갑고, 더구나 조소앙 선생이 이 당을 한다니 반갑다

—이승만, 사회당 창당대회 축사(1948. 12)

1. 사회당 창당

정부 수립 후 최초로 창당된 사회주의정당

대한민국 수립 후 최초로 창당된 사회주의정당은 조소앙의 사회당이다. 광복 후 임정요인의 일원으로 환국한 조소앙은 처음에는 김구의 한국독립당 부위원장으로 반탁활동을 전개했다. 1946년 비상국민회의 조직작업에 참여해 의장에 선출된 그는 신탁통치를 전제로 한 미·소 공동위원회의 참가를 반대하는 등 김구노선을 따랐다. 그는 남북분단을 초래할 우려가 있다 해서 남조선 과도입법의원 취임을 거부했으며 1948년 3월 김구·김규식과 함께 단독정부 수립에도 반대하고 총선에 불참한다는 공동성명을 냈다. 그는 그해 4월에는 7개항의 남북협상안을 발표하고 김구의 방북단 일행으로 평양의 남북지도자연석회의에 참석했다.

그러나 조소앙은 평양에서 북한공산체제의 실상과 좌우대립의 생생한 현실을 보고 서울로 돌아오면서 생각이 바뀌었다. 김일성에게 실망하고 김구와도 노선의 차이가 생겼다. 그는 김구에게 현실을 받아들이라고 요청했다. 하지만 김구로부터 묵살을 당한 그는 드디어 그해 10월 11일 한독당을 탈당, 신당(사회당) 창당을 선언했다. 그는 다음과 같이 말했다.

　…자신이 참가하지 않았다는 이유로, 자당의 정책이 집행되지 못했다는 이유로, 주권과 영토가 완성되지 못했다는 이유로, 대한민국을 거부할 이유가 발견

되지 않는 것이다.[1]

　조소앙은 사회당 창당의 4원칙으로서 ① 통일의 방법으로 전 민중의 공론 채택(존중)과 권력형태의 조직 및 국제기구의 협조 ② (정계 개편을 통한) 민족진영의 재편성과 총단결 ③ 균등사회의 법률화와 현실적 행동을 통한 실현 ④ (정치적) 신조직 기구의 설립 등을 내세웠다.[2] 조소앙이 신당을 발기하자 한독당에 대거 탈당사태가 일어났다. 그와 함께 사회당 창당에 나선 사람은 조시원(趙時元) 이문원(李文源) 심상열(沈相烈) 이병문(李炳文) 김흥곤(金興坤) 등이다. 지방의 경우는 조소앙을 따른 한독당원이 특히 많았다. 한독당 경남도당부의 윤우현(尹佑賢) 최석봉(崔錫鳳)이 그를 뒤따르자 경남도당부는 거의 송두리째 사회당 도당부로 변했고, 전남(위원장 李殷相) 전북(申性均) 충남(위원장 金魯源) 강원도당부도 한독당 간판이 사회당 간판으로 바뀌었다.[3]

　사회당은 1948년 12월 11일 서울 YMCA강당에서 열린 창당대회에서 채택한 창당선언에서 공산주의를 '무산계급독재'로, 자본주의를 '일제의 엄호 아래서 성장 발전되어 자산계급의 특권을 연장하는 것'으로 규정했다. 사회당은 이러한 '사이비 민주주의'를 배격하고 오로지 삼균주의(三均主義)로써 균등사회를 완전 실현하겠다고 다짐했다. 창당선언서는 또한 "일체 민족진영과 보조를 같이하여 현실을 통하여 대한민국의 자주독립과 남북통일을 완성하고 정치 경제 교육상 완전 평등한 균등사회 건설에 일로 매진할 것을 전 민족 앞에 정중히 선언한다"고 밝혔다.[4] 조소앙이 사회당은 일반적 의미의 사회주의가 아닌 '민족적 균등주의'를 지향하고 있으며, 대한민국을 인정하고 특히 민족진영과 협력하겠다고 밝힌 것은 해방 직후의 반 박헌영계의 온건좌익이나 중간좌파 사회당에 비해 훨씬 선명한 사회민주주의 노선이라 할 것이다. 흥미 있는 사실은 대통령 이승만이 사회당 창당대회에 비서관을 보내 축사를 한 점이다. 이날 창당대회에 참석하고, 사회당에 입당한 제헌의원 김영기(金英基)에 의하면, 이승만은 축사를 통해 "공산당과 싸우는 나라에서는 사회당이 반드시 있어야 한다. 우익정당 일색인 마당에 사회당이 생긴다니 반갑고, 더구나 조소앙 선생이 이 당을 한다니 반갑다"고 말했다.[5]

사회당의 강령

사회당 창당대회에서 채택된 당의 강령은 일반적인 사회주의 정당의 그것과는 다른 특성을 지니고 있다. 계획경제를 실시한다는 구절 이외에는 사회주의를 지향한다든가 생산수단을 사회화한다든가 하는 대목이 일절 없다. 사회당은 공산당과는 달리 사유재산권을 인정하기 때문이다. 사회당의 강령은 민족자주의 독립국가 조직을 완성하고 국비교육과 전민정치(全民政治)와 계획경제를 통한 균지(均智) 균권(均權) 균부(均富)의 사회를 건설하고, 개인 대 개인, 민족 대 민족, 국가 대 국가의 평등과 호조(互助)를 원칙으로 한 세계일가를 실현할 것을 다짐했다.[6]

사회당의 정책은 정치 11개조, 정제 11개조, 교육 12개조, 도합 34개조로 이루어진 당책(黨策)에 나타나있다. 그 내용은 농지소유 범위의 제한, 농지재분배, 농업기계화, 국영 모범농장과 농민협동조합의 협업농장 촉진, 화폐제도 개혁, 노동법령 제정 등을 골자로 하고 있다. 김재명에 의하면, '사회당'이라는 당명을 정한데는 세계일가(世界一家)라는 조소앙의 국제주의적 보편주의적 세계관이 작용했다고 한다. 이것은 뒤에서 설명하는 바와 같이 그의 장기간의 유럽여행, 특히 제2인터내셔널 회의 참석 등 해외경험에서 쌓은 국제적 감각에서 비롯된 것으로 보인다. 창당준비과정에서 나온 대체적인 의견들은 '한국사회당' 또는 '민족사회당'이었으나 조소앙은 다음과 같이 말했다 한다.

우리가 삼균주의를 실천해 나가려는 마당에야 이를 굳이 한국에 국한시킬 이유가 없다. 이는 사람 대 사람, 민족 대 민족, 국가 대 국가의 평등한 관계 회복을 통해 세계일가를 이룩하자는 보편성을 지니고 있다. 굳이 '사회'자 위에다 '한국'을 붙여 지역성을 드러낼 필요가 없다.[7]

조소앙은 1948년 5월 초 평양의 남북협상회의에서 서울로 돌아온 이래 그의 지론이 된 민족진영 재편성 운동을 벌였다. 그에 의하면 남북에 각각 정부가 들어선 이상 남한의 각 정파는 1당1파를 초월한 거국적인 협의체를 구성, 통일을 결의 실천하는 민족대동단결 체제 아래서 국론을 통일해야 한다는 것이다. 사회당은 이 같은 협의체 구성을 위해 조시원 최대영 강준표 정형택 등 중앙당 간부들로 하여금 중요 정당 사회단체들과 접촉케 했다. 그 결과 24개 정당 단체 대표들이 모임을 거듭한 끝에 김규식을 협의체 의장으로 하는 데까지 합의했으나 구체적인 결성문제에 있어서 주도권 문제 등으로 끝내 협의체 구성노력은 불발로 그쳐버렸다.[8]

제헌 및 2대 국회에서의 사회당

사회당은 창당 후 국회의원 73명이 입당, 제헌국회의 다수당이 되었다. 제헌국회에는 정원 200명 중 무소속이 85명이나 당선되었는데, 조소앙이 직접 나서서 이들 무소속 의원들의 입당을 권유했다.[9] 일반 당원수도 급격히 불어나 창당 6개월 만에 20여만 명에 달했다. 이들 당원 중에는 비밀당원도 있었는데 변호사 정구영(鄭求瑛)이 그 예이다. 중앙당 이외에 도당부 3개, 시당부 5개, 군당부와 그 아래의 읍 면 당부가 53개가 결성되고 조직을 준비 중이던 지방당부는 도당부 2개, 구당부 4개, 군당부 9개였다. 그러나 사회당에 입당한 국회의원 중 이문원 김병회 이구수 최태규 박윤원 등 5명이 앞에서 살펴본 바와 같이 국회프락치사건에 연루되어 경찰에 체포됨으로써 당의 위상이 흔들렸다.[10]

1950년 5월에 실시된 제2대 국회의원 총선에서 조소앙은 사회당 후보로 서울 성북구에서 출마해 경찰의 집요한 선거개입에도 불구하고 민국당의 조병옥(趙炳玉)을 누르고 전국 최다득표를 기록했다. 그러나 전체 사회당 입후보자 28명 중 당선자는 그 이외에 조시원(양주 갑) 한 사람밖에 없어 사회당의 원내 의석은 2명으로 감소했다. 당시 국내 분위기는 공산당과 사회당을 사촌쯤으로 생각하는 일반 유권자들의 인식이 지배적이어서 사회당을 표방하는 것은 그 만큼 득표에 어려움이 따랐다. 이 때문에 일부 무소속 의원들은 사회당 당적을 가지고 있으면서도 무소속으로 출마했다. 사회당은 조소앙이 1950년 6·25사변 때 납북됨으로써 몰락의 길을 밟았다.[11]

2. 선구적 사회민주주의자 조소앙

한국독립당과 조소앙

조소앙((趙素昻, 본명 趙鏞殷, 1887~1959)은 원래 1930년 1월 상해에서 민족주의 독립운동가 28명이 모여 결성한 한국독립당의 핵심간부였다. 한국독립당은 상해임시정부 중심세력들이 만든 정당으로, 말하자면 임정의 여당이었다. 초대 이사장은 이동녕(李東寧), 이사는 김구 조완구(趙琓九) 김철(金撤) 안창호(安昌浩) 조소앙 이시영(李始寧), 비서는 엄항섭(嚴恒燮)이었다. 한국독립당은 조소앙의 삼균주의를 당의 강령으로 삼았다.[12]

그의 삼균주의는 대내적인 '3균', 즉 정치적 균등, 경제적 균등, 교육적 균등과 대외적인 '3균', 즉 개인과 개인의 균등, 민족과 민족의 균등, 국가와 국가의 균등을 핵심사상으로 하고 있다. 정치적으로는 민주주의를, 경제적으로는 사회민주주의를 골자로 하는 그의 삼균주의 사상은 당시 상해에서 활동하던 독립운동가들에게 독립운동의 기본방향이자 서로 대립해서 갈등을 빚던 좌우익의 독립운동세력들을 하나로 묶는 통합이념이었다.

조소앙의 독립운동 기본노선은 이미 1919년 2월, 그가 기초하고 재 중국 독립운동가 39명이 서명, 발표한 '대한독립선언서'에 나타난다. 여기에 제시된 건국의 방향은 정치평등(同權) 경제평등(同富) 교육평등(等賢) 사회평등(等壽)을 이룩하기 위해 대외적으로는 민족평등 국가평등을 실현함으로써 사해인류(四海人類)에 기여하는 것이다.[13] 이것은 삼균주의의 골격이 되었다. 조소앙은 3·1운동 직후인 그해 4월 상해임시정부 수립에 참여, 국무원 비서장을 거쳐 의정원 의원 겸 국무원 위원으로 활동하면서 '대한민국임시정부헌장'과 '정강'을 기초했다. 그는 그 안에 자신의 삼균주의 이념을 일부 넣었다.[14]

이 같은 삼균주의 건국이념은 1931년 4월 임정이 발표한 '대한민국임시정부 대외선언'과 1940년 9월 '한국광복군 총사령부 창설 포고문'에도 채택되었다. 흥미로운 사실은 이 같은 삼민주의 정강을 조소앙의 한국독립당과 김구의 한국국민당뿐 아니라 좌파인 조선민족혁명당에서도 채택한 점이다.[15] 이 같은 연유로 인해 삼균주의는 1941년에 결성된 좌우연합정당인 중경의 한국독립당 강령에 자연스럽게 들어갔으며 같은 해 11월 25일 중경임정이 국무위원회에서 채택해 28일자로 공포한 '대한민국 건국강령'에도 채택되었다.

그의 사회민주주의 형성과정

조소앙은 같은 연배의 독립운동가 가운데 드물게 정규교육을 받고 가장 공부를 많이 한 해박한 이론가 중 하나였다. 그는 《김상옥 열사전》을 비롯한 100여 편의 논문과 저서를 남겨 임정 요인 중에서 저술이 가장 많은 인물이었다.[16] 경기도 파주군 월롱면 출신인 그는 6세 때부터 통정대부인 할아버지 성룡(成龍)에게 한문을 배워 15세에 성균관에 들어가 1904년에 우수한 성적으로 수료하고 황실유학생에 뽑혀 일본 동경부립(東京府立) 제1중학에 입학했다. 1906년 동경유학생 친목단체인 공수학회(共修學會)를 조직, 회보를 발간하면서 주필로 활동한 그는 같은 해 메이지대학(明治大學) 법학부에 입학했다. 그는 대학시절인 1909년 동경의 조선인 단체들을 통합한 대한흥학회(大韓興學會)를 창립, 《대한흥학회보》의 주필로 활약하던 중 1910년 한국이 일본에 나라를 강탈당하자 한일합방 성토문을 작성해 비상대회를 소집하려다가 경찰에 구금되었다가 곧 풀려났다. 조소앙은 1912년 대학을 졸업하고 귀국, 경신학교 양정의숙 대동법률전문학교에서 교편을 잡다가 1913년 중국으로 망명했다.

조소앙은 1913년부터 1919년 상해임정 수립 때까지 6년 동안 신규식(申圭植)이 만든 동제사(同濟社)에서 눈부신 활동을 했다. 그는 이때 사회민주주의 운동과 인연을 맺었다. 동제사는 1917년 9월에 스웨덴의 스톡홀름에서 사회민주주의 계열의 제2인터내셔널 부활을 결의하는 만국사회당대회가 열린다는 소식을 듣고 이 회의에 조소앙을 파견할 예정을 세우는 한편 한국독립의 지원을 요청하는 전문을 '조선사회당' 명의로 주최측에 발송했다. 말하자면 '조선사회당'은 독립운동을 위해 동제사가 급조한 명목상의 정당인 셈이다. 그러나 이 회의가 관련국들의 사정에 의해 무기 연기되자 독립지원요청 전문도 전달되지 못하고 조소앙도 가지 못했다. 조선사회당 역시 신규식이 2년 후인 1919년 상해임시정부의 법무총장에 취임하면서 흐지부지되고 말았다.[17]

유럽 여행에서 사회민주주의로 기울어져

그러나 조소앙은 1919년 5월 파리강화회의에 참석한 김규식을 따라 유럽에 가게 되었다. 그는 그해 8월 임정 파리위원부의 부위원장인 이관용(李灌鎔)과 함께 스위스 루체른에서 열린 제2인터내셔널의 만국사회당대회에 참석함으로써 제대로 사회주의와 접하게 된다. 그는 이 대회에 한국독립승인안을 제출, 이듬해 3월 네덜란드 로테르담에서 열린 대회 집행위원회에서 25개국 대표들의 찬성을 얻어 '한국독립에 관한 결정서'라는 이름으로 채택되었다. 조소앙은 결의안을 내면서 상해 임정이 볼셰비키정권과는 다르며 사회주의 이념과 본질적으로 일치하는 정책을 공표했다고 발언했다.[18]

그러면 조소앙은 언제부터 사회민주주의자가 되었을까. 조소앙은 일본 유학 당시 일본의 사회주의운동을 직접 볼 수 있었지만 당시까지는 사회주의 경향을 나타내지 않았다. 사학자 조동걸에 의하면, 조소앙은 유럽여행을 계기로 사회민주주의자가 되었다는 것이다. 그는 1921년 5월 상해로 돌아오기까지 약 2년간 프랑스 스위스 네덜란드 덴마크 영국 독일을 돌아보고 발트연안의 리투아니아와 에스토니아를 경유, 혁명이 진행 중인 러시아의 페테르부르크에 도착, 소련혁명기념대회에 참석하고 러시아를 시찰했다. 조소앙은 유럽각국을 돌면서 한국의 독립을 승인받기 위한 외교활동을 벌이는 한편 현지의 사회주의운동을 견문했다. 그는 프랑스에서는 철학자 앙리 베르그송(Henri Bergson)도 만나고 영국에서는 토마스(James Henry Thomas) 등 노동당 지도자들과 교유하면서 페이비언협회(Fabian Society)의 사회주의, 그리고 노동당의 사회개량주의에 영향을 준 《진보와 빈곤》의 저자이자 미국의 토지공개념의 창시자 헨리 조지(Henry George)의 영향을 받았다. 그는 유럽 체재 중 1919년 2월 사회주의 사상을 혼합한 독일 바이마르 헌법의 제정을 보고 이를 계기로 유럽식 사회주의로 기울어졌다고 한다. 조소앙은 러시아를 시찰하는 동안 레닌의 혁명노선과 내전으로 혼란에 빠진 사회상을 보고 사회민주주의에 더욱 확신을 가졌다 한다. 그는 상해로 돌아와서는 온건한 사회민주주의 노선이라 할 삼균주의를 발전시켰다.[19] 조소앙은 상해망명 초기 중국의 신해혁명과 손문(孫文)의 삼민주의(三民主義)와 강유위(康有爲)의 대동사상(大同思想)에 깊은 인상을 받았다. 그는 나중에 『손문주의의 철학적 기초』(孫文主義之哲學的基礎, 1925)의 저자 짜이찌타오(戴季陶) 등 국민당 인사들과 교제하면서 삼민주의를 연구해 그의 삼균주의의 기초를 다졌다.[20]

정치적 견제와 불행한 최후

조소앙은 5·10선거를 보이콧해 제헌국회에 못 들어갔으나 건국 당시 무소속 의원들이 그를 국무총리에 옹립했다. 이 사실은 그에 대한 정계의 신망이 어느 정도였는지를 잘 말해 주고 있다. 그를 이승만 대통령에게 국무총리로 추천한 세력은 제헌국회의 최대 교섭단체인 무소속구락부였다. 당시 무소속구락부에는 전체 무소속 의원 85명 가운데 약 70명이 가입하고 있었다. 이들은 제헌국회에서 대통령을 선거하기 직전 사흘 동안 협의 끝에 대통령에 이승만, 부통령에 김구, 국무총리에 조소앙을 추대키로 결정한 것이다. 그러나 김구는 부통령을 거부하는 성명을 냈다.

이승만이 제헌국회에서 대통령에 선출되자 무소속구락부를 대표한 윤석구(尹錫龜) 오석주(吳錫柱) 윤재욱 김병희 홍순옥 김영기 등은 조소앙을 국무총리에 추천하는 동료의원 1백여 명의 서명을 들고 이 대통령을 방문했다. 그러나 이승만은 이 제안을 거부하고 목사 출신의 이윤영(李允榮)을 국무총리에 지명, 그 인준안을 국회에 제출했다. 그런데 이윤영은 압도적인 표차로 부결되어 이승만은 2차로 이범석(李範奭)을 지명해 재석 197명 중 찬성 110표로 가결되었다. 1차에서 이윤영이 부결된 것은 조소앙을 총리로 추천했다가 거부당한 무소속 구락부와 한민당 당수 김성수(金性洙)를 국무총리로 밀었다가 역시 이승만으로부터 거절당한 한민당 소속 의원들의 반발이 컸기 때문이다.[21]

조소앙은 1950년의 5·30선거에서 제2대 국회에 당선된 다음 6월 19일 실시된 국회의장 선거 1차 투표에서 48표를 얻어 96표를 얻은 민주국민당의 신익희(申翼熙)에게 뒤졌으나 이승만이 민 오하영(吳夏英)이 불과 46표를 얻은 데 비하면 2표를 더 얻어 그의 정치적 인기를 과시했다.[22] 조소앙은 6·25때 납북되었는데 1954년 4월 북한에서 '중립화 통일방안'을 발표해 북한정권을 난처하게 했으며 김일성을 만나서도 소신을 굽히지 않았다 한다. 조소앙은 1957년 평양에서 사망했다. 사인은 그가 대동강에 투신자살했다는 설과 대동강을 산책하다가 물에 빠져 병원에서 응급치료를 받았지만 소생하지 못했다는 설이 있다. 조소앙은 납북되었기 때문에 그의 독립운동 업적을 제대로 평가받지 못하다가 1989년에 건국훈장 대한민국장을 추서 받았다.[23]

3. 전진한과 노농당

6·25 후 최초의 혁신정당

건국으로부터 6·25를 거쳐 1950년대 중반에 이르기까지 한국정치의 지형은 반공적 분위기가 지배적이어서 좌파정당의 등장은 사실상 불가능했다. 앞에서 대통령 이승만이 조소앙의 사회당 창당대회에 참석해 축사를 한 사실은 소개했지만 6·25사변이라는 동족상잔의 비극이 일어날 때까지만 해도 보수세력과 진보세력간의 관계는 그처럼 상종을 못할 정도로 적대적이지는 않았다.

우파정치지도자들은 해방정국에서 진보정당의 필요성을 인정하고 있었다. 그 예가 1945년 9월, 여운형의 건준에 대항하기 위해 출범한 송진우(宋鎭禹) 중심의 보수우파세력의 연합체인 '국민대회' 준비위원회가 채택한 강령이다. 이 강령은 제4항에서 "보수 진보 두 갈래의 정당을 만들어 민주주의 방식에 의한 정당정치를 실현한다"고 선언했다.[24] 그러나 10·1폭동 이후 피비린내 나는 이념대결, 특히 6·25동족상잔을 겪으면서 일반국민들의 정치의식은 보수화되어 유권자들의 눈에는 공산주의와 사회주의의 구별이나 혁명적 좌익세력과 의회주의적 좌익세력의 차이는 말할 것도 없고 심지어 사회민주주의 역시 초록이 동색이었다.

그러나 그런 이념대결의 와중에서도 이승만의 재선을 위해 직선제 개헌안을 관철코자 일어난 1952년 7월의 부산정치파동과 휴전 이후 그의 3선을 위해 강행된 1954년 11월의 사사오입(四捨五入) 개헌안 통과를 둘러싸고 빚어진 극단적인 여야대립은 종전의 정치상황에 큰 변화를 불러왔다. 즉, 좌·우파 대결구도의 정치지형이 독재·반독재 구도로 바뀐 것이다. 6·25 이후 최초로 3대국회에서 등장한 혁신정당인 전진한(錢鎭漢)의 노농당(勞農黨)은 이런 정치적 배경에서 탄생했다.

전진한의 자유협동주의

경북 문경 출신인 전진한(1901~1972)은 어려서 가정형편이 어려워 중앙학교 교장이던 김성수(金性洙)와 교사였던 송진우(宋鎭禹) 현상윤(玄相允) 등이 묵고 있던 하숙집에서 사환 노릇을 하면서 고학을 할 정도로 고생을 했다. 그는 19세 때인 1920년 김성수의 추천으로 기미육영회 장학금을 받아 일본에 유학, 와세다대학(早稻田大學) 경제과를 졸업했다. 동경유학생 시절 신간회 일본 지부를 만든 전진한은 노동운동과 협동조합운동을 벌이다가 귀국 후 일제 경찰에 체포되어 2년간 복역했다. 전진한은 해방 후 처음에는 여운형의 건준에 간여하다가 곧 손을 씻고 한민당 발기운동에 참여한 다음 유진산(柳珍山) 황학봉(黃鶴鳳) 김산(金山) 최일영(崔一永) 함상훈(咸尙勳) 등과 비밀 우익청년단체인 흥국사(興國社)를 조직해 청년운동을 벌였다. 그는 곧 이승만 진영에 합류, 독촉 전국청년총연맹 위원장과 민족통일총본부 노농부장 및 대한노동총연맹 위원장, 그리고 대한청년단 최고지도위원장을 역임하면서 적색 노조인 전평 등 좌익 및 중간파들과 투쟁했다. 전진한은 1948년 건국 때는 제헌국회의원에 당선된 다음 초대 사회부장관에 임명된 데 이어 2대, 3대 의원에 연거푸 당선되었다. 그는 이승만이 장기집권의 길로 들어서자 반독재투쟁으로 돌아 노농당을 창당했다.[25]

전진한의 정치이념은 제3자의 눈으로 보면 서구식 사회민주주의로 보이지만, 본인은 '자유협동주의'를 주장하면서 사회민주주의에는 모순이 있다고 주장했다. 그의 자유협동주의는 개인주의에서 자유를 추출하고 전체주의에서 협동을 추출해서 기계적으로 조합한 것이 아니다. 그의 노선은 개인주의에서 독점성과 배타성을 지양 폐기하고 개성의 자유, 즉 개성의 존엄성 평등성 창의성을 앙양, 보존함과 동시에 전체주의에서 강권주의와 기계주의를 폐기하고 사회연대성 공존성을 보존하여 개인주의와 전체주의를 자유협동주의로 지양, 통일한다는 것이었다. 그는 사회민주주의는 개인주의와 전체주의를 기계적으로 병열 종합 절충한 것으로 그 자체가 이념적으로 통일되지 못하다고 보았다. 그에 의하면 영국의 사회주의는 개체주의(자본주의)에 전체주의(사회주의)적 수정을 가하려는 것이며, 독일의 그것은 전체주의(사회주의)를 실현하려는데 개체주의 (민주주의)적 수단에 의하는 것으로, 이들 사상은 모두 개체와 전체의 통일 조화를 가져올 수 없는 정책적 편의주의에 불과하다고 했다.[26]

민족민사당으로 개칭

노농당은 1955년 2월 15일 결성되었다. 위원장에는 전진한, 서기장에는 유화룡(柳化龍)이 선출되었다.[27] 노농당의 강령은 근로대중의 정당한 권리 옹호, 사회정의에 입각한 균형 있는 국민생활의 보장, 대한민국 주권하의 남북통일 성취, 공산독재주의와 관료독선주의의 배격과 자유협동사회 건설, 국제연합기구와의 협조 및 국제자유노동조합연맹과의 제휴를 통한 진정한 자유세계 건설을 다짐했다. 노농당은 당면정책으로 노동자의 최저생활 보장, 실업자 홍수 대책을 수립, 관료적 압력 제거와 농민의 부담 경감, 징소집 및 근로동원의 공정, 민주적 협동조합 건설, 상이군경 처우 개선과 전몰군경 유족의 생계 보장, 교육의 기회균등과 의무교육 실시를 내걸었다.[28]

노농당 위원장 전진한은 뒤에서 보는 바와 같이 1958년의 제4대 국회의원 총선거에서 노농당 후보가 모조리 낙선, 1석도 얻지 못하자 1959년 11월 당명을 '민족주의민주사회당'(약칭 민족민사당)으로 개칭하고 선언문과 강령도 새로 채택했다.

③ 진보당

우리들은 전 세계 모든 지식인이 지향하고 있는 인류의 새 이상이며 동시에 우리의 이상인 한국진보주의의 정화입니다. 따라서 우리들은 우리나라에 있어서 새 이상을 가진 모든 사람의 선구자이고 이 민족을 참으로 살릴 수 있는 민족의 지도자이고, 근로대중의 벗이 되고 피해대중의 전위대가 되는 것입니다.

–조봉암, 진보당 창당대회 개회사(1956. 11)

1. 창당 준비

건국에 적극 참여한 조봉암

진보당은 6·25전쟁 이후 최초로 창당된 온건 사회주의정당이다. 이미 앞에서 살펴본 바와 같이 조봉암은 해방직후 조선공산당의 박헌영과 결별하고 한글학자이자 건민당 대표인 이극로 등과 손을 잡아 중간세력인 민주주의독립전선(독전)을 결성, 공산계의 민전(민주주의민족전선)에 대항하는 활동을 벌였다. 그는 1948년 제헌국회의원을 뽑는 5·10총선에서 무소속으로 당선된 다음 헌법기초위원으로 헌법 제정 작업에 참여하고 이승만 정부의 초대 농림장관으로 입각, 농지개혁을 입안했다. 조봉암은 농림장관 자리에서 물러난 다음 중간파를 포함한 반한민당 세력과 함께 대중정당 결성운동을 벌였다. 그러나 마침 국회 프락치사건이 일어나 다른 세력이 그와 동참하기를 기피하는 통에 대중정당 추진작업은 중단되고 말았다.[1]

조봉암은 1950년의 제2대 국회의원 총선거(5·30선거) 때는 여당계인 대한국민당 공천으로 출마, 재선되자 국회부의장에 선출됨으로써 정치인으로서 주목을 받기 시작했다. 조봉암은 이 무렵 이승만으로부터 '지주당'(地主黨)인 한민당에 대항할 농민당이나 평민당을 만들라는 권유를 받았지만 거절하고 가칭 '자유당'(일명 자유사회당)이라는 신당을 결성키로 하고 1951년 6월 그의 직계인 이영근(李榮根)을 책임자로 하는 신당준비사무국을 만들었다. 그는 이를 위해 '농민회의'라는 건국 이후 최초의 야당계 전국농민상설단체도 만들었다. 그러나 이영근이 관련되었다는 세칭 대남간첩단사건이 터져 신당 참여자들이 이 탈함으로써 신당계획은 중단되지 않을 수 없었다.[2]

진보당 창당의 배경

조봉암은 1952년의 제2대 대통령선거에 무소속으로 출마했다. 그는 이승만 에게는 졌지만 민국당 후보인 이시영(李始榮)보다 더 많은 득표를 함으로써 집 권세력의 견제를 받기 시작했다. 다른 선거구와는 달리 민도가 가장 높은 임시 수도 부산에서 이승만 45%, 조봉암 35%, 이시영 17%의 득표를 기록, 조봉암의 인기를 과시했다.[3] 이로 인해 집권당의 기피인물이 된 조봉암은 1954년의 3대 국회의원 총선 때는 관권의 방해공작으로 인해 후보등록서류를 접수시키지 못 해 출마조차 못했다.[4] 그해 11월 27일 이승만 지지세력은 그의 대통령 3선을 허 용하는 개헌안을 국회에서 투표에 부친 결과 찬성 1표가 모자라는데도 사사오 입원칙을 적용, 변칙 통과시켰다.[5]

개헌안이 변칙통과되자 야당인 민국당과 무소속 의원 60명은 즉각 범야 연 합전선을 구축, 단일 원내교섭단체인 호헌동지회를 구성하고 이를 기반으로 신 당을 결성하기로 결의했다. 그러나 신당 창당작업은 추진세력들 간의 이념대립 과 주도권 다툼으로 애로에 부딪쳤다. 신익희 조병옥 곽상훈(郭尙勳) 등을 중 심으로 한 민국당 내의 자유민주파(보수파)와 조봉암 서상일 장택상 신도성(愼 道晟) 등을 중심으로 한 민주대동파(혁신파)가 신당의 정치노선문제, 특히 조 봉암의 신당참여 문제를 둘러싸고 이견을 보였기 때문이다. 민국당 측은 당내 보수파가 주동이 되어 신당 창당은 야당연합이 아니므로 통일된 이념을 가져야 한다고 주장하고 공산주의자였던 조봉암이 배제되지 않으면 신당창당을 재고 할 수밖에 없다고 버티었다. 조봉암의 참여를 거부한 보수파의 대표적인 인물 은 유진산(柳珍山) 정성태(鄭成太) 조영규(曺泳珪) 이철승 조병옥 김준연 장면 (張勉) 등이었다. 민국당 보수계, 가톨릭계와 홍사단계, 그리고 서북반공인사 들이 중심이 된 이들 자유민주파는 조봉암이 참여하면 신당운동에서 손을 떼겠 다고 공언하기에 이르렀다. 이렇게 되자 조봉암과 서상일 등 민주대동파는 자 유민주파와의 제휴를 단념했다. 민국당의 선전부장이었던 신도성을 비롯한 김수선(金壽善) 송방용(宋邦鏞) 의원 등도 민주대동파에 가담하기 위해 자유민주파에서 이탈했다. 8개월간의 진통 끝에 민국당의 자유민주파(보수계)가 주축이 되고, 홍사단과 자유당 탈당파 대한부녀회와 무소속 일부 의원들이 합류해 결성한 '민주당'(대표최고위원 신익희)이라는 보수신당이 1955년 9월 탄생했다. 이렇게 되자 민주당 참여가 배제된 조봉암 등 민주대동파는 새로운 정당을 모색하게 되었다.[6]

창당의 경과

조봉암과 함께 민주당 창당에서 이탈한 사람은 서상일(徐相日) 장택상(張澤相) 임흥순(任興淳) 신도성 윤제술(尹濟述) 송방용 김의준(金意俊) 김수선 김달호(金達鎬) 최갑환(崔甲煥) 황남팔(黃南八) 김동욱(金東郁) 목완국(睦完國) 서인홍(徐寅洪) 변진갑(邊鎭甲) 이인(李仁) 전진한 양일동(梁一東) 등이다. 이들 대부분의 인사는 서상일 등의 발의로 '혁신대동운동'에 합류했다. 조봉암과 서상일은 자유당과 민주당보다 이념이나 정강 정책에서 조금 더 '진보적으로' 나아가자는 원칙을 정했다.

이들의 첫 공식적 모임이 1955년 9월 1일 경기도 남양주 광릉(光陵)에서 개최된 회의였다. 광릉회의는 건국 후 최초의 범혁신계 합동모임이 되었다. 회의 참석자는 구 대한국민당계의 조봉암 윤길중(尹吉重), 민족주의세력의 구익균(具益均) 조헌식(趙憲植) 김성숙(金成淑, 초기에는 金成璹으로 표기) 박기출(朴己出), 진보파의 장건상(張建相), 김성숙(金星淑), 이동화(李東華), 민주국민당 반주류의 서상일 박노수(朴魯洙), 신도성(愼道晟), 유림계통의 이동하(李東夏), 수평사(水平社, 일명 형평사)계의 장지필(張志弼), 기타 민족청년단계와 신라회계 등이다.[7] 그야 말로 온건사회주의세력의 총집결이었다. 이 회의에서 진보적인 새로운 정당, 당시 용어로는 '혁신적인 신당'을 만들기로 합의되었다. 신당의 성격에 대해 장건상은 사회민주주의를, 정화암은 민주사회주의를 제시, '선 이념통일, 후 창당'의 원칙을 주장했다. 이에 대해 조봉암은 민주사회주의 또는 사회민주주의라는 기본노선을 중심으로 당을 결성한 다음 노선투쟁을 하는 과정에서 자연스럽게 분파가 발생해야 한다고 밝힘으로써 '선 창당, 후 이념통일'의 원칙을 주장했다.[8] 그 후 협의를 더욱 진행한 끝에 당의 성격을 온건한 사회민주주의 정당으로 하기로 의견을 모았다.

'범혁신정당' 창당준비위원회는 광릉회의 3개월 후인 1955년 12월 발족했다. 추진대표는 조봉암 서상일 박기출 이동화 김성숙(金成璹) 박용희 신숙(申肅) 신백우(申佰雨) 양운상(楊雲山) 장지필 정구삼(鄭求參) 정인태(鄭寅泰) 등 12명이었다. 총무대표위원에 최익환(崔益煥), 선전대표위원에 윤길중, 기획위원에 신도성을 임명했다. 이들은 "혁신적 신당'으로서 가칭 '진보당'을 발기한다는 발기취지문과 강령 초안도 공표했다.[9]

그러나 진보당 창당준비작업은 계획보다 늦어져 1956년 3월 31일에야 전국추진대표회의가 열렸다. 의장단에 조봉암 서상일 최익환 이동화 김위제(金偉濟) 박기출 장지필 임기봉(林基鳳) 김규현(金圭鉉) 등 9명을 선출하고 그해 5월의 제3대 대통령선거에 대비, 조봉암을 대통령후보로, 서상일을 부통령 후보로 각각 지명했다. 그러나 서상일은 "평생 정치교육자로 여생을 봉사하겠다"면서 사양함에 따라 대표회의는 이튿날 박기출을 서상일 대신 부통령 후보로 지명했다.[10]

3대 대선에서 216만 표 얻은 조봉암

제3대 대통령 및 제4대 부통령 선거는 1956년 5월 15일 실시되었다. 진보당은 미처 창당작업도 끝나기 전에 선거전에 임했다. 자유당의 이승만, 민주당의 신익희, 진보당의 조봉암간의 삼파전이 된 선거는 민주당 후보인 신익희의 인기가 한강백사장 유세 이후 급격하게 치솟아 예측불허의 양상이 되었다.

조봉암은 선거운동과정에서 민주당 측이 이승만의 장기집권을 막기 위해 야당의 연합전선 구축을 제의하자 민주당과 진보당 후보의 동시사퇴에 의한 제휴를 주장했다. 그러나 신익희는 야당연합은 필요하지만 박두한 선거일을 앞두고 후보 사퇴방식은 불가능하다고 언명함으로써 조봉암의 사퇴를 은근히 희망했다. 결국 선거일을 20일 앞둔 4월 25일 열린 신익희와 조봉암 양자회담에서 조봉암이 후보를 사퇴할 용의가 있음을 전달했다. 그 대신 부통령 후보는 진보당에 양보할 것을 요구했다. 그러나 조봉암은 표면적으로는 이 회담이 아무 진전 없이 결렬된 것으로 발표했다. 선거일을 10일 앞둔 5월 6일 민주 진보 양당은 전주에서 최종 회담을 갖고 후보단일화를 극적으로 공표하기로 약속하고 조봉암이 투표 1주일 전인 8일 후보를 사퇴하고 신변안전을 위해 잠적하기로 합의했다. 그런데 불행히도 후보단일화를 발표하기로 한 하루 전인 5일 신익희가 돌연 심장마비로 별세하고 말았다. 이 돌발사태로 조봉암의 사퇴계획은 백지화되어 그가 유일한 야당후보로 부상했다. 진보당은 부통령 후보 박기출을 사퇴시키고 민주당 후보 장면을 지지하겠다는 성명을 발표하는 동시에 민주당에 대해 조봉암을 지지해 줄 것을 요청했다. 그러나 민주당 측은 이를 거부하고 5월 11일 특별성명을 통해 "남은 두 사람의 대통령 후보는 그 행상이나 노선으로 보아 그 어느 편도 지지할 수 없다. 우리는 부득이 정권교체를 단념하고 부통령선거에 전력을 기울이기로 했다"고 밝혔다. 이로써 야당연합은 물거품이 되고 말았다.[11]

조봉암은 신익희가 별세하자 암살을 우려, 그날로 피신해 투표일까지 1주일간 선거운동이 중단상태에 빠졌다. 신익희의 사망과 조봉암의 피신으로 싱거운 선거전이 되었음에도 불구하고 투표율은 94.4%를 돌파, 대선에 쏠린 유권자들의 높은 관심을 반영했다. 개표결과 이승만은 총유효투표의 70%인 504만표를 얻어 무난히 당선되었으나 무효표로 처리된 신익희 추모표가 185만표(총투표의 19%)나 나왔다. 조봉암은 부정개표로 많은 표를 도둑맞았음에도 불구하고 216만표(총유효투표의 30%)나 나와 자유당을 놀라게 했다. 후보 8명이 경쟁한 부통령선거에서는 자유당의 이기붕(李起鵬)이 낙선하고 민주당의 장면이 그보다 약 20만표를 더 얻어 당선되었다. 자유당으로서는 이기붕의 낙선 역시 큰 충격이었다.[12] 조봉암은 이로써 이승만과 자유당의 눈엣 가시가 되었다.

2. 정강정책

두 갈래로 분열된 진보당

대통령선거에서 혁신계의 최고 지도자로 급부상한 조봉암은 자유 민주 양당에 속하지 않은 모든 정치세력을 끌어들여 창당준비단계의 진보당을 강화하려는 야심찬 계획을 세웠다. 그는 장택상 등 보수우익세력의 입당을 교섭하는 한편 정화암 조헌식(趙憲植) 김성숙(金成淑) 등 진보적 민족주의 계열과 김창숙(金昌淑) 이명룡(李明龍) 박용희 장건상 이범석 등 재야 혁신계 원로급 인사들의 영입을 시도했다. 그러나 이들은 다양한 이념성향으로 인해 쉽사리 하나로 뭉치지 못했다. 혁신계 원로 일부는 기왕에 만들어진 진보당 강령을 전면 재검토할 것을 요구하는가 하면 '진보당'이라는 당명을 수정할 것을 요구하기도 하고 조봉암의 공산주의 경력을 문제 삼아 2선 후퇴를 주장했다. 이로 인해 진보당 창당작업은 대선이 끝난 후 한 달이 지나도록 진전을 보지 못했다.[13]

여기서 우리는 '혁신'이란 용어와 '진보'라는 용어가 당시에 어떻게 쓰였는가를 이해할 수 있다. 앞에서 설명한 바와 같이 '혁신대동운동'을 추진한 온건좌파세력들의 첫 공식회의인 광릉모임 이후 '범혁신정당', 즉 반보수정당을 만들기로 하고 창당준비위원회가 결정되었다. 종래에 단순히 '개혁'을 의미하던 '혁신'이라는 용어가 광릉모임을 계기로 반보수주의라는 의미로 정착되기 시작한 것이다. 그런데 범혁신세력 사이에 노선을 둘러싸고 대립이 생기자 한 쪽에서 조봉암이 추진한 '진보당'이라는 이름을 바꿀 것을 주장한 것은 '진보'라는 용어가 당시에는 과거의 좌익노선과 비슷한 어감을 주었기 때문인 것으로 보인다. 물론 당시에도 '진보정당'이니 '진보세력'이니 하는 용어도 자주 쓰였다.[14] 그럼에도 불구하고 '진보'라는 용어보다는 '혁신'이라는 용어를 당사자들이 선호한 것은 공산주의를 싫어하는 사회분위기 때문이었다. '혁신정당'이라는 용어는 이때부터 좌파정당을 가리키는 일반적 용어로 정착되어 1970년대까지 통용되었다. 좌파세력을 '진보세력'이라고 일반적으로 부르게 된 것은 1980년대 이후였다.

범혁신정당 결성이 노선갈등으로 지지부진하자 1956년 10월 8일 마침내 서상일 계열은 진보당을 이탈, '민주혁신당'을 추진하겠다고 선언했다.[15] 이에 대해 진보당 추진위 측은 이튿날 민주혁신당 추진파인 서상일 김성숙(金成淑) 이동화 고정훈(高貞勳) 최익환(崔益煥) 최재방(崔在邦) 안도명(安道明) 신용순(申容純) 등 8명을 제명처분했다.[16] 이로써 범혁신정당 결성 추진세력은 두 파로 분열되었다. 결국 조봉암은 혁신계 대통합계획을 접고 자신의 계열을 위주로 진보당 창당작업을 진행할 수밖에 없었다. 진보당 추진위는 조봉암 자신의 공산당 경력을 의식해 남로당 계열의 입당은 허용하지 않았다. 서상일의 민주혁신당에 대해서는 다음 장에서 자세히 살펴보기로 하자.

한국적 진보주의

조봉암계는 1956년 11월 10일 서울 시공관에서 창당대회를 열고 진보당을 정식 결성했다. 조봉암은 개회사를 통해 민주적 평화적 방법으로 국토를 통일해 완전한 자주 통일 평화의 국가를 건설하고 모든 사이비 민주주의를 지양함으로써 '혁신적인 참된 민주주의'를 실시하자고 강조했다. 그는 이어 다음과 같이 '복지사회 건설'이라는 인류의 이상을 한국 실정에 맞추어 실천하자는 것이 '한국적 진보주의'라고 규정했다.

> 인류의 새 이상이라는 것을 말하자면…사람이 사람을 착취하는 일을 없애고 또 인간의 존엄성을 무시하는 일을 없애고 모든 사람이 자유가 완전히 보장되고 모든 사람이 착취당하는 것 없이 응분의 노력과 사회적 보장에 의해서 다 같이 평화롭고 행복스럽게 잘 살 수 있는 세상, 말하자면 우리들의 이상인 복지사회를 건설하는 것입니다.…그런즉 이러한 모든 정치적 과제들은 인류의 이상을 한국 실정에 적용케 해서 실천하자는 것이니 이것을 가리켜 한국적 진보주의라고 해도 좋을 것입니다.[17]

마르크스주의자들에게는 '진보주의'란 '보다 나은 진보된 새로운 사회', 즉 자본주의사회에서 사회주의체제로 발전하는 것을 의미한다. 조봉암 역시 진보주의를 사회체제의 발전으로 보았으나 복지사회를 그 목표로 설정했다.

복지국가 건설을 목표로 한 사회민주주의 노선

창당대회에서 채택된 강령은 그 전문 가운데 '당의 성격과 임무' 항에서 "우리 당은 모든 민중에게 자유와 평등과 사람다운 생활을 보장하여 줄 가장 진보적인 진정한 사회적 복지국가를 이 나라에 건설하는 것을 그의 역사적 임무로 삼고 있다"[18]고 선언한 다음 강령 본문에서 "공산독재는 물론 자본가와 부패분

자의 독재도 배격하고 진정한 민주주의체제를 확립하여 책임 있는 혁신정치의 실현을 기한다"고 밝혔다.[19]

진보당은 선언이나 강령 또는 정책에서 '사회민주주의'를 명확히 언급하지 않았지만 간접적으로 사회민주주의 정당임을 밝히고 있다. 우선 강령의 전문 가운데 (2)항 '자본주의 위기'에서 "민주주의를 배반하고 인간의 자유와 존엄성을 무시 유린하는 소비에트공산주의는 진정한 의미의 사회적 민주주의와는 상용할 수 없는 성질의 것임이 틀림없다"고 강조하고 있다. 또한 (6)항 '6·25사변의 교훈'에서 "우리 민중은 조직력과 계획성을 구비한 진정한 민주주의, 즉 새로운 사회적 민주주의에 입각함으로써만 자유발전의 대로를 힘차게 전진할 수 있다는 확신에 도달하고 있는 것"이라고 밝혔다.[20] 여기서 말하는 '사회적 민주주의'는 우리가 요즘 쓰는 '사회민주주의'와 크게 다름이 없다고 보아야 할 것이다.

창당대회는 위원장에 조봉암, 부위원장에 박기출 김달호(金達鎬), 통제위원회 위원장에 김위제(金偉濟) 부위원장에 김기철(金基喆)을 선출했다. 12일 열린 제1차 중앙상무위원회는 중앙당 간사장에 윤길중을, 부간사장에 이명하(李明河) 등 부서책임자를 임명했다.[21] 진보당 조직의 특색은 비밀당원제를 도입해서 특수지도부와 초특수당부를 설치한 데 있다. 이들 조직에서 일할 비밀 당세포를 구축하고 2백여 명의 비밀당원을 두어 이를 지도하는 7인위원회를 설치했다. 또한 서울시내 각 대학에 '여명회'라는 비밀서클을 조직, 각 대학세포를 두었다.[22]

3. 조봉암 처형

조봉암에 대한 박해

조봉암은 진보당을 창당한 뒤 더욱 권력의 미움을 샀다. 그가 내건 평화통일론은 이승만의 북진통일론에 정면으로 도전하는 것으로 인식되어 우익진영은 진보당을 용공집단시했다. 우파세력은 특히 1958년 5월의 제4대 민의원 총선거를 앞두고 진보당의 약진을 경계했기 때문에 조봉암에 대한 견제가 날이 갈수록 심해졌다. 그 결과 진보당은 중앙당 창당을 끝내고 시·도당 결성대회를

개최하려 했으나 일부 지역에서는 정치폭력배들의 방해로 대회조차 제대로 열리지 못했다.[23]

이 무렵 진보당과 조봉암이 관련되었다는 의문의 사건들도 연이어 터져 나왔다. 1954년 4월 제2대 대통령선거 때 조봉암의 선거사무장을 지낸 김성주(金聖柱)가 헌병총사령관 원용덕(元容德)의 명령으로 즉결처분된 사건이 일어났다. 김성주는 그 전 해 6월 국제공산당원 혐의와 이승만 대통령 암살예비 혐의로 구속 기소되어 군법회의에서 7년 구형을 받았으나 그런 반역자는 극형에 처하라는 이승만의 영문메모를 받은 원용덕의 부하 김진호(金鎭浩)가 그를 구치소에서 끌어내 원용덕의 자택에서 권총으로 사살했다. 원용덕은 김성주가 7년 구형을 받았기 때문에 사형판결이 날 수 없는 것을 알고 고민 끝에 불법으로 그를 살해케 한 것이다. 이 사건은 4·19 이후 김성주 유족들의 고소로 조사가 시작된 끝에 진상이 밝혀져 원용덕은 징역15년을 선고받았다.[24] 또 하나의 사건은 1953년의 이른바 동해안반란음모사건이다. 음모의 내용은 강원도 속초에 주둔한 1군단(군단장 이형근 중장)에 이승만 대통령이 시찰을 간 기회에 군단 인사참모인 김화산(金華山) 대령이 이승만을 사살하고 반란을 일으킨다는 것이다. 거사를 일으킨 김화산이 병력 1천명을 거느리고 부산으로 이동하면 육군본부 정보국장 김종평(金宗平) 준장이 이들을 직접 지휘, 경남도청에 자리 잡고 있는 임시 경무대를 급습하고 정부요인들을 죽인 다음 조봉암 국회부의장을 대통령으로 추대하기로 했다는 것이다. 육군 중앙고등군법회의에서 김종평은 3년형을 선고받았으나 김화산에게는 무죄가 선고되어[25] 사건이 조작되었다는 설을 뒷받침했다. 김종평은 이 사건을 원용덕과 특무대장 김창룡(金昌龍)이 충성경쟁을 벌이는 과정에서 김창룡이 조작한 사건이라고 주장했다. 김종평은 군의 정치 불간여를 주장하다가 김창룡의 미움을 샀다는 것이다. 4·19 이후 그의 주장이 사실로 밝혀져 누명을 벗었다.[26]

조봉암 기소와 진보당 해산

드디어 제4대 민의원선거를 4개월 앞둔 1958년 1월 진보당에 검은 그림자가 다가왔다. 이른바 '진보당사건'이 터진 것이다. 창당 1년 만이었다.[27] 1월 12일

치안국은 진보당이 내건 평화통일 정책의 국가보안법 위반 혐의와 위원장 조봉암이 간첩 박정호(朴正鎬)와 접선한 혐의에 대해 수사에 착수했다고 전격 발표했다. 서울지검 부장검사 조인구(趙寅九)는 대남간첩 박정호 등 10여 명에 대한 혐의내용을 발표하고 "평화통일이란 구호는 남한의 적화통일을 위한 방편으로서, 대한민국의 주권을 부인하는 것이며, '북진 없는 정강정책을 갖는 정당을 조직하라'는 김일성의 지령 내용은 바로 진보당의 확대공작에 귀착된다고 밝혔다. 이튿날 조봉암 위원장, 박기출 김달호 두 부위원장, 그리고 조규희(曺圭熙) 선거간사 등이 전격 체포되었다. 1월 14일 검찰총장은 난파간첩 박정호가 평화통일을 정책으로 하는 정당을 만들도록 조봉암과 접선, 진보당의 확대를 돕기로 했다는 진보당에 대한 수사 결과를 발표했다.[28]

조봉암은 그로부터 약 1개월 후인 2월 16일 간첩 및 국가보안법 위반과 무기불법소지 혐의로 구속 기소되었다. 윤길중은 국가보안법 위반 및 간첩방조 혐의로, 그리고 나머지 당 간부들은 전원 국가보안법 위반 혐의로 구속 기소되었다.[29] 열흘 후인 2월 25일 정부는 조봉암이 이중간첩 양명산(梁明山, 본명 梁利燮)으로부터 북한이 보낸 거액의 정치자금을 받았으며 진보당의 평화통일론이 국시에 위반된다는 이유로 진보당의 등록을 정식으로 취소했다.[30]

조봉암에 사형 판결

진보당사건에 대한 1심 판결은 7월 2일 나왔다. 재판장 유병진(柳秉震) 판사는 조봉암에 대한 기소사실 중 간첩 및 간첩방조 혐의에 대해서는 무죄 판결을 내리고 국가보안법 위반 혐의만 인정, 징역 5년을 선고했다. 진보당 자체의 불법성 여부에 대해서는 대한민국의 전복과 변란의 목적으로 조직된 결사가 아니라고 결론을 내리고 진보당의 불법집단이라는 전제 아래 기소된 윤길중 김달호 박기출 등 당 최고간부 17명에게 전원 무죄를 선고했다. 예상보다 가벼운 판결이 나오자 반공청년단 소속 청년 약 2백명이 "친공판사 유병진을 타도하라" "공산자금을 받은 조봉암 일당에 간첩죄를 적용하라"는 등의 구호를 외치면서 법원에 난입했다. 이어 조봉암의 변호인인 김춘봉(金春鳳) 변호사가 검찰에 구속되고 신태악(申泰嶽) 김봉환(金鳳煥) 변호사도 검찰에 소환되어 심문을 받았

다.[31)]

　파란은 2심에서 일어났다. 1심 선고공판 두 달 후에 열린 2심 재판 첫 공판에서 징역5년을 선고받은 이중간첩 양명산은 조봉암이 북한에서 보낸 정치자금을 자신에게 건네 받고 그들의 지령대로 움직였다는 자신의 진술은 특무대의 날조에 의한 거짓이었다고 진술했다. 양명산의 증언이 유일한 유죄 증거가 된 조봉암의 간첩 혐의는 결정적으로 깨어지는 듯했다. 그러나 이 같은 양명산의 1심 증언 번복 진술에도 불구하고 2심 판결은 조봉암 양명산에게 간첩죄 및 국가보안법 위반 혐의를 인정해서 사형을, 박기출 김달호 윤길중에게는 각각 징역3년을 선고했다. 재판부는 양명산의 1심 증언을 인용하고 조봉암이 양명산과 수시로 접촉하면서 그를 통해 북한 자금을 얻어 쓴 기소사실은 인정된다고 밝혔다. 재판부는 "진보당이 주창한 평화통일 방안은 대한민국을 해체하고 이북 괴뢰와 동동한 위치에서 통일할 길을 획책하였으며 당의 정강정책 중에는 대한민국이 채택하고 있는 자유 자본주의 체제를 변혁하려는 불온한 대목이 있다"고 판시했다. 대법원의 최종판결은 1959년 2월 27일 선고되었다. 2심처럼 조봉암과 양명산은 사형에 처하고, 박기출 김달호 윤길중 등 당 간부 15명에게는 전원 무죄를 선고했다. 대법원은 조봉암에 대해 진보당의 정강정책과 평화통일론은 합법적이지만 조봉암의 간첩행위는 인정되므로 진보당이 불법단체를 면할 수 없다고 판시했다.[32)] 조봉암은 1959년 7월 31일 서울 서대문형무소에서 교수로 사형이 집행되었다.[33)] 그는 60세를 일기로 파란 많은 생을 마감했다.

4. 진보주의자 조봉암

청년시절에 볼셰비키 지망

　자신의 노선을 '한국적 진보주의'로 자리 매김한 조봉암은 원래 혁명적 공산주의자였다. 그는 1899년, 즉 이 땅에 풍운이 감돌던 구한말에 경기도 강화군 강화읍 관청리에서 태어났다. 빈농가의 4남매 중 둘째 아들인 그는 4년제 소학교와 2년제 농업보습학교를 마치고 어려운 가정사정으로 상급학교에 진학하지 못해 강화군청에서 사환노릇을 하다가 2년 만에 월급 10원의 고원(雇員)에 임명되었다. 주산을 잘 한 조봉암은 군청 재무계 주임의 사랑을 받았으나 서무주임과는 사이가 좋지 않아 취직 1년 만에 군청을 사직하고 기독교청년회에서 일을 보았다. 20세이던 해에 3·1운동이 일어나자 강화에서 만세시위에 가담한 그는 일본 경찰에 체포되어 서울 서대문형무소에서 1년간 옥고를 치렀다. 그는 형무소 안에서도 만세운동을 주동하는 투지를 보였는데, 훗날 그는 감옥에 가서야 비로소 민족에 대한 의식과 투쟁정신이 함양되었다고 회고했다.[34]

조봉암은 복역을 마치고 일단 고향에 돌아갔다가 공부를 위해 다시 상경, 경성YMCA 중학부에 들어갔다. 그는 이곳에서 월남(月南) 이상재(李商在)의 지도를 받았다. 그 무렵 폭탄테러 음모사건이라는 것이 발각되자 그도 평양경찰서에 끌려가 보름동안 모진 고문을 당했다. 그는 무혐의로 풀려났지만 이때 그의 일생 동안 가장 혹독한 고문에 시달렸다고 회고했다. 이로 인해 그의 일본에 대한 반감과 증오심은 더욱 고조되었다. 조봉암은 1921년 7월, 22세의 나이에 일본으로 건너가 고학으로 정규 영어학교에 들어가 영어를 익힌 다음 중앙대학 전문부 정치과에 입학했다. 그는 여기서 사회주의에 관한 책을 탐독하면서 사회주의자가 되었다.[35] 조봉암은 나중에 이렇게 회고했다.

처음에 사회주의에 관한 서적을 읽어보니까, 어찌 그리 마음에 탐착하고 기쁘던지 이루 형언해서 말할 수가 없었다…나는 사회주의를 연구하고 사회주의자가 되고 사회주의운동을 하기로 했다… 일본 제국주의를 반대하고 한국의 독립을 전취해야 할 것은 물론이지만 한국이 독립되어도 일부 사람이 권력을 쥐고 잘 살고 호사하는 그런 독립이 아니고, 모든 사람이 자유롭고 모든 사람이 잘 살고 호사할 수 있는 좋은 나라를 만들어야겠다고 결심했다.[36]

이 회고록에 의하면 많은 한국의 좌파들이 독립운동의 방편으로 공산주의운동을 벌인데 비해 조봉암은 독립된 후에도 사회주의사회를 건설해야 한다고 확신했다. 그러나 당시 일본의 사상 동향은 공산주의와 무정부주의가 아직 분화되기 전 상황이어서 조봉암은 무정부주의에 경도되었다. 그는 1921년 11월 조선고학생동우회 소속인 김판권(金判權) 권희국(權熙國) 원종린(元鍾麟) 김약수

(金若水) 박렬(朴烈) 임택룡(林澤龍) 김사국(金思國) 정태성(鄭泰成) 장귀수(張貴壽) 등과 함께 흑도회(黑濤會)를 결성했다. 흑도회는 무정부주의자인 박렬과 공산주의자인 김약수의 충돌로 그해 12월 해산했다. 무정부주의에 기울어진 조봉암은 차츰 생각이 달라져 무정부주의를 관념의 유희로 보고 사회주의 중에서도 러시아의 공산주의인 볼셰비즘으로 노선전환을 했다. 혁명가가 되기를 결심한 그는 독립 후 사회주의사회를 건설해야겠다는 강력한 신념 때문에 일사불란한 조직을 자랑하는 볼셰비키가 되었다고 한다.[37]

소련 유학

조봉암은 1922년 8월, 일본에 건너간 지 약 1년 만에 학업을 중단하고 귀국했다. 그는 김한(金翰) 원우관(元友觀, 일명 元貞龍) 등이 만든 무산자동맹회라는 사상단체에 합류했다. 당시 서울에는 김사국과 이영(李英)이 주동이 된 서울청년회가 조직되어 사상운동을 펼치고 있었다. 그는 서울에 돌아온 지 두 달도 못되어 소련의 시베리아 지방에 있는 베르흐네우딘스크(Verkhneudinsk)에서 열리는 이르쿠츠크파 고려공산당과 상해파 고려공산당의 연합대회에 참석하기 위해 소련으로 떠났다. 회의는 다수결원칙을 내세우는 상해파(참석자 150명 가운데 3분의 2가 상해파였다)와 만장일치를 주장하는 이르쿠츠크파간에 대립이 생겨 이르쿠츠크파가 퇴장함으로써 중도에서 깨어지고 말았다. 조봉암은 연합대회가 어느 일파만의 대회로 진행되는 상황에서 국내대표도 참석할 이유가 없다고 결론을 내리고 정재달(鄭在達) 정우영과 함께 퇴장했다.[38]

양파 연합대회가 무산되자 코민테른은 이르쿠츠크파의 한명서 김만겸과 상해파의 이동휘, 그리고 국내대표 조봉암 정재달 정우영을 모스크바로 불러 무조건 단합해서 일본제국주의와 싸우라고 지시했다. 이에 따라 두 개의 고려공산당은 1922년 12월 해산되고 국내에 조선공산당을 조직하기 위해 코민테른 극동총국 안에 꼬르뷰로(Korburo, 고려국)가 설치되었다. 꼬르뷰로는 코민테른의 보이틴스키(Grigori Voidinsky)를 의장으로 하고 구 이르쿠츠크파의 한명서 김만겸과 상해파의 이동휘 윤자영(尹滋瑛), 그리고 국내대표로는 정재달이 고문이 되었다. 조봉암은 여기에 참여하지 않고 모스크바에 소재한 동방노력자

공산대학에 들어갔다. 이 학교는 말이 대학이지 실제로는 러시아식 공산주의를 가르치는 강습소 같은 것이었다. 조봉암은 1년 만에 결핵에 걸려 학업을 중단하고 귀국했으나 이곳에 다닌 탓으로 국내 공산주의자 사이에서 위상이 높아져 2년 후 서울에서 조직된 조선공산당의 창당에 중요한 역할을 하게 된다.[39]

조선공산당 창당에 주도 역할

조봉암은 소련에서 귀국 후 정열적으로 공산주의운동에 참여했다. 앞에서 설명한 바와 같이 동경 유학 당시 흑도회 회원이었던 그는 서울로 돌아온 다음부터 흑도회 인맥인 김양수 서정희(徐廷禧) 등이 1923년에 조직한 북풍회(일명 토요회)에 속하면서 김낙준(金洛俊) 홍명희 홍증식 등이 그 이듬해 7월 만든 신사상연구회(같은 해 11월 화요회로 개편)에도 가입했다. 화요회의 핵심회원이 된 조봉암은 대학생 교사 등이 만든 혁청단을 화요회 산하단체로 만드는 등 조직활동에 적극성을 보였다. 그는 1924년 2월에는 화요회 북성회 무산자동맹(申伯雨) 등 3개 좌익단체의 연합체인 신흥청년동맹을 결성하는 데 주도적 역할을 했다. 신흥청년동맹은 결성 즉시 조봉암 홍명희 박일병 송봉우(宋奉瑀) 김장현(金章鉉) 김찬 박헌영 신철(辛鐵) 등 쟁쟁한 연사들로 구성된 청년문제 대강연회를 개최, 사회주의 사상 보급과 조직 확대에 나섰다. 신흥청년동맹은 서울청년회와 통합, 조선청년총동맹을 결성하게 되는데 조봉암은 조선청년총동맹의 중앙집행위원으로 선출되어 문화부 책임자가 되었다. 전국 250여 개 사회주의 청년단체의 총집결체가 된 조선청년총동맹은 이때부터 국내 청년운동의 주축을 이루는 동시에 노동자 농민의 사회주의 단체인 조선노농총동맹과 함께 사회주의운동의 양대 조직이 되었다.[40] 이때만 해도 조봉암은 박헌영보다 더 많은 영향력을 지니고 있었다. 조선공산당은 1925년 4월 비밀리에 결성되었다. 조선공산당 결성모임에는 김찬 김재봉(金在鳳) 조봉암 김두전(金枓佺, 김약수) 유진희(俞鎭熙) 김상주(金尚珠) 주종건(朱鐘建) 송덕만(宋德滿) 조동호 독고전(獨孤佺) 진병기(陳秉基) 정운해(鄭雲海) 최원택(崔元澤) 윤덕병(尹德炳) 홍덕유(洪悳裕) 등이 참석했다. 조봉암은 중앙검사위원에 선출되었다.[41]

1941년 이후 활동 중지

조봉암은 조선공산당의 외곽청년단체인 고려공산청년회(약칭 고려공청) 조직도 주도했다. 같은 달 18일의 고려공청 결성모임에서 조봉암과 박헌영은 중앙집행위원으로 선출되었다. 집행부서의 책임자로는 박헌영(책임비서) 조봉암(국제부) 권오설(조직부) 임원근(선진부) 홍증식(조사부) 김단야(연구부) 등이 임명되었다. 고려공산청년회라는 명칭은 조봉암의 제의로 명명되었다.[42]

조봉암은 고려공청 대표로 조선공산당 대표인 조동호와 함께 코민테른으로부터 당과 공청의 승인을 얻기 위해 그해 5월 모스크바에 파견되었다. 그해 가을 모스크바에 도착한 조봉암은 공청 승인문제 이외에 조선학생 21명을 모스크바 공산대학에 유학시키는 초청장을 받는 한편 콤소몰(Comsomol, 소련의 청년공산당)로부터 공작금 1천850엔도 받았다. 코민테른은 두 사람으로부터 보고를 듣고 이듬해인 1926년 4월 당과 공청을 정식으로 승인했다. 조봉암은 1925년 8월 경 상해로 돌아왔다. 얼마 후 국내에서 조선공산당이 일제경찰에 발각되어 간부들이 모조리 체포되어 당이 와해되자 그는 국내로 들어가지 못하고 상해에서 조선공산당 해외부(통상 '상해부'로 호칭)를 만들어 활동했다. 이어 1926년 5월에는 만주로 가서 조선공산당 만주총국을 만들고 책임비서를 맡았으며, 8월 상해로 돌아와 코민테른 극동부 조선지부의 대표가 되었다(조선공산당 상해부는 이 때 코민테른에 의해 해체되었다). 당시 코민테른 극동부의 책임비서였던 보이틴스키는 극동 3국 공산당의 창당주역이자 이론가들인 중국의 진독수(陳獨秀), 일본의 사노(佐野學), 조선의 조봉암을 연락대표로 하는 극동국의 각 대표부를 설치했다.[43]

조봉암은 상해 시절 여운형 홍남표 등과 함께 중국공산당에도 가입했다. 그는 1931년 만주사변이 나자 조선인 반제국주의자동맹을 조직했다. 그러나 이 무렵 일제는 상해의 우리 독립운동가들을 검거, 본국으로 압송하는 작전을 폈는데 조봉암도 1932년 9월 검거되어 본국으로 압송된 다음 징역7년을 선고받고 신의주에서 복역하고 1941년에 출옥했다. 그는 출옥 후 일본총독부의 사상교화기관인 대화숙(大和塾)에 강제 가입, 고향인 인천에서 공산주의운동을 중지하고 일본경찰의 감시 아래 양곡연료조합을 경영하던 중 패전을 앞둔 1945

년 1월 일본헌병대에 체포되어 해방 다음날인 8월 16일 인천헌병대에서 풀려났다. 이때 석방현장에 여운형이 당도해서 두 사람은 얼싸안고 기뻐했다 한다.[44] 조봉암은 양곡연료조합을 경영한 탓에 일제에 협력했다는 박헌영계의 비난에 시달렸으나 해방 직전 그가 일본 헌병에 체포된 것은 그런 주장에 의문을 갖게 한다.

해방 후 조공과 결별, 온건노선으로

일제시대 조선공산당 창당시절부터 서로 긴밀한 관계였던 박헌영과 조봉암은 해방이 되자 각각 다른 길을 걸었다. 박헌영보다 한 살 위인 조봉암은 I-**5**(제3세력)에서 살펴본 바와 같이 1946년 이극로 이동산 등과 함께 극좌 극우를 배격하는 제3세력, 즉 민족주의독립전선을 조직해 활동하다가 대한민국 정부 수립에 적극 참여했다. 그러나 그 후 박헌영 조봉암 두 사람은 북한과 남한에서 다 같이 간첩죄를 뒤집어쓰고 사형에 처해졌다.

그에게는 아주 다행하게도 그의 사후 48년만인 2007년 9월 18일 노무현 정부의 진실화해위(정식 명칭 진실·화해를 위한 과거사 정리위원회)가 제54차 전원위원회에서 조봉암과 유가족에게 국가가 사과하고 피해구제와 명예회복을 위한 적절한 조치를 취할 것을 권고하는 결정을 내렸다. 진실화해위는 "이 사건은 평화통일을 주장하는 조봉암 선생이 1956년 대선에서 2백만 표 이상을 얻어 이승만 정권에 위협적인 정치인으로 부상하자 총선에서 진보당의 민의원 진출을 막고 선생을 제거하려는 정권의 의도가 작용해 처형한 인권 유린이자 정치 탄압"이라고 결론 내렸다. 대법원은 2011년 1월 20일, 조봉암 사형집행 52년만에 열린 그에 대한 재심 재판에서 그의 국가보안법 위반과 형법상 간첩죄 혐의에 무죄 판결을 내리고, 당국의 허가없이 권총과 실탄을 소지했다는 군정법령 위반혐의에 대해서만 유죄를 인정해 선고유예 판결을 내렸다. 2017년 7월 31일 서울 망우리묘역에서 열린 조봉암 58주기 추모제에는 문재인 대통령이 조화를 보내왔다.[45]

④ 민주사회주의 정당들

> 지금 우리나라의 민주주의는 확실히 위기에 처해 있다. 비대한 관권당은 너무 크고 이에 대항하는 야당은 너무 작다.…이러한 비정상사태는 시급히 시정되어야 하며 보수 진보별 정계재편이 시급하게 요청되고 있는 것이다.
>
> —서상일, "험난할망정 영광스런 먼 길"(1957).

1. 민주혁신당

진보당과 결별한 우파 사회민주주의 정당

조봉암과 함께 진보당 결성을 추진하다가 이탈한 서상일계는 민주혁신당(약칭 민혁당)을 결성키로 하고 1957년 11월 8일 창당준비 선언문과 강령 초안을 발표했다. 창당준비위원으로는 박용희(朴容羲) 신숙(申肅) 최익환(崔益煥) 서상일 김성숙(金星淑) 조헌식(趙憲植) 김성숙(金成淑, 일명 金成璹) 양우조(楊宇朝) 고정훈(高貞勳) 이동화(李東華) 최흥국(崔興國) 등 44명이 지명되었다. 이어 12월 26일에는 창당추진위원회 위원장에 장건상, 부위원장에 서상일을 선출했다. 당시 장건상은 김창숙과 함께 다른 신당(세칭 대중당) 창설 운동을 벌이던 중 서상일 측과 합작하기로 타협이 되었다.[1]

창당추진위원회는 실질적으로 장건상과 서상일의 2인지도체제로 움직였다. 그러나 장건상파는 근로인민당 계열이었고 서상일은 비근로인민당 계열이어서 서상일과 장건상 간에 차츰 이념차이와 주도권 다툼이 일어나 당의 최고의 결기구인 총무위원회를 집단지도제로 고쳤다. 집단지도체제로 고쳤음에도 불구하고 양파 사이에 계속 갈등이 그치지 않아 창당작업이 지연되자 서상일계는 1957년 8월, 장건상 계가 지하세력과 합작했다는 이유로 그를 포함한 6명에 대해 제명처분을 단행했다. 장건상파가 혁신세력 대동단결의 명분 아래 진보당계 일부세력과 합작을 추진했기 때문이다.[2] 제명당한 장건상은 김성숙(金星淑) 등 원로 7명과 함께 진보당으로 되돌아감으로써 진보당의 정치적 지위를 강화시

컸다. 이들은 혁신세력의 대동단결이라는 기치를 걸고 진보당, 민주혁신당 이탈파와 노농당 일부, 그리고 전 한독당 계열과 연합해서 1957년 9월 혁신세력 대동단결을 위한 통일준비회를 발족시켰다.[3]

장건상 일파를 제명한 서상일계는 조봉암의 진보당 결성 약 1년 후인 1957년 10월 15일 서울 시공관에서 창당대회를 가졌다. 창당대회에는 조병옥 장택상 윤길중 등 타당 간부들이 내빈으로 참석해서 축사를 했다. 최고집행부인 통제위원회의 간사장에 서상일, 부간사장에 김성숙(金成淑), 위원장에 신숙을 각각 선출했다.[4]

복지사회 건설을 주창

민혁당의 정강정책은 영국의 페이비언협회식 사회주의자(Fabian Socialist)인 서상일의 노선을 반영했다. 서상일은 혁명적 공산주의에서 사회민주주의로 전향한 조봉암과 노선을 달리한 것이다. 그렇기는 하나 정강정책 기초자가 진보당 정강 기초자와 동일인물이어서 유사한 대목이 많았다. 그 동일인은 사회주의 이론가 이동화였다. 경북대학교 정치학 교수 재직 시 가까워진 서상일의 권유로 진보당(가칭) 창당에 참여한 그는 창당 준비위원회 12인 위원의 한 사람으로 당의 강령을 기초했다. 그러나 서상일이 조봉암과 결별하게 되자 함께 진보당 발기준비위원회를 떠나 민혁당을 결성하는 데 동참, 또 다시 강령 기초 작업을 했다.

따라서 문장만으로 보면 민혁당과 진보당의 강령에는 표현은 약간씩 다른 점이 있어도 내용은 본질적인 차이가 없다. 우선 당의 성격만 해도 그렇다. 민혁당은 창당 선언문에서 당의 이념과 노선에 관해 '광범한 근로대중의 이익실현을 위해 노력하고 투쟁하는 혁신적, 진보적 민주주의 대중정당'이라고 규정하고 "혁신적 진보적 정치세력의 이러한 집결체, 즉 참다운 사회적 민주주의 대중정당만이 광범한 민중의 창조적 에너지를 민주적 건설적으로 조직하고 동원하고 이용할 수 있다"고 주장했다.[5] 이 대목은 진보당의 강령과 내용이 같다. 특히 선언문에서 당의 목표를 '만인공영(萬人共榮)의 복지국가'라고 한 것은 진보당과 용어까지 똑 같다.[6]

다만 민혁당의 강령은 북한정권에 대해서 진보당과 입장을 달리하고 있다. 민혁당은 "조국의 평화통일을 파괴한 책임은 6·25의 죄과를 범한 북한공산집단에 있다. 그들의 반성과 책임규명은 조국통일을 위한 선행조건이 아닐 수 없다"고 맹렬히 비난했다. 또한 강령은 "크렘린의 명령에 유유 맹종하는 한국의 공산도당은 미군정의…자유주의적 관용성과 천진난만성을 이용해 신생한국의 내부적 혼란을 크게 격화시키려 하였다. 러시아-한국인을 중심으로 하는 이들 공산역도는 음모 테러 공갈 기만 등등 온갖 파괴적 수단으로써 자유독립 통일의 민주한국 건설을 적극 방해했다"고 지적했다.[7] 서상일에 의하면 당초 진보당 강령초안에도 같은 내용이 들어 있었지만 나중에 삭제되었다는 것이다. 이 같은 두 당의 강령을 비교해 보면 진보당과 민혁당의 분열, 즉 조봉암과 서상일의 결별이 대북문제에서도 비롯되었다고 말할 수 있다.

선거 참패로 군소정당 전락

민혁당은 1958년의 제4대 민의원선거에 출마한 6명의 후보들이 전원 낙선함으로써 군소정당으로 전락했다.[8] 군소정당이 된 민혁당은 1958년 6월 7일 같은 처지인 전진한의 노농당과 제휴, 제3당을 만들기로 합의했다. 노농당 역시 이 선거에 7명의 후보를 냈으나 한 사람도 당선되지 못했던 것이다.

두 당의 합당준비위원으로 민혁당에서는 박노수(朴魯洙) 우문(禹文) 안정용(安晸鏞) 김철(金哲) 외 1명이, 노농당에서는 변동조(卞東祚) 김상덕(金相德) 백근옥(白瑾玉) 유화룡(柳化龍) 김무진(金武眞) 등이 선정되었다. 제3당 결성 추진 작업은 그해 11월에 들어서자 두 당 뿐 아니라 다른 4개 정당 출신들도 참여했다. 이때 전진한 김상덕(노농당) 신숙 김성숙(민주혁신당) 이인 이규갑(李奎甲, 전 국민당) 김준연(통일당) 조백래(사회당) 조경한(趙擎韓, 한국독립당) 등 각파 대표들은 독립노농당(유림)과 대한국민당(안재홍)도 참가시키기로 했다. 이들은 이듬해인 1959년 4월에 신당 발기준비위원회를 구성키로 합의했으나 뒤에서 설명하는 바와 같이 별도의 통합 혁신신당인 민주사회당의 창당 선언이 나오자 신당 계획은 흐지부지되고, 전진한의 노농당은 민족주의민주사회당으로 이름을 바꾸어 재출범했다.[9]

2. 민주사회당(창당준비위)

민주사회당의 창당작업

이승만 정부 때 창당된 민주사회주의 정당은 비록 당세는 미약하기 짝이 없어 군소정당의 신세를 면하지 못했지만 '민주사회주의'를 명확히 주창한 점에서 우리의 주목을 끈다. 민주사회주의라는 말은 1951년의 사회주의 인터내셔널(Socialist International, SI) 대회에서 영국 노동당과 서독 사회민주당이 주동이 되어 채택된 이른바 '프랑크푸르트선언' 이후 새로운 조류가 되었다. 프랑크푸르트선언의 공식 명칭은 '민주사회주의의 목적과 임무'(The Aims and Tasks of Democratic Socialism: Declaration of the Socialist International)이다.[10]

민주사회당(약칭 민사당)은 1956년, 중국에서 활약한 독립운동가 정화암(鄭華岩, 본명 鄭賢燮, 1896~1981)이 주도해서 발기했다. 앞에서 설명한 바와 같이 1955년 9월의 범혁신계 집회인 광릉모임에서 혁신세력들은 통일된 정당을 만들기로 합의했으나 당의 이념과 노선을 둘러싸고 이견이 노출되었다. 정화암에 의하면 우리나라에서 사회민주주의와 민주사회주의를 공개적으로 논의한 것은 광릉모임에서 처음이라고 한다.[11]

범혁신계 정당 창당작업은 계파간의 이견으로 시간을 끌다가 1956년 10월 혁신정당 창당준비회합이 개최되었다. 이 모임에는 원내에서 민주당의 양일동(梁一東) 황남팔(黃南八) 이종남(李鍾南)이, 재야 혁신세력에서는 민사당 추진세력인 정화암 서천순(徐千淳) 한하연(韓河然)과 서상일의 민주혁신당 측에서 서상일 외 2명이 나왔다. 이날 모임에서 정화암은 민주사회주의당의 창당을 제의한 반면 서상일은 계속 상대방에게 민주혁신당에 합류하라고 요구했다. 정화암은 진보당과 민주혁신당 양측으로부터 입당 교섭을 받았으나 이를 물리치고 민사당 발기를 관철했다. 그와 함께 민사당 결성을 추진한 사람들은 이정규(李丁奎) 최해청(崔海淸) 오남기 한하연 등 독립운동 동지들이었다.[12] 정화암은 그 해 11월 15일 민사당 발기준비위원회를 발족시키고 발기취지문과 정강·정책(정치의 5대 목표 및 당책) 초안을 발표했다.[13]

반공을 내건 민주사회주의 이념

민주사회당은 정강 초안에서 사회주의인터내셔널(SI)의 프랑크푸르트선언과 내용이 같은 민주사회주의 노선을 밝혔다. 다만 뒤에서 살펴보는 바와 같이 전진한의 민족주의민주사회당처럼 프랑크푸르트선언을 받아들인다고 명백히 못 박지는 않았다. 민주사회당의 선언은 "모든 주의와 주장은 반드시 완전무결한 것이 아닌 까닭에 공산주의와 현 민주주의의 단점을 버리고 그 장점만을 취하여서 이루어진 바로 현실적이요 실제적인 건설의 이론과 방법이 우리의 민주사회주의인 것"이라고 밝히고 정강(정치의 5대 목표 및 당책)에서는 "인류의 항구평화 수립과 공동복지 건설을 위하여 유엔 및 사회주의자인터내셔널(SI)의 일원으로서 자유 창의적 협력에 의하여 세계일가의 실현을 구현하고자 노력한다"[14]고 천명함으로써 SI의 노선을 따르고 있음을 분명히 했다.

프랑크푸르트선언에서 규정한 민주사회주의는 공산주의와 근본적으로 다른 것은 말할 것도 없고, 종래의 사회민주주의와도 구별되는 새로운 사회주의이다. 사회민주주의는 자본주의체제가 사회주의체제로 이행하는 것을 피할 수 없는 것으로 보았으나 민주사회주의의 견해는 다르다. 민주사회주의는 종래의 사회민주주의 우파와도 다르다. SI운동을 주도한 세력이 종래의 사회민주주의 우파에 속했었기 때문에 민주사회주의를 사회민주주의 우파와 동일시하는 경향이 있으나 이들 우파 역시 수정주의적 사회주의자들이었다는 점에서 그 목표가 민주사회주의자들의 목표와는 다르다. 민주사회주의 노선은 1959년 고데스베르크(Godesberg)에서 채택한 독일 민주사회당 강령에서 명료하게 정의한 바와 같이 마르크스주의적 세계관과 혁명적 목표의 궁극적 포기 및 세계관적 노동자정당에서 다원주의 국민정당으로, 그리고 시장경제체제의 수용 등을 명확히 했다.[15]

정화암이 추진한 민주사회당은 선명한 반공노선을 밝히고 있다. 민사당 발기 취지문은 "독재주의자나 독점자본가들은 물론, 그들의 의발(衣鉢)을 받은 자들이나 또는 공산주의는 물론, 그들과 매별 개종한 자라도 아직도 유물사관에의 향수를 버리지 못한 자들은 필경엔 지배자·독재자로 화하고 만다. 이것이 우리에게 주는 현대정치사의 산 교훈"이라고 밝혔다.[16] 발기취지문은 이어 "이것이 민주주의를 목적과 수단으로 하는 민주사회주의의 깃발을 들게 된 까닭"이라고 선언했다.[17] 민주사회당은 정책(당책)에서 구체적으로 민주정치의 확립과 계획경제체제의 확립을 선언하고 "국 공 사의 전 생산기구를 국가적 견지에서 개편 또는 통제한다"고 밝혔다. 사회주의 경제정책의 요점이라 할 생산기구의 국유화나 사회화의 규정은 없다.[18]

철저한 반공주의는 프랑크푸르트선언의 특색이기도 하다. 종래의 사회민주주의가 공산주의 비판에 소극적이었던 데 반해 프랑크푸르트선언은 "공산주의는 사회주의 전통을 계승하고 있다고 거짓되게 주장하고 있다. 실제로 공산주의는 사회주의 전통을 그 원래의 모습을 알아볼 수 없을 정도로 왜곡해 버렸다"고 규정하고[19] 다음과 같이 선언했다.

국제공산주의는 새로운 제국주의의 도구이다. 국제공산주의가 권력을 장악한 곳에서는 어디서든 자유와 자유의 획득기회를 파괴했다. 국제공산주의는 군국주의적 관료주의와 공포경찰제도에 기초를 두고 있다. 그것은 부(富)와 특권의 엄청난 대조를 만들어냄으로써 새로운 계급사회를 이룩했다. 강제노동은 공산주의의 경제구조에 중요한 역할을 하고 있다.[20]

지연된 창당작업

민사당 창당작업은 자금난 등 여러 사정으로 지연되었다. 정치자금이 부족해 창당준비위원회 사무실 유지도 겨우 하는 판이었다. 이로 인해 창당작업은 마무리를 보지 못하고 있던 중 2년 여 후인 1959년 초 범야권의 민권수호국민총연맹(약칭 민총)을 탈퇴한 혁신계열 인사들이 범혁신 정당을 만들기로 하고 발기준비위원회를 결성하자 새로운 국면을 맞이했다. 정화암은 이들 혁신계 인사들, 즉 신숙 전진한 조경한 이인 김창숙 서상일 김승학 등과 함께 1960년 3월 중 약 50명의 발기위원들의 참가서명을 얻어 민주사회주의 정당을 발기하기로 했다.[21]

그러나 이때 역시 신당의 이념과 노선을 둘러싸고 빚어진 이견은 해소되지 않았다. 신숙 정화암 조경한 계는 민사당 발기준비위가 밝힌 민주사회주의 노선을 주장한 데 반해 사회주의 우파인 민주혁신당 계와 이인 등 일부 무소속 출신은 서민적 대중정당을 결성하자고 맞섰다.[22] 이로 인해 창당작업이 더욱 지연되자 노농당 위원장 전진한은 서상일의 민주혁신당과 제휴, 제3당을 창당하기로 함으로써 혁신계 내부의 혼선은 더욱 커졌다. 결국 혁신세력은 4·19 이후 다시 범혁신정당 결성을 추진하게 되는데, 정화암은 이때는 더 이상 '민주사회당'이라는 이름의 신당 창당을 고집하지 않고 사회대중당 발기에 참여한다. 이로 인해 민사당 창당준비위는 유명무실하게 되어 유림이 창당했던 독립노농당에 흡수 통합되었다

3. 민족주의민주사회당

프랑크푸르트선언을 인용

전진한의 노농당은 1958년 4대 국회의원 총선에서 그를 비롯한 혁신계 후보들이 모조리 낙선하자 당의 이미지를 쇄신하고 혁신계의 단결을 도모하기 위해 군소정당 출신들을 일부 영입, 1959년 11월 20일 전당대회에서 당명을 '민족주의민주사회당'(약칭 민족민사당)이라고 개칭했다. 장문의 선언과 강령도 발표되었다.[23] 민족민사당이 새 당명에 민주사회주의를 표방한 것은 바로 SI의 민주사회주의 노선을 밝힌 프랑크푸르트선언의 영향 때문이다. 민족민사당은 프랑크푸르트선언을 국제조류라고 보고 이를 수용함으로써 민주사회주의당으로 전환한 것이다.[24]

민족민사당은 창당 선언에서 민족의 주체성을 기본이념으로 하는 대중정당이라고 규정하고 "이 민족의 주체사상은 대외적으로는 민족자결주의로, 대내적으로는 정치적 자유, 경제적 균등 사상으로 발전해 왔다"고 밝혔다. 이어 민족민사당은 "반공통일로 민족국가를 완성하여야 할 역사적 과업을 앞에 두고, 자본주의적 계급 이기주의나 마르크스주의적 계급이기주의를 지양하고 헌법정신에 입각하여 민족주의민주사회주의 노선을 충실히 실천에 옮기려는 것"이라고 밝혔다. 이어 민족주의민주사회주의 노선에 입각한 경제체제는 민주적 계획경제라고 선언하고 이를 위해 독점기업을 국영 내지 공공관리로 하되 유능한

기업자 기술자 노동자 대표로 협동운영체를 구성해 운영하고 일반기업에 있어서도 노동자의 기업참여와 이익규점권이 확보되어야 한다고 했다.[25]

체계화된 독자적 민주사회주의 노선

민족민사당은 창당 선언에서 SI의 새로운 사회주의 노선에 대해 "종래와 같이 '사회민주주의'라 하지 않고 '민주사회주의'라고 한 것은 공산주의를 배격함은 물론이고 유물주의를 신봉하면서 수단 방법만을 달리하는 종래의 사회민주주의와 대립하는 까닭"이라고 평가했다.[26] 선언은 그러면서 민족주체성을 찾는 것은 민족개성을 발휘하여 인류의 문화·복지 향상 발전에 주체적으로 공헌하려고 하는 것이며 이것이 '하나의 세계'로 지향하는 세계사 단계의 민족주의라고 주장했다. 이 선언은 "우리 민족주의민주사회당의 발전이야말로 반공통일의 관건이 되는 것"이라고 밝히고 "이 민족주의 사상에 의한 민족사상 통일운동은 남북을 통하여 전개되어야 하며 특히 북한에 대한 사상공세 정치공세는 적극 전개되어야 한다. 이리하여 남북통일의 기초는 국내적으로 확립되어 갈 것"이라고 했다.[27]

민족민사당은 창당대회에서 이듬해 3월 실시되는 제4대 대통령 및 5대 부통령 선거에 나설 당의 대통령 후보에 전진한을, 부통령 후보에 미국 위스콘신주립대학 출신의 경제학 박사이며 미군정청 노무부장과 제헌의원(무소속)을 역임한 이훈구(李勳求)를 지명하고 당의 대표최고위원에 이훈구, 최고위원에 전진한과 성락훈(成樂薰)을 선출했다. 그러나 민족민사당은 자유당의 방해로 제4대 대선에 참여하지 못하고, 전진한은 Ⅳ-[1](혁신세력의 부활)에서 자세히 설명하는 바와 같이 4·19 이후 다시 민족민사당을 확대개편, 한국사회당을 결성한다. 그는 1960년의 7·29총선에서도 다시 낙선하고 사회대중당으로 옮겨갔다. 그 후 전진한은 윤보선이 대통령이 되자 10월 10일 실시된 그의 선거구인 종로을구 국회의원 보선에서 무소속으로 당선되어 5대 국회에 한발 늦게 들어갔으며 6대 국회에서는 윤보선의 민정당에 참여했다.[28] 한국사회당은 전진한이 이처럼 당을 떠나자 구심점을 잃고 7·29총선 때 참의원에 당선된 최달희(崔達熙)와 민의원에 당선된 김성숙(金成淑)이 맡아서 꾸려갔다.[29]

제2부
권위주의 통치와 산업화 시기

1. 건국 직후의 온건 좌파세력들-(사진 좌)1948년 조소앙은 건국 후 최초의 사회주의정당인 사회당을 창당했다. (사진 우) 1955년 결성된 노농당 대표 전진한-그는 4년 후 당명을 민족주의민주사회당으로 변경했다.

2. 자유당정권 아래서 사형당한 진보당 대표 조봉암(사진 왼쪽)-그가 1958년 10월 간첩 혐의로 재판을 받고 있는 모습.

⑤

⑥

⑦

1950-60년대의 혁신정당 지도자들
①1957년 창당된 민주혁신당 대표 서상일
②1960년 발족한 민주사회당 창당준비위원장 정화암
③1960년 5월 발족한 사회대중당 준비위원장 김달호
④1960년 11월 창당한 사회당 위원장 최근우
⑤1960년 11월 발족한 혁신당 위원장 장건상
⑥ 통일사회당(1965) 및 사회민주당(1985) 위원장 김철
⑦1966년 발족한 대중당 발기위원장 서민호

1. 1968년 11월 28일, 통일혁명당 사건 공판 모습-앞줄에 김종태와 김질락(가장 오른쪽부터) 등
   관련자들의 얼굴이 보인다.

2. 군법회의에서 별도로 재판을 받고 있는 신영복(왼쪽) 등 통혁당 사건 관련자들.

1971년 10월 유신선포 직전 위수령이 발동된 한 달 만에 세상에 공표된 이른바 '서울대생 내란예비음모사건'은 무더기 제적과 재적학생들에 대한 강제입영 조치로 사실상 초토화된 대학가에 보낸 최후의 경고나 마찬가지였다. 학생 시위를 일으키고 사제 폭탄으로 정부 기관을 폭파하는 등 폭력적인 방법으로 '내란'을 일으키려 한 혐의로 서울대생 4명이 기소되었다. 이들 4명가운데 2심에서 이신범에게는 징역 2년, 조영래는 징역 1년 6월, 심재권과 장기표에게는 각각 징역 1년6월에 집행 유예 3년이 확정되었다(김근태는 수배중으로 기소중지상태). 이들중 최근 재심을 청구한 이신범과 심재권은 48년 만인 2018년 4월 19일 서울고법에서 이들이 고문을 당한 상태에서 범죄사실을 자백한 점이 인정된다면서 무죄를 선고했다. 조영래는 1990년에 사망해 재심을 청구할 수 없었고, 장기표는 개인적 소신에 따라 재심을 청구하지 않았다. 사진은 1972년 9월 11일 1심 선고 법정에 선 4명-조영래, 이신범, 장기표, 심재권(오른쪽부터). 사진 《동아일보DB》.

1. 1975년 4월 8일 대법원 대법정에서 열린 민청학련 및 인민혁명당재건위 사건 상고심 선고공판
   모습. 사진《동아일보》.

2. 인민혁명당 사건에 관련된 박현채.

이해찬 국무총리
10년 선고, 1년
복역

정동영 통일부 장관
기소유예

김근태 복지부 장관
배후조종 혐의로
수배

손학규 경기지사
배후조종 혐의로
수배

장영달 열린우리당
4선 의원
7년 선고, 7년
복역

유인태 열린우리당
재선 의원
사형선고, 4년
복역

이철 국회의원 역임.
철도공사 사장
사형선고, 1년
복역

유홍준 문화재청장
7년 선고, 1년
복역

이강철 전 청와대
시민사회수석
15년 선고, 8년
복역

도안《국민일보》2005.12.8. 남도영 기자

1980년 2월 3일 서울지법에서 열린 남조선민족해방전선(남민전) 사건 첫 공판 모습-피고인들이 79명이나 되어 방청석에까지 앉았다. 사진 《동아일보》, 2011.5.25.

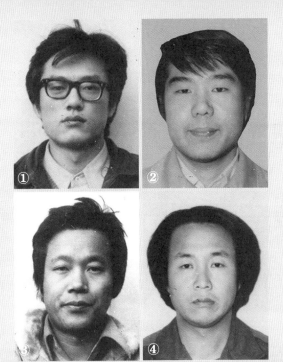

1

2

1. 1978년 5월 결성된 민청협(민주청년인권협의회)은 이듬해 11월 24일 통일주체국민회의에 의한 대통령보궐선거 실시를 막기 위해 서울 명동 YWCA회관에서 결혼식을 가장한 집회를 개최했다. ① 이우회 당시 민청협 회장, ② 신랑 역을 한 홍성엽 민청협 운영위 부위원장, ③ 최열 민청협 부회장, ④ 최민화 밀물출판사 대표 (자료《동아일보》, 1979.12.27.자).

2. '결혼식장'에 참석한 함석헌 등 '하객'들이 보인다.

1. 1980년 일어난 세칭 '무림사건'(반제반파쇼학우투쟁선언)의 주모자인 서울대 77학번 김명인(당시 서울대 국문 4, 그 후 인하대 교수 역임)이 25년 후인 2015년 8월, 당시를 회고하고 있다. 사진《오마이뉴스》, 한영수, 2015.8.18.

2. 1981년 발생한 세칭 '학림사건'과 관련된 민노련(전국민주노동자연맹) 사건으로 이듬해 9월 대법원에서 무기징역이 확정되어 복역중 5년으로 감형되었다가 1988년 10월 민주화조치로 가석방된 이태복이 인사말을 하고 있다 (1988.10.3).《연합뉴스》.

민청련(민주화운동청년연합) 의장 김근태가 1983년 9월 이 기구를 설립한지 2년 후 구속된 후 3년만인 1988년 6월 말 출감하면서 구호를 외치는 모습. 사진 《경향신문》.

1985년 3월 출범한 민통련(민주통일민중운동연합) 현판식에서 연설하는 문익환 민통련 의장.

부산 미 문화원 방화 사건은 한국전쟁 후 대학생들이 일으킨 최초의 반미투쟁으로 평가된다.
(1982.3.19.) 사진《연합뉴스》.

Ⅲ. 4·19 후의 혁신세력

① 혁신세력의 재기와 분열

우리가 혁신정당의 어려운 일을 해내려 했던 것은 독일의 사회민주당처럼 이념적 순화를 기하여 민중의 기대와 신망을 얻는 것이 급선무라고 판단하였기 때문이요, 이것이 반공적인 이론무장으로 건실하게 성장하여 나라와 겨레의 민주발전에 이바지하는 것만이 북한의 공산주의를 이길 수 있는 최상의 길이라고 확신하였기 때문이다.

—정화암, 《이 조국 어디로 갈 것인가》(1982)

1. 사회대중당 준비위

혁신세력 대동단결에 참여한 구 진보당 계열

4·19는 이승만의 권위주의 통치 종식과 함께 좌파세력에 새로운 활로를 열었다. 지금까지 살펴본 바와 같이 1958년 1월 조봉암과 그의 동지들이 모조리 체포되고 다음 달에는 진보당의 등록이 취소된 이후 혁신정당으로는 서상일의 민주혁신당과 전진한의 민족주의민주사회당 등이 겨우 명맥만을 유지하고 있었다. 이로 인해 1960년 3월 15일 실시된 제4대 대통령선거에 혁신계 정당은 후보를 낼 형편이 되지 못했다. 단지 조봉암의 구명운동을 벌인 반공투쟁위원회의 장택상과 구 진보당 부위원장 박기출이 범혁신계 연합체인 반독재민주수호연맹[1] 공천으로 각각 대통령과 부통령 후보로 출마하려고 준비했으나 그나마 경찰의 방해공작으로 중도에서 포기하고 말았다.[2] 이들 이외에 강제 해산된 구 진보당의 부위원장 김달호가 자신과 간사장 윤길중이 각각 대통령과 부통령후보로 함께 나가려고 했지만 윤길중의 불응으로 역시 뜻을 이루지 못했다.[3]

그러나 4·19로 이승만 정부가 붕괴되자 사회주의운동이 당면했던 장애도 걷히게 되었다. 진보당계열의 박기출, 김달호, 윤길중, 근로인민당계열의 장건상, 김성숙(金星淑), 최근우, 민주혁신당(민혁당)계열의 서상일, 김성숙(金成淑)[4], 이동화 등이 혁신세력의 대동단결을 위해 움직이기 시작했다. 이에 따라 최초로 혁신세력이 1960년 5월 7일 한자리에 모이기로 합의했다. 혁신세력은 이날 서울 종로구 조계사에서 김병로 서상일 정화암 전진한 장건상 신숙 이인 유림 등을 지도위원으로 하는 '혁신연맹준비위원회'를 결성키로 한 것이다. 하지만 계엄사령부가 그날의 집회 허가를 내주지 않아 이들은 이틀 후인 9일 혁신연맹결성대회를 열기로 했다. 그런데 이번에는 일부 세력이 회의 명칭을 '혁신연맹결성준비대회'로 하자고 주장, 대립이 생겨 타협점을 찾지 못해 회의 개최가 무산되고 말았다.

뿐만 아니라 김달호 윤길중 등은 서상일의 배제를 주장하고 장건상 등은 연맹조직의 구성을 주장, 이견이 더욱 커졌다. 혁신연맹 결성이 교착상태에 빠지자 박기출 윤우현(尹愚賢) 유한종(柳漢鍾) 임갑수 등 영남지방 혁신계 인사들로 구성된 한국혁신세력대동촉진위원회가 주동이 되어 5월 12일 사회대중당(약칭 사대당) 발기위원회를 결성, 발기취지문을 발표했다. 사대당 발기인은 구 진보당의 김달호 박기출 윤길중, 민혁당의 서상일 이동화, 민족민사당의 이훈구, 근로인민당계의 김성숙(金星淑), 최근우, 유한종, 유병묵(劉秉默), 부산지역 계열인 유우현 등 12명이었다. 당초 혁신연맹 추진인사들 가운데 김병로 전진한 장건상 신숙 김성숙(金成淑) 이인 유림 등은 이탈했다. 이들 중 전진한 김성숙(金成淑) 등은 뒤에서 보는 바와 같이 한국사회당을, 장건상은 혁신동지총연맹을 발기한다.[5]

사회대중당 준비위는 혁신계가 분열된 가운데서도 과거의 여운형계(근로인민당)와 조봉암계(진보당) 서상일계(민혁당) 등 해방정국에서 활동했던 온건좌파세력의 구심점이었다. 당의 노선에 대해 박기출 등은 '민주적 민족주의'로 설정하자고 주장했으나 대세는 유럽식 민주사회주의로 기울었다.[6] 민사당 발기위원장인 정화암도 사대당 발기준비위에 참여했다. 그는 자신이 민사당 결성을 포기하고 사회대중당 발기위원회에 들어가게 된 경위에 대해 "민주사회주의가 당의 노선으로 채택된 이상 (나는) 민주사회당을 고집하지 않았다…우선 혁신진영의 단일화라는 대외적인 과시도 있고 하여 굳이 우리만 빠질 수 없어 합류하여 창당하는 데 동의했다. 그리고 당명은 사회대중당으로 낙착되었다"고 회고했다.[7] 정화암의 과거 아나키스트운동 동지였던 이을규(李乙奎)는 그의 사대당 합류를 만류했으나 그가 듣지 않자 자신은 민사당에 잔류, 그해 7월 6일 민사당을 정식 등록함으로써 창당절차를 끝냈다.[8] 민혁당 쪽에서는 서상일과 이동화가 사회대중당 발기준비위원회에 참여한 것이 당의 기본정신에 위배된다 하여 이들을 제명한다고 발표했다.[9]

이념과 노선

사회대중당의 창당준비위원회 결성대회는 1960년 6월 17일 서울 종로구 삼일당(구 진명여강당)에서 열려 집단지도체제인 총무위원회를 최고 의결기관으로 하고, 대표총무위원에 서상일, 간사장에 윤길중을 선출한 데 이어 20일 다른 당직자들의 인선도 확정했다.[10]

사회대중당은 민주사회주의를 당의 노선으로 삼았다. 정화암의 민주사회당과 전진한의 민족주의민주사회당에 이은 세 번째 민주사회주의 정당이다. 사회대중당은 정강 전문(前文)에서 당의 사상적 기초 내지 이론적 지도원리는 최고 형태의 민주주의, 즉 민주적 사회주의라고 밝히고 사회대중당의 역사적 과제는 소비에트적 독재 및 확장주의 거부, 4월혁명의 완수, 자립경제 확립, 자주독립 통일국가 건설, 참다운 민주적 복지사회의 실현에 있다고 밝혔다.[11]

사회대중당 준비위는 이날 채택한 선언서에서 "우리는 우리 당의 정강정책에서 나타나 있는 바와 같은 노선과 강력한 그 실천만이 공산주의를 그 근저에서 극복하는 가장 철저하고 진정한 반공노선임을 확신한다"라고 밝혔다.[12] 사회대중당 준비위는 미처 창당작업을 완료하지 못한 채 약 40일 후로 박두한 7·29총선을 치렀다. 사회대중당 준비위는 전국 233개 민의원 선거구에는 121명을, 정원 100명인 참의원에는 7명의 공천후보를 냈다.[13] 그러나 선거결과는 뒤에서 보는 바와 같이 참패로 끝났다.

2. 한국사회당

민족주의 이념의 혁신정당

사회대중당 발기에 참여치 않은 민족주의민주사회당의 전진한계와 민주혁신당을 이탈한 김성숙(金成淑)계 일부, 그리고 기타 혁신세력은 1960년 5월 21

일 한국사회당(약칭 한사당)을 발기했다. 이들은 6월 14일 서울 시공관에서 한국사회당 결성준비위원회 전국대표자회의를 개최했다. 참석자는 전진한 김성숙 최달희(崔達喜) 우문(禹文) 안정용(安晸鏞) 김철(金哲) 등이다. 한국사회당은 이날 회의에서 선언 및 강령안 등을 채택하고 25명으로 구성된 전형위원회에 임원선출을 일임했다. 선언은 '자유와 번영을 지향하는 민주적 사회주의정당'을 지향한다고 밝히고 거액 탈세자 처단 및 관기(官紀)의 쇄신으로 보수독재와 싸우는 것을 중요 정강·정책으로 내세웠다.[14] 강령은 민주사회주의에 입각한 새 역사의 창조에 선구자가 되어 공산당과 기타 일체의 독재세력을 타도하여 자유를 수호하고 품위 있는 민주사회를 실현하며 계획경제체제로써 생산력을 가속적으로 높이고 현대적인 복지국가를 건설할 것이라고 다짐했다.[15]

전진한 이탈로 끝내 소멸

한국사회당 결성준비위원회는 사회대중당보다 대북정책에 있어서 보수적인 입장을 취했다. 한국사회당 준비위는 다른 혁신계 인사들이 제기한 남북문화교류와 인사교류 주장을 "공산측에 선전과 정치음모의 기회를 제공하는 결과가 된다"고 비난하고 "공산집단의 도량(跳梁)을 위하여 고귀한 피로 지켜온 우리의 보루를 개방할 때가 아니다"라고 밝혔다. 한국사회당 준비위는 '적당한 유엔 감시하의 남북총선거'를 주장한 사회대중당 서상일의 제안에 대해 "제네바 회의에서 제안한 중립국 감시안을 절충한 것이라면 그것은 소련의 주장을 받아들이는 것으로 한국을 국제적으로 약화시키려는 공론에 불과하다"고 비난했다.[16] 한국사회당 결성준비위는 이어 6월 15일에는 김성숙 성낙훈(成樂熏) 양우조(楊宇朝) 우문 이강훈 김승복(金昇馥) 전진한 등 7명을 총무위원으로 선출하고 19일에는 7·29총선에 나설 후보 21명(민의원 19명, 참의원 2명)을 지명했다.[17] 선거 결과 당선자는 겨우 민의원과 참의원에서 각각 1명씩이었다. 전진한은 서울 성동 갑구에서 낙선했다. 전진한은 낙선 후인 8월 3일 당에서 이탈하겠다고 발표하고 사회대중당으로 옮겨갔다. 한국사회당은 이날 총무위원회와 재경 간부 회의를 열고 대책을 논의한 끝에 혁신계 소속 국회의원들을 중심으로 순수 무소속의원들을 영입, 연합전선을 펴기로 결의했다.[18]

전진한 이탈 후 한국사회당은 참의원에 당선된 최달희와 민의원에 당선된 김성숙이 맡아서 운영키로 했다. 그러나 최달희는 얼마 안가 한국사회당을 이탈해 김성숙과 김철 등이 당을 이끌다가 이들마저 이듬해 초 통일사회당 결성에 참여했다.[19] 김성숙은 통일사회당의 정무위원, 김철은 당무위원회 국제국장으로 선출되었다. 전진한의 한국사회당 이탈 때 일부 당 간부는 사대당의 비 진보계와 합작, 독립사회당 창당을 추진했다.[20] 그러나 당을 운영하던 김성숙과 김철마저 당을 떠난 후 한국사회당은 간사장에 안정용을 앉히는 등 임원 개선을 했으나[21] 얼마 가지 못해 해체의 길로 들어섰다. 그동안 노농당→민족주의민주사회당→한국사회당으로 당명을 바꾸면서 외부세력을 영입해 겨우 명맥을 유지하던 한국사회당은 끝내 소멸하고 말았다.

3. 혁신계의 대거 낙선

혁신계 모조리 참패

1960년의 7·29총선에 나간 혁신계 후보들은 참패했다. 사회대중당 준비위는 민의원 4석(서상일 윤길중 박권희=朴權熙, 박환생=朴煥生)과 참의원 1석(이훈구)을 당선시키고 한국사회당은 민의원 1석(김성숙, 金成淑), 참의원 1석(최달희)만 당선시켰다. 두 당 어디에도 참여하지 않은 혁신계 모임인 혁신동지협의회는 민의원 13명, 참의원 1명의 후보를 냈으나 민의원 선거에서 전멸하고 참의원에서만 1석(정상구=鄭相九)을 당선시켰다.[22] 혁신동지협의회는 7·29총선을 앞두고 장건상을 중심으로 만든 조직이다. 이 단체는 당초 감창숙 장건상 유림 정화암 조경한 김학규 권오돈 등 혁신계 원로들이 1960년 5월 12일 7인 공동성명서를 발표하고 혁신세력의 대동단결을 위해 발기했던 혁신동지총연맹(가칭)이 각 세력간의 이견 때문에 결성되지 못하자 장건상 등이 그 범위를 축소시켜 우선 협의회 형식으로 발족시킨 단체이다. 혁신동지총연맹은 7·29총선 후에야 결성되어 장건상이 이끌었다.[23]

그런데 사회대중당과 한국사회당, 그리고 혁신동지협의회 사이에는 각파 후보가 총선에 난립, 혼전을 벌이는 경우 모두에게 불리하므로 연합공천을 하자는 주장도 제기되었다. 그러나 상대적으로 규모가 큰 사회대중당이 이를 거부함으로써 후보 단일화는 이룩되지 못했다.[24] 이 때문에 이들 혁신계 후보들은 7·29총선에서 모두 합쳐 겨우 전체 유효투표의 7%를 얻었다.[25]

선거 패배 이유

혁신계의 선거 참패원인은 《한국사회민주주의 정당사》의 저자이자 진보당 서울시당 상무위원과 나중에 사회대중당 조직부차장을 지낸 정태영의 분석처럼 갑작스러운 창당으로 인한 혁신정당들의 조직의 미비와 혼선, 선거전략의 미숙, 선거자금의 빈약, 혁신세력의 부분적 분열 등에 있지만 무엇보다도 큰 요인은 혁신계 후보들의 무원칙한 통일 논의에 있다. 당시 서상일은 남북 교역과 문화교류 서신교환 등을, 그리고 장건상의 혁신연맹은 난데없는 중공 유엔 가입 주장과 공산국가를 적성국가로 간주해서는 안 된다는 주장을 내 놓아 용공시비를 불러일으켰다. 혁신진영에 여운형과 조봉암 같은 카리스마적인 지도자가 없는 점도 혁신계 참패의 원인이 되었다는 것이다.[26]

여기다가 다른 원인을 추가해야 해야 할 것은 서구민주주의국가들의 보수·진보 양대 세력 주축의 정치판도가 아직 한국 같은 분단국가에는 시기상조라는 인식을 가진 유권자들이 많아 혁신계에 대해 근본적으로 이해가 없는 것이 중요원인이라고 해야 할 것이다.

4. 사회대중당 준비위의 분열

노선 차이가 불러온 혁신계의 갈등

혁신세력은 1960년의 7·29총선 참패 후 문자 그대로 사분오열되었다. 당시의 혁신세력 분열을 쉽게 이해하기 위해 우선 결과부터 먼저 살펴보자면, 선거에 임한 3개 파의 혁신세력이 통일사회당과 사회대중당 및 혁신당, 그리고 사회당으로 사분되었다.

혁신세력의 분열은 먼저 총선 참패의 원인과 책임을 놓고 벌어진 혁신진영 내부의 분규로 시작되었다. 이들의 분규는 이념분쟁으로 발진하고 이념분쟁은 다시 조직 내부의 갈등으로 확대되어 혁신세력 전체가 세포분열을 일으켰다. 혁신진영이 혼돈에 빠지자 7·29총선 전에 혁신동지총연맹을 발기한 독립노농당의 유림은 다시 사회대중당에다 한국독립당 독립노농당 한국사회당 혁신동지총연맹을 더한 5당통합을 제의했다.[27] 이에 대해 사회대중당 발기준비위의 유병묵(劉秉默) 선전위원장은 8월 3일 혁신세력의 단일화라 해서 한국사회당이나 혁신동지총연맹 측과 간판을 하나로 뭉치는 식의 통합은 있을 수 없다고 밝혔다. 당시 사회대중당 준비위 측은 전진한의 한국사회당이나 장건상의 혁신 노선을 순수한 사회주의노선으로 보지 않았다. 유병묵은 진정한 혁신세력의 성장은 이번 총선에서 얻은 경험을 토대로 혁신의 주류인 사회대중당을 모체로 해서 광범위하게 뭉쳐야 한다고 강조하고 자유당계나 민주당계라도 양심적인 인사는 받아들일 것이라고 밝혔다.[28]

그러나 유병묵이 강조한 사회대중당 준비위를 모체로 한 혁신세력의 통합은 고사하고 막상 맨 먼저 내부분열을 드러낸 정당이 바로 혁신세력 가운데 가장 규모가 컸던 사회대중당 준비위 자체였다. 총선참패로 빚어진 사회대중당 준비위의 내분사태는 먼저 김달호 등 진보당계와 서상일 등 민혁당계 사이에서 빚어졌다. 상대방을 제명하겠다고 상호 위협하는 가운데 이들 양파에 속하지 않는 근민당계, 민족민사당계, 민사당계, 그리고 민련계가 9월 15일 김달호와는 정당을 같이 할 수 없다고 결별선언을 발표하고 사회대중당 준비위를 이탈했다. 지방선거를 불과 1개월 남겨둔 시점이었다. 사회대중당 준비위를 탈퇴한 인사는 다음과 같다.[29]

근민당계	김성숙(金星淑, 총무위원) 최근식(崔謹植, 통제위원장) 유병묵(선전위원장)
민족민사당계	이훈구(총무위원)
민사당계	정화암(총무위원)
민혁당	이동화(기획위원장) 구익균(재정위원장) 박로수(국토통일위원장)
민련계	조헌식(선거대책위원장) 송남헌(당무위원장)
기 타	장홍염(인권옹호위원장) 홍형의(상무위원) 장백산(통제위원)외 7명

이들이 떠난 뒤에도 사회대중당 준비위는 진보당계와 잔존 민혁당계로 나뉘어 갈등을 계속했다. 경남북 전남북 지방 대표들은 중앙의 내분 수습을 위해 양파 대표인 김달호와 서상일의 이선후퇴를 요구하기에 이른다. 두 사람이 중재안을 받아들여 일선에서 물러나자 한 동안 당 내분은 수습국면으로 접어든 듯했다. 그러나 서상일 등 비 진보당계가 진보당계와는 갈라서겠다는 결별선언을 해서 그 취소문제를 둘러싸고 다시 두 파는 한동안 대립을 보였다.[30]

5당 연합 혁신통합신당 발족 계획과 실패

사회대중당 준비위의 내분은 9월 말로 들어서자 새로운 양상을 보였다. 그것은 혁신동지총연맹 위원장 장건상의 혁신세력 단일화 촉구 성명에서 비롯되었다. 장건상은 혁신계가 대동단결로써 국민의 신뢰를 회복할 단일 정당을 만들고, 특히 사회대중당 준비위의 양파가 단결로써 단일화를 이룩하라고 요구했다. 이에 따라 10월 10일 혁신정당 대표자회의가 열려 단일화를 위한 협의체를 구성하기로 했다. 이날 회의에 참가한 정당은 사회대중당 준비위의 민혁당계(서상일계) 한국사회당 혁신동지총연맹 한국독립당 독립노농당 등이다. 이 모임에는 사회대중당 준비위의 진보당계만 불참했다. 이들 5개 정당 대표들은 공동선언을 발표하고 단일정당을 결성, 보혁 양당제를 지향하겠다고 밝히면서 '혁신통합신당 결성준비위원회'를 발족시키고 민족적 주체성에 입각한 민주사회주의 실현을 위해 국민대중정당을 발족시킨다고 선언했다.[31]

그런데 사회대중당 준비위 내의 진보당계는 이에 대항해서 정당의 연합체가 아닌, 개인의 규합을 통해 원내 인사들과 지도급 인사 중심의 혁신세력 단일정당을 11월 중순 창당하겠다고 발표했다. 문제는 진보당계 내부에도 있었다. 김달호와 윤길중간에 주도권 다툼이 일어난 것이다. 윤길중은 원내인사와 원외의 중진들을 개인자격으로 영입, 당을 재편하자고 주장한데 반해 김달호는 기정방침대로 사회대중당을 창당하자는 것이었다. 이렇게 두 사람이 헤게모니를 둘러싸고 대립하자 이번에는 그 어느 쪽에도 속하지 않는 사회대중당 준비위 내 진보당계의 중립파들이 김달수와 윤길중 양인의 이선사퇴를 주장하기에 이르렀다. 이렇게 되니 사회대중당 준비위 내 진보당계는 김달호계 윤길중계 중립파의 3파로 쪼개졌다. 중립파는 장건상을 중심으로 혁신통일추진위원회를 구성하고 나중에 장건상 중심의 혁신당을 만들게 된다. 결국 잔존한 사회대중당 준비위는 진보당계(김달호 윤길중)와 민혁당계(서상일)로 1차 핵분열한 다음 진보당계가 다시 김달호계와 윤길중계, 그리고 중립파로 2차 핵분열을 함으로써 4개 파로 쪼개졌다. 이들 이외의 혁신계로는 앞에서 살펴 본 바와 같이 한국사회당(전진한)과 사회대중당 내 비진보당계인 독립노농당, 한국독립당, 혁신동지총연맹 세력이 있으므로 1960년 11월경의 한국 혁신세력은 그야말로 사분오열 상태였다.[32]

사회대중당 창당

이런 혼란의 와중에서 맨 먼저 창당을 선언한 세력은 사회대중당 창당준비위의 진보당계 강경파 김달호였다. 그는 사회대중당 고수동지회를 구성하고 서상일의 민혁당계와 윤길중의 진보당계 온건파 세력을 비난하면서 결당을 서둘렀다. 이때의 사회대중당 준비위는 7·29총선 직전에 발족한 사회대중당 준비위와는 구성요소면에서 전혀 달라진 모습이었다. 김달호는 11월 14일, 사대당 결당촉진위원회에서 위원장으로 선출되고 그의 측근들이 부서책임자로 임명되었다.[33]

김달호는 이어 자파세력만으로 1960년 11월 24일 사회대중당 창당대회를 열고 창당을 완료했다. 그 과정에서 윤길중계와 심한 마찰을 빚어 11월 18일 윤길중 김기철 이명하 등 반대세력을 제명했다. 이에 대해 윤길중계는 24일 김달호를 이탈분자로 규정한 제8차 중앙상위 결의를 재확인하고 김달호 명의의 창당활동은 일체 분파행동이라고 비난함으로써 그가 창당한 사회대중당의 정통성을 인정하지 않았다.[34]

사회대중당 창당 선언서는 "사회대중당은 그 강령에서 명백히 되어 있는 것과 같이 민주사회주의의 이념에 기초하여 자본주의를 근본적으로 개혁하고 인간성을 해방하여 공산주의에 반대하고 윤리를 기초로 하여 개인의 자유와 평등에 의한 사회를 실현하려는 것이다"라고 민주사회주의 노선을 보다 분명하게 밝혔다. 선언은 이어 "우리 당은 좌우의 독재를 배제하며 정치적 다수횡포를

훈구 최달희 정상구 김성숙(金成淑) 박권희 등 6명의 의원들과 함께 혁신구락
부를 원내에 만들고 혁신세력 재통합을 추진하기로 합의했다. 그는 서상일(독
립사회당, 민혁당의 후신 당 이름), 장건상(혁신당), 최근우(사회당) 등 창당추
진세력들에게 각각 독자적인 결당을 보류할 것을 호소하고 이듬해인 1961년 1
월 초에는 앞으로 혁신당과는 관계도 끊겠다는 결의도 밝혔다. 윤길중의 혁신
당 불참의사를 확인한 장건상은 그를 제명하고 1월 8일 삼일당에서 근민당, 혁
련, 구 진보당 중립파 등 혁신세력들이 참가한 가운데 혁신당 결당대회를 개최
했다.[41]

결당대회에서 채택된 혁신당의 강령은 민주적 사회주의사회를 건설하기 위
하여 의회민주정치제도의 확립을 기하며 사회주의경제정책을 채택하며 기아를
추방하고 부의 균등향유로써 국민생활의 향상을 기하고 유엔 협조하에 국토를
통일하고 영세중립국으로써 세계평화 달성에 기여한다고 밝혔다.[42]

5. 통일사회당 준비위

독립사회당을 확대개편

앞에서 설명한 바와 같이 5당통합노력이 당파간의 이해대립으로 지지부진한
가운데 당초부터 여기에 불참한 진보당계의 김달호가 사회대중당을 독자적으
로 창당하고 이어서 장건상의 혁신당과 최근우의 사회당 등 혁신좌파정당이 속
속 창당하는 분열사태가 일어나자 이들 나머지 비진보계 혁신5개정당 통합추
진위원회의 5인대표는 12월 25일 통합정당 이름을 독립사회당으로 하기로 했
다. 독립사회당 준비위는 약 1개월을 끌다가 고정훈의 사회혁신당 등 진보세력
을 추가로 영입, 1961년 1월 21일 통일사회당(약칭 통사당) 결당준비위를 구성
했다.[43]

통사당 준비위는 서상일(민혁당) 정화암(민사당) 김성숙(金星淑, 근민당) 김
성숙(金成淑, 일명 金成璹, 한국사회당) 등 원로를 당 고문으로 추대하고, 이동
화 윤길중 송남헌 고정훈 구익균 김기철 이명하 양호민(梁好民) 박권희 신창균
(申昌均) 등을 집행부 간부로 영입했다(신창균은 1990년대 전반 범민련 남측본

부 상임고문으로 취임, 재야운동권 원로가 된다). 통사당 결성에 참가한 혁신계 인사 중에는 6명의 원내인사도 포함되었다. 참의원에서 이훈구 정상구 양인이, 민의원에서는 서상일 김성숙(金成淑) 윤길중 박권희가 통사당에 합류했다. 원내인사들이 들어간 것은 다른 혁신당에서는 볼 수 없는 특징이었다. 통사당은 1961년 1월 21일 서울 중구 소공동 반도호텔에서 결당준비위원회를 구성하고 2월 5일에는 정치위원회 위원장에 이동화, 당무위원회 위원장에 송남헌을 선출하는 인사를 발표했다.[44]

통사당 발기위의 노선

통사당 발기위원회는 앞에서 설명한바와 같이 전년 10월에 최초의 5당연합운동이 시작된 지 3개월이 지난 1961년 1월에야 겨우 결당준비위원회를 발족시켰으나 당내 혼선이 그치지 않았다. 결당준비위원회가 발족했을 때도 한국사회당과 혁신연맹 측은 통사당 합류 여부에 대해 유보적인 입장을 표명했다.[45] 통사당 준비위원회는 이런 혼선 속에서 도당 조직책을 선정하고 민주사회주의 노선을 표방하는 강령초안을 발표했다.[46]

강령초안에 의하면 통사당은 당의 이념을 민주주의가 전면적으로 관철된 사회주의, 즉 '민주적 사회주의의 실현'이라고 밝혔다. 통사당은 그 실현을 위한 경제질서를 "궁극적으로 자본주의를 폐기하고, 공공적 이념이 사적이윤의 이해에 우선하는 제도로 바꾸도록 한다"고 선언하고 민주사회주의를 정치 경제 사회 문화 세계 문제 전반에 걸쳐 실현해야 한다고 주장했다.[47] 민주사회주의를 강조한 것은 1950년대의 민주사회당과 민족주의민주사회당의 전통을 이어받은 것이다.

혁신계의 지도급 인사를 가장 많이 영입한 통사당 준비위는 결당을 서두르지 않고 사회당과도 합당교섭을 벌였다. 통사당 위원장 이동화와 사회당 위원장 최근우는 몇 차례 만나 협의를 벌인 끝에 양당의 통합에 합의하고 절차를 논의하던 중 1961년 5월 군부쿠데타가 일어나 모든 논의가 무위로 돌아갔다.[48]

② 혁신세력의 급진적 통일운동

민자통은 "이 땅이 뉘 땅인데 오도 가도 못하느냐. 가자 북으로, 오라 남으로, 만나자 판문점에서"라는 구호를 내걸고 남북협상을 통해 통일정부를 수립하자고 제의했다. 이들은 남북협상에서 통일정부가 수립되기만한다면, 비록 그 정부가 공산정권이라도 받아들일 수밖에 없다는 입장이었다.

—송남헌, 《송남헌회고록》(2000)

1. 두 개의 진영

민자통 결성

4·19는 혁신세력에게 통일운동의 마당을 활짝 넓혔다. 북한정권은 1960년 8월 14일 완전한 통일에 이르는 과도적인 방안으로서 남북연방제 실시와 남북간 경제문화교류 및 남북협상을 제의, 국내 일부 좌파세력의 통일열기에 불을 붙였다. 당시 혁신계열의 급진적인 통일운동은 장면 정부 출범 후인 1960년 9월부터 처음에는 대학에서 남북대화와 중립화 통일을 주장하는 공개적인 학생운동으로 시작되었다. 그러다가 그해 11월부터는 각종 진보운동단체들이 대중을 동원하는 시민운동으로 발전했다. 학생운동단체로는 이승만 정부 치하인 1956년에 조직된 서울대 문리대의 학생서클인 '신진회'의 후신인 '후진사회연구회' 회원들이 주동이 되어 1960년 11월 18일 결성한 서울대 민족통일연맹(약칭 민통련, 의장 윤식=尹埴)[1]을 시발로 성균관대 경희대 건국대 외국어대 등 각 대학에도 유사한 단체들이 결성되었다. 시민운동단체로는 지방에서 발족한 영세중립화 통일추진위원회(마산)와 경북민족통일연맹(대구)을 시발로 중앙에서는 민족자주통일촉진회가 탄생했다.[2]

대학생들과 사회단체가 주도하는 통일운동이 대중운동으로 발전해 나가자 혁신정당들도 이에 보조를 맞추었다. 혁신세력은 1960년 9월 통일문제에 공동으로 대응하기 위해 민족자주통일중앙협의회(약칭 민자통)를 결성키로 했다. 민자통을 발의한 주동세력은 사회당의 최근우, 사대당의 김달호, 그리고 혁신연맹(혁신당)의 장건상이었다. 통일사회당을 제외한 혁신정당들과 좌파 청년단체인 민족민주청년동맹(약칭 민민청)과 통일민주청년동맹(약칭 통민청), 그리고 서울대를 비롯한 각 대학의 민족통일학생연맹(약칭 민통학련, 뒤에 민족통일전국연맹, 민통전련으로 개명) 등 청년 학생 운동조직도 동참했다.[3]

민자통에 합류한 두 청년조직에는 급진적인 인물들이 다수 참여했다. 민민청 계열로는 서도원(徐道源) 도예종(都禮鍾) 하재완(河在完)과 통민청의 이재문(李在汶) 우동읍(禹東邑, 일명 우홍선, 禹洪善) 김배영(金培英) 등인데 이들은 나중에 박정희 정부 아래서 일어난 1, 2차 인혁당사건과 남민전사건의 주역들로서 급진 좌익세력의 맥을 이었다. 통민청 계열 중 특이한 인물은 나중에 좌파지식인들에게 우상적인 존재가 된 박현채(朴玄埰)였다. 박현채는 정식회원이 아니면서 통민청에 비공식적으로 참여했다. 그가 통민청 비밀조직원처럼 활동한 가장 큰 이유는 그의 빨치산경력 때문에 생긴 신원문제였을 것으로 보인다. 그는 민자통이 결성될 무렵 우홍선 이재문 같은 사회당 및 통민청 계열 사람들과 가까이 지냈다. 박현채는 사회주의를 강령으로 내건 이들 그룹에 거의 본능적인 호감을 느꼈다는 것이다. 그를 결정적으로 통민청과 관련을 맺게 한 인물은 당시 한국농업문제연구회(약칭 농문연)의 동료 연구원이던 김낙중(金洛中)이었다. 1980년대에 민중당 공동대표로 있으면서 조선노동당 중부지역당 사건에 관련된 김낙중은 그때 통민청 간사였는데다가 서울 중구 을지로에 있던 자기 사무실에 통민청과 민민청 회원들이 자주 들락날락해서 자연스럽게 박현채를 그들에게 소개했다는 것이다. 박현채는 처음에는 이들의 활동을 지켜보기만 하다가 5·16군사정변이 일어나자 통민청에 '한 다리를 넣게' 되었다고 한다.[4] 박현채는 나중에 인혁당사건에 연루되는데, Ⅳ-**2**(60~70년대의 지하조직)에서 좀 더 자세히 그에 관해 살펴보기로 하자.

민자통은 발기인대회를 가진 지 5개월 후인 1961년 2월 25일 17개 단체 대표와 개인 모두 합쳐 1천명의 대의원이 참석한 가운데 창립대회를 열고 정식으로 출범했다. 강령은 민족자주적 평화통일을 강조하고 결의문에서는 외세의존 배격, 선 건설·후 통일론 분쇄, 남북교류 등을 주장했다. 강령은 민족자주적 평화통일, 민족자주역량의 총집결, 민족자주적 국제우호의 3개 항을 다짐했다.[5]

중립화 통일론자들 중통련을 결성

민자통은 통일문제에 공동대응하기 위해 결성되었지만 다른 정치문제들이 그렇듯이 이 통일문제가 혁신세력을 분열시켰다. 민족자주통일 원칙에는 모든 혁신계가 동의하는 바였지만, 그것이 어떤 통일이냐를 둘러싸고 의견이 갈렸다. 혁신계 좌파인 사회당과 청년층에서는 남북협상에 의한 통일문제의 타결을 주장했다. 이에 대해 신중파는 '민족자주'라는 용어가 북한의 구호와 같으므로 민족자주의 구체적 내용을 정립해야 한다는 주장을 폈다. 이에 따라 남북협상을 위험시하는 온건한 통사당 준비위, 사회대중당의 비 김달호 계열 및 혁신당은 민자통을 탈퇴, 중립화조국통일총연맹(약칭 중통련)을 결성키로 했다.

중통련은 1961년 2월 21일 이동화 김성숙(金星淑) 조헌식 윤길중 신숙 이훈구 정화암 구익균 송남헌 김기철 서상일 고정훈 김성숙(金成淑) 등 285명이 발기, 3월 7일 결성되었다. 중통련은 발기위원회가 발표한 발기선언문에서 중립화 통일방안을 밝히면서 "미소 양국의 세력권에서 벗어나는 정치적 군사적 완충지대, 즉 영세중립통일한국에 있어서 비로소 가능하다"고 주장했다.[6]

중립화 통일방안은 중통련에 의해 세상의 주목을 받았지만 중통련 탄생 이전인 1960년 12월 6일 이미 사회대중당이 민주적 평화적 조국평화통일방안을 발표하면서 중립화를 주장했다.[7] 사회대중당은 중립화의 구체적 실현방안으로 남북연방제를 제안하고 두 지방정부 위에 민족최고회의를 설치할 것을 주장했다. 사회대중당은 이 안을 장면 정부의 통일방안과 함께 국민투표에 부칠 것을 요구했다. 이에 반해 상대적으로 신중한 입장인 통일사회당은 중립국 감시 하 총선에는 찬성하지만 연방제에는 반대한다고 밝혔다.[8] 북측이 연방제를 제의했을 때도 통사당은 이를 반대하는 성명을 발표했다.[9]

이상과 같은 혁신세력의 노선은 각 파에 따라 내용이 서로 다르지만 그 어느쪽도 장면 정부의 통일정책과 정면으로 충돌하는 것이었다. 장면 정부는 '선 건설, 후 통일' 원칙에 따라 성급한 남북대화와 중립화 통일방안을 단호하게 반대했다. 이들 혁신세력 가운데 민민청과 통민청 소속의 청년 학생 그룹은 장면 정부 아래서뿐 아니라 1961년의 5·16을 거쳐 1980년의 신군부 등장까지 약 20년간 군부의 엄중한 단속대상이 되어 지하에서 '민족자주'를 우선시하는 혁명적인 변혁노선을 걷게 된다. 이들이 나중에 1980년대의 과격한 좌파학생운동 세력을 지도하게 된다.

2. 남북학생회담 지원투쟁

반공법안과 집시법안 반대투쟁

대학가의 통일운동은 1961년에 접어들면서 더욱 급진화했다. 좌경학생들은 야간에 횃불시위를 벌이고 통일을 외쳐댔다. 3월 22일 밤에는 학생시위가 서울 종로구 혜화동 장면 총리의 자택 근처에서 개최되어 미군철수 김일성만세 및 장면 내각 퇴진을 외치면서 밤늦게까지 격렬한 양상으로 계속되었다. 대통령 윤보선을 수행해 비서실장 지프차를 타고 비밀리에 시위현장을 시찰한 청와대 대변인 김준하(金準河)는 그때의 시위가 '광란에 가까운 데모'라고 평가했다.[10] 이날 밤 시위에 혁신계에서는 고정훈 윤길중 최근우가 참여했는데 송남헌은 이것이 군인들에게 빌미를 주었다고 회고했다.[11] 이튿날 청와대에서는 대통령 윤보선의 지시로 시국대책을 협의하는 국가지도자회의가 장면 총리 등이 참석한 가운데 열렸다. 윤보선은 이 자리에서 장면에게 사태를 수습할 방안이 없을 바에야 거국내각을 만들고 긴급조치를 발동할 것을 권고했다.[12]

장면 정부는 불법시위사태에 대처하기 위해 3월 들어 반공법을 제정하고 집회시위법을 개정키로 했다. 당초 4·19 이후 집회 허가제를 신고제로 완화하는 등 민주화조치를 취한 장면 내각이지만 불법시위가 연일 계속되자 1년도 안되어 다시 법을 강화하기로 한 것이다. 이에 대해 혁신계는 곧바로 반민주악법반대공동투쟁위원회를 결성하고 반공법 및 집회시위법안 반대투쟁을 벌였다. 이를 계기로 그동안 분열되었던 혁신계에 다시 통합의 바탕이 마련되었다. 통사당 준비위 사대당 혁신당 사회당 전국노조협의회 민자통 중통련 등 당시 좌파 정당 단체들이 모두 이 위원회에 가입했다.

학생들에 편승한 혁신세력들

혁신세력은 대학생들의 통일운동에 편승했다. 일부 혁신세력은 편승에 끝나지 않고 대학생들을 배후에서 조종 선동했다. 그 대표적인 예가 1961년 4월 19일 서울운동장에서 서울시내 30개 대학과 102개 고등학교로 구성된 4·19기념행사학생준비위원회가 주최, 서울시가 후원하고 윤보선 대통령과 장면 국무총리가 참석한 가운데 열린 4·19날 제1주년기념대회였다. 이 자리에서 발표된 학생준비위원회의 선언서(세칭 제2선언)는 학생대표(연세대 채희철, 蔡熙喆)에 의해 낭독되었지만 이를 비밀리에 기초한 사람은 당시 부산대학교 대학교수이자 좌파청년단체인 통일민주청년동맹 계열의 이종률(李鍾律)이었다.[13]

이 선언문은 "민족분열의 책임은 비단 김일성에게만 있는 것이 아니다. (그 책임을) 전 국민의 가슴 속에 느껴야 한다"고 주장하면서 미소 양 진영의 대한정책을 비난하고 "경제적 자유가 없는 정치적 자유가 있을 수 없는데 우리는 잉여농산물의 조건부 자유에 만족할 수 있느냐"고 자주를 선동했다.[14]

민통학련 결성해 남북학생회담 제의

서울대의 민통련은 1961년 5월 3일, 북한학생들과 판문점에서 만나 통일문제를 협의하자는 제의를 했다. 이틀 후에는 서울대 민통련이 주동이 되어 민족통일전국학생연맹(약칭 민통전학련) 결성준비회의를 갖고 남북학생회담 공동개최를 북한 측에 다시 제안했다. 반외세 민족자결주의를 내세운 민통전학련은 이승만 정부와 장면 정부가 견지해온 유엔 감시하의 남북총선거라는 통일방안이 비자주적이고 소극적인 정책이라고 비난하면서 남북한의 직접대화에 의한 통일방안을 모색해야 한다고 주장했다. 북측은 즉각 '조국평화통일위원회'라는 급조된 단체 이름으로 이 제안을 환영한다고 발표했다. 평양에서는 남북학생회담을 환영하고 촉구하는 학생집회도 조직되었다.

대학생들의 통일열기에 발맞추어 통사당은 5월 12일 당내에 통일촉진위원회를 설치하고 위원장에 김기철을, 부위원장에 김철과 정태영(鄭太榮), 그리고 위원에 송남헌 고정훈 양호민(梁好民) 외 13명을 임명했다.[15] 이튿날에는 민자통 주최로 서울 동대문 서울운동장에서 5천여 명이 참석한 가운데 남북학생회담 환영 및 통일촉진궐기대회를 열고 시위를 벌였다. 이날 대회에서 사회대중당 민주민족청년동맹, 전국학생혁신동맹 대표들은 한결같이 "남북통일만이 민족의 살길이다", "지금까지 위정자들이 쌓아놓은 남북민족간의 적개심을 풀기 위해서도…정부는 판문점 학생회담을 주선하라"고 요구했다. 조재천(曺在千) 내무장관은 남북학생회담을 지지하는 일부 혁신계와 학생들의 배후에 '북한괴뢰 간첩의 마수'가 있다고 언명했다.[16] 장면 정부를 비롯한 보수진영에서는 학생들의 움직임에 심각한 우려를 표시했는데, 일부 혁신계 인사들과 학생운동권 내부에서도 이 같은 학생들의 행동이 북한에 이용될 것을 우려하는 목소리가 높았다.

Ⅳ. 권위주의 정권과 좌파세력

① 박정희 정부하의 혁신정당

우리 민족은 이제 더 남의 노예나 종복으로 살 수는 없는 자주적 성숙의 세대를 주체로 하는 역사의 한 단계를 맞이하였다.…민족의 영광스러운 내일을 염원하는 자와 일신의 영화를 떠나서는 내일이 없는 자와는 같을 수가 없다. 우리 세대의 내일에의 소망은 곧 민족의 통일이다.

−통일사회당, 당재건 선언(1973)

1. 혁신계 일제검거

혁신세력 일제검거와 민족일보 관련자 처형

4·19 학생봉기는 이승만 정부의 종말과 함께 혁신세력에게도 새로운 가능성을 열었으나 그것도 잠시, 1961년의 5·16군부쿠데타로 불과 1년여 만에 보수 혁신 할 것 없이 모든 정당이 해산당하는 비운을 맞이했다. 혁명공약 제1항에서 반공을 국시의 제일의로 삼겠다고 다짐한 군부세력은 거사 이틀 후인 5월 18일 혁신계 인사 일제 검거작전을 개시, 1주일 만에 2,014명을 체포했다. 그해 연말까지 체포된 숫자는 전국적으로 3천5백명에 달했다. 이들 중 216명은 혁명재판에 회부되어 133명이 사형, 무기, 징역15년 내지 3년의 비교적 장기형을 선고받았다. 이들에게는 소급입법인 특수범죄처벌에 관한 특별법이 적용되었다.[1]

이들 중 조총련 자금으로 신문사를 설립한 혐의를 받은 민족일보사건 관련자 13명 가운데 발행인 조용수(趙鏞壽)를 비롯, 송지영(宋志英, 고문) 안신규(安新奎, 상임감사) 등 3명이 군사재판에서 사형을 선고받았는데 조용수만 대법원에서 사형이 확정되어 형이 집행되었다.[2] 유죄선고를 받고 복역한 혁신계 인사들 대부분은 출감 후에도 상당기간 동안 사회안전법의 적용을 받아 거주 여행 등 자유행동을 제약받는 요시찰인 신세가 되었다. 군정기간 중 정치활동정화법에 의해 정치활동이 금지된 3,038명의 구 정치인 중에는 대부분의 혁신계 인사들이 포함되어 있었다.[3] 조용수는 2008년 1월 재심재판 1심에서 무죄를 선고받았다.

보수계보다 정치활동 재개 늦어

약 2년간의 군정끝에 민정이양이 개시되면서 구 정치인들의 정치활동이 재개되자 혁신계 인사들 역시 서서히 재기의 움직임을 보이기 시작했다. 그러나 혁신계의 활동재개는 보수계 인사들에 비해 아주 늦게 시작되었다. 혁신계 인사들에 대한 처벌이 보수계 인사에 비해 상대적으로 무거웠고 정치활동금지 기간도 더 길었기 때문이다. 이 때문에 1963년의 민정이양보다도 2년이나 늦은 1965년에야 통일사회당 준비위가 결성되고 그 이듬해에 민주사회당 준비위가 발족했다. 결국 혁신세력은 1961년의 군사쿠데타로부터 4년간의 공백기를 강요당한 셈이다.

통일사회당과 민주사회당 준비위원회가 출범한 후에도 4·19 직후처럼 혁신세력 통합운동이 벌어졌다. 그러나 별 성과를 보지 못하고 군사쿠데타 6년 후인 1967년에야 통일사회당과 대중당(민주사회당을 개칭)이 따로 창당되었다. 그러나 이들 두 당의 창당에도 불구하고 박정희 정부하의 혁신정당은 실제로는 극도로 위축되어 그 존재가 유명무실한 상태였다. 박정희 시대는 혁신계로서는 암흑의 시대였다고 해도 과언이 아니다. 아이러니컬한 것은 반공일색의 정치상황 속에서 북한의 끈질긴 대남공작이 계속되는 가운데 1, 2차 인민혁명당사건, 통일혁명당사건, 해방전략당사건, 그리고 남조선민족해방전선(약칭 남민전)사건 등 지하혁명당 사건들이 잇따라 발생한 점이다. 그 중 일부 사건은 수사당국의 조작 여부를 둘러싸고 오랫 동안 시비가 일어났다. 차례로 살펴보기로 하자.

2. 통일사회당

5·16 이후 최초의 혁신당 발기

민주사회주의를 표방한 통일사회당 창당준비위원회는 1965년 7월 20일 발족했다. 5·16 이전에 창당준비를 하던 중 군사정변을 맞아 해산된 구 통일사회당 준비위의 국제국장 김철(金哲)은 군부쿠데타가 일어났을 때 마침 일본 동경에 체류 중이었다. 그는 일본에서 귀국하지 않은 채 망명상태에 있으면서 국제적십자사가 발부해준 여권으로 1962년 노르웨이 수도 오슬로에서 열린 사회주의인터내셔널(SI) 평의회에 참석했다. 김철은 이듬해 6월 SI의 옵서버회원 자격을 얻었다. 통사당 준비위는 5·16 이전에 SI 가입신청을 해 놓았던 것이다. 김철은 1964년 브뤼셀에서 열린 SI백주년기념제에도 참석하고 그해 11월 일본에서 귀국했다. 그는 귀국 즉시 수사당국에 연행되어 조사를 받고 불기소처분으로 석방된 다음 통사당 재건을 위해 옛 동지들과 접촉했다.[4]

그러나 많은 구 통사당 간부들은 여전히 감옥에 있거나 정치정화법에 묶여 정당활동이 불가능한 상황인데다가 정치정화법에서 풀린 옛 동지들조차 동참을 거부했다. 이 때문에 김철은 자신이 통일사회당 준비위에 합류하기 전에 속했던 구 한국사회당 동지였던 김성숙(金成淑) 안필수(安弼洙) 구익균(具益均) 이봉학(李鳳鶴) 등과 함께 통사당 창당준비위를 결성했다. 김철이 추진하는 새 통사당에 합류하지 않은 박기출 임갑수 이명하 한왕균 조헌식 이동화 등은 우선 민주화가 시급하다면서 1966년 2월 윤보선이 결성한 보수연합정당인 신한민주당에 입당했다.[5] 이 때문에, 김철은 새로운 통사당이 구 통사당의 정신을 계승했다고 주장했지만 인맥상 구 통사당을 그대로 승계했다고 하기에는 문제가 있다.[6]

새 통사당 창당준비위원회는 공동대표인 두 사람의 김성숙, 즉 김성숙(金成淑)과 김성숙(金星淑)을 비롯, 김철, 유갑종(柳甲鍾) 및 안필수 등으로 구성되었다. 통사당 창당준비위가 일단 결성되자 뒤에서 설명하는 민주사회당 준비위원회와 더불어 혁신세력의 양대 산맥이 형성된 셈이다. 양당의 준비위가 내세운 이념도 다 같이 민주사회주의여서 1967년의 제7대 국회의원선거를 앞두고 두 당 창당준비위 간에 통합운동이 일어났다. 양 파는 통합을 위해 민주사회주의세력총규합대책위원회를 만들고 3인 공동대표에 김성숙(金成淑) 서민호 정화암을 선출키로 합의했다. 그러나 상호간 이념차이가 극복되지 않아 전체 혁신세력의 통합은커녕 통사당 준비위 내부에서 먼저 내분이 일어났다. 내분은 통사당 준비위의 공동대표 2명 중 한 사람인 김성숙(金星淑)이 추가로 보수신당운동에 참여함으로써 비롯되었다. 준비위는 1965년 12월 그를 제명한 데 이어 1967년 4월 3일에는 혁신세력 통합이라는 당의 방침에 따르지 않았다는 이유로 다른 공동대표인 김성숙(金成淑)도 정권처분했다. 통사당 준비위는 이 같은 당내 갈등을 겪은 다음 1967년 4월 4일 창당대회를 열고 정식 발족했다. 창당대회 이후 열린 전형위원회에서 이봉학이 대표위원에 선출되고 간사장에는 김철이 임명되었다.[7]

당의 이념과 노선

통사당이 창당대회에서 채택한 강령은 민주사회주의를 기본노선으로 한 점에서 5·16 이전의 구 통사당 강령과 같다. 강령은 통사당이 민족적 주체성에 입각한 민주적 사회주의의 실현을 지향하는 국민대중정당이라고 선언했다. 강령은 민주적 사회주의는 궁극적으로 자본주의를 지양하고 공공의 이익이 사적 이윤의 이해에 우선하는 제도로 바꾸기 위하여 투쟁한다고 밝혔다. 강령은 또한 생산수단을 소유, 관리하는 소수자에게 의존하고 있는 상태로부터 근로대중을 해방하며 경제권력을 전체 국민에게 넘겨줌으로써 자유로운 근로대중이 평등하게 공동으로 일하는 사회를 건설할 것을 목표로 한다고 다짐했다.[8]

통사당의 강령은 5·16 이전의 여러 민주사회주의 정당처럼 공산주의가 인간의 존엄성을 부정하고 민주주의를 유린하며 독재정치를 합리화함으로써 사회주의 전통을 배반했다고 강력히 규탄했다. 통사당의 발기취지문에는 "조국의 반이 아직도 국제공산주의세력에 의하여 강점되어 있다"고 규정하고 통일에 앞서 내전 범죄자인 김일성 일파의 퇴진을 요구하는 외교공세를 전개할 것이라고 밝혔다. 강령 가운데 주목할 점은 민주사회주의를 통일한국의 이념으로 삼아야 한다고 강조한 점이다. 강령 제15항은 "민주적 주체성에 입각한 민주적 사회주의는 남북을 통하여 우리의 통일된 국민적 이상이 될 수 있을 것이며 따라서 통일된 한국의 국내체제는 이것으로써 규정하지 않으면 안 된다"고 주장한 것이다. 그러면서 강령은 통일한국의 '중립적 지위'를 관계제국에 의한 조약상으로 보장하는 방안을 연구할 것이라고 밝혔다.[9] 통사당 강령의 또 다른 특징은 한국적 민주사회주의의 독자성을 주장한 점이다. 강령은 제11항에서 자신이 추구하는 민주적 사회주의는 유럽 선진국들의 그것을 그대로 본 딴 것이 될 수 없다고 주장하면서 다음과 같이 선언했다.

우리의 민주적 사회주의는 유럽 선진제국의 그것을 그대로 본 딴 것이 될 수는 없다. 우리 민족의 민주적 사회주의는 민족의 소망과 그것이 이루어진 역사적 현실의 제 조건에서 출발하여 민족의 성격을 형성하여온 풍토와 역사적 배경을 생각하면서 민족 스스로의 철학을 발굴하고 실학파 이래로 사회경제적 요구를 제기하여 봉건전제정치에 반항한 동학혁명투쟁 등을 통하여 이어져 내려온 민족의 진보적인 사상적 및 실천적 전통을 계승발전시켜 나가는 것이 아니어서는 안 된다.[10]

비록 개념이 불명확한 대목은 있지만 통사당이 한국 고유의 민주적 사회주의 노선을 모색한 점은 주목할 만하다. 통사당 강령은 계획경제에 대해, "우리는 사유재산을 부인하는 자가 아니며, 민주적 사회주의에 의한 경제의 계획화는 완전한 계획경제를 처음부터 강행할 것을 의도하지 않는다"고 밝히고 "계획원리와 시장원리를 조정한 혼합경제의 과정을 밟을 것이나 단계적으로 민주적 사회주의의 실현을 지향하는 점에서 자본주의의 연명을 위한 혼합경제와는 본질을 달리 한다"고 선언했다. 강령은 군부통치에 대해서는 언급 없이 '제한 없는 독재를 허용하는 대통령제'를 반대하고 내각책임제를 주장한다고 밝혔다.[11]

3. 대중당

당초에는 민주사회당을 발기

대중당은 1965년 8월 한일협정 비준동의안이 국회에서 통과되자 보수야당인 민중당(대표 최고위원 박순천, 朴順天)을 탈당한 서민호가 만든 우파 민주사회주의 정당이다. 윤보선 등 7명의 강경파 야당의원들과 함께 탈당한 서민호는 1966년 2월 정화암 및 이몽(李蒙) 등과 손을 잡고 가칭 민주사회당 결성을 추진키로 한 것이다.[12]

서민호는 앞에서 설명한 바와 같이 민주사회주의 세력 총규합 대책위원회의 3인 공동대표 가운데 한 사람으로 혁신정당 통합을 위해 통사당 측과의 합작을 목표로 10여 차례 절충을 벌였으나 성공을 거두지 못하고 독자 창당을 택했다.

그는 독자적인 창당준비과정에서도 노선갈등을 빚어 정화암과 이몽 등 온건좌파와 대립했다. 서민호는 1966년 5월 4일 이들 혁신계 인사들이 불참한 가운데 창당주비(籌備)위원회 운영위원회를 열어 이몽과 선우정(鮮于正)을 제명하고 정화암 등에 대해서도 계속 회의에 불참하거나 해당행위를 하면 이들까지도 제명키로 방침을 세웠다. 서민호는 끝내 이들과 결별하고 자파인 우파 계열만으로 그해 5월 9일 민주사회당(가칭) 창당준비위원회를 중앙선거관리위원회에 등록했다.[13]

발기취지문 말썽으로 서민호 구속

그런데 민주사회당(가칭)의 발기위원장을 맡은 서민호는 발기취지문의 통일 관련 부분이 문제가 되어 곤욕을 치르게 되었다. 발기취지문 중 제6항의 '부분통일로부터 완전통일을 성취할 수 있는 정치의 실현'이라는 대목과 관련해 서민호가 밝힌 남북서신교환, 체육인·언론인의 교류 및 집권 후 김일성과의 면담 용의 표명 등이 반공법 위반이라는 것이었다. 여기다가 서민호의 조총련과의 접선 혐의까지 추가되었다. 이 무렵 여당인 공화당의 길재호(吉在號) 사무총장은 혁신정당들이 반공정신에 투철한 국민들을 변질시킬 우려가 있다고 주장하고 "지금 창당 중에 있는 민주사회당(가칭)이나 통일사회당(가칭)은 혁신세력을 대표할 수 없는 정당이다. 겉으로 혁신을 표방하면서 속으로는 조총련계 자금을 받아쓰는 등 엉뚱한 짓을 하고 있다"고 비난한 것으로 보도되었다.[14]

이에 혁신정당 측은 서민호에 대한 위협을 1967년의 대선과 총선을 앞두고 정부가 혁신계를 탄압할 전조로 보고 다시 통합 움직임을 보였다. 그러나 합당 노력이 성공을 거두지 못한 가운데서 통일사회당에서 정권처분을 받은 김성숙(金成淑)이 개인자격으로 민주사회당(가칭)에 합류했다. 민주사회당 준비위는 합당문제로 시일을 끈 끝에 1967년 3월 9일에야 창당대회를 열어 출범을 보게되었다. 이때 민주사회당(가칭)이라는 당명을 대중당으로 변경했다. 창당대회는 서민호를 대표최고위원 겸 제6대 대통령선거 후보로 선출했다.[15] 처음에는 출마를 주저하다가 곡절 끝에 대통령 후보로 등록한 서민호는 그러나 선거일을 불과 5일 앞둔 4월 28일 돌연 후보를 사퇴하고 "모든 국민이 누구에게든지 옳다고 믿는 후보에게 표를 몰아 던져 줌으로써 민주주의를 꽃피게 해 주기 바란다"고 호소했다. 후보를 사퇴한 같은 날 서민호는 신민당과 제휴, 공명선거투쟁위원회를 구성했다. 위원장에 서민호, 지도위원에 신민당의 유진오(兪鎭午) 함석헌(咸錫憲) 김도연(金度演), 대중당의 김성숙 김재호(金在浩)를 선출했다. 서민호는 대선이 끝난 후 반공법 위반 혐의로 검찰에 구속되었다. 그가 선거운동기간인 4월 13일 대전에서 기자회견을 하는 자리에서 북한을 현실적으로 국가로 인정하지 않을 수 없다고 말하고 국방비를 줄이기 위해 인구비례에 의한 남북한 군축을 제의하겠다고 말한 것이 반공법 위반 혐의를 받았다. 그는 한 달 후에 실시된 제7대 국회의원선거에 출마, 전남 고흥에서 옥중당선 되어 제3당으로서는 유일하게 1석을 얻었다.[16]

비슷한 이념과 노선

대중당의 정강은 민주사회주의를 표방한 점에서 통일사회당과 공통점을 지녔다. 대중당은 강령에서 당의 이념을 '민주사회주의'라고 밝히면서 "민주사회주의는 인도주의에 근거를 두고 있으며 민주적 독립과 시민의 자유와 평등, 사회정의라는 기본적 가치의 실현을 추구하는 사상이요 운동이다"라고 규정했다. 대중당은 공산주의에 대해 "일당독재를 일삼는 공산주의와 기타 모든 독재세력을 배제하고 참다운 민주정치의 실현을 목표로 한다"고 선언했다. 대중당은 경제조항에 있어서는 사적 이윤추구를 기본법칙으로 하는 자유자본주의적 경제체제를 시정하고 공익우선과 자유경쟁을 조화한 민주적인 사회경제체제를 확립, 점진적으로 복지국가 건설을 기한다고 밝혔다.[17] 대중당은 통일문제에 있어서는 초당적 통일협의기구를 통해 승공통일의 기초를 마련한다고 밝히고 유엔, 기타 국제기구를 통해 부분적 통일로부터 완전통일에 이르도록 합법적인 남북교류를 실시해야 한다고 주장했다. 이 대목은 수사당국에서 말썽이 났으나 대중당은 남북교류에 대한 소신을 굽히지 않았다. 한일협정의 국회비준을 반대하면서 항의의 표시로 의원직을 버린 바 있는 서민호는 대중당의 강령 중 외교정책부문에서 한일협정의 전면 재검토를 주장했다.[18]

4. 통합운동과 유신 선포

처음부터 삐걱거린 합당교섭

민주사회주의를 표방한 대중당과 통일사회당은 각각 1967년 3월과 4월에 26일의 간격을 두고 창당된 후 약 1년 3개월 후인 1968년 7월 다시 합당교섭을 벌였다. 7월 13일 서울 종로호텔에서 회합을 가진 양당 전권대표들은 ① 신당의 노선을 민주사회주의로 하고 ② 양당은 대등한 입장에서 통합하며 ③ 당명은 현재의 양당 명칭을 반영하는 것으로 정하고 ④ 정치활동정화법 해금자의 대거 참여를 위해 문호를 개방하기로 합의했다고 발표했다. 두 당은 합당절차 등에 관한 계속적인 협의를 위해 대중당에서 이청천(李淸天) 외 5명, 통일사회당에서 손철(孫徹) 외 5인을 전권대표로 뽑았다.[19]

그런데 복병은 의외의 곳에 있었다. 유례없는 부정불법선거였던 1967년 6월 8일의 제7대 국회의원 총선 결과에 야당이 강력히 반발하자 여당인 공화당은 문제지구의 자당 당선자를 사퇴시킴으로써 사태를 수습했다. 이에 따라 대중당은 9월 24일 실시된 보궐선거 때 공화당에서 제명된 후 의원직을 사퇴, 결원이 된 전북 고창 지역에 제명된 당사자인 신용남(愼鏞南)을, 전남 화순 곡성에는 같은 처지의 기세풍(奇世豐)을 당의 공천후보로 영입했다. 대중당이 공화당 제명인사를 영입하자 통일사회당은 대중당과의 합당문제를 근본적으로 재검토하지 않을 수 없게 되었다. 결국 양당 통합문제는 원점으로 되돌아가 끝내 실패하고 말았다.[20] 선거 결과 신용남은 당선되었다.

서민호, 대중당 탈당

양당 합당에 이상기류가 생기자 변화는 먼저 통일사회당에 왔다. 통사당은 1970년 3월 2일 전당대회를 열고 위원장에 이동화, 부위원장에 김철을 선출했다. 그러나 이동화가 취임을 거부하자 김철이 그해 12월의 전당대회에서 당위원장 겸 1971년의 제7대 대통령선거에 나갈 당의 후보로 선출되었다. 이동화는 얼마 후 대중당으로 옮겨갔다.[21] 김철은 이듬해 3월 일단 후보로 등록했으나 한 달 후 재야세력의 규합을 위해 대통령후보를 사퇴했다. 그해 실시된 제8

대 국회의원선거에서 통일사회당이 참패하자 당내에는 또다시 대중당과의 통합문제가 당의 중요과제로 등장했다.[22] 통일사회당에 이 같은 변화가 일어나고 있는 동안 대중당에도 변화의 바람이 불었다. 대중당은 1971년 3월 개최된 전당대회에서 양당 통합문제를 서민호에게 위임했다. 그러나 통일사회당과의 합당문제는 1개월이 되도록 전혀 진척이 없는 상황에서 서민호 대표가 1971년 4월 돌연 대중당을 탈당하고 개인자격으로 보수야당인 신민당에 입당하는 사태가 벌어졌다. 그는 "대중당을 신민당에 흡수 합당하는 것을 전제로 먼저 입당한다"고 밝혔다. 서민호는 이미 그 전해부터 신민당이 문호를 개방하겠다면 자신은 언제든지 참여할 용의가 있다고 밝혀왔었다. 대표최고위원이 탈당한 대중당은 이동화를 권한대행으로 선출하고 얼마 후에 열린 당무위원회에서 통일사회당과의 합동회의 수임기관으로 함석희 최의규 박영완을 선출했다.[23]

10월유신으로 합당 무산

이런 양당 내의 기류를 배경으로 1972년 8월 14일 통일사회당의 대표 김철과 대중당 대표 이동화는 수권위원합동회의를 열어 통사당이 대중당을 흡수합당하기로 결의했다. 그러나 양측은 합당 절차문제를 둘러싸고 옥신각신하던 끝에 시일만 보내다가 10월 17일 대통령특별선언으로 유신이 선포되자 합당 교섭은 수포로 돌아갔다. 그날 19시를 기해 헌법의 일부 기능이 효력정지상태가 되면서 국회가 해산되는 동시에 모든 정당 및 정치활동이 금지되었다. 당연히 양당 합당노력도 정지되었다. 이것이 '10월유신'의 시작이었다. 대중당은 대통령선거 참여문제로 당내에 갈등이 생겨 민주사회주의 운동에 가담했던 계파가 대부분 탈당함으로써 당세가 약화되어 표류하다가 유신으로 해산되었다. 10월유신으로 기능이 정지된 통사당은 이듬해 7월 2일, 모자라는 법정 지구당수를 채우지 않았다는 이유로 중앙선관위에 의해 등록이 취소되었다.[24]

5. 통일사회당 재건

10월유신 후 재창당

유신으로 해산된 두 혁신정당 가운데 통일사회당은 등록이 취소된 지 열흘 후인 1973년 7월 12일 다시 창당발기인대회를 열고 재건작업에 들어갔다. 서울 종로구 낙원동 138 동광빌딩에서 열린 발기인대회에는 안필수(安弼洙) 신창균(申昌均) 등 발기인 38명 중 21명이 참석했다.[25]

이날 회의는 대표위원에 구 통사당 위원장 김철(金哲)을 선출, 창당준비위원회를 결성하고 중앙선거위원회에 신고했다. 그러나 김철이 1971년 반공법 위반으로 구속 기소되었다가 집행유예로 석방된 사실이 있어 관련법에 따라 정당원 자격이 없음이 밝혀지자 대표위원을 안필수로 바꾸어 이튿날 창당준비위원회 결성 신고를 마쳤다. 김철은 고문으로 추대되었다. 이날 회의에서 채택한 발기 취지문은 "민주적 사회주의 노선을 관철하려는 우리 민족운동은 바로 가장 엄숙한 민족사적 요청이라는 것이 우리들 이 땅의 민주적 사회주의자의 부동의 신념"이라고 주장했다. 이어 1973년 12월 20일 서울 중구 대성빌딩에서 창당대회를 열고 강령과 당헌을 채택한 다음 위원장에 안필수를 선출했다.[26]

당의 이념과 노선

통사당의 강령은 구 통사당의 강령과는 달리, 민족의 자주 자강 자존을 강조, 80년대 좌파들의 반미노선 등장을 예견케 했다. 이 강령은 제10항에서 외세의 존이나 외세의 지배를 배격한다면서 다음과 같이 밝히고 있다.

> 통일사회당은 다른 어떠한 정치이념에 앞서, 먼저 외세에 의존하거나 지배됨이 없이 우리 민족이 통일하여 떳떳한 민족으로 살아야 하겠다는 의미에서 민족주의에 입각하여 궁극적으로 우리 민족사회에 민주적 사회주의를 실현하기 위해 투쟁한다.[27]

강령은 10월유신 이전의 구 통사당과 달리, 북한정권을 비난하거나 중립화

통일을 요구하는 조항을 없앴다. 그 대신 남북대화와 다변적인 외교노력으로 지역적 평화구조의 진전을 추구할 것이라고 밝혔다. 통사당은 사회민주주의에 입각한 복지의 향상을 주장했는데 이 점은 구 통사당과 다름이 없으나 국민경제의 대외종속화를 결연히 반대하고 민족통일의 전진을 뒷받침할 '민족연대경제'를 시도한다고 밝힌 점에서 차이가 있다.[28]

10·26사태로 또다시 해체

안필수 위원장은 1974년 9월 민주회복을 위한 국민대연합 구성을 제창하는 성명을 발표했다. 통사당은 국민과 더불어 민주주의체제의 재건확립을 위한 개헌을 추진하겠으며 정치개발과 구속자의 석방 및 연금, 자격정지자의 해제, 그리고 중앙정보부의 폐지를 촉구한다는 것이 그 내용이었다. 이 같은 통사당의 민주회복요구노력과 관련, 당 고문 김철이 중앙정보부에 연행되어 3일 동안 조사를 받았다. 그러나 통사당은 굴하지 않고 10월 10일 중앙당사에서 정치위원회와 개헌추진위원회를 열고 당의 모든 역량을 결집시켜 개헌운동을 전개한다고 선언했다. 이튿날 당의 지도위원 박창균(朴昌均)은 인혁당 관련 기도회와 관련, 중앙정보부에 연행되어 이틀간 조사를 받았다. 11월에는 당의 고문 김철, 위원장 안필수, 지도위원 박창균이 민주회복국민선언에 참여해 김철은 민주회복국민회의 대표위원에, 안필수는 운영위원에 각각 선출되었다.[29]

유신정권이 1974년 1월 유신체제지지 여부를 묻는 국민투표를 실시한다고 발표하자 김철 고문, 안필수 위원장 등 간부 15명은 중앙당사에서 단식농성을 벌였다. 5월 들어 중앙상임위 의장 박인경(朴芒頃)이 전년 10월 경북 칠곡에서 농민들에게 유신 비판 발언을 한 것이 뒤늦게 문제가 되어 구속되고, 이듬해인 1975년 8월 27일에는 김철 고문과 이영실(李榮實) 대변인이 이 사건과 관련되어 긴급조치 9호 위반 및 반공법 위반 혐의로 구속되었다.[30]

통사당은 그러나 1976년부터는 이렇다 할 활동을 보이지 못하다가 1979년 10월 박정희 대통령이 암살당하는 10·26사건이 발생하자 전두환(全斗煥) 등 신군부에 의해 활동이 정지상태에 있다가 1980년 10월 제5공화국 헌법의 공포로 창당 6년 9개월 만에 자동 해산당했다.[31]

지은 죄가 얼마나 큰지를 뉘우칠 뿐이며 정당함을 주장할 것이 없다.…그동안 공산주의를 위해 싸워 왔으나 이제는 공산주의자로서 죽고 싶지 않으며 순수한 인간으로 돌아가 죽고 싶다.

−김질락(통혁당), 1심 최후진술에서(1968. 12)

1. 인혁당사건

40여 년간 계속된 조작 논쟁

1960~70년대는 박정희 정부의 권위주의통치와 민주화운동의 와중에서 '민족해방'을 목적으로 하는 혁명적 좌익지하조직들이 자생적으로 또는 북한정권의 지도 아래 결성된 시기였다. 이들 가운데 인민혁명당(약칭 인혁당)사건은 1964년 8월 중앙정보부에서 수사결과가 발표된 이래 2007년 1월 법원의 재심으로 무죄판결이 나기까지 43년간 조작 여부를 둘러싸고 줄기차게 논란을 빚은, 건국 후 가장 말썽도 많고 희생자도 많았던 공안사건이다. 인혁당사건은 1964년에 1차 사건이 일어난 데 이어 1974년에 2차 사건이 일어났다. 2차 사건을 인혁당 재건사건이라고도 한다.

1차 사건은 한일간의 국교정상화 회담을 반대하는 학생시위가 격렬하게 일어나 계엄이 선포된 이른바 6·3사태의 와중에서 발표되었다. 1964년 8월 14일 중앙정보부장 김형욱(金炯旭)은 기자회견을 통해 4·19 직후 조직된 혁신계 청년단체인 통민청과 민민청, 그리고 사회대중당 및 진보당 및 빨치산 출신들이 남파간첩 김영춘(金永春)의 사회 아래 인혁당을 결성하고 배후에서 학생시위를 조종, 정부타도운동을 벌이게 했다고 발표했다. 주동자로 지목된 인물은 우동읍, 김배영, 김영광(金永光, 이상 통민청), 김금수(金錦守), 도예종(이상 민민청), 허작(許灼, 사회대중당), 김한덕(金漢德, 진보당), 박현채(빨치산 출신, 서울대 상대 강사)였다.[1]

중앙정보부는 "인혁당은 학생담당부서인 중앙학생지도부로 하여금 서울대

문리대 정치학과생들을 중심으로 한 학생조직들인 민비연(民比硏, 민족주의비교연구회)[2] 대표 박범진(朴範珍), 불꽃회 대표 김정강(金正剛), 민통련(民統聯) 대표 박한수(朴漢洙) 등에게 애국심에 호소하는 양으로 가장, 배후에서 시위를 선동해 3·24데모를 유발시켰다"고 발표했다. 또한 인혁당 주동자들은 당 운영 자금을 받기 위해 교양위원 김배영(金培英)을 1962년 10월 일본 경유로 월북시 켰다는 것이다.[3] 중앙정보부는 이 사건 관련자 57명 중 41명을 구속하고 도피한 16명은 전국에 수배했다고 밝혔다.[4]

검찰에서 기소 거부한 1차 인혁당사건

인혁당사건은 당초 중앙정보부가 발표했을 때 그 어마어마한 내용이 국민들을 놀라게 했지만 8월 17일 검찰에 송치된 다음 한 번 더 사람들을 놀라게 하는 일이 벌어졌다. 그것은 이 사건을 넘겨받은 서울지검 공안부가 공소유지에 자신이 없다는 이유로 관련자들의 기소를 거부한 일이다. 담당 검사들은 약 20일간 수사를 벌였지만 중앙정보부가 발표한 혐의를 뒷받침할 만한 증거를 찾지 못해 '기소할 가치가 없다'는 결론에 이르렀다. 검찰에 의하면 중앙정보부는 관련자들의 범죄사실을 증명하는 아무런 물증도 없이 조서만 넘겼으며, 거기다가 피의자들에 대한 물고문과 전기고문이 행해졌다는 주장도 제기되었다는 것이다. 딜레마에 빠진 검찰수뇌부는 구속 만료일인 9월 5일에야 사건담당 검사가 아닌 당일 숙직근무자인 서울지검 정명래(鄭明來) 검사로 하여금 관련자 26명을 국가보안법 위반 혐의로 구속 기소케 하는 고육지책을 썼다. 공안부의 담당검사 4명 중 이용훈(李龍薰) 부장검사와 김병리(金秉离) 장원찬(張元燦) 검사 등 3명은 이에 반발, 사표를 제출함으로써 '검찰파동'이 일어났다. 검찰 수뇌부는 하는 수 없이 서울고검 한옥신(韓沃申) 검사로 하여금 사건을 재수사토록 조치, 한 검사는 기소된 피고인 14명에 대해 공소를 취하하고 13명에 대해서는 공소장을 변경, 국가보안법 위반에서 반공법 위반으로 적용 법률을 바꾸었다.

1심 재판부인 서울형사지법 합의2부(재판장 김창규, 金昌奎 부장판사)는 1965년 1월 반공법 제4조를 적용, 도예종에게 징역3년을, 양춘우(楊春遇)에게 징역2년을 선고하고, 임창순(任昌淳) 등 나머지 피고인 11명에 대해서는 증거불충분을 이유로 모두 무죄를 선고했다. 재판부는 도·양 두 피고인이 북한의 위장된 민족자주적 평화통일방안에 동조하는 단체의 구성을 예비음모한 점 등의 증거를 인정했으나 임창순 등 나머지 피고인들에 대해서는 이들이 북한의 활동을 찬양 고무 동조한 사실이나 북한을 이롭게 할 단체의 구성 등에 대한 증거가 없다고 판시했다.[5]

그러나 그해 5월의 항소심 판결은 원심을 파기, 피고인 13명 전원에게 유죄를 선고했다. 담당재판부인 서울고법 형사항소부(재판장 정태원, 鄭台源 부장판사)는 이들 전원이 1961년 10월경부터, 민정이양 후에 혁신계 정당활동이 허용될 것이라는 예상 아래 민주자주평화통일이라는 북한의 위장적 평화통일 방안에 동조하는 서클을 조직, 활동함으로써 북한의 활동을 이롭게 했다고 판시했다. 재판부는 그러나 "이들 관련 피고인들이 인민혁명당이라는 명칭을 쓴 것으로는 인정할 수 없다"고 밝힌 다음 "이들이 혁신계의 모체로 조직한 서클의 조직 확대, 당명, 강령 등을 논의한 사실은 인정한다"고 결론지었다. 이에 따라 도예종은 징역3년, 박현채 정도영(鄭道永) 김영광 김한덕 박중기(朴重基) 양춘우에게는 징역1년을, 나머지 6명에게는 징역1년에 집행유예3년을 각각 선고했다.[6] 1965년 9월 대법원은 피고인들이 낸 상고를 전부 기각, 항소심 판결을 확정함으로써 이 사건은 약 1년 만에 마무리되었다.[7] 결국 국가전복 모의를 했다는 엄청난 혐의를 받은 인혁당은 반국가단체도 아니고 그 활동도 국가전복 기도가 아닌, 단순히 북한에 동조하는 행동을 한 서클 수준의 모임으로 사법부의 판결이 난 것이다. 이 사건이 발표된 시기가 대학생들의 한일회담 반대시위가 있었던 시점이어서 중앙정보부가 데모 진정용으로 이 사건을 이용한 것이 아닌가 일반국민들은 의심하게 되었다.

박현채와 인혁당

1차 인혁당사건에 관련된 박현채의 혐의는 도예종을 은닉한 혐의였다. 인혁당은 조직되지도 않았고 반국가단체도 아니라는 것이 1심에서 대법원까지 일관된 판결이었으므로 박현채 역시 단순한 범인은닉 혐의만 적용되었다. 그러나 나중에 밝혀진 관계자의 증언에 의하면 박현채의 위치는 그 이상이었다는 것이다.

박현채(1934~1995)는 전남 화순군 출생으로 광주 수창국민학교 재학 때부터 독서회 활동과 동맹휴학 주도 탓으로 두각을 나타냈다. 광주서중학교 재학때 남로당의 비밀외곽조직인 민애청(정식 명칭 조선민주애국청년동맹)의 세포 총책으로 활동한 그는 6·25동란 기간 중 북한인민군이 패퇴한 1950년 10월, 16세의 나이로 입산, 1952년 8월까지 약 2년간 빨치산 활동을 벌였다. 그는 처음에는 전남 무등산과 백아산에서 연락병 노릇을 하다가 20세 미만의 소년들로 편성된 소년돌격부대의 문화부 중대장으로 활동했다. 훗날 그는 조정래의 장편소설 《태백산맥》 제9권 첫 머리에 나오는 '위대한 전사 조원제'의 모델이 되기도 했다. 빨치산활동 중 복부관통상을 입은 박현채는 하산하다가 경찰에 체포된 다음 풀려나 전주고등학교 3년에 편입, 졸업 후 1955년 서울대 상대 경제학과에 입학했다. 그는 61년 서울대 대학원을 졸업, 한국농업문제연구회 간사 일을 보면서 자본주의와 세계경제, 그리고 한국경제 연구에 몰두했다. 1963년에는 모교 강사가 되었으나 곧 인혁당사건으로 자리를 그만둔 박현채는 1971년에 《김대중씨의 대중경제론 100문 100답》을 집필했으며[8] 1978년에는 박정희 정부의 외자의존·수출주도형 경제정책을 비판한 유명한 《민족경제론》을 출간하고, 1979년에는 통혁당재건위사건으로도 알려진 '임동규간첩사건'에 연루되어 다시 구속되었다. 박현채는 이어 1980년 민주화를 주장하는 '134인 지식인선언'에 참여하고 1989년에는 조선대학교 경제학과 교수에 취임, 《민족경제론의 기초이론》을 출간해 명성을 날렸다.[9]

1950년대 말부터 박현채와 인연을 맺은 김낙중이 1961년 10월, 군에 입대하게 되자 박현채를 포함한 청년동지 6~7명이 입대를 환송한다는 구실로 김낙중의 은신처에 모였다. 어떤 형태로든 군사쿠데타에 대항할 저항조직 결성의 필요를 느끼고 있던 이들은 이 자리에서 쉽게 비밀조직을 만들기로 합의했다는 것이다. 김낙중에 의하면 월남전이 한창일 때 박현채는 (북한군이) 전선을 밀고 내려오는 정규전 방식에 의한 해방투쟁이 미국의 간섭으로 한계에 부닥친 상황에서는 월남에서와 같은 유격투쟁에 의한 통일투쟁이 불가피하므로 미국을 상대로 하는 민족해방투쟁의 제2전선을 한반도에서 만들어야 한다고 역설했다는 것이다. 박현채는 미국이 월남과 한반도 두 곳에서 전선을 갖게 되어야 민족해방투쟁에 대한 간섭을 멈출 가능성이 있다고 믿었다는 것이다. 그런데 드디어 1968년 김신조(金新朝) 등 북측 무장공작원들의 1·21청와대습격미수사건이 발생하고, 울진, 삼척 등지에도 무장공작원들이 나타나자 이에 고무된 박현채는 1969년에는 분명히 통일을 위한 북측의 새로운 전략이 나타날 것이라고 보고 있었다 한다. 그해 여름 어느 날 김낙중과 박현채는 둘이서 술 한 잔씩을 하면서 내기를 걸었다는 것이다. 그해 안에 북측 공작원의 유격투쟁이 확대되면 김낙중이 술을 사고, 유격투쟁이 확대되지 않으면 박현채가 술을 내기로 했다는 것이다. 그러나 유격투쟁은 '확대'되지 않았다. 그런데도 박현채는 1970년과 1971년까지도 유격전 확대에 대한 기대를 포기하지 않고, 시간문제라고 생각했다는 것이다.[10] 1차 인혁당사건 관련자인 박중기(당시 한국여론조사 취재부장)의 증언에 의하면 박현채는 유신 이후에는 해방투쟁에 대해 신중론을 폈다는 것이다. 이 때문에 2차 인혁당사건으로 사형당한 8인 중 하나인 이수병(李銖秉)은 조직을 갖추어 당장 싸워야 한다는 입장이었는 데 반해 박현채는 객관적 조건과 변혁주체의 능력을 냉철하게 평가하지 않고 조직부터 만드는 것은 오히려 큰 화를 몰고 올 수 있다고 반대했다는 것이다.[11]

박현채는 그의 민족경제이론뿐 아니라 사회구성체이론으로 한국의 좌파혁명세력에 영향을 끼친 좌파이론의 우상적인 존재였다. 그의 명성은 그가 죽은 후에도 지속되어 2006년에는 모두 7권에 달하는 그의 전집이 출간되고[12] 2007년 9월에는 진보경제학자들이 그를 기리는 학술심포지엄을 개최했다.[13] 서관모(충북대 교수)는 그가 6·25 전쟁 이후 가장 중요한 역할을 수행했던 좌익 진보 인텔리였다면서 "1980년대 초까지 마르크스주의 이론가는 사실상 박현채 하나뿐이었다. 사회주의 혁명이라기보다는 민족해방 혁명을 지향한 좌파 이론가들이 있었지만, 이들은 공개적 활동을 할 수 없었고 80년대에 등장한 남한의 독자적인 사회주의 운동에 거의 영향을 주지 못했다"고 평가했다.[14] 박현채와 함께 지하운동을 벌인 임동규(林東圭, 당시 고려대 노동문제연구소 총무부장)는 박현채가 당시에 학생 노동 농민 여성 등 각 분야의 운동책임자들에게 투쟁방향을 지도함으로써 남한 변혁운동의 보이지 않는 사령탑 역할을 했다고 증언했다.[15]

인혁당재건위 관련 7명과 민청학련 관련 1명에 사형 집행

제1차 인혁당사건이 어중간하게 마무리된 지 약 10년이 지난 1974년 4월 25일, 이른바 인혁당 재건기도사건, 즉 제2차 인혁당사건이 중앙정보부에 의해 발표되었다. 이날 신직수(申稙秀) 중앙정보부장은 이른바 '민청학련사건'을 발표했는데 민청학련의 배후세력으로 인혁당재건위원회가 등장한 것이다.

신직수에 의하면, 인혁당재건위원회는 북한의 지령을 받고 인혁당을 재건, 민청학련(정식 명칭 전국민주청년학생총연맹)의 시위를 선동하여 4월 3일을 기해 봉기함으로써 정부를 전복하고 민주연합정부를 수립한 연후에 순수한 노농정권을 세운다는 4단계 혁명을 기도했다는 것이다. 신직수는 민청학련 주동자들이 인혁당재건위와 일본에 있는 조총련(정식 명칭 재일조선인총연맹)으로부터 이중으로 자금지원을 받았으며, 일본공산당 당원 등 일본인 2명도 이 사건에 관련되었다고 밝혔다.[16] 이 사건과 관련, 조사를 받은 사람은 무려 1,024명(이중 266명 자진신고, 732명 검거)에 달했다. 그 중 253명이 군검찰에 송치되고 26명은 수배되는 한편 745명은 훈계 방면되었다. 검찰에 송치된 피의자 가운데 54명은 긴급조치 4호 및 국가보안법 위반, 내란예비음모, 내란선동 등의 죄명으로 비상보통군법회의에 기소되었다.[17]

재판은 신속하게 진행되었다. 그러나 대부분의 피고인들, 특히 인혁당 관계자들과 그 가족들은 1차 인혁당사건 때처럼 공판과정에서 고문사실과 공판기록 조작의혹을 끊임없이 제기해 재판이 혼란에 빠졌다. 담당변호인인 강신옥(姜信玉) 변호사는 검찰이 학생들에게 사형을 구형하자 "사법살인"이라고 강력히 항의하다가 수사기관에 연행되어 군재에서 징역10년을 선고받아[18] 변호인이 재판을 받는 초유의 사태가 빚어지기도 했다. 당시는 재야단체들이 유신반대운동을 거세게 일으키고 민청학련 소속 대학생들이 일제히 반정부시위를 벌이던 시기였다. 담당재판부인 육군 비상보통군법회의 제2심판부(재판장 박현식, 朴賢植 중장)는 그해 7월 인혁당 관계자 21명 중 서도원 도예종 하재완 송상진(宋相振) 이수병 우홍선 김용원(金鏞元) 등 7명에게 사형, 김한덕 등 8명에게 무기징역, 그리고 황현승(黃鉉昇) 등 6명에게 징역20년을 선고했다. 재판부는 군검찰의 기소 내용을 그대로 인정하고 형량도 군검찰관의 구형량과 똑 같이 선고했다. 재판부는 피고인들이 평소 공산주의사상을 품고 북한의 이른바 인민혁명 수행을 위한 통일전선에 영합해 공산국가를 수립할 것을 결의, 인혁당을 조직했다고 밝히고 이들이 학원조직책 여정남으로 하여금 이철 유인태 등을 포섭, 민청학련을 조직케 함으로써 학생데모와 대중봉기를 유발토록 배후 조종하는 등 내란을 모의했다고 판시했다.[19]

군재는 같은 달 민청학련사건 관련 학생들에 대해서도 선고공판을 열고 이철(李哲), 유인태(柳寅泰), 여정남(呂正男), 김병곤(金秉坤), 나병식(羅炳湜), 김영일(金英一, 일명 金芝河) 이현배(李賢培) 등 7명에게 사형, 다른 7명에게는 무기징역, 15명에게는 징역15년 내지 20년을 선고했다.[20] 그해 9월의 육군 비상고등군법회의는 인혁당 관련자 전원에 대해 공소기각결정을 내리고 학원관계자들에 대해서는 여정남에 대해서만 공소를 기각, 사형을 유지하고 이철 유인태 김영일 등에게는 사형을 무기징역으로 감형하는 등 모두의 형량을 줄였다.[21]

그러나 이들 학생들의 유신반대 데모를 인혁당의 사주에 의한 것으로 몰아붙인 것은 당초부터 조작이었다는 주장이 정부 안에서 제기되자 정부는 박정희 대통령의 지시에 따라 이들 학생들을 대부분 형 집행정지 형식으로 석방하는 조치를 취했다. 반면 정부는 인혁당 관련 피고인 중 도예종 서도원 하재완 이수병 김용원 송상진 우홍선과 학원관련자 여정남 등 8명에 대해서는 이듬해 4월 대법원이 공소를 기각, 사형이 확정되자 바로 형을 집행했다. 이들은 재심을 청구할 겨를도 없이 판결 선고 18시간 만인 4월 9일 오전 6시부터 기습적으로 한 사람씩 형장의 이슬로 사라졌다.[22] 스위스 제네바에 본부를 둔 국제법학자협회는 이날을 '사법 사상 암흑의 날'로 선포했다.[23]

32년 후 재심에서 두 사건 모두 조작으로 결론

인혁당재건위사건은 그 후 끊임없이 진상조사와 재심 요구가 제기되어오던 끝에 드디어 2005년 12월 7일, 노무현 정부 당시 설립된 국가정보원의 '과거사건 진실규명을 통한 발전위원회'(약칭 과거사위, 위원장 오충일 吳忠一)가 민청학련사건과 인혁당재건위사건은 박정희 대통령의 지침에 따라 조작된 것이라는 그동안의 조사결과를 발표했다. 과거사위는 이날 국정원에서 기자회견을 갖고 1964년의 1차 인혁당사건도 중앙정보부가 한일 국교정상화 추진에 반대하는 학생운동을 탄압하기 위해 '북한의 지령을 받는 인혁당사건'을 날조해 학생운동과 연계된 것처럼 조작했다고 밝혔다. 과거사위에 의하면 2차 인혁당사건은 중정 발표와는 달리 피고인들이 강령과 규약을 채택한 적이 없고, 당 수준에 이르지 못한 서클 형태였다는 것이다. 과거사위는 "인혁당재건위사건은 관련자들이 북한 방송을 듣고 녹취한 노트를 돌려본 점은 실정법 위반이지만 이는 반공법을 엄격하게 적용해도 징역1~2년에 불과하다"며 "사건을 조작해 8명을 한꺼번에 사형한 조치는 정당성이 결여된 독재정권의 유지를 위한 공포분위기 조성용"이라고 밝혔다. 과거사위는 또 "인혁당재건위사건 관련자 8명이 대법원의 사형 확정 판결 후 18시간 만에 형이 집행된 데도 박 대통령의 의지가 반영되었다"고 밝혔다. 과거사위는 민청학련도 국가 변란을 목적으로 조직된 반국가단체가 아니라 유신반대 투쟁을 위한 학생들의 연락망 수준의 조직을 유인물에 표기한 조직 명칭에 지나지 않았다고 덧붙였다.[24] 과거사위(위원장 직무대행 안병욱)는 2007년 10월 활동을 종결하고 같은 내용의 조사결과를 최종적으로 발표했다.[25]

한편 민주화운동 관련자 명예회복 및 보상심의위원회(위원장 하경철, 河炅喆)도 2006년 1월 23일, 제157차 회의에서 인혁당재건위 관련자 16명을 민주화운동 관련자로 인정키로 결의했다. 이에 따라 명예가 회복된 사람은 서도원 도예종 하재완 송장진 여정남 정만진 전대권 이태환 장석구 이창복 전창일 강창덕 나경일 이재형 임구호 등이다.[26]

인혁당재건위사건에 대한 사법부의 새로운 판단은 사형 집행 32년 후인 2007년 1월 23일 서울중앙지법 형사합의23부(부장판사 문용선)의 재심 선고로 내려졌다. 판결골자는 대통령 긴급조치 위반, 국가보안법 위반, 내란 예비음모, 반공법 위반 등의 혐의로 기소되어 사형을 선고 받고 집행된 8명은 무죄라는 것이다. 재판부는 판결문에서 "당시 경찰과 검찰 수사과정에서 작성된 피의자 신문조서를 보면 이들은 영장이 발부되기도 전에 체포되었고, 물고문 선기고문 같은 가혹행위와 혹독한 폭행을 당한 것으로 보인다"고 밝히고 "당시 진술은 고문과 구타 협박 때문에 허위 자백을 한 것으로 인정되어 증거능력이 없다"고 판시했다. 재판부는 여정남이 서도원과 하재완의 지령을 받아 결성한 민청학련에 대해서도 "국가를 변란하거나 국헌을 문란시킬 목적으로 조직되었다는 증거가 없어 예비음모죄가 인정되지 않는다"고 덧붙였다.[27] 이 판결에 대해 검찰은 30일 항소하지 않기로 결정하고 유족 측도 검찰과 마찬가지로 항소하지 않기로 함으로써 서울중앙지법의 재심사건 1심 무죄 판결은 그대로 확정되었다.[28]

이들 8명 이외에 최고 무기징역에서 20년까지 선고받은 인혁당재건위사건 생존자 전창일 등 14명에 대해서도 2008년 1월 23일 서울중앙지법 형사합의 22부(부장판사 김용석) 심리로 열린 선고공판에서 전원 무죄 판결이 내려지고, 2009년 9월 18일 서울고법 형사4부(부장판사 김창석) 심리로 열린 민청학련 사건 재심선고공판에서도 34년 전에 징역형을 선고받았던 이해찬 유홍준 등 5명에게 전원 무죄가 선고되었다.[29]

과연 인혁당은 실체가 없었는가

인혁당사건을 둘러싼 논쟁은 앞에서 설명한 재심판결로 일단락이 났다. 그러나 인혁당이 중앙정보부의 조작이라는 견해에 대해 의문을 제기하는 증언들이 있다.

그 첫째가 당시 서울대의 시위를 주도한 불꽃회 간부인 김정강(金正剛, 당시 서울대 정치학과 3년)의 증언이다. 그는 인혁당사건의 주범으로 기소된 도예종과 친밀했던 사이로 그의 이름을 자신의 수첩에 적어놓은 것이 실마리가 되어 도예종이 검거되었다. 그는 《자유공론》 1995년 1월호와 1996년 8월호에 실린 회견기사에서 인혁당은 1차 사건 때부터 실제로 존재했다고 주장했다. 그가 1차 인혁당사건으로 투옥된 도예종과 교도소에서 만났을 때 도예종은 그에게 "이번에 검거되기는 했으나 법정투쟁에 의해서 승리적으로 넘어왔고 당은 노출되지 않았으므로 전략적으로 승리라고 봐야 한다"고 말하면서 앞으로 당이 재건되면 입당하라고 권유했다는 것이다.[30] 김정강은 그후 다른 인터뷰에서도 도예종이 형기를 마치고 나가면 전위당을 다시 추진하자고 자신에게 권유했다고 회상하면서 당시 피고인들의 검찰에서의 부인작전이 성공했다는 점도 증언했다. 그는 이렇게 말해다.

> 인민혁명당은 당시 법정투쟁에서 성공했습니다.…검사들은 좌파사건들에 대해서 잘 모릅니다. 잘 모르기 때문에…그 사람들이 일제히 부인하니까, 처음에는 당황했죠. 나중에는 이 사람들이 엉뚱하게 걸려들었구나 하고 착각을 한 거지요. 그래서 그때 검찰파동이 일어나지 않습니까? 결국에는 조직(반국가단체 저자 주)으로서가 아니고 고무 찬양 조항으로 유죄가 돼서〔교도소로〕넘어왔단 말입니다.[31]

불꽃회 사건으로 구속되어 인혁당 관련자들과는 분리 기소된 김정강은 검찰에서 부인작전을 쓴 덕택에 가벼운 처벌을 받았다는 것이다. 김정강은 검찰에서 취조를 받을 당시 검찰청 복도에서 불꽃회의 실제 책임자인 김정남(金正男)과 마주치게 되자 그에게 강령의 존재를 부인할 것을 종용했다 한다. 그에 의하면 "내가 당신(김정남)한테 이 강령을 보여주니까, 당신이 '이런 빨갱이 짓을 하기(는) 싫다'면서 땅바닥에 팽개쳐버렸다. 그러니까 내(김정강)가 면목이 없어 하면서 가더라"고 진술하라고 했다는 것이다. 김정남은 처음에는 김정강이 혼자 죄를 뒤집어쓰려고 하는 줄 생각하고 "그건 인간적으로 할 수 없다"고 했다. 그러나 김정강이 "서클이 성립되(었다고 하)면 우리는 죽는다. 그게(그렇게 진술하는 것이) 나한테도 좋다"고 재차 강조하자 김정남은 비로소 납득했다는 것이다. 이렇게 해서 두 사람 모두 합동수사본부에서는 시인한 혐의사실을 검찰에서 부인을 하니까 최대현(崔大賢)검사는 "미치려고" 했다는 것이다.[32] 결국 불꽃회사건은 국가보안법 위반사건이 아닌, 반공법상의 고무찬양사건으로 1964년 8월 기소되어 이듬해 1월 김정강은 징역2년, 김정남은 선고유예라는 비교적 가벼운 판결을 받았다.[33]

둘째는 빨치산 출신이며 4·19 직후의 좌익 계열인 사회당 소속이었던 김세원(金世源)의 증언이다. 1991년 계간지인《역사비평》에 실린 그의 대담기사에 의하면, 이복민(李卜民) 도예종 우동읍이 1961년 10월 사회당 위원장이었던 최근우의 비밀아지트에 모여 지하조직을 만들기로 합의한 사실이 있다는 것이다. 이것은 5·16 군사통치의 장기화가 예견됨에 따라 새로운 정세에 대응할 비공개 조직이 필요하다고 보았기 때문이며, 김세원은 이 사실을 우동읍으로부터 들었다고 했다. 김세원에 의하면 이들은 민자통의 통일정책심의위원이었던 L교수를 영입하기로 하고 도예종이 조직을, 이복민이 교양선전을, 우동읍이 총무(당무)를, L교수가 대표 겸 재정을 각각 관장하기로 했다는 것이다. 이들은 또 사회당의 강령과 규약을 지하조직 수준에 맞도록 약간 수정하고 서약과 맹세를 함으로써 조직의 형식을 갖추었다고 하며, 조직의 명칭도 이때 정해진 것이라 한다. 물증을 남기지 않고 외자(북한자금)를 받지 않는다는 원칙을 세웠다고 한다. 그런데 이 조직이 드러난 것은 학생들을 접촉한 것이 화근이었다는 것이다.[34]

그러면 제2차 인혁당사건은 완전한 조작인가? 김세원은 2차 인혁당, 즉 1차 인혁당의 재건이라 할 전국조직인 경락회(經絡會)가 1971년 9월 우동읍 서도원 이수병 이모 사장(부산)[35], 그리고 자신 등 모두 5명에 의해 결성되었다는 것이다. 경락회는 지압 등 전통의학 연구단체를 위장한 비밀조직으로 장차 결성될 '민족주의통일당'의 예비조직이기 때문에 그 시점에서는 아직 정당은 아니었다는 것이다.[36] 그러나 이들은 조직을 보호하기 위해 문서화 하지 않는다(不文), 조직에 관한 불필요한 말을 하지 않는다(不言), 기구나 개인의 명칭은 쓰지 않는다(不名)는 이른바 3불원칙을 세웠다는 것이다. 1차 인혁당의 경우는 형식은 있었으나 물증을 남기지 않는다는 원칙을 세웠는데, 이번 경락회는 형식도 갖추지 않고 물증도 남기지 않기로 결정했다고 한다. 따라서 2차 인혁당사건 때 조직원들의 철저한 함구작전으로 경락회라는 이름도 드러나지 않았으며, 조직도 완전히 탄로되지 않아 김세원 자신과 부산의 이 사장은 검거되지 않았다는 것이다.[37]

셋째는 인혁당사건에 관련된 인사들의 증언이다. 민청학련 관련자로 징역15년을 선고받고 1년 후 석방된 정화영은 인혁당이나 인혁당재건위는 존재하지 않았지만 이들과 학생들 간에는 인맥으로 연결된 민주화운동 네트워크가 구축되어 있었다고 밝혔다. 그에 의하면 민청학련사건의 도화선이 된 1973년의 경북대 11·5시위사건 때 발표된 반독재민주구국선언문은 사형당한 인혁당 지도위원 서도원이 작성, 학원조직책 여정남을 통해 전달했다는 것이다.[38] 그에 의하면 인혁당 연루자로 무기징역을 선고받고 9년간 복역한 강창덕도 당시 서도원 도예종 송상진 하재완 등이 지식인층을 대상으로 유신반대 사업을 전개한 사실이 있다고 증언했다고 한다.[39] 역시 인혁당에 관련되어 무기징역을 선고받고 8년 8개월간 복역한 전창일(나중에 통일연대 상임고문에 취임)은 "지금까지 덮여 있던 진실, 즉 인혁당과 민청학련이 '관련 없다'에서 '관련 있다'라는 진실(의 공개)은 이 사건에 대한 관점의 코페르니쿠스적 전환을 의미하는 것"이라고 말했다.[40] 이들이 인혁당과 민청학련의 관계를 부인에서 시인으로 바꾸게 된 것은 이 사건의 성격을 반유신 민주화투쟁으로 인정받기 위해서였다.

인혁당은 도예종 서클 일원의 아이디어

인혁당의 실체에 대해 일부 연구자들도 긍정적인 입장을 취하고 있다. 정창현 국민대 교수는 "인혁당이 '당'의 수준으로까지 발전되지는 않았으나 4·19 전후 활동했던 혁신세력들이 5·16 이후 합법활동에 한계를 느끼고 전국 규모의 비합법적 전위당을 준비하려다가 적발된 것"이라고 분석했다. 그는 인혁당이 월남의 인민혁명당과 같은 당명을 사용한 점은 월남과 한반도의 상황을 동일하게 인식하고 그러한 상황에서 남한에서 필요한 전위정당이 북베트남의 노동당과 형제당의 관계를 가지면서 민족해방투쟁을 주도하고 있는 남베트남의 인민혁명당과 같은 형태가 되어야 한다고 인식한 것으로 결론지었다.[41] 그의 주장은 우리가 앞에서 본 박현채의 생각과 동일하다.

그런데 도예종은 인혁당재건위사건 공판정에서 인민혁명당이라는 이름은 4·19묘지에서 동지들 간에 토론이 벌어진 자리에서 "오늘의 한국정치정세 하에서 가장 올바른 정당이 생긴다면 그 정당의 이름은 어떻게 지어야 알맞을까?" 하는 질문이 나오자 몇 가지 나온 답변 중에 월남의 지하당 이름과 같은 당명이 들어 있었다고 진술했다.[42]

조희연 성공회대 교수는 인혁당은 4·19 이후 혁신계 청년운동에 관여했던 청년세대가 중심을 이룬 조직으로 5·16 이후 합법적인 영역에서 활동을 할 수 있는 가능성이 없게 되자 비합법적 조직을 통해 혁명적인 운동인자들을 결집시켜 장기화 추세를 보인 군사정권에 효과적으로 대응하려는 문제의식을 지니고 있었던 것으로 보인다는 연구결과를 발표했다. 그는 남한의 지하조직이 북한과 지속적인 조직적 연관은 없었지만 남한의 변혁과정에서 북한의 역량이 무관하다는 것을 의미하지는 않는다고 분석했다.[43]

이상의 여러 증언과 연구결과를 종합해 보면 인혁당이라는 명칭은 결정되지 않았지만 이 조직이 '반외세'를 기본이념으로 하고 장차 정당으로 발돋움할 수 있는 비합법적 민족주의 통일운동 클럽 내지 서클임을 추측할 수 있다. 만약 재판부가 인혁당 같은 조직을 만들기 위해 이들이 예비음모를 했다고 판결하고 가벼운 형을 선고했다면 그처럼 큰 말썽은 일어나지 않았을 것이다. 어떤 경우든, 구체적인 혁명 거사계획 같은 명백하고도 임박한 국가안보에 대한 위해(危害) 움직임이 없는 이들 8명 전원에게 극형을 선고하고, 그것도 재심의 기회도 주지 않기 위해 전격적으로 처형한 것은 '사법살인'임에 틀림이 없다.

2. 통일혁명당

'임자도 거점 지하당 사건'으로 첫 발표

4·19는 북한의 김일성 정권에도 충격이었다. 1953년 휴전 성립 후 전후복구에 여념이 없었던 김일성은 미처 남한에서 구 남로당 조직을 제대로 재건하지 못한 사이에 그들이 예상치 않았던 1960년 4월의 학생봉기가 일어나 이승만 정부가 붕괴되자 이에 편승, 남한적화의 호기를 잡지 못한 것이 몹시 후회스러웠다. 김일성은 이듬해 9월 평양 대극장에서 열린 조선노동당 제4차 전당대회에서 사업총화를 보고하는 가운데서 4·19를 당이 지향하는 목표로 이끌지 못한 것은 인민대중이 혁명적 당을 갖지 못한 데 기인한다고 지적하고 남조선 인민들의 광범한 군중 속에 깊이 뿌리를 박고 있는 노동자 농민들의 독자적인 당을 가져야 한다고 지시했다. 이에 따라 조선노동당은 대남기구를 대폭 강화하고 공작원들을 파견하게 됨으로써 1960~70년대에 남한에서 연이어 지하당 결성이 추진된다.[44]

통일혁명당(약칭 통혁당)은 1960년대에 남한에서 조직된 지하혁명당 가운데 가장 규모가 컸다. 중앙정보부는 1968년 7월과 8월 두 차례에 걸쳐 대규모 간첩단 사건을 적발했다고 발표했는데, 이것이 통혁당사건의 발단이었다. 연이어 발표된 두 간첩단사건은 처음에는 상호 연관성이 분명하지 않았다. 나중에 전자는 통혁당 전라남도위원회사건으로, 후자는 통혁당 서울시위원회 사건으로 그 실체가 밝혀졌다. 이들 통혁당사건은 북한이 공작원의 직접침투를 통한 요인 테러 등을 주목적으로 하던 60년대의 대남공작 기조를 국내좌경세력의 포섭활용이라는 70년대 이후의 대남정책으로 전환시킨 중요한 예이다. 남한 내 북한추종세력의 활용이라는 70년대의 대남공작은 뒤에서 살피는 바와 같이 80~90년대에 맹렬한 기세를 올린 주사파의 양산과 결집으로 큰 성공을 거두게 된다. 통혁당의 두 사건, 즉 전남도위원회사건과 서울시원회사건을 차례로 살펴보기로 하자.

그해 7월 20일 발표된 첫 번째 사건은 그 명칭이 '임자도(荏子島) 거점 지하당 조직사건'이었다. 아직 통일혁명당이라는 정당 이름은 밝혀내지 못했다. 중앙정보부장 김형욱은 이날 "남한에서의 지하당 재건과 무장봉기를 위한 혁명토대 구축을 목표로 전남 목포 앞 임자도를 거점으로 1961년 12월부터 암약해온 북괴간첩단을 적발, 사건 관련자 118명 중 거물급 간첩 27명을 모두 구속 송치했다"고 발표했다. 그는 이어 "전남도책인 정태묵(鄭泰默) 등 간부들은 지난 1962년부터 67년 사이 연 18회에 걸쳐 북한을 왕래하면서 1,845만 원의 공작금을 받아 지하당을 조직, 활동해 왔다"고 밝혔다.[45] 김형욱에 의하면 정태묵은 북한 노동당 대남사업총국 지도원으로 남파된 김수영(金殊英)에게 포섭되어 비밀리에 월북, 6개월 동안 간첩교육을 받고 돌아와서 최영길(崔永吉, 정태묵의 외숙이자 전 임자면장)과 접선, 해남 영암 강진 등 전남 서남부에 지하당을 조직했다고 한다. 이들은 지하당 조직, 사회주의 서클 조직, 혁신계 등 중간파 정당에의 침투, 후비(後備) 간부 양성, 1967년 대선 때의 제1야당 지지와 모 혁신당수 사퇴공작, 그리고 장차 지하당의 유격대로의 전환, 출판회사인 청맥사의 경영과 반공법에 저촉되지 않는 범위 안에서의 반미-반정부 사상 고취, 반공법 국가보안법 사건을 주로 맡을 변호사의 포섭, 유사시 가족철수 등의 공작 지령을 받았다는 것이다. 이들 간첩단은 삼창산업사(三創産業社) 동방수지공업사(東邦樹脂工業社) 동성서점(東成書店) 등 3개의 위장 업체를 운영하면서 167회에 달하는 북한의 무전 지령을 받고 임무를 수행했다는 것이다.[46]

임자도간첩사건은 검찰의 기소 단계에서 뒤에 설명하는 통혁당 서울시위원회사건이 드러나 상호 연관성이 밝혀졌다. 그해 12월 관련자에 대한 1심 선고 공판에서 정태묵 최영도(崔永道) 윤상수(尹相秀)는 사형, 박신규(朴信奎)는 무기징역을 선고받았다.[47] 1969년 4월의 항소심 선고공판에서는 정태묵과 윤상수(尹相守)에게 원심대로 사형이 선고되고 박신규 등 나머지 13명에게는 양형 부당을 이유로 원심을 깨고 최고 징역10년 내지 1년까지 선고했다.[48] 대법원 형사부는 1969년 11월 피고인 전원에 대해 원심을 깨고 자판(自判)했으나 형량은 원심대로 선고, 정태묵과 윤상수에 대해 사형을 확정했다.[49] 윤상수는 같은 달 사형이 집행되었다.[50]

서울시위원회 사건

8월 24일 중앙정보부가 발표한 서울시위원회 사건은 처음에는 '가칭 통일혁명당 지하간첩단'이라고 했다. 이때만 해도 그것이 통혁당 서울시위원회라는 사실은 밝혀지지 않았다. 중앙정보부 발표에 의하면, 이 사건의 주모자 김종태(金鍾泰)는 1964년 3월 월북, 김일성으로부터 남한혁명기운의 조성을 위한 선동적 조직을 형성하라는 지령을 받고 월간 잡지《청맥》을 발간했다 한다. 잡지의 창간호는 그해 8월 김종태의 조카 김질락(金瓆洛)에 의해 발행되었다.[51] 김종태는 1965년 4월 다시 입북, 평양에서 김일성으로부터 남한혁명은 남한인민의 힘으로 해야 한다는 격려와 함께 지하당 건설 지령을 받았다고 한다. 김종태는 그해 11월 초순 서울에서 통일혁명당을 결성, 혁신정당으로 위장하고 반정부·반미데모를 전개하는 등 소요를 유발시키려 했다는 것이다.[52] 김종태와 그의 동지가 된 이일재(李一宰)는 각각 10·1폭동사건 가담자이자 빨치산 출신이다. 김종태는 통혁당을 결성할 때 "우리는 마르크스−레닌주의에 입각하여 반제·반봉건·반식민의 민주사회를 거쳐 사회주의 사회를 건설하는 것이 목적이며, 남한의 특수사정에 비추어 이 목적을 실현하기 위해 강력한 지하당 조직이 불가피하다는 결론에 도달했다"고 밝혔다 한다. 그는 이어 "남반부를 불법강점하고 조국통일을 방해하는 원수 미제와 그 주구들을 몰아내고 사회주의 낙원을 건설함에 있어서 마르크스·레닌주의 이론으로 무장하고 중앙당의 지도 아래 혁명을 수행하기 위하여 통일혁명당 창당을 선언한다"는 요지의 선언문을 낭독했다는 것이다.[53]

김종태는 전후 4차례에 걸쳐 북한을 방문하는 동안 대남사업국장인 허봉학(許鳳學, 북한군 대장)으로부터 미화 7만 달러, 한화 2,350만원, 일화 50만엔의 공작금을 받았다고 한다. 중앙정보부 발표에 의하면 통혁당은 지하당 지도부로서 산하에 민족해방전선(총책 김진락)과 조국해방전선(총책 이문규, 李文奎)을 두고 이들 두 전선의 하부조직으로 각각 8개 및 1개, 도합 9개의 서클을 운영했다고 한다. 이들은 두 전선의 책임자인 김질락과 이문규를 중심으로 서울대 문리대 정치학과 출신을 비롯한 각 대학 출신의 자칭 혁신적 엘리트들에게 접근, 조직원으로 포섭했다는 것이다. 통혁당은 이처럼 상층부는 구 남로당 계열이고 중간의 핵심간부들은 대학을 갓 나온 젊은 지식인그룹이었다. 이들은 또한 결정적 시기에 대비해 민중봉기, 무장집단 유격화 등 무력투쟁을 위해 수도권 장악 및 국가중요시설 탈취, 요인 체포 계획 마련, 그리고 북한으로부터 인수한 무기의 수령, 양육거점 정찰 및 특수요원의 포섭 월북 등 14개 항목의 공작임무를 띠고 있었던 것으로 밝혀졌다고 한다. 중앙정보부는 두 전선의 대표 중 한 사람인 김질락은 그동안 《청맥》지를 통일혁명당 기관지로 운영하면서 주로 지식인과 학생층의 사상적화에 중점을 두는 한편 전 남로당계 인물을 포섭, 이를 '정수조직'으로 하여 지하에 잠복시키고 각종 정보를 수집, 북한에 제공했다고 한다. 또 다른 전선 책임자인 이문규와 그 부인은 서울 명동과 세종로 등지에서 '학사주점'을 인수해 경영하면서 청년학생을 선동하는 장소로 이용했다는 것이다. 통혁당은 또한 이들 두 전선조직 이외에 뒤에서 설명하는 재일조총련의 국내 지하조직인 가칭 '남조선해방전략당'과도 연계를 갖고 공작금을 지원받아 조총련계인 동해상사와 유사한 위장 기업체의 설립을 획책했다는 것이다. 중앙정보부는 사건 관련자 158명 중 73명(구속 50명, 불구속 23명)을 1차로 검찰에 송치하고, 나머지 85명에 대해서는 계속 조사 중에 있다고 발

표했다.[54]

중요 관련자 혐의사실 시인

검찰은 1968년 9월 김종태 등 관련자 21명을 구속기소했다. 이들에게는 간첩 반공법 국가보안법 외환관리법이 적용되었다. 군 관계자 4명은 군재에 송치되었다.[55] 11월 시작된 1심 재판에서 김종태는 자신이 북한의 대남공작원 김수상(金殊相)에게 포섭되어 월북, 김일성과 만나 공작금 3백만원을 받고 귀환해서 그 돈으로 잡지 청맥사를 운영했다고 진술했다. 그는 또 두 번째 월북했을 때는 노동당 청사에서 김일성을 만났는데 김일성은 이 자리에서 남반부 혁명은 남반부 사람이 해야 하므로 잘 해달라면서 남한에 통일혁명당을 창당하라고 직접 지령했다고 진술했다. 그는 이어 《청맥》 발행에 매호마다 공작금 15만원씩을 투입하고 잡지의 권두언은 북한의 지령에 부합하는 내용으로 자신이 잡지사 대표 김진환의 이름으로 직접 집필했다고 말했다. 재판부는 69년 1월 선고공판에서 김종태 등 5명에게 검찰구형대로 사형을, 이재학(李在學) 등 4명에게는 무기징역을, 나머지 21명에게는 징역15년 내지 2년을 각각 선고했다. 청맥 사장 김진환(金進煥)은 별도로 기소되어 징역5년이 선고되었다. 군재에 회부된 신영복(申榮福, 육군중위, 학생청년 지도책)은 같은 달 육군보통군법회의에서 사형이, 불고지 혐의로 기소된 이영윤(李永潤, 공군중위) 등 나머지 3명에게는 징역 5년 내지 4년이 선고되었다.[56] 노무현 정부에서 국무총리를 역임한 한명숙(韓明淑)은 3년여 후인 1973년, 신영복에게 포섭된 부군 박성준(朴聖焌)의 지시로 《공산당선언》을 복사 반포했다 해서 반공법 위반으로 징역1년 집행유예2년을 선고받았다.[57]

1969년 5월의 항소심 선고공판에서는 1심 판결대로 김질락 이문규 이관학(李官學) 김승환(金承煥) 등 4명은 사형, 신광현(申光鉉) 정종소(鄭鍾韶) 이재학 오병철(吳炳哲) 등 4명에게는 무기징역이 각각 선고되었다. 1심에서 사형 선고를 받은 김종태는 항소기간이 지나도록 항소를 하지 않아 1심 판결이 확정되었다.[58] 그는 뒤늦게 '상소건 회복신청'을 법원에 냈으나 1, 2, 3심에서 모두 기각되었다.[58] 박성준 등 나머지 21명에게는 징역15년에서 징역1년 집행유예2년이 선

고되었다.[59]

같은 해 9월의 상고심 선고공판에서는 항소심에서 사형을 선고받은 김질락 이문규 이관학 김승환 4명과 무기징역을 선고받은 이재학 오병철 신광현 정종소 4명에 대한 상고를 기각, 원심을 확정했다.[60] 김질락은 그 후 재심을 청구했으나 기각되어 1972년 7월 사형이 집행되었다.[61] 그는 1심 공판 때 사실심리에서 "지은 죄가 얼마나 큰가를 뉘우칠 뿐이며, 정당함을 주장할 것이 없다"고 변호인측 반대신문을 거부한 뒤 "그동안 공산주의를 위해 싸워왔으나 이제는 공산주의자로서 죽고 싶지 않으며 순수한 인간으로 돌아가 죽고 싶다"고 후회했다.[62] 이 때문에 그는 나중에 북한정권으로부터 다른 사람들처럼 '공화국영웅' 칭호를 받지 못했다. 항소를 하지 않아 1심 판결의 사형이 확정된 김종태는 맨 처음으로 1969년 7월에, 이문규와 이관학은 3개월 후인 그해 11월에 각각 형이 집행되었다.[63]

현역군인이던 신영복은 육군보통군법회의에 기소되어 1969년 1월 사형을 선고받고 항소했으나 그해 7월 24일 육군고등군법회의에서 기각되어 원심대로 사형이 선고되었으며 나머지 3명의 군인은 형량이 줄었다. 그러나 신영복에 대한 고등군법회의 판결은 대법원에 올라가 파기, 환송되어 서울고법에서 무기가 선고되어 검찰의 상고포기로 형이 확정되었다. 그는 20여년간 복역한 다음 1988년 8·15특사로 가석방되었다.

북한 측, 사건 적발 후 중앙위원회 결성 발표

북한은 김종태와 최영도를 비롯한 통혁당 지하당원들이 체포되어 극형을 선고받자, 전국적 범위에서 이들의 사형을 반대하는 궐기대회를 열고 그들의 사형집행을 막으려고 노력했다. 그러나 통혁당 관련자들이 막상 처형당하자 북한 당국은 이들을 빨치산투사와 같은 격으로 대우해 '국장'(國葬)을 치렀다. 북측은 각지에 빈소를 설치, 각 기업소 직장 단위 또는 개별적으로 인민들이 1분간 작업을 멈추고 남쪽을 향해 묵도(묵념)하게 했으며 기차와 자동차는 경적을 울리게 했다. 김일성은 김종태와 최영도에게 '공화국영웅' 칭호와 '조국통일상' 등을 수여하고 애국열사릉에 봉안했다. 특히 김종태를 기리기 위해 평양전기기관차공장을 김종태전기기관차공장으로, 해주사범대학을 김종태사범대학으로 각각 개칭했다. 북한은 해마다 통혁당 창당 기념일을 맞아 추모모임을 갖고 있다.[64]

통혁당의 특색은 관련자들이 중앙정보부에 의해 일망타진된 후에도 지하조직 활동이 중단되지 않은 점이다. 북한은 김종태 김질락 그룹이 체포되어 통혁당이 붕괴될 상황이 되었음에도 불구하고 1969년 8월 15일 《로동신문》을 통해 통혁당이 재건되어 중앙위원회가 결성되었다고 보도하고 아울러 통혁당 중앙위원회 명의의 선언문과 강령을 소개했다.[65] 북한의 《중앙통신》은 통혁당 (서울시위원회) 준비위원회가 1964년 3월 15일 서울에서 개최되었으며 이날이 통혁당의 창당일이라고 보도했다. 이 보도는 이어 "창당준비위원회가 적극적인 활동으로 여러 지역에 기층당 조직을 내오고 당의 조직적 기반을 튼튼히 다져 놓음으로써 마침내 1969년 8월 25일 역사적인 통혁당 중앙위원회가 결성될 수 있었다"고 주장했다.[66] 통혁당의 후신인 한국민주민족전선(약칭 한민전)은 1999년 통혁당 창건 35주년을 맞아 가진 기자회견을 통해 통혁당의 결성 경위를 이렇게 설명하고 있다.

주체50(1961)년 9월 평양에서 조선로동당 제4차대회가 열리었다. 경애하는 김일성주석님께서는 광범한 군중 속에 깊이 뿌리박은 로동자, 농민의 독자적인 당을 가져야 한다는 전위조직 건설의 필요성과 그 실현방도들을 밝혀 주시었다. 전위당 창건에 관한 주석님의 사상과 방침은 <한국>의 선각자들에게 있어서 암흑을 밝혀주는 휘황한 등대였다. 김종태, 최영도, 김질락, 정태묵, 리문규, 윤광수 등 선각자들은 주석님의 당 창건 방침을 구현할 방책을 세우고 그 실현을 추진하였다. 이러한 면밀한 준비에 기초하여…(창당준비위원회) 결성모임에서는 창당준비선언문을 채택하고 당의 명칭을 통일을 위해 투쟁하는 당이라는 의미에서 통일혁명당이라고 하는 데 의견일치를 보았다. 모임에서는 생불멸의 주체사상을 당의 유일한 지도리념으로 삼고 이에 토대하여 당의 조직사상적 통일과 단결을 보장하고 조국의 자주적 통일을 실현할 것을 투쟁 강령으로 채택하였다.[67]

북측은 이 무렵 통혁당 창당준비위원회가 당의 조직적 기반을 튼튼히 다져놓았다고 선전했으나 이 주장은 사실과 다르다. 통혁당은 비밀지하당이기 때문에 구성원들의 활동에 제약이 따르고 국가보안법이 일반 대중의 참여를 원천적으로 봉쇄하고 있기는 하지만, 그런 점들을 감안해서 보더라도 그 시점에서의 통혁당의 대중성은 실제로는 형편없는 수준이었다. 중앙위원회가 결성되었다는 시점은 통혁당 서울시위원회 사건이 대법원에 올라가 있던 때였다.

북한의 끈질긴 재건 공작

통혁당을 재건하려는 북측의 비밀공작은 서울시위원회가 중앙정보부에 적발된 이후 1994년까지도, 국내 여러 지역에서 10여 차례나 집요하게 계속되었다. 그러나 그 때마다 정보기관에 적발되어 일망타진됨으로써 통혁당 재건을 위한 북한의 총공세는 실패로 돌아갔다. 그 중 대표적인 예를 보면, 1971년 5월 치안국은 중학교 교사로 근무 중 남파간첩에게 포섭되어 월북, 평양에서 밀봉교육을 받고 호남지방에서 통혁당을 재건하라는 지령을 받고 돌아와 암약하던 빨치산 출신의 류낙진(柳洛鎭)과 고정간첩 2명 및 연루자 8명을 체포했다고 발표했다.[68] 류낙진은 이 사건으로 무기징역을 선고받고 출소한 다음 1994년에는 구국전위사건으로 다시 징역8년을 선고받았다. 그는 2002년 빨치산위령비 비문 사건으로 다시 실형을 선고 받는 등 일생 동안 좌익활동을 하다가 2005년 사망했다. 그는 경기도 파주시 보광사에 조성된 '불굴의 투사 통일애국투사 묘역 연화공원'에 다른 간첩 빨치산 출신들과 함께 묻혔다가 보수단체의 항의로 묘역이 폐쇄되자 전북 남원의 선산으로 이장되었다. 2007년 4월에는 범민련 남측본부 관계자들이 그를 위해 통일애국열사 추모제를 지내 화제가 되었다.[69] 또한 치안본부는 1979년 4월 통혁당을 재건, 통일전선을 형성해 결정적 시기에 폭력봉기를 하려고 기도하던 북한 간첩 일당 10명을 검거, 그 중 7명을 국가보안법 등 위반으로 검찰에 구속 송치했다고 발표했다. 일명 '임동규간첩사건'으로도 알려진 이 사건 관련자로 구속 송치된 7명 중에는 고려대 노동문제연구소 총무부장 임동규(林東圭), 조총련계의 김재욱(金在勗, 무직), 프랑스 감마통신 동경특파원 지정관(池禎官), 충남대 및 인혁당사건에 관련된 경희대 강사 박현채(朴玄琛)도 포함되어 있었다.[70] 그해 10월 서울지법에서 임동규와 김재욱은 무기징역을, 지정관(프랑스 감마통신 특파원)은 징역7년, 박현채는 징역2년 집행유예3년, 나머지 3명은 징역2년 집행유예4년을 각각 선고받았다.[71] 1980년 1월, 대법원은 항소심을 거쳐 올라온 피고인 7명에 대한 상고를 모두 기각, 2심 판결을 확정했다.[72]

후에 한민전으로 개편

1969년 이후 등장한 통혁당 재건 주역들은 곧바로 김일성주의, 즉 주체사상을 지도이념으로 내걸었다. 이때 발표된 통혁당 선언은 "통일혁명당의 지도이념은 마르크스–레닌주의를 현시대와 우리 조국 현실에 독창적으로 구현한 김일성 동지의 위대한 주체사상이다"라고 밝혔다. 말하자면 통혁당의 완벽한 남한판 조선노동당화이다. 통혁당은 조선노동당과 형제당 관계를 가지려 한다고 대외적으로 말해왔지만 처음부터 독자성은 말뿐이었고 나중에는 창당주역들이 괴멸되자 명실공히 북한의 대남공작기구 산하에 들어갈 수밖에 없게 되었다. 통혁당은 1985년 7월 전원회의에서 조직 이름을 '한국민족민주전선'(한민전)으로 개편하고 강령과 규약도 새로 제정했다.

한민전은 그 산하에 《구국의 소리》와 《민중의 메아리》라는 이름의 해적방송을 두고 매일 대남선전방송을 했다. 한민전은 이때부터 북한 노동당 통일전선부(대남연락부) 산하에 소속된 대남공작 전담기관으로서 역할을 수행했다. 통혁당과 그 후신인 한민전은 각 지역에 '도당위원회'를 두고 남한의 독자적인 조직인양 가장하기 위해 일본 쿠바 시리아 마다가스카르 평양에 한민전 대표부를 설치, 선전활동을 벌였다.[73] 한민전은 이때 남한에서 활동하고 있는 것처럼 보이기 위해 성명을 낼 때 항상 서울에서 발표하는 것처럼 행동했다.[74] 한민전은 통혁당 중앙위원회가 결성되었다는 1969년 8월 25일을 한민전 창립일로 기념하기로 했다. 한민전은 2005년 3월 29일을 기해 반제민족민주선선(약칭 반제민전)으로 개칭되었다. 반제민전은 2016년 10월 최순실사건이 터지자 인터넷 웹사이트인 《구국전선》을 통해 박근혜 퇴진촛불을 부추기는 "끝장을 볼 때까지"라는 선동기사를 연일 게재했다.

남조선해방전략당

남조선해방전략당(약칭 전략당) 사건은 앞에서 언급한 바와 같이 중앙정보부에 의해 통혁당 사건의 일환으로 발표되었다. 중앙정보부는 전략당이 남한에 있는 지하당 지도부인 통혁당의 지시 내지 협조를 받는 조직으로 보았다. 이 발표에 의하면 전략당의 주모자 권재혁(權再赫, 국제참치사 서울사무소 지배인)은 일본에 있는 북한의 지도원 천만기(千萬基)와 접선, 공작금과 암호문을 받은 다음 노농계급당을 결성하고 노농군을 만들려고 모의했다는 것이다. 다른 관련자 10명은 권재혁과 함께 전략당을 건설하거나 가입하고 공작금을 받은 혐의를 받았다.[75]

전략당사건 관계자는 검찰의 기소 단계에서 통혁당사건과 분리 기소되어 재판 역시 별도로 받았다. 이들 전략당 피고인들에 대한 1968년 11월의 1심 첫 공판에서 권재혁은 해방직후 박헌영 이주하 김삼룡 등 공산당 거물급들과 만난 사실은 있지만 북한노동당에 가입한 사실은 없다고 주장하면서 검찰 공소 사실을 대체로 부인했다.[76] 1969년 1월 선고공판에서 재판부는 권재혁 이일재 두 사람에게 사형을, 이형락(李亨洛) 이강복(李康福) 두 사람에게는 무기징역을, 나머지 8명에게는 최고 징역15년에서 최하 징역3년을 선고했다.[77]

1969년 5월의 항소심 선고공판에서 재판부는 피고인 전원에 대해 원심을 깨고 권재혁에 대해서는 사형을, 이일재에게는 무기징역(원심은 사형)을 선고했다.[78] 그해 9월의 상고심 선고공판에서 재판부는 이들의 상고를 기각, 권재혁에게 원심대로 사형을, 이일재에게는 무기징역을 확정시켰다. 이강복 등 나머지 피고인에 대해서도 상고를 기각했다. 권재혁은 11월 처형되었다.[79] 1925년생인 권재혁은 서울대를 졸업하고 미국 조지타운대에 유학, 경제학 박사과정을 이수한 다음 1960년 4월혁명이 일어나자 학업을 중단하고 귀국해서 육사 교관과 대학 강사를 지냈다. 그와 함께 해방전략당사건으로 복역한 김병권(金秉權)은 중앙정보부에 압수된 권재혁의 "남조선 해방의 전략과 전술"이라는 논문 제목을 중앙정보부 수사관이 보고 당 이름을 지어냈다고 사건조작을 주장했다.[80]

이 사건 역시 2014년 5월 고문에 의한 사건조작으로 밝혀져 대법원은 피고인 전원에게 무죄로 판결을 내렸다. 2년후 이들의 유족들에게 79억원을 배상하라는 서울지법 판결이 났다.

3. 남조선민족해방전선

통혁당보다 규모가 더 큰 지하혁명당

남조선민족해방전선(약칭 남민전)은 박정희의 유신정권 최말기인 1979년 10월 발각되어 일대 센세이션을 일으킨 지하혁명조직이다. 구자춘(具滋春) 내무장관은 10월 9일, 경찰이 북한의 적화통일혁명 노선에 따라 남민전을 조직해 국가를 전복하고 사회주의국가 건설을 꾀한 대규모 반국가단체를 적발, 총책 이재문(李在汶) 등 일당 20명을 4일 검거하고 나머지 54명을 수배했다고 발표했다. 그의 발표에 의하면, 1974년 4월의 민청학련 배후조종자로 수배된 이재문은 1976년 2월 대한민국을 전복하기 위해 학생 교직자 등 74명을 포섭, 이른바 '남조선민족해방전선' 준비위를 조직하고 10대강령 9대규약 10대생활규범 4대임무 3대의무 등을 만들었다는 것이다. 불온전단을 뿌리고 도시게릴라 방법에 의한 강도행위 등을 자행하면서 민중봉기에 의한 국가변란을 획책한 이들은 인혁당재건위사건 관련 사형수 8명의 옷을 모아서 물감을 들여 북한기를 모방한 남민전 깃발도 제작했다 한다. 경북대 법대를 나와 민족일보 기자로 근무한 이재문은 민청학련사건 이전에는 1964년의 인혁당 중앙상위 조직부책으로 정부 전복을 꾀한 혐의로 검거되어 징역1년에 집행유예를 선고받았다.[81]

남민전은 이재문이 위원장인 중앙위원회 안에 총무 조직 교양선전선동 출판 통일전선 무력 대외연락 및 정보 재정 등 9개 부와 검열위원회 서기 및 지역책(서울 경북 호남)을 두고 그 산하에 한국민주투쟁국민위원회(위원장 한민성, 韓民聲, 임헌영, 任軒永의 가명, 약칭 민투)라는 전위조직을 설치, 청년 학생 농민 노동 연합 교양 등 6개 부와 지도요원 및 221대(특수행동대)를 편성, 암약하면서 김일성에게 "피로써 충성을 맹세"하는 서신을 보냈다는 것이다. 발표에 의하면 이들은 모두 가명을 사용해 '혜성대'(彗星隊)라는 행동대를 조직하고 활동자금을 마련하기 위해 '봉화작전' '땅벌작전' 등 암호를 사용하면서 두 기업인의 자택과 보금장(寶金藏) 금은방에 침입, 3회에 걸쳐 50여만 원의 금품을 털

고 추적하는 수위를 칼로 찔러 중상을 입혔다는 것이다.[82]

경찰은 10월 16일 추가수사발표를 통해 이들이 반정부적인 일부 학생 지식인 근로자 등을 선동, 대규모적인 민중봉기를 일으키고 봉기한 민중과 남민전 무장전위대로 인민해방군을 조직, 전국 각지에서 국가전복 투쟁을 전개한다는 계획을 세웠다고 밝혔다. 그리고 이들은 혁명 시기가 성숙되면 김일성에게 북한군의 지원을 요청하고 남한의 혁명세력과 북한군의 배합으로 투쟁을 강화, 공산민족혁명이 성취되면 모든 용공세력을 규합, 사회주의 국가체제로 남북연합정부를 수립하려 했다는 것이다. 이 계획에 따라 간첩죄로 기소중지중인 안용웅(安龍雄)이 이재문의 지령에 따라 김일성에게 충성을 맹세하는 신년메시지와 사업보고서를 휴대하고 3월 일본을 통해 월북했다고 한다.[83] 남민전의 이 같은 활동은 바로 월남의 적화에서 고무된 월남식 공산화전략이라는 것이다.

한국을 '신식민지'로 규정, 반외세 혁명 노린 지하조직

남민전은 월남식 혁명을 당면목표로 세우고 한국사회를 미국과 일본의 '신식민지'라고 규정했다. 남민전은 10대 강령의 제1조에서 미·일을 비롯한 국제제국주의의 일체의 '신식민지 체제'와 그 '토착 지배체제'인 박정희 유신독재정권을 투쟁대상으로 삼았다고 했다. 남민전은 '신식민지'에 대해 다음과 같이 정의했다.

신식민지란 제2차 세계대전 후 후진국의 민족의식이 고양되어 선진 자본주의 국가들이 더 이상 구식민지 정책과 같은 무력적이고 폭력적인 직접 통치를 할수 없게 되자 후진국에서 자국의 이익을 대변할 형식적 독립정권을 수립시키고, 그 정권으로 하여금 후진국을 통치케 하고 그 정권의 배후에서 간접적으로 후진국을 지배, 후진국의 이윤을 착취하는 지배체제를 말한다. 이란의 팔레비나 한국의 박정권이 그 대표적인 예이다.[84]

남민전은 이 같은 신식민지 상태를 극복하기 위해 반외세 혁명을 일으켜 '민족자주적이고 민주적인 연합정부'를 세워야 한다고 주장했다. 남민전의 이 같은 한국사회 성격 규정은 이미 1950년대부터 유럽에서 논의된 고전적인 좌파 이론이지만 이 같은 주장 자체가 당시의 국내정치상황에서는 상당히 충격적이었다. '신식민지'이론은 뒤에서 보는 바와 같이 1985년 결성된 민통련(민주통일민중운동연합)에 승계되고 그 무렵부터 좌파진영의 뜨거운 논쟁거리로 등장한 '식민지반자본주의론' 또는 '신식민지국가독점자본주의론' '중진국자본주의론' 등 사회구성체 논쟁으로 발전하게 된다.[85]

경찰은 11월 중순까지 3차례에 걸쳐 입북자 1명, 해외체류자 1명, 수배자 2명 등 모두 4명을 제외한 도합 74명의 사건 관련자들을 검거했다.[86] 관련자 중에는 앞에서 설명한 바와 같이 제1차 인혁당사건 때부터 관련된 이재문을 비롯해서 전 숙명여대 교수 안재구(安在求), 전《사상계》편집장 김승균(金承均), 문학평론가 임헌영(본명 임준열, 자수), 엠네스티 한국지부 사무국장 이재오(李在五), JOC의 박문담(朴文淡), 가톨릭농민회 김종삼(金鍾三), 크리스챤아카데미 간사 권영근(權寧勤), 기독교산업문제연구원의 윤관덕(尹寬德) 등이 포함되었다. 경찰은 12월 들어 이들 중 68명을 구속송치하고 자수자 등 18명은 불구속송치했다.[87]

검찰은 모두 73명을 기소했는데[88] 1980년 5월 열린 1심 선고공판에서 이재문과 안재구 신향식(申香植) 최석진(崔錫鎭) 등 4명은 사형을, 이해경(李海景) 임동규(林東圭) 박석률(朴錫律) 차성환(車成煥) 등 4명은 무기징역을 선고 받았다. 나머지 65명에게는 최고 징역 15년, 최하 징역8월 집행유예1년의 유죄가 선고되었다. 이들 중 민투 관련자 25명에게는 모두 집행유예가 선고되었다.[89]

항소심의 선고공판은 그해 9월에 열려 이재문 신향식 2명에게 원심대로 사형을 선고했다. 1심에서 사형을 선고받은 안재구와 최석진 2명에게는 무기징역을, 1심에서 무기징역을 선고받았던 차성환에게는 징역15년을 각각 선고, 세 피고인에게 형량을 낮추고 나머지 70명에 대해서는 전원 항소를 기각했다. 재판부는 "남민전은 그 인적 구성과 강령을 보관한 수괴가 북괴를 왕래했다는 점 등으로 보아 반국가단체임이 분명하며 민투와 민학련(정식 명칭 민주구국학생연맹)도 남민전의 산하단체로서 체제상 반국가단체가 아닌 반체제단체로 위장하고는 있으나 남민전의 전술 전위조직이라는 점에서 반국가단체임이 분명하

다"고 판결이유를 밝혔다.[90)]

상고심 선고공판은 12월 열렸는데 1명을 제외한 피고인들의 상고를 모두 기각, 항소심 판결을 확정했다. 이로써 이재문 신향식 2명은 사형이, 안재구 최석진 이해경 박석률 임동규 등 5명에게는 무기징역이 각각 확정되었다.[91)] 사형이 확정된 이재문은 1981년 10월 서울 서대문구치소에서 병사하고, 서울대 철학과 졸업생인 신향식은 이듬해 10월 형이 집행되었다.[92)] 대법원은 남민전 산하 민학련 관련자로 1980년까지 연세대 시위를 조종한 혐의로 1981년 4월 뒤늦게 구속기소된 전 연세대생 장신환(張信煥) 이성하(李聖河) 김치걸(金致杰) 3명에 대한 상고를 기각, 장·이 2명에게 징역7년을, 김치걸에 징역5년을 각각 선고한 원심을 확정했다.[93)]

노무현 정부 들어 민주화 공로자로 인정

노무현 정부 들어 발족한 민주화운동 관련자 명예회복 및 보상심의위원회(위원장 하경철)는 2006년 3월 남민전 관련자 29명을 민주화운동 관련자로 인정했다고 발표했다. 위원회는 신청자 33명 가운데 김남주(金南柱, 시인, 민투 위원장)와 그의 부인 박광숙(朴光淑), 이수일(李銖日, 전 전교조 위원장) 이학영(李學永, 한국 YMCA전국연맹 사무총장) 임준열(필명 임헌영, 민족문제연구소장) 권오헌(權五憲, 민주화실천가족운동협의회 양심수후원회 회장) 등의 행위를 유신체제에 항거한 것으로 판단하고 민주화운동 관련자 인정 결정을 내렸다. 위원회는 이들이 고위 공직자 집에 침입해 금도끼와 패물을 훔친 봉화산 작전과 최원석(崔元碩) 전 동아건설 회장 집을 털려다 붙잡힌 땅벌사건, 중앙정보부의 자금줄로 생각한 금은방 보금장을 털려고 했던 GS작전, 그리고 예비군 훈련장에서 카빈소총 1정을 화장실 창을 통해 군부대 밖으로 빼돌린 총기밀반출사건도 모두 민주화운동으로 인정했다. 위원회는 "암울했던 폭압적 상황 아래서 전단이라도 뿌리고 지속적으로 활동하려면 (자금 마련이) 불가피한 측면이 있었을 것이며 밀반출한 1정의 소총의 경우도 그 총이 고장 난 총인데다가 총알도 없어 무기 자체가 위협적인 것은 아니었다고 결정이유를 설명했다. 남민전 관련자 중 홍세화(洪世和) 한겨레신문사 시민편집인과 이재오 한나라당 원내대표 등은 신청을 하지 않아 심의대상에 포함되지 않았다. 위원회는 남민전의 주모자로 사형 판결을 받은 이재문과 신향식, 그리고 무기징역형을 선고받은 이해경에 대해서는 추가자료를 보완한 뒤 다시 논의키로 했다.[94] 위원회는 그해 9월 추가로 여타의 남민전 관련자 42명을 민주화운동 관련자로 인정하고 박석률 윤관덕 임규영(林圭映)에 대해서는 각각 5천만원씩을, 최석진에 대해서는 상이보상금을 지급키로 결정했다.[95]

그런데 경찰청에 설립된 과거사진상규명위원회(위원장 이종수 한성대 교수)는 2006년 9월 남민전 사건에 대한 조사중간 결과 발표에서 "남민전 사건이 용공사건으로 조작되었다는 증거를 찾지 못했다"고 밝히고 "남민전은 사회주의를 지향하고 북한을 찬양하며 북한과의 연계를 시도한 자생적 반국가단체'라는 대법원의 판단에 이견이 없다"고 결론지었다.[96] 또한 보수계열의 친북반국가행위진상규명위원회(위원장 제성호·이하 친북행위규명위)는 같은 해 9월 "난민전은 친북공산폭력혁명조직이었으며 북한과의 연계 역시 충분한 개연성을 가지고 있다"는 조사결과를 발표하고 민주화운동 관련자 명예회복 및 보상심의위원회(이하 민보상위)의 결정을 정면 비판했다. 친북행위규명위는 그 동안 사법부, 의문사진상규명위원회, 민주화운동관련자명예회복 및 보상심의위원회(이하 민보상위), 과거사진상규명위원회 등 각종 기관이 내린 상충된 해석을 정리하고 사건을 재조사했다고 밝히면서 "민보상위가 좌익공안사건의 진상규명에 대한 전문성이 부족함에도 불구하고 남민전을 민주화운동으로 인정했다"고 주장했다. 이 보고서는 "이 같은 결정은 대한민국의 정체성을 부정하는 것이며 자유민주적 기본질서에 대한 중대한 유린이자 모욕"이라고 주장했다.[97]

공산주의의 탈을 쓰고 세계적으로 유례가 없는 족벌 전제정치와 철저한 병영국가체제로 그들의 총력을 남침 적화통일 노력에 집중시키고 있는 강권정치집단이 아직까지 북한을 강점하고 있는 현실은 우리들의 민족사회주의운동도 이에 상응하는 승공노선을 지향하지 않을 수 없게 하고 있다.

―민주사회당, 창당선언문(1980)

1. 민주사회당

이동화 송남헌 고정훈 등이 발기

박정희 암살로 빚어진 권력의 공백기를 틈타 집권에 성공한 전두환(全斗煥) 신군부 정권은 권력 장악 과정에서 기존 정당들을 해체하고 미리 짜인 각본에 의해 신생 정당들을 결성케 했다. 당시 정가에서 민주한국당(야당)을 가리켜 '민주정의당(여당) 2중대'라는 별명이 나온 것도 이 때문이다. 정당판도를 인위적으로 짠 신군부세력은 혁신계에 대해서도 마찬가지였다. 그들은 대외관계를 고려, 혁신계를 용인하는 대신 장식품 이상으로는 생각지 않았다. 이런 어려운 정치적 환경 속에서 탄생한 혁신정당이기 때문에 5공하의 혁신계는 '관제'(官製)라는 비판을 자주 들었다. 물론 그렇다고 5공 치하의 혁신계 인사들이 어용 혁신계로 시종했다는 말은 결코 아니다. 그들은 가능한 현실 속에서 최선을 다해 보려는 현실노선을 택한 것으로 보아야 할 것이다.

5공 치하에서 혁신세력은 몇 갈래로 정당 결성 움직임을 보였다. 그 주류는 혁신계 원로들과 고정훈(高貞勳)이 추진한 민주사회당(약칭 민사당)과 구 통사당 위원장 김철이 추진한 사회당 창당 움직임이었다. 먼저 창당한 민사당은 1980년 11월 서울 중구 코리아나호텔에서 이동화(李東華) 송남헌(宋南憲) 구익균(具益均) 고정훈 등 12명이 참석한 가운데 창당준비위원회를 개최함으로써 결성준비가 시작되었다. 신군부는 이에 앞서 발표된 계엄포고 제15호로 정당 창설과 정당기구 운영을 위한 옥내집회를 허용했다. 이날 회의는 이동화 구 통사당 정치위원장을 준비위원장으로, 송남헌 김국주(金國柱) 고정훈 등 6명을 창당발기실무위원으로 선출했다. 창당발기인대회는 12월 5일 코리아나호텔에서 72명의 발기인이 참석한 가운데 개최되어 창당작업에 박차를 가했다. 이날 대회는 단일지도체제를 주요골자로 하는 정강 정책 및 당헌을 채택하고 고정훈을 창당준비위원회위원장으로, 김국주 한왕균(韓旺均) 황구성(黃龜性) 홍숙자(洪淑子)를 부위원장으로 각각 선출하고 이동화 신도성(愼道晟) 송남헌을 고문으로 추대했다.[1]

발기인들은 이날 창당발기인 선서를 통해 "우리들은 철두철미한 반공정신과 확고부동한 국가관과 새 시대가 요구하는 현실적인 시국관을 바탕으로 새로운 정치풍토 조성에 앞장서서 민주적 사회주의 사회의 건설을 위하여 몸과 마음을 바칠 것을 선언한다"고 밝혔다. 이어 발기인들은 "새로이 탄생할 혁신정당은 지난날 민족의 자유와 독립을 위하여 자기희생을 아끼지 않은 애국자들이 갖은 고생을 무릅쓰고 지속하여온 독립운동과 고귀한 정신적 전통을 이어받는 한편 농민, 노동자, 중소기업자, 양심적 자본가, 그리고 오랜 남존여비 문화권에서 차별받고 있는 여성 등을 사회적 기반으로 하는 광범한 국민대중적 혁신정당이 아니면 아니 된다"는 발기인선언문을 채택했다.[2]

창당과정에서 민주노동당과 통합

가칭 민사당은 창당과정에서 권두영(權斗榮)이 추진 중이던 가칭 민주노동당과 통합하기로 합의했다. 이 과정에도 역시 신군부의 작용이 있었다는 설이 있었다. 위원장인 고정훈은 1980년 12월 서울 중구 신문회관에서 권두영과 만나 두 당의 통합을 합의하고 당명은 민주사회당으로 결정했다. 두 사람은 합의서에서 "민주노동당은 앞으로 한국노동조합운동의 운동기조와 정치이념을 정강 정책의 기본으로 삼을 것을 전제로 민사당과 합당키로 합의했다"고 밝혔다. 고정훈과 권두영 양자 회담석상에는 가칭 사회당 기획위원장 김학락(金鶴洛) 등 6명도 참석, 자신들이 김철의 사회당을 이탈해 민주사회당에 합류할 것이라고 선언했다. 이에 따라 가칭 민사당의 원래 발기인들 이외에 민주노동당의 권두영 김병균(金炳均, 전국화학노조위원장) 조선원(趙宣元, 한국노총사무총장) 강소인(姜素仁, 한국노총부녀부장) 김길언(金吉彦) 등과 가칭 사회당의 김학락, 김종대(金鍾大, 기획위원) 윤우현(尹佑鉉, 기획위원) 권조섭(權祖燮, 선전위원) 구주룡(具珠龍) 이진균(李眞均) 등이 민사당에 참여하게 되었다.[3]

창당대회는 1981년 1월 20일 서울 세종문화회관 별관에서 열려 고정훈을 당수로, 김국주와 한왕균을 부당수로 선출했다. 이동화 송남헌 신도성 구익균은 고문으로 추대되었다. 이로써 한국의 사회민주주의자 제2세대는 신군부의 통치 아래서 제3세대에 의해 교체되었다. 이날 창당대회에서는 고정훈을 만장일치로 당의 대통령후보로 추대했다.[4] 그러나 고정훈은 "반공과 자유민주주의를 국시로 하고 있는 대한민국의 현실에서 국민 속에 뿌리를 내리지 못하고 있는 사회주의정당이 집권하기는 시기상조"라고 말하고 후보지명을 철회해 줄 것을 대의원들에게 요청하면서 이 문제를 앞으로 구성될 당 지도부에 위임해 달라고 말함으로써 대통령 출마 의사가 없음을 명백히 했다. 이에 따라 대의원들은 이 문제를 중앙상무위원회에서 협의, 결정토록 했다. 민사당의 창당은 1981년 1월에 맨 먼저 창당절차를 마친 5공의 집권당인 민주정의당(1월 15일)과 민주한국당(1월 17일)에 뒤이어 이루어졌다. 민사당 다음으로 창당된 정당은 한국국민당(1월 23일)이다. 신군부는 여야의 창당순서까지 통제했다.

민사당은 1981년 2월 치러진 제12대 대통령선거에 후보를 내지 않기로 하는 대신 그해 3월 25일 실시된 제11대 국회의원 총선에는 후보 63명(전국구 13명 포함)을 공천했다. 이들 중 당선자는 고정훈(서울 강남구)과 백찬기(白瓚基, 경남 마산시) 2명뿐이었다. 당의 전체 후보가 얻은 득표수는 52만여 표로 그 비율은 3.2%에 불과했다. 고정훈은 1개 지역구에서 2인을 뽑는 중선거구제도 아래서 신군부의 지원을 받아 당선되었다. 신군부는 서울 강남구에 민정당 후보(이태섭, 李台燮)와 민사당 후보(고정훈) 두 사람만 출마하도록 조정한 것이다.

신정사회당으로 확대개편

민사당은 이듬해인 1982년 3월 변호사 김갑수(金甲洙)가 이끌던 신정당(新政黨)과 합당, 신정사회당으로 탄생했다. 민사당은 이에 앞서 뒤에서 설명하는 김철의 사회당과 합당을 추진했으나 사회당이 제11대 총선에서 당선자를 내지 못하고 득표율이 0.8%에 그쳐 정당법에 의해 등록이 취소됨으로써 통합노력은 무산되었다. 민사당 지도부는 3월의 정치위원회에서 신정당과의 합당 이유를 원내의석을 늘려 정당보조금을 더 받고 사회주의인터내셔널(SI) 가입 등 국제적 위상을 향상시키기 위해서라고 설명하고 3월 23일 열린 임시대의원대회에서 신정당과의 합당을 만장일치로 결의했다. 신정당의 경우는 합당 문제가 당내에서 순조롭게 진행되지 못하고 2월 1일 열린 중앙상임위원회에서 합당문제를 표결에 부친 결과 찬성 18, 반대 20으로 부결되었다. 그러나 신정당 지도부는 당 재정과 차기 총선에서의 이점 등을 감안, 합당계획을 계속 추진한 끝에 3월 24일의 임시전당대회에서 만장일치로 합당안을 통과시켰다. 제11대 총선에서 2명을 당선시킨 신정당과의 합당으로 탄생한 신정사회당의 원내의석수는 4명이 되었다. 신정당 쪽 소속의원은 이대엽(李大燁, 경기 성남광주) 이원형(李沅衡, 전남 해남진도) 두 사람이었다. 그러나 이대엽은 "그동안 (본인은) 신정당이 주도하는 합당을 주장해 왔는데도 (민사당과 합당함으로써) 양당 모두의 창당이념을 변질시키고 민사당의 당세만 확장시켰다"고 주장하면서 신정당을 탈당했다. 이대엽을 따라 4개 지구당 의원장도 탈당에 합류했다.[5]

새로 탄생한 신정사회당의 총재에는 고정훈 민사당 당수가, 당의장에는 김갑수 신정당 총재가, 사무총장에는 이원형 신정당 사무총장이 선출되었다. 고정훈은 신당 창당일에 기자회견을 열고 "민사당과 신정당이 합당했다 해서 구 민사당의 민주사회주의 이념은 결코 퇴색되지 않을 것이며 오히려 색깔이 더 뚜렷한 사회주의정당으로 될 것"이라고 주장했다.[6] 신정사회당의 강령은 구 민사당과 비슷했다. 의회민주주의정치체제를 확립함과 아울러 경제산업민주주의의 제도화를 기한다는 대목이나 자유시장경제 기반위에 적정한 경제계획으로 산업구조를 고도화하고 완전고용과 풍요한 국민생활을 실현한다는 강령 1항과 2항이 그 예이다. 그리고 공평한 소득분배와 사회복지의 확대로 모든 국민에게 인간다운 최저생활을 보장한다는 대목이나 기본정책에서 복지국가의 건설을 국가발전의 기본목표로 한다는 대목도 똑 같다. 다만 구 민사당 강령에 명시된 "민주사회주의 이념에 입각"한다는 대목은 사라지고 그 대신 "우리는 민주사회주의 인터내셔널의 취지 목적 강령에 찬동하고 동 국제기구의 결의를 원칙적으로 지지한다"고 밝힘으로써 우회적으로 민주사회주의 정당임을 천명했다. 신정사회당은 창당 후 이스라엘 노동당, 이탈리아 사회당, 일본 민사당 등 외국의 좌파정당과 교류를 실시하고 당원들을 민주사회주의 이념으로 무장시키기 위해 당원교육을 실시하는 한편 당내에 민주사회의주의연구회를 결성하고 일본의 민주사회주의연구회와도 교류했다.[7]

그러나 신정사회당은 1985년 2월 12일 실시된 제12대 국회의원 총선거에서 유효투표총수의 1.45%에 해당하는 19만여 표를 얻는 데 그쳤다. 지역구 후보 17명 중 유일하게 김봉호(金琫鎬, 전남 해남진도) 1인이 당선되었으나 당선된 그가 10일 후 보수계인 신한민주당에 입당함에 따라 원내의석이 1석도 없는 원외정당 신세가 되고 말았다. 총선패배의 책임을 지고 총재 고정훈이 사퇴하자 당을 집단지도체제로 바꾸어 이원영 사무총장이 대표최고위원에 선출되어 당무를 총괄했다. 그러나 이원형도 곧 사임하고 후임에 권대복(權大福) 최고위원이 그 자리를 맡아 있다가 이듬해인 1986년 5월 26일 김철이 이끄는 사회민주당에 흡수통합되어 소멸했다.[8]

2. 사회당

2개월 단명으로 끝난 김철의 혁신정당

사회당은 5공 출범과 함께 해산된 통일사회당의 김철과 그의 동지들이 1980년 12월 서울 종로구 견지동 구 통일사회당 당사에서 발기인모임을 가짐으로써 창당준비가 시작되었다.[9] 신군부세력 등장 이전부터 사회주의인터내셔널(SI)과 친밀한 관련을 가진 김철은 신군부세력의 이용대상으로 지목되어 정치활동 규제 대상에서 제외되고 국보위(정식 명칭 국가보위입법회의) 의원에 임명되었다. 그런 다음 신군부는 그에게 1980년 스페인 수도 마드리드에서 열린 SI총회에 참석, 신군부 집권 비난 결의를 막아주도록 요구했다. 그러나 SI가 신군부의 집권과 광주사태에 대해 비난성명을 채택하자 김철은 5공세력의 미움과 견제를 받기 시작했다. 이 때문에 신군부는 김철 대신 고정훈을 혁신계 정당의 대표로 밀게 되어 김철은 뒤늦게 통사당 재건에 착수하게 되었다.

김철 이외에 신창균(申昌均) 장수봉(張壽奉) 전표두(全杓斗) 김학락(金鶴洛) 등이 참여한 사회당 발기위원회는 발기취지문에서 "우리는 민족사의 줄기찬 혁명적 전통을 현대에 계승하는 민족주체의 전위임을 자부하고, 공산주의의 비인간적 체제와 자본주의의 횡포로부터 인간의 존엄을 지켜 민족의 진로를 개척하려 한다"면서 "민족사적 과제를 해결하는 (일은)…민족주체성에 뿌리박은 민주적 사회주의를 통해서만 이룩될 수 있을 것으로 우리는 확신한다"고 선언했다.[10]

창당대회는 1981년 1월 24일 한국일보사 대강당에서 열려 당위원장에 김철, 부위원장에 김정길(金正吉), 전당대회의장에 장수봉, 중앙상임위의장에 전표두를 각각 선출했다.[11]

사회당의 노선

사회당은 창당대회에서 채택한 창당선언문과 결의문에서 자당이 1980년 11월 해체된 통일사회당을 발전적으로 계승하는 정당이라고 밝히면서 국민 대중을 우롱하는 보수정당들이나 사이비 혁신정당의 잘못된 작태를 배격하고 민중의 이익을 대변하는 알찬 진보적 이념정당으로 나아갈 것이라고 선언했다. 사회당의 강령은 이 때문에 통사당의 그것을 대체로 계승하고 있다. 다만 5공 치하라는 특수상황에 적응하기 위해 몇 가지 문제를 제기하고 있다. 사회당은 기본정책에서 "국내외 극좌우파의 폭력에 의한 정권장악은 인정치 않는다"고 밝히고 "독재방지를 위해 단일대통령의 장기집권을 폐지하고 철저한 내각책임제를 지향한다"고 주장했다.[12]

사회당은 창당한 지 2개월 만인 1981년 3월 25일 실시된 제11대 국회의원 총선거에서 지역구 20명, 전국구 6명 등 총 26명의 후보를 입후보시켰으나 단 1명의 당선자도 없이 총유효투표의 0.8%인 12만여 표를 얻는 데 그쳤다.[13] 이는 2석을 얻은 고정훈의 민주사회당과 비교가 되었다. 사회당은 3월 28일 등록이 취소되어 2개월간의 단명으로 끝났다.

3. 사회민주당

구 통사당 간부들 대거 참여

사회민주당(약칭 사민당)은 앞에서 살펴본 김철의 사회당이 등록 취소되자 이를 재건한 정당이다. 그렇기는 하나 1960년대의 민주당 정권 때 출범했다가 몇 차례 해산과 재건을 거친 통일사회당 계열 인사들이 통사당의 전통을 살리기 위해 대거 참여한 점에서 4·19 직후 혁신계의 전통을 이어받은 정통 사회민주주의 정당이라고 할 수 있다.

사민당의 발기는 사회당 해산 3년 10개월 후인 1984년 12월 대전시 대흥동 소재 대흥식당에서 구 통사당 간부 24명이 모여 혁신세력 대동단결의 원칙 아래 통사당의 전통을 계승하는 '참다운 민주적 사회주의 정당'을 결성하기로 결의한 데서 비롯되었다. 이때 합의한 정당의 이름은 '통합사회당'이었다. 이들은 통합사회당 결성준비위원으로 김철(金哲) 안필수(安弼洙) 송석린(宋錫麟) 박인목(朴茛穆) 유영봉(俞永峯) 이시준(李時俊) 심연식(沈淵植) 등 7인을 선출했다. 그런데 이 무렵 다른 혁신계 정당인 한국사회당(가칭)과 평민당(平民黨) 발기추진위원회가 혁신대동추진회를 만들어 혁신계 통합을 추진 중이어서 통합사회당 결성준비위는 이들과 통합하기로 했다. 그러나 혁신대동추진회 측이 곧 태도를 바꾸어 통합에 부정적으로 나와 통합논의가 일단 중단되자 대동추진회 측 정당 가운데 하나인 가칭 한국사회당 준비위가 1985년 1월 지구당 조직책 18명을 발표해 독자 창당의 움직임을 보이자 통합 논의는 결정적으로 무산되고 말았다.[14]

이에 따라 통합사회당 발기위 측은 다시 단독으로 창당을 추진, 1월 10일 서울 종로구 묘동의 종우빌딩에서 창당발기인대회를 갖고 김철을 위원장으로 하는 창당준비위원회를 발족시킨 다음 3월 1일 서울 종로구 동숭동 흥사단본부 대강당에서 창당대회를 개최했다. 창당대회는 당명을 사회민주당(약칭 사민당)으로 하고 결의문, 창당선언문, 강령 및 정책을 채택했다. 결의문은 "민주적 사회주의를 지향하는 모든 세력을 통합한 사회당다운 사회당의 창당을 기한다"고 선언하고 "동북아시아의 새 정세 속에서 민족의 살 길을 찾아 자주 중립 평화를 원칙으로 하는 민족통일의 주도세력이 될 것"이라고 다짐했다. 기본정책에서는 이를 비동맹 중립을 기초로 한 민족통일이라고 구체적으로 규정했다. 결의문은 또한 "우리는 민주화를 성취하는 투쟁을 효과적으로 벌이기 위하여 모든 민주세력과 굳게 결속하며 밖으로 사회주의인터내셔널의 회원당으로서 전 세계의 민주적 사회주의자들과 폭넓게 연대한다"고 밝혔다.

결의문에서 '사회당다운 사회당'이라고 밝힌 것은 고정훈의 신정사회당을 의식한 표현으로 보이며 '자주 중립 평화'라는 슬로건은 4·19 직후의 혁신당 전통을 계승한 것인데, 이것은 80년대의 반미친북이념의 맹아가 된다. 사민당은 정강에서 자유 평등 인간애가 구현되는 '사회주의사회'를 건설할 것을 다짐하고 토지 공개념의 확립을 주창하는 한편 민족통일을 위한 과도단계로서 '연합국가제'를 검토할 것을 제안한 것이 특색이다.[15] 평화정착 남북연합 완전통일의 3단계 방식을 골자로 하는 한민족공동체 통일방안이 1989년 노태우 정권 때 나온 것을 감안하면 사민당이 이보다 4년 앞서 연합국가제라는 개념을 도입한 것은 주목할 만하다. 사민당 전당대회는 또한 단일지도체제를 내용으로 하는 당헌을 통과시킨 다음 위원장에 김철, 부위원장에 박인목(朴芢穆), 간사장에 유영봉(俞永峯), 상임고문에 안필수(安弼洙)를 각각 선출했다.[16]

합당 이후의 활동

이미 앞에서 설명한 바와 같이 1986년 5월 26일 신정사회당을 흡수 통합한 사민당은 당세는 약하기 짝이 없었으나 전두환 신군부정책에 반대해 학원안정법반대 투쟁위원회를 만들어 이 법 제정 반대 운동을 폈다. 사민당은 또한 대통령 직선제로 환원하기 위한 민주개헌서명운동본부를 당내에 설치하고 본부장에 위원장 김철이 취임, 다른 보수야당과 보조를 맞추어 투쟁을 벌였다. 경기도 부천경찰서 성고문사건 때는 맹렬한 규탄성명을 발표함으로써 주어진 여건 아래에서나마 민주회복운동을 계속했다. 사민당은 SI와의 유대 강화에 적극 나서 1986년 6월 페루 수도 리마에서 열린 SI대회에 김철을 위원장으로 하는 7인의 대표를 참석시켰으며 10월에는 서독 본에서 열린 SI이사회에 김철이 참석했다. 사민당은 또한 그해 3월 스웨덴 수상 팔메의 장례식에 김철을 사민당 대표로 참석시키고 정부의 불허조치로 불발이 되었지만 그해 5월 이시바시(石橋政嗣) 일본 사회당 당수의 방한을 초청했다.[17]

그러나 김철은 이 같은 비교적 활발한 활동에도 불구하고 1986년 11월 11일 임시전당대회에서 실시된 차기 위원장 선거에서 2차 투표 끝에 경쟁자인 신정 사회당계의 권두영에게 4표차로 낙선했다. 사민당은 1987년 11월 11일 대통령 후보 지명을 위한 임시전당대회에서 제13대 대통령선거에 나갈 당후보로 당의 지도위원이자 한국여성단체협의회 회장인 홍숙자를 선출했다. 그러나 야당후보 단일화를 내건 홍 후보는 12월 5일 통일민주당 당사에서 김영삼 후보와 공동기자회견을 갖고 정치이념이나 정강정책의 차이를 초월하고 군정종식과 민간민주정부 수립을 위한 연합전선 결성을 위해 대통령 후보를 사퇴한다고 밝히면서 김영삼 지지를 표명했다. 사민당은 긴급 정치위원회를 개최, 일방적으로 후보를 사퇴한 홍숙자를 제명하고 선거대책기구를 해체한 다음 홍 후보의 당적 박탈을 중앙선거관리위원회에 신고함으로써 홍숙자의 등록을 무효화 했다. 당시의 대통령선거법은 후보자를 추천한 정당이 해산된 때 또는 후보자가 당적을 이탈, 변경한 때에는 그 등록을 무효로 한다는 규정이 있었다. 사민당은 6·29민주화조치 이후인 1988년 4월 실시된 제13대 국회의원 총선거에서 4명의 지역구 후보를 출마시켰으나 전원 낙선하고 유효투표 총수의 0.5%를 득표하지 못함으로써 등록이 말소되었다.[18]

④ 신군부 정권하의 급진단체

일어섰다. 우리 청년학생들 민족의 해방을 위해/ 뭉치었다. 우리 어깨를 걸고 전대협의 깃발 아래/ 강철 같은 우리 대오 총칼로 짓밟는 너/ 조금만 더 쳐다오 시퍼렇게 날이 설 때까지/ 아아 전대협이여 우리의 자랑이여/ 나가자 투쟁이다 승리의 그 한 길로.

—전대협 진군가(윤민석 작사 작곡)

1. 민청련

김근태의 등장

전두환 정부 시기(1980~1987년)에는 진보성향의 극소수 시민단체들이 삼엄한 분위기 속에 결성되어 민주화투쟁에 활동의 중점을 두었기 때문에 초기에는 친북적 태도가 잘 나타나지 않았다. 진보단체들에 '민족민주주의혁명'(NDR) 이론을 확산하고 뒤에서 살펴보는 민통련(정식 명칭 민주통일민중운동연합)과 전국연합(민주주의민족통일전국연합)의 시발점이 된 민주화운동청년연합(약칭 민청련)은 1980년대 초의 가장 유력한 청년운동단체였다. 민청련은 1983년 9월 서울 성북구 돈암동 상지회관에서 창립되었다. 의장에는 서울대 경제학과를 나와 노동현장에서 활동하던 김근태(金槿泰)가 선출되었다. 당시는 전두환 정권이 집권한 지 3년을 맞아 권력을 공고히 하기 위해 운동권단체에 대한 단속이 엄하기 짝이 없었다. 경찰은 창립대회 장소인 상지회관을 오전부터 철통같이 봉쇄하고 지나가는 젊은이들을 속속 연행했으나 이미 회관 안에는 40~50명의 청년들이 집결한 후여서 회의 자체를 유산시키기에는 때가 늦었다.[1]

1970년대 학생운동 출신 청년들이 중심이 되어 결성된 민청련은 유신시절인 1978년 5월에 결성된 민주청년인권협의회(약칭 민청협)에 뿌리를 두고 있다. 유신에 반대하다가 옥고를 치른 조성우(趙誠宇) 정문화 장만철(영화감독 장선우) 양관수 문국주 등이 만든 민청협은 박정희 암살 후인 79년 11월 24일, 신군부가 추진하던 통일주체국민회의에 의한 대통령 보궐선거 저지를 위한 국민대회 사건(세칭 'YWCA 위장결혼식 사건')으로 지도부가 대거 구속되어 사실상 와해되었다. 그러나 1982년 12월, 김대중 내란음모 사건으로 구속된 전 민청협 의장 조성우가 출소하자 민청협 재건 문제가 논의되기 시작했다. 그 결과 조성우 이명준 이해찬(李海瓚) 이범영(李範泳) 박우섭(朴祐燮) 등이 새로운 운동단체로 민청련을 만들기로 합의한 것이다.[2]

민청련은 창립선언에서 자신의 투쟁목표를 ① 민족통일의 대과업을 성취하기 위한 참된 민주정치의 확립, ② 민족자립경제와 부정부패 특권정치의 청산, ③ 역동적이고 건강한 민중의 삶을 위한 자생적이고 창조적인 문화 교육체제 형성, ④ 국제평화와 민족생존을 위한 냉전체제의 해소와 핵전쟁 방지 등 4가지라고 밝혔다.[3]

민청련은 창립총회 첫날 임원들이 모두 경찰에 연행되는 등 당국의 혹독한 탄압을 받으면서도 기관지 등 간행물을 통해, 그리고 1984년 5월 광주희생학생추도식, 망월동 5·18묘소 공개참배, 강연회, 가두행진, 집단농성으로 대정부 투쟁을 벌였다.

민청련은 뒤에서 보는 바와 같이 그해 10월 출범한 야당 정치인 및 재야인사들로 구성된 민주통일국민회의와 이듬해에 하나로 통합, 민주통일민중운동연합(민통련)으로 발전했다. 민청련이 85년 2·12총선을 앞두고 파고다공원에서 열기로 한 민주제도쟁취국민운동대회는 경찰의 사전봉쇄로 무산되기는 했으나 대회에 참석하려고 수천 명이 종로 거리에 모여들었다.[4]

두꺼비의 각오로 신군부 정권에 도전

민청련은 두꺼비를 조직의 상징으로 결정했다. 속담에 두꺼비는 알을 품으면 뱀을 찾아 가 뱀에 잡아먹히지만 뱀이 두꺼비 고기를 먹으면 두꺼비의 독으로 뱀은 그 자리에서 죽고 두꺼비의 몸속에 밴 알들이 뱀의 뱃속에서 부화되어 뱀의 몸을 뚫고 나와 새 생명이 탄생한다는 것이다. 민청련은 독재정권에 잡아먹히면 민주주의가 탄생하므로 두꺼비의 각오로 투쟁한다는 것이다.[5]

김근태는 마침내 1985년 9월 국가보안법 위반 혐의로 경찰에 구속되었다. 경찰로부터 그를 넘겨받아 수사를 계속한 검찰은 같은 달 그를 구속기소하면서 수사결과를 대대적으로 발표했다. 혐의는 우리가 다음 장에서 자세히 살펴볼 서울대 민주화추진위원회(민추위)를 김근태가 배후에서 조종, 불법시위를 하게 했다는 것이다.[6] 김근태는 1986년 3월의 1심 선고공판에서 국가보안법(이적동조행위) 위반 혐의가 인정되어 징역7년(구형 10년)을 선고받았다. 재판부는 판결문에서 "제시된 여러 증거와 법정진술에 비추어 피고인은 용공성을 지닌 민족민주주의혁명(NDR) 이념을 민청련의 지도이념으로 삼고 국외공산 계열의 주장에 동조하는 활동을 해온 사실이 모두 인정된다"고 밝혔다.[7]

김근태는 2심에서는 징역5년으로 낮추어졌는데 이에 불복해 대법원에 상고했으나 1986년 9월 대법원은 상고를 기각, 원심을 확정했다. 재판부는 "피고인이 내세운 NDR이념은 반국가단체인 북괴를 이롭게 할 인식에서 나온 것으로 판단된다"고 판시했다. 김근태는 유죄확정 28년만인 2014년 5월 29일 재심공판에서 물고문과 전기고문에 의한 진술은 유죄의 증거로 삼을 수 없다는 이유로 서울고법 형사2부(김용빈 부장판사)로부터 무죄를 선고받았다.[8]

김근태 이외의 민청련 간부들, 즉 상임위원장 김병곤(金秉坤)은 항소심 선고공판에서 징역2년이 확정되었으며 부의장 최민화(崔敏和)를 비롯한 김희상(金義相) 권형택(權亨澤) 김종복(金鍾福) 연성수(延聖洙) 등 5명은 집시법 위반 혐의로 기소되어 최민화와 김희상은 징역1년6월을 선고받고 나머지 3명은 징역1년 집행유예2년을 선고받아 석방되었다. 이밖에 뒤늦게 구속된 운영위원장 박우섭과 다른 회원들도 징역1년 내지 10월에 집행유예를 선고받았다.[9] 민청련은 간부들의 대량검거로 조직에 큰 타격을 받았으나 와해되지 않고 1987년 민주화조치 때까지《민주화의 길》과《민중신문》을 계속 내면서 86년 5·3인천개헌투쟁, 87년 6·10박종철 고문치사 항의 및 직선제 개헌촉구 국민대회에 적극 참여, 투쟁을 계속했다.

민청련이 제시한 NDR노선은 그 후의 좌파운동세력에게 큰 영향을 미쳤다. 민청련 기관지《민주화의 길》은 NDR이념에 입각해서 "한국사회는 제국주의에 기반한 민족적 모순과 독점자본에 기반을 둔 군부파쇼세력과 민중간의 계급적 모순이 중첩돼 있다"고 규정하고 '반미반독재투쟁'을 전개할 것을 선동했다.[10] NDR은 주된 투쟁대상을 '파쇼'와 '美제국주의'로 규정하고, 노동계급만을 투쟁의 주체로 삼아 파쇼타도→미제 축출→임시 혁명정부 수립→제헌의회 소집→민중민주공화국 건설 순으로 나중에 발전하게 된다. 이 노선은 뒤에서 설명하는 바와 같이 민추위를 거쳐 삼민투의 삼민혁명이념으로 발전하고 민통련, 전민련에 이어 전국연합에 이르는 좌파세력의 민족민주주의 이론의 바탕이 되었다.

2. 민통련

두 개의 재야 단체 통합

5·16군사쿠데타 이후 최초로 등장한 공개적인 진보운동단체인 민통련은 앞에서 설명한 청년단체인 민청련이 1983년 9월에 출범하자 이에 자극을 받은 재야운동권이 각 부문별로 운동단체들을 만든 다음 연합체를 이루는 방식으로 결성한 범재야운동단체이다. 민청련에 이어 84년 3월 맨 먼저 발족한 것이 8백만 노동자의 권익을 대변한다는 기치 아래 출범한 한국노동자복지협의회였다. 그 다음이 그해 4월 출범한 민중문화운동협의회이다. 참다운 민중문화와 분단 극복의 문화를 건설할 것을 다짐하면서 발족했다. 이어 그해 12월에는 해직언론인들을 중심으로 민주언론운동협의회가 결성되고 이듬해인 85년 5월에는 불교인들이 중심이 된 민중불교운동연합이 탄생했다. 이와 함께 1984년부터, 유신 치하에서 발족했던 자유실천문인협의회도 조직을 재정비하고, 1972년 3월에 발족했던 가톨릭농민회 등 농민단체들도 조직을 재정비해 면모를 일신했다. 부문별 재야단체뿐 아니라 각 지역에서도 84년 8월 결성된 전북민주화운동협의회를 비롯해서 전남, 인천, 부산 등지에서 유사한 단체들이 속속 등장했다.[11]

각 부문단체의 협의체로 처음 출범한 새 기구는 1984년 6월 발족한 민민협(정식 명칭 민중민주화운동협의회)이었다. 민민협은 민청련이 중심이 되어 결성한 노동, 농민, 청년, 문화, 종교 등 부문운동의 공개단체 협의체로 이부영(李富榮)이 공동의장을 맡았다. 이어 그해 10월에는 문익환(文益煥) 장기표(張琪杓) 등이 중심이 되어 만든 민주통일국민회의(약칭 국민회의)가 발족했다. 두 단체의 특색을 보면, 민민협이 조직 또는 단체 중심으로 결성된 반면 국민회의는 명성 있는 개인 운동가들의 모임이었다. 두 단체는 단일조직체로 역량을 강화하기 위해 84년 말부터 통합문제를 논의했다. 그러나 새로 탄생할 단일기구의 성격을 둘러싸고 이견이 빚어졌다. 민민협 측은 부문운동의 독자성을 보장하기 위해 협의체적 조직을 주장한 반면 국민회의 측은 반정부투쟁의 효율성을 위해 단일지도체계를 주장했다. 논의가 결론을 얻지 못한 상황에서 85년 3월 우선 민민협의 일부 단체와 국민회의가 1차로 통합, 민주통일민중운동연합(약칭 민통련)을 결성했다. 민통련 결성식은 85년 3월 29일 서울 중구 장충동 분도회관 405호실에서 두 단체의 통합대회 형식으로 개최되었다. 두 단체의 통합으로 총 23개 단체의 연합체인 민통련이 탄생한 것이다. 이날 대회에서 의장에 문익환, 부의장에 계훈제(桂勳梯) 김승훈(金勝勳, 신부)이 각각 선출되었다.[12] 이어 민청련과 개신교운동 측이 그해 9월 2차로 민통련에 합류했다.[13]

개헌문제로 신민당과 균열

민통련은 결성식 때 채택한 두 단체의 통합 선언문에서 밝힌 바와 같이 민주화와 민족통일이라는 양대 과제를 당면 투쟁목표로 설정하고 반독재민주화투쟁과 통일운동을 동시에 전개했다. 그 대표적인 예가 85년 8월의 학원안정법 반대투쟁과 직선제개헌 관철투쟁, 그리고 IMF IBRD 서울총회 반대투쟁이다. 민통련은 87년 초부터 박종철(朴鍾哲)고문치사규탄범국민대회와 민주헌법쟁취국민운동본부 활동에 주동적 역할을 한 결과 민주화에 큰 공헌을 했다.

민통련은 개헌투쟁을 효과적으로 하기 위해 86년 3월 17일 김영삼(金泳三)과 김대중(金大中)이 고문이며 이민우(李敏雨)가 총재였던 신민당과 함께 '민주화를 위한 국민연락기구'(약칭 민국련)를 만들고 1천만 개헌서명운동을 공동으로 벌였다.[14] 그러나 차츰 신민당이 추진하는 개헌목표와 민통련이 추진하는 그것에 중대한 차이점이 있다는 사실이 드러났다. 개헌추진 집회에서도 서로 말하는 초점이 달라, 민통련은 오히려 신민당의 집회를 빌어 자신들의 개헌목표를 홍보하는 기회로 삼았다. 드디어 4월 29일 서울 종로구 연지동 한국교회1백주년기념관에서 이민우의 초청으로 김대중 함석헌(咸錫憲) 이돈명(李敦明) 문익환 계훈제 백기완(白基玩), 모두 7명이 학원사태를 논의한 다음 그 논의내용을 김대중이 발표하는 과정에서 말썽이 일어났다. 김대중은 "일부 소수 학생들의 과격한 주장에 우려를 표시하며, 우리는 그 주장을 지지할 수 없다는 데 의견을 같이했다"고 밝혔다. 과격한 주장의 내용이 무엇인지 그는 구체적으로 언급하지는 않았으나 학생들의 반미, 반제 주장과 민중해방이론을 지칭한 것으로 언론에 보도되었다. 그러나 문익환은 이 자리에서 "학원사태가 이렇게 악화된 원인을 잘 살펴야 한다"고 약간 유보적으로 말했다. 당시는 대학생들의 투신과 분신자살이 성행하던 시기였다.[15] 김대중의 회견은 민통련의 심한 반발을 샀다. 5월 1일 민통련은 '민국련 기자회견과 왜곡보도에 대한 민통련의 입장'이라는 성명을 발표하고 "민통련 집행위연석회의는 민통련이 설정한 활동의 범위를 벗어난 민국련을 탈퇴하기로 결의했다"고 밝혔다. 이 성명은 이어 신민당과 민추협이 이른바 '보수대연합' 구도에 편승하려는 자세를 보이고 있다고 비난했다.[16]

신민당이 직선제개헌 원외추진대회를 열려던 86년 5월 3일의 인천집회가 난장판이 된 것은 이런 상황에서 일어났다. 민통련 산하의 민청련 등 재야단체와 자민투와 민민투 계열의 대학생과 노동운동가들은 폭력시위를 벌여 신민당의 집회 자체가 열리지 못했다. 이날 시위에 참가한 인노련(정식 명칭 인천지역노동자연맹) 맹원들은 "천만 노동자를 배신하고 민중의 요구를 외면하면서 삼반(반민주, 반민족, 반민중) 정권과 야합하고자 한다면 김대중(金大中) 김영삼(金泳三) 이민우의 어리석은 배신자들에게는 단지 천만 노동자의 철퇴만이 기다릴 것이다" 등의 구호를 외쳤다.[17]

정부, 민통련을 '불온단체'로 보고 해산령

전두환 정부는 인천 폭력시위의 배후를 민통련으로 지목하고 간부들에 대한 대대적인 검거작전에 나섰다. 민통련 의장 문익환, 부의장 이창복(李昌馥), 정책연구실장 장기표, 사무차장 이부영 등 책임간부 7명이 경찰에 구속되고, 인권분과위원장 곽태영(郭泰榮) 등 10여 명이 지명수배를 당했다. 나중에 백기완(부의장) 장영달(張永達, 총무국장) 정동년(鄭東年, 통일분과위원장) 임채정(林采正, 상임위원장) 김병걸(金炳傑, 서울민통련의장) 김종철(金鍾澈, 대변인) 등 간부들이 이듬해인 1987년 봄에 이르는 동안 각종 혐의로 구속되어 유죄판결을 받았다. 문익환은 인천시위 조종과 서울대의 '5월제'에서 선동연설을 한 혐의가 추가되어 86년 11월 징역3년을 선고받고 항소를 포기, 형이 확정되었다.[18] 정부는 민통련 간부들을 일망타진하는데 그치지 않고, 86년 11월 경찰로 하여금 민통련 자체에 대해 해산명령을 내리게 했다.[19] 그러나 민통련은 계훈제 의장 권한대행 체제 아래서 이에 강경하게 맞서 해산령을 묵살하고 87년 2월 신민당 및 다른 재야단체들과 함께 '고 박종철(朴鍾哲)군 국민추도회 준비위원회'를 결성해 전두환 정부를 압박했다. 이어 5월에는 김영삼이 이끄는 통일민주당 및 다른 재야단체들과 함께 민주헌법쟁취국민운동본부를 발족시켰다.[20] 전두환 정부는 인천사태를 계기로 민통련을 '불온단체'로 규정했다. 치안본부는 민통련이 궁극적으로 노동자·농민·도시빈민 등 이른바 무산계급인 '민중'이 지배하는 '민중국가' 건설을 목적으로 하고 있으며 그 전술로서 학생운동·노동운동·농민운동의 상호 연대투쟁을 추진, 창립 이래 정권타도, 남북분단을 고착시키는 현 헌법개정, 미군철수 등을 표방하고 있다고 보았다.[21]

그러면 민통련은 왜 정부에 의해 용공단체로 지목되었는가를 살펴볼 필요가 있다. 민통련은 13개조로 된 강령에서 민중의 힘에 의한 자주적 평화통일, 자주적 민주정부 실현, 대외적 불평등관계 청산과 자주외교 실현, 반전 반핵운동 전개를 다짐하고 있다.[22] 강령은 또 한국의 경제구조가 '식민지적 파행성'을 일으키고 있다고 주장하고 있다. 민통련은 이 강령을 해설하면서 한 걸음 더 나아가 당시의 전두환 신군부 정권을 가리켜 "우리의 군부독재 통치는 전후 미국의 주도하에 형성된 '신식민지' 세계체제를 유지하기 위해 등장한 대미 예속적 반민중적 군부독재정권으로서 지극히 폭력적이다"라고 규정했다. 또한 경제구조와 관련, "우리 국민경제는 신식민지 세계자본주의 체제에 편입되어"라고 밝히고 있다.[23] 이러한 관점은 NL파와의 그것과 공통된다고 할 것이다.

김대중 지지로 신뢰성 떨어져 집행부 사퇴

민통련은 1987년 12월의 제13대 대통령선거를 앞두고 세 가지 대처방안, 즉 후보단일화, 김대중에 대한 '비판적 지지', 그리고 독자후보 추대 등 어느 방안을 선택하느냐는 문제를 둘러싸고 심각한 내부혼란에 빠져들었다. 당시 대선

후보로는 여당인 민정당에서 노태우가. 야당은 분열되어 통일민주당의 김영삼과 새로 창당한 평민당의 김대중이 각축하고 있었으며 민중당에서는 백기완을 민중후보로 추대할 움직임을 보이고 있었다. 이 때문에 후보단일화란 김영삼 김대중 백기완의 단일화를 의미하며, 김대중에 대한 이른바 '비판적 지지'란 정책연합을 통한 김대중 지지를 말한다. 독자후보론은 양 김씨 아닌 재야인사를 말한다.

그런데 6·29민주화선언 후 특별사면으로 풀려나온 문익환 의장 등 민통련 지도부는 김대중 지지로 선회했다. 그러면서 오히려 백기완의 불출마를 종용했다. 이에 대해 백기완 등 민통련 임원 44명은 11월 서울 민통련 사무실에서 중앙위원회의 특정 대통령후보 지지결정을 반박하는 성명을 발표하고 "민통련은 순수 민중운동단체로 남아 있어야 한다"고 주장했다.[24] 결국 민통련은 시일이 지나면서 일부는 김대중을, 일부는 백기완을, 또한 일부는 김영삼을 지지해 대내적으로 심각한 분열을 겪게 되었다. 1987년 12월의 제13대 대통령선거 투표결과 김대중은 노태우(盧泰愚) 김영삼에 이어 3위를 차지함으로써 민통련은 순수한 재야단체로서의 정체성 위기에 빠져들었다. 백기완이 1988년 1월 들어 민통련 부의장직을 사퇴[25]한 데 이어 서울민통련의 이재오 의장 등 의장단이 민통련에서 탈퇴해 '자주 민주 통일을 위한 서울민중연합'을 발족시킨다고 발표했다.[26] 상황이 이렇게 되자 문익환 의장, 김승훈 문정현(文正鉉) 이창복 이소선(李小仙) 부의장 등 집행부 5명과 16명의 중앙집행위원이 사퇴했다. 의장 직무대행은 민통련 대의원총회 의장 강희남 목사가 맡았다.[27]

민통련은 1988년의 서울올림픽 개최를 앞두고 남북 공동올림픽 쟁취투쟁을 벌이는 동시에 북한 측과 함께 범민련을 결성했다. 민통련이 새로 출범한 전민련에 흡수된 다음인 89년 3월에는 문익환 자신이 비밀리에 평양을 방문, 큰 파문을 던졌다. 다음의 Ⅴ-**2**(80년대 후반~90년대 초의 급진단체)에서 설명한다.

3. 서노련, 남노련 및 인노련

노동현장의 투사들

1984년 3월 제도권 밖의 공개조직으로 한국노동자복지협의회(약칭 노협)가 결성되었다. 원풍, 콘트롤데이터, 반도, 동일, 청계 노조 등 70년대 민주노조 간부들이 중심이 되어 조직된 노협은 한국노총을 어용으로 규정하고 이에 대항하는 민주노조를 만들려는 장기적인 목표를 세우고 있었다.[28] 노협의 발족에 이어 그해 여름 분신자살했던 전태일(全泰壹)의 유지를 받들어 결성되었던 서울 청계피복노조가 재건되었다. 이런 움직임은 당시 지역단위 노조 설립을 금하던 노동법에 정면으로 도전하는 것이었다.

1984년 이후의 유화국면에서 노동운동이 가장 치열하게 벌어진 것은 85년 4월의 인천시 부평구 소재 대우자동차 파업사건과 6월의 구로공단 5개 사업장의 동맹파업사건이었다. 임금인상을 요구하면서 2천여 명과 1천여 명의 근로자가 각각 참가한 두 곳의 파업에는 대학생 '위장취업자들'의 역할, 즉 노학연대의 영향이 컸다. 대학생들의 노동현장 투신은 1970년대부터 있었으나 당시는 수적으로도 극소수였고 조직적이 아닌, 개별적인 활동이었다. 그러나 80년대에 들어, 특히 광주사태 이후 학생들의 노동현장투쟁은 대규모적이고 조직적이었다. 당시 노동현장에서는 노동자 출신 운동가들을 가리키는 '노출'과 구별하기 위해 대학 출신 노동자 또는 공장으로 진출한 학생이라는 의미에서 이들을 '학출'이라고 불렀다. 부평 대우공장에서 파업이 일어나자 대우자동차 부산공장에서도 근로자들이 연대파업을 벌였다.[29]

부평 대우공장 파업사태는 곧 노사 양측의 협상으로 타결되고 연행된 근로자 169명은 대부분 귀가조치되었으나 파업 주동자 7명은 구속 기소되었다.[30] 구로공단 파업사태 때는 민통련 등 22개 운동권 단체 회원들도 구로공단으로 몰려가 지지농성을 벌이고 대학생들도 농성에 합류했다. 사태가 확대되자 경찰은 대우어패럴 농성장에 병력을 투입, 농성을 강제 해산했다. 구로공단 파업으로 근로자 65명이 경찰에 연행되어 조사를 받고 근로자 17명과 대학생 7명이 구속되었다.[31] 경찰의 수사과정에서 구로공단 내 동일제강에 취직한 서울대 공대 출신 위장취업자가 처음으로 사문서위조 등 혐의로 구속되었다. 노동부는 8월부터 각 기업의 취업규칙에 위장취업자를 해고하는 조항을 넣도록 했다.[32] 정부 발표에 의하면 전국의 위장취업자의 수는 1985년 10월 말 현재 140개 업체, 291명이었으나[33] 1986년에는 373개 업체, 699명으로 늘어났다.[34] 그러나 실제로는 '학출'이 거의 모든 업체에서 활동한 것으로 추측되며, 특히 서울의 구로공단에는 그 비율이 더 높았을 것으로 짐작된다. 구로공단에 취업한 운동권 학생 중 하나가 구로공단 동맹파업에서 핵심 역할을 한 서울대 역사교육학과 출신의 심상정(沈相奵, 17대 민노당 의원. 당시 대우어패럴 미싱사)이다.

노동자의 세상을 지향한 서노련

서울노동연합(약칭 서노련)은 1984년부터의 정치적 유화국면으로 인해 노동운동이 활성화하면서 부평과 구로공단에서 파업이 일어난 직후인 1985년 8월 청계천피복노조 사무실에서 출범했다. 서노련은 구로공단 파업에 동참한 근로자들의 모임인 노동자연대투쟁연합이 주축이 되고, 청계천피복노조, 경인지역노동운동저지투쟁위원회(약칭 노투), 및 구로지역노조민주화추진위원회(약칭 구민추)가 연대하는 4개 조직 연합으로 결성되었다. 위원장에는 청계피복노조 위원장 민종덕(閔鍾德, 청계피복노조 위원장)이, 부위원장에는 전 원풍모방 간부인 이옥순이 각각 선출되었다.[35]

서노련은 단순한 노조연합체가 아니다. 민중민주노선을 지향하는 대중정치조직(MPO, mass political organization)을 지향해 출범했다. 서노련은 85년 10월 IMF IBRD 서울총회를 앞두고 뒤에서 설명하는 대학생조직인 전국학생총연합회(약칭 전학련)와 공동으로 미국의 경제침략과 외채정권타도를 위한 범민중 궐기대회를 개최했다. 이어 11월에는 전태일 15주기를 맞아 독재헌법 철폐를 외치면서 동대문구 제기동 일대에서 대규모 시위를 벌여 180명이 연행되었다. 1986년 3월에는 구로구 가리봉 5거리에서 생활임금 쟁취하자는 구호 아래 시위를 벌이는 등 5월초까지 전태일기념관과 주안6공단, 그리고 부평역전에서 연거푸 가두시위를 감행했다. 서노련은 또한 민민투가 내건 삼민헌법 쟁취를 당면목표로 삼고 86년 5월의 인천시위에 주동역할을 했다. 서노련은 5·3

인천시위사태로 10여 명이 구속되었으나 투쟁의지를 굽히지 않고 영등포 한미은행 점거농성 사건을 벌여 16명이 구속되었다. 서노련은 그해 6월에는 구로연대투쟁 계승 및 서노련탄압 규탄대회를 개최했다.[36]

　서노련은 《서노련신문》이라는 기관지를 발행, 창간호에 노동자가 주인이 되는 세상을 만들자는 노동자 시인 박노해의 "선봉에 서라"라는 시를 실었다. 이 신문은 85년 10월에 발행된 3호에서 "삼민헌법 쟁취"라는 구호를 내걸고, 민족민주 민중의 헌법을 만들 것을 주장하면서 신민당 등 야당이 주장하는 직선제 개헌안과 자신들이 주장하는 삼민헌법의 차이를 풀이했다. 서노련은 뒤에서 보는 바와 같이 86년 2월 인노련(정식 명칭 인천지역노동운동연맹)을 시발로 지방의 노동운동단체들이 결성되자 전체 노동자계급을 대변한다는 취지에서 기관지 이름을 《노동자신문》으로 바꾸었다.[37]

노동단체로서 첫 국가보안법 적용

　서노련이 삼민헌법을 들고 나오자 전두환 정부는 더 이상 방관하지 않았다. 정부는 1986년 5·3인천시위사건 이후 서노련을 용공이적단체로 규정하고 보안사를 시켜 대대적인 검거에 나섰다. 5월 초 서노련 간부를 비롯한 회원 50여 명이 연행되었다. 검찰은 그해 7월 관련자들에 대한 고문설이 제기된 가운데 서노련 사건 관련자 12명을 기소했다. 이들 중 서노련 지도위원 김문수(金文洙, 한일공업 해고근로자, 서울대 경영학과 제적, 후에 경기지사)와 선전부장 윤현숙(尹賢淑, 서울대 국문과 졸) 2명에게는 국가보안법상 이적단체 구성 혐의가, 선전부원 박정애(서울대 심리학과 2년 제적) 등 5명에게는 국가보안법상 이적단체 가입 및 이적표현물 제작 반포 혐의가 적용되었다.[38] 이들에 대한 1심 선고공판에서 김문수와 윤현숙은 국가보안법 위반 혐의가 인정되어 징역8년을, 나머지 관련자는 징역5년 내지 3년을 선고받았다.[39]

　서노련은 지도부 일제검거와 재판 회부로 1986년 말 조직상 위기를 맞았다. 서노련 잔류자들은 1987년 여름 '민족통일민주주의노동자동맹'을 조직하고 전국노동자조직의 결성에 나섰다. 또한 이들은 인노련(정식 명칭 인천지역노동자연맹)과 안노련(정식 명칭 안산노동자연맹)을 결성했다. 이들 조직을 당시 '삼민그룹'이라고 불렀다. 그 후 김문수는 민주화조치 1년 이후인 1988년 10월 개천절 특사 때 석방되고, 이옥순 부위원장의 수배도 그해 12월 대사면조치 때 해제되어 서노련 관련자들이 모두 자유의 몸이 되었다.[40]

'노해사'로 유명해진 남노련

서울남부지역노동자연맹(약칭 남노련)은 1985년 8월 경 서노련 회원 중 노동조합 결성을 노동운동의 당면목표로 삼아야 한다는 그룹에 의해 결성되었다. 남노련은 86년 봄의 임금인상투쟁에 대비해 전국노동자임금인상 공동투쟁위원회(약칭 전노임투)를 출범시켰다. 남노련은 본부에 공장위원회를 두고 서울 구로 영등포 신도림 등지의 여성사업장 및 북부 지역에 공장하부위원회를 두어 서울 남부지방의 단위사업장에서 활동하는 근로자들의 조직적 결합을 시도했다. 반제반파쇼민주화운동의 일익을 담당한 남노련은 근로자들을 교육할 교육부서로 노동자해방사상연구회(약칭 노해사)를 설립하고 민주노동자대학 서울노동청년회 및 야학 등을 두었다. 또한 노동자 대중용으로 기관지를 발간했는데 전노임투 당시에는《선봉》을, 그리고 남노련 결성 이후에는《햇불》을 냈다. 남노련은 86년 10월에는 민주헌법쟁취 노동자투쟁위원회(약칭 민헌노투)를 결성, 가두시위를 벌이는 등 공개적인 활동도 벌였다.[41]

남노련의 활동은 노해사에서 특징을 나타냈다. 노해사는 약 17기에 걸쳐 매 기당 6~7명씩, 3개월여 동안 근로자들을 학습시켰다. 노해사뿐 아니라 부천 광명 당산동 등지에도 야학을 개설, 노동자들에게 교양강좌를 실시하고 민주노동자대학도 설립했다. 이 같은 학습을 통해 서울노동청년회라는 노동자서클도 만들었다. 노해사는 87년 초 경찰의 수사를 받았는데 치안본부는 그 주동자들이 대학 제적자들을 포섭, 용공지하조직인 노해사를 만들고 북한의 대남적화노선인 '민족해방인민민주주의혁명' 노선에 입각해서 근로자들을 의식화시켜 노동혁명군으로 만들려 시도했다고 발표했다. 경찰은 노해사 회장 김영진(金榮津, 고려대 법대 졸) 등 10명을 검거, 국가보안법 위반(이적단체 구성 및 찬양고무) 혐의로 구속했다. 경찰에 의하면 김영진은 대학 졸업 후 84년 5월 군에 입대했다가 6개월 만에 탈영한 다음 숭전대(崇田大) 이화여대 등 제적생 10여

명을 포섭, 노해사를 조직했다는 것이다.[42]

　노해사 간부들이 검거된 지 약 3개월 후 남노련본부의 간부들도 체포되었다. 치안본부는 남노련 위원장 유용화(柳勇和, 고려대 사학과 졸) 등 13명을 검거, 국가보안법 혐의로 구속하고 자금을 제공한 김사경(한국유리 직원) 등 관련자 30명을 수배했다고 발표했다. 경찰에 의하면 남노련은 중앙위원회 산하에 조직 교육 선전 투쟁 4부서와 자료책을 둔 지하혁명조직으로 북한을 고무찬양하고 이적출판물 제작 소지 유포한 혐의를 받고 있다는 것이었다.[43] 관련자들은 검찰 기소 내용을 부인했으나 김영진은 육군보통군법회의에서 징역10년을, 유용화는 7년을 각각 선고받았다. 민주화 조치 이후 관련자 모두가 특사조치로 석방되거나 수배가 해제되었다.[44]

인천사태 주도한 인노련

　인천지역노동자연맹(약칭 인노련)은 1985년 2월 결성된 한국노동자복지협의회(약칭 한국노협) 소속 인천지역협의회(약칭 인천노협)의 후신이다. 먼저 인천노협부터 살펴보면, 이 조직은 유신시대인 70년대에 민주노조 활동을 했던 노동운동 지도자들과 80년대에 새롭게 활동을 개시한 젊은 노동운동가들, 그리고 이 지역에 대량 진출한 학생운동권 출신 노동운동자들의 구심점이었다. 80년대에 인천에는 운동권학생 출신 노동운동가들이 많았다. 1986년 인천의 기관장회의 자료에 신원 확인된 인천지역 '위장취업자'만도 246명으로, 서울 181, 경기 178, 부산 40, 광주 20, 대구 15명에 비해 훨씬 많았다. 인천노협 뒤에는 천주교 인천교구, 개신교의 인천산업선교회, 기독교노동자총연맹 등 종교계의 지원이 있었다.[45] 인천노협　의장은 서울 청계피복노조 지부장을 지낸 양승조였다. 인천노협은 출범 2개월 후인 85년 4월 부평1동 천주교회에서 노동운동 탄압규탄대회를 열려고 했으나 경찰의 봉쇄로 무산되었다. 대회는 열리지 못했지만 회의장에 미리 들어가 있던 해고노동자 20여 명이 농성에 들어가고 회의에 미처 참석치 못한 사람들은 부평역, 부평시장 로터리 등지로 진출, 부당해고 중지를 요구하며 시위를 벌이다가 25명이 연행됐다. 학생 출신인 이들 노동운동가들은 파업을 주동하고 선동한 혐의로 노동쟁의조정법 위반과 폭

력 혐의 등으로 구속되어 징역2년의 실형 등을 선고받았다.[46]

인천노협은 86년 2월 7일, 노선문제로 갈등을 겪던 한국노협과 결별하고 독자적으로 인노련을 결성했다. 인노련 창설 주동자들은 노조결성, 사내투쟁 지원 또는 노동법 상담 등 공개적인 활동만으로는 대량해고문제에 대처하기 힘들다고 판단하고 정치투쟁만이 근본문제를 해결하는 지름길이라는 결론에 도달한 것이다. 인노련은 그해 3월 정치투쟁의 일환으로 노동문제를 이슈화하기 위해 계양산에서 집회를 가지려 했으나 경찰의 봉쇄로 강화도 전등사까지 밀리면서 격렬한 시위를 벌였다. 인노련의 가두진출은 이 무렵부터 시작되어 주안6공단과 부평역 앞에서 가두시위를 벌이다가 38명이 연행된다.[47]

인노련은 그해의 5·3인천시위에 참가해 "천만 노동자를 배신하고 민중의 요구를 외면하면서 삼반(반민주, 반민족, 반민중) 정권과 야합하고자 한다면 김대중 김영삼 이민우의 어리석은 배신자들에게는 단지 천만 노동자의 철퇴만이 기다릴 것이다", "삼민헌법 쟁취하여 노동자가 주인 된 해방된 새 세상을 건설하자" 등의 구호를 외쳤다.[48] 서노련과 인노련을 합쳐 불린 '서인노'는 신문 발간과 함께 각종 현장투쟁, 점거농성, 가두시위 등 이른바 선도적 정치투쟁을 주도했다.[49] 인노련은 인천사태를 계기로 사실상 해체되었다.

4. 전노추

전국노동자연맹추진위원회(약칭 전노추)는 앞에서 설명한 서노련 결성 이후 노동운동가들이 전국 지역운동조직의 연계를 만들기 위해 시도한 조직이다. 전노추는 1986년 5월의 인천시위사건 이후 서노련(정식 명칭 서울지역노동운동연합회), 성수노동자해방투쟁위원회, 인노련(정식 명칭 인천지역노동자연맹), 노동자해방동맹 등 경인지역노동운동권의 핵심조직원들로 구성되었다. 원래 이들 단체에는 운동권학생들이 대거 활동 중이었다.

치안본부는 1986년 10월 노동운동에 침투한 구국학련 등 운동권 출신 대학생들이 지하비밀조직인 전노추를 구성, 노학연계투쟁을 배후에서 조종해왔다고 그동안의 수사결과를 발표했다. 경찰에 의하면 이들은 대중조직(Mass Org)

과 전위조직(Vanguard Org) 등 이원조직으로 전노추를 구성하고, 반합법적인 투쟁과 비합법적인 투쟁을 병행해왔다고 발표했다. 경찰에 의하면 전노추는 대중조직으로 맨 위에 의장단을 두고 그 아래 선전선동부 집행부 및 투쟁부를 두어 산별 비밀노조를 배후에서 조종했으며, 전위조직으로는 중앙위원회를 정점으로 하고 그 아래 선전선동부 산별위원회 교육부를 두어 구로지역 산별노조를 배후에서 조종했다는 것이다.[50]

경찰은 전노추 '선전선동책' 박요한(서울대 물리학과 4년 휴학) 등 7명을 구속하고 의장 신철영 등 핵심간부 19명을 포함한 107명을 수배했다고 밝혔다. 경찰은 전노추의 대중조직과 전위조직의 선전선동을 동시에 맡은 박요한은 각종 유인물의 제작 배포와 과격노동투쟁, 그리고 가두시위들을 배후조종해왔다고 발표했다. 전노추 관련자들에게는 국가보안법이 적용되었다. 경찰은 박요한이 서울대 벽보사건을 주동한 구국학생연맹의 배후총책이며 지금까지 총책으로 알려진 정대화(鄭大和, 서울대 공법과 졸)와 김영환(金永煥, 서울대 공법과 졸)의 '상부'로 판명되었다고 밝혔다.[51]

5. 전학련과 전대협의 결성

신세대 좌파세력의 훈련원

전대협(정식 명칭 전국대학생대표자협의회)은 전두환 정부 말기의 6·29민주화선언 직후인 1987년 8월에 결성되었다. 전대협은 형식상으로는 전국 대학생 대표의 협의체로 국내 유일의 전국적 학생단체였다. 그러나 전대협은 좌파학생 운동권, 특히 NL계열에 장악되었기 때문에 1980년대 후반에 강력한 좌파운동 단체로서 활동을 벌이는 동시에 미래의 좌파정치세력을 양성하는 훈련원 역할도 수행했다.

한국의 학생운동사를 보면 1945~48년까지 3년간의 해방정국에서는 좌우 학생단체들이 병립한 시기였고, 건국 후인 1948~83년까지 35년간은 반공적인 학도호국단이 지배하던 시기였다. 아이러니컬하게도 신군부 정권 중반기에 학원자율화조치가 취해지자 각 대학의 학도호국단이 해체되고 총학생회가 구성되었다. 각 대학 총학생회는 예외 없이 좌파 운동권학생들에게 자연스럽게 장악되고 1985년 4월 각 대학 총학생회 연합체로 조직된 전국학생총연합회(약칭 전학련)는 IV-⑤(80년대 전반의 지하조직)에서 설명하는 바와 같이 삼민투(정식 명칭 민족통일민주쟁취민중해방투쟁위원회)의 지배 아래로 들어갔다. 전학련은 2년 후 전대협으로 재편된다.

전대협 결성대회는 1987년 8월 19일 대전시 중구 소재 충남대 종합운동장에서 전국 95개 대학 학생 4천여 명이 참석한 가운데 거행되었다. 이날 대회에서 채택된 발족선언문은 '외세의 배격'과 '자주적 민주정부 수립', '자주적 평화통일', 그리고 '민중이 주인 되는 세상'을 내세운 데서 전대협의 급진성을 잘 보여주고 있다.[52] 외세, 특히 미국을 배격하는 점에서는 강령이 더욱 구체적이다. 자민투의 NL노선을 추종한 전대협 강령은 반미 자주화, 반독재 민주화, 자주적 통일, 학원자주, 민중연대, 여성해방, 반전반핵 평화옹호를 강조했다.[53]

결성대회에서 전대협 의장에는 서울대표(서대협 의장)인 이인영(李仁榮, 고려대 총학생회장)이 선출되었다. 대회가 끝난 다음 대부분의 학생들은 소속지역 및 소속 대학의 깃발을 들고 충남대 교내를 돌며 시위를 한 다음 자기 대학의 학교 버스 71대에 분승하고 되돌아갔다. 그들 가운데 2백여 명은 대전역 광장을 점거하고 '독재타도'를 외치면서 시위하다가 최루탄을 쏘는 경찰과 투석전으로 맞서기도 했다. 이들은 경찰에 강제해산 당한 다음에도 대전시내에서 산발적으로 시위를 벌였다.[54]

정부 불법화 조치, 간부들 체포

정부는 전대협을 불법단체로 규정하고 간부들에 대해 체포령을 내렸다. 그 결과 이인영 의장은 11월 대구에서 군부독재정권 종식과 지역감정 해소를 위한 영-호남 시민결의대회에 연사로 나갔다가 검거되었다.[55] 전대협의 폭력투쟁은 그해 12월 서울 여의도 KBS 별관 점거 시위로 시작되었다. 서울대 등 전대협 산하 26개 학생 87명은 KBS 별관 3층의 예능국 사무실을 기습점거하고 "왜곡편파 보도 관제언론 응징하자"는 구호와 함께 "10일 밤 '특집 민중민주주의란 무엇인가'를 방영한 배경을 설명하라"고 요구하면서 농성을 벌였다. 이들은 경찰이 최루탄을 쏘면서 현장에 진입하자 미리 준비한 화염병 5~6개를 던지고 저항하다가 전원 경찰에 연행되었다.[56] 1988년 3월에는 제13대 국회의원 총선을 앞두고 전대협 회원 3백명이 서울 서소문공원에서 야권통합 요구 시위를 벌인 데 이어 이틀 뒤 민주–평민–한겨레민주당이 야권 통합협상이 진행된 마포구 서교호텔로 몰려가 "야권통합 대동단결" 등 구호를 외쳤다. 시위를 주동한 혐의로 전대협 의장 권한대행 우상호(禹相虎)도 경찰에 구속되었다.[57]

전대협의 투쟁은 자주, 민주, 통일의 3대 슬로건 아래 1987년 말의 대통령선거에서 노태우의 집권을 막기 위해 서대협이 중심이 되어 전개한 김대중에 대한 이른바 '비판적 지지' 투쟁[58]으로 시작되었다. 전대협은 1988년 1학기에는 남북청년학생회담 성사투쟁, 2학기에는 5공 청산과 전두환·이순자 구속 촉구 투쟁, 1989년의 현대중공업 파업지원투쟁, 평양축전 참가 투쟁, 1990년의 반민자당 투쟁, 범민족대회 성사투쟁 및 범청학련 경성 등 정치투쟁과 통일운동을 벌였다. 전대협이 공식 해체 선언을 한 1993년 3월 20일까지 모두 6기의 집행부가 활동하는 동안 정부는 계속 집행부를 체포하느라 숨바꼭질을 하다시피 했다. 구체적인 것은 V-**2**(80년대 후반~90년대 초의 급진단체)에서 살피기로 한다.

5 80년대 전반의 지하조직

> 우리의 궁극적 과제는 민중이 주체가 되는 통일민족국가의 수립이며, 이것은 노동자·농민 등 근로대중과 진보적인 지식인 세력이 스스로 조직화되어 이 땅에서 파쇼지배 체제를 축출하고 민족통일을 성취하는 위대한 민중투쟁의 승리만으로 가능하다.
>
> ─무림그룹, '반제반파쇼학우투쟁선언'(1980년)

1. 무림(반제반파쇼학우투쟁선언)사건

김일성과 레닌의 시대

1980년대는 신군부의 집권과 광주사태의 여파로 반제민족자주운동, 즉 반미운동이 본격적으로 전개된 시기였다. 386세대라 불린 좌파학생그룹은 민주화를 표방하면서도 실제로는 단순한 신군부의 퇴진이나 민주회복 차원이 아닌, 그들이 신봉하는 보다 근본적인 해결책, 즉 사회주의 혁명을 추구했다. 이들 80년대 지하좌파세력의 주류그룹은 과거의 남로당 또는 혁신계의 사상적 전통보다는 곧바로 북한 김일성의 주체사상에 입각한 민족해방노선, 아니면 독자적인 레닌식 사회변혁을 지향하는 새로운 노선을 더 열심히 추구했다는 점이 특이하다. 이 시기는 한국 좌파학생운동이 1970년대에 비해 양적으로, 그리고 질적으로 커다란 전환을 이룩한 기간이다. 이들 좌파그룹은 김일성과 레닌에 관한 연구에 몰두해 우리 학생운동권에는 김일성과 레닌이 우상이 되었다. 이 기간에 활동한 학생운동그룹과 노동자계급은 나중에 정계 교육계 언론계 출판계 등 각 분야로 진출해 한국사회에 일대 파란을 몰고 왔다.

좌파세력은 합법, 비합법 투쟁을 통해 사회주의 혁명운동을 다양하게 전개했다. 좌파학생그룹은 재야단체, 노동단체, 농민단체, 빈민단체 등 각종 시민단체들과 연계해 투쟁을 벌임으로써 투쟁의 외연이 넓어졌다. 그렇기는 하나 이들 지하조직세력은 시기적으로 언제나 공개적인 좌파단체의 활동보다 발 빠르게 움직였다. 1980년대의 지하조직사건은 1980년 1월의 서울대 좌파서클이 만든 '과학적사회주의연맹사건'[1]을 비롯, 1980년 말의 세칭 무림(霧林) 사건(반제반파쇼학우투쟁선언사건)과 1981년의 세칭 학림(學林)사건(민노련·민학련사건), 1982년 '깃발'사건, 1985년의 삼민투(三民鬪)사건, 그리고 1986년의 ML당사건 및 반제동맹당사건이 대표적이다.

그런데 당시의 공안사건들 중에는 수사관들의 고문으로 완전히 날조된 사건이 있는가 하면 대수롭지 않은 서클활동을 지나치게 확대·과장한 사건들도 있다. 그런가 하면 움직일 수 없는 증거가 있는 좌파조직사건이라도 좌파운동가들은 자신과 조직의 보호를 위해 수사관 앞에서 일단 혐의사실을 부인한다. 그리고 증거가 될 만한 흔적을 일절 남기지 않는 것이 운동가들의 기본적 임무이다. 이로 인해 공안사건의 수사는 수사관과 혐의자들 간의 의지력 대결이 되기 쉽다. 이 과정에서 고문이라는 불법이 행해진다. 인간에게 말할 수 없는 고통을 주는 고문행위는 그 자체로도 용서할 수 없는 범죄이기도 하지만, 고문을 통해 사건을 왜곡 과장 날조하기 때문에 그것은 거짓의 조작이라는 이중의 범죄행위이다. 그러나 어떤 경우는 관련자가 고문을 받으면서도 완강히 버팀으로써 혐의사실의 일부 또는 전부가 탄로 나지 않을 수도 있다. 그리고는 오랜 세월이 흐른 다음에야 당사자가 사건의 진실을 털어놓는 경우도 있다. 이로 인해 1980년대의 공안사건은 이미 20년 이상 경과한 역사에 속하지만 아직도 그 진상을 제대로 파악하기 어려운 경우가 많다. 이런 사정을 감안해서 우리는 80년대의 지하조직에 대해 신중한 접근이 필요하다. 차례로 살펴보기로 하자.

무림파의 등장

광주항쟁 유혈진압으로 '서울의 봄'이 끝장나자 좌절감에 빠진 일부 학생운동 세력은 새로운 학생운동의 필요성을 제기하기 시작했다. 서울대 학생들은 신군부의 등장에 대처하는 방법론을 둘러싸고 대립을 벌였다. 당시 학생운동의 구심점이던 서울대는 이념서클인 한국사회연구회(약칭 한사)를 중심으로 한 이른바 '언더(under)지도부', 즉 비밀서클인 무림(霧林) 그룹이 학생들을 장악하고 있었다.

무림그룹은 아직 대중운동의 역량이 미성숙했으므로 시위를 통해 신군부세력과 전면대결을 벌이는 것은 시기상조라는 입장이었다. 이에 대해 당시 운동권의 비주류이자 학내의 다른 이념서클인 흥사단아카데미(세칭 '아카데미') 그룹인 학림(學林) 쪽은 무림 측 주도로 학생시위를 중단한 5월 15일의 이른바 '서울역 회군(回軍)'의 책임을 추궁하는 한편 광주학살로 군부독재에 대한 국민의 분노가 극도에 이른 시점이 되었으므로 학생들이 군부독재와 전면투쟁을 벌여야 한다고 주장했다. 이 논쟁을 '무학논쟁'(霧學論爭), 즉 '무림'파와 '학림'(學林)파의 논쟁이라고 부른다. 무학논쟁은 학생운동사상 최초의 집단적 이론투쟁으로 발전했다. 학림 측은 뒤에서 설명하는 바와 같이 나중에 민주화투쟁위원회(민투)를 결성한다.[2]

이런 상황에서 광주사태 이후 한동안 잠잠하던 대학가에 시위가 처음 일어난 것은 1980년 2학기 때였다. 9월 9일 경희대에서 일어난 반파쇼 유인물 살포 및 교내시위를 시발로 10월에는 한신대, 고려대, 동국대, 서울산업대, 연세대 등 여러 대학에서 교내시위가 잇따라 발생했다. 서울대에서는 12월 11일 대학 구내에서 예상 밖의 무림파 시위가 벌어졌다. 이날 서울대 무림파의 남명수(당시 언어과 4년) 등 4명이 갑자기 교내 학생식당과 도서관 앞에서 '반파쇼학우투쟁선언문'을 살포한 것이다. 무림파의 이 같은 돌연한 행동은 학림 측에서 신군부의 12·12쿠데타 1주년이 되는 12월 12일에 시위를 벌일 계획을 세우자 학생운동의 주도권을 빼앗기지 않기 위해 하루 전에 선수를 친 것으로 알려졌다. 무림 측은 이날 사전 협의나 면밀한 사전준비 없이 유인물을 뿌린 다음 시위를 간단히 끝냈지만 '반파쇼학우투쟁선언'이라는 제목의 유인물은 학교당국을 깜짝 놀라게 했으며 언론에도 크게 보도되어 여론을 들끓게 했다.[3] 이 선언문은 당시 학생들 간에 '무림테제'라 일컬어지기도 했다. 이 사건으로 80명의 학생이 연행되고 그 중 10명은 구속되어 군법회의에 회부되었다. 이 사건은 당시 언론에서는 '서울대 불온유인물 살포사건'으로 불렸는데, 뒤에서 설명하는 바와 같이 경찰 수사과정에서 '무림사건'(霧林事件)이라는 이름이 붙었다고 한다.[4]

혁명적 투쟁노선 밝힌 유인물

무림파의 '반파쇼학우투쟁선언'은 5·17 계엄확대 조치 이후의 정치질서를 파시즘체제로 규정했다. 즉 '국가독점자본을 물적 기반으로 하고 이를 박탈당한 중산계층의 불안의식을 이데올로기로 하는 파시즘'이라는 것이다. 그리고 당시의 신군부 정권에 대해 '민중의 혁명적 열기에 찬물을 끼얹고 등장한 반동정권'이라고 비난했다. 유인물은 또한 "우리의 적은 누구이며, 그들의 본질은 무엇인가…학생대중의 명백한 적은 민중의 포위공격으로부터 기본적 수탈체제를 방어하기 위해 안간힘을 쓰는 국내의 매판지배세력으로서, 매판독점자본 관료집단 매판정부 매판군부 등이 바로 그들이다. 또 매판 파쇼정권을 지지하는 미국이나 그 대리인 일본은 우리의 영원한 우방일 수 없다"고 주장했다. 유인물은 이어 "우리 운동의 궁극적 과제는 민중이 주체가 되는 통일민족국가의 수립이며, 그것은 구체적으로 수탈체제에 의해 기본적 생존권조차 부정당하는 노동자, 농민 등 근로대중과 진보적인 지식인 세력이 스스로를 조직화하여 외세와 국내 매판 지배세력을 이 땅에서 완전히 축출하고 일체의 분단조건을 분쇄하여 궁극적으로 민족의 통일을 성취하는 위대한 민중투쟁의 승리를 의미한다"고 선언했다.[5] 서울대 측은 이 사건 관련자로 경찰에 연행되어 조사를 받고 있는 10여 명 중 주동자 4명을 제명 처분했다고 발표했다.[6]

경찰에 연행된 데모 주동자들에 대해 고문이 가해진 것으로 알려졌다. 데모의 배후세력이 전년(1979년) 가을에 발각된 남민전(남조선민족해방전선) 잔존세력이 아닌가 의심한 경찰은 유인물 살포 과정을 집요하게 추궁했다. 학생들은 당초 선언문이 다른 사람이 작성한 것으로 말을 맞추어 놓았으나 경찰의 계속되는 고문으로 사실을 털어놓지 않을 수 없었다 한다. 전단을 뿌린 남명수(南明洙)는 유인물의 작성자로 김명인(金明仁, 국문학과 4년)을 지목했다. 김명인은 일단 도피했으나 곧 경찰에 연행되어 자신이 썼다고 자백했다. 수사관은 처음에는 믿지 않았으나 나중에는 납득이 갔다는 것이다. 간첩사건 수사전문가인 이근안(李根安) 경감은 이 사건을 계기로 처음 학원관계 수사를 맡았다. 김명인이 나중에 어떤 인터넷카페와의 인터뷰에서 밝힌 바에 의하면 이근안은 그에게 "너희(들) 사건을 '무림'이라고 짓겠다. 안개 무(霧)자, 수풀 림(林), 멋있지?"라고 말했다고 한다.[7] 안개 속의 숲속처럼 그 내막을 알기 어렵다는 뜻이다.

김명인이 연행된 후 사건은 전혀 다른 방향으로 번져 나갔다. 김명인의 입에서 77학번 '언더(under)지도부'의 이야기가 나온 것이다. 사건은 곧바로 일부 학생들의 좌파유인물사건에서 서울대 학생운동 전체의 조직사건으로 확대되었다. 당시 4학년생이던 77학번뿐만 아니라 3학년생이던 78학번 언더지도부의 명단도 경찰에 입수되었다. 나중에는 서울대 학생들의 학회-당시 학생들은 서클을 학회라고 불렀다-전체 현황과 그 구성원 명단까지 드러났다.

이에 따라 학회 회원들에 대한 대대적인 검거가 뒤따라 모두 250여 명이 연행되었다. 경찰은 이들 중 김명인 등 주동자만 구속하고 90여 명을 강제 입대시켰다.[8] 구속자는 모두 10명인데, 서울대 측은 이들이 유물변증법에 바탕을 둔 계급투쟁과 폭력혁명을 주장하는 민주질서 부정세력이라고 규정했다.[9] 이들 중 9명이 구속기소되어 1981년 6월 1심에서 김명인은 징역3년을, 나머지는 징역2년에서부터 징역1년집행유예2년을 선고받았다.[10] 이들의 검거로 무림의 조직이 사실상 와해됨에 따라 1981년 들어 학생운동의 주도권이 자동적으로 학림 쪽으로 옮겨갔다.

2. 학림(민노련·민학련) 사건

고문수사로 국가보안법 적용

학림, 즉 흥사단아카데미 측의 민학련(정식명칭 전국민주주의학생연맹)과 노동자조직인 전국민주노동자연맹(약칭 민노련) 사건은 혹독한 고문으로 악명을 날린 공안조작사건이다. 먼저 민노련에 대해 설명하기로 하자. 민노련은 학생운동가이자 광민사(光民社)라는 출판사 대표인 이태복(李泰馥, 나중에 김대중 정부에서 보건복지부장관 역임)의 주도아래 1980년 5월 창립대회에서 결성되었다. 그 목적은 한국사회의 변혁을 위해 제2노총 결성을 통한 기층 노동자의 조직화를 이룩하는데 있었다. 민주화실천가족운동협의회 산하 민족민주운동연구회가 펴낸 《80년대의 민족민주운동 10대 조직사건》에 의하면, 민노련은 1970년 노동운동가들의 조합주의적 경제주의적 운동을 달피하고 노동운동을 변혁운동으로 전환하기 위해 이들 노동운동가들의 투쟁경험과 학생운동가 출

신 지식인 활동가의 직접적 결합을 모색했다는 것이다.[11]

　민노련의 등장은 80년대 한국노동운동의 새로운 방향을 예고하는 것이었다. 1970년대 유신통치 아래서 일어난 노동운동은 노동자의 이익을 대변할 민주노조를 결성하는데 주된 목표를 두었다. 그 결과 분신자살한 전태일(全泰壹)의 청계피복노조를 비롯한 새로운 민주노조들이 극심한 탄압 속에서 속속 탄생했다. 그러나 이 시대의 노조운동은 당시의 반공적인 사회분위기를 반영해 보수적인 자유주의 이념에서 벗어나지 않았다. 운동가들은 80년대 들어 노동운동을 정치투쟁으로 만들어 70년대의 노동운동 전통을 뒤집어놓았다.

　민노련은 70년대의 남민전(남조선민족해방전선)과 달리, 교사 지식인 소시민 출신의 노동운동가 중심이 아닌, 노동자 농민을 기본으로 하는 조직으로 발전코자 했다.[12] 이태복은 한국사회를 변혁하기 위해 노동자들이 역사의 주체로 등장해야 한다고 믿었다. 민노련의 규약은 지식인이나 여성노동자 중심으로 조직이 편중되는 것을 막기 위해 근로자 출신 회원과 지식인 출신 회원의 비율을 6:1로, 남녀의 비율을 2:1로 제한했다. 이태복 김철수(金鐵洙) 등 10명이 중앙위원이 되었다.[13]

혁명의 보조수단으로 학림 결성

　이태복은 1980년 9월 서울대생 이선근(李善根, 경제3)에게 혁명의 보조집단으로서 학생조직을 결성할 것을 지시, 이선근은 무림 측과의 논쟁이 더 이상 무의미하다고 판단하고 흥사단아카데미를 중심으로 새로운 학생조직 결성에 착수했다.[14] 이선근과 그의 동지들은 광주사태 이듬해인 1981년 2월 동료 학생들과 함께 민학련 중앙위원회를 조직하고 그 후 조직 확대, 조직원 교육, 학생시위 배후조종 등의 활동을 수행함으로써 5공 최초의 본격적 좌파학생 지하조직을 만들었다.[15]

　검찰에 의하면 민학련 회원들에게는 독재정권을 타도하기 위한 일체의 합법 반합법 비합법 투쟁에 헌신하고 조직의 결정을 충실하게 수행해야 할 의무가 부과되었다. 1980년 서울의 봄의 좌절과 광주항쟁사태가 운동권학생들로 하여금 직업적인 혁명투사로 나서게 한 것이다.[16] 민학련은 결성과 동시에 조직 확산을 꾀하면서 1981년 봄의 학원시위를 주도하기 시작했다. 무림사건으로 학생운동을 완전히 소탕했다고 생각했던 당국은 연이은 학원가의 시위에 아연할 수밖에 없었다. 서울대에서 1981년 3월 19일 첫 시위가 발생한 이래 5월 중순까지 성균관대 부산대 동국대 등에서 모두 8차례의 학생시위가 민학련의 주도아래 일어났다.

민노련과 민학련 관련자로 경찰에 연행된 사람은 30명에 달했다. 검찰은 그 중 민학련을 따로 떼어 반국가단체로 규정하고 12명을 국가보안법 위반혐의로 구속했다. 이 사건을 '학림'사건이라고 부른 것은 관련자들이 서울 종로구 대학로의 학림다방에서 첫 모임을 가졌기 때문이다. 민학련을 반국가단체로 규정하는데 필요한 구체적인 물증은 없었으나 관련자들이 서로 나누었다는 대화 내용을 유일한 증거로 삼았다. 이 사건으로 이태복은 1982년 1월 1심 선고공판에서 무기징역을 선고받고, 이선근과 그의 학림 동지 박문식(朴文植, 서울대 경제4)은 각각 징역10년과 7년을 선고받았다. 나머지 피고인들은 징역5년에서 징역1년, 그리고 형집행정지를 선고받았다.[17] 이들에 대한 2심 판결은 이태복에게는 원심과 같은 무기징역을 선고하고 나머지 피고인 24명은 형량이 낮추어졌다.[18] 대법원 형사부는 이 사건 관련자 중 상고를 한 13명에 대해 1982년 9월 모두 상고를 기각, 2심 형량을 확정했다. 나머지 13명은 상고하지 않아 2심 판결이 확정되었다. 이태복은 원심형량인 무기징역이 확정된 다음 두 차례에 걸쳐 20년, 15년으로 감형되었다가 민주화 조치 이후인 1988년 10월 가석방되었다.[19] 민학련은 와해되었으나 학생운동은 조금도 위축되지 않고 새로운 조직이 이끌어 갔다. 무림과 학림의 논쟁은 1982년의 이른바 '야비-전망' 논쟁[20]으로 이어졌다.

이태복은 2002년 1월 민주화운동관련자 명예회복 및 보상심의위원회(위원장 조준희)에 의해 민주화운동 관련자로 인정되었다. 이태복 등 24명의 재심 청구도 받아들여져 서울고법 제5형사부(재판장 안영진 부장판사)는 2010년 12월 국가보안법과 계엄법 위반에 대해 무죄를 선고하고, 집시법 위반 혐의에 대해 면소 판결했다. 재판부는 "민주화운동세력인 피고인들에 의한 정당한 학생운동과 노동운동을 불법강제연행, 장기간의 불법구금, 고문, 협박 등의 불법수단을 사용함으로써 반국가단체로 조작하고, 좌익용공세력으로 둔갑시킨 것"이라고 밝혔다. 2012년 6월 대법원 제1부(주심 이인복 대법관)도 피고인들에게 무죄 및 면소 판결을 내린 원심을 확정했다. 2016년 2월에는 서울중앙지법 민사합의12부(부장 김현룡)가 이 사건 피해자들이 국가를 상대로 낸 231억원의 손해배상 청구소송에서 "국가는 33억 2,600여만원을 배상하라"며 원고 일부 승소 판결했다.[21] 학림사건의 수사과정에서 부산의 독서서클 사건도 드러나 노무현이 변호를 맡은, 이른바 부림(釜林)사건도 세상에 알려지게 되었다. 부림이란 부산의 학림이라는 뜻이다.

3. 서울대 민추위

깃발사건으로 더 알려져

서울대의 민주화추진위원회(민추위)는 1984년 10월 학림사건의 주동자 중 하나인 박문식(朴文植, 서울대 경제4 제적)과 그의 후배 문용식(文龍植, 서울대 국사학과 3년 휴학)이 조직한 학생들의 민주민족주의운동 조직이다. 결성은 앞의 Ⅳ-**4**(신군부 정권하의 급진단체)에서 설명한 민청련보다 늦게 되었지만 《깃발》이라는 운동지침서로 당국의 수사는 먼저 받았다.

민추위는 정식 결성 이전부터 구성원들이 부분적으로 민족민주주의운동을 벌였다. 민추위의 하부조직이었던 노동문제투쟁위원회(약칭 노투)가 이미 84년 상반기부터 민중생활조사위원회라는 이름으로 움직였으며 《깃발》역시 그해 8월말과 10월 말에 배포되었다.[22] 1985년 10월 서울지검의 최환(崔桓) 공안부장이 기자회견에서 발표한 바에 의하면, 학림사건으로 징역5년을 선고받고 복역하다가 1983년 형집행 정지로 출소한 박문식은 문용식과 수십 차례 만나 이른바 '민족민주혁명'의 당위성과 필요성을 교양하고 혁명전위조직을 만들 것을 설득했다는 것이다. 그 결과 문용식은 학생투쟁조직 구성을, 박문식은 노동투쟁조직 구성을 각각 맡아 노학연대투쟁을 적극 벌이기로 합의했다고 한다. 당시는 이른바 유화국면이었다.

이런 상황이어서 문용식은 서울대생 안병룡(安秉龍) 윤성주(尹聖柱) 황인상

(黃仁相) 박승현(朴勝鉉)을 차례로 접촉, 민추위를 만들고 안병용, 윤성주로 하여금 《깃발》 1, 2호를 제작, 이를 서울대생들에게 배포케 했다. 문용식은 이들에게 '민족민주혁명이론', 'Org(조직)의 확대발전론', 'Fed(조직연계)의 발전 및 집단행동론', 'Pro-Agi(선전선동)론', 'SM(학생운동) 전략론' 등 레닌의 기본적 혁명이론을 교육시켰다고 검찰은 발표했다.[23]

민추위는 위원장 문용식 아래 민주화투쟁위원회(약칭 민투), 노동문제투쟁위원회(약칭 노투), 홍보위원회, 대학간 연락을 맡은 학간연락책 등 4개 기구를 두고 이들 4개 산하기구에는 독자적인 세포조직을 갖추었다. 즉, 민투는 서울대 삼민투위(三民鬪委, 정식 명칭 민족통일민주쟁취민중해방투쟁위원회)를 결성해 그 산하에 두고 1985년의 서울미문화원 점거사건, 민정당사 점거농성사건 등을 배후 조종하는 등 직접적인 폭력투쟁을 벌였다. 노투는 그 산하에 반합법투위, 학생회 사회부, 지역선전위 등을 두고 대우어패럴 근로자 동조시위, 신민당사 난입기도사건 등 노동문제와 관련된 각종 시위를 주도했다. 홍보위는 서울대 내의 주요 선전 선동 매체를 장악, 각종 불온유인물을 제작 발간했다. 학간연락책은 성균관대에 침투, 성대 삼민투위의 결성을 배후 조종한 다음 이어 타 대학과의 연합전선 구축을 시도했다는 것이다. 민추위는 민족민주혁명이념의 무장과 조직 확대를 위해 10여 차례 민족민주혁명 이념 세미나를 개최하고 트로츠키 저 《러시아혁명사》, 모택동 저 《모순론》, 《실천론》 등 3종, 그리고 레닌 저 《무엇을 할 것인가》, 스탈린 저 《레닌주의의 기초》, 중국공산당 간행 《대중이론》 등 수십종을 구입, 조직원들에게 배포했다는 것이다.[24]

민족민주혁명을 이념으로

검찰은 민추위가 "북괴의 주장에 동조하는 의사를 가진 사람끼리 모여 객관적인 조직의 형태를 이루었으므로 명백한 이적단체"라고 발표했다. 검찰은 그러나 민추위는 자생적 사회주의자들의 조직으로 북한과는 직접적인 접촉이 없었다고 밝혔다. 검찰은 민추위가 이적단체라는 물적 증거 유무에 관해 "조직의 강령, 임무분담, 목표, 행동수칙을 문서화한 것은 없다. 이들은 남민전이나 인혁당의 실패를 교훈으로 삼아 강령을 문서화하면 불리한 증거로 남는다는 것을 잘 알고 있다. 그들은 바로 민족민주혁명론을 조직의 강령과 목표로 삼은 것이다. 결성 당시 메모를 만들었으나 곧바로 없애버렸다"고 밝혔다.[25]

검찰은 민추위 사건 관련자로 박문식 문용식 등 24명을 국가보안법 위반 혐의로 구속하고 3명을 불구속 입건, 그리고 17명을 수배했다. 구속자 가운데 22명은 구속 기소되고 나머지 3명은 계속 수사 중이며 여대졸업생 1명은 반성의 빛이 뚜렷해서 석방되었다고 검찰은 밝혔다.[26] 구속기소자 중 《깃발》 관련자 문용식 등 13명에 대한 1986년 1월의 1심 선고공판에서 문용식과 안병룡은 국가보안법 위반 혐의가 인정되어 징역7년을 선고받고 나머지 11명에 대해서는 징역5년에서 징역2년집유3년이 선고되었다. 재판부는 판결문에서 "피고인들이 주장하는 민족민주혁명(NDR) 이념과 제작 배포한 《깃발》 유인물의 내용은 결과적으로 북괴의 활동에 동조하는 것이어서 모두 유죄로 인정된다"고 밝히고 "피고인들이 고문을 당해 위축된 상태에서 자백한 것이므로 증거능력이 없다고 주장하나 고문당한 증거가 없고 또한 동기의 정당성도 현실에 비추어볼 때 용서될 수 없다"고 판시했다.[27]

《깃발》관련자들에 대한 선고공판이 있은 다음에도 민추위 관련자 일부는 체포되지 않아 1986년 2월 10일 치안본부는 수배자 10명과 함께 민청련사건 9명, 삼민투사건 1명, 인천노동자투쟁위원회 사건 23명, 서울대 연합시위 사건 관련자 6명 등 모두 49명에게 검거령을 내렸다. 검거령이 내린 민청련 관련자 중에는 장기표(張棋杓, 서울대 법학3 제적)가 들어가 있었으며 민추위 관련자 중에는 박종운(朴鍾雲, 서울대 사회4 제적)과 김영환(金永煥, 서울대 공법4)이 들어 있었다.[28] 박종운은 바로 고문치사로 6월항쟁의 기폭제가 된 박종철의 선배로, 경찰은 민추위의 하부기구인 민투 조직책인 박종운을 체포하려고 박종철을 연행해 그의 행방을 추궁하다가 고문을 하게 되었다. 박종운은 나중에 제헌의회 그룹 사건에도 연루된 혐의로 검찰의 수배대상이 되었다. 민추위는 1985년 8, 9월까지 관련자들의 체포와 구속기소, 그리고 일부 관련자의 피신으로 발족 1년도 못되어 사실상 와해되었다. 유죄판결을 받고 복역 중이던 사건 관련자들은 민주화 이후인 1988년 10월 박문식 문용식의 석방을 마지막으로 모두 자유의 몸이 되었고 수배 중이던 박종운 박승현(朴勝鉉) 김영렬(金榮烈) 등은 그해

12월 공식적으로 수배가 해제되었다.[29]

민추위의 활동기간은 1년도 못되었지만 한국의 좌파학생운동에 준 영향은 대단히 컸다. 앞장에서 설명한 김근태의 민청련이 공개조직인 데 반해 비공개 조직인 민추위는 민족민주혁명을 위해서는 직업적인 혁명가들의 비합법적인 '전위조직'이 필수불가결하다고 보는 이른바 '전위주의'를 견지했다. 민추협은 또한 학생운동의 개량주의 대중추수주의를 배격하고 혁명주의를 주창함으로써 폭력투쟁을 신조로 삼았다.[30] 민추위의 민족민주혁명노선은 뒤에서 살펴보는 바와 같이 민족해방을 내세운 자민투(반미자주화 반파쇼민주화 투쟁위. NL계열)와 민중민주주의를 주장하는 민민투(반제 반파쇼 민족민주 투쟁위. PD계열) 간의 치열한 이론투쟁에 불을 붙인 도화선 역할을 했다. 민추위의 강경한 투쟁노선은 삼민투의 미문화원점거농성사건에서 그대로 드러났는데 1985년에 절정을 이룬 학생운동의 혁명화 폭력화는 민추위의 영향이었다.

4. 미문화원 방화·점거사건

본격적인 반미운동 개시

1985년은 건국 후 처음으로 본격적인 반미운동이 일어난 해였다. 대학생들이 주도한 반미운동은 초기 단계에서는 신군부의 광주진압 작전을 미국 정부가 묵인한 데 대해 해명하고 사과하라는 수준이었으나 시일이 지나면서 차츰 주한 미군철수운동으로 확대, 친북적인 민중민주주의 혁명노선으로 발전했다.

반미운동이 최초로 투쟁적인 행동방식으로 나타난 시기는 광주항쟁 직후였다. 1980년 12월 광주에서 일어난 최초의 미문화원 방화사건이 그것이다. 방화한 사람은 가톨릭 농민회원 정순철(丁淳喆) 등 4명이었다. 이 사건은 당시 언론보도가 통제된 데다가 피해 규모도 비디오실 20평을 불태운 정도여서 일반국민들에게는 거의 알려지지 않았다.[31] 두 번째 미문화원방화사건은 1982년 3월 부산에서 일어났다. 부산 미문화원에 학생들이 불을 질러 도서관에서 책을 읽던 대학생 1명이 죽고 3명이 중경상을 입어 충격을 주었다. 불을 지른 학생들은 한일 경제협력 즉각 중단, 88서울올림픽 반대, 미군철수 등을 요구하는 '북침

준비완료'라는 제목의 전단을 현장에 뿌리고 도주했다.[32] 수사당국은 사건 발생 13일 만에 천주교 원주교구 주교관에 은신해 있다가 신부의 권고로 자수한 고신대 재적학생 문부식(文富軾)과 그의 애인 김은숙(金恩淑) 등 관련자들을 체포했다. 경찰에 의하면 문부식은 사건관련자들에게 《러시아혁명사》《프랑스혁명사》《역사란 무엇인가》 등 20여 권의 역사서적을 탐독케 하는 방법으로 역사의식과 폭력혁명 및 좌경의식을 심어주었다는 것이다. 문부식의 배후자인 김현장(金鉉獎)은 그 후 원주에서 검거되었다. 경찰은 그를 은닉해준 천주교 원주교구 최기식(崔己植) 신부도 구속했다.[33] 문부식은 공판에서 자신의 소행이 민주화를 위한 것이었다고 검찰의 기소사실을 부인했으나 1심 재판부는 82년 8월 선고공판에서 "피고인은 자신이 망상하고 있는 사회주의 체제로의 변혁을 이룩하기 위해서는 우선 피고인 자신부터 철저한 의식화를 통해 사상무장을 하고 청년학생들을 의식화시킨 후 나아가 그들을 통하여 노동자 농민을 상대로 의식화운동을 전개케 하고 이를 궁극적인 행동으로 발전시켜 민중혁명의 여건을 조선해야 한다는 전제 아래" 범행을 했다고 판시하고 국가보안법을 적용, 김현장과 함께 사형을 선고했다.[34]

미문화원 방화·점거사건 전국으로

앞에서 살펴본 1982년 3월의 부산 미문화원 방화사건은 사회적으로 상당한 충격을 주고 엄청난 반향을 불러일으켰다. 한국전쟁 후 대학생들이 일으킨 최초의 반미투쟁이라는 평가를 받고 있는[35] 이 사건을 계기로 한국에 있는 거의 모든 미국 문화원이 운동권의 공격목표가 되었다. 그러나 아직 부산 미문화원 방화사건은 대중적인 광범위한 반미운동을 촉발시키기에는 시기상조였다.

그해 11월 20일에는 광주 미문화원 강당 옥상에 화염병을 투척한 사건이 일어나고 그로부터 약 10개월 후인 1983년 9월에는 대구 미문화원에서 사제폭탄이 폭발해 1명이 사망하고 5명이 부상하는 사건이 일어났다. 대학생들의 반미운동은 1983년부터 확대되었다. 그해 5월에는 광주항쟁 4주년을 맞아 반미구호를 외치는 대학생 시위가 서울에서 연일 격렬하게 벌어졌고 1985년 5월에는 서울대, 고려대, 서강대 등 5개 대학 학생 73명이 서울 미문화원을 점거하고 광주학살의 진상 규명과 미국의 사과를 요구하면서 나흘 동안 농성을 벌였다. 이들 미문화원 점거 대학생들은 뒤에서 설명하는 삼민투 산하 광주학살원흉처단투쟁위원회 소속이었음이 나중에 밝혀졌다.[36]

미문화원 점거사건은 삼민투 지도부가 와해되고 난 뒤에도 계속되었다. 1985년 11월 서울대 등 시내 7개 대학의 학생 14명이 서울의 주한미상공회의소를 점거하고 미국의 한국에 대한 수입개방 요구를 철회할 것을 주장하면서 농성을 벌였다. 경찰 수사 결과 이들이 속한 각 대학의 민족자주권수호투쟁위원회는 뒤에서 설명하는 서울대 민추위와 각 대학 삼민투의 하부조직이라는 결론이 나왔다.[37] 이어 그해 12월에는 전남대생 4명과 전북대생 5명, 모두 9명이 광주 미문화원을 점거, 미국의 '수입개방 압력 즉각 철회'와 미국대사 면담을 요구한 사건이 일어났다. 1986년 5월에는 자민투 소속 서울대 및 고려대 학생 21명이 부산 미문화원을 점거하고 반미구호를 외치는 사건이 일어났다. 이들은 미문화원 건물 2층에서 친미정권 타도를 요구하는 성명서를 낭독하고 "광주사태 교사범 미제국주의 축출하자"는 등 4개의 플래카드를 건물 바깥벽에 내걸었다.[38]

5. 삼민투

민족민주노선 내걸고 반미시위를 주도

대학가의 '민족민주혁명' 투쟁은 1985년을 기점으로 절정에 달했다. 전년인 1984년 3월 전두환 정부의 대학자율화조치 본격시행에 따라 각 대학의 학도호국단이 해체되고 총학생회가 결성되자 85년 3월부터 각 대학 총학생회 산하기관으로 삼민투(정식 명칭 '민족통일민주쟁취민중해방투쟁위원회')가 결성되었다. 서울대의 경우 민추위가 배후에서 작용, 이를 만들게 했다. 검찰에 의하면 그해 7월 현재 전국 45개 대학 가운데 34개 대학에 삼민투가 조직되었다. 대학별로 명칭과 조직은 다르지만 민족 민주 민중이라는 삼민이념 구현을 행동목표로 삼은 것은 공통적이었다. 앞장에서 설명한 바와 같이 85년 4월 각 대학 총학생회의 연합체인 전국학생총연합회(약칭 전학련)가 결성되자 그 산하에 삼민

투가 설치되어 전국규모의 투쟁을 통일적으로 이끌기 시작했다.[39]

　삼민투는 투쟁노선으로 '민족민주혁명'(NDR)을 핵심으로 하는 민족·민주·민중의 '3민이념'을 지도노선(3민혁명론)으로 내걸었다.[40] 삼민투는 1985년 4월 서울 중구 을지로 6가 등지에서 서울대생 1,900명이 경찰 순찰차에 화염병을 투척하고 방범초소를 습격하는 폭력투쟁을 벌인 사건을 시발로 약 2개월 동안 전국 각 대도시에서 11건의 폭력시위를 일으켰다.[41] 이 기간 중에 서울 미문화원 점거농성사건도 일어났다. 서울 미문화원 점거농성사건을 계기로 검찰과 경찰은 그해 6월 전담수사반을 편성, 삼민투에 대한 대대적인 수사에 나섰다. 검찰은 7월 중간수사 발표를 통해 전국 19개 대학에서 총 수사대상자 86명 중 63명을 검거, 그 중 56명을 구속하고 13명에게는 국가보안법을 적용했다고 밝혔다. 검찰이 수사중간발표를 하던 날 국무총리 노신영(盧信永)은 국무회의에서 이 사건에 대해 전정부적인 차원에서 엄정하게 대처할 것이라고 밝힘으로써 철저한 수사의지를 천명했다.[42]

　검찰 발표에 따르면, 삼민투의 핵심세력은 전학련 명의로 배포된 "광주민중항쟁의 민족운동사적 조명"이라는 유인물 등에서 일제시대 좌익공산세력들을 독립운동의 주체로 평가하고 해방 후에는 조선공산당과 전평(全評) 등 좌익단체를 민족해방투쟁의 정통 승계자로 보았으며 10·1폭동과 4·3제주사건, 여순반란사건 등을 민중항쟁으로 규정했다는 것이다. 고려대 총학생회 및 언론출판연합체 명의로 된 《일보전진》이라는 유인물에서는 전두환 정부는 미국에 종속된 예속정권이고 한국은 미국의 '신식민지'이기 때문에 미국을 축출하는 것이 통일의 첫걸음이라고 주장했다. 검찰은 이 같은 주장들이 북한의 대남혁명전략 전술과 부합되는 용공-이적 이념이 분명하므로 삼민투를 용공-이적단체로 규정하게 되었다고 발표했다.[43]

국가보안법상 이적단체 구성죄 적용

　검찰은 전학련 산하 삼민투 위원장 허인회(許仁會, 고려대 정외4 제적)를 국가보안법상 이적단체 구성 혐의로 수배하는 한편 삼민투의 이념정립에 깊이 관여한 김태룡(金泰龍, 서울대 민중생존권 쟁취투쟁위원장) 등 구속자 12명과 불구속 입건자 1명에게 국가보안법을 적용하고 김민석(金民錫, 전학련 의장) 등 나머지 50명에게는 집회 및 시위에 관한 법률 또는 폭력행위 등 처벌에 관한 법률 위반 혐의를 적용했다고 발표했다.

1986년 3월의 삼민투사건 1심 선고공판에서 재판부는 허인회에게 국가보안법상 이적단체구성죄를 적용, 징역7년을 선고했다. 재판부는 판결문에서 "전학련 삼민투는 용공적인 삼민이념의 실현을 위해 하부조직까지 갖춘 이적단체로 인정되며 피고인들이 주장하는 민중민주주의는 계급 개념에 입각하고 궁극적으로 폭력을 수단으로 한다는 점에서 북괴 주장과 일치한다"고 판시했다.[44] 같은 달 열린 전학련사건 및 서울대 삼민투사건 1심 선고공판에서는 전학련의장 김민석(金民錫, 사회4 제적)이 국가보안법상 이적단체 구성죄가 적용되어 징역3년6월을 선고받았으며 서울대 삼민투 위원장 성운경(成雲炅, 물리4 제적)은 징역2년6월을 각각 선고받았다.[45] 허인회는 그해 7월 2심 선고공판에서 원심보다 2년이 낮은 징역5년을 선고받고 나머지 피고인들도 각각 원심보다 가벼운 형량을 선고받았다.[46] 서울대와 고려대 이외의 각 대학 삼민투 간부들에 대한 공판도 같은 시기에 진행되어 관련자들은 대체로 비슷한 형량을 받았다. 삼민투는 이때 와해되었으나 관련자들은 인간관계를 지속해서 나중에 다른 사건에 관련된다. 그 예가 2007년 노무현 정부 당시 북경을 거점으로 한 이른바 일심회사건이다.

제3부
민주화와 세계화 시기

1. 1984년 밝혀진 서울대 민추위 (민주화추진위원회) 활동가이자 1987년 적발된 반제청년동맹의 총 책으로 '강철서신'을 써 유명해진 김 영환.

2. 사노맹중앙위원 '얼굴 없는 시인' 박노해(본명 박기평)가 선고공판을 받기위해 법정으로 들어가고 있다 (1991.9.9.).

3. 조선노동당 중부지역당 간첩사건 으로 구속기소된 김낙중 전 민중 당 대표가 항소심 선고공판을 받 기 위해 법정으로 들어서고 있다 (1993.6.17.). 사진《연합뉴스》.

1. 1985년 4월 전학련의 3대 이념인 '민족통일, 민주쟁취, 민중해방'구호를 외치는 삼민투 허인회 위원장(가운데)《경향신문》.

2. 서울 미 문화원 점거 단식 농성에 들어간 삼민투 대학생들이 창문에 '광주학살 책임자 문책'이라 는 현수막을 내걸고 있다(1985.5.24).《연합뉴스》.

1987년 8월 19일 충남대에서 전대협(전국대학생대표자협의회)이 정식 발족했다.

1. 서울노동연합(서노련) 지도자 김문수가 1988년 개천절 특사 때 풀려 난 직후인 그해 10월 15일 양심수 석방요구 집회에서 연설하는 모습. 사진 〈민주화운동기념사업회〉. 박용수.

2. 전국교직원노동조합이 건국대학교에서 결성식을 갖고 있다(1989.3.28). 《연합뉴스》.

1. 전민련 (우측부터) 이부영 공동의장, 이재오 조국통일위원장, 장기표 사무처장이 공동 회견을 하고 있다. (1989.3.24.).《연합뉴스》.

2. 1989년 6월 평양에서 열린 제13회 세계청년학생축제에 전대협 대표로 임수경을 파견한다고 발표하는 임종석 전대협 3기의장(1990.5.24.) .

(사진 상)1989년 3월 25일부터 4월 3일까지 북한에 밀입국해 김일성과 나란히 걸어오는 전민련 고문 문익환 목사. 《중앙일보》, (사진 하) 북한에 밀입국한 임수경이 1989년 7월 ㄥ일 금수산의사당 에서 각국 대표들을 초청해 베푼 만찬장에서 김일성을 만나는 모습.

1990년 6월 21일 서울 명동 YWCA대강당에서 개최된 민중당(가칭) 창당 발기인 대회에서 창당준비위 공동위원장으로 선출된 이우재 민연추공동대표(우), 권처홍 공동위원장(중), 민교협 공동의장 김상기 경북대교수가 참석자들의 환호에 두 손 들어 답하고 있다. 사진《연합뉴스》.

1990년 광복절을 맞아 판문점에서 열린 제1회 '조국의 평화와 통일을 위한 범민족대회' 참석이 정부의 불허로 실패하자 범민족대회 남측 추진본부는 서울 연세대 학생회관 앞에서 전대협 소속 학생들이 모인 가운데 통일대동제와 보고대회를 가졌다. (1990.8.14.) 사진《연합뉴스》.

1. 전대협 소속 대학생들이 1991년 4월 고르바초프 소련 대통령의 한국방문을 반대하고 있다.

2. 1991년 광복절을 맞아 서울 경희대에서 열린 제2회 범민족대회는 남한 대표들만이 참석한 가운데 열려 남북해외동포 본부가 합의한 연방제 통일을 골자로 하는 공동결의문을 채택했다. 사진 〈범민련 남측본부〉.

한총련 소속 대학생 1만여 명이 대학로에서 제1기 출범식을 가졌다(1993.5.29). 사진《연합뉴스》.

1. 1993년 8월 서울 연세대에서 범민련 남측본부 주최로 열린 제4차 범민족대회장 입구를 경찰이 봉쇄하고 있다. 사진 〈민주화운동기념사업회〉. 박용수.

2. 전국연합을 비롯한 50여개 민간단체가 1993년 12월, 범민족연합 남측본부와는 노선을 달리하는 새로운 대중적인 통일운동체를 조직하기로 결정하고 이듬해 7월 정식 발족한 자주평화통일 민족회의 창립총회 모습. 사진 〈민주화운동기념사업회〉. 박용수.

Ⅴ. 민주화 과정의 변혁세력

우리가 말하는 진보란 민주주의를 회복하고 부패구조를 변혁시키며 분단시대를 청산·극복함을 뜻한다. 노태우 정권을 끝장내고 재벌에 의한 경제독점을 종식시키며 미국의 분열주의에 의한 분단고착화를 청산하는 것이 변혁의 알짜다.

—백기완, 민중정당 창당 기자회견(1988. 3.)

1. 민중의 당

민주화 이후의 진보정당 창당

1987년의 6월항쟁은 19일간 전국에서 계속되어 경찰의 발포가 없었던 사실만을 제외하고는 그 규모나 시위기간에 있어 4·19보다 더 큰 국민항쟁이었다. 국민항쟁으로 구질서가 무너지면 정치적 자유가 회복되고 이에 따라 좌파세력도 다시 고개를 들게 마련이지만 6월항쟁 이후에는 진보정당에 관한 한 그렇지 못했다. 6월항쟁을 조직한 주체는 민주헌법쟁취국민운동본부(약칭 국본)였다. 국본은 김영삼과 김대중이 이끈 신민당과 문익환(文益煥) 계훈제(桂勳梯) 박형규(朴炯圭) 백기완 등이 이끈 민통련(정식명칭 민족통일연맹) 등 25개 시민 종교 학생 단체들로 구성되었다. 신민당은 당시까지 보수정당인데다가 대통령의 꿈을 불태우던 두 김씨의 존재가 워낙 뚜렷할 때라 문익환 같은 진보세력의 지도자도 제13대 대선에서 김대중을 지지함으로써 진보정당의 출현을 어렵게 했다. 6월 항쟁 직후인 7~9월 사이에 일어난 격렬한 노동운동, 즉, 좌파들이 말하는 이른바 '노동자 대투쟁'에도 불구하고 조직노동세력이 정당을 만들기에는 아직 시기가 무르익지 않았다.

진보정당의 출현이 어려운 상황에서 좌파정치세력이 할 수 있는 유일한 선택은 독자적인 후보공천이었다. 그것이 이른바 '민중후보' 백기완으로 실현되었다. 소속 정당 없이 무소속으로 출마한 백기완은 그러나 선거 막판에 야권 후보 단일화를 요구하면서 사퇴해 버렸다. 백기완이 소속 정당 없이 무소속으로 출마하게 된 것은 신군부 치하에서 혁신계 정당들이 그 만큼 유명무실했다는 것을 반영한다. 이미 Ⅳ-**3**(전두환 정부하의 혁신정당)에서 설명한 바와 같이 기존의 민사당은 홍숙자를 대선 후보로 내세웠으나 그 역시 야당후보 단일화를 주장하면서 후보를 사퇴하고 김영삼 지지로 돌아서고 말았다. 결국 진보세력은 1987년 12월 실시된 제13대 대선에서는 후보 없는 선거를 치렀다.

대선이 전두환 대통령의 후계자인 민정당 노태우(盧泰愚) 후보의 승리로 끝나자 제13대 국회의원 총선을 앞두고 비로소 진보정당 창당 움직임이 나타났다. 이무렵 진보진영에서는 당초 두 갈래 흐름이 있었다. 첫째 흐름은 문동환, 임채정, 이해찬 등 97명이 총선 2개월여 전인 1988년 2월 3일, 김대중의 평민당에 합류하고 당내에 진보성향의 평화민주통일연구회(평민연)를 결성한 사실이다. 이들은 평민당을 민중의 권익을 옹호하는 국민정당이자 민주통일의 새 시대를 개척해나갈 정책정당으로 개혁하겠다는 명분을 내걸었다. 그러나 이들은 결국 평민당이라는 보수당 안에서 자신들이 보수화하고 말았다. 둘째는 이들과 달리 독자적인 진보정당을 창당, 제도정치권에 진입하려고 시도한 좌파 그룹들의 움직임이다. 이들은 1980년대 후반기부터 90년대 후반까지 스스로의 좌파정당을 창당했다. 이들이 만든 정당은 민중의 당과 한겨레민주당, 그리고 민중당이다. 이들 세 정당은 사실상 6월항쟁 이전의 좌파정당들, 특히 사회민주주의 정당과는 절연하다시피 한 신세대 1기의 좌파정당이었다. 그러나 이들 신세대 1기 좌파정당은 원내정당으로 도약하는 데 실패하고 2000년대에 들어와서 비로소 신세대 2기 좌파정당인 민주노동당이 원내 진입에 성공한다. 우리는 이들 신세대 2기 좌파정당이 1980년대의 NL파와 PD파 운동권들이 주도한 좌파정당이라는 사실을 앞으로 살펴보게 될 것이다. 신세대 1기 좌파정당들을 차례로 살펴보기로 하자.

노동운동가들이 창당

민중의 당은 제13대 총선을 두 달 앞둔 1988년 3월 노동운동가 및 학생운동가들을 중심으로 창당된 한국정당 사상 보기 드문 노동자당이다. 백기완 민중 후보 지지자들인 이들은 그해 1월 서울 종로구 연지동 여전도회관에서 가칭 '민중의 당' 준비위원회 결성식을 개최하고 정태윤(鄭泰允, 전 인천민주노동자연맹 부위원장, 당시 35세)을 위원장에 선출했다. 발표된 창당준비위원 62명 가운데는 민청학련 관련자 이강철(李康哲) 강구철(姜求哲), 부천경찰서 성고문 사건 피해자 권인숙(權仁淑), 김구 암살범 안두희(安斗熙)를 응징해 유명해진 권중희(權重熙), 대우자동차 파업농성 주동자 송경평(宋炅平), 해고근로자 유인혜(俞仁惠), 박종철 모친 정차순(鄭且順), 성균관대 총학생회장 이봉원(李鳳遠), 백기완 대선후보운동본부 사무차장인 이행원(李幸源)이 들어있었다.[1] 가칭 민중의 당은 발기취지문에서 "군부독재의 종식과 민중이 주인이 되는 정부의 수립을 위하여, 분단된 조국의 해방통일을 위하여, 민중들의 투쟁의 현장에서 함께 싸우고 헌신적으로 군부독재와 맞서 싸우면서 민중의 이익을 정치적으로 대변할 민중의 정당은 더 이상 미루어질 수 없는 절박한 과제"라고 선언했다.[2]

창당대회는 3월 6일 서울 종로구 동숭동 마로니에공원에서 열려 창당준비위원장 정태윤을 대표위원으로 선출했다. 정차순 이종남(李鍾南, 전 의원) 권중희 김종신(金鍾信, 구속자가족) 4명은 고문으로 추대되었다.[3]

민족자주 강조한 정강정책

창당대회에서 채택된 민중의 당의 정강은 총강에서 "반세기에 걸친 민중의 반외세, 반독재, 민주화 투쟁을 계승하여 민중의 민주주의와 조국의 자주화, 통일을 보장할 민주정부의 수립 및 통일된 민주조국의 건설을 위해 전체 민중의 선두에 서서 민중과 함께 이의 실현을 추진 해 나갈 것"이라고 선언했다.[4] 정강은 이어 민중정부의 수립, 민족자주성 실현, 민중적 자립경제의 수립, 자주적 평화통일, 세계평화의 실현, 남녀 평등사회 구조의 실현, 민중적 국민교육, 민중적인 민족문화 창달, 환경권의 완전한 보장을 제시했다.[5]

민중의 당은 정강정책의 실현을 위한 구체적인 정책으로서 안기부 보안사 치안본부 대공분실의 즉각 해체, 정치군인의 즉각 파면, 민주화과정에서 구속된 인사들의 석방과 사면 복권, 전투경찰의 해체와 공안위원회의 설치, 국가보안법 철폐, 지방자치의 전면실시, 불평등조약의 파기, 군사작전권의 즉각적인 회수, 주한미군이나 외국군대의 군사기지의 존속 여부 국민의 뜻에 따른 결정, 미 중앙정보부 한국지부 등 외국 정보공작기구의 즉각적인 철수와 내정간섭 봉쇄, 경제의 대외예속성의 극복, 매판독점자본의 경제지배를 타파하고 민중적 경제질서로의 재편, 중요산업의 국유화, 노동자 농어민 도시빈민 중소상공인 등 민중의 생존권 철저 보장, 통일논의와 민간차원의 통일 추진의 자유에 대한 철저한 보장, 통일을 위한 남북한 협상기구의 설치, 해직교사 및 제적학생들에 대한 즉각적인 복직과 복교, 1가구1주택제도의 실현 등을 밝혔다.[6] 민중의 당은 다른 좌파정당들이 그랬던 것처럼 당시로서는 상당히 급진적인 외교통일 정책을 내세우고 있다.

13대 총선에서 의석 1석도 못 얻어

민중의 당은 1988년 4월 5일 서울 종로구 동숭동 대학로에서 당원 학생 노동자 약 5백명이 참가한 가운데 '민중대표 국회진출과 민정당 패퇴를 위한 국민운동대회'를 가지려 했으나 전투경찰에 의해 저지당했다.[7] 이날 집회는 제대로 열리지 못했지만 당의 간부 전원이 연행될 때까지 새마을비리사건을 폭로하고 전두환의 구속과 노태우 대통령의 사퇴를 요구하는 시위를 벌여 2백여 명이 경찰에 끌려가는 투쟁을 벌였다. 민중의 당은 이밖에 창당준비과정에서부터 근로자의 위장취업자 해직 철회 투쟁과 노사분규 기업의 노조지원 투쟁을 전개했다.

민중의 당은 4월 26일, 민주화 이후 처음으로 실시된 제13대 국회의원 총선거에 16명의 후보를 냈다. 그러나 창당이 일천하고 공천후보도 대부분 인지도가 낮았을 뿐 아니라 유권자들도 여전히 좌파정당에 대해 부정적인 인식을 바꾸지 않은데다가 총선의 초점이 여당인 민정당, 그리고 보수야당인 민주당과 평민당의 경합에 쏠린 탓으로 한 사람의 당선자도 내지 못했다. 민중의 당이 얻은 득표수는 총 유효투표의 0.33%에 해당하는 6만5천여 표에 불과했다.[8] 총선 패배로 자동해체된 민중의 당은 곧바로 민중정당재건추진위원회를 결성하고 뒤에 살펴보는 한겨레민주당 측과 통합교섭을 벌이다가 1988년 9월 진보정당 결성을 위한 정치연합을 결성했다. 민중의 당 대표인 정태윤은 한겨레민주당의 제정구(諸廷坵)와 함께 정치연합의 공동대표가 되었다.[9] 정태윤은 Ⅵ-1(김영삼 정부하의 좌파세력)에서 보는 바와 같이 김영삼 정부 때 집권여당인 민자당에 입당한다.

2. 한겨레민주당

재야의 민주화운동가들이 주도

한겨레민주당은 진보 및 중도 성향의 재야인사들이 주동이 되어 결성한 정당이다. 이들은 1987년 8월 경기도 용문산 천주교 청소년캠프장에서 신당추진세력모임을 갖고 6월항쟁의 성과를 바탕으로 새 정치세력을 결집, 민주적 대중정당을 창당키로 결의한 다음 그해 12월 '새로운 정치운동을 위한 준비모임'(대표 제정구)을 결성했다. 이 모임은 한겨레연구소 및 새정치동지회와 합류, 확대개편된 뒤 신당추진지역협의회를 참여시켜 '범민주통합신당추진위원회'로 재발족하고 신당 창당작업에 들어갔다.[10] 한겨레민주당은 기존정치권과는 다른 '새로운 정치세력'의 구축을 명분으로 내세웠다. 그런데 이들 창당추진세력의 성분을 볼 때 좌파정당이라고 규정하기는 곤란한 점도 있다.

가칭 한겨레민주당(약칭 한겨레당)의 창당발기인대회는 1988년 2월 서울 종로구 청진동 삼송빌딩 9층 강당에서 열렸다. 이날 발기인대회는 창당준비위원회를 결성하고 박정희 정권 때 3선개헌을 반대, 공화당에서 제명된 예춘호(芮春浩, 3선 국회의원)를 창당준비위원장에 선출하는 한편 당을 7인집단체제로 하고 상임대표위원에 예춘호, 대표위원에 장을병(張乙炳, 성균관대 교수) 조순형(趙舜衡, 무소속 의원) 제정구(빈민운동가)를 선임하기로 합의했다. 이날 채택된 창당발기취지문은 "한겨레민주당은 이 땅의 민주화와 자주화를 열망하면서 새 시대의 주인임을 드러낸 노동자 농어민 도시빈민 근로대중을 위시한 양심적 지식인, 사무직 근로자, 중소상공인, 양심적 기업인 등 민중의 권익을 대변하는 데 역점을 둘 것"이라고 밝혔다.[11]

이들은 창당작업과 함께 민주당 및 평민당과의 범야권통합운동을 병행 추진했다. 4월 26일로 다가온 총선이 김대중의 평민당 창당으로 인한 민주당의 분당으로 김영삼과 김대중이 민정당의 노태우 후보에게 함께 패배한 13대 대선의 재판이 되는 것을 막기 위해서였다. 이 때문에 한겨레당의 창당작업은 범야권 대통합문제로 지연되었다. 김영삼과 김대중은 2월 23일 회동을 갖고 야권통합에 합의하면서 재야 측이 신당 창당작업을 중단하고 야권통합에 동참하도록 권고키로 결정했다. 한겨레당은 이튿날 성명을 내어 "야권의 세대교체에 의한 체질개선과 통합을 전제로 하는 범민주정당의 창출에 적극 참여할 것"이라고 밝힘으로써 민주-평민당 간의 통합에 한겨레당도 주체로 참여하는 민주대연합의 원칙에 의할 경우 통합작업에 참여할 수 있음을 시사했다.[12] 야권통합문제는 시일이 지나면서 13대 대선 참패의 책임을 물어 김영삼 김대중 양 김씨의 일선퇴진을 전제로 해야 한다는 주장이 강력히 제기됨에 따라 한겨레당도 같은 입장을 취했다.[13] 그러나 양 김씨가 퇴진을 거부할 움직임을 보이자 한겨레당은 이틀 후인 3일 성명을 내어 최근 두 김씨의 거취가 민주-평민-한겨레 3당의 합의사항에 정면으로 위배되는 방향으로 진행되고 있는데 대해 분노를 느낀다면서 또 다시 국민을 속이려는 얄팍한 기만성을 포기하고 두 김씨가 즉각 통합과 관련된 스스로의 정치적 진퇴를 분명히 하라고 요구했다.[14] 3당은 야권통합추진위 합동회의를 열고 논의를 거듭했으나 김대중의 퇴진문제에 이견을 드러내 결국 범야권 통합논의는 실패로 끝나고 말았다.[15]

이에 따라 한겨레당 창당준비위는 3월 29일 서울 종로구 수운회관에서 창당대회를 열고 당을 정식으로 출범시켰다. 창당대회는 예춘호 장을병 조순형 제정구 이강철(李康哲) 최병욱(崔秉旭) 6인을 대표위원으로 선출했다. 이들 대표위원은 이튿날 예춘호를 상임대표위원으로 선출했다.[16]

중립화 통일방안 제시한 정강정책

한겨레민주당은 창당선언문에서 "부패할 대로 부패한 정치현실을 타개하고 국민의 뜻에 따르는 새로운 정치를 일으켜 세우기 위해 한겨레민주당의 첫발을 내딛는다"라고 선언했다. 이날 대회에서는 또한 자주 민주 통일을 핵심으로 하는 10대 강령과 5대 기본정책을 채택했다.[17] 한겨레민주당은 스스로 '역사의 변혁주도세력'을 자임하면서도 "우리는 오늘의 정치현실을 이념적인 진보나 혁신에서 찾는 것이 아니라 민족 대 반민족, 민주 대 군부독재, 통일 대 분단, 역사의 발전 대 후퇴, 평화 대 폭력, 진리 대 불의로 구분하여 그 어느 한 편에 서야 할 지점임을 강조하고자 한다"고 밝힘으로써[18] 이념의 중요성을 부정했다. 창당대회에서 채택된 강령은 군부독재 종식, 기본권 전면보장, 민족대단결원칙에 입각한 자주적 평화통일, 민족자립경제 건설, 분배의 불공정 해소와 근로대중의 생존권 보장, 사회보장 등 생활조건 개선, 민족교육 실시, 자주적인 외교노선 견지, 남녀평등과 여성의 사회적 지위와 권익의 신장을 다짐했다.[19]

한겨레당은 이 같은 정강을 실천하기 위한 기본정책으로 안기부 보안사 치안본부 대공분실의 개폐, 지방자치의 전면실시, 대법원의 법률안제출권 및 예산편성권 보장, 선거연령의 18세로의 인하, 국가보안법 집시법 사회안전법 사회보호법 등의 개폐, 정치적 이유에 의한 사형의 폐지, 전투경찰제 폐지, 언론·출판에 관한 법률 제정 및 정책수립에 언론·출판인들의 참여 보장, 국민저항권과 국민소환제도 신설, 작전지휘권 회수, 한미상호방위조약 등 불평등조약 개폐, 토지의 공개념 확립, 남북경제교류 실시, 금융실명제 실시 등을 내세웠다. 통일문제에 있어서는 1972년의 남북공동성명에서 분명히 천명한 바 있는 자주 평화 민족대단결의 원칙에 입각한 3단계의 한겨레공동체(Korean Commonwealth) 통일방안을 제시했다.[20]

민중의 당과 같은 운명

한겨레민주당은 제13대 총선에 지역구 63명, 전국구 5명의 후보를 내고 기성 보수정당들과 차별성을 부각시키는 선거전략을 폈다. 그러나 득표수는 전체 유효투표의 1.28%에 해당하는 25만 1천여 표에 불과했다. 당선자는 전남 신안의 박형오(朴亨午) 후보 한 사람이었으나 그는 당선 직후 평민당에 입당해 한겨레민주당은 의회 진출에 실패했다.[21] 한겨레민주당이 총선에 참패한 원인은 급하게 창당한 뿌리가 약한 자체의 약점도 작용했지만 무엇보다도 한겨레당의 이념이 불분명해서 그 정체성이 유권자에게 부각되지 못한 데 있다.

3. 민중당

재야세력 양분 속에서 2년 7개월 걸려 창당

민중당은 1988년의 4·26총선에서 패배, 해산당한 민중의 당과 한겨레당 핵심세력이 일부 재야인사들을 영입해 2년 7개월간의 진통 끝에 출범시킨 정당이다. 통합논의가 처음 시작된 것은 그해 5월부터였는데, 넉 달 후인 9월 14일 양당의 공동기구인 진보정치연합을 결성하고 제정구 최병욱 정태윤 이강철 4명을 진보정치연합의 대표위원으로 선출한 다음 이듬해 1월말까지 창당을 완료하기로 합의했다.[22]

그런데 1989년 1월 재야단체인 전민련(정식 명칭 전국민족민주운동연합)이 결성되자 진보정당 통합운동에 활기와 혼선이 동시에 일어났다. 전민련 안에서 합법정당 추진론과 이를 반대하는 시기상조론 사이에 대립이 일어난 것이다. 그해 9월 전민련 제2차 중앙위원회는 이 문제를 표결에 부쳤는데 합법정당 추진론이 시기상조론에 패배하자 이를 주장하던 장기표(張琪杓, 사무처장) 조춘구(曺春九, 민중생존권 대책위원장) 박계동(朴啓東, 대변인) 이석원(李錫源, 편집실차장) 이우재(李佑宰, 감사) 박용일(朴容逸, 인권위원장) 정문화(鄭汶和, 선전국장) 등 13명은 전민련을 탈퇴, 진보정당 창당을 위한 준비작업에 착수했다.[23] 이들은 지지자들과 함께 그해 10월 새 정당 창당을 위한 임시연락사무소를 개설하고 진보정당연합 측과 통합에 합의, '진보적 대중정당 건설을 위한 준비모임'을 결성했다.

그런데 전민련 안에는 이들 합법정당 추진파의 탈퇴에도 불구하고 그 동조자들이 남아 있어 이듬해인 1990년 3월 서울 경희대에서 열린 전민련 제2기 대의원대회에서 다시 대중정당 건설안을 표결에 부쳤다. 그러나 이 안이 또 다시 부결되자 이부영(李富榮) 상임의장도 사의를 표명하고 진보정당 결성작업에 나섰다.[24] 이 무렵 전민련 고문 4명(계훈제 백기완 박형규 이소선)도 성명을 발표하고 민중민주주의정당을 창당할 것을 호소했다. 이들은 민중민주주의정당에 전노협 전교조 전농준비위 민교협 민변 진보정당 준비모임 등 모든 민중운동 단체들을 참여시켜 새 정당을 창당하자고 주장했다.[25]

민중정당 추진파는 마침내 3월 12일 민중의 정치세력화를 위한 정당추진위원회를 만들 것을 진보정당준비모임 측에 제의했다. 이 제의에 대해 진보정당준비모임 측은 '민족민주정당 추진위원회'를 만들자고 제안했으며 민중정당 추진파인 이부영 등 16인은 1990년 3월 민중의 정당 건설을 위한 민주연합추진위원회(약칭 민연추)를 결성한 것을 역제안했다. 진보정당준비모임(대표 이우재) 측은 이 역제안을 수용, 민연추에 합류할 것이라고 발표했다.[26] 이로써 단일조직이 된 민연추 준비위원회는 3월 26일 민연추 상임위원회를 구성하기로 하고 이부영 이재오(李在五) 여익구(呂益九, 이상 재야) 홍성우(洪性宇) 고영구(高永喬, 이상 변호사), 주재환(周在煥, 문화예술계) 김정남(金正男, 언론계) 이우재 장기표 조춘구 정태윤(이상 진보정당준비모임) 유인태(柳寅泰, 한겨레민주당) 지은희(池銀姬, 여성계) 정수일(鄭秀一, 농민) 오세철(吳世徹, 학계) 이호웅(李浩雄, 지역) 등 각계 인사 17명을 상임위원으로 선임했다(추후 25명까지 확대하기로 합의). 준비회의 임시의장에는 이부영을 선출했다.[27]

민연추의 결성과 분열

민연추는 1990년 4월 4백 명의 추진위원들이 참석한 가운데 민중정당 건설을 위한 민주연합추진위원회(민연추) 결성대회를 개최했다. 이 대회에 전민련 측에서는 이부영 이재오 여익구 김도연(金度淵) 등 40여 명이, 진보정당준비모임 측에서는 이우재 장기표 조춘구 정태윤 제정구 박계동 등 40명이, 학계에서는 백낙청(白樂晴) 안병직(安秉直) 오세철 이수인(李壽仁) 김윤수(金潤洙) 양재혁(梁再赫) 등 31명이 각각 참여했다. 이날 결성대회는 공동대표에 백기완 이우재 고영구 3인을 선출했다.[28] 민연추는 이날 10대 강령을 채택했는데 이 강령은 반미자주화, 반독대민주화, 민족통일 원칙을 골자로 하고 노동자 농어민 도시 서민 등 기층민중의 생존권 확보를 강조했다.[29]

그러나 민연추는 결성대회를 가진 후 새 당의 창당 방향을 둘러싸고 민중의 정치세력화를 위해 우선 창당하자는 주장(장기표 이재오 조춘구 등)과 민주회복을 위해 보수야당과의 통합을 통해 우선 평민-민주 양당을 대체할 '참 야당'을 만들자는 주장(이부영 제정구 여익구 이호웅 등)으로 양분되었다. 양파의 이견은 끝내 조정을 보지 못하고 이부영(집행위원장) 고영구(공동대표) 홍성우(상임지도자문위원) 제정구(대외협력위원장) 여익구(정책위원장) 이호웅(李浩雄, 인천준비모임 대표) 유인태(정치연수원장) 최병욱(崔秉旭, 농민위원장) 박계동(청년위원장) 김부겸(金富謙, 부대변인) 고영하(高英夏, 재정사업국장) 김도연(조직2국장) 유남선(경기-강원지역 상임위원) 등 간부 14명이 민연추를 탈퇴했다. 이부영 등 민연추 탈퇴파(민주연합파)는 대다수 김대중의 민주당 등에 입당, 공천을 받아 18명이 1992년 제14대 총선에 출마해 이부영, 유인태, 제정구, 박계동, 원혜영(元惠榮)이 당선됨으로써 제도정치에 정착할 수 있었다.[30]

이들 민주연합파가 탈퇴하자 남아있던 민중당 고수파들은 서울 중구 명동 YWCA강당에서 각계인사 1천여 명이 참석한 가운데 가칭 민중당 창당발기인대회를 개최했다. 발기인대회는 백기완 등 4명을 공동대표로 추대하고 이우재와 김상기(金祥基)를 창당준비위원장에 선출했다. 민중당 발기인대회에 이어 열린 제1차 창비위원회는 정강정책위원장에 장기표, 조직위원장에 조춘구, 사무처장에 이재오, 대외협력위원장에 손병선(孫炳善), 기획조정위원장에 정태윤, 노동위원장에 김문수, 대변인에 정문화(鄭汶和)를 선출했다.[31]

그러나 민중당의 창당은 또 다시 어려움에 부딪쳤다. 창당발기인대회 1주일 후인 6월 김관석(金觀錫) 이부영 박형규(朴炯圭) 장을병(張乙炳) 이우정(李愚貞) 등 민주연합파가 기자회견을 갖고 각계 인사 133명으로 구성된 범민주단일 야권 수권정당 촉구를 위한 추진회의를 발족시키면서 민중당 창당에 브레이크를 걸었다.[32] 이런 대립양상은 학생운동권에도 영향을 주어 NL계열이 주도권을 잡고 있던 전대협은 보수야당과의 민주연합론을 지지했다. 이에 반해 PD계열의 50여개 대학 소속 학생 1,500명은 민중당 창당대회 하루 전에 서울대에서 집회를 갖고 민중당 창당 지지 대회를 열었다. 이같은 어수선한 분위기 속에서 민중당 창당준비위원회는 그해 11월 10일 서울 강남구 삼성동 무역회관에서 3천여 명의 입당 희망자와 내빈이 참석한 가운데 창당대회를 열고 상임대표위원에 이우재, 공동대표위원에 김상기 김낙중 등 2인을 각각 선출함으로써 창당절차를 완료했다.[33]

정강정책

민중당은 창당대회에서 채택한 창당선언에서 당의 기본목표를 외세와 군사독재의 통치를 종식시키고 민중주체의 민주정부를 수립, 민중주도의 자립경제실현과 조국의 자주적 평화통일 달성에 두고 있다는 급진적 정책을 밝혔다. 이를 위해 민중주체, 민주쟁취, 민권수호, 민권세력 연합주도, 민중재정 확립, 진취적 당풍 확립 등을 창당원칙으로 삼는다고 밝혔다. [34]

전문 16개항으로 된 민중당의 강령은 한국사회의 특징을 독점재벌이 국민경제를 지배하는 사회로 규정하고 외세에의 종속과 종속적 동맹을 유지하고 있다고 규정한 다음 한반도의 평화정착을 가로막는 요인으로 대미종속과 남북분단을 들었다. 민중당은 실천강령에서 국가보안법 안기부법 등 반민주악법의 철폐, 집회 시위 결사, 사상과 학문 예술 언론출판의 자유에 대한 완전보장, 정당 및 선거제도의 불합리 및 불공정의 제거를 주장했다. 통일방식에 있어서는 남북의 민중주체의 민주화의 실현과 연방제 방식을 주장함으로써 북한의 고려연방제 방안과 동일하다는 비판을 받았다. 그리고 민중주도의 경제를 수립하기위해 독점재벌의 해체, 주요 기간산업 금융기관 및 천연자원의 국유화, 농지가아닌 일정 규모 이상의 토지의 국유화를 주장하고 각급 국가조직과 사회조직에노동자대표의 참여를 주장했다. [35]

좌파제명 파동과 지방선거 참패

민중당은 창당 다음해인 1991년 6월 20일 실시된 지방선거를 앞두고 당내 노선파동을 겪었다. 창당 때부터 지도부의 당 운영에 불만을 가진 좌파계열은 서울 노원을 지구당에서 모임을 갖고 전날 중앙당에서 내린 광역의원선거 참여결정에 반발하면서 당개혁추진위원회 구성을 결의해 중앙당과 대립을 표면화했다. 좌파계열은 당개혁추진위 실무위원회를 발족시키고 민중당이 노동자계급의 전위정당이 아닌, 개량화 노선을 걷고 있다고 비난하는 내용의 문건을 배포했다. 중앙당은 이들이 왜곡된 사실을 기초로 당 지도부를 음해하고 있다고주장하고 실무자회의 해체를 종용했다. 그러니 이들이 당 지도부가 통고한 해체시한을 넘기자 중앙당 상임집행위원회는 7월 15일 상임집행위원회를 열고 실무회의 주도자 6명을 제명하고 이들과 함께 실무회의 교수위원장 오세철(吳世徹, 연세대 교수)과 김경식(대전 중구 위원장)도 곧 징계키로 했다. 중앙당은 당내 좌파인 이들을 제명함으로써 대외적으로 합리적 개혁이미지를 주고 진보 세력의 총집결에 박차를 가하겠다는 의지를 표명했다.[36]

교수위원장 오세철과 그에 동조하는 교수위원 강내희(중앙대)와 김경식(전 교수)은 당의 우경화를 비판하면서 집단 탈당했다.[37] 오세철은 탈당이유로 "합법정당론자들이 사용하는 진보 개념은 정당을 구성하는 주체들의 개인적인 특성(민주 진취 양심 도덕 등)으로 표현되기 때문에 사회변혁적 의미를 사상시키고 있다"고 주장하고 "사회변혁의 이념에 기초하지 않고 개량이나 소시민성으로 진보를 규정하는 것은 명백한 오류이며 그것은 진정한 진보정당이 아니다"라고 선언했다. 오세철에 이어 교수위원회 소속 10명도 당을 떠났다.[38] 민중당은 좌파 제명으로 이미지에 상당한 타격을 입었다.

당내 파동을 겪으면서 6월 20일의 광역지자체 선거를 치른 민중당은 모두 43명의 후보를 출마시켰다. 광역의원 전체 의석정원이 866명인 점을 감안하면 20분의 1수준이었으나 득표가 극히 저조해 겨우 1명만 당선되고 당 후보 전체의 득표율은 겨우 0.1%에 지나지 않는 참패를 당했다.[39]

총선 참패와 해산

민중당이 지방선거 참패와 좌파 제명 파동으로 혼란에 빠지자 당내에서는 제도권 야당 내의 진보세력을 영입해 당을 재건하자는 제2의 민중당창당론이 제기되었다. 이 무렵 당 밖에서도 인천지역민주노동연맹이 추진하는 한국노동당 준비위가 민중당과의 합당을 제기했다. 또한 민중당의 온건노선을 비판하면서 발족한 민중회의 준비위 측의 움직임도 일어났다. 즉, 민중당의 제명파동 때 탈당한 오세철은 1991년 11월 서울 종로 3가 사회민주주의청년연맹 강당에서 하일민 부산대 교수 등 학계 혁신계 노동계 194명의 추진위원이 참여한 가운데 민중회의추진위원회 결성대회를 가졌다. 추진위는 제14대 총선 전에 민중진영 독자후보를 옹립하기 위해 전국노련 민중당 등에 정당사회단체 연석회의를 제안하기로 했다.[40] 추진위는 1992년 1월 기자회견을 갖고 총선과 대선에서 민중진영의 독자후보를 내기 위한 민중당과 노동자정당건설추진위원회에 공동선거대책본부 구성을 제의하고[41] 이어 2월에는 연세대 학생회관 4층 무악극장에서 서울민중연합 등 6개 운동단체 소속회원 1천여 명이 참석한 가운데 민중회의준비위원회 결성대회를 열었다. 이들은 선언문에서 민중권력 수립과 민중의 독자적 정치세력화를 위해 운동진영 내 개량주의적 경향과의 사상투쟁과 대통령 선거에 참여할 민중진영의 단일정당 건설 등을 밝혔다. 위원장에는 오세철이 선출되었다. 이우성 민중회의 준비위원회사무차장은 "민중회의는 민중당의 우경화를 비판, 노동자의 입장에서 정치투쟁을 전개하는 데 주력하는 한편 전국연합과 연대해 총선투쟁을 전개할 방침"이라고 밝혔다.[42] 고려대·동국대 등 민중 독자 후보 지지를 위한 전국학생선거투쟁연합(임시대표 윤재호 서울대 국제경제학과 3년) 소속 학생 1천5백여 명도 같은 날 연세대 민주광장에 별도로 모여 청년학도 결의대회를 열고 "민중의 독자적 정치세력화에 동의하는 모든 운동세력을 결집, 민중진영을 단일선거연합을 결성하자"고 주장했다.[43]

이런 상황 아래서 민중당은 1992년 3월의 제14대 총선을 앞둔 1월 초 민중회의, 전국노련, 새건추(정식명칭 새로운 민중진영단일정당 건설추진위원회) 등과 함께 총선 공동대응과 새로운 민중당 건설을 협의하기 위한 연석회의를 가졌다. 이들 3자간 연석회의에서는 연합공천문제가 논의되었으나 민중당이 자당의 공천후보를 연합공천후보로 간주할 것을 요구해 협의는 무산되었다.[44] 민중당과 3단체 간의 협의가 성과 없이 끝나자 이번에는 재야인사들의 집합체인 전국연합과 민중당 노동당(가칭) 민중회의 4개 단체가 회동을 통해 연합공천안을 마련, 민주당에 제의했다. 그러나 민주당이 연합공천방안을 거부, 범민주단일후보 전략이 무산되자[45] 전국연합 중앙집행위원회는 그 대안으로 민중진영 공동후보단 구성방안을 마련했다. 이에 대해 민중당 측은 민중당의 모든 후보를 민중진영 공동후보로 해야 한다고 주장하고 나섰고 전국연합 측은 민중당의 후보를 심사해 민족민주운동가인가 등의 기준에 합당한 후보만을 공동후보단에 넣어야 한다고 맞서 끝내 합의를 보지 못했다. 합의실패에 대해 민중당의 이재오 사무총장은 진보와 보수 대결구도를 통해 민중진영의 정치적 진출을 위해 힘을 모아도 부족한 때에 전국연합이 민주 대 반민주라는 낡은 구도에 집착

해 빚어진 결과라고 비난했다. 이로써 민중진영은 사분오열되어 총선에 임해 패배가 기정사실이 되었다.[46]

3월 24일 실시된 제14대 총선에서 독자후보로 싸울 수밖에 없게 된 민중당은 전체 116개 중 51개 지역구에 후보를 출마시켜 최소한 2%지지와 5석 확보라는 목표로 임했으나 1명의 당선자도 내지 못하고 1,5% 득표율에 그쳤다. 민중당은 선거운동기간 중 설득력 있는 공약이나 주장으로 유권자들의 지지를 이끌어내지 못하고 "교조주의에 반대하며, 사회민주주의와는 다른 민중민주주의 이다"라는 이념만을 내세우는 정도였다.[47] 이로 인해 민중당은 창당 약 1년 4개월 만에 해산의 운명을 맞았다.

민중당은 총선 참패 후인 1992년 4월 이우재 대표 주재로 중앙당 상임집행위원회와 지구당위원장 등이 참여한 중앙위원회를 열어 당 해산 후의 진로를 협의했다. 그러나 이날 회의에서 당 해산 뒤 전국연합 등 재야세력과 연대협력하자는 의견과 재창당을 위한 기구를 구성하자는 의견이 맞서 결론을 내리지 못했다.[48] 양파의 대립은 1997년 제15대 대선을 앞두고 진보정당 창당 때 까지 계속되었다. 민중당 대표 이우재와 사무처장 이재오와 노동위원장 김문수는 Ⅵ-**1**(김영삼 정부 하의 좌파정당)에서 보는 바와 같이 1996년 15대 총선을 앞두고 김영삼의 신한국당에 입당, 선거에서 당선되어 원내에 들어갔다. 2008년 4월의 제18대 총선 때 한나라당 공천을 받은 민중당 출신은 이재오를 비롯해 정태윤(기획조정위원장, 부산 남을) 박형준(부산 수영) 차명진(車明進, 부천 소사) 임해규(林亥圭, 부천 원미갑) 김성식(金成植, 서울 관악갑) 허숭(許崇, 경기 안산 단원갑) 등이다.[49]

민중당은 나중에 일부 간부들이 소위 조선노동당 남부지역당 사건에 연루된다. 안기부에 의하면 이 사건의 주범인 북한 간첩 이선실(李善實)은 민중당에 접근, 김낙중(공동대표)에게 거액의 공작금을 제공함으로써 민중당 총선 후보에게 자금을 지원케 해 김낙중은 국가보안법 위반혐의로 체포되었다. 또한 장기표(정강정책위원장)는 이선실이 북한간첩임을 알고도 신고하지 않았고 손병선(조국통일위원장 겸 대외협력위원장)은 이선실로부터 공작금을 받은 혐의로 각각 체포되었다. Ⅴ-**3**(민주화시기의 지하조직)에서 살피기로 한다.

4. 민중후보 추대운동

진보정당추진위와 민중연대 준비모임 결성

민중당이 제14대 총선 참패로 해체되자 좌파진영에서는 새 진보정당의 재건 작업과 함께 백기완 민중후보 옹립작업이 벌어졌다. 1992년 4월 23일 서울 영등포구 여의도 구 민중당사에서 한국노동당 계열들이 진보정당추진위원회(약칭 진정추)를 결성하고 진보정당의 재창당과 독자 대선후보 추대를 결의했다. 최윤(崔潤) 진정추 대표는 이날 기자회견을 갖고 근로민중과 진보진영의 활발한 진보정당 참여를 호소했다.[50]

그해 6월에는 오세철(연세대 교수) 김진균(金晋均, 서울대 교수) 김철수(민중진영 단일정당 추진위원장) 등 진보파 인사 99명이 기자회견을 갖고 민중대통령 후보 추대와 민중의 민주정부 수립을 위한 민중연대준비모임의 발족을 선언했다. 이 모임의 발족에 찬성해서 서명한 사람은 이종화(전국노련 정책실장) 등 노동계 인사 22명, 주재환(화가) 등 문화예술계 24명, 이재판(사회주의연구회장) 등 시민정치운동계 28명, 김정택(전 민중교육운동연합 회장) 등 종교 출판계 4명 유초하(충북대 교수) 등 학계 21명 등이다. 모임의 준비위원장에는 오세철이 선출되었다. 이들은 "민중진영은 이번 대선을 노동자와 민중의 정치세력화를 위한 계기로 삼아야 하고, 이를 위해서는 민중진영의 대통령후보가 독자적으로 출마해야 한다"고 주장하고 준비모임 산하에 진보정당 건설을 위한 연석회의(가칭)을 설치하기로 했다.[51]

민중대통령 후보에 백기완

민중대통령 후보 추대움직임은 그해 10월 들어 구체화했다. 진보정당추진위원회(진정추), 민중회의준비위원회, 사회당추진위원회, 전국노동단체연합 등 민중대통령 후보 추대에 동의하는 재야단체 소속 회원 3백여 명은 서울 여의도 여성백인회관에서 '민중대통령후보 선거대책본부' 발족식을 가졌다.[52] 민중대통령후보 선거대책본부(상임부부장 오세철)는 숭실대 사회봉사관에서 2차 중앙선거대책위를 열고 백기완 통일문제연구소장을 '민중대통령후보'로 추천했

다.[53]

민중대통령후보 추대에 참여한 이들 단체 중 사회당 추진위원회는 민중당 내 소수그룹으로 있다가 민중당 해체 후 독립했다. 1990년 4월에 혁신계의 원로인 하기락(河岐洛) 국제평화협회 이사장이 추진한 사회당(가칭) 창당발기 준비위원회는 서울 명동 YWCA강당에서 발기인 2백여 명이 참석한 가운데 열려 그를 준비위 위원장에 선출했다.[54] 하기락은 원래 아나키스트로 일제시대에는 독립운동을 벌였고 해방직후에는 유림의 독립노농당에 참여했으며 5·16이후에는 정화암과 함께 통일민주당을 이끌었다. 사회당(가칭) 준비위원회는 7월 들어 전국 51개 조직책을 선임, 창당 작업에 박차를 가했다.[55] 그러나 그의 사회당 창당준비위작업은 그 후 순조롭지 않아 시간을 끌다가 유야무야되었다.

백기완 1% 얻어 참패

'민중대통령 후보' 백기완은 좌파운동권 학생들의 강력한 지지를 받았다. 민중후보학생선거운동본부(본부장 탁경국·서울대 공법4) 소속 대학생 5백여 명은 11월 들어 동국대 만해광장에서 '민중후보 승리 선봉대 발대식'을 갖고 "민중후보가 대선에서 승리할 수 있도록 청년학생이 앞장설 것"을 결의했다. 학생들은 집회가 끝난 뒤 충무로~서울역~서대문을 거쳐 연세대까지 평화행진을 벌인 뒤 같은 날 연세대에서 열린 백기완 후보 추대 기금 마련을 위한 문화예술제에 참석했다.[56]

1992년 12월 18일 실시된 제14대 대통령선거는 민자당 후보 김영삼의 승리로 끝났다. 백기완은 23만8,638표를 획득, 총 유효투표의 1.0%를 득표하는데 그쳤다.[57] 선거에 참패한 백기완은 투표일 하루 뒤 기자회견을 갖고 "이번 선거에서 얻은 성과를 바탕으로 비판세력으로만 머물러 있던 민중운동의 한계를 극복하고 정권의 대안세력으로 창당준비를 해갈 것"이라고 밝혔다. 오세철 선대위원장도 기자회견에서 선거본부를 당 추진위로 전환할 것 등을 포함한 향후 일정을 곧 결정할 것이라고 밝혔다.[58] 그러나 새로운 진보정당의 탄생은 그로부터 약 5년을 기다려야 했다.

② 80년대 후반~90년대 초의 급진단체

나는 이 순간 평양 땅을 밟으며 남한 4천만 민중들의 뜨거운 시선이 내 등 뒤에 집중되어 있다는 것을 의식하지 않을 수 없습니다.…나는 이제 하늘을 우러러 한 점 부끄럼이 없기를 바랐던 윤동주의 마음, 모든 통일은 선이라고 외쳤던 장준하의 마음을 스스로의 마음으로 하면서 김일성 주석동지를 만나고자 합니다.

－문익환 평양도착 성명(1989. 3. 25)

1. 전민련과 반외세 노선

민통련 전통 이어 받은 젊은 지도부

1987년 민주화조치 이후부터 1992년까지 노태우 정부 시절은 진보단체들이 합법적 시민단체로 우후죽순처럼 등장한 시기이다. 1989년 1월 발족한 전민련(정식명칭 전국민족민주운동연합)은 참여단체가 건국 후 최대 규모인데다가 학생운동권 1세대로 구성된 젊은 집행부가 이끈 '진보단체'라는 점에서 발족 전부터 주목을 받았다. 이미 설명한 바와 같이 민통련이 87년 12월의 제13대 대통령선거를 계기로 분열해 산하의 서울민통련이 탈퇴하는 등 존립위기를 맞게 되자 젊은 운동세력들은 88년 9월 민통련을 이탈, 가칭 전민련 준비위를 결성하고 12월 들어 임시집행부를 구성했다. 임시집행부는 사무처장에 이부영(전 서울민주투쟁연합 의장)을, 정책실장에 김근태(전 민청련 의장)를 선출하는 등 모두 젊은 운동권 1세대로 채워졌다.[1]

전민련 결성대회는 1989년 1월 21일 서울 연세대 대강당에서 열렸다. 전민련에는 8개 전국단위의 부문운동단체와 12개 지역단위의 연합단체에 소속된 총 2백여 개별단체가 참가했다. 민통련은 이 때 전민련에 가입함으로써 자동적으로 해체되었다. 이날 대회에서는 전년 12월 임시집행부로 선출되었던 80년대 학생운동의 트로이카인 이부영 장기표 김근태가 각각 상임의장, 사무처장, 정책위원장의 수뇌부를 맡고, 원로들은 고문으로 추대했다.[2]

전민련은 이날 결성선언문에서 노동자·농민 등 근로민중이 중심이 되고 양심적인 교사·문인·종교인·법조인·언론인들과 중소상공인·해외동포들이 참여하는 애국적 민족민주역량의 총 집결체라고 자신을 규정하고 "이 땅의 진정한 민중해방과 자유·평등의 사회를 실현하기 위한 당면과제로 ① 반외세 자주화 ② 반파쇼 민주화 ③ 조국통일운동의 3대 과제를 제시했다. 전민련은 이 자리에서 남북이 범민족대회를 개최키로 하고 89년 3월 1일 판문점 평화의 집에서 실무회담을 갖자고 북측에 제안했다.[3] 전민련의 이 같은 급진적인 노선에 대해 보수진영에서는 경계하는 눈초리로 대했다. 정부와 민정당 그리고 재계 등 보수우익진영은 전민련을 좌파정치세력의 '전위조직'이라고 규탄했다. 심지어 일부에서는 전민련이 광범한 재야 통합전선을 구축하는 것을 공산혁명으로 가는 초기단계의 전술적인 인민연합의 통일전선과 같은 형태로 보는 시각도 숨기지 않았다.[4]

문익환의 비밀 입북

전민련은 결성식 다음 날인 1월 22일 서울 종로구 대학로에서 투쟁결의대회를 가졌다. 소속 노동자·농민·시민과 대학생 1만여 명이 참가하고 전민련 공동의장 고문 등 간부들이 총출동한 이날의 '노태우정권의 민중운동탄압 및 폭력테러 규탄대회'에서 공동대표 이창복은 대회사를 통해 "노태우씨가 지난해 말 민생치안특별지시를 내린 뒤 풍산 금속노동자 강제연행·모토롤라 노조원 방화·현대중공업 노조원 테러 및 경찰 개입사건 등이 잇따라 발생, 독점재벌과 결탁한 노정권의 본색이 드러나게 되었다"고 비난했다.[5] 전대협처럼 전투적 투쟁노선을 밝힌 전민련은 이날 집회를 통해 반미·반외세 자세를 공공연하게 드러냈다.

북한은 전민련에 호의적인 태도를 표했다. 북한의 조평통(정식명칭 조국평화통일위원회) 위원장 허담(許錟)은 2월 15일 판문점을 통해 답장을 보내고 전민련이 제안한 범민족대회 개최를 위한 3월 1일의 판문점 실무대표 접촉에 동의한다고 밝혔다.[6] 전민련과 조평통이 합의한 판문점 실무접촉은 사전에 관계당국과 협의를 거치지 않았기 때문에 뒤에서 설명하는 바와 같이 정부가 이를 불허했다.[7]

이런 와중에서 전민련 고문 문익환의 비밀방북이 이루어졌다. 문익환은 전민련 대표들이 판문점으로 가려다가 경찰에 연행되어 조사를 받는 소동이 일어난 직후인 1989년 3월 20일 비밀리에 출국, 일본 경유로 25일 평양에 도착했다. 그의 입북 소식은 이튿날 서울에 전해져 국민들에게 큰 충격을 주었다. 그 다음날에는 그의 평양도착 성명서 내용이 밝혀지자 국내를 발칵 뒤집어놓았다. 문익환은 이 성명에서 자신은 1948년 북한을 방문한 김구(金九)의 심경으로 입북했다고 밝히고 오래전부터 평양을 방문, '존경하는 김일성 주석'과 흉금을 열어놓고 대화를 갖기를 원했었는데 마침 연초에 김주석이 정월메시지를 통해 그의 초청을 발표했다고 말함으로써 그의 방북이 김일성의 초청으로 이루어진 것처럼 이야기 했다.[8] 그러나 김일성이 신년사에서 남북정치협상회의 개최를 제안하면서 민정당 평민당 민주당 공화당 총재, 김수환(金壽煥) 추기경 그리고 백기완과 함께 문익환을 평양으로 초청한다고 말한 것[9]은 이들에게 정치협상회의에 참가하라는 것이지 문익환을 개별적으로 초청하는 것은 아니었다. 나중에 검찰수사결과 문익환의 방북은 수사당국이 '재일 북한정치공작원'이라고 규정한 《씨알의 힘》 발행인 정경모(鄭敬謨)의 알선으로 이루어진 사실이 밝혀졌다.[10] 4월 3일까지 북한에 머문 문익환은 김일성과 2차례 면담하고 허담과는 한 차례 회담을 가진 다음 공동성명을 발표했다. 공동성명은 연방제 통일방안 수용 및 교차승인·교차접촉의 거부, 범민족대회 개최, 남측 학생들의 제13차 세계청년학생평양축전 참석, 그리고 팀스피리트훈련 중지에 양자가 합의했다는 내용이다.[11]

이 성명 중 말썽이 난 대목은 그가 대한민국 정부의 통일방안에 정면으로 배치되는 연방제 통일방안을 수용하고, 교차승인과 교차접촉, 즉 한국이 동구권과 소련 및 중국과 수교하려는 것을 방해하려는 북한측 입장을 지지한 점이다. 당시 김일성은 동구 및 소련공산체제의 붕괴 위기로 북한체제가 위험에 처할 가능성이 생기자 남측에 의한 흡수통일을 두려워하던 참이었다. 이 성명은 "쌍방은 누가 누구를 먹거나, 누가 누구에게 먹히지 않고, 일방이 타방을 압도하거나 타방에게 압도당하지 않는 공존의 원칙에서 연방제 방식으로 통일하는 것이 우리 민족이 선택해야 할 필연적이고 합리적인 통일방도가 되며…" 운운했다.[12]

문익환의 방북, 그리고 허담과의 공동성명은 국론을 완전히 양분했다. 그에 대한 맹렬한 비난이 쏟아져 나오는가 하면 그를 옹호하는 발언들이 이어져 심한 혼란이 일어났다. 정부 여당은 말할 것도 없고 보수민간단체와 기독교단체에서도 그의 방북이 '반국가·반민족 행위'라고 성토 하는가[13] 하면 전대협 민가협 한국기독교장로회총회 통일신학동지회 한국신학대학 교수 25명 등 재야단체는 문익환을 적극 옹호 지지했다. 나중에 전국23개 대학에서는 그의 귀국 환영집회를 열기도 했다.[14]

전민련을 전면 수사

귀국 길에 일본에 들린 문익환은 4월 5일 동경에서 기자회견을 갖고 자신은 대한민국의 정통성을 부인한 적이 없으며 자신의 연방제 통일방안은 북한의 연방제 통일방안과 상당히 차이가 있다고 주장했다. 그는 김일성과 과도기적 연방제도로서 유엔에 동시가입하고 정치·군사 및 경제·인권·문화 문제 토의를 위한 동시회담을 추진하는데 의견일치를 보았다고 밝혔다. 그는 민족의 자주와 동북아 평화를 위해 한반도의 중립화 통일을 김일성과 논의한 사실도 언급했다. 문익환은 자신이 전민련 대표자격으로 공동성명에 서명하기 전에 전민련의 사전승인을 받지는 않았지만 전민련도 자신의 뜻을 이해해 줄 것으로 믿는다고 주장했다.[15]

전민련은 문익환의 입북사실이 전해진 3월 27일 이미 비상 상집회의를 열고 "문 고문의 평양방문은 민족적·민중적 통일운동을 더욱 발전시키는 계기가 될 것"이라며 그의 평양방문을 지지, 동의하기로 결의했다.[16] 전민련의 박계동 대변인은 4월 3일, 문 목사와 북한 조평통의 공동성명에 대한 논평을 발표하고 "문 목사의 연방제 통일 방안은 현재 여러 갈래로 논의되고 있는 연방제 방안의 하나일 뿐이며 북한의 고려연방제와는 그 내용이 다른 것"이라고 주장했다.[17]

정부는 문익환 밀입북사건 수사를 위해 이건개(李健介) 대검 공안부장을 본부장으로 하는 공안합동수사본부를 설치하고 전민련을 비롯한 재야단체와 재야인사들에 대한 전면수사에 착수했다. 수사본부는 1차로 남·북한 범민족대회를 추진한 이재오 전민련 조국통일위원장과 남북작가회담을 추진한 시인 고은을 국가보안법위반(통신·회합미수)혐의로 구속하고, 전민련 간부와 재야인사·문인 등 25명에 대해 출국금지를 요청했다.[18] 합동수사본부는 또한 전민련 삼임공동의장 이부영과 한양대 교수 리영희(李泳禧)를 구속하고 서울대 교수 백낙청도 연행했다.[19] 이부영 등 집행부 수뇌들이 경찰에 구속되자 조직과 활동면에서 심한 타격을 입었다. 이창복 상임공동의장 권한대행체제로 들어갔으나 이창복도 곧 구속되었다.[20] 문익환은 4월 13일 귀국 즉시 김포공항에서 구속되었다. 그는 그해 10월 1심에서 징역10년을 선고받고 1990년 2월 10일 2심에서 7년으로 경감된 다음 6월 8일 대법원에서 상고가 기각되어 징역7년이 확정되었다.[21] 그 동안 국내적으로는 평민당 총재 김대중 등 야당당수와 재야단체가 문익환의 석방을 요구함으로써 정쟁이 격화되고, 남북한 간에는 북측이 문익환의 석방을 요구하면서 남북고위당국자(총리)회담 3차 예비회담을 무기 연기시키는 등 긴장이 일기도 했다. 문익환은 결국 구속 1년 6개월만인 그해 10월 형집행정지로 석방되었다.[22]

낭만적 민족주의자 문익환

북한 밀입국에서 밝혀진 사실은 문익환이 김구와 비슷한 낭만적 민족주의자라는 점이다. 정세판단에 어둡기도 마찬가지였다. 그는 평양도착 성명에서 다음과 같이 말했다.

오늘 김구 선생이 걸으셨던 같은 길을 걸어 비록 판문점을 통과하지 못하고 북경을 거쳐서 오기는 했지만 오늘 제가 평양 땅을 밟게 된 이 벅찬 감회를 무슨 말로 다 표현할 수가 있겠습니까. 그때 김구 선생의 느낌이 바로 지금의 나의 느낌이라는 것을 통감하지 않을 수 없습니다.… 통일에 대한 온 겨레의 불타는 염원은 이상 그대로 방치해둘 수 없는 비등점에 도달하고 있으며 더구나 그 동안 거의 반세기에 걸쳐 분단의 치욕을 씻으려고 남쪽 민중들은 독재세력과 막강한 군사세력, 경제력을 구사하는 외세와 싸워 이제 마침내 도달하지 않으면 아니 될 운명적지점을 향하여 돌진하고 있습니다.[23]

여기서 그가 말하는 '막강한 군사세력, 경제력을 구사하는 외세'라는 표현에 유의할 필요가 있다. 그는 통일이 안 되는 것을 외세 탓으로 돌리고 있다. 그는 이 성명에서 또 다음과 같이 말하고 있다.

제가 분단의 땅이었던 이곳을 찾아 왔다는 것, 김일성 주석과 더불어 서로가 민족의 일원으로서 뜨겁게 부둥켜안고 민족의 빛나는 미래에 대하여 서로가 아름다운 꿈을 이야기한다는 것, 이것의 상징적인 뜻을 생각하는 것만으로 저는 기쁨과 가슴의 고동을 억누를 수가 없습니다.… 나는 이제 하늘을 우러러 한 점 부끄럼이 없기를 바랐던 윤동주의 마음, 모든 통일은 선이라고 외쳤던 장준하의 마음을 스스로의 마음으로 하면서 김일성 주석동지를 만나고자 합니다.[24]

그가 김구와 더불어 장준하(張俊河)와 윤동주(尹東柱)를 언급한 것은 그의 민족주의적 성향을 잘 말해주고 있다. 문익환의 평양도착 성명에 대해 허형구(許亨九) 법무부장관은 "문씨는 자의적으로 밀입국했을 뿐 아니라 모든 통일은 선이라는 주장을 해 공산주의에 의한 통일까지도 추구하는 태도를 보여 우리헌법상 통일에 관한 대원칙인 자유민주적 기본질서에 입각한 통일정책을 정면으로 부정했다"고 말했다. 허형구는 이어 "문씨는 또 남한을 외세에 예속되어있는 것처럼 비방하는 등 북한의 주의·주장에 동조하는 위법행위를 저질렀다"고 밝히고 문 목사의 연방제와 북한의 고려연방제가 같은 것으로 본다고 말했다.[25]

문익환은 1994년 1월 범민련 북측본부 의장 백인준(白仁俊)에게 공개편지를 보냈는데 이 가운데 그의 통일구상을 엿볼 수 있는 구절이 있다. 문익환은 이 편지에서 통일은 남과 북의 대등한 통일이여야 하며 상호 장점만을 살려, 새 나라, 새 사회, 새 문화를 창조해 나가는 통일이어야 하고 자유와 평등이 하나로 종합되는 통일이어야 한다고 주장했다. 그는 또한 "95년에 시작될 느슨한 연방제 통일이 군사외교까지 연방정부가 관장하는 진정한 연방제 국가가 되도록 빨리 발전, 정착하도록 노력해야 한다"고 강조했다.[26] 그의 이 같은 통일방안은 젊은 좌파계열 학생운동권에 많은 영향을 주었다.

문익환은 1994년 1월 18일 76세를 일기로 자택에서 심장마비로 작고했다. 그의 빈소에는 김영삼 대통령이 비서관을 보내 조의를 표하고 여야 대표들도 조문했으며 북한 주석 김일성은 그의 타계에 개인적 조의를 표했다고 중앙통신이 보도했다.[27] 북한의 범민련 북측본부는 백인준 의장 명의로 정부와 문목사장례대책위원회에 전문을 보내 조문단을 파견하겠다고 제의했다. 정부는 이에 대해 범민련은 1992년 7월 대법원 확정 판결로 이적단체로 규정되어있기 때문에 허가할 수 없다고 거부했다.[28] 북측은 조국평화통일위원회(조평통)와 범민련 북측본부 공동으로 22일 평양 중앙노동자회관에서 그의 추도식을 거행했다고 평양방송이 보도했다.[29]

2차 분열로 해체된 전민련

전민련은 통일문제 이외에 각종 경제관련 정책에 대한 비판과 민중 생존권 확보를 위한 대안 제시, 국가보안법 등 개폐운동, 광주문제 해결과 5공 청산투쟁, 주한미군 철수 등 '반외세투쟁'에 힘을 기울였다. 전민련이 주동이 되어 전교조 전대협 등과 함께 1990년 4월 22일 12개 재야단체가 참여한 가운데 국민연합(정칙명칭 민자당 일당독재분쇄와 민중기본권 쟁취 국민연합)을 결성한 것은 대표적인 대정부 투쟁활동이었다.[30]

전민련에 큰 파장을 불러온 사건은 이른바 유서대필사건이다. 유서대필사건이란 전민련 사회부장 김기설(金基卨)이 시위 도중 유서를 남기고 투신자살을 했는데, 검찰 수사 결과 그 유서는 전민련 총무부장 강기훈(姜基勳)이 대필한 것으로 나타났다는 것이다. 검찰은 강기훈에 대해 자살방조혐의로 사전영장을 발부받아 구속에 나섰으나 당시 강기훈은 명동성당 구내에 머물고 있었기 때문에 성당에 공권력을 투입하기가 어려워 영장집행에 시간이 걸렸다.[31] 강기훈사건은 1, 2심을 거쳐 1992년 7월 대법원에서 유죄로 인정되어 그에게 징역3년이 확정됨으로써[32] 전민련에 대한 국민들의 신뢰가 크게 훼손당했다. 그러나 노무현 정부 때 발족한 진실화해위원회(위원장 송기인)는 2007년 11월 문제의 유서가 자살한 김기설 본인의 것이 맞는다는 국립과학수사연구소의 재감정과 다른 7개 기관의 감정 결과를 근거로 강기훈의 대필이 사실이 아니라는 결론을 내리고 재심을 청구토록 결정했다.[33]

유서대필사건 이외에 당시 전민련에 큰 논란을 몰고 온 사건은 앞에서 살펴본바와 같이 합법정당 결성문제를 둘러싼 갈등이었다. 전민련 집행부는 새로운 진보정당의 창당이냐, 정당활동을 하지 않고 그대로 재야단체로 남아있을 것이냐는 문제로 양분되어 상임공동위원장인 이부영을 포함한 수뇌부가 대거 탈퇴하는 사태로 발전했다. 탈퇴한 합법정당 창당파 안에서는 다시 다른 야당(평민당)과의 연대냐, 독자정당 창당이냐로 2차 세포분열이 일어나 일부는 평민당에 입당하고 잔여인사는 민중당을 창당해 2차로 분열되었다. 끝내 해체위기에 빠진 전민련은 1991년 12월 발족한 전국연합에 흡수됨으로써 출범 약 2년 만에 역사의 무대에서 사라졌다.

2. 범민족대회와 범민련

문익환 등 재야인사들이 주동

남북간에 약 10년 동안 첨예한 갈등의 원인이 되었던 범민족대회는 1988년 8월 1일 문익환 계훈제 고은(高銀) 오충일(吳忠一) 이효재(李效再) 등 재야인사 1천14명의 대표들에 의해 추진되기 시작했다. 이들 재야인사들은 '한반도 평화 및 통일을 위한 세계대회 및 범민족대회' 추진본부 결성 취지문을 발표함으로써 이를 제안한 것이다. 추진본부는 8월 3일 서울 중구 태평로 세실극장에서 결성되었다.[34] 그달 8일에는 서울 종로구 연지동 기독교회관에서 민통련(민족통일민중운동연합)과 전대협 등 20여개 재야단체대표들이 참석한 가운데 범민족대회추진본부가 정식으로 출범, 올림픽 기간 중인 9월 17일부터 10월 2일까지 서울을 비롯한 전국에서 범민족대회를 개최하고 이와는 별도로 판문점에서 남북민족대축전을 연다는 결의를 했다.[35]

그런데 서울올림픽 대회 기간 중의 범민족대회 개최 제안은 처음에는 북측의 호응을 얻지 못하다가 4개월이 지난 12월 9일 북한의 조국평화통일위원회(약칭 조평통)가 남측의 추진본부 앞으로 방송을 통한 공개서한을 보내옴으로써 반응이 나타났다. 북측은 공개서한에서 이듬해인 1989년 1월 판문점 또는 제3국에서 범민족대회를 개최할 것과 이에 앞서 남·북·해외교포 실무자들이 참석하는 예비접촉을 개최하자고 제의했다.[36] 이에 남측 추진본부측이 판문점 실무접촉을 3월 1일에 개최하자고 제의하자 북한 조평통 위원장 허담은 이에 동의한다는 서신을 전민련 앞으로 보내왔다.[37] 이때는 민통련이 해체되고 전민련이 결성된 직후였다. 이렇게 해서 판문점 실무회담 개최가 일단 합의되면서 정부와 재야단체 간, 그리고 남북 간에 벌어진 긴긴 실랑이의 서막이 열렸다.

남측 본부가 제의한 1989년 3월 1일의 판문점 남북실무회담은 정부의 불허조치로 실현되지 못했다. 정부의 불허 이유는 북한 측이 팀스피리트훈련을 트집 잡아 남북적십자회담과 국회회담을 거부하면서 전민련 측과는 개별 접촉을 갖겠다는 것은 그들의 통일전선전략이라는 것이었다.[38] 전민련 측은 이에 불복, 계훈제 박형규 상임고문과 오충일 대표단장, 이재오 조국통일위원장 등 일행 28명을 판문점으로 보냈다. 그러나 이들 대표들은 경기도 고양군 벽제읍 검문소에서 경찰에 연행됨으로써 판문점에 가지도 못했다.[39]

전민련은 다시 이재오 조국통일위원장 명의로 북측의 허담에게 판문점 예비회의를 4월 7일에 열자고 제의했다.[40] 그러나 이재오의 대북 제안은 앞에서 설명한 바와 같이 전민련 고문 문익환의 비밀 방북 파동으로 인해 무산되고 말았다. 범민족대회 개최 문제는 문익환 방북 파문이 어느 정도 진정된 시기인 1989년 7월 북한의 조평통 위원장 허담의 제안으로 다시 부상했다. 허담의 제안내용은 남과 북, 그리고 해외 동포들이 참가하는 범민족대회를 다음해인 1990년 8월15일 판문점에서 개최하자는 것이었다.[41] 북측이 범민족대회 개최를 1년 후에 하자고 제안한 탓에 약 1년간 이 문제는 수면 아래 잠기게 되었다.

반쪽대회 된 제1차 범민족대회

그러나 범민족대회는 순탄하게 열리지 못했다. 1년 동안 3차례의 예비회담을 거치면서 협의를 진행한 끝에 1990년 8월 광복절에 판문점 북측구역에서 열린 제1차 범민족대회는 남측 정식대표의 불참으로 반쪽대회가 되고 말았다. 그 이유는 정부 측이 당시 노태우 대통령의 '7·20선언'을 통해 남북간의 민족대교류를 실시할 것을 선언하고 각계각층의 방북 희망자 명단을 북측에 제시했지만 북측은 이를 거부했기 때문이다. 정부는 '민족대교류' 기간인 8월 13~17일 사이에는 북측이 판문점 범민족대회에 전민련만 대상자로 선별해서 받아들이더라도 이를 허용키로 결정했다고 발표했다.[42] 정부는 다만 이런 경우에도 북측이 반드시 당국간 접촉을 통해 이들의 신변안전과 무사귀환을 보장해야 한다는 조건을 붙였다. 동구권 붕괴로 대북교류에 자신을 얻은 정부가 공세적으로 나간 것이다. 그러나 북측은 국가보안법 철폐라는 엉뚱한 조건을 내세워 남북교류 제의를 거부하면서 남측 범민족대회 추진본부 대표단의 방북문제에 대해서도 당국자간 접촉을 통한 신변안전 조치 등의 협의 제안을 받아들이지 않고 당사자들과의 직접 협의를 판문점에서 가질 것을 요구했다.[43] 북측은 동구권의 몰락이 인적교류에도 원인이 있다고 판단해 고의로 트집을 잡은 것이다. 결국 정부는 남측 대표의 판문점 북측지역 행을 불허하기로 했다.

그런 가운데 제1회 범민족대회는 예정대로 1990년 8월 15일 판문점 북측 구역에 위치한 판문각에서 여연구(呂燕九) 북측 준비위 부위원장의 사회로 북측 및 해외동포 대표 등 870여명만이 참석한 가운데 개최되었다. 이날 대회에서는 양은식(해외)·임민식(남측 위임) 안병수(安秉洙, 일명 안경호, 북측)등 3명을 공동의장으로 선출하고 윤기복(尹基福)과 황석영 등이 연설했다. '남측 대표' 황석영은 연설에서 통일을 위해 범민족상설기구를 설치하자고 제안했다. 이 자리에서 채택된 '해·내외 동포들에게 보내는 호소문'은 주한미군과 남한의 핵무기 철수 및 한반도의 비핵·평화지대화, 휴전협정의 평화협정으로의 대체와 불가침선언, 군축 등을 실행키 위한 범민족적 운동을 전개할 것을 호소했다. 호소문은 또 휴전선의 콘크리트장벽 제거와 국가보안법 철폐를 요구하고 문익환, 임수경(林秀卿) 등 방북 구속인사들을 석방하라고 주장했다(임수경에 대해서는 뒤에서 설명한다). 호소문은 이어 통일은 자주·평화·민족대동단결의 세 원칙위에서 연방제형태로 이루어져야하며 동족상잔과 핵전쟁을 유발할 수도 있는 '제도(체제)통일'에는 반대한다는 입장을 밝혔다. '제도통일'을 반대한다고 결의한 것은 당시 소련 및 동구 사회주의국가 붕괴로 인해 북한이 체제위기를 느낀 데서 나온 것이다.[44]

8월 15일의 판문점 민족대회에 참석하지 못한 남측 범민족대회 추진본부는 이날 밤 연세대 노천극장에서 통일대동제 및 보고대회를 별도로 가졌다. 연세대 행사에는 전대협 소속 대학생 3천여 명도 참석, 철야로 데모를 벌이다가 시위자 586명이 경찰에 연행되었다. 남측 추진본부는 17일 향린교회에서 폐막식 행사를 갖고 단독 결의문을 채택했다. 남측 추진본부의 신창균·박형규 고문, 이창복·이효재 공동본부장 등 60여명의 대회추진위원들이 참석한 가운데 이해학(李海學) 추진본부 집행위원장의 사회로 진행된 이날 폐막식에서 참석자들은 북한·해외 동포 대표들이 15일 판문점에서 합의한 결의문을 놓고 3시간 가까이 격론을 벌인 끝에 이를 지지키로 하고 '서울 범민족대회 참가자 일동' 이름의 별도 결의문을 채택했다. 남측 추진본부는 결의문에서 "지난 15일 판문점 범민족대회 참가자들이 통일을 향한 염원을 모아 결의한 내용들을 지지한다"고 밝히고 7·4 남북공동성명에서 천명된 조국통일의 3대원칙 확인, 휴전협정 폐기와 평화협정 체결, 남북한간 불가침선언 채택, 현실적 평화통일 방안으로 연방제 방식의 통일국가 건설 등 7개항을 천명했다.[45]

범민련 발족 평양에서 발표

판문점의 반쪽짜리 제1차 범민족대회가 끝난 다음 북한 측은 범민련(조국통일범민족연합)의 결성을 전격 발표했다. 범민족대회 (남·북·해외)공동위원회는 1990년 8월 19일 평양 고려호텔에서 기자회견을 개최하고 15일의 판문점 범민족대회 당시 남쪽대표 자격으로 참석한 소설가 황석영이 제의했다는 '조국통일범민족연합' 결성과 구체적인 조직구성 내용을 발표했다. 북한의 중앙방송 및 평양방송이 보도한 바에 따르면 이날 기자회견에서 첫 발언자로 나선 황석영은 범민련이 자신의 제안과 해외대표인 곽동의(郭東儀)의 재청 및 북쪽 윤기복 범민족대회 준비위원장의 동의로 결성되게 되었다고 밝혔다는 것이다.

이날 기자회견에서 발표된 '조국통일범민족연합'(범민련)의 조직구성을 보면, 범민련의 최고의결기관은 범민족대회이고 이를 운영하기 위해 범민족대회 '공동의장단'을 선출하고 그 아래에 의결기구인 '중앙위원회'를 두기로 했다. 중앙위원회 밑에는 실무집행기관인 '상임집행위원회'를 두고 고문과 사무총장, 대변인, 감사를 두며, 상설기구인 사무국본부를 설치한다는 것이다. 범민련의 최고의결기관인 범민족대회는 1년에 한 번 소집되므로 범민련의 사실상의 의

결기구는 중앙위원회이고 또 사실상의 최고집행부는 상임집행위원회이다. 이날 회견에서는 각 기구의 책임자 명단도 발표되었다. 공동의장에 허담 윤기복 장철(張澈) 여연구(북측), 정규명(鄭奎明), 곽동의 김성 이철재 서만술 이행우(해외측) 등이, 중앙위원에는 윤기복 염태준 전금철 등 북한의 조통(조국통일위원회) 조국전선(조국통일전선)을 비롯한 조선노동당 외곽단체 간부들과 한민련 한통련 등 해외거주 친북 조직관계자들이 선출되었다. 사무국 본부는 베를린에 설치키로 했는데 사무총장에는 임민식(범민족대회 해외추진본부 사무총장)을, 대변인에는 황석영을 각각 임명했다고 이 방송들은 덧붙였다. 남한 측 범민련 간부들은 추후 남측 추진본부에서 선임토록 했다고 북한 방송들이 전했다.[46]

범민족통일운동기구 결성 실무회담은 그 해 11월 19~20일까지 베를린에서 남·북·해외 3자 대표들이 참석한 가운데 열려 '조국통일범민족연합'(범민련) 결성 준비작업에 들어갔다. 이 실무회의에서는 공동의장단과 의장단 및 중앙위원회 구성을 늦어도 92년 8월 15일까지 마치기로 하고, 각 지역에서 파견되는 1명 이상으로 구성되는 공동사무국과 통일정책을 기획·조정할 정책실을 두기로 했다. 이 회의에는 북측에서 전금철(全今哲, 범민족대회 북측 준비위원장)이 혼자 나오고, 남측에서는 조용술(趙容述, 범민족본부 남측 추진본부 공동본부장, 목사), 이해학(동 집행위원장, 목사) 조성우(동 사무처장)가, 해외대표로는 정규명(범민련 공동의장) 임민식(범민련 사무총장) 황석영(범민련 대변인)[47] 등이 참석했다. 이들 대표들은 21일 이틀간의 회의를 마친 뒤 베를린시 헬름슈테터 가에 자리 잡은 범민련 유럽본부 사무실에서 범민련 결성 축하기념식을 가졌다.[48]

베를린에 범민련 해외본부 설치

남한 측 대표 3명은 1990년 11월 30일 귀국 즉시 김포공항에서 국가보안법 위반 혐의로 경찰에 연행되어 구속 수감되었다. 이날 김포공항 국제선 청사 1층 로비에는 이들 가족들과 이창복 전민련 의장을 비롯한 재야·종교계 인사 1백여 명이 나와 환영식을 갖고 이들의 석방을 촉구했다. 전민련 측은 이날 오후 연세대 경영원 강당에서 재야인사와 시민·학생 등 2백여 명이 참가한 가운데 '베를린회담 대표단 환영 및 보고대회'를 개최했다. 강희남 전민련 고문과 이창복·신창균 전민련 의장 등 추진본부 관계자 30여명은 종로구 충신동 전민련 사무실에서 밤샘농성을 벌였다. 평민·민주·민중당 및 국민연합, 부산 민족민주운동연합, 전국 교직원노조 등도 이날 이들의 구속을 비난하는 성명을 내고 즉각 석방을 촉구했다.[49] 이들 3명은 나중에 구속 기소되어 서울형사지법에서 조용술은 징역6월에 2년간 집행유예가, 이해학과 조성우에게는 각각 징역1년6월의 실형이 선고되었다.[50]

범민련 해외본부는 12월 16일 베를린에서 발족, 재독음악가 윤이상(尹伊桑)을 의장으로 선출했다.[51] 남쪽에서는 이듬해인 1991년 1월 23일 범민련 남측본부 결성준비위가 서울 향린교회에서 개최되었다. 이창복 전민련 공동의장, 김희선(金希宣) 서울민협 의장, 문정현 신부 등 준비위원 50여명이 참석한 이날 결성준비위는 준비위원장과 집행위원장에 문익환 목사와 이창복 전민련 공동의장이 각각 선출되었다. 준비위는 발족선언문을 통해 남한본부를 조속히 결성, 그해 6월과 8월에 서울에서 각각 열리는 아시아한반도의 평화와 비핵지대화를 위한 국제회의와 91년 서울범민족대회를 차질 없이 치르기로 했다. 그러나 경찰은 이날 전경 1개 소대를 보내 준비위 발족식에 참석하려던 문익환을 서울 도봉구 수유2동 그의 자택에 연금했다.[52]

경찰은 준비위 간부 이창복(집행위원장, 전민련 공동의장) 김희택(金熙宅, 준비위원, 전민련 사무처장), 권형택(權亨澤, 범민련 사무차장) 김희선(서울 민협 의장) 등 4명에 대해 국가보안법 위반(이적단체 구성 및 회합) 혐의로 사전구속영장을 발부받아 이창복과 김희택을 구속수감했다. 범민련 남측본부 준비위 집행위원 홍근수(洪根洙, 향린교회 당회장)와 준비위원 이규영(李圭英)과 한충목(韓忠穆), 그리고 준비위 부위원장 박순경(朴淳敬, 목원대 신학대학원 교수)도 2월과 8월 사이에 구속되거나 영장이 발부되었다.[53] 이듬해 2월과 3월에는 남측본부 준비위의 실행위원 홍진표(洪晋杓)와 이범영(李範泳)이 체포되었다.[54] 이창복과 김희택은 나중에 징역2년6월을 선고받았다.[55] 정부가 이처럼 강경책으로 나간 것은 범민족대회 추진본부(범추본)가 임시기구인데 반해 범민련 남측본부는 30~40명의 의장단과 120명의 중앙위원, 정책실 사무국 등 방대한 조직과 체계를 가진 상설기구로 결성할 예정이어서 이를 방치할 경우 상당한 파급력을 가질 우려가 있었기 때문이다.[56]

남측본부 구성이 공권력으로 봉쇄되고 있는 동안 북한 측은 범민족연합 북측본부 결성식을 갖고 윤기복 노동당 비서를 의장으로 하는 북쪽본부 의장단과 중앙위원을 뽑았다고 1월 25일 평양방송을 통해 발표했다. 부의장에는 백인준(白仁俊) 문예총 위원장, 한시해(韓時海) 조평통 부위원장, 백남준(白南俊) 조평통 서기국장 등 북한의 대남사업기관과 직능단체 책임자급 인물들이 망라되었다.[57]

제2, 3차 범민족대회도 분산개최

남측본부 결성준비위는 미처 본부를 결성하지 못한 상태에서 1991년 8월 12~18일 서울에서 남·북·해외 대표들이 참가하는 제2차 범민족대회를 열겠다고 발표, 정부와 정면충돌했다. 남측본부 결성준비위(위원장 직무대행 강희남, 姜希南, 목사)가 발표한 행사계획에 따르면 이 기간 동안 범민련은 범민족회의를 열어 통일 및 교류방안을 논의하고 문화 학술 체육행사 및 이산가족 상봉식 등도 가질 예정이며 북측 대표단 3백명과 참관인 7백명 등 1천명은 8월15일 판문점을 통해 입경하고 18일 판문점을 통해 북으로 돌아갈 계획이라는 것이었다.[58] 이에 대해 북측은 즉각 호응하는 입장을 밝혔다. 범민련 북측본부 윤기복 의장은 12일 최호중(崔浩中) 부총리겸 통일원장관에게 전화통지문을 보내 서울에서 열기로 한 범민족대회 제2차 실무회의에 북측대표단의 참가를 허용할 수 없다고 밝힌 사실을 비난하고 계획대로 17일 범민련 북측본부 부의장 전금철 등 5명의 대표를 판문점에 파견할 의사를 밝혔다고 북한 중앙방송이 보도했다.[59]

정부는 이 같은 움직임에 대해 강력하게 대처했다. 서울경찰청은 8일 강희남 등 범민련 간부 7명에 대해 소환장을 발부했다. 소환장을 받은 범민련 준비위 간부는 강희남 이외에 신창균(범민족대회 남쪽추진본부장), 전창일(全昌日, 남쪽 준비위 실행위원 겸 조직위원), 박순경(남쪽 준비위 부위원장), 홍진표(정책위 간사), 권종대(權宗大, 남쪽 준비위 부위원장), 이범영(동 위원)이었다. 경찰은 또 3일 범추본 발족식에 참석했던 권영길(權永吉, 언노련위원장) 등 재야 인사 7명에 대해서도 범민련 활동과 관련, 내사를 벌였다.[60]

결국 범민족대회는 정부의 불허조치로 남·북·해외 대표들이 서울, 판문점 북측구역, 그리고 일본 동경에서 각각 분산 개최하고 연방제 통일방안 지지와 남북한 비핵군축을 촉구하는 내용의 공동결의문을 동시에 발표했다. 범민족대회 남쪽추진본부(범추본)는 서울 경희대 크라운관에서 김희선 서울민협 의장, 이철상 전대협 의장권한대행, 이범영 전 전대협 의장 등 남쪽 대표단 2백여 명이 참석한 가운데 약식대회를 열고, 남·북·해외동포 3자가 합의한 제2차 범민족대회공동결의문을 추인했다. 범추본은 이 공동결의문이 조국통일범민족연합(범민련) 일본본부를 매개로 남쪽과 북쪽 대표단이 팩스를 이용해 사전 합의한 것이라고 밝혔다. 남·북·해외동포 3자 대표단은 공동결의문에서 "남과 북에 서로 다른 두 제도가 존재하는 조건에서 서로 먹고 먹히지 않는 연방제 방식으로 조국을 통일하는 것이 가장 합리적인 방도임을 재확인하고 이에 대한 일치된 지지를 표시한다"고 밝혔다.[61] 범민련 남측본부 결성준비위는 18일 서울 연세대 학생회관에서 91서울 범민족대회 폐막식을 열고 "이번 대회의 성과를 바탕으로 올해 안으로 조국통일 범민족연합(범민련) 남쪽본부를 정식 결성하겠다"고 밝혔다.[62]

1992년 8월의 제3차 범민족대회 역시 당초 서울에서 열기로 했으나 비슷한 과정을 거쳐 판문점 북측구역에서 북측과 해외 대표들만이 참석한 가운데 개최되고 남측 범추본 대표들은 서울에서 단독 행사를 가졌다. 남측 대표들은 이 자리에서 남·북·해외본부가 합의한 공동결의문을 발표했다. 그 내용은 하나의 민족·국가, 2개의 제도·정부에 기초한 연방제 통일방식 지지, 당국의 통일논의 독점 반대, 주한미군 철수와 군축 등 7개 항이 골자였다. 범추본은 "이 공동결의문은 판문점 회의 개최가 불가능해짐에 따라 도쿄에 있는 범민련 해외본부의 팩시밀리를 통해 확정한 것으로 판문점과 서울에서 동시에 발표되었다"고 밝혔다.[63]

3. 전대협의 친북반미 투쟁

보수진영과의 투쟁을 당면과제로

1987년 민주화선언 직후에 결성된 전대협은 제13대 대통령선거에서 노태우 민정당 후보의 당선 저지에 투쟁목표를 두었으나 이에 실패하자 내부의 NL파와 PD파가 연합, "외세와 야합하는" 보수진영과의 투쟁, 즉 반미자주화 투쟁을 활동의 중점으로 결정했다. 노태우정권의 출현을 '친미군사정권의 식민지 파쇼 통치'의 연장이라고 규정한 전대협은 1990년 초의 민정 민주 공화 3당 통합으로 탄생한 '보수대연합'을 타도의 대상으로 삼았다.

전대협은 전민련 전노협 등 재야운동권 15개 단체로 구성된 '민자당 일당독재 분쇄와 민중기본권쟁취 대책회의'에 가입, 1990년 2월 대도시에서 일제히 시위를 벌였다.[64] 3월에는 '일당독재장기집권음모 민자당을 분쇄하자'는 플래카드를 든 전대협의 '친미반민주화 일당독재 분쇄를 위한 전대협 구국결사대' 소속 대학생 8명이 화염병을 가지고 서울 여의도 민자당사에 들어가 점거 농성하려다가 입구에서 경찰에 연행되었다.[65] 같은 달에는 서울시내 10여개 대학에서 5천여명이 민자당 분쇄, 팀스피리트 훈련중지, 노동운동탄압중지를 외치면서 격렬한 시위를 벌였다.[66]

전대협의 시위는 1991년 들어 더욱 격화되었다. 그해 2월 서총련(정식명칭 서울지역총학생회연합)은 수서비리사건을 규탄하는 격렬한 가두시위를 벌였다. 이들의 가두데모는 4월 26일 교내에서 시위 도중 진압경찰관으로부터 쇠파이프 등으로 집단구타를 당해 숨진 서울 명지대생 강경대(姜慶大, 경제학과 1년) 사건을 계기로 최고조에 달했다.[67]

학생들은 5월 9일 민자당 창당 1주년을 맞아 전국적으로 30여만 명이 참가한 가운데 대대적인 가두시위를 벌였다. 학생시위사건을 계기로 23일 내각이 총사퇴했으나 학생들은 26일 전국에서 70여만 명이 참가한 거리시위를 벌였다.[68] 노재봉(盧在鳳) 국무총리의 후임으로 총리서리에 임명된 전 문교부장관 정원식(鄭元植)이 6월 3일, 시간강사로 출강하던 한국외국어대에서 마지막 강의를 하다가 운동권 학생들에게 집단폭행을 당한 사건이 일어났다.[69] 이 사건으로 전대협에 대한 비난이 들끓었다. 정부는 이 사건을 정부에 대한 중대한 도전으로 보고 학생운동권에 대해 강경책으로 돌아섰다.

이로 인해 4월 26일부터 6월 15일까지 약 50일간 계속된 이른바 '5월대투쟁' 기간 동안 11명이 분신자살 또는 다른 원인으로 사망했다.[70] 시인 김지하의 "죽음의 굿판을 당장 집어치워라"는 《조선일보》기고문은 이 때 나왔다.[71] 좌파적인 민족문학작가회의는 그에 대해 회원자격 정지 처분을 내렸다.[72]

남북청년학생 체육회담 추진

전대협은 출범 초부터 정부에 의해 불법단체로 규정되어 그 지도부가 검거대상이 되었다. 그러나 전대협은 이에 아랑곳하지 않고 민통련 등 재야단체 및 북측의 학생단체와 손을 잡고 주한미군 철수 및 연방제 통일방안을 주장하는 운동을 벌였다.

전대협은 1988년 6월 4일 연세대에서 기자회견을 갖고 판문점에서 북측 학생대표와 6·10 남북청년학생 체육회담을 개최할 것을 제안했다. 전대협은 6·10 남북회담 전야인 6월 9일 각 대학별로 출정식을 가진 다음 연세대에서 4만여명이 참가한 가운데 문화대동제를 지내고 판문점으로 향하기로 결정했다.[73]

이해에 출범한 전대협 제2기 집행부는 남북학생회담 개최문제 등 통일문제를 다루기 위해 조통특위(정식명칭 한반도 평화와 조국의 자주적 통일을 위한 특별위원회)를 구성했다.[74] 조통특위는 전대협 뿐 아니라 서울대를 비롯한 각 대학 마다 구성되고 나중에는 서울시내 17개 대학이 참가한 서총련산하 '조통특위연합'도 결성되었다. 위원장에 김중기(金重基, 철학4)가 취임, 모든 대학이 힘을 합쳐 6·10회담을 추진하게 된 것이다. 조통특위는 발족과 동시에 새 학기부터 대학가의 통일논의를 주도했다.

4월 말에는 서울대에서 전대협 산하의 서총련 7개 단체 주최로 '조국의 평화와 자주적 통일을 위한 범국민결의대회'가 열려 그 명의로 된 올림픽 공동개최, 핵무기철거, 평화협정체결 등의 주장을 담은 결의문이 발표되었다. 전대협은 5월에는 고려대에서 6·10실무회담 성사를 위한 집회를 갖고 체육회담과 국토종단대행진이 서울대와 김일성대학 학생들만의 행사가 아닌, 남북한 청년학도 모

두의 행사가 되어야 한다는 내용의 3차 공개서한을 발표했다. [75]

그러나 정부는 판문점 회담과 연세대 집회를 모두 불법집회로 규정하고 원천봉쇄하기로 결정했다. 경찰은 서울대 김중기 등 남한지역 학생대표 13명과 실무대표 22명 등 35명을 전국에 수배했다. [76] 6·10회담이 성사되지 않자 전대협은 7월 들어 8·15남북학생회담을 제의했다. [77] 정부는 이 회담 역시 봉쇄하기로 방침을 세웠다. 치안본부는 이들이 '분단올림픽'을 저지하기 위해 공동올림픽을 대안으로 제시한다고 하지만 그 진정한 목적은 서울올림픽을 저지하는데 있다고 발표했다. [78] 사실 서울올림픽의 단독개최가 민족분단을 영구화한다는 엉터리 주장은 그들이 내세운 명분에 불과했다.

전대협은 8월 10일 전국 36곳에서 33개 대학 학생 8천여 명이 참가하는 8·15남북학생회담을 위한 조국순례대행진 발대식과 회담성사 시민대회를 가지려다 저지하는 경찰과 충돌, 화염병과 돌을 던지며 격렬한 시위를 벌였다. 전국적으로 파출소 12개 소와 민정당 지구당사 2곳도 습격당했다. [79] 그러나 정부의 봉쇄조치로 8·15회담은 끝내 불발로 그치고 말았다. 전대협은 이 무렵 통일선봉대를 발족시켰다. 각 대학 총학생회는 통일선봉대 모집 대자보를 붙이고 학생들의 지원을 호소했다. 통일선봉대는 대학별 지원자들 중 1천명 규모로 구성하고 4천명 규모로 통일선봉대와 비슷한 구국선봉대를 구성했다. [80]

북한, 전대협을 청년축제에 초청

북한은 1988년 12월, 이듬해 7월 평양에서 열리는 제13차 세계청년학생축전에 전대협 대표를 초청한다는 편지를 보내왔다. 이 편지는 실무협의를 위한 남북학생회담을 이듬해 3월 초순께 판문점에서 갖자고 제의했다. 세계청년학생축전은 소련공산당 전위조직인 세계민주청년연맹과 국제학생동맹이 공동 주관하는 국제적인 반제투쟁행사로 1947년 이후 공산권국가에서 3~7년 주기로 개최되어왔다. [81]

정부는 이 문제를 협의하기 위해 남북대학생교류추진위원회를 만들어 전대협과 상대하도록 했다. 위원회는 3개월 동안 전대협측과 협의를 했으나 정부측이 바라는 교류추진위원회를 통한 축전 참가와 전대협이 희망하는 독자적 참가 주장이 합의점을 찾지 못한 채 공전만을 거듭했다. 결국 정부는 1989년 6월 전대협 대표의 축전 참가를 불허키로 최종 결정했다. 정부는 이에 앞서 남북학생교류회담을 열자고 북한 측에 제의했으나 북측은 이를 거부하고 판문점에서의 전대협 대표와 단독접촉을 고집했다.[82]

전대협 측은 정부의 불허방침에 반발, 여대생 임수경(한국 외국어대 용인 캠퍼스 서양어대 불어과 4년)을 그들의 대표로 제13차 평양 세계청년학생축전에 파견했다. 전대협은 6월 30일 임수경의 방북을 전격적으로 발표했다. 임수경은 6월 21일 출국, 동경에 도착한 다음 일본에서 6일간 머물다가 서베를린으로 갔다. 임수경은 29일 밤 소련 여객기로 동베를린을 출발, 30일 평양 순안 공항에 도착했다.[83] 임수경은 평양 도착 후 기자회견을 갖고 "정부와 민정당은 진짜 반통일 세력이다" "남한에서는 통일은 곧 좌경이고, 통일은 곧 용공이다" 등의 발언을 했다.[84] 그가 7월 1일 세계청년학생축전 개회식에서 북한 대표단에 이어 행사장에 입장했을 때 관중들은 일제히 우뢰와 같은 기립박수를 보내 열렬히 환영했다고 평양방송이 보도했다.[85] 임수경은 8월 15일 판문점을 통해 천주교정의구현사제단[86] 소속 문규현(文奎鉉) 신부와 함께 귀환, 즉시 수사관에 연행되었다.[87] 임수경과 문규현은 국가보안법 위반 혐의로 구속 기소되어 공판정에서 운동권 방청인들의 소란으로 재판이 몇 차례 중단되는 등 파행을 거듭하던 끝에 1990년 2월 1심 선고공판에서 각각 징역 10년과 징역8년을 선고받았다.[88]

두 사람은 그해 6월의 2심 선고공판에서는 원심보다 가벼운 징역8년과 징역5년을 각각 선고받았다. 이날 역시 피고인들과 방청객들의 법정 소란이 있어 10분 만에 선고공판은 끝났다. 재판부가 형량을 선고하기에 앞서 판결이유 요지를 낭독하려는 순간 150여명의 대학생 방청객들이 일제히 '전대협가' 등 노래를 부르면서 구호를 외치는 바람에 재판부는 형량만을 선고했다. 재판부가 형량을 간단히 선고하고 법정을 급히 나가자 임수경은 피고인석에 발로 밟고 올라가 방청석을 향해 오른 팔을 휘두르며 방청객들과 함께 노래를 불러 교도관들이 이를 제지했다.[89] 두 사람에 대한 상고심 선고공판은 9월에 열려 모두 상고가 기각되어 2심 판결이 확정되었다.[90]

임수경을 평양에 파견한 당시 전대협 의장 임종석(任鍾晳, 한양대 무기재료 4)은 1990년 2월 1심 선고공판에서 징역10년을 선고받았다. 법정에서 방청한 전대협 소속 대학생 등 2백여 명은 재판 시작 전 "사수하자 전대협, 구출하자 임종석" 등 구호·박수와 함께 '전대협가' 등 노래를 불렀다. 이들은 재판부의 판결문 낭독도중 간간이 야유를 보내며 일부러 기침을 하는 등 소란을 벌였다.[91] 임종석은 2심 선고공판에서 출정을 거부해 궐석재판에서 징역5년으로 형이 경감 선고되고 대법원에서는 상고기각으로 2심 형량이 확정되었다.[92]

임수경 밀입북사건에 관련된 이른바 '조국통일촉진그룹(약칭 조통그룹)사건'이 약 2년 후인 1991년 2월 발표되었다. 안기부는 임수경 밀입북을 주도하는 등 학원가의 반미통일투쟁을 선동해온 주사파 계열의 비밀지하조직 조통그룹을 적발, 전문환(全文煥, 전대협 평양축전준비위원장, 전 서강대 총학생회장)과 이 조직 중앙위원 홍순철(洪淳喆, 연세대 국문 졸) 등 6명을 구속, 검찰에 송치하고 이 그룹의 총책 김병권(金炳權, 연세대 화학 졸) 등 21명을 수배했다고 발표했다.[93] 전문환은 1심에서 국가보안법 위반으로 징역4년을 선고받았다.[94]

역대 의장 모두 구속, 그 절반은 국회의원에

전대협은 출범 초부터 주사파에 장악되었다. 1987년 5월 출범한 전대협은 91년 1일 제5기 집행부가 발족하기까지 전국의 전문대학을 포함한 250개 대학 가운데 177개 대학 총학생회를 가입시킨 거대한 조직체로 성장했다. 그런데 실제로 전대협을 움직인 것은 공식기구가 아닌, 주사파 지하세력이 장악한 방계조직인 '정책위원회'였다. 이 조직은 뒤에서 설명하는 바와 같이 87년부터 88년까지 전대협 제1·제2기 집행부 때는 북한의 통일전선기구인 한민전의 전위조직을 자처하던 반미청년회가 침투해 조종했다. 89년 이후에는 한민전의 지도 아래 결성된 주사파 지하조직인 자주민주통일(자민통)그룹과 조통그룹, 관악자주파 그룹, 그리고 반제청년동맹 등이 이를 조종했다. 이들 4개 조직원 출신들로 정책위원회에 진출한 핵심인물은 정책위원장 등 중앙정책위원 5명과 각 지역 지구 대협(대학총학생회협의회) 정책위원 15명 등 20여명에 달했다. 정책위원들은 주체사상으로 무장한 인물 가운데서 선발되며, 이들은 모두가 전대협 집행부 간부들의 선배들로서 의장을 배후에서 조종했다. 정책위원회는 철저히 가명을 사용해 노출되지 않게 활동하고 차기 전대협 의장도 여기서 내정함으로써 의장 선출과정에서부터 노선수립·투쟁방법 등을 지시했다 한다. 이들은 또 회의 때마다 한민전에 충성할 것을 결의, 일부 가사만 바꾼 '한민전가'를 부르면서 북한방송을 유인물로 작성, 배포했다는 것이다.[95]

1987년의 전대협 출범부터 1993년의 해체 때까지 6년간 활동한 집행부는 모두 6기에 달한다. 이 기간 동안 수천명의 학생 운동가들이 각종 혐의로 당국에 검거되었는데, 그 지도부인 역대 의장도 예외 없이 국가보안법 위반혐의로 구속되어 재판에서 유죄판결을 받았다.[96]

4. 범청학련

전대협 제의로 북측과 통일대축전 개최 합의

1990년대에 들어 세상을 떠들썩하게 한 친북단체 중 하나가 범민족청년학생연합(약칭 범청학련)이다. 범청학련은 1991년 4월 전대협이 제의한 남북해외 청년학생통일대축전을 계기로 그 이듬해에 결성되었다. 전대협(의장 김종식, 金鍾植, 한양대 총학생회장)은 한양대 총학생회장실에서 기자회견을 갖고, 그해 8월 15일 광복절에 맞춰 8월 14~15일 이틀간 서울에서 열리는 범민족대회 기간 중 남북해외청년학생 통일대축전을 개최할 것을 제의했다고 발표했다. 전대협은 이날 북한 조선학생위원회와 해외동포청년학생 조직들에 보내는 공개서한을 통해 이같이 제안한 것이다. 전대협은 이와 함께 축전준비를 위해 7월 7일 판문점에서 남북 해외 청년학생 대축전 실무회담을 가질 것을 제의했다. 전대협은 또한 이날 김종식 의장 명의로 발표한 고르바초프 소련 대통령에게 보내는 서한을 통해 "고르바초프 대통령의 방한은 우리민족의 분단 속에서만 살지는 제국주의자들만을 이롭게 하는 명백한 이적행위"라고 주장하고 그의 방한을 취소해줄 깃을 요청했다.[97] 전대협은 이 같은 방침을 이미 2월의 중앙위원회에서 결정해 놓고 이날 기자회견에서 공식 발표한 것이다.[98] 이들의 한소국교정상화 방해운동은 북측을 대변하는 노골적인 행동이었다.

전대협의 제의에 대해 북한측은 긍정적 회답을 보내왔다. 북한의 조선학생위원회는 5월 6일 전대협 앞으로 팩스서한을 보내 "오는 7월 7일 오전 10시 조선학생위원회 대표들을 판문점에 내 보내겠다"고 통고하고 "실무회담에서는 북남 대학생들 사이의 자주적인 교류를 실현하는 문제들도 협의할 수 있다"고 제의했다.[99] 전대협은 청년학생통일축전의 서울예비회담 준비를 협의하기 위해 성용승(成埇乘, 건국대 행정학 4)과 박성희(朴聖熙, 경희대 작곡 4, 여)를 비밀리에 베를린을 거쳐 평양에 들여보냈다.[100] 이들 두 학생의 북한 파견은 1989년 6월 외국어대생 임수경이 전대협 대표로 평양을 방문한 때와 비슷한 반향을 국내에 불러 일으켰다. 전대협 의장 김종식과 전대협 산하 조국의 평화적 통일을 위한 학생추진위 위원장인 경희대 총학생회장 한철수(韓喆洙) 등 8명이 국가보안법 위반 혐의로 안기부에 구속되었다.[101]

베를린에서 남북 실무회담

전대협 대표 2명은 베를린에서 북측 및 해외동표 대표들과 만나 서울에서 제1차 청년학생축전을 개최하기로 합의했다. 이들 대표들은 서울축전행사로 통일방안 등을 논의하는 본회담과 아울러 임수경배체육대회, 통일노래한마당도 열기로 합의했다고 발표했다.[102] 평양에 들어간 이들 2명은 이해의 남북해외청년학생 통일대축전 행사의 일환으로 백두산에서 거행된 조국통일 촉진 백두–한라 대행진 출정식에 참가했다.[103]

그러나 서울에서 열릴 예정이던 1991년의 제2차 범민족대회가 앞에서 설명한 바와 같이 끝내 열리지 못하게 되자 함께 개최하기로 한 남북해외청년학생 통일대축전 역시 개최가 불가능해졌다.[104] 이에 범민련 남쪽본부는 반쪽의 서울 범민족대회를 단독으로 열기로 했는데, 전대협 역시 남쪽 단독의 청년학생통일대축전을 강행하고 연방제 주장을 관철하기로 결의했다. 전대협은 "정부의 '한민족공동체통일방안'은 단일제도에 기초한 통일을 염두에 두면서 남북연합이라는 형태로 현재의 분단체제를 고착화할 우려가 크다"면서 "남과 북에 현실적으로 존재하는 두 개의 체제를 인정하고 이를 토대로 조속한 통일을 추진하는 연방제가 현실적인 통일방안이라고 본다"고 주장했다. 전대협은 경희대에서 거행된 폐막식에서 채택한 향후 투쟁제안서에서 한반도 비핵지대화를 위한 1백만명 서명운동 전개, 주한미군 철수 및 유엔단일의석 가입투쟁 전개, 학과별 연석회의 활성화, 가칭 범민학련(조국통일범민족청년학생연합) 건설 등에 주력하겠다고 밝혔다.[105]

이해의 남측의 서울단독 범민족대회에서는 범민련 남쪽본부 결성준비위원회가 재야세력의 구심점으로 위상이 향상되면서 국내의 연방제 추진운동주체로 등장했다. 이 대회에서는 전대협 등 NL(민족해방)계열뿐 아니라 대부분의 PD(민중민주)와 ND(민족민주)계열 단체들도 유인물 또는 대자보를 통해 한반도의 군사적 긴장 해소방안과 연방제 통일방안에 대한 지지를 표명했다. 전년까지만 해도 PD와 ND 계열은 "노학연대 등이 더 시급하다"면서 NL계열의 운동방식에 맹렬한 비판을 제기하곤 했었으나 이해에 들어와서는 연방제 통일방안에 의견일치를 보았다.[106]

연방제 통일이 유일한 방법이라고 선언

서울단독 청년학생통일대축전을 강행한 전대협은 다음 해인 1992년 4월, 제2차 남북해외동포청년학생통일대축전 및 범청학련 결성식을 그해 8월로 예정된 제3차 서울 범민족대회 기간 중에 개최하기로 결정했다. 전대협은 인천시내의 인하대 본관 2층 강당에서 제6기 정기총회를 끝내고 가진 기자회견에서 이같이 밝히고 이들 행사를 위해 평양과 서울에서 전대협과 조선학생위원회, 해외동포청년학생협의회 공동주최로 실무회담을 개최할 수 있도록 정부 측에 협조를 요청키로 했다고 발표했다.[107]

정부는 이해에도 전대협 대표의 입북을 허가하지 않았다. 정부는 통일대축전이나 범민족대회를 인정하지 않았을 뿐 아니라 북한 측에 대해서도 이런 행동을 중지할 것을 요구했다. 4월 23일 판문점 남측구역 평화의 집에서 열린 남북고위급회담 정치분과위원회 제3차회담에서 이동복(李東馥) 정치분과위원장은 기조발언을 통해 북측이 추진하고 있는 8·15 범민족대회(서울) 계획은 남북합의서에 반하는 불법행위라고 지적하고 이 같은 계획을 즉각 중단할 것과 범민련(조국통일 범민족연합) 조직의 해체를 강력히 촉구했다. 이동복은 범민련은 남북의 책임 있는 당국 사이에 합의된 조직이 아닌 '불법조직'이므로 해체되어야 하고 범민족대회·전민족정치협상회의·남북해외청년학생통일대축제 등 '불법행사'들도 취소되어야 한다고 역설했다. 그는 또 범청학련의 경우도 남북고위급회담의 테두리 안에서 남북의 책임 있는 당국 사이의 협의와 합의가 필요하다고 말했다. 그는 이런 일들이 용납된다면 남북기본합의서가 "허망한 사상누각이 되고 말 것"이라고 강조했다.[108] 이어 5월 6일 서울 신라호텔에서 열린 제7차 남북고위급회담 제1차 회의에서 남측 수석대표인 정원식 국무총리는 기조발언을 통해 북측 수석대표인 연형묵(延亨默) 정무원총리에게 북한이 추진하는 정치행사를 중지하라고 요구했다.[109]

그러나 북한당국은 남측 요구를 묵살하고 윤기복 범민련 북측의장 명의로 통일원장관에게 범민족대회와 청년학생통일대축전 개최에 협조를 요청하는 전화통지문을 북한 적십자회를 통해 대한적십자사에 보내왔다. 강영훈(姜英勳) 대한적십자사 총재는 이 전화통지문의 접수를 거부하고 "이른바 범민족대회·청년학생통일대축전 등의 행사들은 남북 당국이 협의를 통해 그 개최를 합의한 바 없다는 우리 쪽 정부 당국의 입장을 전달한다"는 전화통지문을 윤기복에게 보냈다.[110]

전대협 측은 5월 들어 베를린에서 범청학련 결성을 위한 제1차 실무회담을 갖고, 제2차 청년학생통일대축전을 8월 15일 서울에서 연다는데 합의했다. 이들은 또 7월 15일 서울에서 열릴 제2차 실무회담 때까지 서울대회 개최 여부가 불투명할 경우 판문점으로 대회장소를 변경하기로 했다. 베를린 실무회담에는 평양에 들어가 있던 전대협 대표 성용승과 박성희, 북한 대학생 강형진(김일성대 철학 4), 재일한국청년동맹 김창모 를 비롯한 7명이 대표로 참석했다.[111] 전대협 조통위(조국의 평화와 자주적 통일을 위한 학생추진위원회)는 5월 30일 서울 한양대 대강당에서 국제전화를 통해 북한의 조선학생위원회와 '남·북·해외 청년학생 통일정치협상회의'를 갖고 연방제통일 실현의 실천방안 등을 논의했다. 회의를 마친 뒤 남북 양쪽은 연방제통일 방안의 구체적 내용을 확정하고, 한반도 비핵지대화, 미국의 내정간섭 중단 등 통일의 전제조건 마련에 노

력할 것을 다짐하는 공동결의문을 채택했다.[112]

그러나 정부가 이들이 서울에서 열기로 합의한 범청학련 결성을 위한 제2차 실무회담을 불허하자 범청학련 북측본부는 평양 베를린 및 도쿄에서 범청학련 공동연락본부를 통해 실무회담을 진행했다고 북한의 중앙방송이 보도했다.[113] 서울에서 열기로 한 통일대축전과 범청학련 결성식은 정부의 북한대표 입국 불허 조치에 따라 남측 단독으로 서울대에서 열렸다. 전대협은 1992년 8월 15일 서울대에서 열린 남측 단독의 제3차 범민족대회 대회장에서 학생, 청년단체 회원 등 2만여 명이 참석한 가운데 범청학련 결성식을 갖고 결성선언문과 강령·규약 등을 발표했다. 같은 날 평양에서도 범청학련의 결성이 선포되었다. 범청학련은 전대협과 북조선학생위원회 및 해외동포청년학생조직 등 3자연합체이며 남·북·해외청년들 사이의 자율적 접촉과 교류 증진을 위해 활동할 것이라고 전대협은 밝혔다.[114] 범청학련은 베를린에 공동사무국을 두며 남과 북, 그리고 해외에는 각각 지역본부를 두기로 했다. 범민련의 소속단체인 범청학련은 범민련이 남과 북, 그리고 해외동포들을 모두 망라하는 유일한 애국적 통일운동단체임을 인정하고 그 선봉대 역할을 할 것을 강령과 규약에서 명시하고 있다. 규약 제5항은 "민족의 자주적, 평화적, 통일의 유일한 길은 연방제 방식의 통일임을 천명하며 그의 실현을 위해 투쟁한다"고 선언했다.[115]

5. 전교조의 출범

교육민주화선언이 계기

1980년대 말에 결성된 전국교원노동조합(약칭 전교조)은 단순한 교원노동조합이 아니라 남한의 대표적인 변혁세력 가운데 하나이다. 전교조는 발족 당시부터 '민족민주운동진영'의 일원을 자임하면서 창립선언문에서 밝혔듯이 '민족·민주·인간화 교육 실천을 위한 참교육'[116]을 부르짖었는데 1999년 합법화 이후에는 민노총 및 한총련과 더불어 가장 강력한 급진단체로 부상했다.

전교조는 1986년 5월에 있었던 일선교사들의 '교육민주화선언'에서 태동, 89년 5월 결성된 후 김대중 정부 때인 1999년 7월 합법화될 때까지 무려 10년간 합법화투쟁을 벌였다. 일선교사들의 교육민주화운동은 1987년 6월항쟁 직후인 그해 9월 27일 '전국교사협의회'(약칭 전교협)의 결성으로 결실을 보았다. 전교협은 창립이후 교육악법개정운동을 벌여 1988년 9월 정기국회를 앞두고 3만8천6백43명이 서명한 교육법개정안을 국회에 청원했다. 이어 그해 11월 20일에는 서울 여의도 광장에서 '참교육 실천을 위한 전국교사대회'를 개최하고 12월 전국임원연수에서 교직원노조를 결성할 것을 선언했다. 전교협은 그 후 전국대의원대회와 시도별 결의대회를 거쳐 1989년 5월 14일 교원 1만5천 명이 참석한 가운데 준비위를 결성하고 전국교직원노조 발기인대회를 가졌다.[117]

전격적으로 치러진 결성대회

전교조 결성대회는 경찰의 저지로 숨바꼭질 끝에 이루어졌다. 전교조 준비위는 1989년 5월 23일부터 25일 까지 연세대 대강당에서 '교직원노조 건설을 위한 문화공연'을 개최하고 마지막 날인 25일 '전국교직원노조 탄압 규탄대회'를 열어 "좌경의식화 매도 중지, 노조 결성 탄압중지, 주도교사 징계철회, 정원식 문교부장관 퇴진"등을 외치면서 기세를 올렸다. 그러나 정작 28일 결성대회가 열릴 예정인 한양대에서는 경찰이 전날부터 봉쇄작전을 펴 학교주변은 삼엄한 경계상태였다. 하지만 이런 철통같은 포위망 속에서도 각 대학교 사대생 60여명과 교사 200여명 정도가 미리 입장하는데 성공, 27일 전야제를 치렀다. 경찰은 결성대회 당일인 28일에는 5천명의 병력으로 학교를 포위하고 주변 2km 밖에서부터 검문을 실시했다. 결성대회 개최는 물리적으로 불가능했다.[118]

그러나 전교조 준비위 지도부를 비롯한 2백여명의 교사들은 이날 오후 전교조 결성식 장소를 연세대 도서관 앞 민주광장으로 감쪽같이 옮겨 '전국교직원노동조합 결성대회'를 기습적으로 거행 하는데 성공했다. 이날 대회에서 전교조 위원장에 윤영규(尹永奎, 광주 전남체고), 부위원장에는 이부영(李富榮, 서울 송곡여고), 그리고 사무처장에는 이수호(李秀浩, 서울 신일고) 교사가 선출되었다. 박현채 김진균 등 '민주화를 위한 전국교수협의회' 소속 교수 145명이 전교조에 가입, 발기인수가 2만 3천여명에 달하고 노조기금도 2억 8천여만 원에 이르렀다. 경찰은 이틀 동안 서울에서 교사 567명을 포함, 모두 1천82명을 연행했다. 같은 날 한양대와 가까운 건국대에서는 전국 각지에서 모인 2천여 명의 교사들이 참가한 별도의 집회가 거행되었다. 연세대 집회가 경찰의 제지로 무산될 경우 결성대회 장소를 다시 이곳으로 옮기기로 했으나 연세대 집회가 무사히 끝나자 건국대 집회는 '전교조 결성 보고대회'로 바뀌었다.[119]

설립신고서 반려, 헌법소원도 기각

결성대회가 끝난 다음 전교조는 6월 1일 오후 전국교직원노동조합 설립신고서를 노동부에 제출했다. 그러나 노동부는 전교조 결성이 실정법 위반이라는 이유로 6월 3일 우편을 통해 신고서를 반려했다. 이 때문에 노태우 김영삼 두 정부를 거쳐 1998년 김대중 정부가 출범해서 전교조가 합법화될 때까지 9년간은 전교조 가입자 1천5백 명을 해임한 정부와 이들의 복직을 요구하는 전교조 사이의 갈등으로 시끄러운 기간이었다. 전교조 위원장 윤영규와 사무처장 이수호는 국가공무원법 위반으로 구속되어 1심에서 각각 징역1년과 징역10월 집행유예1년을 선고받았다. 정부의 전교조 지도부 검거와 징계조치가 계속되자 농민, 노동자, 학생, 시민 사회단체들은 전교조 공동대책위원회를 만들어 대항함으로써 이른바 '민족민주운동 진영'이 새롭게 단결할 계기가 마련되었다. 종래의 제조업 중심이었던 노조 조직은 언론노조와 교원노조 결성을 계기로 조합원의 참여범위가 그만큼 넓어졌다.[120] 전교조의 친북반미활동에 대해서는 뒤에서 살펴보기로 한다.

6. 전국연합의 출범

전민련과 국민연합의 결합

1991년 12월 노태우 정부 후기에 발족한 민주주의민족통일전국연합(약칭 전국연합)은 이미 앞에서 설명한 바와 같이 전민련 전교조 전농련(전국농민회 총연합) 전대협 등 13개 부문의 재야운동단체와 8개 지역운동단체 등 모두 21개 단체가 참여한 해방 후 최대 규모의 진보운동단체이다. 이들 단체 중 전민련은 앞에서 살펴본 대로 1989년 3월 전민련 고문 문익환 목사가 북한을 비밀방문, 파문을 일으킨데 이어 90~91년 사이에는 지도부가 분열해 합법정당을 결성하려는 이부영과 장기표 등 지도부가 탈퇴, 일부는 민중당을 결성하고 일부는 보수야당인 평민당에 입당함으로써 지도부가 극도로 약화되었다. 이에 잔존 전민련 지도부는 92년의 대통령선거를 앞두고, 한시적인 연합체였던 국민연합과 합쳐 새로운 재야세력의 연합체로 전국연합을 탄생시킨 것이다. 국민연합은 1990년 4월 21일 전노협, 전농련, 전대협, 전빈련, 전교조 등이 참여, 결성한 조직이다.[121] 전국연합은 이에 참여한 전대협·전교조·전농 등이 실질적인 대중동원력을 가진 단체들이어서 기존의 전민련이나 국민연합보다 훨씬 강한 영향력을 행사할 수 있게 되었다.

1991년 12월 서울 연세대 대강당에서 열릴 예정이던 전국연합 결성대회는 경찰의 원천봉쇄로 참석예정 대의원 1천65명중 239명만 참가해 당초 예정인 1시보다 4시간 늦은 오후 5시에 회의가 열렸다. 집단지도체제를 택한 전국연합은 강희남·계훈제·문익환·백기완·박형규·이소선 등 재야 원로인사를 상임지도위원으로, 권종대 전농의장(상임의장), 고광석 전빈련의장, 윤영규 전교조위원장, 한상렬 전민련 공동의장, 지선 스님 등을 공동의장으로 선출했다. 전국연합이 결성됨에 따라 전민련 및 '민자당 일당독재 분쇄와 민중기본권 쟁취를 위한 국민연합'은 해체되었다.[122]

14대 총선에서 '민주후보' 지원으로 민자당 반대

전국연합은 창립선언문을 통해 "민주정부수립과 자주적 평화적 민족통일달성을 위해 전력할 것"을 다짐했다. 이들이 내 세운 '민족민주주의' 이념은 사실에 있어서는 반미노선임이 차츰 밝혀졌다. 전국연합은 그해 12월 10일 세계인권선언 43주년을 맞아 성명을 통해 모든 양심수의 즉각 석방과 국가보안법의 철폐를 주장했다.[123] 전국연합은 그 후 친북노선으로 경사되었는데 그 대목은 뒤에서 살피기로 하자.

전국연합은 1992년의 14대 총선을 앞두고 야당인 민주당과 연합공천문제를 논의했으나 실패하자 차선책으로 전국연합의 독자후보와 기왕에 민주당과 민중당이 공천한 후보 가운데서 전국연합의 노선과 가까운 인물을 지원하는 두 갈레 방식을 선택했다. 전국연합은 우선 그해 1월 독자후보 10명 정도를 지명키로 했다.[124] 전국연합은 그러나 나중에는 독자후보를 최종적으로 6명만 내기로 하고, 타당 후보 26명을 포함한 모두 32명을 '민주후보'로 지정, 이들을 지원키로 했다. 전국연합은 민주후보 선정 경위에 대해서는 지방자치단체장 선거 연기 철회, 국가보안법 폐지, 전교조·전노협 합법화, 토지공개념·금융실명제 실시 등의 선거강령을 제시하고 이에 대해 서면으로 동의하는 뜻을 밝힌 후보들을 '민주후보'로 선정했다고 밝혔다.[125]

3월 25일 실시된 제14대 총선에서 전국연합이 '민주후보'로 지명했던 신계륜(민주) 박계동(민주) 이부영(민주) 이철(민주) 제정구(민주) 유인태(민주) 등 6명은 당선되었으나 자체적으로 공천한 독자후보는 모두 낙선했다.

14대 대선서 김대중 지원, 거리 투쟁

전국연합은 제14대 총선 후 반 민자당 노선을 더욱 분명히 하고 민자당의 대선 후보 선출 전당대회일인 1992년 5월 19일 서울 장충단공원에서 민자당 재집권 저지 및 민주정부 수립을 위한 제1차 국민대회를 열기로 했다. 경찰은 전국연합이 폭력시위 전력이 있을 뿐 아니라 이번 시위가 공공의 안녕질서를 위협할 우려가 있다는 이유로 이를 원천 봉쇄했다. 전국연합은 이에 맞서 집회장소를 중구 향린교회로 옮겨 약식대회를 강행, '민주대개혁과 민주정부 수립을 위한 투쟁선언'을 발표했다. 전대협 산하 전국 82개 대학 학생들은 전국연합의 집회에 호응, 같은 날 대학별로 출정식을 갖고 지역별로 열린 전국연합 행사에 참가한 다음 전국 22개 도시에서 6만 여명이 격렬한 시위를 벌였다.[126]

전국연합은 민자당 집권을 저지하기 위해 다른 재야세력과 연대했다. 그 결과 7월 14일 전국연합 대표 권종대(權鍾大)를 비롯 함세웅(咸世雄, 신부) 장기표(민주개혁과 사회진보를 위한 협의회 대표) 등 재야인사 34명이 서울 중구 정동 세실레스토랑에서 가칭 '민주대개혁과 민주정부 수립을 위한 국민회의(약칭 국민회의)' 발기인대회를 가진 다음 9월 26일 이를 정식으로 결성했다.[127]

전국연합은 12월의 제15대 대선에 독자후보를 낼 것인가, 범민주후보를 지지할 것인가의 문제를 놓고 두 차례에 걸쳐 토론을 벌였으나 결론을 얻지 못하다가 10월 10일 서울 경희대 강당에서 대의원 1천94명이 참석한 가운데 대의원대회를 열고 독자후보를 내지 않기로 했다. 그 대신 민주당을 포함한 범민주진영의 정치연합을 통해 후보단일화를 이루기로 투표로써 결의했다.[128] 이에 따라 전국연합은 민주당에 정치연합 협상을 제의, 양측이 타결을 봄으로써 민주당 후보 김대중을 범민주단일후보로 결정했다. 전국연합과 민주당은 54개 항의 공동개혁정책과 개혁적 국정운영 방향을 중요 내용으로 하는 정책연합을 통해 선거제도의 개혁과 지방자치제의 전면실시, 국가보안법 집시법 등 '반민주 악법' 개폐, 군대의 민주화와 평화군축 및 조국통일, 대외의존형 재벌경제에서 민생위주의 자립경제로의 전환, 노동자 농민 빈민 소상인 여성의 생존과 권리 보장, 입시위주의 왜곡된 교육개혁 등을 이들이 승리할 경우 구성될 새 정부의 기본과제로 추진하기로 합의했다. 전국연합이 가장 역점을 둔 사항은 말할 것도 없이 국가보안법 폐지와 양심수 석방 및 사면복권 등이었다. 진보단체의 총연합체인 전국연합을 우군으로 확보한 민주당은 그만큼 세를 얻은 셈이다.[129]

전국연합의 좌경친북노선을 최초로 비난하고 나선 인물은 당시 민자당 대통령 후보였던 김영삼이었다. 그는 선거중반부터 재야세력과 손을 잡은 민주당 후보 김대중의 사상을 문제 삼다가 12월 10일에는 선거광고를 통해 "간첩단 이미지를 지워보려고 말로는 중도우파니 하면서 상황이 불리해지니까 다시 과격 집단들과 손잡은 사람"이라고 김대중을 우회적으로 비판했다. 민자당은 성명서를 통해 "민주당이 재야단체인 전국연합과 연대하여 북한이 주장하는 범민주단일후보로 김대중 후보를 추대한데 대해서는 대부분의 국민들이 크나큰 우려를 하고 있다"고 공격하고 일부 재야단체는 "김일성주의를 신봉하는 주사파"라고 비난했다.[130] 실제로 북한당국은 9월과 11월 두 차례에 걸쳐 대남흑색방송을 통해 반민자당 선거연합 구성, 범민주후보 단일화 실현, 및 승산 있는 민주후보, 즉 김대중에게 표를 몰아주라고 선동했다.[131]

그러나 12월 실시된 대선은 김영삼이 총유효투표의 41.4%, 김대중이 33.4%를 각각 얻어 김영삼의 승리로 끝났다. 전국연합은 12월 20일 대변인 논평을 내고 "김영삼 후보를 선택한 국민의 뜻을 존중하겠다"고 밝히고 "김 당선자가 정치적 책임과 도의를 갖춰 국정운영을 해나가기를 바라며 정권의 안정보다 민권의 증진과 개혁정책을 실천해 나갈 때 전국연합도 협조할 수 있을 것"이라고 발표했다.[132]

③ 민주화 시기의 지하조직

허구에 지나지 않는 한국사회 변혁운동을 믿는 것은 당신의 자유다. 그러나…그런 것은 가능하지도 않고 바람직하지도 않다…나는 내 가족 그리고 당신들이 겪는 고통에서 벗어나기 위해, 그리고 이 허망한 이념과 변혁운동의 그늘에서 벗어나기 위해 대부분의 변절자들이 그랬던 것처럼 나도 가족과 종교의 우산 속으로 망명한 것이다.

－황인오, 《조선노동당 중부지역당》(1997)

1. 민주화 후에도 줄지 않은 지하조직

좌파학생들의 대량구속

노태우 정부 시기인 1980년대 말부터 1990년대 초기는 한국이 민주화 단계로 접어들었음에도 불구하고 전두환 정권 말기와 비슷한 수의 공안사건이 적발되었다. 민주화 과정에 들어선 이후의 학생조직은 일반 국민들이 생각하는 단순한 민주회복을 위한 것이 아니라 좌파 변혁세력들의 지하비밀조직이었다. 그 대표적인 예가 1986년의 자민투(自民鬪) 배후 지하조직인 구국학련(구국학생연맹)사건, CA(제헌의회)사건, 그리고 1987년의 인민노련사건, 1989년의 사노맹사건, 1992년의 조선노동당 중부지역당사건이다.

다음 표는 민주화 이후에도 계속 학생구속자가 줄지 않았음을 보여준다. 1987년의 민주화조치 직후 줄어든 학생구속자가 1989~90년 사이에 급격하게 불어났음을 알 수 있다. 이들 구속자는 주로 좌파학생 조직원들이다.

연도별 학생 구속자수

연도	구속자수	연도	구속자수	연도	구속자수	연도	구속자수
1970	278	1978	230	1986	2,117	1994	410
1971	212	1979	267	1987	1,189	1995	263
1972	384	1980	468	1988	546	1996	909
1973	304	1981	258	1989	1,232	1997	1,014
1974	235	1982	200	1990	1,173	1998	419
1975	345	1983	316	1991	765	1999	288
1976	277	1984	61	1992	255	2000	129
1977	90	1985	678	1993	82	2001	149

출처: 조희연(2002), 《국가폭력, 민주주의 투쟁, 그리고 희생》, 함께읽는책, p. 163, p. 413.에서 종합.
(1) 1970~76년간 구속자수는 대검찰청 통계이며 국가보안법 반공법 집시법 위반자임.
(2) 1977년 이후 구속자수는 경찰청 대한변호사협회 법무부 통계이며 화염병 사용 등의 처벌에 관한 법률, 특수공무집행방해 치상, 폭력행위 등 처벌에 관한 법률, 국가보안법, 집시법, 도로교통법 위반자임.

좌파조직의 대량 증가

경찰청은 1991년 8월 현재, 공안당국에 의해 좌경지하조직으로 규정되어 추적을 받고 있는 핵심조직원이 모두 3천7백여명에 달한다고 밝혔다. 그해 8월 9일 경찰청 보안국이 발표한 바에 의하면, 전대협 전민련 등 반공개조직과는 달리 지하조직으로 활동하고 있는 좌경세력은 학원가에 2천6백여명, 노동계에 8백여명, 재야종교사회단체에 3백여명 등으로 나타났다는 것이다. 경찰이 지목한 학원가의 주요지하조직은 전국 45개 대학에 뿌리를 내리고 있는 전국민주주의학생연맹(전민학련, 1천여명), 민주주의학생투쟁연맹(민학투련, 3천여명), 민중민주주의학생연맹(민민학련, 5백여명), 단기학생동맹(2백여명), 자주민주통일그룹(자민통, 5백여명), 반제청년동맹(1백여명) 등이다. 이들 지하조직은 궁극적 목표를 사회주의국가 건설에 두고 학원가를 투쟁거점화한다는 전략에 입각해서 전대협 등 반공개조직을 배후조종하고 있는 것으로 경찰은 분석했다.[1]

경찰에 의하면 노동계에 침투한 지하조직은 남한사회주의노동자동맹(사로맹, 3백여명), 경수지역노동자연합(경수로련, ·70여명), 민주주의노동자투쟁동맹(민로투맹, 1백70여명), 민족통일민족주의노동자동맹(삼민동맹, 1백여명), 인권부천지역민주노동자회(인로회, 1백70여명) 등이다. 경찰에 따르면 이들 조직원은 노동현장에 위장침투하거나 공단주변에 노동상담소 등을 개설, 근로자 의식화 및 노사분규를 선동하고 유사시 전국적 총파업에 의한 무장봉기에 필요한 여건조성을 획책하고 있다는 것이다. 또 재야종교사회단체에 침투한 좌경세력은 사로맹조직원들 이외에 민주자주군대(민자군·10여명) 애국군인(10여명) 등으로 나타났다. 경찰은 이들 지하조직 외에도 반공개조직으로 활동하고 있는 좌경세력으로 전대협, 전민련, 전교조 등 1백여 개 조직에 조직원수가 1만여명에 달하는 것으로 분석했다. 당시 경찰청 당국자는 "좌경세력은 조직을 지하조직과 반공개조직으로 이원화해 운영하고 있으며 지하조직은 수사망을 피하기 위해 반공개조직을 이용, 학원가와 노동계에 침투해 사상훈련과 대중투쟁을 선동하는 수법을 사용하고 있다"면서 "그러나 최근 들어 민주화조치 등 국내 정세변화, 노사분규감소, 동구사회주의 몰락 등의 여파로 좌경세력의 핵심조직원 숫자가 점차 감소추세를 보이고 있다"고 분석했다.[2]

2. 자민투와 민민투

삼민투 두 갈레로 분열

Ⅳ-**5**(80년대 전반의 지하조직)에서 살펴 본 삼민투는 당국의 일제수사와 관련자의 대규모 기소로 조직에 일대 타격을 입었으나 1985년 말부터 잔존세력들 간에 반외세투쟁이 먼저냐, 반자본·반파쇼투쟁이 먼저냐를 놓고 노선투쟁이 벌어졌다. 이 같은 노선대립으로 1986년 2월에는 PD(민중민주)계의 '반제반파쇼민족민주투쟁위원회(민민투)'가, 4월에는 NL(민족해방)계의 반미자주화반파쇼민주화투쟁위원회(자민투)가 각각 결성되었다. 두 조직은 모두 공개조직과 비공개조직을 가지고 있는바, 그 결성 경위를 자세히 살피기로 하자.

민민투는 1986년 2월 서울대 정현태(鄭鉉台, 국어교육4)와 이세영(李世永, 독문4) 등이 전년 8~9월 사이 검찰수사로 와해된 민추위(깃발 그룹)의 잔존세력을 규합, 삼민투의 혁명노선을 지도이념으로 해서 결성한 조직이다. 두 사람은 먼저 지하조직인 '민민투중앙위원회'를 조직했다. 중앙위원장에는 이세영이 취임했다. 앞에서 살펴 본 바와 같이, 삼민투는 민추위가 배후에서 조종해서 만든 조직이므로 민민투 중앙위라는 것은 결국 제2의 민추위격이다. 민민투 중앙위는 1986년 3월 산하에 김길오(金吉澔, 철학 4)를 위원장으로 하는 공개조직인 서울대의 '반제반파쇼민족민주투쟁위원회'(약칭 서울대 민민투)를 결성, 다른 대학의 운동권학생들로 하여금 같은 조직을 만드는데 선도적 역할을 했다. 민민투가 발족하자 민민투 중앙위원장인 이세영은 민민투의 전국조직을 만들도록 김길오 서울대 민민투 위원장에게 당부. 그해 4월 연세대에서 31개 재경 대학의 학생 1천여 명이 참석한 가운데 전국반제반파쇼 민족민주학생연맹(약칭 민민학련)을 결성했다. 민민학련 공동의장에는 서울대 김길오, 연세대 김성택(金成澤, 경제4년 휴학) 성균관대 조유묵(趙裕默, 사회4), 3명이 취임했다.[3]

자민투는 서울대의 운동권인 정대화(鄭大和, 공법 4) 외 3명에 의해 조직되었다. 이들은 미국에 대한 민민투의 미온적인 투쟁노선에 반발, 1986년 2월 중순 경 강경투쟁조직을 결성할 것을 구상하고 민족해방 민중민주주의 혁명(NLPDR) 노선을 이념으로 하는 조직을 만들기로 했다. 이에 따라 강령 규약 일상생활수칙 및 창립취지문을 만들고 3월 29일 구국학생연맹(약칭 구국학련)이라는 비밀조직을 구성했다. 구국학련에는 정대화를 위원장으로 하는 중앙위원회를 두고, 4월 4일 구국학련의 하부 공개조직으로 위원장을 이명재(李明載, 경제 4)로 하는 서울대 반미자주화 반파쇼민주화 투쟁위원회(약칭 서울대 자민투)를 결성했다. 고려대 등 타 대학에서도 뒤를 따랐다. 민민투와 자민투가 모두 비공개 조직을 따로 둔 것은 레닌의 소위 2개의 중앙조직이론에 따른 것이다.[4]

혁명 목표와 방법에 차이

민민투나 자민투나 혁명을 일으키자는 점에서는 같은 노선이지만 우선순위에 차이가 있다. 즉 민민투는 우리 사회의 계급적 모순을 중시해서 '선 민중해방(민주), 후 민족해방(자주)'을 실현한 다음 북한과 지역자치에 의한 연방제를 거쳐 통일을 하자는 쪽이다. 이에 반해 자민투는 분단으로 생긴 민족적 모순을 중시, '선 민족해방(자주), 후 민중해방(민주)'을 실현한 다음 북한과 통일하자

는 것이다. 이 같은 서로 다른 투쟁노선이 나오게 된 것은 각기 상이한 한국사
회구성체 이론에 입각하고 있기 때문이다. 민민투는 우리 사회를 '신식민지 국
가독점자본주의사회'로 규정한데 반해 자민투는 '식민지 반자본주의사회'라고
보았다. 민민투가 국내의 파시즘 및 매판독점자본과 민중간의 갈등을 강조한데
대해 자민투는 한국이 외국의, 즉 미국의 '식민지'라는 그들의 평가를 강조했
다.[5] NL노선을 따르는 자민투 구성원들은 다수가 주사파였다. 주사파 아닌 NL
파는 한국은 '식민지'가 아닌, '신식민지'라는 주장을 내세워 주사파 민족해방논
자를 'NLⅠ', 비주사파 민족해방논자를 'NLⅡ'라고 부르기도 했다.[6]

그러면 두 단체는 어떻게 혁명을 성취하자는 것일까. 간단하게 설명하면, 민
민투는 민족민주주의혁명(NDR) 노선에 입각, 계급모순을 첨예하게 느끼는 노
동자들이 주도세력이 되고 농민 도시빈민 영세상인 등 기층민중을 보조세력으
로, 그리고 청년학생을 선도세력으로 삼아 조직화된 민중이 폭력혁명으로 정부
를 전복하고 민중연합정권을 수립한다는 혁명이론을 신봉했다. 그 구체적인 방
법으로 대규모 가두시위, 가두정치집회, 지역동맹파업, 노학연대투쟁, 공공기
관 점거농성을 전술로 사용한다는 것이다. 이 같은 목표와 투쟁방법을 실천하
기 위해 민민투는 공개연합조직인 민민학련 산하에 선전국, 사무국, 3개 지구
평의회, 9개 지역 평의회 등 전국 39개 조직을 갖추고 있었다. 각 대학에는 지
하조직으로 지하지도부를 두어 그 안에 조직책 선전책 연락책 투쟁지도책 등을
두고 공개조직을 지도했다.

이에 비해 자민투는 민족모순인 분단을 해소하기 위해 미국을 반대하는 반
제국주의노선을 우선시 했다. 자민투는 반미운동이 1985년부터 이론적 체계를
갖추어가는 과정에서 이른바 사회구성체론을 더욱 발전시켜 그해 하반기까지
는 반제민중민주주의혁명(AIPDR) 노선을 지도이념으로 삼다가 1986년에는 보
다 순화된 이론인 민족해방민중민주주의(NLPDR) 노선에 입각, 반전반핵 평화
옹호투쟁, 민주제권리쟁취투쟁, 올림픽 남북공동개최투쟁(실제로는 남한 단독
개최 반대투쟁), 경제침략저지투쟁, 민중지원 연대투쟁 등 5개 투쟁과제를 내
세웠다. 이와 함께 1986년에는 공개적인 조직으로 자민투가 탄생한 것이다. 자
민투의 배후 지하조직인 구국학생연맹 중앙위원회에는 투쟁부 조직부 선전부

대회사업부를 두었다.[7]

자민투는 1986년 3월 서울대에서 반전반핵평화옹호투쟁위원회(반전반핵투위)를 결성했다. 반전반핵투위는 결성대회에서 "반전반핵 양키고홈", "친미독재 타도하고 미 제국주의 몰아내자" 등의 구호를 외쳤다. 이 모임은 한국전쟁 이후 최초로 대중집회에서 반미 구호가 등장한 집회였다. 자민투는 그해 4월 서울대 근처의 신림동 사거리에서 400여 명의 학생들이 모인 가운데 "양키의 용병교육 전방입소 결사반대"를 외치면서 전방교육반대 연좌시위를 벌였다. 경찰의 진압 과정에서 서울대 이재호(李載虎), 김세진(金世鎭)이 경찰의 진압에 항의하면서 온몸에 휘발유를 끼얹고 분신, 얼마 후 사망하는 사태가 일어났다. 그 해 10월에는 건국대에서 자민투 계열의 학생들이 반외세반독재애국학생투쟁연합(애학투) 결성식을 가졌다. 애학투는 "반공이데올로기 깨부수자" 등의 구호를 외치면서 반미자주화투쟁과 민주제 개헌투쟁을 결합시키려 하였다. 이날 1,290명의 학생들이 구속되었는데 이 같은 많은 인원은 세계학생운동사상 최대의 숫자였다.[8]

좌파운동권의 분화과정

현장론 → 무림 → 야비 → 반깃발(MC) →

　　　　　　　　　　　　　　　　　　　삼민투
　　　　　　　　　　　　　　　　　　(전학련)
　　　　　　　　　　　　　　　　　　〈삼민이념〉

정치투쟁론 → 학림 → 전망 → 깃 발(MT) →

→ 자민투 − NL주사파 　AIPDR노선
　반외세　　　　　　　　NLPDR노선
　투쟁　　　NL비주사파

→ 민민투 —— NDR파　　NDR노선
　반자본　− PDR파 − CA파
　투쟁　　− 트로츠키파

양파가 모두 5·3인천사태 주도

검찰은 1986년의 5·3인천 대규모시위사건과 부산 미문화원점거사건을 계기로 두 사건을 주도한 민민투와 자민투에 대한 전면적인 수사에 착수했다. 인천시위사건은 부산 광주 등 다른 주요도시에 앞서 인천에서 열리기로 된 신민당의 개헌추진위 현판식이 학생들의 과격시위로 중단된 사건이다. 민민투, 자민투 학생들은 현판식 개최 장소에서 신민당과는 별도의 집회를 갖고 "미제축출", "파쇼타도" 등 구호를 외치면서 격렬한 가두시위를 벌였다. 학생들은 "신민당은 각성하라" 등의 구호를 외쳐 김영삼 김대중 두 야당지도자에 대한 불만도 표출했다. 학생들은 신민당이 추진하던 직선제개헌을 반대하고 '민중헌법' 제정을 요구했다. 신민당은 이들의 폭력시위 때문에 현판식을 포기할 수밖에 없었다. 이 사건으로 신민당과 문익환 백기완 등이 이끄는 재야단체인 민통련(민주통일민중운동연합) 사이에 금이 가기 시작했다. 검찰은 8월 말 그 동안의 수사결과 발표를 통해 민민투와 자민투 두 단체의 간부 및 배후 학생, 그리고 재야단체 일부 간부 등 모두 180명을 검거, 그 중 24개 대학 학생 169명을 구속하고 11명을 불구속 입건했다고 밝혔다. 검찰은 또한 민민투 자민투 소속원 및 민통련 홍보간사 박계동을 비롯한 91명을 수배했다고 밝혔다. 검찰이 구속 기소한 130명 중 63명에 대해서는 국가보안법상 이적단체 구성죄가 적용되었다. 검찰에 의하면 이들은 반미 반제 및 주한미군철수 요구 등 북한의 대남적화 전략전술에 영합하는 주장을 펴면서 대통령간선제를 규정하고 있는 5공헌법을 개정하기 위해 여야 합의로 설치되는 국회의 헌법개정특위 구성을 분쇄하고 헌법제정민중회의 구성을 요구했다는 것이다. 이들은 이와 동시에 아시안게임 개최를 방해할 목적으로 불법폭력시위를 주도했거나 배후에서 조종했다고 밝혔다. 검찰은 자민투의 경우 북한방송을 청취해 그 내용을 그대로 기관지인《구국의 함성》과《해방선언》에 실어 배포함으로써 폭력혁명의 지원세력 확보를 기도했다고 밝혔다.[9]

민민투와 자민투 관련자들은 따로따로 기소되었다. 자민투사건에 대한 그해 12월의 1심 선고공판에서 서울대 자민투 위원장 조유식(趙裕植, 구국학련 중앙위원 정치 4)에게 징역5년이 선고되었다. 그 밖에 이종주(李從周, 동 중앙위원, 경제 4) 이명재(李明載, 자민투 위원장, 경제 3)에게는 각각 징역4년과 3년6월이 선고되고 나머지 6명에게는 징역3년 내지 징역1년 집행유예2년이 선고되었다.[10] 서울대 민민투 사건 1심 선고공판은 이튿날 열려, 민민투 간부 강성구(康成求, 물리교육 1 제적)에게 징역3년이 선고되고 나머지 4명에게는 집행유예가 내려졌다.[11] 다른 대학의 두 조직 관련자들도 비슷한 판결을 받았다.

구국학련(자민투) 사건 관련자로 도피중 1986년 10월에 체포되어 이듬해 국가보안법 위반으로 징역3년을 선고받은 황인욱(黃仁郁)은 뒤에서 설명하는 바와 같이 조선노동당 중부지역당 사건에 관련되어 다시 징역13년을 선고받았다. 그러나 노무현 정부 때인 2006년 12월 민주화심의위원회는 그가 구국학련사건 당시 북한관련 대자보를 서울대에 붙인 것은 민주화 행위에 해당한다고 결정, 민주화공로자로 인정했다.[12]

3. 제헌의회 그룹

PD파에서 CA그룹으로

정통 마르크스주의를 표방한 PD계열에서 갈라져 나온 분파가 남한에 혁명정부를 수립해 새로운 헌법을 만들자는 제헌의회(Constituent Assembly, CA) 그룹이다. 1980년대 전반기 학생운동의 주역은 대부분 PD 혹은 CA 계열이었다. CA그룹은 1986년 5월, PD파인 최민(崔民, 서울대 국사 졸) 등이 대학재학 당시 함께 학생운동을 하던 선후배 50명을 규합, 레닌 식 폭력혁명을 목표로 결성된 혁명전위조직이다. 제헌의회그룹은 중앙조직으로 실질적 지도부인 중앙사령탑과 사상적 지도부인 강령기초위원회와 사무국을 두었다. 중앙사령탑은 중앙위원 4명으로 구성하고 강령기초위원회는 기초위원 4명을 구성했다. 그리고 지방조직으로는 경인지방위원회와 영남지방준비위원회를 두고 그 아래 학생지도부와 지구그룹, 그리고 선동투쟁부를 두었다.[13]

제헌의회 그룹은 여야 합의로 설치키로 한 국회의 헌법개정특위 구성을 분쇄하고 '헌법제정민중회의' 구성을 요구했다. 이 사실이 드러난 것은 이미 앞에서 설명한 바와 같이 1986년 5월이지만 검찰이 제헌의회그룹을 적발한 것은 이듬해인 1987년 초였다. 서울지검 공안부는 그해 2월 그동안 각종 시위 농성을 배후조종하고 레닌 식 폭력혁명을 선동하는 유인물을 제작 배포해 온 제헌의회그룹 관련자 60명을 검거, 그 중 총책 최민 등 24명을 국가보안법 위반(반국가단체구성 등) 혐의로 구속하고 2명을 불구속 입건했다고 발표했다. 검찰은 또한 조직원 박종운(朴鍾雲, 서울대 사회4 제적) 등 28명을 수배하는 한편 가담사실이 경미한 6명은 훈방했다고 밝혔다. 검찰 발표에 의하면 이들은 당시의 국내 상황을 레닌 식 폭력혁명을 이룩할 결정적 시기로 보고 러시아혁명 당시의 모델을 그대로 본떠 무장봉기→정부 전복→임시혁명정부 수립→제헌의회 소집→민주주의민중공화국 수립→사회주의국가 건설로 이어지는 구체적인 혁명계획을 마련했다. 이들은 그 동안 서울대 등 8개 대학 민민투와 경인 영남지역 노동운동권을 배후 조종하면서 그전 해 11월 서울 신길동 시위방화사건, 신민당 노승환(盧承煥) 의원사무실 점거농성사건 등 30여건의 시위를 일으키고 불온 유인물을 제작 배포해왔다는 것이다. 제헌의회그룹은 종전의 다른 운동권단체와는 달리 항구적 투쟁을 목표로 그동안 최민이 2,220만원, 재정책 박선우(朴善雨, 가명, 모일간지 기자)가 6천40만원을 내는 등 모두 9천여만원을 갹출, 평양고을식당과 일월출판사를 직접 운영하고 '전국장의사'를 동업하는 등으로 자금을 조달해 왔으며 서울 양평동에 사무실을 임대해 조직지도본부로 사용해 왔다는 것이다. 조직책 최민 등 간부 10여 명은 대부분 75~79년 사이에 서울대에 입학한 동창생들로 앞에서 설명한 '학림사건'에 관계하고 대학을 졸업 또는 제적당한 후 직장에 다니다가 그만두고 이 그룹에 들어와 직업적 혁명가로 활동해 왔다고 한다. 이들은 신규 조직원을 포섭할 때 그가 직업혁명가의 자질이 있는지 여부를 가리기 위해 최민이 교장으로 있는 임시정치학교에서 레닌 이론 등에 대한 까다로운 사전심사를 거쳤다는 것이다. 검찰은 1986년 11월 학원-노동운동현장에 뿌려진 "혁명운동의 기수를 제헌의회 소집으로"라는 제목의 유인물을 분석한 결과 배후에 비밀조직이 있을 것으로 보고 수사에 착수했다고 밝혔다.[14] 구속자 중에는 최민, 윤성구(尹聖九, 서울대 수학3 제적), 민병두(閔丙桓, 성균관대 무역 4 제적), 김성식(金成植, 서울대 경제 졸) 등 4명의 중앙위원이 포함되어있다. 이들 중 윤성구와 민병두는 학림사건 관련자들이다.

피고인들이 퇴정한 가운데 중형 구형

이들에 대한 1심 공판은 6·29민주화 선언 이후에도 계속되어 피고인들이 '양심수 전원석방'을 요구하면서 재판을 거부하는 사태가 일어났다. 1987년 7월에 열린 구형공판에서 피고인들이 재판을 거부하고 퇴정한 가운데 검찰은 윤성구 민병두 강석령(姜錫令, 서울대 국문학3 제적) 3명에게 징역12년, 김현호(金炫虎, 성균관대 사학4 제적)에게 징역10년, 김찬((金燦, 성균관대 경제학4)에게 징역5년의 중형을 각각 구형했다. 검찰은 "피고인들이 지난 5월 29일 첫 공판 이후 6월 29일 5회 공판에 이르기 까지 재판을 받은 것이 아니라 장난을 치듯 기존 법질서를 무시하는 행동을 일삼아 왔을 뿐 아니라 지난 3일 6회 공판 때 부터는 돌연 정치범 전원석방을 요구하면서 출정조차 거부, 재판 진행을 방해 해왔다"고 말하고 "이 같은 태도는 현행 법질서를 완전히 무시하는 행위로 자 유민주주의 체제에 대한 중대한 도전이며 신성한 법정의 권위와 질서를 파괴하 려는 반사회적 망동"이라고 질책했다. 그는 중형을 구형하는 이유로 "피고인들 이 신봉하고 있는 폭력혁명론은 현재 전개되고 있는 국민대화합 민주화 무드에 장애요인이 되고 있다"면서 "정치의 민주화를 요구하는 세력과는 명백히 구분 되어야 한다"고 말했다. 검찰은 피고인들이 퇴장해 논고문 낭독을 생략하고 형 량만을 간단히 밝혔다. 방청객들은 이에 항의, 재판부와 검찰석을 향해 계란을 던지기도 했다.[15]

선고공판은 7월 20일 3개의 재판부에 의해 따로따로 열려 13명 중 윤성구 등 12명에게 최고 징역7년에서 최하 징역1년6월의 실형이 선고되었다. 나머지 3 명에게는 집행유예가 내려졌다. 피고인들은 법정에 입정하면서 "모든 정치범 전원 석방하다"는 등의 구호를 외치면서 재판을 거부, 김찬을 제외한 14명이 퇴장한 가운데 재판부가 이들의 국가보안법 위반(반국가단체 구성)혐의에 대해 판결문을 낭독했다.[16]

CA그룹 와해 이후의 개헌반대 투쟁

민민투와 자민투, 그리고 제헌의회그룹이 검찰 수사로 사실상 와해되자 민민 투의 잔존세력은 새로운 지하조직을 결성, 여야가 합의한 개헌을 반대하는 투 쟁을 벌였다. 이들은 말하자면 제헌의회그룹의 '유지'를 받들어 투쟁을 계속한 셈이다. 이들은 1987년 3월 '전국학생운동지도부'라는 지하조직을 결성했다. 폭 력혁명 투쟁이념을 고수한 이 조직은 기관지인 《민족민주선언》을 16호까지 만 들어 경인지구 23개 대학에 배포하면서 개헌반대시위를 배후에서 조종했다.[17]

치안본부 발표에 의하면 전국학생운동지도부는 남한사회를 미일제국주의에 예속된 민중착취와 소수 자본가들의 이익만을 보장하는 '파쇼체제'라고 단정하고 전두환정부와 민정당을 반동부르주아지로, 민주당을 자유주의적 부르주아지로, 서대협(정식명칭 서울지역대학생대표자협의회)과 전대협(정식명칭 전국대학생대표자협의회) 국민운동본부(정식명칭 민주헌법쟁취국민운동본부)를 우익기회주의자로 각각 규정했다. 이들은 또한 그해 10월 국회에서 여야합의로 통과된 대통령 직선제 개헌안을 '반동부르주아와 자유주의적 부르주아의 민중기만적 타협의 산물'이라고 비난하면서 개헌안 국민투표를 거부하고 반미·반파쇼 및 제헌의회 소집을 관철키 위한 투쟁이념을 경인지구 대학 학생들에 확산시켜왔다는 것이다. 대체로 앞에서 살펴본 제헌의회 그룹의 노선과 같다. 이들은 노동운동세력과 힘을 합쳐 '민족민주혁명민주투쟁연합'이라는 노학연대 투쟁조직을 결성하려 했다는 것이다.[18]

　치안본부는 그해 10월 전국학생운동지도부 총책 구교선(具敎善, 성균관대 영문4 제적), 지도책 박명식(朴明湜, 성균관대 유교4 제적), 기관지《민족민주선언》편집책 홍창의(洪昌義, 서울대 국제경제 4 제적) 등 서울대 성균관대 홍익대 명지대 제적생 11명을 국민투표반대와 폭력혁명 선동 혐의로 국가보안법(이적단체 구성)을 적용, 구속했다고 발표했다. 경찰은 이 조직의 투쟁부 지도책 정경현(鄭京鉉, 서울대 공법 4 제적) 등 8명을 수배했다.[19]

　치안본부의 발표가 있은지 6일 후 민민투 계열의 '경인지역 민족민주학생연맹' 소속 대학생 60여명은 서울 종로구 종로5가 파출소에 화염병 10개를 던지고 파출소의 기물을 파손했다. 그리고는 구속노동자의 즉각 석방과 해고노동자의 복직을 요구했다.[20] 이들은 11월에는 근로자들과 함께 약 5백 명의 시위대를 조직해 명동성당에서 민중대통령후보 추대를 위한 결의대회를 열고 민통련 부의장 백기완을 대통령후보로 추대할 것을 결의하고 "보수대연합을 분쇄하자"고 외쳤다.[21] 이 모임에 백기완은 참석치 않았으나 무소속으로 대선에 출마했다가 야당후보 단일화를 위해 사퇴했다.

동구권 몰락으로 쇠퇴의 길

민민투의 활동은 차츰 쇠퇴의 길로 들어섰다. 민민투와 제헌의회그룹 계열은 얼마 후 투쟁노선의 급진성과 그들이 혁명모델로 삼은 동구권 사회주의국가들이 1980년대 말 부터 붕괴하는 바람에 거의 세력을 잃었다. 이들 중 일부 세력은 합법적인 사회민주주의 정당 결성을 모색하기 시작했다.

레닌주의를 따르던 민민투가 쇠퇴하자 김일성을 추종하는 자민투의 시대가 왔다. 주체사상을 받아들인 자민투, 즉 NL계열은 '민족해방민중민주주의혁명'(NLPDR)을 목표로 내걸고 초기에 격렬한 반미투쟁을 전개했다. 이들은 86년 10월의 건국대 농성사태를 일으킨 애학투(전국반외세반독재애국학생투쟁연합)를 비롯한 전사투위(전국사상투쟁위원회), 반미청년회를 차례로 조직해 투쟁에 나섰다. NL계열은 1987년 개헌국면을 맞자 야당과 손을 잡고 직선제 개헌운동에 앞장서 6월항쟁에 적극 참여함으로써 학생운동의 주도권을 잡았다. 그들은 전대협을 좌지우지함으로써 80년대 후반부터 학생운동의 중심세력으로 군림했다.[22]

4. ML당과 반제동맹당 사건

101명 검거된 ML당 사건

1986년 10월 서울지검 공안부는 서울대 등 9개 대학의 '좌경운동권' 학생들이 사회주의국가 건설을 위해 전국적 통일지도부인 마르크스-레닌(ML)당을 결성하려 한 사실을 포착, 대학생 교사 근로자 등 관련자 101명(여성 36명 포함)을 적발하고 그 중 27명을 검거했다고 발표했다. 검거된 사람 중 지도총책 김선태(金善泰, 서울대 독어교육4 제적) 등 13명(여성 4명 포함)은 국가보안법위반(이적단체 구성) 혐의로 구속되었다. 검찰은 관련자 중 나머지 74명에 대해서는 지명수배 조치를 취했다고 발표했다.[23]

검찰에 의하면 이들은 북한의 '민족해방인민민주주의혁명' 노선을 표방하면서 '지역현장조직'에서 '지역노동자동맹'으로. 다시 '마르크스-레닌주의당' 건설로 발전시켜 나간다는 3단계 혁명조직 과정을 설정하고 본격적인 규합을 시작해 3개월여 만에 20개 '혁명소조'에 구성원 101명에 달하는 대규모조직을 결성했다는 것이다. 검찰은 종래의 자민투와 민민투 등 급진좌경 학생조직들이 표면상으로는 '민중민주혁명정권수립'을 내세운 것과는 달리 ML당 추진파들은 북한의 대남적화통일혁명이 1단계인 '민족해방인민민주주의'를 노골적으로 표방했다고 말했다. 검찰은 이들이 총책 김선태 아래 선전책 교육책 조직책을 두고 조직의 지도체로 '협의적 중앙'을 구성한 다음 하부조직으로 20개의 소조를 편성, 김일성 주체사상 및 마르크스-레닌주의를 학습, 지도해 왔다는 것이다. 이들은 이 같은 조직확대 과정을 거쳐 종국에 가서는 마르크스-레닌주의 당을 건설, 1천만 근로자의 총파업과 무장봉기로 미국을 축출하고 정부를 전복한 뒤 프롤레타리아 독재정권인 '민주주의인민공화국'을 수립, 북한정권과 연립정부를 건설하는 것을 목표로 삼아왔다고 검찰은 밝혔다. 검찰은 이들을 배후에서 조종해온 배후세력으로 별도의 노동자조직을 지도 관리해오면서 마르크스-레닌주의당 건설이라는 공동의 목표아래 타지역 노동현장 조직의 통합을 꾀한 민청련 회원 송병춘(宋秉春, 서울대 교육4 제적) 지영근(池英根, 서울대 체육교육4 제적) 이철(李哲, 서울대 졸) 박상영(朴相榮, 영등포산업 선교회 회원) 등 6명으로 구성된 지역협의체를 적발 수사 중이라고 밝혔다.[24] 그러나 이 사건은 관련자들과 그 가족들이 '조작'이라고 강력히 주장했고 실제로 관련자들을 안기부가 영장 없이 장기간 구금한 상태에서 조사를 받은 탓으로 조서에 신빙성이 떨어졌다. 피고인들의 강력한 반발에도 불구하고 재판에서는 관련자들에 대한 분리 심리를 강행하다가 피고인들이 퇴정하는 사태도 벌어졌다. 결국 검찰은 ML당의 하부조직으로 발표했던 6인의 '지역노동자동맹' 결성 부분에 대해 공소를 취소했으며 조직책인 김선태에 대해서도 '지역협의체', '지역노동자동맹' 등 ML당의 주요 하부 조직에 관련된 공소를 취소하고 구로지역 현장조직을 결성했다는 점만으로 이적단체 구성이라는 공소사실을 유지했다. 검찰이 당초 ML당이라고 발표한 내용은 일부가 거품으로 밝혀진 셈이다.[25]

김선태는 1987년 3월의 1심 선고공판에서 징역6년을 선고받았다. 재판부는 "피고인이 재판을 거부, 법정에서 진술하지 않았지만 검찰 제출 증거로 유죄가 인정된다"고 말했다. 나머지 관련자 3명은 다른 재판부에서 심리해 배진호(裵

鎭鎬,)에게는 징역5년, 황찬호(黃燦晧)와 김암(金岩)에게는 징역3년이 각각 선고되었다.[26]

조작 시비 속의 반제동맹당 사건

반제동맹당 사건 역시 ML당 사건처럼 수사발표 때부터 관련자 가족들이 '용공조작'이라고 주장하면서 철야농성을 벌인 사건이다.[27]

경찰은 ML당 사건 발표 후인 1986년 11월 사회주의혁명을 목적으로 '반제(反帝)동맹당'(Anti Imperialist League, AILG)을 결성하려 한 서울대 제적생 조정식(趙正植, 진도주식회사 사원) 등 16명을 국가보안법 위반으로 구속하고 다른 관련자 20여명을 수배했다고 발표했다. 경찰에 의하면 서울대 제적생과 휴학생 신분인 이들은 85년 10월부터 인천에서 노동운동을 하다가 제적된 학생들을 규합, 주체사상을 지도이념으로 하는 반제동맹당을 결성키로 하고 준비작업을 해왔다는 것이다. 러시아노동당 강령 초안, 《공산당선언》, 조선노동당 강령 등을 참고로 해서 AILG당의 강령을 만든 이들은 전위조직인 투쟁위원회의 회장 박충렬(朴忠烈, 서울대 법대 졸) 아래 전술담당, 대외담당, 선동담당, 연락담당 등 4개 부서를 두고 있었다고 한다. 이들은 또 투쟁위원회와는 별도로 AILG당의 결성에 대비, 지역협의체라는 기구를 만들어 그 산하에 3개 현장팀을 두고 각 현장팀 마다 교육부 조직부 대외지도부 등 3개 부서를 두었다는 것이다. 경찰은 이들로부터 《김일성선집》 등 불온서적 150권과 "조선공산주의자들의 투쟁" 등 유인물 60종 65점을 압수했다고 발표했다.[28]

경찰에 의하면 이들은 5·3인천사태 때 내세운 "미일 외세 몰아내고 민중정권 수립하자" "속지말자 신민당, 몰아내자 양키놈"이라는 구호에서 보이는 바와 같이 격렬한 반미선동을 했다는 것이다. 그들은 또한 아시안게임도 반대하면서 "영구분단 획책하는 아시안게임 저지하자!"고 외쳐댔다. 이들은 남과 북이 서로 이념과 체제가 다른 현실적 조건에서 자주적 평화적 민족대단결의 기본원칙을 견지하면서 통일을 이루기 위해서는 연방제 통일안이 가장 현실적이라고, 북한의 주장과 똑 같은 결론에 도달했다.[29]

그러나 수사발표 직후부터 용공조작 주장이 제기된 이 사건 피고인들은 이 조직이 반미투쟁을 위한 노동자의 의식화를 목적으로 한 것은 사실이지만 학습서클 수준에 불과했으며 반제동맹당이라는 어마어마한 용어는 경찰이 만들어 붙인 것이라고 주장했다. 당시 조직원 중 한 사람이 "AILG(Anti Imperialist Labour Group, 반제노동자그룹)"라는 제목의 논문을 쓴 일이 있는데 AILG가 수사기관에서 Anti Imperialist League(반제동맹)로 해석되어 '반제동맹'이라는 용어가 나오게 되었다는 것이다.

1987년 5월의 이 사건 1심 선고공판에서 박충렬에게 징역7년을 선고(구형 무기징역)하고 나머지 피고인들에게도 징역7년에서 징역2년을 선고하는 등 검찰의 구형 보다 훨씬 가벼운 형량이 선고되었다.[30]

5. 반제청년동맹 사건

강철서신 시리즈로 유명

반제청년동맹은 앞에서 설명한 반제동맹과는 다른 조직으로 주사파인 하영옥(河永沃, 서울대 사법 3 제적) 주도로 만든 지하조직이다. 주사파의 이론지침서로 알려진 《강철서신》의 필자 김영환(金永煥, 일명 강철, 서울대 공법4 제적)이 나중에 합류하여 총책이 되었다.

반제청년동맹이 세상에 알려진 것은 1987년 2월 관련자들이 수사당국에 체포되면서부터였다. 서울지검 공안부는 발표문을 통해 김일성의 혁명이론을 토대로 '민족해방 인민민주주의 혁명'(NLPDR) 이론을 정립, 《강철시리즈》 등 지하유인물을 뿌린 '친북괴·반미 공산혁명 음모사건'을 적발하고 총책 김영환 등 13명을 국가보안법 (이적단체구성) 위반 등 혐의로 구속했다고 밝혔다. 검찰은 이들 이외에 3명을 더 입건하고 24명을 수배했다고 발표했다.

검찰에 따르면 이들은 불온유인물을 통해 혁명사상을 학원가와 노동계에 확산시켜 전방입소거부, 부산미문화원점거, 건국대 점거농성 등을 배후 조정해 왔다는 것이다. 검찰에 의하면 김영환은 86년 2월부터 6개월 동안 평양방송의 '김일성대학 방송강좌'를 청취, 김일성혁명 이론을 토대로 '민족해방 인민민주주의 혁명' 이론을 정립한 다음 《강철시리즈》 《민주주의 R(혁명)》 등 11종의 북

한노선추종 유인물을 만들어 학원과 노동계에 전파시켜 온 혐의다.[31]

김영환은 또 자신이 조직한 서울대 지하서클 '단재사상연구회'의 핵심간부로 이미 구속된 정대화(일명 민기, 공법 4제적)에게 86년 2월 구국학련 및 자민투를 결성토록 해 학원소요를 배후 조종한 혐의도 받았다. 김영환은 안기부가 1985년 6월 이른바 구미유학생간첩사건 주범으로 체포한 김성만(연세대 물리학과 75학번 졸업생이며 미국유학생)과 그의 동지인 정금택(국민대 대학원생) 김창규(성균관대3년)가 체포되기 1년 전에 함께 쓴 "예속과 함성"이라는 반미책자의 영향을 받고 "반제민중민주화운동의 횃불을 들고 민족해방의 기수로 부활하자"라는 단재사상연구회의 팸플릿을 썼다.[32] 김영환은 반제청년동맹사건으로 함께 구속된 하영옥 등 단재사상연구회 회원들과 가까이 지내던 근로자 심진구(沈鎭九, 전 삼립식품 공원) 등과 함께 인천의 노동현장에 침투했다. 그곳에서 그는 '민족해방노동자당'을 결성한 다음 '수도권지역 노동자동맹', '반제청년동맹', 'NLPDR전파학습조', '인노련실세장악조' 등 5개조 74명의 하부조직을 혁명거점으로 구축했다는 것이다.[33]

방위병 출신인 하영옥은 1986년 7월~11월 사이 운동권학생인 박영태(朴永泰, 서울대 무역4 휴학·구속)등 방위병 출신 14명을 규합, 도시게릴라전에 대비한 '병사혁명운동조'를 조직한 뒤 이들에게 《김일성주체사상》, 《마르크스주의 군사론 입문》 등을 교습시켜 온 혐의도 받았다. 하영옥과 심진구는 이밖에 86년 9월 말, 장차 무장폭동이 실패할 경우 북한으로 탈출키로 결의하고 심진구가 군복무 때 보아두었던 하천 등 지형지물을 토대로 입북루트지도를 작성해 보관해왔다고 한다. 검찰은 수사과정에서 이들의 배후에서 서울대 운동권서클 선배로 구성된 '고전연구회OB팀'(대표 김명환, 金明煥, 한신대 강사)과 대학강사 중심의 '민중미학연구소'(대표 조정환, 曺貞煥, 호서대 강사), 그리고 일부 종교계인사, 언론인 등이 자금 및 은신처를 그들에게 제공, 배후에서 지원한 사실도 확인되었다고 밝혔다. 검찰은 수배 중이던 김영환을 종교계인사 2명이 106일간 숨겨준 사실도 확인했으며 모 신문사 기자 박모가 김영환에게 레닌의 원전 6권을 제공한 바 있어 그를 수배중이라고 발표했다.[34] 김영환은 1987년 6월 1심 선고공판에서 국가보안법 위반으로 징역7년을, 김명환은 징역1년을 각

각 선고받았다.[35]

90년대 들어 활발한 움직임

반제청년동맹은 주동자들의 검거에도 불구하고 소멸되지 않고 2년 후 다시 활발한 움직임을 보였다. 1989년 4월 김일성의 생일(15일)을 앞두고 이를 축하한다는 '반제청년동맹 중앙위원회' 명의의 유인물이 서울대 학생회관 3층 화장실에서 나돌아 경찰이 수사에 나섰다. 이 유인물은 "주체사상으로써 반미자주화의 기치를 드높이자"라는 구호와 함께 "장군의 77회 탄생일을 맞아 남녘민중과 수많은 청년투사들, 그리고 반제청년동맹 전 성원의 일체한 요구와 염원을 담아 민족의 태양이시고 절세의 애국자이신 김일성장군께 최대의 찬사와 영광을 드리며 장군께서 부디 만수무강하시기를 삼가 축하 합니다"라고 되어있었다.[36] 안기부는 이 사건 수사에서 압수된 유인물이 북한의 대남 위장선전기구인 한민전(한국민족민주전선)의 기관지임을 밝혀내고 반제청년동맹이 한민전의 하부조직일 것으로 추정했으나 어떤 이유에선가 조직의 실체를 제대로 파악할 수 없었다는 것이다.[37]

'반제청년동맹 중앙위원회' 명의의 유인물은 1990년 2월에도 발견되었다. 서울 시내 동국대·단국대·고려대 교내에서 김정일의 48회 생일을 축하하는 유인물 도합 20여장이 뿌려져 있는 것을 교직원들이 발견했다.[38] 그해 12월 안기부는 전대협이 친북 지하비밀조직인 '자주·민주·통일그룹'(자민통), 사노맹, 반제청년동맹 등 4개 지하조직의 배후조종을 받아온 사실을 밝혀냈다고 발표함으로써 반제청년동맹의 존재가 다시 부각되었다. 안기부에 의하면 이들 4개 조직의 조직원은 약 2천여명 규모라고 한다.[39] 1991년 3월 들어 안기부는 조직원 3백여 명 규모인 조통그룹이 자민통, 반제청년동맹, 관악자주파 등과 함께 한민전의 지침에 따라 공산화 통일을 목표로 결성된 학원가의 주사파 4대 비밀지하조직으로서 전대협을 배후조종 해왔다고 거듭 발표했다.[40] 경찰청은 그해 8월 공안당국에 의해 좌경지하조직으로 규정되어 추적을 받고 있는 핵심조직원 수가 학원가 2천6백여명, 노동계 8백여명, 재야종교사회단체 3백여명 등으로 모두 3천7백명에 달하며, 이들 외에 전대협 전민련 전교조 등 1

백여개 반공개조직을 모두 포함하면 1만여명에 달한다고 발표했다. 학원가 주요 지하조직 중 반제청년동맹 회원은 100여명에 이른다고 발표했다.[41] 반제청년동맹은 Ⅶ-4(90년대 후반-2000년대 초의 지하조직)에서 자세히 설명하는 바와 같이 그 후 민족민주혁명당 사건으로 발전한다.

6. 인민노련

민족해방과 민중민주주의를 지향

1987년 6월항쟁 기간 중에 창립된 인천지역민주노동자연맹(약칭 인민노련)은 민족해방과 민중민주주의를 기치로 내걸었다. 인민노련을 만든 주동자는 최봉근, 정태윤, 노회찬(魯會燦), 황광우 조승수(趙承洙) 송영길(宋永吉) 주대환(周大煥) 신지호(申志鎬) 등 대학출신 활동가들로 나중에 노동자당 결성운동을 벌인 인물들이다. 이들은 그 해 1월 박종철 고문치사사건 발생 후 곧바로 '살인·강간·고문정권 타도를 위한 인천노동자투쟁위원회'(타투)를 결성, 서울지역 원정시위를 벌이고 이를 모태로 6월에는 인천의 부평역앞 광장에서 노동자 5천여명이 참가한 가운데 인민노련을 결성했다.[42] 이들 중 정태윤 등은 이미 설명한 바와 같이 나중에 민중의 당을 창당한다.

인민노련은 강령에서 "당면한 민족해방과 민중민주주의를 위한 투쟁에서 인천 부천지역 노동자 계급의 정치적 구심이 되며, 노동자들의 정치의식을 발전시키고 여러 형태의 대중조직을 촉진시키고, 노동자들의 모든 투쟁을 발전시켜 스스로를 정치무대화 하는 것"을 목적으로 한다고 밝혔다.[43] 이 강령은 해방정국과 대한민국의 건국을 좌익 수정주의적 입장에서 파악해, "미제국주의자들이 동아시아 혁명의 확대 발전을 저지하기 위해 한반도에서 자본가와 지주 친일관료 등 반동적 세력들의 보호자가 되어 그들을 지원 육성하고 민중민주주의의 나라를 건설하려는 노동자 농민의 혁명투쟁을 온갖 수단으로 억압했다"고 규정했다. 동아시아의 혁명이란 사회주의혁명을 의미한다. 이 강령은 또 "우익 반동세력은 미제의 보호와 지원 아래 친미적 자본가 정권인 이승만 정권을 세웠으나 이를 인정하지 않는 혁명적 민중은 불굴의 무장항쟁을 계속 전개했다"

고 기술했다.[44] 강령은 6·25에 관해 남한 사회에서의 노동자 농민의 계급투쟁과 미제국주의의 개입도 한 원인이라는 식의 엉뚱한 남한 원인설을 주장하고 있다.[45] 강령은 미리 짜여진 김일성의 남침계획과 소련 및 중국의 승인과 지원 사실은 물론이고 중국군의 직접 개입에 대해서는 아예 언급조차 하지 않았다. 강령은 이어 남한의 독점자본가는 노동자 계급을 노예화시키고, 그 고통을 더욱 참을 수 없는 것으로 만드는데 앞장서고 있다고 주장한 다음 1987년의 격렬하고 전투적인 노동자투쟁이 "이제는 더 이상 자본가가 노동자에 대해 무제한 착취를 자행할 수 없는 시대가 왔음을, 본격적인 계급투쟁의 시대가 다시 왔음을 선언하고 있다"고 단정했다. 강령은 구체적으로 독점재벌의 해체, 기간산업의 국유화, 외국자본의 국유화, 국가보안법의 폐지, 안기부와 보안사의 해체, 작전권의 반환과 주한미군의 철수, 휴전협정의 평화협정으로의 전환과 연방제 통일을 주장했다.[46]

노선투쟁 끝에 비주사파가 장악

인민노련은 결성 직후부터 내부의 주사파와 비주사파간의 대립이 불거져 넉 달 만인 87년 10월 2박3일간의 비밀 대의원대회를 계기로 비주사파가 주도권을 잡았다. 주사파들은 인민노련에서 탈퇴한 다음 김대중을 비판적으로 지지했다. 주사파의 탈퇴를 계기로 인민노련의 강령도 완전히 비주사파 노선으로 개정되었다. 다만 개정된 강령도 대한민국을 부정적으로 보고 혁명으로 이를 전복하려 한 점에서는 개정이전과 다름없이 전투적이었다.

인민노련의 활동은 노동조합운동에 대한 지도·지원과 당면 정치투쟁의 조직, 노동자들의 정당건설을 위한 노력으로 요약될 수 있다. 인민노련은 1987년 7, 8월의 이른바 노동자대투쟁이후 본격적으로 개화된 노동자들의 자생적인 투쟁과 노동조합 결성 움직임이 강하게 일어나자 이들에게 사회주의사상을 교양했다. 인민노련은 또한 매 시기 노동조합운동의 현황에 대한 평가 및 전망, 그리고 의견을 냄으로써 노동조합운동의 이념정립과 단일대오 구축을 도왔다. 이들은 노동자대투쟁 이후 지역민주노조협의회 건설안을 제출하고 88년 임금인상 투쟁을 노동법 개정 투쟁과 결합시켰다. 그리고 민주노총과 산별조직 건설의 방향을 제시했다. 인민노련은 1987년 12월에 실시된 제13대 대통령선거를 앞두고 CA학생그룹과 손을 잡고 진보진영의 독자후보로 민주연립정부 주장자인 백기완을 추대하는데 주도적 역할을 했다. 이런 투쟁은 당시의 노동조합운동에 있어서 인천노련의 '공헌'으로 좌파세력 안에서 평가를 받았다.[47]

인민노련은 또한 민중당 창당에도 크게 기여했다. 인민노련은 이름과는 달리 전국적인 조직이었다. 인민노련은 《정세와 실천》, 《노동자의 길》이라는 기관지를 발간하면서 노동운동의 선진화에 앞장섰다. 두 기관지 중 전자는 노동운동과 민중운동의 이념적 전술적 쟁점을 다룬 이론지였고 후자는 파업현장 및 노동자들의 생활을 탐방하는 내용으로 매주 발간하는 노동자 대중신문이었다.[48] 인민노련은 노동자계급의 정당 혹은 그 역할을 대신할 수 있는 혁명적 조직 없이는 전략도 민족 민주 전선도 있을 수 없다는 관점에서 과학적 사회주의와 노동운동을 결합시키려 했다. 인민노련은 1989년 8월에는 《사회주의자》라는 기관지를 창간, 전국의 독자들을 상대로 과학적 사회주의를 홍보했다.[49]

반제혁명 선동 혐의로 지도자 체포

인민노련은 1989년 10월 반제혁명을 선동한 혐의로 간부들이 대거 체포되어 세칭 인민노련사건이 터졌다. 치안본부는 10월 18일 비합법적인 노동운동조직을 만들어 경인지역 노사분규에 개입하는 등 노동운동을 주도해온 인천지역민주노동자연맹 중앙상임위원장 오동렬(吳東烈, 서울대 철학과 졸) 등 핵심조직원 15명을 검거, 모두 국가보안법 위반(이적단체 구성) 혐의로 구속했다고 발표했다. 경찰에 의하면 이들은 87년 6월 사회주의혁명 노선에 따라 서울대와 고려대 운동권출신 30여명을 중심으로 인민노련을 결성, 기관지를 펴내면서 인천 부천 등지의 노동자들을 대상으로 정치의식화작업을 벌였으며 마르크스-레닌의 '5단계 사회발전론'에 따라 현 정부를 타도하고 미국을 축출하는 반제반독점 민족해방 민중민주주의 혁명노선을 바탕으로 활동해왔다는 것이다. 이들은 전국적 조직원 확보, 국가보안법 철폐, 합법적 민주정당 및 전국민주노조협의회 결성을 89년의 두쟁목표로 삼았다고 경찰을 밝혔다.[50] 이어 12월에는 관련자들이 경찰에 추가로 구속되어 구속자는 모두 21명으로 늘어났다.

피고인들은 재판과정에서 분리심리에 대해서도 항의하면서 조직사건의 실체를 밝힐 수 있는 전원 병합심리를 요구했다. 이들은 시종일관 인민노련 활동의 정당성을 주장하면서 자신들이 남한사회주의자로서 사회주의적 실천의 필요성을 역설했다. 특히 윤철호(尹哲鎬, 서울대 철학 졸)와 오동렬은 법정에서 "그렇소, 우리는 사회주의자요"라고 당당하게 진술해 큰 파문을 일으켰다.[51] 1심 재판 과정에서 김진균 교수(서울대) 등 교수 147명과 권호경(權皓景) 목사 등 교직자 85명이 검찰의 기소사실 중 폭력혁명 이적단체 부분에 대해 "소수 독점재벌의 손에 우리 사회의 엄청난 부가 집중되고 그로 인해 많은 폐해가 야기되는 현실에서 노동자의 정치세력화를 주장한 인민노련의 활동은 정당한 일면이 있다"는 탄원서를 재판부에 제출했다.[52] 1990년 4월의 1심 선고공판은 피고인들에게 비교적 가벼운 형인 징역3년에서 징역1년6월이 선고했다.[53] 2심에서는 항소가 기각되었다.[54]

한국노동당 결성 움직임과 관련자 구속

인민노련은 지도부가 경찰에 대거 검거되었음에도 불구하고 와해되지 않고 1991년 12월 들어 당초의 목표였던 노동자 정당 건설을 본격 추진했다. 인민노련 강령은 노동자들의 전국적인 정치적 통일과 노동자 정당의 건설을 위해 모든 힘을 다 할 것이라고 규정하고 있다. 이것은 비합법 전위정당을 의미한다. 인천지역민주노동자연맹(인민노련), 민족통일민주주의노동자동맹(삼민동맹), 노동계급(1989년에 결성된 수도권 노동운동가 및 학생운동권 조직) 등 3개 노동운동세력은 1991년 7월 한국사회주의노동당 창당준비위원회를 발족시켰다.

그러나 당시는 소련과 동구권 사회주의체제가 붕괴되어 한국의 좌파세력이 심대한 정신적 타격을 입고 있던 시기였다. 그 영향은 바로 전위조직 노선을 표방한 인민노련의 한국사회주의노동당 창당움직임에 제동을 거는 결과를 가져옴으로써 노동운동계 안에서 전위조직 결성 반대의 복소리가 강하게 일어났다. 이 때문에 그해 12월 한국사회주의노동당 창당준비위원회는 자진 해체하고 합법정당 건설이라는 신노선으로 선회했다.

이에 따라 합법적인 진보적 대중정당을 결성하자는 다수파에 의해 노동자정당건설추진위원회(약칭 노정추)가 발족했다. 노정추는 서울의 주대환, 인천의 이용선(李庸瑄), 경기남부의 전성(全聖), 대구의 민영창, 전국노동단체연합회의 김의수 등이 창당일정에 합의함으로써 결성을 보게 되었다.[55]

민중당에 흡수 당해

노정추 결성대회는 12월 전국 20여개 지역 노동자 대표 241명이 참여한 가운데 개최되어 위원장에 경인지역 노동운동가 주대환을 뽑았다. 주대환과 유민용 서울노동단체연합 의장 등 노동운동가 7명은 이튿날 기자회견을 갖고 이듬해 2월초 한국노동당(가칭)을 창당하겠다고 밝혔다.[56] 한국노동당 창당발기인대회는 이듬해인 1992년 1월 서울 삼성동 한국종합전시장에서 27개 지역별 노조대표 등 5천여명이 참석한 가운데 개최되어 창당준비위원회를 공식 발족시켰다.[57] 이날 대회에서는 그해 3월의 제14대 국회의원 총선 전에 창당을 완료하고 민중당을 흡수 통합하겠다는 방침도 밝혔다. 이들은 창당 이유로 민중당이 더 이상 노동자의 이해를 대변하지 못한다고 주장했다.[58]

그러나 노정추의 한국노동당 창당 작업은 노동계 내부의 반대로 순조롭지 못했다. 민주노조운동의 구심점인 전노협 가입 13개 지노협 가운데 광주와 구미 지역만이 이를 지지했을 뿐이고 서노협 등은 사실상 회원의 노정추 참여를 통제했다. 전국규모의 협회 차원에서도 의견이 갈려 전국노동운동단체연합은 이에 적극 참여한 반면 전국노동운동단체협의회는 대체로 비판적 입장이었다. 노정추는 이 때문에 역량이 약화된 상황에서 민중당 측에 통합을 제의하고 당명을 한국노동당으로 할 것을 요청했다. 그러나 민중당 측 통합추진위 대표인 김문수 노동위원장은 선거 전에 당명을 바꾸는 것은 무리이며 민중당은 이미 국민들에게 고유명사 아닌 일반명사로 받아들여지고 있다는 이유를 들어 당명 변경제안을 거부했다. 반면에 민중당 탈당파인 오세철이 이끄는 민중회의는 노정추의 신당창당을 반대하면서 진보진영의 단합을 촉구했다. 그런데 1992년 1월 15일 노정추 측의 주대환 위원장, 전성 조직부장, 이용선 대외협력부장 등이 경찰청 보안국에 연행되는 사건이 발생했다. 경찰은 이들이 91년 7월 공산주의 국가 건설을 강령으로 하는 한국사회주의노동당 창당준비위원회를 결성, 민중

정권 수립을 목표로 전국 규모의 지하당 건설을 추진해왔다고 발표했다. 이로써 노정추 측 처지는 크게 불리하게 되어 양측의 통합협상은 민중당 페이스로 급진전되었다.

민중당의 이우재 상임대표와 한국노동당(가칭)의 황선진(黃善辰) 창당준비위원장 직무대행은 1992년 2월 공동기자회견을 갖고 두 당의 통합을 선언했다. 양측은 당 이름을 민중당으로 하고, 지도체제는 민중당의 현 체제(공동대표 3명)를 유지하되 궐석인 노동당 쪽 대표는 임명을 보류하고, 총선 뒤 2개월 안에 임시전당대회를 열어 '한국노동당'으로의 당명 개칭 문제와 지도체제 문제를 논의해 결정하기로 합의했다. 양측 대표들은 이날 발표한 통합선언문을 통해 "총선과 대통령선거에 참여해 노동자와 서민대중의 목소리를 대변할 것"이라고 밝히고 총선과정에서 토지공개념 완전실현, 재벌해체와 민주적 재편, 대대적 군비축소와 긴장완화, 노동3권 완전보장, 농산물 수입개방 저지, 정치적 민주주의 달성 등을 정책으로 내세울 예정이라고 밝혔다.[59] 이로써 노정추는 사실상 민중당에 흡수된 셈이다.

7. 반미청년회와 자민통그룹

민주화 이후 결성

반미청년회는 민주화조치 이후인 1988년 1월 서울 종로구 종로성당에서 대학생들이 모여 주체사상을 지도이념으로 하고 미국 타도 등을 목적으로 결성한 NL파 학생그룹이다. 26개 대학 학생 72명으로 구성된 반미청년회는 전국사상운동추진위원회의 후신으로 전대협 1기와 2기를 지도했다. 반미청년회는 86~87년까지는 직선제, 민주헌법개정, 미국의 광주학살에 대한 책임규명 등을 위해 활동하다가 88년 이후에는 통일운동을 내세우면서 반미친북활동을 벌여 서울 미문화원을 점거하고 KAL 858기 폭파사건을 조작이라고 주장하는 대자보를 대학가에 붙이는 등 활동을 전개했다.[60]

안기부는 1988년 3월 성균관대 등 대학가의 KAL기 폭파사건 왜곡 대자보와 서울 및 광주 미 문화원 점거·폭파기도사건을 주도한 친북파 지하조직인 반미청년회를 적발, 장원섭(張元燮, 고려대 식물 3 휴학)과 이철우(李哲禹, 서울 시립대 영문 4) 등 7명을 국가보안법위반 혐의로 구속했다고 발표했다. 안기부 는 또 반미청년회 관련자 72명 가운데 검거되지 않은 60명 중 총책 조혁(趙赫, 고려대 노문 4 제적)과 선전부장 김태원(金泰源, 고려대 법학 4) 등 21명을 수 배 중이라고 밝혔다. 발표에 따르면 조혁·장원섭 등은 '구국의 소리' 방송에서 KAL기 사건이 조작이라고 보도한 내용을 유인물 또는 대자보로 제작, 성균관 대 경북대 명지대 연세대 서강대 등 5개 대학에 배포한 혐의를 받았다. 또한 반 미청년회 무력부 산하의 김철(金哲, 연세대 행정 3 제적, 수배 중) 등 5개 대학 학생 8명은 같은 해 2월 '청년학생 구국결사대'를 조직, 한기원(韓基源, 연세대 식품공학 4·구속) 등 5명으로 하여금 소이탄 사제폭탄을 들고 서울 미문화원을 기습 점거토록 했으며 안내상(安內相, 연세대 신학 4·구속)에게는 광주 미문화 원 도서실에 사제시한폭탄을 장치토록 했다는 것이다. 이들은 87년 12월부터 88년 1월 사이 전국 26개 대학에서 핵심세력 72명으로 반미청년회를 결성하고 북한의 대남 선전방송인 '구국의 소리'를 청취한 내용으로 작성한 유인물 '민족 해방 인민민주주의 혁명이념' 등을 교재로 조직원을 교육해 왔다는 것이다.[61]

이들 이외에 양홍관(梁洪舘, 동국대 81), 안희정(安熙正, 고대 철학 83), 서민 석(고대 83)도 함께 구속되었다. 반미청년회 의장 조혁은 도피 중 1994년 9월 에 체포되었다.[62] 경찰에 의하면 그는 이적단체인 구국전위로부터 활동자금을 전달받아 반국가활동을 벌이면서 이적단체인 '전국사상운동추진위원회' 의장과 애국학생회 고대 총책 등을 맡아 활동했다고 한다.[63] 반미청년회의 전신인 '전 국사상운동추진위원회'는 86년 10월부터 전국적인 학생운동을 통일적으로 지 도하는 지도부를 조직하기 위해 전대협 결성을 지도했으며 반미청년회는 그 후 90년까지 전대협을 지도했다.[64]

반미청년회 회원들 노무현 정부 실세로

반미청년회 소속 회원들은 2004년 총선을 계기로 노무현 대통령의 청와대 와 열린우리당에 대거 진출했다. 반미청년회의 핵심 회원으로, 연세대에서 주 체사상 교육책임자로 활동한 바있는 강길모(姜吉模, 연세대 신학 82학번)는

2006년 11월 "당시 반미청년회는 총학생회를 배후에서 조종하고 교육하는 조직이었다"고 털어놓으면서 이들은 나중에 노무현 정부의 실세가 되었다고 밝혔다. 1990년대 초반에 전향, 공보처 전문위원 등으로 일하다가 정치웹진《프리존》과 인터넷《프리존뉴스》편집인을 맡아있던 강길모는 "나는 지도교양 책임자를 맡아 총학생회 간부들에게 주체사상을 교육하는 임무를 맡았다. 학생회와 학회 핵심 리더들을 단과대별로 선발해서 한국민족민주전선(한민전)에서 보내준 지침을 바탕으로 만든 교재 '주체의 혁명이론' '김일성 신년사' '김일성 후계자론' '자주언론' 등을 가르쳤다. 87~89년 연세대와 고려대 총학생회 간부 출신들은 대부분 내가 속했던 조직에서 주체사상 교육을 받았다고 보면 맞다"고 주장했다.[65]

한민전 지시 따라 활동한 자민통

반미청년회와 함께 주목받은 주사파 조직이 '자주민주통일'(자민통) 그룹이다. 1990년 12월 안기부는 주체사상과 북한의 전위조직인 한민전의 기치아래 북한의 대남혁명 지도지침을 수행할 전국규모 조직을 적발, 공작위원 최원극(崔元極, 외대 영어 졸), 전대협 의장 송갑석(宋甲錫, 전남대 총학생회장) 등 31명을 구속하고 총책 허탁(許鐸, 서울대 불문 졸) 등 70명을 수배했다고 발표했다. 안기부에 의하면 이들은 먼저 '선진활동가'라는 투쟁조직을 결성, 서울대 고대 외대 중앙대 전남대생 2백여명을 조직원으로 규합한 다음 88년 12월 충남 계룡산에서 이른바 '선진대중조직'인 자민통 그룹을 결성했다고 발표했다. 안기부는 이들이 남한혁명 투쟁을 성공적으로 완수하기 위해서는 단일한 사상과 올바른 영도체제가 확립된 조직을 건설하는 것이 가장 중요하다는데 의견을 모으고 이와 같은 결정을 내렸다고 발표했다.[66]

안기부는 자민통이 그 동안 전대협을 김일성 주체사상과 한민전의 영도 아래서 혁명투쟁을 실천하는 전위투쟁 조직으로 이용했다면서 자민통은 마르크스 레닌주의를 추구하는 남한사회주의 노동자동맹(사노맹)과 달리, 김일성 주체사상을 맹목적으로 추종하는 주사파(NL) 계열의 핵심세력으로 북한의 대남적화 혁명노선을 답습하는 조직이라고 밝혔다. 자민통은 일제 때 공산주의자 박달(朴達)이 함북 갑산지역에서 갑산공작위원회를 조직, 항일 유격활동을 전개했던 것을 모방해 조직의 최고 지도부를 '공작위원회'라고 부르면서 최원극 등 6명을 공작위원으로 임명한 것으로 드러났다고 한다. 자민통은 전대협 의장·부의장·중앙위원, 그리고 서총련 의장에 핵심조직원을 당선시켜 학원가의 공개조직을 장악, 전국 39개 대학 총학생회에 조직원 80여명을 침투시켰다고 안기부는 밝혔다. 최원극은 1991년 5월 1심에서 징역8년을 선고받았다.[67]

8. 사노맹 사건

CA그룹과 노동자해방투쟁동맹 후신

사회주의노동자동맹(약칭 사노맹)은 경찰수사 결과 조직원이 3천5백명에 달하는 남로당 이후 최대 규모의 비밀조직이었다. 1989년 11월 결성된 사노맹은 발족 직후부터 유인물을 배포한 것이 단서가 되어 3년간 대대적인 수사발표만 2차례나 행해진 민주화 이후 최대 규모의 지하단체이다.

이 사건은 최초 89년 11월 서울시경이 성균관대의 서울민주주의학생총연맹(약칭 서민학련)을 수사하는 과정에서 사노맹 출범선언문을 배포하려던 학생을 적발한데서 단서가 잡혔다. 경찰은 서민학련이 사노맹에 깊이 관련되었다고 보고 사노맹 수사를 확대, 노동문학사 등에 대해 압수수색을 실시하고 관련자들을 속속 체포했다.[68]

안기부는 1990년 10월 1차 수사중간발표를 통해 사노맹 핵심조직원 40명을 구속하고 총책인 백태웅(白泰雄, 서울대 법대 4년 제적)과 사노맹 중앙위원이자 '얼굴 없는 시인' 박노해(본명 박기평, 朴基平) 등을 수배했다고 발표했다. 안기부에 의하면 86년에 사회주의혁명투쟁을 주도했던 CA(제헌의회)그룹과 노동자해방투쟁동맹 등이 와해되자 백태웅과 박노해가 89년 2월 무장봉기에 의한 사회주의 혁명을 지도할 노동자당을 결성키로 하고 민족민주혁명론(NDR)을 추종하는 140명을 모은 다음 그해 11월 서울대에서 열린 전노협 주최 전국노동자대회에서 사노맹 결성을 공개 선언했다고 밝혔다.[69] 안기부에 의하면 사노맹은 86년 11월 전노협 결성을 목적으로 서울대에서 열린 전국노동자

대회 현장에 '남한사회주의노동자동맹 출범선언문'을 뿌려 처음으로 그 모습을 드러냈다. 사노맹은 사회주의혁명을 지도할 노동자당 결성을 결의하고 89년 2월 노동계와 대학가 핵심인물 140여명을 규합, 사노맹 출범준비위를 구성한 뒤 89년 11월 출범선언문을 발표했다. 백태웅의 가명 '이정로'는 "이것이 정통정치노선이다"의 준말이고 박기평의 가명 '박노해'는 '박해받는 노동자 해방'의 준말이다. 이들은 사회주의 혁명기반을 전국적으로 확산시키기 위해 훈련된 조직원을 각 사업장에 침투시켜 공장소조를 만들고 세포분열식으로 조직을 확대하는 이른바 '공장의 혁명요새화'를 꾀해왔다 한다.[70]

사노맹의 목표

사노맹은 노사분규 현장에서 노동해방선봉대 전투특공대 등을 조직, 노동자를 배후 선동해 임금투쟁을 정치혁명투쟁으로 격화시켜 총파업으로 유도한 뒤 기간산업 마비와 경제교란을 하고 결정적 시기에 봉기, 일거에 체제를 뒤엎어 사회주의혁명을 달성하는 것을 목표로 하고 있다고 안기부는 밝혔다. 이를 위한 90년도 중점수행과제로 '사회주의혁명 선전 선동의 대중적 확산' '노동자계급 주도 합법 민중정당 결성' '전국 주요공장에 혁명적 사회주의자 공장소조 창출' '학생운동의 노동자계급 동맹세력화' 등 8대 투쟁목표를 제시, 노동자 농민 빈민 등 소외계층의 호응을 이끌어내기 위해 '독점재벌 재산몰수 국유화' '물가관리민중위원회 설치' '농축산물 수입개방저지' 등을 투쟁 슬로건으로 내세웠다.[71]

사노맹은 레닌의 '당조직 건설원칙'을 모방, 중앙위원회를 최고지도부로 하고 그 밑에 조직위 편집위 각시도지방위를, 부설조직으로 남한사회주의과학원, 노동해방연구소, 사회주의학생운동연구소, 민주주의학생연맹을, 조직원 파견그룹으로 민중당 전노협 노동해방문학사 등을 각각 두고 단위조직을 철저히 비밀 운영해왔다. 실천지도부인 조직위는 조직관리와 재정을 전담하는 사무국과 조직수호 면학 유인물 배포 등을 전담하는 연락국으로 구성되어있다. 연락국은 무장봉기를 위한 폭발물 개발, 무기 탈취계획, 독극물 개발 등의 특수 임무를 맡아왔다는 것이다. 지방조직으로는 서울을 비롯해 전국 9개 시도에 지방위원회를 두고 그 산하에 기획선전 담당부서 공장사업부 정파사업 담당부서를 설치해 정치-노동-종교계에 조직원 부식을 꾀해왔다. 사노맹은 각 분야의 '혁명인자'를 물색해 자기소개서를 제출케 한 뒤 사상성 비밀활동 능력 등 50여 가지 기능에 따라 엄격한 심사를 거쳐 조직원으로 포섭했다. 이들은 1개월 내지 1년의 사상교육 체력훈련 등과 함께 '일상용어 음어화', '철저한 안전관리', '조직기밀유지' 등 10대 조직보위수칙을 교육받았다. 이들은 서울시내 오피스텔과 상가 등에 10여개의 안가를 확보해 놓고 수사기관의 수색에 대비, 가스총 도검류 쇠파이프 염산 등을 비치해 두었으며 검거 때 문서와 메모지를 즉시 소각 또는 삼키도록 하고 기밀유지를 위해 자살용 독극물 캡슐까지 개발 중이었다. 사노맹 조직원들은 조직자금 마련을 위해 1인당 3백만원 내지 1천만 원씩 책임제로 모금하고 친지 집을 상대로 강절도를 하거나 위장결혼식으로 축의금을 받아 속셈학원 비디오테이프 가게 등을 운영해온 것으로 밝혀졌다.[72]

사노맹은 혁명이념의 대중적 확산을 위해 합법적인 월간지 《노동해방문학》과 출판사 노동문학사를 설립해 89년 4월~12월까지 15만여 부의 선전책자를 발간했다. 백태웅은 '이정로'라는 가명으로 《노동해방문학》에 "식민지 반자본주의론에 대한 파산선고", "사회주의 위기의 근원, 고르바쵸프 개혁노선의 우편향 비판" 등 논문을 기고했다. 박노해는 이 월간지에 "파업에 나선 노동형제들에게" "김우중 회장의 자본철학에 대한 전면비판" 등 시와 평론을 기고했다. 박노해는 89년 4월에는 《박노해 시인의 긴급 호소》라는 유인물에 "현실적 통일방안을 가진 김일성을 존경한다"는 내용의 "존경하는 김주석"이라는 시를 게재해 국가보안법 위반 혐의로 수배된 바 있다. 박노해와 결혼한 김진주는 '한승호'라는 가명으로 《노동해방문학》에 "노선 없는 실무가가 주도하는 노동조합운동의 경향성을 비판하다" 등의 글을 기고했다. 사노맹은 비합법적 지하기관지 《한걸음 더》, 《새벽바람》과 유인물 《긴급전술 결의》 등 40여종 20만부 가량을 제작. 전국 대학과 노동현장에 뿌렸다. 사노맹은 각 운동단체를 NDR(민족혁명) 노선으로 통일하기 위해 민중당 인민노련 전노협 가톨릭대학생연합회 등에 조직원을 침투시켜 '정파투쟁'을 전개하고 《노동자신문》, 《말》지 대학신문 등의 기고문을 통해 NDR이념 전파 및 타 정파와의 사상투쟁을 벌여왔다. 또한 공장의 혁명요새화 원칙에 따라 무장봉기 때 방위사업체인 창원공단 내 (주)통일과 한국중공업을 무기탈취 대상으로 선정, 탈취계획서를 작성했다. 인천지방위원회에서는 사제폭탄 제조법 총기제작법 무기탈취방법 등을 연구하는 등 무장봉기 계획을 짜기도 했다는 것이다.[73]

박노해 백태웅 검거로 조직 와해

그동안 수배 중이던 사노맹 중앙위원 박노해는 그로부터 약 5개월 뒤인 1991년 3월에, 중앙위원장인 백태웅은 또 1년 뒤인 92년 4월에 다른 조직원 30여 명과 함께 각각 검거되었다.[74] 백태웅이 검거되기 5일전인 24일 박노해는 대법원에서 무기징역이 확정되었다.[75] 박노해는 91년 9월 1심 선고공판에서 무기징역(구형 사형)을 선고받고 그해 12월 2심 선고공판에서도 역시 무기징역(구형 사형)을 선고받았다.[76]

백태웅의 검거로써 수사당국이 약 2년 반에 걸쳐 장기간 수사를 진행한 사노맹의 조직은 사실상 와해되고 사건수사도 일단락되었다. 안기부는 1992년 5월 사노맹이 전국의 공장과 대학에 훈련된 조직원들 침투시켜 결정적 시기에 정부를 폭력으로 뒤엎고 사회주의체제를 건설하려한 지하혁명조직으로 드러났다고 추가수사 결과를 발표하고 백태웅 등 이 단체 간부 39명을 검찰에 송치했다.[77] 안기부 발표에 의하면, 사노맹은 전국에 3천5백여 명의 조직원을 확보하고 있고 고교생들까지 포섭, 사회주의 사상을 주입시키는 등 남로당 이후 최대 조직으로 파악되었다는 것이다. 안기부는 사노맹이 94년까지 남한사회주의노동자당을 결성한다는 중간목표 아래 공장을 혁명요새화할 목적으로 서울 부산 광주 등 전국 16개 지역의 69개 공장에 조직원 3백여 명을 침투시켜 공장소조라는 비밀결사 조직을 만들어 폭력 파업투쟁과 정치투쟁을 유도했다고 발표했다. 안기부에 따르면 사노맹은 박헌영 김삼룡 여운형 등 남한 사회주의혁명 1세대를 잇는 2세대를 자처하는 정예 조직원 확보를 시도했다는 것이다. 사노맹은 조직의 안전을 위해 조직의 이름을 일반회사식 이름으로 불렀다. 예컨대 사노맹 중앙위원회는 대우자동차, 수도권위원회는 제일물산, 영남위원회는 삼테크, 호남위원회는 한양교통 등으로 부르고 조직원의 직책도 실장 부장 과장 등

으로 불렀다는 것이다.[78]

　박노해 이외의 사노맹 사건 관련자 중 백태웅은 1심에서 무기징역(구형 사형)을, 2심에서는 고문논란으로 인해 형기를 줄인 징역15년(구형 사형)을 선고받았다. 그밖에 전인현(全寅鉉, 카톨릭조직 책임자) 등 3명은 1심에서 징역3년 내지 징역1년6월을, 조국(曹國, 울산대 교수)은 징역 2년 6개월에 집행유예 3년을, 현정덕(玄廷德, 사노맹 연락책)은 징역8년을, 박노해의 부인인 김진주(金眞珠)는 징역6년을 각각 선고받았다.[79] 유죄판결을 받고 복역중이던 사노맹 관련자들은 김대중 정권이 출범한 1998년의 8·15 특사 때 백태웅과 박노해 남진현(南晋鉉)이 마지막으로 석방됨으로써 전원이 자유의 몸이 되었다. 백태웅과 박노해는 2008년 12월 22일 민주화운동보상심의위원회로부터 민주화운동관련자로 인정받아 보수세력의 거센 반발을 샀다.[80]

9. 조선노동당 중부지역당 사건

북한공작금으로 선거자금 돌린 김낙중

　안기부는 1992년 9월과 10월 두 차례에 걸쳐 북한 거물간첩의 교사로 결성된 지하조직사건을 적발했다고 발표해 세상을 놀라게 했다. 이 사건의 주동세력은 ① 김낙중(金洛中)계열, ② 황인오(黃仁五)계열, ③ 손병선(孫炳善) 계열의 세 갈래이다. 이들 조직은 북한 간첩의 지시로 결성된 지하조직이지만 그 활동이 국내에서 이루어진 점에서 노태우 정부 하의 최대 지하조직 사건으로 평가되었다.

　김낙중 사건은 1992년 9월 안기부가 처음으로 중간수사결과를 발표함으로써 세상에 알려졌다. 안기부는 전 민중당 공동대표 김낙중과 당 고문 권두영(權斗榮), 평화통일연구회 사무총장 노중선(盧重善), 청해실업대표 심금섭(沈今燮) 등 4명을 간첩 및 간첩방조 혐의로 구속했다고 밝혔다. 안기부에 의하면 김낙중은 지난 55년 6월 자진 월북, 공작원으로 포섭되어 1년간 간첩교육을 받고 남파된 뒤 36년간 자신의 신분을 진보적 지식인으로 위장하고 있던 중 3차례에 걸쳐 북한의 남파간첩들을 통해 미화 210만 달러(한화 약 16억원)를 넘겨받아 민중당 창당을 지원하는 등 고정간첩으로 활동해온 혐의를 받고 있다는 것이다. 안기부는 김낙중이 ① 1990년 2월 남파간첩 최모로부터 "뜻을 같이하는 동지들을 포섭해 지하망을 구축하라"는 지시와 함께 30만 달러를, ② 같은 해 10월에는 "민중당 창당에 참여해 당권을 장악하라"는 지시와 함께 30만 달러를 각각 받았으며, ③ 91년 10월에는 북한의 장관급 공작원으로부터 추가로 150만 달러와 권총 독약 앰플을 받는 등 3차례에 걸쳐 활동비를 받았다고 발표했다. 북한의 장관급 공작원은 나중에 이선실(李善實, 여, 별명 이선화)로 알려졌다. 김낙중은 이 돈 중 110만 달러(7억7천만 원)를 남대문시장의 암달러상을 통해 환전해 정치공작금으로 사용하고 나머지 1백만 달러는 자신의 집 장독대 밑에 숨겨놓았었다고 안기부는 밝혔다.[81]

김낙중이 사용한 정치공작금의 내역을 보면, 14대 총선에 출마한 장기표 이우재 등 민중당 후보 18명에게 선거자금 7천9백만원, 자신의 민중당 전국구후보 등록비 등 활동비 4천3백만원, 평화통일연구회 설립기금 5천만 원, (주)청해실업대표 심금섭의 활동비지원 7천만 원, 부동산 매입 3억3천8백만원, 사채놀이 1억2천만 원, 은행예치 7천만 원을 사용했다고 안기부는 밝혔다. 그는 또 90년 1월 자신이 6천만원을 투자한 구명조끼 제조업체 대표인 심금섭과 자신이 고려대 노동문제연구소 간사로 활동할 때 'NH회'라는 지하조직활동을 함께 했던 노중선을 중간연락책 및 하부망으로 포섭했다고 한다. 미국 영주권을 가진 권두영은 김낙중과는 별도로 북한에 포섭되었으며 90년 11월 1차로, 92년 4월~5월 사이에 2차로 북한을 방문했다는 것이다. 권두영은 2차 방문 때 대통령선거에 앞서 해체된 민중당을 중심으로 새 혁신정당을 결성하겠다면서 50억~60억원의 활동비 지원을 북한 측에 요청, 이중 2만 달러를 받았다고 안기부는 밝혔다. 권두영은 조사를 받던 중 교도소 안에서 자살했다. 노중선은 90년 10월 김낙중으로 부터 "국내 운동권상황을 북한으로 무전연락해 줄 수 있느냐"는 제의를 받는 등 김낙중이 간첩이라는 사실을 알면서도 그를 통해 전달받은 북한의 공작금 5천만 원으로 평화통일연구회를 설립했다고 한다. 안기부는 그동안 장기표 이재오 등 41명에 대해 참고인 조사를 벌였으며 다른 관련혐의자들을 계속 소환 조사 중이라고 밝혔다.[82]

김낙중 사건은 큰 파문을 일게 했다. 재야인사들은 북한을 비난하는 이례적인 성명을 발표했다. 1992년 11월 최윤 진보정당추진위원회 대표, 오세철 연세대 교수 등 진보정치계와 노동계, 학계인사 147명은 서울 중구 정동 세실레스토랑에서 기자회견을 갖고 "북한당국과 조선노동당은 한국 민중운동에 대한 개입을 즉각 중지하고 공개 사과하라"고 촉구했다. 이들은 성명에서 "이번 사건은 우리 사회 내에 북한당국과 조선노동당을 지지하는 일부 세력들이 있었기 때문에 가능했던 것"이라고 말하고 "우리 사회의 민주화를 위해 애써온 모든 민주화운동세력은 이 같은 위기적 상황을 극복하기 위한 적극적인 대응태세를 갖춰 나가자"고 제안했다.[83]

이선실 지휘 따라 노동당 중부지역당 구축

안기부는 그해 10월 사건 수사결과 2차 발표를 통해 북한에서 밀파된 거물급 간첩의 지휘를 받아 1995년에 적화통일을 이룩한다는 목표로 활동해온 남한 조선노동당 가담자 95명을 적발했다고 밝혔다. 안기부는 그 중 남한 조선노동당 중부지역당 총책 황인오 등 62명을 국가보안법 위반(간첩 및 반국가단체구성·가입) 혐의로 구속하고 손영희 등 2명을 불구속 입건하는 한편 달아난 3백여 명을 추적중이라고 발표했다. 황인오와 별도로 북한 간첩에 포섭되어 민중당에 침투한 손병선(민중당 통일특위 및 대외협력위원장)도 함께 구속되었다. 손병선은 90년 8월 북한공작원으로부터 5백만원을 받고 민중당 당원 2~3명을 확보, 지하당 구축준비를 한 혐의를 받았다. 이들 구속자 62명 가운데는 이미 구속사실이 발표된 김낙중과 장기표 등 8명이 포함되어 있다.[84]

안기부에 따르면 황인오는 북한 권력서열 22위인 대남공작총책 이선실에게 포섭되어 90년 10월 그를 따라 밀입북, 조선노동당에 가입하고 간첩교육을 받은 뒤 공작금 일화 5백만 엔과 권총 1정 실탄 30발 무전기 난수표 조선노동당 강령 규약 등을 갖고 돌아온 혐의를 받고 있다. 황인오는 그 뒤 동생 인욱(仁郁, 서울대대학원 서양사학과2년)과 평소 노동운동을 하면서 알고 지내던 전 민중당 성남을 지구당 노동위원장 최호경(崔虎敬) 등 핵심 주사파 12명을 포섭, 조선노동당에 가입시키고 91년 7월말 경 최호경 등과 함께 남한 조선노동당 중부지역당을 결성했다는 것이다. 중부지역당 아래는 강원 충북 충남의 3개 도당을 두었다는 것이다.[85]

황인오는 80년 4월 사북탄광 소요사건을 주동, 수배를 받고 도피 중 같은 해 6월 미스 유니버스선발대회장을 폭파하려다 검거되어 징역 20년을 선고받았으나 82년 12월 형집행 정지로 풀려났다. 그는 이 때문에 사북사태를 민중봉기로 높이 평가하는 북한당국의 눈에 든데다가 동생 인욱도 87년 1월, 북한방송 청취내용을 서울대에 대자보로 부착한 혐의로 징역3년을 선고받는 등 '성분'이 좋아 북한 측의 포섭대상이 되었다는 것이다. 황인오는 90년 10월 이선실 등과 함께 강화도 양도면 해안에서 북한의 반잠수정을 타고 북한 해주에 도착, 입북한 다음 평양에서 조선노동당에 입당해 간첩교육을 받은 뒤 같은 루트를 통해 귀환한 것으로 밝혀졌다고 한다. 황인오는 남한에 돌아온 다음 노동당 중부지역당을 만들고 김정일이 축지법으로 남한에 다녀갔다는 유언비어를 유포시켜 민심을 교란하라는 지시를 받았다. 황인오는 이때 북한 노동당의 규약에 입각, "주체사상을 유일한 지도이념으로 한다"는 내용의 규약과 김일성에 충성을 다짐하는 맹세문을 만들었다고 안기부는 밝혔다. 이들은 그 뒤 서울의 호텔방 등을 빌려 김일성초상화와 자신들이 만든 조선노동당기 등을 벽에 걸고 조직원들의 입당식을 비밀리에 거행해온 것으로 드러났다. 이들은 강원도당 산하에 애국동맹(95년 위원회의 후신), 8·28학생동맹, 5·1노동동맹, 11·11농민동맹 등의 기구를 만들어 좌파세력을 각계로 침투시키려 했다는 것이다.[86]

김낙중 황인오 손병선에 무기징역

서울형사지법은 1993년 2월 김낙중에게 국가보안법상 간첩죄 등을 적용, 무기징역을 선고했다. 재판부는 판결문에서 "김 피고인이 비록 의식적으로 법을 위반하기는 했지만, 피고인의 행위 중 법정형으로 사형이 규정되어있는 탈출잠입 및 국가기밀의 탐지누설 등은 이로 인해 현실적 외형적 물리적인 위해가 직접 발생한 것은 아니라는 점에 비추어 사형을 선택하지 않았다"고 밝혔다.[87] 김낙중은 그해 6월 2심 선고공판에서 원심대로 무기징역을 선고받았으며[88] 그해 10월 대법원은 그의 상고를 기각, 무기징역이 확정되었다.[89] 김낙중과 함께 구속기소된 민주당 전 부대변인 김부겸은 1심에서 징역1년 집행유예2년(구형 징역3년)을 선고받았다. 김부겸은 1988년 13대 국회의원 선거당시 한겨레민주당 후보로 서울 동작갑 지역구에 출마하기 전 간첩 이선실을 만나 선거자금으로 5백만원을 건네받고도 당국에 신고하지 않은 등의 혐의로 체포되었다.[90]

황인오 역시 1심에서 무기징역을 선고받았다. 재판부는 1993년 2월 열린 선고공판에서 "황 피고인이 이선화와 함께 밀입북, 북한노동당에 가입한 뒤 북한의 지령에 따라 반국가단체인 민족해방애국전선(약칭 민애전)을 결성하고 북한으로부터 권총 등 장비와 공작금을 받은 사실을 인정한다"면서 무기징역을 선고했다. 그러나 재판부는 "이선화가 북한 정치국 후보위원이라는 공소사실은 이를 입증할 증거가 없어 받아들이지 않는다"면서 "다만 황 피고인과 함께 밀입북한 대남공작원으로만 인정한다"고 밝혔다. 재판부는 또한 검찰이 남한조선노동당 중부지역당이라고 부르는 지하조직의 실제명칭은 '민족해방애국전선'이며 이 조직의 성격은 자생적인 주사파 조직으로서 북한과의 직접적 연계를 가져온 것으로 파악되었다고 판시했다.[91] 황인오는 항소를 제기했으나 원심과 같은 무기징역을 선고받았다. 항소심 재판부는 그해 7월 선고공판에서 "간첩단의 명칭은 중부지역당인 것으로 인정되며 민애전은 중부지역당의 위장 명칭으로 판단된다"며 1심 판결을 뒤집고 황인오를 포섭한 이선화(안기부 발표 이선실)는 북한노동당 서열 22위의 정치국후보위원이라는 사실이 인정된다고 판시했다.[92] 손병선 역시 그해 2월 1심 선고공판에서 무기징역(구형 사형)을 선고받았다.[93] 불고지 혐의로 기소된 장기표는 같은 날 징역1년(구형 징역5년)을 선고받았다.[94] 그는 그해 6월 항소심 선고공판에서 1심대로 징역1년이 선고되었다.[95]

김낙중과 황인오 등 이 사건 관련자들은 김대중 정부가 발족한 해인 1998년 8월 광복절특사로 석방되었다. 황인오는 특사되기 전 교도소 안에서 사상전향을 하고 1997년에《조선노동당 중부지역당》이라는 수기를 옥중 출판했다. 그는 이 책에서 자신이 북한노동당 사회문화부장 이창선의 직접 지시를 받고 조선노동당 중부지역당을 결성했다고 썼다.[96] 그러나 그는 2004년 12월 CBS 라디오와의 인터뷰에서 이 옥중수기는 안기부에서 기필한 것이며 중부지역당이라는 용어는 안기부에서 만든 것이라고 말했다.[97] 징역13년을 선고받은 그의 동생 황인욱은 북한에 밀입국 했을 때 노동당에 입당하고 '대둔산21호'라는 당원부호를 부여받은 사실이 나중에 밝혀졌다. 황인욱이 1998년에 특사로 석방된 다음 2006년 12월 민주화명예회복위원회로부터 민주화운동자로 인정을 받자 한나라당 정형근 최고위원은 간첩전력자를 민주화공로자로 인정하는 것은 부당하다고 정부를 비난하는 가운데 이 사실을 밝혔다.[98]

사실로 드러난 북한 공작 실체

안기부 발표 당시부터 조작의혹이 제기된 이 사건은 노무현정부에 들어와 국가정보원의 과거사건 진실규명을 통한 발전위원회(약칭 진실위)에서 진상을 조사했다. 결론은 이 사건이 3개의 별개 사건을 결합해서 과장하기는 했으나 '조작'사건은 아니라는 것이다. 국정원 진실위는 2006년 8월 이 사건이 1992년 제14대 대통령 선거를 앞두고 노태우 정권이 정권 재창출을 위해 안기부를 시켜 만든 공안 조작사건이라는 의혹의 근거를 찾을 수 없었다고 밝혔다. 사건총책으로 꼽힌 간첩 이선실(북한 노동당 정치국 후보위원, 권력서열 22위)은 제주 출신으로 월북한 '이화선'이라는 실존 인물이라는 사실이 드러났으며 중부지역당 역시 실제 황인오, 최호경 등이 대외명칭을 '민족해방애국전선'(민애전)으로 해서 만든 조직이며, 중부지역당은 '조국통일애국전선'(약칭 조애전)이라는 이름의 강원도당과 '95년위원회'를 재편한 '애국동맹'이라는 명칭의 산하기관을 두었다는 사실도 확인되었다고 발표했다.[99] 이로써 북한의 거물공작원 이선실은 '제2의 성시백'같은 존재였음이 밝혀졌다. 성시백은 앞에서 살펴본 바와 같이 북조선노동당의 서울주재 전권대표라는 별명이 붙은 거물 공작원이었다.

진실위는 다만 김낙중관련 사건과 중부지역당사건, 그리고 손병선사건 등 3개 사건이 별개의 사건들인데도 이들을 결합시켰으며 황 최 2명이 대규모의 '남한조선노동당'을 만든 것처럼 의도적으로 부풀림으로써 대통령 선거를 맞아 정략적으로 활용했다고 결론 내렸다. 진실위는 '간첩단과 정치인 관련설'과 같은 미확인 첩보 등 민감한 사안을 공개한 것과 노동당에 실제 가입한 사람은 12명인데 조직원이 400여 명이라고 늘려 발표한 것을 예로 들었다. 안기부가 36년 동안 고정간첩으로 암약하면서 북한의 지시로 민중당에 참여했다고 지목했던 김낙중에 대해서는 "90년 북한 공작원을 만나 공작금과 공작 장비를 받은 것은 사실이지만 고정간첩이었다는 발표는 사실과 다르다"고 밝혔다.[100)

Ⅵ. 민주주의 공고화와 진보세력

① 김영삼 정부 하의 좌파정당

진보적 개혁정당은 국민의 정당으로서, 정책정당으로서, 개혁정당으로서의 제 역할을 충실히 수행하기 위해 언제나 깨어 있을 것이며, 멀지 않은 미래에 국가와 민족을 책임질 당당한 주체로 우뚝 설 것임을 믿어 의심 치 않는다.

―국민승리21, 창립선언문(1997. 10)

1. 진보정치연합

민중정치연합 출범과 세대교체

1992년 민중당이 해산된 다음 1997년에 국민승리21이 결성될 때까지 약 5년 간은 좌파정당을 재건하려는 움직임이 몇 갈래로 진행된 시기였다. 우선 1992 년 12월의 제14대 대통령선거에 백기완을 민중대통령 후보로 추대한 4개 좌파 단체 가운데 하나인 사회당 추진위원회(대표 김종석, 金鍾錫)의 동향을 들 수 있다. 사회당 추진위는 1993년 1월 초 충북 보은군 내속리면 속리산파크호텔에 서 사회당 창당을 위한 전진대회를 개최하고 3월에 창당발기인 대회를 거쳐 6 월초에 중앙당 창당대회를 갖기로 의견을 모았다. 이들은 당 건설주체를 백기 완 선거운동본부에 속했던 4개 사회주의 이념조직으로 하고 강령에 사회주의 를 당의 이념으로 명시함으로써 국내의 모든 사회주의 세력과 연대하기로 했 다.[1] 4개의 이념조직이란 사회당 추진위 이외에 진보정당추진위원회(진정추), 민중회의준비위원회, 그리고 전국노동단체연합이다.

1993년 5월에 들어 이들 4개 조직 가운데 사회당 추진위(대표 김철수, 金鐵 洙)와 민중회의준비위(오세철)가 민중정치연합(가칭)으로 통합되었다. 이들 두 단체는 과거에 다 같이 민중당을 모태로 해서 결성된 조직들이다. 두 단체 대표 들은 5월 16일 서울시립대학교 강당에서 두 조직 소속원 5백여명이 참석한 가 운데 민중정치연합(약칭 민정련) 출범식을 개최하고 오세철과 김철수를 각각 대표와 부대표로 선출했다. 양 조직의 통합으로 김영삼 정부 출범 이후 처음으로 좌파세력의 연합체가 탄생했다. 오세철 대표는 민정련 출범식에 앞서 기자회견을 갖고 "94년 상반기까지 창당일정을 마련, 진보정당 추진위원회 등 다른 진보세력과의 통합을 추진하고 사회주의 방식에 의한 경제민주화 실천에 주력하겠다"고 밝혔다. 민정련은 당시 동구 사회주의국가들이 붕괴하고 김영삼 정부가 재야인사들을 영입해 좌파세력의 입지가 더욱 위축된 상황에서 추진되었다. 이런 정치분위기를 반영해 민정련 강령도 대부분 경제민주화와 저소득층의 생활수준 향상에 초점을 맞출 수밖에 없었다. 경제민주화의 핵심은 재벌기업 등 주요 생산시설의 사회화, 노동자들의 국가 주요 생산시설 대표 선출과 경영권 행사를 통해 부를 합리적으로 분배하고 경제적 소외계층을 없앤다는 것이다. 민정련은 그러나 자신들이 원내의석을 가지지 못했기 때문에 금융실명제 실시, 조세제도 개혁, 성차별 철폐, 환경보호정책 확대 등 당면문제에 관해서는 시민단체들과 연대해 투쟁하면서 세력을 확장하기로 방침을 세웠다.[2] 이 기간 동안 보수진영으로 넘어간 대표적인 좌파인사는 노태우 정부 말기에 각각 민중당 대표를 지낸 이우재와 민중의 당 대표를 지낸 정태윤이다. 두 사람은 1994년 9월 민자당 지구당 조직책에 임명된 다음 기자회견을 가졌는데, 이우재는 "우리 정치현실에서 진보정당의 존립은 거의 불가능하다는 것을 체험했다"고 말했으며 정태윤은 "개혁역량을 강화하기 위해 진보적 지식인들이 현 정권에 힘을 보내는 것이 옳은 선택"이라고 강조했다.[3]

진보정치연합 발족

그러나 더 이상의 진보단체 통합은 지지부진, 민정련(민중정치연합)이 출범한지 2년 4개월 만에 겨우 둘째 단계의 통합을 이루었다. 즉, 1995년 9월 24일 민정련과 진정추(진보정당추진위원회)가 진보정치연합 창립대회를 열고 두 조직을 하나로 통합했다. 진보정치연합은 노회찬(진정추)과 김철수(민정련)를 공동대표로 선출한 다음 노동, 환경, 여성 운동가 및 각계 전문가들을 중심으로 한 진보정당을 설립하기로 결의했다.[4] 이로써 백기완 민중대통령후보를 추대했던 사회주의이념 단체 3개가 두 단계를 거쳐 하나로 통합된 셈이다.

그러나 진보정치연합은 1996년 4월의 제15대 국회의원총선을 앞두고 개혁신당 추진파가 떨어져 나가 분열되었다. 분열의 원인은 독자세력화–반독재민주정부수립(PD)노선을 걷던 개혁신당 추진파와 김대중 지지–민족해방(NL)노선을 걷던 나머지 세력간에 의견대립을 보였기 때문이다. 진보정치연합에 남아있던 세력은 무소속으로 출마했다가 뒤에서 보는 바와 같이 이듬해 12월의 제15대 대통령선거를 앞두고 전국연합과 함께 민주노동당의 전신인 국민승리21을 결성한다.

2. 국민승리 21

진보정치연합과 전국연합의 합작

국민승리21은 앞에서 설명한 진보정치연합과 당시 최대의 좌파연합세력이던 전국연합이 1997년 12월의 제15대 대통령선거에 내보낼 '국민후보'를 추대하고자 민주노총을 참여시켜 만든 조직이다. '국민후보'란 제14대 대선에 나간 백기완의 과격하고 관념적인 '민중후보'라는 호칭에 대칭되는 온건한 용어이다.

진보정치연합 내부에는 앞에서 설명한 개혁신당 추진파처럼 진보진영의 독자세력화에 찬성하는 세력이 있었기 때문에 보수야당후보인 김대중 아닌 새로운 '국민후보'가 나와야 한다는 주장을 확산시켰다. 진보정치연합이나 전국연합에도 김대중의 보수야당과 손을 잡자는 NL계열이 상당히 포진하고 있었으나 소련과 동구권의 붕괴에 따른 북한정권의 위기설이 연일 보도되어 적잖은 수가 주체사상과 NL노선에서 이탈했다. 이 때문에 이들 NL파는 과거의 대립세력이었던 PD계열의 진보정치연합 다수파와 부득이 손을 잡지 않을 수 없었다. 전국연합은 1987년의 제13대 대선과 92년의 제14대 대선에서 이른바 '비판적 지지'라는 명분으로 사실상 김대중을 지지했지만 결과는 그의 잇따른 낙선으로 나타났다. 뿐만 아니라 전국연합과 김대중 간의 정책연합이 김대중에 의해 무시되어 불만과 배신감이 쌓였던 것이다. 이 때문에 진보정치연합은 이번에는 태도를 바꾸어 김대중 지지를 철회하게 되었다. 진보정치연합이 민주노총 지도부와 손을 잡게 된 것은 민주노총이 1996년 말 사상 초유의 2개월간 총파업으로써 김영삼 정부의 '신 노사관계 구상'에 기초한 노동법 개정을 백지화시키는데 성공한 여세를 몰아 민주노조의 정치세력화를 이룩하고자 했기 때문이었다.

진보정치연합, 전국연합, 민주노총의 3조직은 1997년 5월 실무적인 국장회의를 시발로 예비협의를 거쳐 민예총, 참여연대, 녹색연합 등 사회단체의 간부들과 정대화(상지대학) 등 학계인사까지도 참여시켜 국민후보 추대운동 전개를 공식으로 결의했다. 이에 따라 민주노총 위원장 권영길과 전국연합 상임의장 이창복 등 재야단체 대표들은 8월 18일 서울 중구 프레스센터 20층 국제회의장에서 '국민승리 21(가칭) 건설과 국민후보 추진을 위한 선언자 대회'를 갖고 '국민후보 추진위원회'를 구성했다.[5] 국민후보 추진위원회는 9월 1일 서울 여의도 여성백인회관에서 전체회의를 열고 권영길 민주노총 위원장을 재야 시민단체 독자후보를 추천했다.[6]

권영길을 국민후보로 공천

권영길은 9월 7일 서울 여의도 63빌딩에서 열린 국민승리21(가칭) 준비위원회 발족식에서 대선후보로 공식 추천되었다.[7] 국민승리21 준비위원회는 10월 26일 서울 잠실 올림픽공원 펜싱경기장에서 각계 인사 4천여명이 참석한 가운데 결성대회를 열고 권영길을 대선후보로 추대하기로 공식결정한 다음 선거대책본부장에 천영세(千永世) 전국연합 공동의장을 선출했다.[8] 국민승리21은 교수 전문가 160여명을 권영길 후보의 대선공약 개발과 선거운동을 지원할 정책자문교수단으로 위촉했다.[9]

권 후보는 11월 10일 그의 10대 공약을 발표했다. 그는 이날 서울 마포구 도화동 사무실에서 기자회견을 갖고 ① 평생고용 보장과 퇴직금 완전보장 ② 사회복지 예산 20%로 증액 ③ 국가보안법 철폐와 안기부 폐지 ④ 7% 교육재정 확보와 11년 무상교육 ⑤ 군복무 18개월 단축과 향토예비군제 폐지 ⑥ 육아 국가책임제 및 육아 휴직시 급여 70% 보장 ⑦ 민족사 정립을 위한 진실규명위원회 설치 등을 공약으로 제시했다.[10] 권영길의 공약에서 평생고용 보장과 퇴직금 완전보장 등 노동정책이 중시된 것은 국민승리21에 합류한 오세철의 급진적인 민중회의 계열의 정치연대(정식명칭 노동자민중의 정치세력화진전을 위한 연대) 측이 민주노총 측의 사회복지 우선 공약을 노동계급 우선 공약으로 변경할 것을 요구해 권영길-오세철 협약을 체결한데 따른 것이다.[11]

대선 낙선으로 정당 결성 모색

국민승리21은 11월 19일 정당으로 등록하기 위해 창당대회를 열었다. 그 전 달 개정된 통합선거법이 무소속 후보에게 불리하게 되었기 때문이다. 그러나 국민승리21은 어디까지나 대선용 한시정당으로 등록절차를 밟았을 뿐이고 이 듬해 지방선거를 계기로 해서 정당조직을 갖추기로 했다.[12]

그런데 국민승리21의 선거전망은 시일이 갈수록 어두워졌다. 무엇보다도 선 거운동 후반에 민자당 이회창(李會昌) 후보의 아들 병역문제가 불거져 국민회 의 김대중 후보의 승리가 유력해지자 국민승리21 내부에서 이탈하는 사람들이 생겨났다. 이들은 "운동은 4번이지만 투표는 2번이다"라는 이야기를 공공연하 게 유포시켰다. 실제로 투표 때 많은 국민승리21 당원이 김대중에게 이른바 '전 략적 투표'를 했다. 전국연합과 진보정치연대의 일부 소속원들은 국민승리21을 실질적으로 보이콧했다. 진보정치연대 계열은 심지어 대선운동자금 분담금 납 부조차 거부했다고 한다.

12월 18일의 제15대 대선 개표결과는 예상대로 권영길에게 참패를 안겨다 주 었다.[13] 대선 후 국민승리21의 일부 간부들은 김대중 정부에 들어갔으며[14] 오 세철이 이끈 정치연대는 대선 직후 국민승리21에서 바로 이탈, '노동자의 힘'이 라는 독자적인 조직을 만들었다.[15] 국민승리21 지도부는 민주노총 진보정치연 합 전국연합 등의 공동대선대책기구였던 국민승리21을 대선조직에서 '정치조 직'으로 전환하고 2000년 총선 1년 전까지 노동자가 중심이 되는 진보정당을 결성키로 했다.[16]

② 90년대 전반의 급진단체

미제국주의자들의 또 다른 노예가 되어버린 이 땅을 해방시키기 위해 조국해방전쟁을 벌여 낸지 44년.…불패의 애국대오 한총련 결사투쟁 미국 놈들 몰아내고 조국을 통일하자!

–한총련, 2기출범선언문(1994. 5)

1. 한총련 결성

유연한 자세 약속, 출범 때 깨어져

1993년부터 97년까지 김영삼 정부 시기는 노골적인 친북성향을 드러낸 진보단체들에 대해 정부가 강경책으로 임해 차츰 갈등이 고조된 기간이었다. 김영삼 정부 출범 직후 결성된 한국대학총학생회연합(약칭 한총련)은 1987년 민주화조치 직후에 출범한 전대협(전국대학생대표자협의회)의 후신이다. 한총련은 구성면에서 전대협과 상당한 차이가 있다. 전대협이 전국 180여개 대학(교) 학생대표자, 즉 총학생회장들의 협의체인데 비해 한총련은 각 대학(교) 총학생회장과 단과대학 학생회장까지를 포함하는 1천6백여명을 대의원으로 하는 연합체였다. 이렇게 함으로써 의사결정 과정을 민주화하고 다양한 문제의식을 수렴할 수 있는 기반을 마련, 조직 내부의 결속력을 강화한다는 것이다. 한총련은 전대협의 통일운동 등의 성과를 계승하되 종전의 오류와 한계를 극복해 나가기로 했다.[1]

한총련은 국가보안법 철폐를 들고 나온 점에서는 전대협과 같다. 그렇기는 하나 한총련은 김영삼 정부가 문민정부를 자임하는 정부이므로 과거의 권위주의 정권과는 달리 협조도 하기로 했다. 한총련은 전대협이 화염병과 쇠파이프로 극한투쟁을 벌인 것에서 탈피, 국민의 이해와 공감을 얻을 수 있는 합법적 운동방식으로 전환하는 것을 목표로 삼았다.[2] 그러나 말은 좋았지만 이 같은 유연한 노선은 한총련 창립대회 때부터 내부의 주사파들이 이끈 과격시위로 깨어지고 말았다.

한총련 창립대의원대회는 1993년 4월 전주의 전북대학교와 전주실내체육관에서 개최되어 단독 출마한 한양대 총학생회장 김재용(金在容, 정외 4)을 초대 회장에 선출했다. 그는 수락연설에서 "국가보안법과 집시법 등 악법 철폐와 부정부패 척결 등 사회악 일소문제에 대해 깊은 관심을 갖고 투쟁해 갈 것"이라고 밝히고 "현시기는 통일문제가 전 민족적 관심사로 부각된 시기"라고 말하면서 95년을 통일완수의 해로 정하고 6월 10일 판문점에서 이 문제를 논의하기 위해 남북대학생대표자회의 개최를 제안한다고 밝혔다.[3] 한총련의 남북대학생대표자회의 제안은 파란을 예고하는 것이었다.

남북청년학생회담 강행으로 경찰관 치사사건 일으켜

한총련이 출범과 동시에 벌인 첫 번째 투쟁은 마침 광주사태 13주년을 맞아 계획한 '5공 원흉 체포작전'이었다. 한총련은 5월 18일 서울 연세대 도서관 앞에서 소속 대학생 3천여명으로 '전두환·노태우체포선봉대'를 조직, 이틀에 걸쳐 두 사람이 살고 있는 인근 연희동까지 거리행진을 벌이려 했으나 경찰이 최루탄을 쏘면서 저지하자 쇠파이프 등을 휘두르며 결렬한 시위를 벌였다. 서울지역에서 쇠파이프와 최루탄이 등장한 학생들의 격렬시위는 김영삼정부 출범 이후 처음이었다.[4]

5월 말 고려대에서 거행된 한총련 제1기 출범식은 5만명에 달하는 많은 수의 학생 가두시위로 요란했다. 출범식 후 고려대를 출발한 학생들은 전·노 두 전직 대통령의 사법처리를 요구하면서 경찰과 투석전을 벌였다. 이들 중 2천5백명은 서울 서대문구 연희동 교차로에서 다시 격렬한 시위를 강행했다.[5] 한총련 지도부는 출범식 마지막 날 고려대에서 평양과의 국제전화를 통해 범청학련 남북해외본부 공동의장단 '회의'를 갖고 남북청년학생회담을 열 것을 제의했다. 대검 공안부는 이튿날 한총련 의장 김재용과 조통위원장 김병삼(金炳杉, 연세대 총학생회장) 2명에 대해 국가보안법 위반(통신 회합) 혐의로 사전구속영장을 발부받아 검거에 나섰다.[6] 북측은 6월 초 범청학련 북측 본부장 허창조 명의로 한총련 의장 김재용에게 편지를 보내 한총련이 제의한 남북청년학생회담을 수락한다면서 12일 판문점에서 예비회담을 갖기 위해 북측 본부 대표단과 참관

단을 보내겠다고 통고해 왔다.[7]

　그러나 정부가 이를 불허한다고 발표하자 한총련은 판문점 예비회담을 강행키로 결정, 그날 연세대에서 출정식을 가진 다음 신촌역에서 경인선을 타고 임진각까지 평화행진을 시도했다. 경찰이 이를 저지하자 한총련은 자동차 도로를 따라 은평구의 구파발 쪽으로 이동하면서 가두시위를 벌였다. 이 과정에서 시위를 진압하던 김춘도(金春道) 순경(서울경찰청 제1기동대 81중대)이 시위학생들이 던진 돌에 맞아 쓰러지자 학생 10여명이 에워싸고 그에게 발길질을 하는 사고가 발생했다. 김 순경은 의식을 잃고 병원에 옮겨져 응급치료를 받았으나 바로 숨지고 말았다.[8] 이 사건으로 한총련에 대한 여론이 급격하게 악화되었다. 한총련은 사흘간을 김 순경 애도기간으로 결정, 각 대학에 분향소를 설치하고 애도를 표했다.[9] 그러나 한총련은 김 순경의 사인이 소속 학생들의 집단폭행에 기인한다는 경찰 주장에 대해서는 끝 까지 부인했다.[10] 경찰은 외국어대 용인캠퍼스의 학생 1명을 김 순경에게 발질을 한 혐의로 구속했는데[11] 이 학생은 1심에서 징역10년을 구형받았으나 증거불충분으로 무죄를 선고받았다.[12]

2기 집행부부터 본격적 친북반미 활동

　한총련이 강행한 판문점 남북청년학생회담 예비회의가 경찰의 봉쇄로 불발로 끝나자 범청학련 남측본부는 2개월 후인 8월 초, 그달 15일부터 서울에서 열릴 예정이던 제4차 범민족대회 행사의 일환으로 개최하려던 범청학련 총회를 9월 이후로 연기했다. 범청학련 남측본부는 정부당국이 범청학련 총회를 범민족대회 불허의 이유로 삼기 때문에 범민족대회의 개최를 위해 범청학련 총회를 연기한다고 설명했다.[13] 남측본부는 이듬해인 1994년 8월 판문점에서 남, 북, 해외로부터 각각 2백명씩 모두 6백명이 참석하는 범청학련 총회를 개최하겠다고 통일원에 신청하는 동시에 그해의 제5차 범민족대회에서 청년학생 통일대축전을 갖기로 했다.[14] 이 판문점 총회 신청도 정부에 의해 불허되자 범민련 남측본부는 1995년 8월 여대생 2명(정민주, 鄭敏珠, 이혜정, 李惠貞)을 남측 대표로 베이징을 통해 평양에 밀파, 베를린에서 별도로 입북한 범청학련 공동사무국장 최정남(崔晶南)과 함께 범청학련 제1차 중앙위원회와 민족공동행사

에 참석토록 했다. [15]

한총련은 발족 직후부터 미군기지 안으로 쳐들어가 주한미군철수와 반전반핵 시위를 벌이고 안기부 앞에서 국가보안법 철폐와 안기부 해체를 주장하는 시위를 벌이는가 하면 미국대사관 앞으로 몰려가 우루과이라운드 재협상과 농산물 수입개방 철회를 외치는 시위를 벌이기도 했다. 그 밖의 충격적인 시위사건은 한총련 소속 대학생 130명이 국방부 청사 안으로 뛰어 들어가 페리 미국 방장관의 방한을 반대하는 농성시위를 벌인 사건, 그리고 거의 비슷한 새벽 시간에 동시다발적으로 서울시내 경찰서 한 곳과 파출소 8곳을 화염병과 쇠파이프, 그리고 각목으로 무장하고 습격, 기물을 파손한 사건이었다. [16]

한총련이 본격적으로 친북활동을 개시한 것은 1994년 5월 말 광주에서 열린 제2기 출범식부터였다. 정부당국은 이때부터 한총련이 주체사상을 지도이념으로 삼았다고 보았다. 이 해 8월 김두희(金斗熹) 법무장관은 국회 법사위에서 "한총련은 2기 출범식을 계기로 주체사상을 지도이념으로 택하는 등 철저히 북한을 추종하고 있다"고 보고했다. [17] 2기 집행부는 출범식에서 ① 외세반대 민족자주권 회복, ② 사회민주화 실현, ③ 연방제 통일, ④ 학원민주화 추진, ⑤ 노동자농민 및 세계 청년학생과의 연대 등을 규정한 한총련 강령과 규약을 채택했다. [18] 한총련 2기 출범선언문 중에는 "생활도, 학문도, 투쟁도 주체의 요구대로 밝혀 나가자"는 구절이 있다. [19]

새 집행부는 출범식을 전후해서 연일 대대적인 가두시위를 벌였다. 출범식 마지막 날에는 한총련 소속 학생 재야인사 등 3만명이 광주학살진상규명과 책임자 처벌 등을 외치면서 광주시 금남로 중앙로 등 도심지를 행진하는 등 기세를 올렸다. [20] 한총련은 또한 조선대에서 북한의 인민문화궁전 만수대의사당 유경호텔 김일성개선문 등 사진을 전시, 은근히 북한체제의 우월성을 부추겼다. [21] 검찰은 새 한총련 의장 김현준(金鉉俊, 부산대 총학생회장), 한총련 조국통일위원장 겸 남총련 의장 양동훈(梁東勳, 조선대 총학생회장) 등에 대해 구속영장을 발부받아 체포에 나섰다가[22] 대검찰청이 한총련의 유인물을 분석한 끝에 검거대상을 확대, 90여명에 대해 검거 지시를 내렸다. [23]

김일성 조문 파동

한총련은 1994년 7월 김일성이 사망하자 범민련 남측본부 등과 공동조문단을 파견하려다가 정부의 불허조치로 실현되지 못하자 정부에 정면으로 맞섰다. 한총련 지시에 따라 전국 26개 대학 총학생회가 김일성의 사망에 조의를 표하는 현수막과 대자보를 일제히 대학 정문 등에 게시했다. 일부 대학에서는 분향소를 설치하고 학생들의 조문을 받았다. 전남대의 경우 학생 250명이 분향 참배한 것으로 밝혀졌다.[24] 한총련의 '김일성주석의 서거와 관련한 선전지침서'가 전남대에서 검찰에 압수되어 그 내용이 공개되자 여론은 들끓었으며 여야 각당 대변인은 한총련의 이 같은 처사를 비난하는 담화를 발표했다.[25] 한총련의 지침 가운데 다음과 같은 구절이 있다.

> 일제시대 항일무장투쟁에서 한국전쟁(엄밀한 의미에서는 통일을 위한 미국과 한민족의 전쟁이므로 조국해방전쟁이 맞는 이야기다), 그리고 남북한의 근현대사를 이끈 주역임을 차치하더라도 최근 김 주석이 보였던 조국통일 노력은 민중들에게 통일을 기대하게 하였으나 김일성 서거 이후 김(영삼) 정권의 행위는 민중들에게 의구심과 불안감을 주고 있다.[26]

이 무렵 서강대 총장 박홍(朴弘)은 일부 주사파 학생들이 팩스와 전화 등을 통해 북측과 운동방향을 서로 논의하고 있다는 주장을 해 한총련이 이를 부인하면서 그를 고소하겠다고 위협하는 사태가 발생했다. 박홍은 그 증거로 자신이 북경에서 만난 김일성대학 교수 리관수가 "남한에서 보내온 팩스종이가 수북이 쌓여있다"고 말 하는 것을 들었다고 밝혔다. 박홍은 또한 주사파 학생 중 공산당(조선노동당)에 입당한 사람이 2~3백명은 될 것이라고 주장했다.[27] 대검 공안부도 1992년부터 당시까지 전대협과 한총련이 북측과 팩스 등을 통해 모두 40여건의 교신을 가졌다고 발표했다.[28] 경찰청 역시 얼마 후 57개 대학에서 그 보다 훨씬 많은 156회에 달하는 통신교류가 있었으며 이와 관련, 124명이 검거되고 36명이 구속되었다고 밝혔다. 경찰청은 한총련이 북한의 '구국의 소리' 방송과 평양방송을 듣고 투쟁지침으로 활용하거나 유인물을 배포해 모두

398종의 유인물이 압수되고 관련자 148명이 검거되어 그 중 99명이 구속되었다고 발표했다.[29]

한총련은 범추본(범민족대회 남측추진본부)의 일원으로 1994년 8월 15일 서울대 본부 앞 잔디밭에서 소속 대학생 등 1만5천명이 참가한 가운데 남측만의 제5차 범민족대회를 개최하는데 앞장섰다. 이 자리에서 범청학련 남측본부는 경찰의 저지를 무릅쓰고 범청학련총회를 강행, 북측본부 및 해외본부 공동명의로 연방제 통일방안 등 합의문과 투쟁결의문을 채택했다.[30] 같은 날 평양 28문화회관에서는 부주석 박성철(朴成哲), 최고인민회의의장 양형섭 등이 참석한 가운데 별도의 제5차 범민족대회가 개최되었다.[31] 한총련은 그해 10월 단군릉 준공식에 참석하라는 북한측 초청을 받고 베를린에 머물고 있던 범청학련 공동사무국장 최정남을 평양에 파견했다. 최정남은 평양에 머무는 동안 만수대 언덕의 김일성 동상을 찾아 조문하고 한총련 이름의 조화를 헌정했다고 북한 중앙통신이 보도했다.[32]

사상 최악의 연세대 시위

1996년 8월 연세대에서 개최된 제7차 범민족대회와 제6차 범청학련 통일대축전, 그리고 제1회 범청학련 총회는 한총련과 공권력의 정면충돌로 사상 최다의 연행자와 부상자를 내고 대학캠퍼스 일부를 폐허로 만들었다. 정부는 안기부 경찰청 등 관계부처 실무책임자 회의를 열어 이들이 8·15를 맞아 주최하는 모든 행사를 원천봉쇄하기로 방침을 정하고 나흘 후에는 내무 법무 교육 3부 장관 공동명의로 한총련이 법을 위반하면 엄정 대처할 것이라는 담화를 발표했다.[33] 그러나 한총련은 이에 굴하지 않고 행사를 강행, 정면충돌이 일어났다. 서울에서 제7차 범민족대회가 열린 14일 판문점 북측지역 판문각에서는 북측대표단과 해외교포 등 7백여명이 참석한 가운데 별도의 범민족대회가 열렸다. 경찰은 같은 날 한총련 소속 학생 3천여명이 제6차 범청학련 통일대축전을 열고 있는 연세대 교내에 6천여명의 병력을 투입, 집회를 저지했다. 이들의 집회는 일시 중단되었으나 경찰이 교외로 퇴각하자 한총련은 심야에 교내 과학관에서 각 대학 총학생회장들이 참석한 가운데 제1회 범청학련 총회 개최를 강행했다. 범민련 남측본부는 자정을 넘긴 시각부터 연세대 노천극장에서 대학생 2천여명이 참석한 가운데 범민족대회를 이튿날 새벽까지 진행했다. 경찰 헬기 11대가 상공에서 최루액을 뿌리는 가운데 경찰 6천여명이 폐타이어와 책·걸상 등으로 만든 학생들의 바리케이드에 불을 지른 다음 한총련 소속 학생 350여명을 최초로 연행했다. 이들 학생들은 경찰에 화염병과 돌을 던지면서 40분간 격렬하게 대항하던 끝에 연행되었다. 그러나 한총련 시위는 이것으로 끝나지 않고 9일간이나 계속되었다.[34]

연세대사건은 통계상 최악 상황의 시위사건이었다. 당시까지 최장기간의 시위였던 86년의 건국대사건의 시위기간 4일을 훨씬 초과했다. 총 연행자도 5천848명으로 건국대사건의 1,525명의 3.8배에 이른다. 구속자는 465명, 구속기소자는 438명이었다.[35] 기소된 사람들은 1심에서 대체로 최고 징역2년6개월에서 최저 징역1년 집행유예2년을 선고받았다.[36] 부상자도 경찰 630명을 포함, 학생과 경찰 모두 1천여명에 이르러 건국대사건 때의 1백여명이나 1994년의 서울 범민족대회 때의 170명의 10배에 달했다. 부상한 김종희(金鍾熙) 이경은 나중에 숨졌다.[37] 연세대는 한총련의 점거농성으로 1백억 대의 재산피해가 생긴 것으로 발표되었다.[38] 김영삼 대통령은 "한총련은 완전히 폭력 살인집단"이라면서 "배후를 끝까지 추적해 철저히 파헤쳐야 한다"고 지시하고 "연세대 종합관 건물을 일본 동경대의 야스다 강당처럼 국민교육의 장소로 활용할 필요가 있다"고 당부했다.[39] 대검찰청은 김영삼의 지시에 따라 '한총련 좌익사범 합동수사본부'를 설치했으며 연세대는 피해건물을 그대로 보존했다.

대검 합수부의 수사결과 한총련 간부 30여명이 범민련 남측본부의 간부 김혁(가명)의 지시에 따라 북한 김정일에게 보내는 "주체사상 중심으로 힘차게 투쟁하겠습니다"라는 충성편지를 한총련 지도부에 제출한 사실이 드러나 국민들을 놀라게 했다.[40]

근로자 린치치사 사건으로 탈퇴 러시

연세대사건은 한총련에도 최대의 위기를 불러왔다. 학생운동권 내부에서 한총련의 주류를 형성해온 NL파가 이듬해 각 대학 총학생회장 선거에서 대거 낙선했다. 서울대와 고려대 경북대 전북대 부산대 등에서 '한총련 개혁'을 공약으로 들고 나온 PD파 후보가 총학생회장에 당선되고 연세대 대구대 강릉대에서는 아예 비운동권 학생이 당선되었다.[41] 한총련에 대한 역풍은 총학생회 선거 이후 더욱 거세져 불어 한총련의 노선에 반대하는 비운동권 총학생회연합단체가 경상대 경남대 진주전문대 등 경남 도내 3개 대학 대표들이 참여한 가운데 발족, 나중에는 연세대 등 30여개 대학이 참여한 '새로운 미래를 여는 총학생회 연대모임'을 결성했다.[42] 경상대 경남대 등 경남지역 5개 대학 총학생회와 목원대 배재대 등 대전 지역 12개 대학, 그리고 호남대 등 광주전남 지역 8개 대학은 한총련을 탈퇴했다.[43]

이런 분위기 속에서 1997년 4월 5일 전남대에서 열린 대의원대회에서 제5기 한총련 의장에 선출된 강위원(姜渭遠, 전남대 국문과 4년)은 "국민적 신뢰를 회복하는데 최선을 다하겠다"고 다짐하면서 대의원대회에서 결의한 부패비리정권 퇴진, 한보사건 철저수사, 책임자 전원 처벌을 추진하겠고 약속했다.[44] 한총련 소속 대학생 10여명은 새 집행부 출범 후 서울 종로구 명륜동 성균관 앞에서 천막을 치고 김영삼 정권 퇴진 및 대의원대회 후 광주에서 있었던 가두시위 중 숨진 조선대생 사망사건의 진상규명을 요구하는 6일간의 단식농성을 벌였다.[45]

정부는 5월 30일부터 한양대에서 개최키로 예정된 한총련 제5기 출범식을 경찰병력으로써 학교 주변을 포위해 원천봉쇄했다. 이는 학교 측의 시설보호 요청에 근거를 둔 것이지만 경찰은 한 걸음 더 나아가 한총련이 친북행위 중단, 제14차 세계청년학생축제 참가 계획 포기, 그리고 출범식에 앞선 경찰의 행사장 수색 협조 등을 하지 않을 때는 불법행위에 대한 엄정조치를 할 것이라고 경고했다. 그러나 한총련은 폭력투쟁으로 이에 답했다. 출범식에 참가하기 위해 상경하던 광주전남지역 총학생연합(남총련) 소속 학생들은 호남선 전남 무안군 일로역 건널목에서 무궁화호 열차를 정지시키고 탑승한 것을 비롯, 곳곳에서 열차를 무단 정차시키는 행패를 범했다. 경찰의 저지로 출범식이 무산되자 한총련 소속 대학생 1만 여명은 고려대와 동국대로 이동해 교문앞 시위를 벌인 끝에 다시 거리로 진출, 이날 밤 늦게까지 서울 도심 곳곳에서 화염병 시

위를 벌었다.[46)

　한총련의 시위가 연 나흘째 계속되는 가운데서 한양대 후문 부근에서 학교진 입을 시도하던 학생들을 저지하던 경찰이 사망한 사건이 또다시 발생했다[47) 또 한 한양대 구내에서 서성거리던 '이석'이라는 근로자가 경찰 프락치로 오인되 어 한총련 소속 학생들에게 교지자료실로 끌려가 의자 위에 뒤로 두 손이 묶인 채 집단린치를 당해 사망한 사건이 발생했다. 경찰은 린치사건 관련자 3명을 구속했다.[48) 두 사건으로 한총련은 '살인집단'이라는 비난과 해체하라는 여론에 직면했다. 신한국당과 국민회의는 대변인 성명을 통해 한총련의 해체를 촉구했 으며 자민련은 한총련이 거듭 날 것을 촉구했다. 전국연합과 민노총 그리고 참 여연대 조차 한총련의 철저한 반성과 거듭 날 것을 촉구했다.[49) 또한 시인 김지 하는 한총련의 해체와 각 대학의 자유로운 연대와 다양하고 창조적인 네트워크 운동을 촉구했다.[50) 이 사건으로 195명이 구속되어 전원 기소되었다.[51)

　한총련은 두 사건으로 치명적인 타격을 입고 5기 출범식을 무기 연기한다고 발표했다. 그러나 한총련은 이틀 만에 발표를 뒤집고 서울대에서 소속 학생 2 천5백여명이 참가한 가운데 기습적으로 5기 출범식을 개최했다. 한총련은 사 망한 유지웅(柳志雄) 상경과 근로자 이석(李石)에 대한 애도식을 가진 뒤 집행 부출범 선언대회를 치렀다.[52) 한총련의 전격적인 출범식 후 여론은 더욱 악화 되었다. 대검찰청 공안부는 한총련을 이적단체로 규정하고 완전 해체하기로 방 침을 세웠다. 경북대 중앙대 이화여대 등 한총련 비주류계열의 전국 18개 총학 생회는 기자회견에서 한총련 지도부의 총사퇴를 촉구했다. 며칠 후 서울대 총 학생회도 같은 내용의 성명을 발표했다.[53) 경찰은 각 대학 총학생회가 7월 말 까지 한총련을 탈퇴하라고 발표했다.

　5월말 출범식 때부터 경찰의 추격을 피해 피신했던 제5기 의장 강위원이 7월 초 광주에서 체포된 것을 비롯, 집행부 다수가 검거되고 피신했음에도 불구하 고 한총련은 굽히지 않고　신한국당 대통령후보 지명대회 날을 맞아 총궐기했 다. 범청학련 남측본부 주최 8·15 청년학생통일대축전도 강행키로 했다.[54) 한 총련의 통일대축전 개최 강행에 대해 서울대 총학생회는 이를 중지할 것을 촉 구하고 그렇지 않으면 한총련 집행부 불신임 투표를 통해 사실상 탈퇴도 불사하겠다고 밝혔다. 이에 대해 전국연합은 한총련이나 범청학련 측이 범민족대회를 고집할 경우 별도의 8·15평화통일민족대회를 치르기로 결정했다고 발표했다.[55] 서울대 총학생회의 성명발표에 이어 홍익대 명지대 경기대 중앙대안성캠퍼스 단국대천안캠퍼스 순으로 시작해 원광대와 이화여대 순으로 가입대학(206개)의 77.6%인 160개 대학 총학생회가 한총련을 떠났다.[56] 7월 말을 한총련 탈퇴시한으로 정한 경찰청은 각 대학 총학생회 간부 2백여명이 개인자격으로 탈퇴했다고 발표했다.[57] 경찰은 탈퇴시한을 넘기고도 한총련에 계속 남은 656명에 대해 수사에 착수했다.[58]

8월 15일 서울에서 개최하려다가 정부의 불허조치로 무산된 한총련 주최 제7차 통일대축전과 제8차 범민족대회는 같은 날 광주 조선대 본관 앞에서 재야단체와 한총련 소속 학생 5백여명만 참석한 가운데 약식으로 강행, 해산시키려던 경찰과 충돌을 빚었다.[59]

2. 범민련 남측본부 결성

4년 동안 결성 못해

범민련 남측본부 추진그룹은 이미 Ⅴ-2(80년대 후반~90년대 초의 급진단체)에서 설명한 바와 같이 노태우 정부 말기인 1991년 1월 서울 향린교회에서 결성준비위원회를 열려다가 경찰이 주동자를 검거함으로써 무산되었다. 1992년 들어 대검찰청은 제3차 범민족대회를 개최하려던 범민련 남측본부 결성준비위, 그리고 전대협이 결성을 추진 중이던 범청학련을 '이적단체'로 규정하고 관련 핵심인물들에 대한 검거작전에 나섰다. 대법원도 그해 7월 이들 두 단체를 이적단체로 규정하는 확정판결을 내렸다.[60]

범민련 남측본부 결성은 1993년 2월 김영삼 정부가 출범한 후에도 계속 금지된 가운데 남측본부 결성준비위 이름으로 그해 8월의 제3차 범민족대회 개최를 추진한 것 이외는 별다른 활동을 하지 않았다. 그러나 1994년 7월 북한 주석 김일성이 사망하자 범민련남측본부 결성준비위는 다시 주목의 대상이 되었다. 범민련 남측본부 결성준비위는 전국연합 및 자주평화통일민족회의와 함께 김일성 사망에 조의를 표해, 이 사실이 평양방송에 의해 알려진 것이다.[61] 과연 범민련 남측결성준비위원회(의장 강희남, 姜希南)는 평양에 조문단을 파견하는데 협조할 것을 요구하는 서한을 이홍구(李洪九) 통일원장관에게 보냄으로써 이 방송 내용이 사실로 확인되었다. 이 서한에 의하면 93년 범민련 남측본부 준비위원장이었던 고 문익환 목사 장례식에 북측이 조의를 표하고 조문단 파견 의사를 밝힌데 대한 답례로 남측본부 결성준비위가 조문단을 파견하겠다는 것이다.[62] 통일원 측에서 이 요구를 거부하자 남측본부 강희남 의장과 안희만(安熙滿) 간사는 16일 판문점 행을 강행하다가 경기도 고양시 내유검문소에서 경찰에 연행되었다.[63] 경찰은 이날 서울 종로구 종로6가 신흥빌딩 내 범민련 남측본부 사무실과 남측 본부 부의장 이종린(李鍾麟) 등 3명의 자택에 대해 압수수색을 실시했다. 경찰은 김일성을 찬양하는 내용의 성명을 언론사에 보낸 것을 문제삼아 수사에 착수한 것이다.[64] 강희남과 이종린 등 간부 5명은 국가보안법 위반 혐의로 구속되었다.[65] 목사인 강희남(1920~2009)은 박정희정부 아래서 민주화운동으로 투옥되었으며 범민련 남측본부 의장이 된 다음 5차례 구속된다. 이종린(1923~2014)은 일제 때 일본에 징용으로 끌려가 사회주의사상에 눈을 뜨고 해방을 맞아 귀국한 다음에는 좌익청년단체인 민청(조선민주청년동맹, 후의 민애청=민주애국청년동맹)과 남로당에 가입, 활동하고 6·25때 부역행위로 구속되기도 했다. 그는 4·19 이후에는 민자통(민족자주통일중앙협의회) 중앙상임위원을 지내고 5·16후 다시 투옥된 경력을 가져 운동권의 원로로 대우받는 인물이다.[66]

6개 지역연합과 부문별 협회 가입

범민련 남측본부는 1995년 2월 25일 공식적으로 결성되었다. 공식적이라고 하지만 당시 언론에는 이 사실이 보도되지 않아 그 절차가 공개되지 않았다. 초대 의장에는 강희남목사가 선출되었으며 남측본부에는 서울 광주 전남 등 6개 지역 연합들과 한총련, 범청학련, 한국청년단체협의회 등 부문단체들이 가입했다.[67]

법외단체로 출범을 강행한 범민련남측본부는 발족 후 주한미군철수와 국가보안법 철폐 및 연방제 통일 등을 주장하고 일본 동경의 범민련공동사무국과 베를린의 범청학련 해외사무소 등을 거쳐 팩스로 범민련북측본부와 접촉했다. 남측본부는 결성선언문에서 "범민련운동은 남과 북 어느 쪽에도 치우치지 않는 3자 연대의 운동"이라고 밝혔지만 실제로는 북한정권의 주장을 대변했다.

1995년 11월 안기부와 경찰청은 남측본부에 대한 대대적인 검거작전에 나서서 간부 29명을 구속했다. 안기부는 이들이 1991년 11월, 국가보안법상 이적단체라는 서울고등법원의 판결을 받은 이후에도 계속 북한과 연계해 불순 통일운동을 벌여왔으며, 일부 인물들은 국내 정세를 몰래 수집해 재일조총련 등 북한 공작조직에 전파해온 혐의를 받고 있다고 발표했다. 구속자 중에는 강희남(남측본부 의장) 전창일(부의장) 신창균(申昌均, 상임고문) 김병권(중앙위원) 김영옥(중앙위원) 박석률(집행위원) 주명순(중앙위원) 심정길(사무처장) 이종린(서울연합의장) 등이 포함되어있다.[68] 남측본부는 2년 후인 1997년 5월과 6월, 북한 수재민 돕기 성금으로 모금한 1만 5천 달러를 조총련 간부에게 송금해 북한에 전달케 하려다가 적발되어 남측본부 공동상임의장 나창순(羅昌淳)과 민경우(閔庚宇) 사무처장이 국가보안법 위반혐의로 구속되고, 의장 권한대행 이종린과 상임부의장 이천재(李天宰)에 대해서도 구속영장이 발부되었다.[69] 나창순(1933~)은 진보당 출신으로 사회대중당 중앙위원과 민자통 중앙위원을 지낸 인물이다.

범민련 남측본부는 결성이후 해마다 정부당국의 불허방침을 무시하고 범민족대회 분산개최를 강행, 1999년에 마지막 대회인 제10회 범민족대회까지 치렀다. 2000년에는 뒤에서 보는 바와 같이 분단 이후 최초로 남북정상회담이 열려 6·15공동선언을 채택한 것을 계기로 2001년부터 범민족대회 대신 남북의 민화협(남측의 민족화해협력범국민협의회와 북측의 민족화해협의회)이 주도하는 8·15통일축전을 개최하게 되었다.

3. 민족회의 결성

대중적 통일운동 내세운 재야단체

노태우 정부 후기에 결성된 진보단체협의체인 전국연합은 김영삼 정부 들어 자주평화통일민족회의(약칭 민족회의)를 결성했다. 전국연합은 1993년 12월 중앙위원회에서 대중적인 새로운 통일운동체의 결성을 결의하고 준비모임에서 문익환 목사, 박순경(朴淳敬) 전 이화여대 교수, 함세웅 신부, 지선(知詵) 스님, 김현(金玄) 원불교 교무, 조성우 평화연구소 소장, 강정구(姜禎求) 동국대 교수 등을 중심으로 해서 각계를 망라한 발기인을 선정했다. 이들이 추진한 새로운 통일운동체는 합법적이며 대중적인 조직으로 국민적 지지 속에 대안능력을 갖춘 대중적 조직으로 만들자는 것이었다.[70]

이에 따라 전국연합과 전국노동조합 협의회, 전국농민회총연맹, 한총련, 천주교정의구현 사제단 등 50여개 재야 및 종교 시민단체 대표 3백여명이 1994년 3월 민족회의 발기인대회를 열고 4월 중에 이를 창립키로 했다.[71] 당시로서는 그 규모가 해방이후 최대규모의 민간통일운동기구였다. 민족회의는 6월 10일 준비위원회(상임위원장 이창복) 명의로 기자회견을 갖고 북한 핵개발 문제에 대해 김찬국(金燦國) 상지대 총장, 박형규 목사, 변형윤(邊衡尹) 서울대 교수, 이부영 이우정 김병오(金炳午) 이길재(李吉載) 민주당 의원 등 종교·재야·정당 인사 64명이 서명한 긴급성명을 발표했다. 이 성명은 "북한 핵문제는 대화와 협상을 통한 평화적 방법으로 해결되어야 한다"면서 "관련당사국들의 협상을 통한 일괄타결 방식이 핵문제를 푸는 가장 합리적인 방식"이라고 주장했다.[72]

민족회의는 예정보다 늦게 그해 7월 초 서울 연세대 100주년기념관에서 창립대회를 열고 정식 출범했다. 민족회의 지도부는 이창복 전국연합 상임의장, 권영길 전노대 공동대표, 이효재 통일원 고문 등 20명의 공동의장단으로 구성되었다. 민족회의는 창립선언문에서 "최근 남북정상회담의 개최합의 등으로 통일문제가 새로운 전환국면을 맞고 있다"면서 "민족회의는 평화통일의 대원칙에 동의하는 모든 단체들과 함께 통일의 길로 나아갈 것"이라고 선언했다.

이 선언문은 또한 "오는 95년을 통일원년으로 정하고 자주 평화통일 민족대단결의 3대 원칙 아래 모든 국민이 참여하는 통일운동을 펼쳐나갈 것"이라고 선언했다. 민족회의는 그해 광복절까지 한반도 평화실현을 위해 1백만 이상의 범국민서명운동을 벌이기로 했다.[73]

문익환의 범민련 해체주장으로 북측과 대립

민족회의(대표 박순경)의 통일운동은 범민족대회를 주도해온 범민련남측본부측과 갈등을 보였다. 합법적이고 대중적인 통일운동체를 지향한 민족회의는 범민족대회를 주도한 범민련 남측본부(준비위) 측과 이견이 생긴 것이다. 민족회의 측은 범민련이 남측 통일운동의 대표성을 갖지 못하며 범민련의 조직으로는 합법적인 대중운동을 전개할 수 없다고 주장하면서 범민족대회의 개최에도 반대했다. 민족회의측은 "정부 참여와 협조 없이는 명실상부한 민족공동행사를 기대하기 힘든 만큼 남북한 당국이 이 문제를 놓고 허심탄회한 대화를 시작하라"고 촉구했다.[74]

흥미로운 사실은 민족회의의 범민련 해체주장에 대해 범민련 남측본부가 "무원칙하다"고 반발하고 있는 가운데 북측이 개입한 점이다. 범민련 북쪽본부는 93년 12월 10일 백인준 의장 명의로 남쪽본부 준비위원회 문익환 의장에게 팩시밀리로 편지를 보내 "조국통일운동은 결코 어느 한 지역운동의 성과로써만 이루어질 수 없는 것으로 북과 남, 해외의 혼연일체의 연대 속에서만 실현 가능한 것"이라면서 범민련의 해소나 위상약화를 통한 새로운 통일운동체의 결성에 반대했다. 그는 "북에서 범민련 운동이 아무리 활발히 전개된다 하더라도 남쪽과 공동보조를 맞추지 못할 때 그것은 북의 지역적 운동에 그치고 말 것이며 반대로 남녘에서 통일운동이 아무리 대중화하고 활성화한다 하여도 북과 공동보조를 맞추지 못하면 그것 역시 남의 지역적 운동이나 시민운동으로밖에 되지 못할 것"이라면서 "범민련 운동은 시작에서부터 삼발이의 세 다리와 같이 북과 남, 해외 중 어느 한쪽이 없이는 정립될 수 없는 숙명적인 일심동체의 운동"이라고 강조했다. 그리고 민족회의 결성에 대해서 "내외의 온갖 세력들이 민족통일세력을 분열시키고 북을 고립시키며 북의 사회주의를 말살하려는 책동이 심하고, 이에 영향 받아 일부 통일운동가들 속에서 동요가 일어나고 있는 것 같다"고 불만을 표명했다.[75]

문익환은 북측에 보내는 답신에서 새로운 통일운동체 결성의 필요성이 있다고 강조하면서 "역사의 발전과 함께 통일운동의 틀과 방식도 바뀔 수 있다"고 반박했다. 그는 "요원의 불길처럼 번져나가는 7천만 겨레의 통일열망을 담아내고 통일세력들을 조직하는데 범민련이라는 틀이 뚜렷한 한계가 있는데다가 세 지역의 사정이 너무 달라 각 지역의 통일체들이 좀 느슨한 관계로 맺어져서 서로 구속을 덜 받으면서도 하나로 일해갈 수 있어야 하기 때문"이라고 반박했다. 문익환은 이어 철두철미하게 민족자주에 입각한 통일, 남과 북의 장점만을 살린 대등한 통일, 95년 한 나라로 유엔 가입 등 자신의 통일관과 통일일정을 밝혔다. 문익환은 범민련 북쪽본부의 편지를 받은 뒤 이를 통일원에 신고한 데 이어 자신의 답신에 대해서도 이를 제3국을 통해 북쪽에 발송하도록 허가해줄 것을 94년 1월 통일원에 요청했다.[76]

문익환 타계로 범민련 남측본부 판정승

민족회의와 범민련의 대립은 문익환이 1994년 1월 18일 갑자기 타계함으로써 새로운 국면을 맞았다. 즉, 문익환이 주장한 범민련 남측 본부의 해체문제가 더 이상 진전을 보지 못한 채 범민련이 주도하는 범민족대회가 북한의 지지 아래 계속 개최되었다. 문익환 없는 민족회의의 위상은 상대적으로 약화되었다. 민족회의와 범민련측의 상반된 입장은 문익환 별세 후인 1994년 8월의 제5차 범민족대회 개최문제를 둘러싸고 다시 표면화되었다. 민족회의 측은 범민련 자체의 해체를 주장했기 때문에 양측의 원만한 합의아래 범민족대회가 개최되기 어려운 형편이 되었다. 이런 상황에서 서울경찰청은 제5차 범민족대회를 물리력으로 봉쇄하기로 결정하고 범민족대회 남측 추진본부(범추본)공동본부장이자 민족회의 공동의장이기도 한 이창복과 범민족대회 집행위원장 황인성(黃寅成) 2명을 국가보안법 위반혐의로 긴급 구속했다.[77] 범추본은 정부의 봉쇄조치에 맞서 장소를 중앙대에서 서울대로 옮겨 남측 대표만 참석한 범민족대회를 강행, 경찰과 충돌했다.

이에 반해 민족회의 상임대표 김상근(金祥根) 목사는 그해 10월 '한반도 평화를 위한 국제연대회의'를 열고 공동합의문을 내어 남북평화협정 체결과 조속한 남북정상회담 등을 촉구했다. 공동합의문은 "급변하는 국제정세 속에서 냉전의 외로운 섬으로 남아 있는 한반도의 평화와 통일을 위한 현실적 대책들을 심도 있게 논의했다"면서 남북 평화협정 체결, 북핵문제 일괄타결방식 해결, 남북 정상회담 개최, 남북기본합의서 이행, 양심수 석방, 국가보안법 폐지 등을 촉구했다.[78] 민족회의 측은 1995년 범민련 측이 제6차 범민족대회(판문점)를 개최했을 때 별도의 8·15 50주년 민족공동행사를 서울대에서 거행했다.[79]

송두율 교수 귀국 주선에 앞장

1996년 8월의 제7차 범민족대회와 제6차 청년학생통일대축전 때도 범민련이 주도한 이들 행사와는 별도로 민족회의 측의 김상근 공동의장의 주도 아래 서울 종로구 대학로 마로니에공원에서 사회단체 회원과 학생 등 1천5백여명이 참가한 가운데 '8·15 제51돌 기념 평화통일민족 대회'가 열렸다. 이 대회는 '96 평화통일 선언문'을 발표하고 남북한 및 미국의 평화협정 체결, 남북기본합의서 이행, 국가보안법 철폐 등을 주장했다. 이 행사에는 사회단체 회원 외에도 한총련 소속 대학생 1천여명이 참가했다.[80] 그러나 북측은 범민련 남측본부측을 두둔해 범민족대회를 계속 공동개최했다.

민족회의는 97년 8월에도 전국연합 등 50여개 단체와 함께 '97평화통일 민족대회 추진위원회(추진위·공동대표 이창복)'를 결성하고 기자회견에서 광복절에 서울 여의도 등 전국 10여 곳에서 전 국민이 참여하는 통일행사를 열기로 했다고 밝혔다. 민족회의는 그동안 공안당국과의 마찰을 빚어온 한총련과 범민련의 행사를 민족대회 공식행사로 받아들이지 않기로 결정했다. 이창복 공동대표는 이날 회견에서 "현재 분단 상황에서 필요한 것은 모든 민족 구성원이 참여할 수 있는 통일운동"이라면서 "이러한 방침에 따라 한총련 주도의 범청학련 축전과 범민련 주도의 범민족회의를 이번 민족대회 행사의 하나로 인정하지 않기로 했다"고 밝혔다.[81] 계획된 '평화통일민족대회'는 8월 15일 서울 용산구 용산가족공원에서 이창복 민족회의 상임대표, 김상근(金祥根) 민족회의 공동의장, 권영길 민주노총 위원장, 김중배(金重培) 참여연대 공동대표 등 인사들이 참석한 가운데 개최되었다.[82]

　민족회의는 발족 이후 북한에 식량보내기 운동을 벌이고 북한 예술단의 서울 초청을 주선하는 동시에 문규현 신부의 석방을 촉구하는 등 급진적인 통일운동을 벌였다. 그 중에서도 주목을 끈 것이 독일에 머물고 있는 친북 학자 송두율(宋斗律) 뮌스터대학 교수의 귀국허용 운동이었다. 민족회의는 김대중 정부 당시인 1999년 8월 서울에서 열리는 한반도 냉전 청산과 평화 정착을 위한 국제대회에 송 교수를 초청하고 정부에 그의 입국허가를 촉구했다.[83] 그러나 국가정보원은 서울로 망명한 전 북한 노동당 비서 황장엽(黃長燁)이 송 교수를 노동당 정치국 후보위원이라고 진술했기 때문에 준법서약서 제출과 과거 활동에 대한 공식입장의 표명을 요구, 송 교수가 이를 거부함으로써 그의 귀국은 무산되었다.[84]

　송두율의 귀국은 다음 장에서 설명하는 바와 같이 4년 후인 2003년 9월 노무현 정부 때 성사되어 자평통민족회의 회원들로부터 꽃다발을 받았다.[85]

4. 민노총의 결성과 활동

제2의 전국노동조직으로 등장

　노동조합이 대체로 좌파 변혁세력인 것은 어느 나라에서나 공통된 현상이다. 그들은 사회주의국가를 건설하겠다는 강령을 가졌거나 아니면 최소한 노동해방과 노동자가 대접받는 사회로의 발전을 주창한다. 그런데 민노총(정식명칭 전국민주노동조합총연맹)의 경우는 약간 특이하다. 민노총은 진보적인 정치세력화를 추진, 국가보안법 폐지와 연방제 통일방안을 지지하는 방침을 정함으로써 급진화한 단체이다.

　민노총은 김영삼 정부 때인 1995년 11월 결성되었다. 1987년 6월 민주화조치 직후인 7~9월 사이에 일어난 격렬한 노사분규, 즉 '노동자대투쟁' 이후 14개 지역별 제조업 노조가 결성한 지역별노조협의회와 1990년 1월 결성된 전노협(정식명칭 전국노동조합협의회), 그리고 그해 5월의 전국업종노조회의 개최에 이어 93년에는 전노대(정식명칭 전국노동조합대표자회의)가 결성되었다. 그리고 1994년 11월에는 민노총 준비위원회가 결성되어 본격적인 민노총 발족 준비 태세에 들어갔다. 민노총 준비위는 권영길(업종회의 대표) 양규헌(梁圭軒, 전노협 대표) 권용목(權容睦, 현총련 대표)이 공동대표가 되고 허영구(許榮九, 전노대 집행위원장)가 집행위원장을 맡았다.[86]

민노총 창립대의원대회는 1995년 11월 11일 서울 연세대 대강당에서 대의원, 재야인사 등 모두 5백여 명이 참석한 가운데 개최되었다. 초대 위원장에는 권영길이, 부위원장에는 양규헌 단병호(段炳浩, 전 전노협 위원장) 정해숙(鄭海淑, 전교조 위원장) 등 9명이, 사무총장에는 권용목이 각각 선출되었다. 경찰은 민노총이 창립되기 직전인 그해 10월부터 권영길 양규헌 등 노조지도자 19명을 체포하기 위해 전국에 지명 수배했기 때문에 권영길 등은 수배 중인 상태에서 결성대의원대회를 강행했다.[87]

권영길 위원장을 체포

권영길 위원장은 창립선언문에서 "생산의 주역이며 사회개혁과 역사발전의 원동력인 우리 노동자는 자주적이고 민주적인 노동조합의 전국중앙조직으로 민노총의 창립을 선언하다"고 밝혔다. 그는 이어 "정권과 자본으로부터의 자주성과 조합 내 민주주의를 강화하며 제 민주세력과 연대, 정치세력화를 실현할 것"이라고 선언했다.[88] 그러나 민노총을 인정하지 않기로 한 김영삼 정부는 11월 22일 권영길 민노총 위원장을 전년에 발생한 지하철 노조파업과 관련된 제3자 개입금지조항 위반 혐의로 구속하고 민노총 설립신고서를 23일자로 반려했다.[89]

민노총은 상근직원 대부분이 좌파이념으로 무장된 의식화된 운동권 출신들인데다가 국장급 이하 상근직 25명은 거의 전부 서울대 고려대 연세대 출신이어서 출범 초부터 주목대상이었다.[90] 보수세력의 집합체인 자유민주민족회의(상임의장 이철승)는 1997년 1월 발표한 한보그룹 부정대출사태 등으로 빚어진 시국에 관련된 성명 가운데서 "노동법 개정문제에 김영삼 대통령이 너무 중심을 못잡는다"면서 "반체제 색채가 농후한 민노총의 합법성을 인정할 수 있느

냐?"라고 따졌다.[91]

합법화 이후 줄기 찬 반미운동

민노총은 1996년 말의 2개월여의 총파업투쟁 끝에 김영삼 정부를 굴복시켜 이듬해 3월 국회에서 노동법 재개정에 성공, 복수노조를 인정받게 됨에 따라 합법화될 수 있는 여건이 마련되었다. 그런데 민노총은 당시까지 불법화되었던 전교조가 가입되어있다는 이유로 설립신고서가 반려되어 계속 법외노조로 있다가 김대중 정부가 들어선 다음인 1999년 전교조의 합법화조치로 비로소 완전하게 등록을 했다.

합법화된 민노총은 차츰 정치투쟁을 벌여 2004년부터 한미FTA(자유무역협정)를 반대하는 대규모 파업집회를 갖는 동시에 경기도 평택 미군기지 확장저지 범국민투쟁위원회의 일원으로 맹렬한 반미시위를 벌였다. 민노총은 2006년에는 평양에서 열린 노동절 공동행사에 참석했던 민노총 대표단 중 50명이 북측 요구를 받아들여 평양 대성구역에 있는 혁명열사릉을 참배해서 말썽을 일으켰다.[92] 민노총은 2008년 3월에는 본부회의실에서 한국진보연대 등과 공동주관으로 '주한미군 내보내는 한반도 평화협정 실현운동 선포식'을 갖고 반미운동을 재개했는데 강정구 이종린 백기완 등 615명의 인사들이 추진위원으로 등록했다. 같은 해 5월부터는 미국산 쇠고기 수입반대 촛불시위를 주도해 이석행(李錫行) 위원장이 구속되었다.[93]

민노총은 반미활동 이외에도 과격한 파업행위와 집행부의 금품비리와 성폭력은폐 등으로 국민들의 불신감이 깊어지고 있다.

③ 동구권 붕괴 후의 공안사건

> 공산주의는 이제 죽었다. 우리에게 영감을 주었던 1917년 혁명의 아들인 소련과 소련을 모델로 해서 세운 대부분의 국가와 사회는 완전히 무너졌다. 남은 것은 물질적 도덕적 폐허이며, 이제 공산주의라는 구상 자체에 실패가 내장 되었음이 명백해 졌다.
>
> —Eric Hobsbawm, Interesting Times(2002)

1. 동구권 몰락과 국내좌파세력

타격 가장 컸던 PD파

소련과 동구권의 사회주의체제 몰락은 국내의 사회주의혁명세력에 치명적인 타격을 입혔다. 가장 타격을 크게 입은 것은 PD파였다. 사회주의 자체에 결함이 있다는 인식이 팽배, 사회주의혁명운동의 정당성이 흔들렸기 때문이다. 그 대신 민족주의를 내세운 NL파, 특히 그 중에서도 북한과 연계된 주사파 민족해방운동세력에게는 세력을 뻗힐 좋은 기회가 되었다. 물론 그렇다고 동구권 붕괴이후 한국에서 전통적인 사회주의혁명세력이 아주 없어진 것은 아니다.

1994년 8월 29일 국회 법사위에 나온 김두희 법무장관은 업무보고를 통해 "주사파가 학생운동권을 장악한 것은 물론, 노동계와 재야 등 각계각층에 확산된 상태"라고 설명하고 그해 들어 주사파에 대한 수사결과 학생운동권 68명, 노동계 18명, 재야 34명 등 모두 120명을 구속했으며 한총련 핵심간부 105명에 대해 수사 중이라고 보고했다.[1] 경찰청 역시 이보다 이틀 앞서 북한과 연계된 주사파 활동가들의 조종을 받는 한총련의 실태를 자세히 발표했다. 경찰은 발표문을 통해 주사파들이 북한에 들어가거나 간첩으로부터 직접 지령을 받고 돌아와 수행하는 방법, 구국의 소리 방송 녹취를 통해 지령을 받는 방법, 전화 팩스 등 통신수단을 통해 지령을 받는 방법 등으로 북한의 지령을 받고 있다고 밝혔다.[2]

주사파가 운동권 장악

김 법무장관이 국회에 제출한 '주사파의 실상과 대책' 보고서 요지는 다음과 같다.[3]

1. 북한은 1970년대 이후 국내 좌경운동세력을 북한추종 세력으로 활용하는데 대남공작의 중점을 두면서 주사파가 생성되었다.

2. 북한은 60년대 말까지는 대남공작원의 직접침투를 통한 요인테러 등을 대남 공작의 기조로 삼았으나 70년대 이후 국내좌경세력의 포섭 활용이라는 간접 방식으로 전술변화를 꾀했다.

3. 북한의 이 같은 대남전술 변화는 70년 6월 통혁당방송, 85년 구국의 소리 방송 창설로 이어졌으며 북한방송청취를 통해 85년 10월 서울대 등 학생운동권에서 주사파의 실체가 형성되었다.

4. 주사파는 86년 구국학련, 88년 반미청년회 등의 핵심조직을 통해 학생운동권을 장악했으며 재야노동운동권 출판계 등 사회각계각층으로 세력을 확장했다.

5. 86년 구국학련 산하 공개조직인 「자민투」의 등장과 함께 주사파가 공개적인 활동에 나섰으며 그 후 주사파는 88년 서총련과 전대협, 93년 한총련 결성을 배후조종하고 이들 공개조직의 주요간부직을 장악했다.

6. 1994년도 4년제 대학 총학생회장 선거(총 1백31개 대학)에서 주사파인 NL(민족해방)계열 64명, PD(민중민주)계열 22명이 당선했고, 한총련 소속 198개 대학 총학생회 중 50%정도가 주사파에 의해 장악되었다.

7. 국내주사파는 북한방송청취를 통한 공개적 방법, 베를린의 범청학련, 일본의 범민련 해외본부 등에서 전화와 팩스를 이용한 반공개적방법, 북한과 직접 연계돼있는 간첩과 지하당조직을 통한 비공개적방법 등을 통해 북한으로부터 투쟁지침을 전달받고 있다.

8. 1994년 들어 검찰 경찰 안기부 등 대공수사기관에서 7개의 주사파 관련조직을 적발, 모두 120명을 구속했으며 학생운동권에서는 전남대 김일성 분향소 설치사건 9명, 남총련 투신극사건 7명, 한총련 2기출범식 관련 39명, 김일성주의청년동맹사건 10명, 주체사상연구회사건 3명 등 68명이 구속된 것으로

집계되었다. 노동계에서는 영남지역 일심단결사건 6명, 인천 부천 민주노동자회사건 12명 등 18명, 재야에서는 구국전위사건 23명, 서민관련사건 11명 등 34명이 구속되었다.

2. 구국전위 사건

남민전 사건의 안재구 교수가 총책

김영삼 정부 들어 최초로 적발된 대표적 지하조직은 1994년 7월 발표된 이른바 '구국전위' 사건이다. 안기부 기무사 및 경찰청은 그해 7월 조선노동당의 남조선 지하당인 '구국전위' 조직원 31명을 적발, 이 가운데 총책인 중앙위원회 위원장 안재구(安在求, 전 숙명여대 수학과 교수, 구속당시 경희대 강사) 등 23명을 간첩 및 국가보안법 위반 등 혐의로 구속, 검찰에 송치하고 선전이론책 이범재(李範宰, 학원경영) 등 핵심인물 8명에 대해 긴급구속 영장을 발부받아 검거에 나섰다고 발표했다. 안재구와 함께 그의 2남 안영민(安英民, 전 경북대 총학생회장, 나중에 《민족21》 기자)도 구속되어 아버지와 아들이 같은 사건으로 동시구속 됨으로써 화제가 되었다. 이 사건에 관련되어, 6·25 당시 지리산에서 빨치산 활동을 했으며 1960년대 말 통일혁명당 재건위사건으로 무기징역을 받고 전향서를 냈던 류낙진도 호남·경남책을 맡은 혐의로 구속되었다.

안기부 발표에 따르면 남민전 사건으로 무기징역을 선고받고 9년간 복역하다가 1988년 가석방된 안재구는 91년 5월 국내에 침투한 조총련 공작원 백명민에게 포섭되어 조선 노동당에 입당하고 그로부터 통일혁명을 위한 지하당을 건설하라는 지령과 공작금을 받고 93년 1월 구국전위를 결성했다는 것이다. 안재구는 그후 11차례에 걸쳐 국내 정치 경제 노동 학원 재양운동권 동향을 북한에 보고했다고 한다. 안기부는 "안재구는 조총련 공작원으로부터 지하당 창립 선언문 강령 규약 초안을 전달받고 비전향 장기수인 류낙진 등과 함께 노동 학원 청년 운동가들을 가입시켜 각 시도급 지역책에 임명한 뒤 구국전위를 결성했다"고 발표했다. 그는 북한으로부터 공작금 명목으로 일화 3천2백여만엔(한화 2억9백만원)을 받아 은행 또는 암달러상을 통해 환전해 사용한 것으로 밝혀졌다는 것이다. 그는 또한 93년 8월 현대 계열사의 노사분규현장에 조직원 김진국(金鎭國)을 파견, 파업투쟁상황을 탐지하고 현장에 침투시킬 조직원을 물색한 혐의도 받았다. 안재구는 북측으로부터 "전국연합 구성체들인 전노협 전농 한총련 전교조 등의 핵심인물들을 장악하고 전북농민회를 통해 전농 중앙으로 진출하라"는 구체적인 지령도 받았다는 것이다.[4] 안기부는 또 원주·강원 조직책 홍중희(洪重熹, 노동교육연구원 원장)는 93년 7월 안재구의 지시에 따라 중앙식품 등 원주지역 노사쟁의를 배후조종했고, 서울지역에서는 박래군(朴來君, 학원 원장)이 포섭한 하부조직원 4명이 세포조직원 7~8명을 철도 및 지하철 노조에 침투하게 하는 등 구국전위가 노사쟁의에 개입했거나 학생운동 등을 배후 조종했다고 발표했다.[5]

이 사건관련자로 도피 중이던 조혁(趙赫)은 그해 9월 3일 국군기무사에 체포되었으며[6] 일본 거주 북한 대남공작원의 지시로 안재구에게 지령문과 공작금 2천만엔(한화 1억7천여만원)을 전달한 재일동포 유용범(여행사 대표)은 97년 7월 30일 검찰에 구속되었다.[7]

학원 및 노동 현장에 개입

이 사건을 송치 받은 검찰은 그 해 7월 이들을 구속기소하면서 수사결과 발표를 통해 구국전위가 학원과 노동계에 침투해 활동을 벌였다고 밝혔다. 검찰 발표에 따르면 구국전위의 배후조종에 따라 전대협동우회 등이 결성되어 주사파가 한총련을 통해 대학운동권을 장악해왔다는 것이다. 구국전위는 93년 10월 북한으로부터 '조직 하반년도 사업방향'을 시달받았는데 그 안에는 "한총련에 대한 배후지도 수준을 결정적으로 높여 나가도록 지도하라. 한총련에 대한 배후지도는 매 시기 운동방향을 사안별로 잘 제기해 주고 이끌어주면 한총련에 대한 우리당의 영도를 참신하게 실현시켜 나갈 수 있다고 본다"고 지시했다는 것이다. 구국전위는 94년 1월15일 대북보고서를 통해 "반미청년회 총책 조혁을 중심으로 전대협을 창설하도록 지도한 핵심들은 주체사상을 자기의 확고한 사상의식으로 갖고 있다"고 보고했다는 것이다.[8]

검찰수사결과 구국전위 총책 안재구는 93년 3월부터 94년 6월 안기부에 의해 검거될 때까지 경희대 총학생회의 추천으로 이 대학 강사로 채용된 뒤 경희대 교양과정인 '현대사회와 과학'(3학점)을 3학기동안 가르치면서 주체사상을 강의했다는 것이다. 그는 남민전사건으로 전주교도소에 복역 중이던 81년 4월 교도소에서 남파간첩 임창하를 만나 북한노동당에 입당한 것으로 드러났다는 것이다.[9]

김대중 정부, 관련자들을 특사

그러나 검찰발표에 대해 전대협동우회(회장 이인영) 회원 11명은 서울 기독교회관에서 기자회견을 갖고 전대협동우회가 구국전위의 지시에 의해 결성되었다는 검찰수사내용을 반박하는 성명을 발표했다. 전대협동우회측은 구속된 안재구와 수배중인 조혁 등과의 관련을 부인했다.[10] 그런데 검찰은 실제로 구국전위 관련 피고인 23명 중 7명에게만 국가보안법 상 반국가단체 구성 혐의로 기소하고 나머지 16명은 이 사건과 무관하게 기소하는 등 기소범위를 대폭 축소해 이 사건 수사가 '공안정국 조성' 또는 '과잉수사'라는 비판을 받았다.[11]

구국전위 총책 안재구는 1994년 9월 1심 재판의 첫날 공판에서 "구국전위는 일본 동경에 본부를 두고 주체사상을 지도이념으로 하는 '광명' 조직의 남한 현지조직이며 조선노동당과는 어떠한 관계도 없다"고 북한관련 혐의를 부인했다. 그는 또한 구국전위 규약과 일본의 백명민과 사이에 오고간 편지 등의 내용 상당부분이 조작되었다고 주장했다.[12] 이 사건에 대한 선고공판은 그해 11월 30일 열려 안재구에게 국가보안법 위반죄로 무기징역(구형 사형)이 선고되었다.[13] 그는 항소심에서 1심 형량이 확정되어 복역하다가 김대중정부가 발족한 1998년의 광복절 특사에서 징역20년으로 감형된 다음 이듬해인 1999년 광복절 특사 때 가석방되었다.[14]

이 사건 관련 피고인 중 대구 경북책으로 기소되어 4년간 복역 후 출소한 이영기는 자유의 몸이 된 후 민통련 대구 경북연합 집행위원장에 취임하고 보안법 철폐와 주한미군 철수를 주장하는 활동을 벌이다가 보안관찰처분을 받았다.[15] 구국전위 전북지역책으로 활동한 혐의를 받아 1996년 초 뒤늦게 추가로 구속된 이광철(李光喆)은 1심에서 징역3년6개월을 선고받았으나[16] 2심에서는 무죄판결을 받았다. 1997년 2월 21일 서울고법 형사부(재판장 김인수 부장판사)는 "피고인(이광철)이 농민 수련강연장에서 알게 된 구국전위 활동가 류모에게 보고한 순창농민회 활동상항은 국가기밀에 해당되지 않는다"고 판시, 무죄를 선고했다.[17] 이광철은 2004년 전주에서 열린우리당 후보로 17대 의원에 당선되었다.

그런데 구국전위 선전이론책으로 공안당국에 의해 지명수배된 이범재는 노무현 정부 발족 직전 대통령직인수위원회 행정관으로 들어가 일하다가 2003년 2월 체포되어 구속되었다. 그는 1심에서 징역 3년 집행유예 4년을 선고받고 석방된 다음 2007년 2월 열린우리당 전국장애인위원장으로 선출되어 여권에 복귀했다.[18]

3. 자주대오 사건

논란 많았던 사건

지하조직사건 중 1990년대의 각 대학 '자주대오' 사건 만큼 사회적 물의를 일으킨 사건도 없을 것이다. 말썽은 두 가지 상반된 반응에서 빚어져 더욱 혼란스러웠다. 첫째는 국내적으로는 민주화조치, 국외적으로는 사회주의체제 붕괴 이후 우리 대학에 주체사상을 지도이념으로 하는 주사파 조직이 여전히 광범위하게 침투되어있는데 놀란 국민들의 반응이며 둘째는 자주대오가 한총련을 단속하기 위한 수상당국의 과잉수사에서 비롯된 조작사건이라는 비난이다. 자주대오는 각 대학의 학생회와 밀접한 관련이 있는 조직이어서 경찰의 한총련 수사과정에서 사건이 불거진 것은 사실이다.

자주대오 사건은 1991년 6월 발표된 청주대 자주대오 사건에서 시작해 2003년 아주대 자주대오 사건에 이르기 까지 무려 12년에 걸쳐 잇따라 적발된 사건으로 모두 29개 대학에서 총 300명의 구속자를 낳았다. 경찰은 전국 각 대학의 자주대오 조직을 NL파 학생운동권의 비밀서클로 보고 검거에 나섰다. 문제는 관련자들이 학생서클의 수준을 넘는 비밀조직을 만들어 혁명을 기도했느냐 여부였는데, 공안당국의 수사가 과잉수사였다 해서 조작시비가 일어난 것이다.

실제로 이들 사건들은 기소까지 가지 않거나 재판에 회부되었더라도 무죄로 판결난 경우가 많았다.

1990년대의 대표적인 대학내 주사파 서클은 서울대의 '민족해방활동가조직'이다. 치안본부는 1991년 6월 김일성 주체사상에 입각한 민족해방민중민주주의(NLPD)혁명론을 추종하면서 사회주의국가 건설을 목표로 각종 시위를 주도했거나 사상학습을 해온 서울대 '민족해방활동가 조직'을 적발, 관련자 18명에 대해 국가보안법 위반혐의로 구속영장을 신청했다고 발표했다. 경찰에 따르면 이들은 89년 2월 이 지하조직을 결성한 뒤 조직원을 서울대 총학생회장에 당선시켜 총학생회를 장악하고 91년 5월 민자당 중앙당사를 점거, 농성을 벌이는 등 60여 차례의 각종 시위를 주도했다는 것이다. 경찰에 의하면, 구성원이 모두 120여 명에 이르는 이 조직은 서울대 NL계 지하서클을 총망라한 것으로 전대협 운영에도 핵심적인 역할을 맡아왔다고 한다. 이들은 또 산하에 전문교육기관으로 사상서클 '천리길' '백두' '진달래' 등을 운영하면서 주체사상을 교습해왔다는 것이다. 그러나 경찰의 발표에 대해 서울대 총학생회는 발표당일 오후 교내 아크로폴리스 광장에서 집회를 갖고 "경찰의 수사는 범국민대책회의를 중심으로 확산되어온 민주화운동으로부터 국민들의 관심을 돌리기 위해 가공해 낸 조작극"이라고 비난했다.[19] 서울대생 4백여명은 서울 서대문구 미근동 치안본부 앞에서 이들 18명의 석방을 요구하면서 1시간동안 연좌농성했다.[20]

무죄 또는 가벼운 처벌로 마무리

1991년 6월에는 청주대에서, 1995년에는 부산대, 경기대, 원광대(전주), 우석대(전주)에서, 1996년에는 광주전남지역 총학생회연합과 부산외대, 서울대, 강원대, 경상대(진주), 건국대에서, 1997년에는 동아대(부산), 단국대 천안캠퍼스, 연세대 원주캠퍼스에서, 그리고 1999년에는 동서대(부산), 원광대(전주)에서, 2003년에는 아주대(수원)에서 각각 자주대오가 적발되었다. 혐의는 대체로 비슷비슷했다. NL파 비밀조직을 만들어 주체사상과 반미자주화, 반파쇼민주화, 연방제 통일을 교육하고, 김일성을 추모했으며 이적표현물을 배부하고, 시위를 벌이고 총학생회를 장악한 혐의 등이다. 학교당 3명에서 20여명에 달하는 관련자들이 경찰에 구속되었다. 이 가운데 동아대사건은 관련자 중 7명이 조총련에 포섭되어 북한노동당에 입당하고 자금지원을 받아 간첩활동을 한 혐의를 받았다. 그러나 동아대사건의 간첩부분혐의는 법원에서 무죄가 선고되었다.

자주대오사건 중 청주대 사건은 노무현 정부 들어 경찰청 과거사진상규명위원회가 재조사 한 결과 조작된 것으로 드러났다. 2007년 2월 위원회의 고위 관계자는 "청주대 자주대오 사건에 대한 진상조사를 실시한 결과, 경찰과 기무사가 강압에 의한 허위 진술과 과장된 증거로 사건을 조작했을 가능성이 크다는 결론을 내렸다"고 밝히고 "자주대오가 용공조직이라는 주장을 입증할 수 있는 조직도나 강령 등 증거를 찾지 못했다"고 발표했다. 위원회 관계자는 "공안당국은 당초 폭력혁명을 주장한 PD(민중민주)계열을 추적하다가 90년대 들어 NL(민족해방)계열이 대학 총학생회를 장악하자 이를 와해하기 위해 청주대 자주대오 사건을 조작한 것으로 보인다"고 밝혔다. 경찰청 과거사진상규명위원회는 청주대를 제외한 서울대 아주대 동아대 등의 자주대오 사건에 대해서는 재판이 진행 중이거나 증거가 충분하지 않다는 이유로 조작 여부에 대한 결론을 내리지 않기로 방침을 정했다.[21]

4. 국제사회주의자들(IS)과 전학련

트로츠키 파 모임

'국제사회주의자들'(International Socialists, IS)이란 비밀조직이 공안당국에 적발되어 세상에 알려진 것은 1992년 봄이었으나 수사결과 이 조직이 결성된 것은 이미 90년 10월로 밝혀졌다. 해외의 사회주의조직과 연관을 가진 PD 계열의 사회주의운동조직인 IS는 1992년부터 2000년 3월까지 8년간 약 130명에 이르는 구속자를 냈다.

IS사건에 대한 최초의 경찰 발표는 1992년 2월에 있었다. 서울경찰청은 트로츠키의 영구혁명론을 기초로 한 사회주의사상 교습을 실시한 박효근(朴孝根, 국민대 중문3 휴학) 등 국제사회주의자들(IS) 조직원 10명을 국가보안법 위반 혐의로 구속하고 위원장 최일붕(崔一鵬, 신평론사 대표, 전 한국외대 강사, 서울대 및 미 클리어멘트 대학원 졸) 등 다른 조직원 9명을 수배했다고 발표했다.[22] IS는 서울시내의 한국외국어대 성균관대 경희대 교정에 대자보를 붙이고 "사회주의만이 소수지배자들에 의해 노동자계급이 착취당하는 현 체제의 대안이며 결국 현 자본주의체제 자체가 혁명을 초래하게 될 것"이라고 주장했다는 것이다. 대자보는 북한을 비판해 '노동자를 억압하는 관료적 자본주의체제'라고 규정하면서 "북한 소련 동유럽 따위는 미국이나 서방, 그리고 남한과 마찬가지로 노동자 계급을 억압하는 관료적 자본주의체제에 지나지 않는다"고 주장했다.[23]

일단 와해되었다가 재건된 IS

IS사건에 대한 수사결과는 1992년 4월 서울경찰청에 의해 공식 발표되었다. 서울경찰청은 IS가 91년 11월 '제파 PD'계열(반제반파쇼민중민주주의혁명그룹)에 속하는 6명을 중앙위원으로 선출하면서 정식 발족했다고 발표했다.[24] 경찰에 의하면 IS는 결성 후 '정치학교'를 열어 270여명의 조직원들에게 혁명사상을 학습시켜왔으며 대학가 공단지역 시위현장 등에서 기관지와 'IS문건'을 뿌려왔다는 것이다. 경찰은 이들이 위원장 최일붕을 통해 영국의 토니 클리프(Tony Cliff)가 이끄는 사회주의노동자당(Socialist Workers Party) 중앙위원 크리스 하만(Chris Harman) 등과 접촉하면서 트로츠키이론을 수용해왔다고 발표했다. 위원장 최일붕이 92년 10월 경찰에 체포되자 검거된 사건관련자는 당초 발표보다 많은 47명에 달했으며 그 중 19명은 구속되었다.[25]

IS는 이들 47명의 검거로 일단 와해되었으나 93년 10월 미검거자들이 대학생 조직인 '전국사회주의학생연합'(사학련)이라는 단체를 결성함으로써 조직이 재건되었다. 경찰에 의하면 이들은 IS를 재건한 다음 '무장봉기의 당위성' 등을 조직원들에게 교육하고 노동자·학생 연대투쟁을 선동, 폭력계급혁명을 기도했다는 것이다. 경찰은 1994년에는 사학련 소속 조직원 37명을 검거, IS총책 겸 중앙위원 최일붕 등 10명을 구속했다고 발표했다.[26] 최일붕은 93년 성탄절 특사로 가석방되어 활동을 계속해 오다가 다시 검거된 것이다. 구속자들 가운데 재판에 회부된 박효근은 1심과 2심에서 징역2년을 선고받는 등 4명이 실형선고를 받고, 주수영 등 나머지 7명은 집행유예를 선고받았다. IS에 대한 2차 검거 때는 해외의 사회주의단체들이 한국공관 앞에서 항의시위를 벌이고 항의서한을 정부에 보내왔다.[27]

경찰에 의하면 IS 조직원은 그 후에도 계속 검거되어 1995년에는 2명이, 1997년에는 4명이, 1998년에는 17명이 체포되었으며[28] 2000년에도 1명이 구속되었다. 2000년에 구속된 조직원 박현정(여, 출판사 직원)은 IS기관지《노동자연대》등을 소지하고 있다가 국가보안법 위반혐의가 적용되었다.[29] 그는 1심에서 징역3년을 구형받았으나 그해 6월 김대중·김정일 정상회담이 있던 날 이례적으로 보석되었다.[30]

사회주의운동단체는 IS사건 이후에도 적발되었다. 서울경찰청 보안부는 1997년 4월 사회주의국가 건설을 목표로 전국학생정치연합(약칭 전학련)을 결성해 반국가 활동을 벌여온 11명을 검거, 이 가운데 10명을 국가보안법 위반 혐의로 구속했다고 발표했다.[31] 경찰에 의하면 이들은 92년 10월부터《사회주의 과거 현재 미래》《우리시대》등 30여 종의 이적표현물을 제작 배포하고 전학련 집회에서 '학생사회주의 정치조직' 건설과 '사회주의 노동자당' 건설 등을 선동해왔다는 것이다. 경찰은 이들이 대학총학생회의 한총련 탈퇴 도미노 현상을 자신들의 조직 강화의 호기로 판단, PD계 학생들을 규합해 왔다고 발표했다.[32] 경찰은 그해 11월 전학련의 활동을 배후에서 조종해온 11명을 국가보안법 위반 혐의로 구속했다.[33]

5. 김일성주의청년동맹 사건

노골적 북한추종 세력

서울지방경찰청은 1994년 8월 북한의 주체사상을 추종해온 '김일성주의청년동맹(약칭 김청동)과 이 조직의 고려대 하부조직인 '2·16청년회'를 적발, 그 지도책 차현민(車賢民, 고려대 신방 석사과정) 등 9명을 국가보안법 위반 혐의로 구속하고 조직 총책 김태현(고려대 졸)과 93년도 고려대 총학생회장 신창현 등

7명을 수배했다고 발표했다. 경찰은 또 방위병으로 복무중인 '2·16청년회' 총책 강진구(姜鎭九, 고려대 사학 졸)를 군수사기관에 넘기고 학원과 노동계에 침투한 것으로 알려진 관련조직원 20~30명에 대한 추적수사를 벌이고 있다고 밝혔다. 경찰에 따르면 이들은 90년 12월 남한 내에 민족해방 민중민주주의 혁명의 완수를 위한 혁명전위대 구축을 목적으로 고려대생 김태현의 주도아래 차현민과 김석훈(고려대 경영 수배)등 고려대생 4명이 참여, 김일성주의청년동맹을 결성했다는 것이다.[34]

경찰은 이들이 조직을 결성한 뒤 대학생과 노동자들을 대상으로 주사파세력을 확대하기 위해 서울대 성균관대 등 6개 대학과 마산 창원지역 노동현장에 조직원을 침투시켜 그 조직을 운영해 왔다고 밝혔다. 이들은 또 대남공작방송인 '구국의 소리' 방송을 녹취, '구국전선', '등대' '벗' 등의 이름으로 출판하고 한민전 관련 이적표현물로 사상학습을 실시해 왔다고 밝혔다. 이들은 또 지난 92년 2월 고려대 총학생회를 장악하기 위해 강진구에게 "2·16청년회를 결성토록 했으며 조직원 신창현을 총학생회장에 당선되도록 지원한 뒤 한총련 대변인 집행위원을 맡도록 하는 등 한총련 배후조종과 주사파 노선을 관철시키려 했다"고 경찰은 밝혔다.[35]

검찰은 같은 달 김일성주의청년동맹(김청동)사건과 관련, 구속된 12명 중 차현민과 이상철(李相澈, 고려대 서문과 3년) 등 조직원 4명만을 국가보안법위반(이적단체결성 등)혐의로 구속기소했다.[36]

'충성맹세' 거짓발표 논란

경찰은 당초 사건을 발표할 때 이들이 김정일에게 충성을 맹세하는 17건의 편지를 쓰고 투쟁목표와 조직강령에서 북한의 대남공작노선을 적극적으로 수용하겠다고 약속한 것으로 발표했으나 이 편지가 이들이 작성한 것이 아니라는 사실이 나중에《한겨레》신문의 보도로 밝혀졌다. 경찰이 공개한 충성편지는 1991년과 92년 1월 19일 김정일 생일에 맞춰 작성된 것으로, "존경하고 친애하는 지도자 동지께", "충성의 맹세", "충성의 편지" 등의 제목으로 되어있으며 마지막 부분에 작성자 이름은 쓰여 있지 않았다. 그러나 이 편지는 그보다 2년 전인 92년 안기부에 적발된 남한조선노동당 사건 때 증거자료로 제출된 편지들과 내용은 물론 활자체, 띄어쓰기, 심지어는 편지제목의 앞에 표시한 별표까지 완전히 똑같은 것으로 드러났다.[37]

경찰이 이같은 무리한 수사를 한 것은 당시 김일성조문파동으로 어수선해진 국내정세를 수습하기 위해 공안정국을 조성하려 했기 때문이라는 분석이 있었다.

6. 간첩 신고 안한 진보세력

좌파조직사건 많았던 1990년대

1990년대는 유난히도 지하조직사건이 많이 일어난 시기였다. 1995년 10월에는 충남 부여군에 출현한 무장간첩 김동식(金東植)·박광남 사건으로 세상이 떠들썩했다. 북한노동당 사회문화부 소속으로 그해 8월 남파간첩을 대동월북 하라는 임무를 띠고 강화도를 통해 침투해 들어온 이들은 2개월 후 접선준비를 하던 중 경찰과 총격전을 벌였다. 총격전 끝에 김동식이 검거되자(박광남은 도주) 그는 90년 거물간첩 이선실과 함께 남한조선노동당 구축공작을 벌인 사실을 시인했다.[38]

김동식은 "90년 당시 황인오, 손병선을 포섭할 때도 북에서 온 노동당 연락원이라는 사실을 밝히고 접근, 포섭에 성공했다"고 털어놓은 다음 "이번에도 재야인사들이 우리를 신고하지 않을 것이라는 확신이 있어 신분을 밝혔다"고 밝히면서 허인회(許仁會, 전 고려대 총학생회장, 새정치국민회의 당무위원), 함운경(咸雲炅, 전 서울대 삼민투 위원장, 개혁신당 추진 연대회의 공동대표), 이인영(李仁榮, 전 고려대 총학생회장, 새천년민주당 구로갑 위원장), 우상호(禹相虎, 전 연세대 총학생회장, 새천년민주당 서대문갑 위원장) 고은(시인), 정동년(鄭東年, 전국연합 광주전남의장), 황광우(黃光祐, 전 민중당원)와 접촉, "통일운동을 같이 하자"고 권유한 사실을 자백했다. 그러나 허인회, 함운경, 이인영, 우상호 등은 이러한 사실을 당국에 신고하지 않았다. 이들은 "김동식을 미친 사람으로 취급해 신고하지 않았다"고 주장해 처벌을 받지 않았으나 만난 사실 자체를 부인한 허인회는 긴급구속되어 1998년 2월 27일 대법원에서 징역 8월에 집행유예 2년을 선고한 1, 2심 판결이 확정되었다.[39)

김대중 정부 발족이후 대규모 사면

1990년대는 좌파세력이 마치 민주화의 방향을 사회주의 혁명으로 송두리째 바꾸어놓으려는 듯 기세가 거센 시기였다. 이 때문에 경찰에 적발된 지하조직 사건도 이 기간 동안 꼬리를 물고 일어나 1991년~99년 사이에 113건에 달했다.[40)

1990년대 초반 소련과 동구권 사회주의체제가 붕괴했음에도 불구하고 한국의 좌파세력, 특히 주체사상을 신봉하는 지하세력은 여전히 민족주의를 앞세우고 세력을 떨쳤다. 1998년 출범한 김대중정부는 취임초인 98년과 99년 광복절 특사를 할 때 이들 사건 관련자 대부분을 사면 석방함으로써 상당수 관련자들은 자유의 몸이 되어 다시 좌파운동을 계속할 수 있었다.

제4부
진보정권 시기

1. 1, 2, 3대 좌파정권의 대통령들-이 드문 사진은 노무현이 2007년 10월 9일, 자신과 김정일간의 남북정상회담 결과를 설명하기 위해 김대중을 청와대 오찬에 초대했을 때 촬영된 것이다. 당시 노무현의 비서실장이던 문재인은 두 사람의 뒤를 따르고 있다. 사진 〈청와대〉.

2. 인권중시를 강조한 김대중은 2001년 5월 국가인권위원회법을 제정해 그해 11월 국가인권위원 회를 발족시켰다. 사진 〈청와대〉.

1998년 11월부터 2008년 7월까지 10년간 시행되다가 중단된 금강산 관광사업에 동원된 관광버스 행렬. 사진《문화일보》.

1. 김대중 대통령과 김정일 국방위원장이 남북공동선언을 발표하며 함께 손을 들고 있다 (2000.6.15.). 사진 〈청와대〉.

2. 6·15공동선언 직후인 2000년 8월 9일 현대아산과 북쪽의 아태, 민경련간에 체결된 개성공업지구건설운영에 관한 합의서에 따라 북한정권이 2002년 11월 27일 개성공업지구법을 공포한 다음 2003년 6월 30일 거행된 개성공단 착공식 장면. 《연합뉴스》.

김우식 비서실장　김병준 정책실장　이종석 NSC 사무차장

이강철 시민사회수석　문재인 민정수석　정상문 총무비서관

윤태영 부속실장　천호선 국정상황실장

전문가 그룹　　측근 그룹　　386그룹

청와대

■ 노무현 정권 핵심 인맥

행정부

이해찬 국무총리　김진표 교육부총리　정동영 통일부 장관

김근태 복지부 장관　전동채 문화부장관

김원기 국회의장　문희상 의원　유인태 의원

국회,
열린우리당

이광재 의원　서갑원 의원　백원우 의원

386그룹

외곽

안희정
전 부소장　이철 전 의원　이상수 전 의원

이기명
국참연 고문　명계남
국참연 의장

노무현 정부 2년 권력지도, 《서울신문》, 2005.2.23, 박현정 기자.

1. 민주당 내 친노무현 세력이 집단 탈당해 2003년 11월 열린우리당을 창당했다. 이듬해 4월 실시된 제17대 총선에서 열린우리당은 152석을 얻어 제1당이 되고 민주당은 군소정당이 되었다. 사진《연합뉴스》.

2. 2003년 8월 7일 오후 한총련 소속 대학생 12명이 미군들이 훈련중인 경기도 포천군 영종면 영평리 미8군 종합사격장에 난입한 다음 그 중 2명은 미군장갑차에 올라가 기습시위를 벌이고 있는 모습. 이들은 미군들이 지켜보는 가운데 성조기를 불태웠다.《오마이뉴스》.

국회의 노무현 대통령 탄핵소추를 반대하는 시민 7만여 명이 서울 광화문 일대 도로

메운 가운데 '촛불 시위'를 벌였다. (2004.3.14.) 사진《동아일보》.

동국대 강정구 교수는 6·25전쟁을 북한에 의한 통일전쟁이라고 주장했다가 경찰의 출두요구를 받고 2005년 9월 2일 출두하기 전에 기자회견을 갖고 국가보안법 철폐를 주장했다 (《동아일보》, 2005.9.3). 인용.

경기 평택시 노성리 평야에서 대추리로 들어가려는 민주노총 및 한총련 회원들

노무현이 분신을 투쟁방법으로 삼는 노동운동을 비판해 줏대를 보이자 서울 종로구 대학로에서 민주노총 소속 근로자 수천 명이 참가해 '노무현 정권 규탄 총파업 결의대회'를 열었다(2003.11.6.). 사진《뉴시스》.

를 제지하려는 경찰이 컨테이너를 사이에 두고 대치하고 있다. (2006.6.18.).《동아일보》.

2007년 초 출범한 한국진보연대 지도자들
위줄 좌측으로부터 오종렬 한상렬 정광훈, 둘째 줄은 이강실 박석운 강기갑,
셋째 줄은 이규재 한충목 한도숙 (《조갑제닷컴》, 2017.7.26.).

한미FTA 협정 전면무효 선언 기자회견

및 장소 : 2007년 4월 2일(월) 청와대 앞 / 주최 : 한미FTA저지 범국민운동본부

남녘 통일애국열사 추모문화제

일시:2005년 5월 28일 오 주최·전북 재야 및 시민단

1. 노무현의 업적 중 하나인 한미FTA협정 체결이 1년만에 마무리되자 2007년 4월 2일 범국본(한미FTA저지범국민운동본부)은 서울 종로구 청운동사무소 앞에서 이의 전면무효를 선언하는 기자회견을 갖고 있다. 사진《연합뉴스》.

2. 2005년 5월 28일 전북 순창군 회문산에서 전북 재야 및 시민단체 주관의 좌익세력 위령제인 '남녘 통일애국열사 추모문화제'가 전교조 교사들의 지도아래 이 지역 학교 학생들이 참석한 가운데 개최되었다.

1. 김종훈 통상교섭본부장과 미국측 대표인 웬디 커틀러 수석대표가 2007년 4월 2일 한미FTA 협상을 타결하고 악수하고 있다. 사진《연합뉴스》.

2. 2007년 6월 28일 김관진 합동참모본부 의장(오른쪽)과 버웰 벨 주한미군 사령관이 서울 용산 주한미군 기지에서 2012년에 전시작전통제권 전환을 실시하는 단계별 이행계획서에 공동 서명한 뒤 악수하고 있다.《동아닷컴》2007.8.29. 인용.

1. 노무현 대통령이 2007년 10월 평양을 방문하고 김정일과 축배를 들고 있다. 사진〈청와대〉.

2. 2009년 9월 9일 인천시 중구 자유공원에 세워진 맥아더 장군 동상을 철거하라고 요구하는 우리 민족연방제통일추진회의 등 좌파단체 회원들. 사진《연합뉴스》.

VII. 김대중 정부와 진보세력

1 김대중 정부의 좌경정책과 그 공과

사회복지는 정부가 불가피한 사람들에게 먹을 것과 병을 고치는 것, 자녀 교육시키는 문제, 주거 등을 책임지는 것이나 생산적 복지는 제 힘으로 할 수 있도록 정부가 교육하고 훈련시키는 것이다. 이 같은 구상은 야당총재 시절부터 줄기차게 주장해온 것으로, 영국 앤서니 기든스가 주창한 '제3의 길'과 거의 같다.

—김대중, 기자회견에서(1999. 4)

1. 김대중의 사상편력

진보정권 10년을 연 김대중

김대중(1924~2009)의 이념노선에 대해서는 두 가지 극단적으로 상반된 평가가 있다. 그를 좌파로 보는 시각과 신자유주의자, 즉 우파로 보는 시각이다. 김대중은 해방 직후 20대의 청년기에 좌파 정치지도자인 여운형의 건국준비위원회와 여운형과 박헌영이 합작해서 급조한 인공(조선인민공화국) 산하 목포인민위원회에 들어갔고, 좌익계인 백남운의 남조선신민당과 좌익청년조직인 민청(민주주의청년동맹)에 가입했다가 탈퇴, 보수정당인 한국민주당에 입당하는 등 사상적 편력을 겪은 바 있다.[1] 보수진영이 그를 좌파 또는 심지어 공산주의자라고 비난하는 것은 이 같은 그의 사상편력 이외에 그의 진보적인 정치적 소신에 기인한다. 김대중은 1950년대 중반에 민주당에 들어갔으나 당의 보수노선에 만족하지 않고 노동문제와 복지문제, 그리고 통일문제에 있어서 진보성향을 띠었다.[2] 그는 1970년, 제7대 대통령선거를 앞두고 신민당 후보로 지명되자 역대 보수정권의 반공일변도적인 대북정책과 크게 다른 남북간의 서신교환 기자교류 체육경기 등 비정치적 접촉과 미소중일 4대국에 의한 한반도 전쟁억제 보장을 주장했다.[3] 그는 1973년 일본 망명 당시에는 이른바 베트콩파들과 손을 잡고 한민통(정식 명칭 한국민주통일연합) 일본본부를 결성해 그 의장에 취임하기로 합의했다. 반면 진보진영이 그를 신자유주의자로 규정하는 이유는 그가 제15대 대통령 당선자 시절부터 외환위기를 수습하면서 세계화와 개방을 지지하고 노동시장의 유연화정책을 추진했기 때문이다.

그러나 이런 서로 다른 시각에 각각 일리가 있는 점을 감안하더라도 최소한 집권기의 김대중은 당시까지의 한국의 정치지형을 기준으로 할 때는 좌경노선, 구체적으로는 중도진보노선을 걸었다고 보는 것이 타당할 것이다. 김대중은 자유민주주의와 시장경제체제를 신봉한다고 강조했지만 대북정책에 있어서 유화적 내지 친북적 노선을 걷고 경제정책과 사회복지정책에 있어서 상대적으로 진보적인 자세를 취했다. 김대중을 승계한 노무현은 뒤에서 보는 바와 같이 김대중보다 더욱 좌파적이었다. 보수세력에 생리적인 혐오감을 가진 노무현은 '통합적 진보'니 '유연한 진보'니 '개방적 진보'니 하고 진보세력을 자임하면서 김대중의 대북유화정책을 답습, 더 많은 대북지원을 했다. 그는 경제정책에 있어서는 자유 보다는 평등 쪽으로 기울어지고 뒤에서 살펴보는 바와 같이 복지정책에 있어서는 김대중 보다 더욱 진보적이었다. 이 같은 김대중·노무현 두 정부의 출현으로 그동안 보수정권 일색이었던 대한민국은 헌정사상 최초로 친북좌경정권 10년을 경험했다. 보수정권 50년간에 비해 이 기간은 상대적으로 짧은 기간이었지만 그 10년 동안 우리 사회 각 분야에서 일어난 변화는 상당히 광범위하고 그 영향 또한 컸다.

김대중과 소속 정당의 이념적 괴리

김대중이 1997년 12월 제15대 대통령에 당선될 때 속했던 새정치국민회의(약칭 국민회의)는 그가 영국 외유에서 돌아온 다음 정계에 복귀하기 위해 만든 정당이다. 그는 원래 소속했던 민주당을 버리고 1995년 9월 새 정당을 창당한 것이다. 그렇다고 국민회의와 민주당의 정강정책이 크게 다른 것은 아니다. 국민회의는 대통령 직선제와 중소기업의 육성, 여성부 신설, 국가보안법의 민주질서보호법으로의 대체, 남북연합통일방안 등을 강령으로 삼고, 서민 대중을 위한 국민정당을 표방하면서 보수개혁노선을 채택한 점이 중요 내용이었다. 다가오는 대통령선거에 출마할 김대중이 신당을 만들자 민주당 소속 65명이 집단적으로 옮겨와 신당은 일거에 원내 제2당이 되고, 소속의원이 최다였을 때 96명이던 민주당은 하루아침에 미니정당으로 전락했다. 김대중은 이때 '중도보수'를 표방해서 난데없는 '위장보수논쟁'이 벌어졌다. 그것은 김대중이 1995년 8월의 국민회의 발기인대회에서 신당의 이념을 '중도보수'라고 밝힌 데서 비롯되었다. 김종필이 이끌던 자유민주연합(약칭 자민련)은 성명을 내고 김대중이 말하는 '중도보수주의'가 무엇을 의미하느냐고 공세를 폈다. 김종필은 그해 10월에는 충북 제천 단양지구당 개편대회에 참석해 치사를 하면서 다시 "새로 만든 당이 보수주의를 표방하고 있지만 보수주의를 논할 수 있는 사람은 본인뿐"이라고 주장하고 6·25때 싸우지 않은 사람, 국가보안법 개정을 주장하는 사람, 소련 붕괴 후 옷을 갈아입고 보수주의자를 자처하는 사람은 보수주의자의 자격이 없다고 비난했다. 반박에 나선 국민회의 측은 김종필이 '보수주의자를 위장한 수구반동'이라고 응수해 양당 간의 설전은 이튿날도 계속되었다. 그러나 김대중과 김종필은 2년여 후인 1997년 11월 이념과는 관계없는 DJP연합을 만들어 제15대 대선에서 한나라당의 이회창 후보에게 승리함으로써 수평적 정권교체에 성공했다.

그런데 김대중의 국민회의 뿌리는 해방 직후 창당된 정통보수정당인 한국민주당(약칭 한민당)과 이를 계승한 민주국민당 및 민주당이다. 민주당은 전통적으로 내각책임제를 고수했으나 1971년 제7대 대선을 앞두고 김영삼 김대중 두 40대 기수들이 대통령후보 경선에 나섬으로써 대통령중심제로 돌아섰다. 1987년 민주화 조치 이후 양 김씨는 대선후보를 서로 양보하지 않아 김대중이 평화민주당이라는 신당을 창당해 동시에 출마했으나 두 사람 다 낙선했다. 그 후 김영삼의 통일민주당이 노태우의 민주정의당 및 김종필의 신민주공화당과 3당합당으로 민주자유당(약칭 민자당)을 창당하자 김대중은 두 차례에 걸친 군소야당들과의 통합을 통해 평화민주당의 당명을 민주당으로 바꾸어 한민당 이후의 정통야당의 이름과 보수노선을 지키고 있었던 것이다. 따라서 김대중이 '중도보수주의'를 내세웠다 해서 하등 이상할 것이 없다.

그러나 국민회의의 뿌리나 정강정책 만으로 김대중을 보수주의자라고 말할 수는 없다. 앞에서 설명한 그의 사상편력과 그의 복잡한 경력, 그리고 그의 대중경제론 등 진보적 경향은 그의 중도좌파 이미지를 굳혔다. 김대중은 외국의 일부 학자들도 좌파로 평가했다. 그를 좌파라고 규정한 사람은 영국 블레어

(Tony Blair) 수상의 정치적 브레인이자 《제3의 길》(The Third Way) 저자인 앤서니 기든스(Anthony Giddens)였다. 그는 김대중이 대통령으로 재직 중이던 2001년 7월 서울에서 강연을 하는 자리에서 김대중 정권을 '중도좌파정권'이라고 규정했다. 기든스는 왜 김대중의 노선을 중도좌파로 규정하느냐는 질문에 대해 대통령 당선 이전에 그를 만난 인상을 토대로 자신은 그를 '제3의 길 좌파' 정치인으로 분류하지만 한국 정치를 몰라서 구체적으로 설명할 수는 없다고 답했다.[4] 김대중 자신도 기든스의 '제3의 길'이 자기 생각과 비슷하다고 밝힌 바 있어 기든스의 평가를 뒷받침했다.

2. 대북유화정책

대북유화정책과 목표 잃은 경제지원

김대중이 남북정상회담을 실현하고 일시적으로 한반도의 긴장을 완화시킨 것은 두 가지 측면을 지니고 있다. 첫째, 그가 북측과의 대화, 특히 정상 간의 만남을 통해 교류와 협력을 추진한 것 자체는 긍정적인 측면이다. 남북한은 장차의 평화통일을 위해서나 당면한 한반도평화의 효율적 관리를 위해서나 대결과 갈등이 아닌, 대화와 협력이 필요하다. 이 점에서 김대중의 노력은 액면대로 평가되어야 한다. 둘째, 남북정상회담 전후에 김대중이 보여준 행태는 부정적인 평가를 받아야 마땅하다. 김대중의 햇볕정책은 북측과의 대결 대신 교류와 협력을 통해 북한을 변화·개방시키는 것을 목표로 한 점에서 이승만 정부를 제외한 역대 정권들의 대북교류협력정책과 궤를 같이한다. 그러나 김대중의 김정일과의 정상회담 성사과정과 회담 내용, 그리고 회담 이후에 김대중 정부가 드러낸 대북저자세와 무원칙한 햇볕정책의 추진은 원래의 교류·협력의 취지와 정책목표를 일탈한 것이었다. 그의 대북정책은 햇볕정책 본래의 목적과 상반된 김정일 독재체제 공고화에 도움을 주고 핵개발을 용인해 국가안보상의 위험과 국내의 이념적 분열을 초래했다. 김대중은 김정일에게 최소한 5억달러 이상의 막대한 뒷돈을 지불하고 남북정상회담을 무리하게 추진했던 사실이 나중에 밝혀졌다. 그는 김정일과의 정상회담으로 그해의 노벨평화상을 수상했는데, 나중에 김대중의 대통령당선자 시절 보좌관이었던 최규선(崔圭鮮)은 그의 노벨평화상 수상을 위해 남북정상회담을 포함한 'M 프로젝트'와 '블루 카펫 프로젝트'를 입안했다고 폭로했다.[5] 이는 김대중이 무리하게 남북정상회담을 추진한 동기의 순수성에 의문을 던지는 것이다.

김대중은 2000년 6월 13일부터 15일까지 평양에서 김정일 북한 국방위원장과 역사상 최초의 남북정상회담을 갖고 5개 항의 남북공동선언을 발표했다. 이 선언은 ① 통일문제를 자주적으로 해결하고, ② 남측의 연합제안과 북측의 낮은 단계의 연방제안에 공통성이 있다고 인정해 이 방향에서 통일을 지향하고, ③ 이산가족과 친척방문단을 상호 교환하고 남측에 있는 비전향장기수문제를 해결하며, ④ 경제협력과 사회 문화 체육 보건 환경 등 제반 분야의 교류를 활성화하고, ⑤ 이상의 합의사항을 실천하기 위해 남북 당국 사이의 대화를 갖는다는 것이다. 그리고 별항으로 김정일 국방위원장이 적절한 시기에 서울을 방문하기로 했다고 밝혔다.[6]

평양정상회담 이후 남북 간에는 일정기간 동안 활발한 교류가 이루어졌다. 박정희 정권 때의 남북조절위원회와 노태우 정권 때의 고위급회담이 정례화되는 듯하다가 금방 파탄이 난 데 비하면 김대중·김정일간의 남북정상회담 이후의 남북접촉은 상대적으로 장기간 이루어진 셈이다. 남북장관급회담을 비롯해 양측 특사의 상호방문과 경제협력추진위원회, 국방장관회담, 장성급회담, 적십자회담 등 각 분야별로 회담이 열렸다. 그 결과 남북협력사업으로 금강산관광특구와 개성공단이 건설되고 경의선과 동해북부선 등 철도와 도로가 연결되었다. 무엇보다도 괄목할 사실은 남북교역과 인적 교류의 급증이다. 이것은 남북대화의 정례화·제도화의 시발이라고 말할 수 있다.[7]

유화정책이 북한 핵 개발 방조

그러나 이런 긍정적 측면에도 불구하고 평양정상회담에는 많은 문제점이 있다. 정상회담이 김정일 주도의 즉흥식 담판으로 진행된 결과 가장 큰 논란거리인 공동선언 제2항의 통일조항이 즉석에서 합의되었다. 김대중은 귀경 다음 날 열린 임시 국무회의에서 "나도 이것까지 논의하리라고는 기대하지 않았다"면서 "결국 김정일이 주장한 낮은 수준의 연방제가 내용적으로 연합제와 같아서 접점이 나오기 시작했다"고 토로했다. 김대중은 "이것이 합의 중에서 가장 역사적이고, 분단 55년의 과제인 통일방안에 의견을 접근한 의미 있는 합의이다"라고 자평했다.[8] 그러나 낮은 수준의 연방제와 연합제는 외교, 군사권을 각기 양쪽에서 가진다는 점은 공통적이지만, 근본 성격이 서로 다르다. 연합은 2개 국가를 전제로 하지만 연방제는 1국가를 의미한다. 같은 백색의 금속이지만 백금과 은의 차이에 비견될 엄청난 본질적 차이점이다. 연방제가 실현되면 국가보안법은 자동적으로 폐지되고 주한미군은 철수하거나 성격을 바꾸어야 하고 남북간의 무력충돌조차 내정문제가 되어 외국에서는 간섭을 못하게 됨으로써 북측의 오랜 숙원인 남조선혁명이 용이하게 된다. 북측은 이 조항으로 동서독 방식의 흡수통일을 방지하고 지난 반세기 이상 그들이 추구해 왔던 국가보안법 폐지와 주한미군 철수를 연방제 실현을 통해 이룩하는 데 한 발 다가서는 것이다.

평양정상회담의 다른 문제점은 전쟁방지와 평화유지, 그 중에서도 북한의 핵 개발 문제에 관해 아무런 합의를 보지 못한 점이다. 공동선언에 '평화통일' 대목은 있어도 전쟁방지나 평화유지 또는 핵무기에 관련된 구절은 전무했다. 노태우 정권 당시인 1991년 12월에 체결한 역사적인 남북기본합의서를 사실상 사문서(死文書)로 만든 점도 큰 문제였다. 이 합의서는 거의 완벽한 '한반도평화 대장전'이었을 뿐 아니라 김대중 자신도 그의 취임사에서 남북한은 "남북기본 합의서를 실천만 하면 남북문제를 성공적으로 해결하고 통일에의 대로를 열어나갈 수 있다"고 강조했다. 그러나 평양정상회담 후에 발표된 6·15공동선언에서는 이 합의서의 준수문제는커녕 합의서 자체가 한 마디도 언급되지 않았다. 북핵문제에 대한 합의를 하지 못함으로써 사실상 휴지조각이 된 것이 바로 '한반도비핵화공동선언'이다. 김대중은 6월 15일 귀경 즉시 서울공항에서 행한 방북성과 보고에서 핵과 미사일 문제를 제기했었다고 설명했다. 결국 김정일이 묵살했다는 이야기였다.

남북정상회담에서 합의한 6·15공동선언에 따라 김대중 정부는 임기 말까지 중앙정부 지방정부 민간단체의 유무상 지원금을 포함, 모두 2조 7,028억원의 막대한 경제지원을 북측에 제공했다.[9] 그러나 북한은 변화는커녕 그럴 기미조차 보이지 않았다. 북측은 남북관계 개선을 남측으로부터 경제지원을 받는 수단으로 악용해 실속을 챙기는 데 관심이 있었기 때문에 김대중의 '햇볕정책'은 시일이 지날수록 문제점이 드러났다. 남측의 경제지원은 오히려 북측의 개혁·개방을 지연시키는 결과를 가져왔다. 해군장병 전사자 6명과 부상자 18명을 낸 2002년 6월의 서해교전사건(제2연평해전)은 햇볕정책 실패의 대표적 예이다. 김대중의 도저히 이해하기 어려울 정도의 일관된 대북 저자세는 김정일을 더욱 교만하게 만들고, 끝내는 핵무기까지 개발케 함으로써 남북군사균형이 하루아침에 비대칭적으로 변했다.

3. 진보적 경제정책

'대중경제론'에서 'DJ노믹스'로

김대중은 경제정책에 있어서 진보적 노선을 추구했다. 그는 Ⅳ-**2**(60~70년대의 지하조직)에서 설명한 바와 같이 박정희 정부 시절인 1971년 3월, 제7대 대통령선거에 출마하기 위해 빨치산 출신의 좌파경제학자 박현채가 집필한, 다분히 민족주의적인 《김대중씨의 대중경제론 100문 100답》을 출간했다.[10] 그는 신군부시대 말기인 1986년에는 이 책과 방향이 다른 새로운 내용의 《대중경제론》을 발간했다. 먼저 책은 박정희의 외자도입과 수출 위주 경제성장정책을 비판하면서 자립경제 건설을 강조했다. 이에 반해 뒤의 책은 수출과 자유무역, 자본의 자유로운 국제이동을 긍정적으로 평가한 것이어서 내용이 상반된다. 1970년대와 달리 80년대의 그의 경제정책노선은 자유경제체제에 대한 확고한 신념에서 출발하되 기업이 권력과 결탁해서 부가 집중되고 노동자와 소비자가 수탈당하는 특권경제가 되어서는 안 된다는 것이다. 그는 이와 동시에 초기 자본주의단계의 많은 부작용을 낳았던 전통적 자본주의경제, 풍요함도 정의도 실현 못하는 사회주의경제, 그리고 지나친 사회보장제도를 과감하게 수정한 서구 사회민주주의경제의 경험을 총괄적으로 비판 수용해서 풍요와 정의를 아울러 실현할 수 있는 자유경제체제를 실현해 나가야 한다고 주장했다.[11]

김대중은 1997년의 제15대 대통령선거를 앞두고 자신의 경제이론을 'DJ노믹스'(DJnomics)로 체제화, 이를 '민주적 시장경제'로 구체화했다. 그는 2차대전 후 독일에서 나치시대의 파쇼경제체제를 개혁해 독일경제를 부흥시키는 토대가 되었던 프라이부르크(Freiburg) 학파의 이론에 입각해서, 정부의 역할을 최소화할 것을 주창하는 구자유주의와 국가의 적극적인 시장개입을 주장하는 케인스주의에 다 같이 반대하는 입장을 취했다. 김대중은 이에 따라 자유경쟁 질서의 유지를 목표로 한 국가의 간접적인 개입과 사회복지정책의 추구, 그리고 노사간의 양보와 세력균형을 그의 새로운 경제정책으로 내세웠다.[12] 그는 외환위기 발생 직후인 1997년 12월 대통령에 당선되자 곧바로 민주주의와 시장경제의 병행발전을 주장하면서 재벌 금융 공공 노동 4대 개혁정책을 내걸고 경제위기를 약 1년 반 만에 조기 극복하는 데 성공했다.

생산적 복지론과 기든스의 '제3의 길'

김대중은 외환위기가 대체로 극복된 1999년 4월, 종전의 민주주의와 시장경제의 병행발전론에 '생산적 복지정책'을 추가, 그의 경제정책을 보완, 체계화했다. 그는 "나는 민주주의와 시장경제, 생산적 복지를 실현하는 대통령으로 남고 싶다"고 밝혔다.[13] 김대중이 생산적 복지를 강조한 것은 외환위기로 촉발된 경제위기와 이로 인한 IMF(국제통화기금) 관리사태 이후 중산층 붕괴와 빈부격차의 심화현상이 나타나자 이에 대비하기 위해서였다. 김대중의 정책전환은 그의 신자유주의노선 위주의 경제정책을 비판한 내부 보고서가 제출된 뒤 나온 것이어서 정책 노선이 '신중도' 노선으로 변화하는 것이 아니냐는 해석이 나왔다. 그는 4월 30일 창원의 경남도청을 방문한 자리에서 "1년간 4대개혁을 철저히 했고, 외환보유고, 4강외교 및 대북정책에서도 성공을 거두었다"고 그동안의 업적을 자평하면서 "이제는 중산층을 육성하기 위해 실업대책과 중소벤처기업 활성화 등 지원방침을 세울 것"이라고 밝혔다.[14]

김대중은 '생산적 복지'와 '사회복지'의 차이에 대해서 언급, 사회복지는 국민들이 먹고, 병을 고치고, 교육하고, 거주하는 것을 정부가 책임지는 '구호적 복지정책'인 데 반해 생산적 복지는 제힘으로 할 수 있도록 정부가 교육, 훈련을 맡는 '자활적 복지정책'이라고 설명했다. 그는 고용보험, 의료보험, 산재보험, 국민연금 등 사회안전망이 어느 정도 갖추어진 만큼 이제는 자활 여건을 만드는 데 치중하겠다고 밝혔다. 김대중은 이 같은 생산적 복지정책과 관련해서 "영국 기든스 교수의 '제3의 길'이 내 생각과 거의 같다"면서 "기든스 교수와는 영국 체류시절과 국내에서 몇 차례 만난 적이 있다"고 밝혔다.[15] 이 같은 생산적 복지 정책에 입각해서 김대중 정부는 새로운 복지제도를 체계화, 국민연금 건강보험 고용보험 산재보험 등 4대 보험을 확충함으로써 중산층과 서민층의 생활 안정에 기여하고자 했다. 김대중 정부에 의해 최저생계비 이하 저소득층의 기초생활을 국가가 보장하는 국민기초생활보장제도가 도입되자 생계비 지원대상이 1997년 월 13만 명에서 2001년 155만 명으로 대폭 늘어났다. 복지예산도 임기 말까지 5년간 (1998~2002년) 연평균 19.6% 증가했다.[16]

4. 김대중 정부의 유산

외환위기의 조기 극복

김대중 정부가 임기를 3개월 정도 남긴 시점인 2002년 11월 《중앙일보》와 인터넷매체인 《이슈투데이》(*issuetoday.com*)가 대학교수를 포함한 전문가 253명에게 물어 김정권의 업적을 평가하는 흥미 있는 조사를 실시했다. 응답자들은 김대중 정부의 정책노선이 중도좌(37.8%)와 중도(24.8%) 사이에 위치한 것으로 보았다. 김대중 정권이 가장 잘한 분야는 통일 및 외교 분야, 특히 남북정상회담과 긴장완화로 집계되었고, 그 다음으로 여성정책이었다. 가장 못한 분야는 대내 정치와 교육 분야이며, 그 대표적인 예는 인사실패, 권력형 부패, 친인척 부패, 지역갈등, 사교육 및 대입정책 등으로 집계되었다. 경제 분야에서는 외환위기 극복이 제일 잘한 정책으로, 그리고 소득재분배 및 복지정책이 제일 못한 정책으로 꼽혔다. 과학기술 분야에서는 벤처 및 신기술 창업 지원사업이 많은 논란에도 불구하고 잘한 정책으로 나타났다. 이밖에 보건 복지 분야에서는 의약분업이 제일 못한 정책으로, 고용보험과 국민연금 실시가 잘한 정책으로 뽑혔다. 김대중 정부는 최종 평가에서 총괄적으로 100점 만점에 53.9점을 받아 보통수준의 성과를 이룩한 것으로 나타났다. 이런 평가는 박정희를 뺀 4명의 단임제 대통령 중에서는 상대적으로 좋은 평가이다.[17]

저자가 보기에는 우리 헌정사상 최초의 친북–중도좌파정권인 김대중 정부는 여러 가지 업적과 과오를 동시에 남겼다. 그의 업적은 외환위기의 조기극복과 남북정상회담 실현으로 한반도긴장완화와 남북대화 부활 및 복지정책의 확대, 그리고 참여민주주의의 발전과 인권신장이다. 그의 과오는 앞에서 이미 살펴본 바와 같이 원칙을 잃은 햇볕정책 수행으로 인한 국가정체성 훼손과 북한의 핵개발 방치로 인한 안보위기 초래 등이다. 그리고 뒤에서 자세히 설명하는 바와 같이 외환위기 극복을 너무 서둔 나머지 공기업을 외국에 헐값에 처분함으로써 일어난 국부유출과 역지역차별, 비판언론탄압, 그리고 측근들의 부정으로 인한 개혁실패 등일 것이다. 차례로 살펴보기로 한다.

1997년 11월에 일어난 외환위기는 국가적으로는 큰 재앙이었다. 하지만 그 위기의 와중에서 대통령에 당선된 김대중의 정치적 입지를 위해서는 더할 수 없이 좋은 기회였다. 김대중은 김영삼 정부가 IMF 측과 구제금융관련 각서에 조인한 약 2주일 후인 1997년 12월 18일 대통령에 당선되자마자 대통령당선자 신분으로 외환위기 해결에 간여함으로써 '준비된 대통령'으로서의 경륜을 과시했다. 그는 선거유세 중 집권하면 1년 반 안에 IMF사태를 극복하겠다고 공약하고 2000년대 초에는 1인당 국민소득을 3만 달러를 이룩하겠다고 다짐했다. 김대중 당선자는 당선 1주일 만에 대통령직인수위원회를 설립하고 외환위기 해결에 착수했다. 이듬해 1월에는 노사정위원회가 열려 재벌 개혁과 노동 시장의 유연화에 대한 합의를 끌어냈다.

부작용 남긴 구조조정

김대중의 대통령직인수위원회는 그의 대통령 취임 약 2주일 전인 이듬해 2월 12일 그가 추진할 100대 국정과제를 발표하고 경제위기 극복을 위해 재벌기업의 개혁을 포함한 과감한 경제개혁을 단행할 것을 밝혔다. 김대중은 대통령 취임식에서 총체적인 개혁을 다짐하는 가운데 이 계획을 발표했다. 재벌 개혁의 내용은 그들이 소유하고 있는 한계업종의 정리를 핵심으로 하는 구조조정과 기업 활동의 투명성을 제고하기 위한 조치들을 골자로 하고 있다. 김대중 정부는 출범과 동시에 경제개혁에 착수했지만 기업, 금융, 노동, 공공부문의 4개 부문 개혁 가운데 기업과 금융부문은 성과를 올렸으나 노동과 공공부문 개혁은 부진했다. 구조조정 대상이 된 기업은 5대 대기업그룹을 비롯한 64개 기업그룹과 중견 기업이었다. 정부는 주거래 은행들로 하여금 기업의 재무구조개선 약정을 체결토록 하는 간접방식으로 기업구조조정을 사실상 강제했다. 외환위기 직후인 1997년 12월부터 단행된 금융분야 구조개혁에서는 7개 부실은행과 12개 종합금융회사 등 총 39개의 금융기관(신용금고 제외)이 1998년 11월까지 정리되었다.[18]

이 같은 기업구조 조정에서 가장 문제가 된 것은 IMF 측의 일방적 가이드라인에 순응해 기업의 채무비율을 200% 이내로 강요함으로써 많은 기업들이 도산, 유수한 공기업들이 외국에 헐값으로 팔려나간 점이다. 이로 인해 국부가 외국으로 대규모 유출되고 전략기업이 외국지배로 들어감으로써 경제의 대외종속이 심화되었다. 아마도 대표적인 예가 공적자금 17조원을 투입한 제일은행을 미국의 헤지펀드인 뉴브리지캐피털에 12조원에 팔아 5조원의 손실을 가져오게 한 사건일 것이다(공적자금은 모두 159조원이 투입되었으나 그 중 69조가 회수불능이 되었다). 뉴브리지는 불과 5년 만에 1조원을 챙기고 제일은행을 영국계 스탠다드차타드은행(SCB)에 되팔았다. 국부의 외국유출로 시중은행의 주식 50% 이상과 대기업 주식의 절반 또는 그 이상이 외국인 소유로 넘어갔다. 삼성전자(60%), 포항제철(47%) 등이 대표적인 예로, 이 때문에 이들 기업의 순이익 50% 가량은 외국으로 빠져나가는 산업체제가 되었다.

임기 후반기 경제침체

1997년에 다가온 외환위기로 인해 그해에는 성장률이 전년의 7.1%에서 6.0%로 떨어지고 이듬해 들어서면서 성장률은 드디어 마이너스 성장으로 곤두박질을 쳤다. 김대중 정부는 이에 대한 대책으로 구조조정과 함께 경기부양책을 폈다. 1998년부터 강도 높게 추진된 구조개혁이 효과를 거두어 경기는 3~4분기를 기점으로 하락세가 둔화되기 시작해 이듬해 상반기 들어 상승세로 반전했다. 이 같은 빠른 경제회복의 주원인은 적극적인 거시경제정책과 대규모 경상수지 흑자, 그리고 국가신인도 회복에 따른 금융외환시장 안정과 내수를 진작시키는 적극적인 재정통화정책이다. 여기다가 환율이 안정되고 금융 및 노동 비용도 하락해 한국경제의 경쟁력이 향상된 데도 원인이 있다.

1999년 들어 국내경제는 내수와 수출의 호조로 경제성장률이 9.5%의 높은 수치를 보여 경상수지가 250억 달러의 흑자를 기록했다. 이에 따라 외환위기 직후인 1997년 12월 24일 달러당 1,964원까지 상승했던 환율은 1999년 말 1,100원대에서 안정세를 보였다. 외환보유고도 같은 기간 39억 달러에서 740억 달러로 늘어났다. 김대중은 마침내 1999년 11월 19일 "우리는 국민과 함께 다짐하고 결의한 대로 1년 반 만에 외환위기를 완전히 극복했다"고 선언했다. IMF 역시 12월 29일 발표한 보고서에서 "한국이 활발한 개인소비, 설비투자 재개, 낮은 물가상승률 등에 힘입어 경제위기를 극복하는 데 성공했다"고 평가했다.[19] 김대중 정부는 이 해에 IMF 지원자금 195억 달러를 당초 계획보다 3년 앞당겨 상환했다. 외환보유고는 2002년 11월 말에는 1,183억 달러에 달했으며 외국인 투자유치도 520억 달러로 늘어나 정부수립 이후 당시까지 들어온 투자액의 2배에 달했다. 2000년에 들어서도 성장세가 이어져 8.5%의 높은 성장률을 보이고 물가도 안정되었다. 그러나 이듬해에는 금융시장 불안 및 심리적 요인, 설비투자 부진, 국제유가의 상승과 IT경기의 둔화로 인한 세계경제의 침체까지 겹쳐 성장률이 3.8%로 악화되었다. 이 때문에 김대중 정부는 대대적인 카드발행 등 내수진작시책을 쓴 끝에 사실상 임기 마지막 해인 2002년에는 전년의 2배 수준인 7.0%의 성장률을 보였다. 이 기간 동안 경제의 원동력이 제조업 중심과 수출주도 경제에서 서비스산업 등 비제조업 중심으로 자리 잡아 감으로써 내수기반이 확대되었다. 그러나 김대중 정부 5년간 평균경제성장률은 4.38%의 저조를 면치 못했는데, 외환위기로 −8.8%의 마이너스성장을 한 1998년을 뺀 4년간의 평균성장률은 7.20%를 기록했다.[20] 이렇든 저렇든 김대중 정권하에서의 경제성장률의 하락은 나중에 '잃어버린 10년' 논쟁의 원인이 되었다.

참여민주주의의 확대와 인권신장 정책

김대중 정부의 민주화 개혁의 골자는 노동자의 권리 신장과 참여민주의의 확대를 위한 시민사회의 활성화, 그리고 인권위원회 설치 등을 들 수 있다. 김대중의 당선자 시절인 1998년 1월 국민회의가 노동계와 나흘간의 협상을 거쳐 설치한 노사정위원회는 김대중 정부의 새로운 노동정책의 상징이 되었다. 노사정위는 정부의 각료들이 노동계 대표들과 대등한 자격으로 직접 대좌하는 기구였던 만큼 그 위상도 그만큼 높았다. 노사정위는 정부기구 축소 등 행정개혁 문제, 기업경영의 투명성 확보와 소유경영의 분리방안, 정리해고 요건 마련과 근로자파견제 도입 여부 등 노동시장의 유연화 방안을 논의했다. 김대중 정부는 노사정위 설치에 이어 교직원과 공무원 노조의 허용 및 노조의 정치활동 참여 보장을 허용하는 등 진보적인 노동정책을 폈다. 그러나 김대중 정부는 노조 전임자의 봉급을 사용자가 지급토록 하고 노조의 불법파업에 관용적인 태도를 취하는 등 지나치게 친노조적인 노동정책을 펴 사회혼란을 빚고 재계의 불만을 샀다.

김대중 정부는 시민단체의 활성화를 촉진해 참여민주주의 발전에 기여했다. 한국의 시민사회단체는 1980년대 후반인 노태우 정권 이래 본격적으로 활동을 시작해 김영삼 정부를 거쳐 김대중 정부에 이르러서는 정부와 파트너관계를 형성, 시민단체들이 '제5부'라는 말까지 나올 정도로 막강한 영향력을 발휘했다. 김대중은 1998년 역대 대통령 당선자로서는 처음으로 시민단체 신년하례식에 참석하고 격려연설을 했다. 시민단체 핵심인사들은 김영삼 정부 때도 청와대, 내각 등에 기용되었지만 김대중 정부 들어서는 각종 고위직에 임명되었다. 그는 경실련 출신의 김태동(金泰東) 교수를 청와대 경제수석에, 김성훈(金成勳) 교수를 농림부장관에 임명하고 다른 유력 시민단체 인사들을 대통령정책자문위원회, 행정개혁위원회, 부패방지위원회 등 여러 정부 위원회에 영입했다. 한국시민단체협의회(시민협) 공동대표로 한국 시민운동계의 대부라 불린 강문규(姜汶奎)는 새마을운동중앙협의회장으로 발탁되었다.

김대중 정부는 1999년 시민단체들을 재정적으로 돕기 위해 비영리민간단체지원법을 제정, 행정자치부와 지방자치단체를 통해 시민단체들에 매년 150억

원씩을 지원했다. 이로 인해 시민단체 수가 김대중 정부 아래서 폭발적으로 늘어나 바야흐로 '시민단체들의 전성시대'가 왔다. 시민단체들은 정치분야의 활동에 치중하게 되어 공명선거시민연대, 행정개혁시민연대, 정치개혁국민연합, 민족화해협력범국민협의회, 전국NGO연합 등이 속속 출범했다. 그러나 정부의 시민단체 지원은 불가피하게 일부 단체들을 관변화·어용화하는 결과를 초래, 비정부기구(NGO)로서의 본연의 자세를 잃게 했다.

김대중 정부는 1998년 인권문제를 총괄할 국가인권위원회와 여성의 지위향상을 위해 여성특별위원회를 대통령직속기구로 만들었다. 또한 국가안전기획부를 1999년 2월 국가정보원으로 명칭을 바꾸고 국외정보와 국내보안정보 수집 및 공안사건 수사에 전념토록 함으로써 정치에 간여치 못하도록 했다.

언론사 세무조사와 보수계 신문 탄압

김대중 정부는 취임 1년 후부터 그의 대북유화정책과 지역편중 인사정책 등을 비판하는 동아 조선 중앙 등 보수 계열 신문들과 갈등을 벌인 끝에 2001년 드디어 이들 언론사에 대한 표적 세무조사를 단행하고 대주주들을 구속함으로써 언론탄압 비판을 불러일으켰다. 보수언론은 김대중 정부의 역차별적인 특정지역 편중인사정책과 유화적인 대북정책을 맹렬하게 비판해 김대중과 언론과의 관계가 악화되기 시작했다. 그는 언론을 굴복시키기 위해 강공정책으로 돌아섰다.

김대중 정부의 언론장악 시도 의혹은 이미 정권 출범 이듬해인 1999년 10월의 이른바 언론문건 파문에서 불거졌다. 한나라당 정형근(鄭亨根) 의원은 국회의 대정부질문에서 정부의 '언론장악 시나리오'라면서 문건 하나를 공개했다. 그 제목은 '성공적인 개혁추진을 위한 외부환경 정비방안'이었다. 이 문건은 중국 베이징에 유학중이던 중앙일보 기자 문일현(文日鉉)이 작성해 전 국정원장 이종찬(李鍾贊)에게 팩스로 보낸 것을 평화방송 기자 이도준(李到俊)이 입수, 정형근에게 전달한 것이다. 이 문건의 골자는 김대중 정부가 개혁을 성공적으로 수행하기 위해서는 언론을 먼저 개혁할 필요가 있다고 주장하고 이를 위해 언론사 사장을 사법처리하는 것 같은, 기왕의 상식에 허를 찌르는 조치도 필요하다고 건의했다. 정부는 이 문건과의 관련을 강력히 부인하면서 이 문건을 폭로한 이도준을 절도 혐의로 구속했다.

김대중 정부가 이 문건을 실제로 언론정책에 응용했는지 여부는 알 수 없지만 1999년 9월, 한나라당 대선 후보 이회창을 지지한 것으로 알려진 중앙일보 사주가 소유한 보광그룹과 햇볕정책을 비판한 보수적인 세계일보의 모기업인 통일그룹에 대한 강도 높은 세무조사가 실시되었다. 세무조사 결과 중앙일보 발행인과 통일그룹 책임자는 그해 10월 탈세 혐의로 구속되고 세계일보 사장은 사임했으며 두 그룹에 대해서는 막대한 탈세추징금이 부과되었다.

2001년 2월에 착수되어 4개월 20일간 계속된 서울 소재 전체 언론사, 즉 10개 일간지와 3개 지상파방송사에 대한 세무조사는 중앙일보와 세계일보 케이스의 연장이었다. 서울지방국세청 직원 4백여 명이 한꺼번에 투입된 이 조사는 단일 업종에 대한 조사로서는 당시까지 최대규모의 인원이었다. 공정거래위원회도 이들 언론사에 대한 일제조사에 착수하고, 1999년에 폐지된 신문고시를 부활한다고 발표했다. 언론사에 대한 세무조사의 시기와 투입인원수, 그리고 군사작전 같은 조사방식은 김대중 정부가 그의 햇볕정책을 비판한 이들 언론사를 굴복시키기 위해 세무조사라는 전가(傳家)의 보도(寶刀)를 뺀 사실을 말해주었다.

국세청은 6월 20일, 4개월 여간 진행된 세무조사 결과를 발표했다. 국세청은 23개 언론사의 탈세액이 모두 5,056억원에 달했다면서 같은 액수의 추징금을 해당사에 부과했다고 밝혔다. 동아일보와 조선일보에는 이들 언론사들 중 최다액인 약 8백억원의 추징금이 각각 매겨졌다. 국세청은 6개 언론사와 3명의 언론사주 등 모두 12명을 검찰에 고발했다. 이 중에서 동아 조선 국민의 3사 대주주가 구속되었다. 그러나 해당 언론사들은 정부에 굴복하지 않고 결사항쟁의 투지를 보여 정권에 선처를 애원하는 대신 형무소에 가는 길을 택했다. 세무조사 후 해당 신문사들의 김대중 정부 비판은 더욱 강해졌다. 김대중은 결국 언론 길들이기에 실패한 채 임기를 마쳤다.

김대중 정부의 언론사 세무조사를 앞장서서 비판한 지식인은 보수적인 작가 이문열(李文烈)이었다. 그는 그해 7월 신문기고문들을 통해 세무조사의 즉각 중단을 요구하고 이를 옹호하는 시민단체를 홍위병에 비유했다. 이들은 그의 소설책들을 묶어서 만든 관을 앞세우고 모의장례식을 거행했다. 여당 측에서는 추미애(秋美愛) 김근태 임종석(任鍾晳) 최재승(崔在昇) 의원 등이 그를 비난하는 발언을 했다.[21]

② 김대중 정부하의 좌파정당

우리가 주장하는 새로운 통합방식은 국가가 모든 국민이 대등한 주권자로서 국가 공동체에 참여할 수 있도록 최소한의 사회적, 경제적 조건과 전제를 보장해주어야 한다는 것이다.…우리는 이와 같은 기본 관점을 사회적 공화주의라고 부른다. 우리는 사회적 공화주의 없이는 민주공화주의도 불가능하다고 본다.

—사회당(한국사회당), 당 강령

1. 청년진보당-한국사회당 결성

김대중 정권 아래서 첫 번째 창당

청년진보당은 1998년 2월에 김대중 정부가 출범한 후 최초로 창당된 좌파정당이다. 청년진보당은 1992년 제14대 대선 때 민중대통령후보 백기완 선거대책본부에서 뛰었던 20대 후반에서 30대 중반의 PD 계열 학생운동권 출신들이 주동적으로 만들었다. 이들은 대부분 80년대 후반 대학에 입학한 30대, 즉 386세대로 당시 좌파진영에서 논의되던 김대중과의 민주대연합을 반대하고 독자세력화를 주장한 그룹이다.[1]

이들은 92년 대선에서 백기완이 고배를 마신 다음 각기 출신지역이나 지방공단 등으로 내려가 개별적으로 활동을 벌였다. 이들이 결성한 노동운동단체는 93년에 조직된 '우리청년회', 95년에 결성된 '함께하는 노동청년회', 96년에 결성된 '한국노동청년연대' 등이다. 이 단체들은 모두 국가보안법 위반으로 수사를 받았다. 97년 대선을 앞두고 좌파진영에서 '국민후보' 추대 운동이 일어나면서 '국민승리21'이 결성되던 때에 청년진보당을 만든 주체들은 '몰 계급적인 국민후보운동'에 반대하고 '민중후보운동'을 내세우면서 민중후보운동 청년추진위를 결성했다.[2]

청년진보당 추진세력은 1998년 3월의 진보정당 건설을 위한 전국 14개 청년단체 간담회에 이어 그해 6월 창당준비위원회를 발족시킨 다음 8월에 창당준비위원회를 결성했다.[3] 창당대회는 그해 11월 서울 종로구 명륜동 유림회관에서 개최되었다. 당대표에는 최혁(崔赫)이 선출되었다. 그는 취임연설에서 "시장에 의한 무질서한 분배와 무한경쟁의 패러다임을 깨는 것이 진보정치 세력의 임무"라며 "고용안정 실업해결 투쟁 등 민중운동의 연대투쟁에 나서겠다"고 밝혔다. 청년진보당은 2000년에 실시되는 제16대 국회의원 총선에 참여할 것을 선언했다. 창당대회에 참석한 당원들은 대회가 끝난 뒤 종묘공원까지 거리행진을 한 뒤 '고용안정과 실업해결특별법 제정'을 위한 1천만 서명운동을 벌였다.[4]

급진노선 밝힌 강령

'민중운동의 독자적 정치세력화'를 내건 청년진보당은 창당대회에서 노동의 자유, 사상과 양심의 자유, 민족적 자주권, 평화통일, 평등, 복지, 환경 등 7개 항의 강령을 채택했다. 청년진보당은 노동의 자유를 위해 시장의 무계획성을 시정할 '사회적 통제'가 필요하다고 강조하고 사상과 양심의 자유를 위해 국가보안법의 철폐가 필요하며 민족적 자주권을 위해 주한미군이 철수해야 하며, 평화통일을 위해 무조건 만나고 보자는 식의 감상적 통일론이나 흡수통일을 반대한다고 밝혔다. 평등을 위해서는 지역편중인사의 시정과 호주제 폐지가 실현되어야 하고 복지를 위해 사회적 안전망을 구축하고 서유럽 좌파가 말하는 '일하는 복지'가 아닌, '노동으로부터 독립된 전면적 보편적 복지'가 필요하다고 주장했다. 그리고 환경문제 해결을 위해 자본의 파괴적 이윤추구를 중지시킬 것을 요구했다.[5]

청년진보당은 창당 4개월 후인 1999년 3월 30일 실시된 서울 구로을 지구 국회의원 재선거에 당대표인 최혁을 후보로 내세웠다. 마침 전년 4월의 선거법 개정으로 99년 연초부터 노동단체의 정치활동이 허용되어 3·30재보선에서는 특정후보의 지지를 결의하거나 정책토론회를 개최하는 등 선거운동의 전면에 나서는 노동단체들이 잇따랐다. 최혁의 선거구에서는 구로지역 노동단체들의 모임인 '고용안정 쟁취와 IMF 대응을 위한 남부지역 공동대책위원회'가 그를 측면 지원했다. 이에 비해 전국금속노련 서울지역본부와 한국노총 구로·금천지역 지부는 각각 여당인 국민회의 후보 한광옥(韓光玉)을 지지한다는 성명서와 결의문을 발표해 최혁은 상대적으로 불리하게 되었다.[6] 결국 최혁은 패배하고 말았다.

최혁은 2000년 4월 실시된 제16대 총선에 다시 출마했으나 득표율 4.1%로 또다시 낙선의 고배를 마셨다. 청년진보당은 서울의 45개 전 지역구와 인천의 1개 지역구(부평을)에 후보를 내 지역구마다 2.5~8%의 표를 얻었다. 자금과 조직의 절대적인 열세를 고려하면 뜻밖의 성과였던 셈이다. 그러나 당 해체라는 운명을 맞았다.[7] 청년진보당은 정당 등록이 취소되자마자 다시 같은 청년진보당이라는 이름으로 재창당을 했다. 이어 2001년 8월 전당대회를 열어 당명을 사회당으로 바꾸었다. 사회당은 2004년 총선에서 원내 진출에 다시 실패, 해산되자 2006년 4월 16일, 지방선거를 앞두고 희망사회당이라는 이름으로 재창당했다. 그런 다음 그해 10월 제8차 당대회에서는 당명을 또 한국사회당으로 개명하고, 2007년의 제17대 대선에는 당대표 금민(琴民)을 후보로 내세웠으나 득표율이 0.1%(1만 8,223표)에 그쳤다.[8] 2008년 4월의 제18대 국회의원 총선에서는 지역구에서 1명도 당선되지 못하고 정당별 득표율은 0.2%에 그쳐 10월에 다시 사회당으로 재창당했다. 사회당은 2012년 3월 홍세화가 대표를 맡고 있던 진보신당에 흡수·통합되었다.[9]

2. 민주노동당 창당

17대 총선 앞두고 결성

1997년 12월의 제15대 대통령선거에서 권영길 후보가 불과 30만 6,026표(득표율 1.2%)를 얻어 참패한 국민승리21은 앞장에서 살펴본 바와 같이 대선 2개월 후인 이듬해 2월 열린 중앙위원회에서 2000년의 제16대 총선 1년 전, 즉 1999년까지 노동자가 중심이 되는 진보정당 결성을 목표로 삼아 정치조직으로 전환하기로 결의했다.[10] 국민승리21의 모체인 민주노총 역시 1998년 5월 열린 임시대의원대회에서 국민승리21을 확대개편, 노동자 중심의 진보정당을 건설하기 위해 적극 지원 연대한다는 결의를 채택했다.

국민승리21을 정당으로 전환하는 작업이 진행되는 와중에 실시된 1998년의 6·4지방선거는 전년의 대선 참패에서 받은 상처가 채 아물지 않은 가운데 실시되었지만 그 결과는 상당히 고무적이었다. 국민승리21과 민주노총은 이 선거에 나설 공동후보 49명을 공천, 기초단체장 3명, 광역의원 2명, 기초의원 18명, 모두 23명을 당선시키는 데 성공했다. 노동자 표가 많은 울산에서만 총 14명이 당선되었다. 당선된 기초단체장은 조승수(趙承洙, 울산 북구청장), 김창현(金昌鉉, 울산 동구청장), 김두관(金斗官, 경남 남해군수)이다. 조승수(당시 35세)는 전국 최연소 자치단체장이 되었다.[11] 김창현은 Ⅶ-**4**(90년대 후반~2000년대 초의 지하조직)에서 설명하는 바와 같이 당선 후 영남위원회사건으로 구속된다. 이듬해 10월 보궐선거가 실시되자, 그의 부인 이영순(李永順)이 출마해 당선된다.[12] 김두관은 1차 연임한 다음 2002년 제17대 대선 때는 민주당 경남 남해하동지구당 선거대책위원장이 되어 노무현 정부의 초대 행정자치부장관에 기용되었다.

국민승리21의 진보정당 결성 준비작업은 1998년 9월 소집된 제3차 중앙위원회를 계기로 본격적으로 시동이 걸렸다. 이날 회의는 진보정당 창당에 동의하는 모든 민주진보세력과 연대해 1999년 5월까지 창당작업을 완료하며 이를 위해 그해 말까지 창당준비기구를 결성하기로 결의했다.[13] 창당준비작업은 순조롭게 진행되어 1999년 1월 서울 세종문화회관에서 진보정당 창당 제안을 위한 1차 원탁회의가 권영길 국민승리21 상임대표 등 150여 명이 참석한 가운데 열렸다. 이 자리에서 진보정당 창당 제안문을 채택하고 곧 창당준비위원회를 결성키로 했다.[14] 4월 서울 용산 구민회관에서 열린 진보정당 창당추진위원회 결성대회는 2단계 준비작업으로 권영길, 이갑용(李甲用, 민주노총 위원장), 양연수(梁連洙, 전국빈민연합 의장) 3명을 공동대표로 선출했다. 또한 이용득(李龍得, 금융노련 위원장), 김귀식(전교조 위원장), 조승수(울산 북구청장), 조세희(趙世熙, 소설가), 김진균(서울대 교수), 태재준(전대협 6기 의장) 등 7백여 명이 추진위원으로 위촉되었다.[15] 이어 6월 13일 서울 세종문화회관에서 열린 제2차 진보정당 창당 추진위원대회에서 최고의결기구인 운영위원회를 구성하고 천영세 전국연합 의장을 집행위원장으로 선출했다.[16]

16대 총선에서도 원내진출 실패

발기인대회는 1999년 8월 서울 여의도 63빌딩에서 열렸다. 각계 인사 2천여 명이 발기인으로 참석한 이날 발기인대회는 창당준비위원회(상임공동대표에 권영길, 공동대표 이갑용 양연)를 구성하고 당명은 가칭 '민주노동당'으로 결정했다. 발기인 중에는 배석현(전 민주노총 위원장 직무대행), 고영주(민주노총 사무총장) 단병호(전 민주노총 금속연맹위원장) 김진균(서울대 교수) 김남훈(한신대 교수) 김동춘(金東春, 성공회대 교수) 류초하(충북대 교수) 정영태(丁榮泰, 인하대 교수) 김석연(金石淵, 변호사) 이덕우(李德雨, 변호사) 조승수(울산 북구청장) 이상범(李象範, 울산시의원) 김록호(구리녹색병원장) 등이 포함되어 있었다.[17]

뒤이어 이듬해인 2000년 1월에는 서울 올림픽공원 역도경기장에서 당원 3천여 명이 참석한 가운데 성대한 창당대회가 열려 민주노동당(약칭 민노당)이 정식으로 출범했다. 당대표에는 권영길 창당준비위 상임공동대표가, 부대표에는 노회찬(전 진보정치연합 대표) 박순보(朴淳甫, 전 전교조 부산시지부장) 양경규(민주노총 부위원장)가, 그리고 사무총장에는 천영세(민족화해자주통일협의회 대표)가 각각 선출되었다. 민주노동당은 창당선언문을 통해 "민중에게 희망을 주는 새로운 정치세력의 출현은 시대적 요청"이라고 선언하고 "민주노동당은 2000년을 부패와 지역주의로 얼룩진 후진적 정치 청산의 원년으로 만들고자 한다"고 선언했다. 민노당은 또한 노동자 민중 주체의 민주정치 실현과 자본주의 모순을 극복하는 민주적 경제체제 수립, 평화적이고 민족화합적인 통일의 추구 등을 골자로 하는 강령을 채택하고 아울러 신자유주의정책 반대투쟁, 노동시간 단축을 통한 고용안정 실현, 조세개혁을 통한 소득분배 불평등 구조혁파, 사회보장의 획기적 확대, 평화군축 등을 5대 당면과제로 선정했다. 민노당은 또 여성 30% 할당제, 모든 공직후보자의 상향식 공천 등을 담은 당헌을 채택했다.[18] 강령에 대해서는 Ⅷ-3(민주노동당의 약진과 추락)에서 자세히 살펴보기로 한다.

민노당은 2000년 4월 13일 실시된 제16대 국회의원 총선에 전국 227개 지역구 중 노동자와 서민층이 밀집한 21개 지역구에 후보를 냈다. 당 대표인 권영길

(창원을)을 비롯해서 이갑용(울산동, 전 민주노총 위원장), 최용규(崔勇圭, 울산북, 세종공업 노조위원장), 신장식(申莊植, 관악을), 김두수(金斗守, 일산을) 박용진(朴用鎭, 강북을) 등 당내에서 이름 있는 후보들이 모두 출마했다. 이들 중 최용규가 출마한 울산북 지구는 주민 유권자 8만명 중 68%인 5만3천여명이 노동자와 그 가족이어서 당선이 유력한 곳으로 꼽혔다.[19] 민노당은 선거대책공동위원장에 경실련 공동대표를 역임한 김윤환(金潤煥) 고려대 교수와 자주평화통일민족회의 상임의장인 박순경 전 이화여대 교수를 선임하고 선거대책본부장에 천영세 사무총장을, 그리고 산하기구인 부패청산운동본부 본부장에 이문옥(李文玉) 전 감사관을, 경제민주화특별위원장에 이선근(李善根) 경제민주모임대표를 각각 임명하는 등 거당적 선거운동을 벌였다. 또한 선거공약으로 정리해고 중단, 40시간 노동제, 부유세 중과세, 국민소환제 실시와 부정축재 재산몰수를 통한 근본적인 정치개혁, 누진세율 강화와 복지예산의 2배 확충, 군복무기간 18개월 단축, 현행 예비군 민방위제도 폐지, 국가보안법 폐지, 국가기간산업 민영화 반대, 한미행정협정 개정, 6-3-3-4학제를 1-5-5-4(2)로의 개편을 내세웠다.[20] 투표일 직전인 3월 26일에는 전 성균관대 총학생회장 등 10명이 민노당 당사에서 기자회견을 갖고 기성 보수계 여야 정당의 후보로 출마한 386세대를 비판하면서 민노당 지지를 선언했다. 이 선언서에는 전국 대학 총학생회장단 115명이 서명했다. 이들은 선언문에서 "80년대 학생운동권 출신 명망가 다수가 기존 정당의 공천을 받음으로써 자신들의 명망을 기정정당을 위해 사용하는 것은 비판받아 마땅하다"고 주장했다.[21]

그러나 막상 투표 결과는 민노당에 큰 실망을 안겼다. 당 대표 권영길을 비롯한 후보 전원이 낙선했기 때문이다. 당선이 가장 유력시되던 울산북구에서도 한나라당 후보에 563표 차이로 패배하고 말았다. 울산북구의 경우는 공천과정에 문제가 생겨 현대차 노조원 상당수가 최용구 후보에게 등을 돌렸다. 민노당은 후보를 낸 지역에서는 12.5%를 득표하고 정당별 득표율(전국)은 1.18%에 그쳤다.[22] 이번에도 원내교두보 확보에 실패하고 말았다. 이에 따라 민노당은 총선에서 득표율 2% 미만의 정당은 등록을 취소한다는 정당법 조항에 의거, 등록이 취소되었다.[23]

6·13지방선거에서 서광 비쳐

등록이 취소된 민노당은 그해 4월 중앙위원회를 열어 곧 창당대회를 개최, 당을 재창당해 6월 8일의 지방선거 재보선에 적극 참여하기로 결의했다.[24] 5월 25일 재등록을 마친 민노당은 전국 96개 지역에서 지방의회 의원 및 지방자치 단체장을 뽑는 6·8지방자치단체 재보선에서 광역의원 후보 6명과 기초의원 후보 3명을 내세웠으나 결과는 역시 전원 낙선이었다.[25] 2001년의 10·25국회의원 재보선에서도 민노당은 3개 지역 중 동대문을과 구로을 두 곳에 후보를 냈으나 전멸했다. 득표율은 2~4%로 전년의 제15대 국회 총선의 12.5%보다 훨씬 저조했다.[26]

그러나 2002년의 6·13지방선거는 민노당에 서광을 비추었다. 전국 16명의 광역단체장과 232명의 기초단체장 및 4,167명의 광역 및 기초의원을 뽑는 이 선거에서 민노당은 초반전에 선두를 달리던 울산광역시장 후보 송철호(宋哲鎬)가 끝내 낙선했지만 기초단체장 2명과 광역의원 11명(선출 2명, 비례대표 9명), 그리고 기초의원 32명의 당선자를 냈다. 정당득표율에서는 6.5%을 얻은 자민련을 재치고 8.1%를 얻어 한나라당과 민주당에 이은 제3당의 지위로 올라갔다. 이것은 이때 처음으로 실시된 정당명부식 비례대표제에 따라 유권자가 후보에 1표, 정당에 1표, 모두 2표씩 찍는 새로운 투표제도가 실시되었기 때문이다.[27] 민노당은 이런 선거성과 덕으로 15일 창당 이후 최초로 2/4분기 정당보조금 1억 3,400만원을 지급받게 되었다.[28]

민노당은 6·13지방선거의 여세를 몰아 그해 8월 실시된 서울 종로 등 전국 13개 지역 국회의원 재·보궐선거 때 3개 지역(서울종로, 서울 금천, 경남 마산합포)에 후보를 냈다. 민노당은 8·8재보선이 곧 다가올 제16대 대선의 예비선거 성격을 띤 점을 감안, 정치1번지인 서울 종로와 김영삼 전 대통령의 아들 김현철이 나오는 경남 마산합포에 후보를 내보는 강공정책을 쓰게 된 것이다. 그러나 이 선거에서는 한나라당이 13개 지역 중 이들 3개 지역을 포함한 11개 지역을 석권함으로써 민노당은 1명의 당선자도 내지 못해 여전히 원내진입에 실패했다.[29] 민노당의 원내진출은 2004년의 제17대 국회의원 총선을 기다려야 했다.

③ 6·15공동선언과 친북세력 재기

북한의 3대 헌장은 7·4남북공동성명, 전민족 대단결 10대강령 및 연방제 통일방안을 말하는 것으로 문제가 될 수 없다. 6·15공동선언에서 통일방안을 완전 합의하진 않았지만 (남북이) 공통성이 있다고 인정한 만큼 연방제 통일방안이 과거처럼 불온시 될 수는 없다.

―통일연대, 성명에서(2001. 8)

1. 김대중 정부 초기의 친북단체들

사법당국의 강경자세와 한총련 와해정책

1998년 2월 김대중 정부의 발족으로 그동안 단속대상이었던 급진적인 반미친북 통일운동단체들은 상대적으로 보다 자유로운 분위기 속에서 활동을 벌일 수 있게 되었다. 김대중 대통령은 취임 초인 98년 3월 13일, 552만명에 이르는 건국 이래 최대 규모의 사면을 단행하면서 간첩 등 많은 공안사범들을 석방하고 그해 광복절에는 한총련 소속 학생 50여 명을 풀어주어 결과적으로 그들 중 상당수가 다시 반미친북 운동을 할 수 있는 길을 열어주었다. 석방된 이들 중에는 강희남(범민련 남측본부 고문) 진관(眞寬, 본명 박용모, 승려, 베이징 범민련대회 참석) 등이 포함되어 있었다.[1]

그렇기는 했으나 김대중 정부 초기에는 김대중이 국가보안법 개정을 추진하다가 여론의 강력한 반대에 부딪쳐 좌절된 다음 전임 김영삼 정부 때와 마찬가지로 사법당국이 이들 친북단체에 대한 강력한 제제를 계속했다. 김대중 정부 초기 사법당국의 강경책은 한총련 와해방침에서 잘 나타난다. 대검찰청 공안부(부장 진형구, 秦炯九, 검사장)는 1998년 4월 대구 영남대에서 결성될 예정인 제6기 한국대학총학생회연합(한총련)을 국가보안법상 이적단체로 규정, 대회 자체를 원천봉쇄하고 참석자 전원을 국가보안법 위반 혐의로 구속할 방침이라고 밝혔다. 검찰은 제6기 한총련의 행동강령이 김대중 정부를 '친미사대주의적 식민지정권'으로 규정하고 정권타도투쟁을 벌인다는 내용을 담고 있는 것으로 밝혀졌다고 전하면서 "한총련을 이적단체로 규정하는 것은 현 정권에서도 변함이 없으므로 이를 와해시킬 방침"이라고 언명했다.[2] 이에 따라 경찰은 영남대와 동대구역에서 대학생 33명을 연행, 주동자들을 체포했다. 이 바람에 한총련 제6기 대의원대회(임시의장 손준혁 영남대 총학생회장)는 열리지 못하고 학생 9백여 명이 이날 밤 늦게까지 영남대와 경북대에서 평화적인 집회를 보장할 것을 요구하며 단식농성을 벌였다.[3]

대검 공안부는 뒤이어 안기부 노동부 교육부 등 유관기관과 함께 공안사범 합동수사본부 제19차 실무회의를 열어 제6기 한총련 대의원 자격을 갖고 있는 전국 50개 대학 총학생회원 간부 411명을 국가보안법상 이적단체 가입죄를 적용, 모두 구속하기로 하기로 했다. 이 회의는 또한 한총련에서 탈퇴한 대학의 소속 학생도 총학생회원 자격으로 한총련 대의원대회에 참석하거나 한총련 회비를 납부하는 경우 한총련에 재가입한 것으로 간주하고, 대학생이 개별적으로 한총련 행사에 참가하면 이에 동조하는 것으로 인정해 처벌하키로 하는 등 한총련 행사에 참가하는 것 자체를 불법화하기로 했다.[4]

정부에 맞선 한총련의 강경투쟁

그러나 한총련은 이에 굴하지 않고 서울대 중앙도서관 앞 광장에서 학생 3천여 명이 참석한 가운데 제6기 출범식을 기습적으로 개최했다. 출범식 뒤 소속 학생 2천여 명은 서울대를 빠져나가 지하철 5호선 천호역 부근, 동숭동 마로니에공원 등 시내 곳곳에서 3일간 기습시위를 벌였다. 이 과정에서 519명이 경찰에 연행되어 그 중 29명이 구속되었다.[5] 한총련은 북측과의 접촉도 강행했다. 한총련 조국통일위원장 이석주(고려대 서창캠퍼스 총학생회장)는 그해 5월 건국대 학생회관에서 기자들과 만나 범청학련 제8차 통일대축전을 8월 1일부터 북한에서 열기로 하고, 이 행사의 구체적인 일정을 논의하기 위한 남북한 및 해외 청년학생 대표 예비회담을 6월 13일 판문점에서 열기로 했다고 발표했다.[6] 노골적으로 정부당국에 맞서는 자세였다. 한총련은 이어 13일에는 경희대에서 '남북해외청년학생회담 성사와 주한미군 철수를 위한 자주교류투쟁 선포식'을 개최한 다음 전화와 팩스를 이용해 남북학생회담을 갖고 결의문을 채택했다.[7] 한총련은 정부당국이 한총련 대표의 판문점 예비회담 참가를 불허하자 비밀리에 대표 2명을 평양에 파견했다. 평양방송은 그해 8월 8일, 한총련 소속 범청학련 남측 대표 2명이 8·15 통일대축전에 참가하기 위해 항공편으로 평양에 도착했다고 북한 중앙통신을 인용, 보도했다. 이들 두 사람은 김대원(건국대 축산경영 4년)과 황선(덕성여대 국문 4년)이라고 중앙통신이 전했다.[8] 같은 날에는 한총련의 친북적인 노선에 반하는 학생들의 행동도 벌어졌다. 즉, 1991년 전대협 대표로 밀입북한 뒤 베를린에 머물러온 박성희와 성용승, 그리고 94년과 96년에 한총련 대표로 북한을 방문한 뒤 베를린에 머물러온 최정남(崔晶南), 유세홍(柳世洪), 도종화(都鍾華) 등 해외체류 학생 모두 5명이 김포공항을 통해 자진 입국, 공항에 대기 중이던 안기부 요원들에게 연행되었다.[9] 이들 5명은 약 2주일 후인 8월 19일 서울 종로성당에서 기자회견을 열고 북한과 한총련을 비판했다. 이들은 '국민 여러분께 사죄 드립니다'라는 기자회견문을 통해 "통일을 앞당기겠다는 마음과 감상적인 통일론에 매몰되어 북한을 방문했다"면서 "결과적으로 실정법을 어기고 북한과 한총련의 잘못된 통일운동에 도움을 준 데 대해 국민에게 사죄한다"고 밝힌 다음 "폭력적이고 친북일변도로 치닫고 있는 한총련은 즉시 해체되거나 개혁돼야 한다"고 한총련 노선을 비판했다.[10] 평양에 밀입국했던 한총련 대표 황선은 11월에 귀국, 체포되었으며 그와 함께 간 다른 대표 김대원은 귀국하지 않고 중국에 있는 범청학련 4기 공동사무국에서 일하기로 했으나 이듬해 4월 북한에 망명했다.[11]

한총련은 공안당국이 1998년 들어 대대적인 단속에 나서기 전부터 상당수 대학의 총학생회가 탈퇴하려는 움직임을 보여, 분열의 위기를 맞고 있었다. 그해 3월 30일 중앙대 숭실대 이화여대 서울대 서울교대 전국 29개대 대학총학생회는 모임을 갖고 새로운 학생운동 연대기구를 만들기로 결의했다. 이 모임은 한총련의 주류인 민족해방(NL)계 안의 비주류인 일부 '사람사랑' 계열과 '새벽그룹'의 총학생회들이 주축이 되어 소집된 것으로 보도되었다.[12]

북측, 한총련 활동 보장 요구

한총련은 김대중 정부 출범 이듬해인 1999년부터 북측의 노골적인 비호를 받아가면서 종래의 강경투쟁을 계속했다. 그 전 해 11월 서울 광화문 미국대사관과 이순신 동상 앞에서 클린턴 미국 대통령의 한국방문을 반대하는 시위를 벌인 한총련은 새해 들어 반미시위를 더욱 격렬하게 벌였다. 한총련은 1999년 1월 한양대 구내에서 회원 3백여 명이 참석한 가운데 '반미투쟁선포식'을 갖고 경찰에 투석전을 벌이면서 교문 밖 진출을 시도하다가 실패하자 자진 해산했다.[13] 북측은 2월초 남북고위급 정치회담을 열자고 제의하면서 선행조건으로 외세와의 공조파기와 합동군사훈련 중지, 국가보안법 철폐와 범민련과 한총련의 통일운동과 활동의 자유를 보장하라고 요구했다.[14] 한총련은 이어 5월 미국대사관 앞에서 소속 대학생 21명이 참가한 가운데 '미국산 무기 강매 즉각 중단' 등의 구호를 외치면서 시위를 벌이다가 전원 연행되었다.[15]

한총련은 1999년 봄 제7기 대의원대회(의장 윤기진=尹奇鎭 명지대 총학생회장)도 강행했다. 한총련은 당초 4월 16~18일 서울 홍익대에서 대의원대회를 열기로 했으나 경찰이 원천봉쇄하자 5월 28일 이를 연세대에서 개최하려 했다. 그러나 다시 경찰이 봉쇄하자 이튿날 경희대에서 1천8백명이 참석한 가운데 이를 강행했다. 이로 인해 20명이 경찰에 연행되어 투석을 한 1명이 구속되고 11명은 불구속 입건되었다.[16]

흥미로운 사실은 김대중 대통령이 남북정상회담을 위해 평양을 방문하기 직전인 2000년 5월, 2박 3일간 부산대에서 열린 한총련 제8기 집행부 출범식이 1987년의 전대협 출범이래 최초로 경찰의 허가 아래 평화롭게 개최된 점이다. 경찰은 "이적단체인 한총련 출범식을 원천봉쇄한다는 방침에는 변함이 없다" 면서 한총련 소속 대학생들의 부산대 진입은 철저히 막았으나 출범식 첫날 돌연 방침을 바꾸어 "학생들이 폭력시위를 하지 않는다면 행사를 강제로 막지는 않겠다"고 밝혔다. 학생들은 행사를 '무사히' 마치고 귀가하게 되자 서로 부둥켜안고 눈물을 흘렸으며 행사 마지막 날 시가행진도 허용했다.[17] 아마도 이런 경찰의 입장 변화는 곧 있을 김대중의 평양 방문을 앞두고 한총련을 비호하는 북측을 의식해서 취해진 것으로 보인다.

한총련은 그 후 더욱 힘을 내어 2002년 2월과 10월에는 서울의 미국상공회의소와 주한미국대사관에 쳐들어가 부시 방한반대를 외치면서 점거 농성을 벌였다.[18] 한총련은 그해 봄 10기 집행부(의장 김형주 전남대 총학생회장)를 출범시켰으나 의장 김형주가 구속 기소되어 1심에서 국가보안법 위반으로 징역2년을 선고받았다. 재판부는 "올해 출범한 10기 한총련이 강령을 개정하는 등 변화하고 있는 것은 인정하지만 남북관계 변화에 따른 전술적 조처로 보인다"고 밝혔다.[19]

범민련 한총련 배제정책과 북한의 노골적 비호

북한 측은 1998년 6월 들어 판문점에서 8·15통일대축전을 공동개최할 것을 정부에 제의해 왔다. 김대중 정부는 이를 수락하고 여야 정당과 보수 및 진보성향의 사회단체들이 참여하는 가칭 '민족화해협력 범국민협의회'(약칭 민화협)를 발족시키기로 했다. 협의회 대표에 여당인 새정치국민회의 한광옥(韓光玉) 부총재가 내정되었다. 김대중 정부의 각료이면서도 보수우파인 강인덕(康仁德) 통일부장관은 협의회 참여단체에 관해 "시장경제체제를 부정하거나 불법단체로 규정된 단체는 통일대축전에 참여할 수 없다"고 밝혀 범민련 남측본부와 한총련을 민화협에서 배제할 의향임을 분명히 했다. 민화협은 그 후 서울 종로5가 연강홀에서 결성식을 갖고 정식으로 출범했다. 상임의장에 한광옥, 박철언(朴哲彦, 자민련 부총재) 김상근(민족의 화해와 통일을 위한 종교인협의회 상임대표) 강만길(姜萬吉, 경실련 통일협회 이사장) 강문규(우리민족 서로돕기운동 공동대표) 오자복(吳滋福, 전 국방장관) 이우정(평화를 만드는 여성회 대표) 이창복(전국연합 상임의장) 등 8명이 선출되었다.[20] 민화협 결성과 동시에 전국연합, 민족회의, 국민승리21 등 30여개 진보적인 시민사회단체가 중심이 된 통일대축전 남측 추진본부 준비위원회(공동위원장 강만길 등 7명)도 7·4 공동성명 기념일을 맞아 결성식을 갖고 통일대축전 성사를 위해 본격적으로 나서기로 했다.[21]

그러나 북한의 중앙방송은 "통일대축전에는 범민련과 한총련이 중심적 역할을 해야 한다"고 주장하고 "국가보안법 철폐와 안기부 해체가 우리의 일관된 입장"이라고 밝혔다.[22] 북측의 이 같은 태도에도 불구하고 여야 4개 정당과 8개 사회단체 대표들은 2차 간담회를 열고 '6인소위원회'를 만들어 협의체의 명칭, 구성방법, 8·15 판문점 통일대축전 준비 등을 계속 협의해 나가기로 의견을 모았다. 송영대(宋榮大) 간담회 임시대변인은 "참석자들은 대법원 최종판례에 의해 이적단체로 규정된 한총련·범민련 등을 협의체에 참여시킬 수 없다는 기존 방침에 대해 공감대를 형성했다"고 덧붙였다.[23)]

세 갈래로 열린 8·15행사

정부의 이 같은 확고한 방침 때문에 북측은 민화협을 대화창구로 인정하지 않았다. 이로 인해 정부가 판문점에서 열자고 제안한 남북실무회담은 북한의 참석 거부로 불발에 그쳤다. 모처럼 가능성이 보였던 통일대축전의 남북공동개최는 무산 위기에 빠졌다.

이렇게 되자 북측은 범민련 남측본부 측과 통일대축전 개최를 위한 실무회담을 베이징에서 열겠다고 이들에게 통고해왔다. 이것은 남측 정부를 조롱한 것이나 다름없는 행동이다. 정부가 범민련 남측본부 대표의 중국행을 승인하지 않은 것은 당연한 일 이었다.[24)] 이에 남측 민화협의 민간단체 대표들은 북측에 실무회담 개최를 다시 제의했다. 북측은 8월 4일 범민련 남쪽본부 대표와 함께 참석하는 것을 전제로 5일이나 7일 같은 베이징에서 실무회담을 열자고 남쪽 추진본부(상임본부장 이창복 등 10명)에 역제의했다. 남측 정부는 이에 태도를 바꾸어 대표단 7인 중 1명을 범민련 대표로 하겠다고 제의했다. 그러나 북측이 이를 거부함으로써 결국 통일대축전의 공동개최는 최종적으로 무산되었다.

이에 따라 1998년의 제9차 범민족대회와 제8차 통일축전은 범민련 및 범청련 남측본부 주최로 예년처럼 반쪽 회의로 서울에서 열렸다. 남측의 민화협이 주최한 8·15통일대축전은 별도로 임진각에서, 그리고 북측의 통일대축전은 판문점 북측 지역에서 따로따로 개최하게 되어 8·15행사가 세 갈래로 분리 개최되었다.[25)] 정부는 서울에서 개최되는 범민족대회와 통일축전을 친북 이적행사로 규정하고 이들을 원천봉쇄했다.[26)] 경찰은 범민족대회와 통일축전에 참석한 200여 명을 연행, 조사한 끝에 범민련 의장 강희남 등 간부 4명과 시위주동 학생 20명을 구속했다.[27)] 북한방송은 방북중인 천주교 정의구현사제단 문규현(文奎鉉) 신부와 그 무렵 밀입북한 한총련 대표 2명이 북측 행사에 참석했다고 보도했다.[28] 문규현 신부는 27일 귀국 즉시 구속되었다.[29] 그러나 강희남과 문규현은 2개월이 채 안된 그해 10월 21일 보석으로 풀려났다.[30]

김정일 지시로 범민족대회 중단

1999년 북측 민화협은 백범 김구 피살 50주년 회고모임을 6월 26일에 평양에서 갖자는 엉뚱한 역제의를 해왔다. 그러면서 남측 민화협이 7·4 남북공동성명 채택 27주년 기념 남북 공동행사를 갖자고 북측에 공개 제의한 것은 묵살했다.[31] 남측 민화협은 다시 8·15공동기념식과 남북 정당사회단체 공동회의 개최를 위한 예비회담을 제안했다. 그러나 북측은 범민련과 한총련이 참여하는 '99청년학생통일대축전과 10차 범민족대회를 보장한다면 이에 응하겠다고 역제의해왔다.[32] 한총련에 대한 그들의 지지태도는 확고했다. 이런 가운데 한총련은 그 해 5월, 8·15범민족대회와 범청학련 통일축전을 준비하기 위해 연세대 휴학생 황혜로(천문대기학 4)를 대표로 평양에 밀입국시켰다. 이로 인해 의장 윤기진과 조국통일위원장 이동진(경상대 생) 등 한총련 집행부가 경찰수사를 받았으나[33] 윤기진은 도피, 9년 후인 2008년 2월, 이명박 정부가 들어선 다음에야 경찰에 구속되었다.[34]

이렇게 되자 정부는 범민련과 한총련이 참여하는 1999년의 범민족대회의 공동개최를 허용하지 않음으로써 남과 북이 전년처럼 따로따로 이를 개최하게 되었다. 그해 8월 남쪽만의 제10차 범민족대회와 '99청년학생통일대축전은 서울대에서 한총련 소속 대학생 등 5천여 명이 당국의 원천봉쇄를 뚫고 참석한 가운데 강행되었다. 경찰은 서울에서 범민족대회를 주도한 진관 등 4명을 구속했다. 집회가 끝난 다음 판문점으로 향하다가 교문에서 봉쇄당한 한총련 학생 4백여 명도 연행되었다.[35] 서울에서 단독으로 범민족대회를 강행한 범민련 남측본부는 북측이 개최한 범민족통일대축전에도 대표를 비밀리에 참가시켰다. 그해 8월 5일 베이징에서 열린 전국연합과 북한의 민족화해협의회 공동주최 '민족의 자주와 대단결을 위한 민족 대토론회에 참가해 공동결의문을 발표한 범민련 남측본부 나창순 고문과 서원철 청년대표, 전국연합 이성우 강형구 박기수 대표 등 5명은 귀국하지 않고 중국에서 머물다가 북측이 평양에서 개최한 8·15

범민족통일대축전 행사에 참가하기 위해 비밀리에 방북했다.[36] 이들은 귀국 후 국가보안법 위반 혐의로 구속되었다.[37]

1990년 이후 한 해도 거르지 않고 개최된 말썽 많은 범민족대회는 김대중의 평양방문 이후 김정일의 지시에 따라 1999년의 제10회 대회로써 끝이 났다. 김정일은 2000년 8월 평양에서 이루어진 자신과 남측 언론사 사장단과의 면담 석상에서 "이 얘기, 저 얘기 나오는 그런 행사는 (내가) 하지 말라고 했더니, 이번에는 행사를 하지 않고 그냥 넘어갔지요"라고 밝혔다.[38]

2. 6·15선언으로 되살아난 친북세력

축하무드 속의 8·15통일축전 한마당

2000년 6월 김대중 대통령의 방북으로 이루어진 김정일과의 남북정상회담은 김대중 정부 초기의 강경한 친북단체 단속방침을 완화하는 계기가 되는 동시에 그동안 민주화와 공산권 몰락으로 위축일로에 있던 남측의 친북좌파단체들에게 새로운 입지를 마련해 주었다. 이제 친북단체들은 그들의 친북활동의 근거를 김대중과 김정일이 채택한 6·15공동선언에서 발견하게 되어 날개를 단 셈이 되었다. 이들 단체 대표들, 그 중에는 과거 좌익 전과자에게까지 종래에는 감히 생각지도 못했던 북한 방문이 허용되어 딴 세상이 온 것이다. 이들 친북좌파세력들은 이 기간 동안 노동계와 청년 교육 문화예술 언론 여성 환경 등 시민단체에 침투, 외연을 확대하면서 자유롭게 친북반미활동을 벌일 수 있게 되었다. 구체적인 예를 보기로 하자.

10년간 범민족대회를 주도해왔던 범민련과 한총련 등 20개 재야단체는 2000년 8월 12일부터 한양대에서 '6·15 남북공동선언 실천을 위한 2000 통일맞이 대축전'을 개최했다. 이들 친북반미 급진단체들은 '남북 정상회담 합의정신'을 지지하고 존중하고 실현한다는 명분 아래 비전향 장기수 환송대회, 8·15 기념식 및 조국통일대회, 범청학련 10주년 기념식, 범국민 걷기대회 등 축제분위기를 다분히 느끼게 하는 각종 행사를 벌였다. 과거 같으면 경찰이 원천봉쇄할 이런 행사가 이제 거리낌 없이 열리게 되었다. 민화협과 7개 종교단체로 구성된 '온겨레손잡기운동본부'도 13일 통일마라톤을 시작으로 '6·15 남북공동선언 실천을 위한 2000 통일맞이 대축전' 행사를 열었다. 서울 광화문 특설무대에서는 '통일맞이 대동제'가 열려 통일오색길 엮기, 통일노래 한마당, 경의선 분단퍼포먼스 등 행사로 축하무드를 북돋우었다.[39]

이들 친북반미 급진단체 가운데 민노총도 한몫을 단단히 했다. 민노총은 1995년 11월 설립되었으나 합법화되지 못하다가 99년 7월 주요 가맹단체인 전교조가 합법화됨으로써 그해 11월 비로소 설립신고서가 접수되어 완전한 합법단체로 인정을 받았지만[40] 김대중 정부 발족 덕분에 합법화 이전인 1999년 4월에 이미 대표단을 북한에 파견했다. 대표단은 북의 조선직업총동맹 측과 교류하고 그해 8월에는 남북노동자축구대회를 평양에서 개최했다. 이를 계기로 민노총은 북측과 본격적으로 협력사업을 벌이기 시작해서 6·15공동선언 이듬해인 2001년 평양에서 열린 대규모 8·15기념행사에 대표단을 참석시켰다.[41]

활발해진 국보법 폐지운동

친북단체들의 활동이 힘을 받은 것은 정확하게 6·15공동선언 이전, 즉 김대중 정부가 남북정상회담을 추진하던 1999년 하반기부터였다. 그해 9월 급진단체들은 국가보안법 폐지 주장을 크게 확산시켰다. 불교계의 좌파세력들은 국보법 폐지를 위한 '불교연대'를 회원 2백여 명이 참여한 가운데 발족시켰으며 천주교정의구현사제단 등 120개 단체는 국보법 폐지 '범국민연대회의'를 결성했다.[42] 이어 그해 11월에는 민주노총 전농 전국연합 등 51개 단체가 회원 3만여 명이 참가한 가운데 '99민중대회'를 열고 민중생존권 보장과 국보법 폐지 등 11개 요구사항을 받아들이지 않으면 정권과 정면으로 맞서는 전면투쟁을 벌일 것이라고 선언했다. 이 모임에 참석한 대학생 1천5백명 등 데모대 3천여 명은 서울역 앞 도로 16개 차로 중 8개 차로를 점거하고 격렬한 시위를 벌였다.[43]

2000년에 접어들면서 장기수를 북한에 보내라는 친북단체의 주장이 힘을 받아 '장기수 송환추진위원회'가 전국연합 등 26개 단체가 참여한 가운데 결성되었다.[44] 이어 그해 4월에는 한국전쟁 전후 민간인 학살 진상규명을 위한 모임이 강정구(동국대 교수) 등 좌파지식인들을 중심으로 구성되더니 5월에는 중국 베이징에서 전국연합(상임의장 오종렬)과 북한 조국통일민주주의전선(위원장 윤기복)이 미군의 학살만행 진상규명을 위한 전민족 특별조사위원회를 구성했다.[45] 2000년 6월 초에는 좌파계 지도자 3백명이 참여한 '민족의 평화와 통일을 위한 300인 선언'이 나왔다. 단병호(민주노총 위원장), 정광훈(鄭光勳, 전농 회장), 오종렬(吳宗烈, 전국연합 상임의장), 지은희(여성연합 상임대표), 최열(崔烈, 환경연합 사무총장), 박원순(朴元淳, 참여연대 집행위원장), 강정구, 안병욱(安秉旭, 교수), 황인성(黃寅成, 전 전국연합 집행위원장) 등 각계의 좌파인사들이 서명한 이 선언은 국보법 등 각종 냉전적 법 제도를 바꾸는 데 힘을 쏟겠다고 다짐하고 주한미군철수를 실현할 것을 한반도 주변 4강에 촉구했다.[46]

2000년 8월 친북반미 급진단체들이 개최한 행사 가운데 특히 주목을 받은 것은 전국연합(상임의장 오종렬)이 벌인 '6·15 남북공동선언 실천을 위한 7천만 겨레 단일기 달기 범국민운동'이었다. 이 운동은 각종 통일관련 행사에 단일기(한반도기)를 내걸고 휴대토록 하는 것이다. 이와 함께 통일서명운동을 전국에서 펼치고 단일기 달기 운동 표어가 담긴 스티커를 시민들에게 보급하며, 전국연합과 개인의 인터넷홈페이지에 단일기 배너를 설치, 전자우편을 보낼 때도 이를 첨부하도록 하다는 것이다.[47] 단일기 달기 운동은 보수단체들의 큰 반발을 샀다. 보수단체에서는 단일기 대신 태극기 달기 운동을 펴면서 좌파세력에 맞섰다. 전국연합은 2001년 9월에는 충북 괴산군 청천면 관평리 소재 청소년 수련원인 보람원에서 '민족민주전선 일꾼 전진대회'를 열고 '3년의 계획, 10년의 전망, 광범위한 민족민주전선 정당 건설로 자주적 민주정부 수립하여 연방통일조국 건설하자'는 이른바 '9월테제'(일명 군자산의 약속)를 채택했다.[48] 이 대회에서 오종렬 상임의장은 "자주적 민주정부를 수립하고 연방통일조국을 실현하는 힘은 우리 위대한 민중들에게 있지만 그들의 힘을 하나로 모으는 것은 굳건한 민족민주전선이다.…우리사회에서 전 민중의 전면적 항쟁은 미국의 식민지배와 분단장벽을 허물고 자주와 민주, 통일의 새 세상을 안아올 수 있는 지름길"이라면서 연방제 통일을 주장했다.[49]

남북공동선언 실천연대 결성

그동안 국가보안법 철폐운동을 벌여온 일부 친북단체들, 즉 '민중의 기본권 보장과 양심수 석방을 위한 공동대책위원회'(약칭 민권공대위), '반미반전 비상대책위', '범국민투쟁본부'(약칭 범투본) 등은 2000년 10월 한양대 학생회관에서 '6·15남북공동선언 실천연대'(약칭 실천연대)를 구성한다고 밝혔다. 민권공대위 등 이들 단체들이 실천연대로 통합키로 한 것은 남북정상회담 이후 '범민족대회'가 중단됨으로써 북한과의 연계선이 끊어지자 공동전선을 펴기 위한 것이었다.[50] 상임대표에는 권오창 윤한탁 김승교가 선출되었다. 실천연대는 남북각료회담에서 북측에 강경한 입장을 보인 홍순영 통일부장관과 6·15공동선언을 비판한 이회창 한나라당 총재를 규탄하는 시위를 벌이는 등 공세적인 활동을 벌여 홍순영을 조기 퇴진시키는 데 성공했다.[51] 실천연대는 그 후 노무현 정부 당시인 2004년 간부 한 사람이 중국 베이징에 가서 황장엽과 김영삼을 응징(살해)하고 보안법철폐 투쟁 및 반미투쟁을 강화하라는 북한 공작원의 지령을 받고 돌아와 이를 행동에 옮기려다가 2008년 9월 간부 5명이 체포되었다. 검찰은 이와 관련해 실천연대 간부인 강진구(조직발전위원장) 최한욱(집행위원장) 등 4명을 10월에 구속기소하고, 김승교(상임공동대표) 등 4명을 12월 이적단체 구성 등 혐의로 불구속기소했다.[52]

국내의 이념분열을 부채질

김대중 정부의 햇볕정책과 이에 편승한 친북단체들의 과격한 통일운동은 시일이 지남에 따라 국민들 간에 심각한 이념대립을 불러왔다. 보수세력은 김대중 규탄대회를 개최하고, 반대로 진보세력은 보수세력을 비난하는 대결양상이 벌어졌다.[53]

그런가 하면 좌우대화를 모색하는 모임도 열렸다. 2000년 12월 서울 여의도 63빌딩에서 제1차 민화협 초청 남남대화 모임이 좌우파 논객 20명이 참석한 가운데 열려 6·15공동선언 이후 양측간 대화를 시도했다. 그러나 시각차는 전혀 좁혀지지 않았다. 좌파의 이장희(한국외국어대 교수)는 기조발언에서 "한국의 보수 냉전세력은 애국주의도 민족주의도 없이…북한이 백기를 들고 항복하는 것을 요구하는 것 같은데, 이대로라면 전쟁밖에는 방법이 없다"고 주장했다. 우파의 발제자인 장수근(자유총연맹 연구실장)은 "6·15공동선언의 미비점을 지적하거나 대북비판을 하면 무조건 반통일, 수구반동, 냉전주의자로 몰아붙인다"고 지적하고 "통일은 민족과제이지만 민족사의 정통성과 자유민주주의의 희생 위에서 이루어지는 통일은 오히려 재앙"이라고 반박했다.[54]

3. 연방제 대체한 통일조항

2001년부터 친북단체들 6·15공동선언 채택

6·15공동선언 다음해인 2001년은 친북단체들이 전열을 가다듬어 종래보다 훨씬 조직적이고 활발한 친북반미활동을 벌이기 시작한 해이다. 한총련과 범민련은 이 해 들어 그들의 강령에서 연방제 통일방안을 삭제하고 이를 6·15공동선언 제2항의 통일방안으로 대체했다. 이들 단체들이 내심으로는 북측이 주장하는 연방제 통일방식에 찬성하면서도 표면적으로 연합제와 연방제를 절충한 6·15공동선언 제2항을 자신들의 통일노선으로 내건 이유는 간단했다. 당국의 단속을 피하고 국민의 불신을 누그러뜨림으로써 자신들의 합법성을 강화하기 위해서였다.

한총련은 2001년 4월 서울 마포구 소재 홍익대에서 제9기 대의원대회를 열어 부산대 학생회장 최승환(재료공학부 4년)을 새 의장에 선출했다.[55] 경찰은 한총련이 이적단체라는 이유로 대의원대회 장소인 홍익대를 원천 봉쇄했는데 한총련 측은 예정보다 하루를 늦추어 이튿날 기습적으로 대의원대회 개최를 강행했다.[56] 한총련은 대의원대회에서 연방제 통일방안을 폐기했다. 이 사실은 당시에는 알려지지 않다가 검찰이 한총련을 계속 단속하겠다고 발표하는 과정에서 공개되었다. 즉, 검찰은 "한총련이 강령을 바꿨지만 대외적 위장일 뿐, 본질적으로 북한의 민족해방인민민주주의 혁명전략을 따르고 있다고 본다"면서 "미군철수, 국가보안법철폐 주장이나 한국이 미국의 식민지라는 주장 등도 이런 성격을 표출하는 것"이라고 밝혔다.[57]

한총련 연방제 삭제 불구 여전히 '이적단체'

그러나 경찰은 6월 초 한양대에서 학생 1만 2천여명이 참석한 가운데 열린 한총련 9기 출범식을 원천봉쇄하지 않음으로써 집회가 충돌 없이 무사히 끝났다.[58] 그렇기는 하나 한총련에 대한 단속이 끝난 것은 아니었다. 검찰은 8월 들어 한총련 서울지역 전체 대의원 31명 중 10명에 대한 검거에 나섰다. 검찰 소식통은 "9기 한총련의 강령이 바뀌기는 했지만, 한총련은 여전히 이적단체로 판단된다"면서 "전날까지의 탈퇴시한을 넘긴 대의원들의 체포에 나서게 되었다"고 밝혔다. 검찰은 서울 지역 대의원 5명이 탈퇴서를 냈으며 미처 체포영장이 발부되지 않은 나머지 16명에 대해서도 곧 체포영장을 청구하기로 했다고 밝혔다. 검찰은 서울 이외의 지역에서도 한총련을 탈퇴하지 않은 대의원을 체포하기로 했다.[59]

연방제 통일방안은 범민련 강령에서도 개정했다. 범민련 남측본부(의장 이종린)는 그해 8월 기자회견을 열고 "범민련의 남북 양 본부는 6·15공동선언 정신에 맞추어 '연방제 통일 방안' 조항과 '범민족대회 관련조항'을 (강령에서) 삭제하는 한편 이산가족 문제 등 '인도주의적 문제 해결' 등을 합의했다"고 밝혔다.[60] 범민련 북쪽본부, 남쪽본부, 해외본부는 약 40일 후인 9월 18일 범민련의 새 강령과 규약을 동시 발표했다. 북한의 평양방송이 보도한 바에 의하면 그 내용은 "조국통일 3대 원칙과 6·15공동선언에 따라 범민족적인 통일국가 수립을 총적(궁극적인) 목적으로 설정하고 있다"는 것이 그 골자이다.[61]

그러나 그해 7월 금강산에서 열린 한국노총과 민주노총, 그리고 북측의 조선직업총동맹(직총)의 남북노동자회의 실무회의에서 채택한 '조국통일을 위한 남북 노동자회의(약칭 통노회)' 강령 초안에는 북측의 연방제 통일방안과 사실상 같은 내용이 들어갔다. 이 강령은 '남과 북의 사상과 제도의 차이를 초월하여 민족적 공통성을 귀중히 여기고 온 민족의 대단결로 하나의 민족, 하나의 국가, 두 개 제도, 두 개 정부에 기초한 통일국가 건설을 지향한다'고 되어 있다. 통노회는 1차 통노회 대표자회의를 8월 15일 전후에 평양이나 서울에서 열고 이 자리에서 강령과 규약을 확정하기로 합의했다.[62]

4. 통일연대 출범

북측이 결성 권유

2001년에 일어난 일 중 가장 획기적인 사건은 통일연대의 결성과 그 활동이다. 통일연대(정식 명칭 '6·15 남북 공동선언 실현과 한반도 평화를 위한 통일연대')는 북측의 노골적인 성원 아래 결성되고, 또한 북측의 노골적인 개입에 의해 대북대화창구의 일원이 된 다음에는 북측의 공개적이고 지속적인 비호 아래 급진적 활동을 벌였다. 북측은 과거에는 한총련과 범민련 남측본부를 철저히 비호하다가 6·15공동선언 이후에는 똑같이 통일연대를 비호했다. 이 같은 북측의 태도는 1940년대 후반의 해방정국에서 소련군정과 김일성이 남측 사회를 다루던 방식과 별로 다를 바 없는 행동양식이다.

통일연대가 결성된 것은 2001년 3월 15일이다. 전국연합, 범민련 남측본부, 한총련 등 30여개 단체가 이날 서울 종로 5가 기독교회관에서 통일연대 결성식을 가졌다. 상임대표에는 오종렬 전국연합 의장이 선출되었다. 통일연대의 발족은 전년 12월 이들 단체들이 "6·15 남북 공동선언에 동의하는 단체나 개인은 모두 함께 한다"는 슬로건 아래 준비위원회를 출범 시킨지 4개월 만이다. 북측은 그들의 대남 민간부문 접촉 창구인 민족화해협의회(민화협)를 통해 그해 2월 "통일연대가 결성되면 나라의 통일을 앞당기는 데서 나서는(생기는-저자 주) 실천적 문제들을 함께 협의해 나갈 것"이라는 내용의 팩스를 보냈었다. 북측은 이날 결성식에도 다시 축사를 보내와 그들이 통일연대의 굳건한 후원자임을 숨기지 않았다.[63]

통일연대는 자주 평화통일 민족대단결 등 7·4공동성명의 조국통일 3원칙에 기초한 6·15공동선언 실천을 사업목적으로 제시했다. 통일연대는 이를 위해 외세간섭 반대와 자주통일 실현, 통일방안 합의를 위한 논의 확산, 평화체제 구축과 군비 축소 및 군사훈련 반대, 국가보안법 등 냉전잔재 청산을 강조했다.[64] 통일연대는 출범 초부터 맹렬한 반미시위를 벌였다. 통일연대는 그해 6월 서울 대학로에서 1만여 명이 참석한 가운데 국민대회를 열고 "미국은 내정간섭과 미사일방어계획을 중단하라"고 외쳤다.[65]

민화협과 남북공동행사 추진본부 구성

통일연대는 2001년 3월의 결성식에서 북측 민화협에 보내는 특별 제안문을 채택, "6·15 남북공동선언 1돌을 맞아 남과 북의 제 정당, 사회단체, 애국적 통일인사가 한 자리에 모여 '6·15 남북공동선언 실현과 한반도 평화를 위한 민족대토론회'를 갖자"고 제안했다. 이에 대해 북측 민화협은 처음에는 팩스통지문을 통해 이에 동의하면서 실무접촉을 중국 베이징 징룬호텔(京倫飯店)에서 진행하자고 제의했다. 그러나 북측은 하루 만에 입장을 바꾸어 다시 팩스통지문을 보내 실무접촉 장소를 금강산으로 하되, 접촉 시기는 4월초로 하자고 수정 제의했다. 장소변경 이유에 대해 북측 민화협은 "이번 접촉이 북과 남의 공동의 통일행사문제를 협의하는 매우 중요한 계기가 되며 따라서 접촉장소도 민족의 혈맥과 지맥이 잇닿아있는 우리 땅에서 하는 것이 의의가 있을 것"이라고 설명했다. 통일연대는 이를 수락하고 통일부에 방북허가 신청을 냈다.[66]

그러나 통일부는 금강산에서 북측 민화협 대표와 접촉하겠다는 통일연대의 방북신청을 불허하고 공식기구인 남측 민화협으로 하여금 북측 민화협과 상대하도록 했다. 남측 민화협은 북측 민화협에 대해 5월 10일 실무접촉을 가질 것을 4월 24일 통일연대와 함께 공식 제의할 것이라고 북측에 통고했다.[67] 북측이 통일연대가 빠진 남측 민화협과는 상대하려 하지 않았기 때문이다. 이에 따라 남측 민화협과 7대 종단이 참여한 '온겨레손잡기운동본부'가 통일연대를 참여시켜 '민족공동행사 추진본부'를 결성하고 6·15 공동선언 한 돌을 기념하는 민간차원의 남북 공동행사 개최문제를 협의하기 위해 이른 시일 안에 서울, 평양 또는 제3의 장소에서 실무회담을 열 것을 북쪽에 다시 제안했다. 통일연대는 하루 전인 22일 대표자 회의를 열어 격론 끝에 표결을 거쳐 '민족공동행사 추진본부'에 참여하기로 결정했다.[68] 추진본부는 민화협 10명, 7대 종단 측 7명, 통일연대 측 8명, 도합 25명의 상임본부장과 1명의 상임집행위원장, 2명의 사무총장 체제로 운영하기로 합의되었다. 범민련 남측본부 의장 이종린은 범민련 직책이 아니라 통일연대 의장 자격으로 추진본부 고문직을 맡게 되었다.[69]

남측이 이렇게 양보해서 남북민간대화 창구인 남북공동행사추진본부에 통일연대를 참여시키자 북측 민화협은 비로소 실무회담 개최문제에 긍정적인 태도로 나와 6월 초 금강산에서 민족통일대토론회를 위한 실무접촉을 갖자고 역제의해 왔다. 이렇게 해서 6·15공동선언 1주년기념 민족통일대토론회는 실무회담을 거쳐 2001년 6월 15일 금강산에서 열리게 되었다. 과거 이적단체로 배제대상이 되었던 한총련 인사 7명과 범민련 5명이 통일연대 소속으로 금강산에 갈수 있게 되었다. 이들 인사 중에는 신창균(범민련 남측본부 명예의장)과 류금수(여, 민주주의민족통일서울연합 공동대표)가 포함되어 있다.[70] 금강산 대토론회는 예상대로 '우리 민족끼리, 자주적으로'를 강조하면서 외세배격과 민족공조를 내세운 북측의 선전공세장이 되었다. 남측의 이천재 전국연합 공동의장은 '민족자주'를, 천영세 민노당 사무총장은 '민족대단결'이 6·15공동선언 이행의 핵심이라고 주장했다.[71]

5. 강정구의 '만경대정신' 사건

좌파인사들의 평양행 러시

김대중의 평양방문을 계기로 남북간에 인적교류가 시작되자 과거에 금지되었던 좌경 급진단체 대표들의 북한방문이 실현되었다. 6·15공동선언 발표 4개월 후인 2000년 10월 급진통일단체 대표들과 진보좌파 지도자들이 북한의 노동당 창건일(10일) 행사에 초청을 받아 평양을 방문했다. 정부의 허가를 받고 북한을 방문한 이들은 전국연합, 민노당, 민노총 등 10개 단체 대표 27명과 백기완, 한완상(상지대 총장), 이부영(전교조 위원장), 박순경(전 목원대 교수), 홍근수(목사) 등 개인 자격 9명 등 42명에 달했다. 정당 단체 대표들이 북한의 노동당 행사와 같은 정치행사에 초청을 받아 북한을 방문하기는 건국 이후 최초의 일이었다. 이들은 북측이 보낸 고려항공 특별기를 타고 김포공항을 떠나 평양 순안공항에 도착해 봉화초대소에 묵으면서 행사를 참관하고 북측의 환대를 받았다.[72]

6·15공동선언 다음해인 2001년 8월에는 평양에서 열린 통일대축전에 많은 진보좌파 인사들이 참석했다. 당초 이 해에는 남측의 민화협과 7대 종단 및 통일연대로 구성된 남북공동행사추진본부와 북측 민화협의 합의에 따라 남북이

공동참가하는 행사가 서울과 평양에서 동시에 열릴 예정이었다. 그러나 북측은 서울에서 열리는 행사에 대표를 보내지 않겠다고 통고하고 평양의 3대 헌장 기념탑 앞에서 북한 단독행사를 개최하면서 남측 대표들을 초청했다. 남측 단독행사인 2001 민족통일대축전 서울본행사는 민화협 주최로 15일 여의도 한강둔치 공원에서 맥이 빠진 채 열리고 같은 날 연세대에서는 통일연대와 한총련 주최로 8·15 통일대축전 행사가 경찰이 허용한 가운데 따로 열려 반미구호를 외쳤다. 이로 인해 전 국민의 시선은 평양에서 열린 행사에 집중되었다.

평양 통일대축전에는 민화협(상임공동대표 이돈명 변호사), 7대 종단(상임공동위원장 김종수 신부), 통일연대(상임대표 오종렬 전국연합대표) 대표 등으로 구성된 '2001 민족공동행사추진본부 방북단'(단장 박정일, 朴正一, 천주교 주교회의 의장) 소속 311명(취재기자 26명 별도)이 참석했다. 참석자 가운데는 1989년 평양 세계청년학생 축전에 참가했던 임수경과 같은 해 밀입북해 범민족대회에 참가했던 소설가 황석영도 포함되었으며 많은 수의 한총련과 범민련 인사들이 통일연대 소속으로 해서 들어갔다. 다만 이종린(범민련 남측본부 의장), 이용헌(한총련 조국통일위원장), 김동원(천주교 장기수가족후원회 회원) 등 3명은 공항에서 방북이 불허되었다.[73]

문제는 북측이 15일 조국통일3대헌장 기념탑 앞에서 열린 통일대축전 개막식과 남북공동행사를 분리해서 치르기로 한 약속을 어긴데서 발단되었다. 당초 약속은 전자는 북측 단독행사로, 후자는 남북대표가 함께 참석하는 행사로 치르기로 한 것이다. 평양 고려호텔에 여장을 푼 남측 대표단은 북측과 행사일정 등을 협의했으나 북측이 "3대헌장기념탑에서 공동행사를 치르자"고 갑자기 주장함에 따라 난항을 겪었다. 협의가 진행되는 도중 남측 대표단 중 통일연대와 민주노총 소속 일부 대표와 소설가 황석영이 3대헌장기념탑으로 가서 행사에 참석한데서 문제가 일어났다. 이들은 지도부와 협의 없이 5대의 버스에 나누어 타고 그곳으로 간 것이다. 북측은 그곳에 2만명의 군중을 대기시켜 놓았다. 방북단의 이수언(李秀彦) 대변인은 "평양 일정은 남북 양측이 사전 협의키로 했으나 북측이 일부 인사를 상대로 참석을 종용했다"면서 "통일연대 등 일부 단체의 참석에 유감을 표시하고 북측에 해명과 재발방지를 요구했다"고 발표했

다. 정부는 대표단 일행이 3대헌장탑 행사에는 참석하지 않는다는 조건으로 방북을 승인했던 것이다.[74]

방북단 7명을 국보법 위반으로 구속기소

문제는 여기서 끝나지 않았다. 통일연대 소속 인사 등 80여 명은 다시 기념탑 앞에서 열린 폐막식 직후에 행사장을 찾아가 야회에도 참석한 것이다. 민화협과 7대 종단 관계자들은 정부와의 약속을 지키도록 설득했으나 이들은 참석을 강행했다.[75] 양측이 이렇게 신경전을 펴고 있는 가운데 서울의 통일연대본부 대변인실은 18일 성명을 내고 "3대헌장은 7·4남북공동성명과 전민족대단결 10대강령, 연방제 통일방안을 말하는 것으로 문제될 수 없다"고 주장하면서 "6·15공동선언에서 통일방안을 완전 합의하진 않았지만 (남북이 연합제와 연방제에) 공통성이 있다고 인정한 만큼 연방제 통일방안이 과거처럼 불온시 될 수는 없다"고 주장했다. 이 성명은 이어 "3대헌장탑 행사에 참석하지 않겠다는 각서는 이 탑의 제막식 등 3대헌장 기념행사를 두고 한 것으로, (그 탑 앞에서 열리는) 개·폐막식에 참관하지 않겠다는 뜻은 아니다"라고 주장했다.[76]

사태를 더욱 악화시킨 것은 17일 남측 대표단 가운데 김일성 생가인 만경대를 방문한 일부 인사 중 통일연대 소속 강정구(姜禎求, 동국대 사회학 교수)가 방명록에 '만경대 정신 이어받아 통일위업 이룩하자'는 글을 남긴 사건이다.[77] 정부는 20일 청와대에서 긴급 국가안전보장회의 상임위원회회의를 열고 방북단 인사의 사법처리 방침을 확정했다. 검찰은 방북단이 귀국하는 대로 공항에서 기념탑 행사 참가자 중 주도적 역할을 한 10여 명을 긴급체포, 경위를 조사해 혐의가 드러나는 대로 사법처리키로 했다.[78] 방북단이 귀환하자 검찰은 강정구 등 7명을 구속했다. 구속된 사람은 강 교수 외에 김규철(범민련 부의장) 임동규(범민련 광주전남 의장) 문재룡(범민련 서울 부의장) 김세창(범민련 중앙위원) 박종화(범민련 광주전남 사무국장) 전상봉(한국청년단체협의회 의장) 등이다. 김규철 등 범민련 간부 6명에게는 개·폐막식에 참석해 반국가단체를 찬양 고무한 혐의에다가 이들이 이적단체인 범민련에 가입해 임원으로 활동하고 16일 평양에서 방북승인 목적에 없는 범민련 3자회의(남북해외대표연석회의)

를 열어 강령 등을 개정한 혐의가 추가되었다.[79)]

구속된 강정구와 범민련 간부 6명은 따로따로 기소되었다. 그러나 강정구는 20일 만에 보석으로 석방되었다. 그의 공판은 2002년 8월까지 모두 8차례 열렸으나 2003년 1월 한국정치연구회와 한국역사연구회에 의뢰한 강 교수의 문제된 행위에 대한 이적성 검토 감정서가 제출되지 않아 재판을 속행하지 못한 채 흐지부지되었다.[80)] 강정구는 보석된 상태에서 부시 방한 반대 시위에 참가하는 등 반미활동을 멈추지 않았다.[81)] 강정구에 대한 재판은 2005년 7월 좌파단체들의 인천 맥아더 동상 철거시위사건이 벌어졌을 때 그의 한국전쟁 관련 발언 등이 말썽이 된 뒤인 2005년 12월, 3년 만에 공판이 재개되었다.[82)] 그의 공판 재개에 관해서는 뒤에서 살펴보기로 하자. 범민련 간부 6명에 대한 공판은 순조롭게 진행되어 2002년 2월, 1심에서 김규철 등 4명이 징역2년6월에 집행유예3년을 선고받고 전과가 있는 나머지 2명은 징역2년6월의 실형을 선고받았다. 재판부는 "북한은 여전히 반국가단체이고 범민련은 이적단체로 인정되므로 피고인들의 혐의는 모두 유죄"라고 밝혔다.[83)]

이 사건으로 한나라당은 임동원(林東源) 통일부장관 해임건의안을 발의, 9월 3일 공동여당인 자민련의 동조를 얻어 국회에서 통과시키는 데 성공했다. 김대중과 김종필의 공조, 즉 세칭 DJP공조는 이를 계기로 깨어졌다. 자민련 명예총재 김종필은 해임안 통과에 앞서 임동원의 자진사퇴를 촉구했다.[84)] 통일연대는 해임건의안이 발의되자 성명을 내고 "비록 몇 가지 문제점과 보수언론의 공격으로 인해 국민의 마음이 상하고 대단히 혼란스러운 상황이 발생한 것과 관련해 심각한 유감을 느끼지만 민족통일대축전의 의의를 폄하하려는 그 어떤 기도도 우리는 용납할 수 없다"면서 "앞으로 보수언론과 한나라당의 이런 작태를 절대로 좌시하지 않을 것"이라고 보수 야당과 언론을 공격했다.[85)]

북한, 통일연대 소속 제외되자 회의 무산시켜

2001년 연말에는 이듬해 설날(구정) 금강산에서 새해맞이 남북공동행사를 갖기로 통일연대가 주동이 되어 북측과 합의했다. 그러나 정부는 이 행사에 대해 국가보안법 위반 혐의로 재판에 계류 중이거나 수사 중인 사람, 민·형사 문제로 수배 중이거나 이적단체의 구성원을 제외하고 방북단을 구성할 경우에만 행사 참가를 허가하기로 방침을 정했다. 이 방침에 따라 정부는 민화협과 7대 종단 및 통일연대에서 낸 참가 신청자 377명중 46명의 방북을 불허하고 나머지 29명은 자진 철회했다. 참가신청자 절반가량이 방북허가를 받지 못한 통일연대는 강력히 반발, 행사참여를 거부했다. 남북공동행사 준비위원회는 긴급 대표자 회의를 갖고 의견을 절충한 끝에 민화협과 7대 종단 대표만 행사에 참석하고 통일연대는 불참하기로 최종 결정했다. 결국 남쪽 준비위 대표단 208명만 2월 27일 여객선편으로 속초를 출발, 북한의 고성군 장전항에 도착했다.[86]

그러나 북측 공동행사 준비위는 같은 날 성명을 내어 "미국과 그의 조종을 받는 남조선의 극우 보수세력들의 책동에 의해 행사 발기 단체인 통일연대 대표들의 행사 참가가 전면 불허되는 비정상적인 사건이 발생해 북남 공동모임이 무산되는 사태가 빚어지게 되었다"고 발표했다. 남쪽 대표단은 금강산 현지에서 기자회견을 열어 "정부의 대규모 방북금지 조처는 6·15 남북 공동선언의 정신을 제대로 반영하지 못한 것이어서 강한 유감을 표시한다"면서도 "통일연대의 불참을 이유로 대회 무산을 결정한 북쪽의 태도도 민간 통일운동의 노력에 상처를 주는 것"이라고 항의했다.[87]

남측 대표단은 남북공동행사가 무산됨에 따라 금강산에서 북한 교예단의 공연을 관람한 뒤 독자적인 문화행사를 가졌다. 남측 대표단은 이튿날 삼일포 관광에 나선 뒤 귀환했다.[88] 금강산 새해맞이 남북공동행사가 무산된 데 대해 통일연대는 끝까지 정부에 맞섰다. 통일연대 명예대표 신창균 등 40명은 "정부가 통일연대 소속 40명을 방북 불허한 것은 재량권 남용인 만큼 1인당 3백만원씩 모두 1억 2천만원을 지급하라"면서 손해배상 청구소송을 냈다.[89]

그러나 그해의 6·15공동선언 두돌행사는 2002년 6월 김대중 정부가 친북인사들의 방북을 허가함으로써 금강산에서 자유롭게 치러졌다. 이 행사에는 윤재철 민화협 상임의장, 한상렬 통일연대 상임대표, 김철 천도교 교령 등 민화협, 통일연대, 7대 종단으로 이루어진 '2002민족공동행사 추진본부' 대표단 208명(취재진 18명 포함)이 참석했다.[90] 그해 8월 서울 광진구 광장동 쉐라톤워커힐

호텔에서 열린 8·15민족통일대회 역시 자유롭게 진행되었다. 남북 양측 대표단은 각각 "우리 민족끼리 힘을 합쳐 6·15 공동선언 실현하자", "력사적인 6·15 북남공동선언을 철저히 리행하자!"고 외쳤다. 개막식에 이은 민족단합대회에서 '우리 민족끼리'를 새긴 부채를 펼쳐 든 한상렬 통일연대 상임대표는 "통일의 통자만 들어도 가슴이 통통통 뛰며 설렌다"고 말하면서 "분단사상 처음으로 남녘땅 서울에서 '우리 민족끼리' 만나는 감격으로 온몸이 떨려온다"고 환영연설을 했다. 보수진영은 이 행사를 규탄하는 반대시위를 벌였지만 이들의 행동을 제어하는데는 아무 소용이 없었다.[91]

④ 90년대 후반~2000년대 초의 지하조직

> 저의 북한에 대한 환상은 북한에 첫발을 내딛는 순간부터 깨져나갔습니다. 1991년 5월 16일 밤 강화도에서 반잠수정을 타고 해주에 도착한 뒤 한 초대소로 이동할 때 낡고 남루한 3층 건물 한 채를 보았습니다.…'모두의 것은 아무의 것도 아니'라는 동구 사회주의국가의 병폐를 그대로 옮겨놓은 듯했습니다.
>
> —민혁당 조유식의 반성문(1999)

1. 김대중 정부 들어 공안사건 급감

국민의 정부 출범 후 해마다 줄어

1998년 2월 출범한 김대중 정부 초기에는 공안당국이 간첩사건에 대한 수사를 종래대로 계속했다. 1998년 2월 25일부터 7월 25일까지 5개월 동안 시국사건으로 구속된 사람은 모두 303명이었는데 그 중 국가보안법 위반 혐의자가 59.7%인 181명에 이른 것으로 나타났다. 이 같은 숫자는 김영삼 정부 당시인 97년 한 해 동안 국가보안법 위반 혐의로 구속된 사람이 300명(미국 국무부 인권보고서)인 사실과 비교할 때 별로 줄지 않았음을 보여주었다. 이에 대해 민주화실천가족운동협의회(약칭 민가협)는 인권대통령을 자처하는 김대중 대통령의 '국민의 정부'가 전임 '문민정부'와 별다른 차별이 없다고 비난했다.[1]

그러나 그 후 공안사건 수사는 점차로 줄어들더니 2000년 6월 남북정상회담이 열린 다음부터는 간첩사건 수사가 소극적인 것 같은 인상을 주었다. 김대중 정부는 좌파사건 수사에 대한 진보적 시민단체의 거부감과 압력 때문에 해를 더 할수록 공안사건 수사에 소극적이 되어 그 결과는 국가정보원의 정보수사요원들을 비롯한 대공전문가 대폭 감축조치와 이로 인한 공안기능의 약화로 이어졌다.

김영삼, "간첩 안잡는다" 비난

국민의 정부의 이 같은 태도를 정면으로 공격하고 나선 정치지도자가 김영삼 전 대통령이었다. 그는 김대중 정부 출범 약 1년 4개월 만인 1999년 6월 일본에서 기자회견을 갖고 김대중 대통령의 햇볕정책을 공격하면서 "북한이 한국에 간첩을 보내고 있는데도 김대중 정권이 들어서면서 한 사람의 간첩도 잡지 않았다"고 비난했다. 그의 발언에 대해 안기부 대공 관련 업무에 종사한 한나라당 소속 국회의원 정형근(鄭亨根)은 "전직 대통령으로서 옳은 말을 했고, 용기 있는 행동을 했다"고 평했다.[2] 실제로, 이명박 정부 출범 후인 2008년 8월 검거된 북한 국가안전보위부 소속 여간첩 원정화(元正花)도 김대중 정부 당시인 2001년에 남파되었음이 밝혀졌다.[3] 또한 이 사건을 계기로 당시부터 군에 침투한 간첩용의자가 50여 명, 좌익세력이 170여 명으로 파악되어 국방부가 1백여 건에 대해 내사를 벌이고 있음이 군보안당국에 의해 밝혀졌다.[4] 군에 침투한 간첩 수가 이 정도라면 김대중 정부출범 이래 각 분야에 침투한 간첩과 지하조직 건수는 이보다 훨씬 더 많을 것으로 짐작된다.[5]

간첩뿐 아니라 국내의 지하조직에 대한 공안사건 수사도 김대중 정부 아래서 해마다 줄어들었다. 김대중 정부 출범 임기 5년 동안 수사당국이 처리한 국가보안법 위반 사범은 1998년 389명, 99년 288명, 2000년 128명, 2001년 117명, 2002년 122명으로 집계되었다.[6] 그러면 김대중 정부 때 적발된 대표적 지하조직사건을 살펴보기로 하자.

2. 안민청련 사건 및 민주노동자회 사건

폭력시위 주도 혐의 안양청년연합

수원지검 공안부는 1998년 7월, 사회주의 사상을 유포하고 파업현장에 개입해 파업을 지원한 혐의(국가보안법 위반)로 안양민주화운동청년연합 회원 김종박, 김대기 등 9명을 구속 기소했다고 발표했다. 김칠에 의하면 이들은 92년 2월 반국가단체인 안양민주화운동청년연합(약칭 안민청련)을 결성한 뒤 검거될 때까지《안양두꺼비 기관지》를 발행하는 등 사회주의 사상을 시중에 전파해왔다는 것이다. 이들은 또 95~97년 안양 캐피코 등 일선 파업현장에 개입해 불법파업을 도왔고, 98년 5월 서울 종로구 종묘공원 노동절 행사에도 참석해 폭력시위를 주도한 혐의를 받고 있다고 검찰은 밝혔다.[7]

그러나 2000년 8월 출범한 민주화운동 관련자 명예회복 및 보상심의위원회는 과거 이적단체로 법원이 판결한 42개 단체 가운데 이 사건 관련자들을 비롯한 8개 단체의 구성원들에 대해서 그들의 활동이 민주화운동이라고 인정하고 명예회복 결정을 내렸다.[8]

민족해방민중민주주의혁명 노려 폭력시위 선동

경찰청 보안국은 2001년 7월 '진보와 통일로 가는 민주노동자회' 간부 최모(36·서울 구로구 구로동) 등 9명을 구속했다고 발표했다. 경찰에 따르면 최모 등은 1998년 7월경 민족해방민중민주주의혁명을 목적으로 '서울 민주노동자회'라는 단체를 구성한 다음 북한 주체사상의 내용이 담긴 이적표현물을 배포하고 《현장교실》이라는 책자 등을 통해 노동조합 간부들에게 사상교육을 시킨 혐의다. 경찰 조사결과 이들은 북한의 조선노동당 규약을 바탕으로 이적단체를 구성한 다음 연방제 통일방안과 대남혁명노선에 동조하면서 조직원들에게 주체사상 교육을 시키고 노동계의 불법집회를 지원한 혐의(국가보안법 위반)로 체포되었다. 이들은 97년 6월 같은 혐의로 구속되었으나 징역1년 등의 처벌을 받은 뒤 다시 50여 명의 조직원을 규합해 2001년 들어 노동계의 불법 폭력집회에 30여회 참가했다는 것이다.[9] 이 사건의 1심 재판부는 그해 9월 관련자 최모와 정책국장 문모에 대해 국가보안법 위반(이적단체 가입 등) 혐의를 인정, 징역1년6월을 선고했다. 재판부는 회원 김모(여)와 나머지 회원 6명에게는 각각 징역1년과 징역1년~8월에 집행유예2년을 선고했다. 재판부는 "서울민주노동자회가 반국가단체로 규정된 북한의 대남투쟁 3대 목표인 자주 민주 통일을 투쟁목표로 한 점, 조직체계를 갖추어 노동자와 조직원들을 상대로 교육을 실시하고 불법집회와 시위를 벌인 점 등으로 미뤄 이적단체로 인정하기에 충분하다"고 밝혔다.[10]

3. 민족민주혁명당

90년대 후반의 대표적 지하조직

민족민주혁명당(약칭 민혁당) 사건은 1999년 9월 국정원에 의해 그 전모가 발표되어 세상을 떠들썩하게 한 김대중 정부하의 대표적인 지하조직사건이다. 민혁당의 뿌리는 Ⅴ-**3**(민주화 시기의 지하조직)에서 설명한 바와 같이 1980년대 후반에 결성된 반제청년동맹이다. 반제청년동맹은 1987년 2월 검찰수사로 조직원들이 검거되었음에도 불구하고 1991년까지 반제청년동맹 중앙위원회 이름의 유인물이 학원가에서 발견되었다. 나중에 밝혀진 바지만 반제청년동맹은 1992년 3월 민족민주혁명당(민혁당)으로 개편되었다. 중앙위원은 김영환, 하영옥, 박모 등 3명이었다. 김영환의 권유로 반제청년동맹에 가입했다가 민혁당에 합류, 96년까지 활동한 홍진표의 회고에 의하면 김영환은 민혁당 결성 때 재야와 전북위원회를 관장했고, 하영옥은 영남위원회와 경기 남부지역을 관장했다 한다. 영남위 산하에는 부산위원회, 울산위원회, 마산·창원·진주 지부가 있었다.[11]

그런데 김영환은 1991년 5월 잠수정을 타고 북한으로 밀입국해 김일성을 직접 만나보는 등 북한사회를 체험한 후 북한체제에 회의를 갖기 시작했다. 그는 점차 북한과 거리를 두면서 민혁당 내부에서 기관지 기고를 통해 '수령론', '한국식민지론', '프롤레타리아독재론' 등에 대해 단계적으로 문제 제기를 해나갔다. 결국 민혁당 내부에서 북한체제에 대한 태도를 둘러싸고 노선투쟁이 격화되자 김영환은 1997년 7월 하영옥의 반대에도 불구하고 중앙위원회에서 표결 끝에 2대 1로 민혁당의 해체를 결의했다. 하영옥은 이에 반발, 김영환 그룹을 배신자로 낙인찍고 자신이 관리하던 영남위원회, 경기남부 조직, 대학생 조직 등을 이끌고 민혁당의 재건을 추진했다. 그는 "고(Go)"를 외친 것이다.[12]

김영환 이탈로 하영옥이 관리

그로부터 3개월 후 울산에서 부부간첩사건이 일어났다. 북한의 사회문화부 소속 남파간첩인 최정남·강연정 부부는 1997년 7월 평남 남포항에서 어선으로 위장한 공작선을 타고 서해의 공해상을 통해 남하, 8월 초 거제도 해안에서 헤엄을 쳐서 상륙했다. 이들은 10월 27일 전국연합 산하 울산연합 소속 주사파인 정대연에게 접근했다가 현장에서 검거되었다. 정대연은 공작원인 최정남 부부가 자신에게 접근해 온 것을 안기부의 공작으로 오인하고 이들을 경찰에 신고한 것이다. 최정남은 현장에서 체포되고 처 강연정은 독약을 먹고 병원에 실려 갔으나 사망했다. 최정남의 체포로 서울대 사회학과 명예교수 고영복(高永復)이 고정간첩이라는 사실이 드러났다.[13]

이 사건을 계기로 정대연은 당국의 계속적인 감시를 받던 중 이른바 영남위원회 사건이 발각되어 다른 관련자들과 함께 검거되었다. 부산경찰청 보안수사대는 1998년 7월 박성수(민주노총 울산지역본부 교육선전국장), 김명호(전국금속산업노조연맹 울산본부 정책부장), 정대연(민주주의민족통일 울산연합 전 집행위원장) 등 울산지역 노동·시민단체 회원 16명을 국가보안법 위반 혐의로 긴급체포해 조사를 벌이고 있다고 발표했다. 경찰에 의하면 이들은 89년 서울대에서 '반제청년동맹'을 결성한 뒤 92년 '영남위원회'를 조직, 당시까지 부산과 울산의 노동현장에서 이적표현물을 배포하고 불법파업을 선동한 혐의를 받고 있다는 것이다.[14]

영남위원회 총책 박경순(늘푸른서점 대표)과 조직원 김창현(金昌鉉, 울산 동구청장) 등은 나중에 구속 기소되어 1심에서 박경순은 징역15년, 정대연, 임동석(노동단체 전진2001대표)은 징역8~9년, 김창현은 징역7년, 박성수 등 나머지 피고인들은 징역3~4년을 각각 선고받았다.[15] 이들은 대부분 2심에서 반국가단체 결성 혐의에 대해서는 무죄가 되고 이적단체 구성죄만 인정되어 정대연과 임동석은 징역4년, 김창현, 이정희, 이철현(새날을여는청년회 교육국장), 김용규(전 부산노동자회 조직국장) 등 4명은 징역2년을 선고받았다.[16] 그러나 이 사건은 대법원에 올라가서는 99년 9월 박경순 등 8명에 대해서는 반국가단체 구성혐의를 입증할 증거가 불충분하다는 이유로 2심 판결을 깨고 부산고법에 환송한다는 판결이 나와, 부산고법은 2000년 1월 이들 8명에게 모두 무죄를 선고했다. 부산고법은 박경순, 임동석 등 4명에 대해서는 이적표현물 소지 혐의만을 인정, 징역1년집행유예2년을 선고해 모두 석방했다.[17]

장기간 탄로 안된 민혁당

흥미로운 조직은 경찰이 적발한 '영남위원회'이다. 이미 앞에서 설명한 바와 같이 영남위원회는 김영환이 민혁당을 해체한 다음 하영옥에 의해 조직된 민혁당의 하부조직이다. 그런데도 영남위원회가 민혁당과 관련이 없는 독자적인 조직 내지 반제청년동맹의 하부조직인 것처럼 발표된 데는 당시까지 수사당국이 민혁당의 존재를 몰랐기 때문이다. 홍진표에 의하면, 부부간첩이 정대연에게 접근했을 때 그들은 "김영환의 소개로 찾아왔다"고 말했기 때문에 당국은 김영환의 집에 대한 압수수색을 실시했다. 우연히도 김영환은 그 때 중국에 체류하고 있었으므로 수사당국은 부부간첩이 상부의 지시로 편의상 김영환의 이름을 거론했을 뿐이라는 성급한 결론을 내림으로써 김영환의 밀입북이나 민혁당에 대해서는 알아내지 못했다는 것이다.[18]

민혁당의 단서가 포착된 것은 그로부터 약 1년반 후인 1998년 12월 남해상에서 해군에 격침된 북한의 대남공작용 반잠수함이 인양되면서부터였다. 잠수함 안에 전화번호가 적힌 수첩과 위조 주민등록증 등 남파간첩의 유류품이 발견되었기 때문이다. 북한은 김영환이 "수령론은 거대한 사기극"이라는 등 북한 비판을 가하고 연락도 단절하자 하영옥을 그의 대타자로 지목하고 공작원을 남파, 하영옥과 접촉케 함으로써 민혁당을 지도 검열코자 했다. 북한 공작원과 만난 하영옥은 같이 월북하려 했으나 사정이 여의치 않아 공작원만 북측으로 귀환하려다가 그가 탄 공작선이 격침된 것이다. 국정원은 잠수정 안의 공작원 시신으로부터 하영옥에 관련된 문서와 사진들이 나오자 그를 24시간 밀착 감시, 그와 접촉하는 민혁당 관계자들을 파악하게 되었다.

중국에 가있던 김영환은 1999년 8월, 잠수함 침몰로 이미 민혁당의 실체가 당국에 파악된 줄을 모르고 귀국했다. 그는 자신의 밀입국사실 정도를 수사당국에 자백할 생각이었으나 조사를 받는 과정에서 민혁당 관련사실을 당국이 파악한 것을 알아차리고는 월간 《말》지와의 인터뷰를 통해 간첩사건이 조작되고 있다고 주장하고 8월 19일 출국하려다가 체포되었다.[19] 그가 기자회견을 한 것은 민혁당 관련자들에게 도피하라고 경고하기 위해서였다. 당황한 수사당국은 의도적으로 잡지 않고 있던 하영옥과 심재춘(沈載春, 대학강사)을 19일과 20일 긴급히 체포하게 된다.[20]

김영환 기자회견 계기로 민혁당 관련자 긴급 검거

국정원은 다음달인 1999년 9월, 80년대 학생운동권에서 이른바 '주체사상파'로 활동한 핵심들이 북한에 포섭되어 조선노동당에 가입한 뒤 남한 내 지하당인 '민족민주혁명당'(민혁당)을 구축한 사실을 밝혀냈다고 발표했다. 국정원은 격침된 북한 반잠수정에서 발견된 유류품을 단서로 민혁당의 실체를 밝혀내고, 총책 김영환을 비롯, 조유식(曺裕植, 전 월간《말》기자), 하영옥, 심재춘, 김경환(金京煥, 전《말》지 기자) 등 5명을 국가보안법 위반(간첩) 혐의로 구속했다고 밝혔다. 국정원은 이들 가운데 김영환과 조유식의 경우 잘못을 뉘우치고 수사에 협조해온 점을 고려해 '공소보류' 의견으로, 하영옥 심재춘은 기소 의견으로 각각 검찰에 송치하고, 김경환에 대해서는 계속 수사 중이라고 밝혔다. 국정원은 80년대 학원가에 '강철 시리즈'를 배포해 '주사파의 대부'로 알려진 김영환은 89년 7월 남파간첩 윤택림(북한 대외연락부 5과장)에게 포섭되어 노동당에 입당한 뒤 대학 후배인 조유식과 함께 91년 5월 강화도 해안에서 북한 반잠수정을 타고 황해도 해주로 입북했다고 밝혔다. 두 사람은 북한에서 14일 동안 머물며 김일성과 두 차례 면담하고 훈장을 받은 뒤 서해를 거쳐 제주도 인근 해안으로 되돌아왔다. 김영환은 91년 8월 북한 공작원이 매설한 강화군 외포리 해안 드보크에서 미화 40만달러와 권총 2자루, 무전기 3대, 난수표 등을 확보한 뒤 92년 3월 북한의 지령대로 주사파 조직인 '반제청년동맹'을 주축으로 민혁당을 결성하고 이어 92년 대통령선거동향 등을 수집해 북한에 보고해 왔다고 한다. 그는 이 공작금으로 96년 총선 때 출마한 이모, 95년 지방자치단체 선거 때 구청장으로 출마한 김모 등 6명에게 1인당 5백만원씩 모두 4천5백만원을 선거자금으로 건넸다고 국정원은 밝혔다.[21]

반성문을 쓰고 공소보류된 김영환은 곧 '북한민주화네트워크'를 결성, 북한주민 인권운동을 벌였다. 반면 하영옥은 2000년 2월 1심 선고공판에서 국가보안법상 반국가단체 구성죄로 징역10년을 선고받았다. 재판부는 판결문에서 "민혁당은 혁명을 통해 정부를 전복해 정권을 획득하려는 목적을 갖고 있었고 일정한 지휘체계도 갖추고 있었던 것으로 보이는 만큼 반국가단체로 인정된다"고 밝혔다.[22]

VIII. 노무현 정부와 진보세력

1 '유연한 진보' 주장한 노무현

당신이 보수냐, 진보냐? 하면 당연히 진보인데, 진보라고 말을 못 하는 이유는, '진보' 하면은 투쟁, 비타협적 투쟁노선을 가지고 있는 사람들로 대별되어 버리니까, 거기 들어가고 싶지 않은 것이죠. 그래서 '통합적 진보주의', 뭐 이런 이름을 붙일까 생각해 봅니다.

－노무현, 경제부장들과의 대화(2005. 9)

1. '진보의 가치' 신봉자 노무현

후보 시절 논란 빚은 노무현의 이념성향

노무현(盧武鉉) 정부는 김대중 정부에 이은 한국 정치사상 두 번째의 중도좌파정권이다. 진보주의를 표방한 노무현은 김대중 정권 때보다 훨씬 더 큰 변화의 소용돌이를 각 분야에 몰고 왔다. 가난한 농부의 아들로 고졸 출신의 인권변호사였던 그는 타고난 반항아적 기질로 인해 과격하고 파격적인 정책과 언행을 거듭해 야당 지배하의 국회로부터 탄핵소추를 받은 최초의 대통령이 되었다. 퇴임 후 고향으로 내려간 최초의 대통령인 그는 재임 중 640만 달러를 수뢰한 혐의로 검찰의 수사를 받던 중 사저 뒷산 절벽에서 투신해 목숨을 끊음으로써 한국정치사상 자살로 생을 마감한 첫 대통령이 되기도 했다.

노무현의 진보노선은 대북정책과 경제·사회정책을 비롯해 정치 교육 언론 문화 정책에 있어서 상당히 급진적으로 전개되었다. 이로 인해 2003년 2월의 노무현 정부 출범은 한국의 정치지형을 일변시켰다.

노무현 시대의 좌파정치세력은 두 가지 유형으로 나눌 수 있다. 첫째는 청와대와 여당에 진입한 386운동권 출신을 포함한 '집권진보세력'과 둘째는 2004년 총선에서 원내진입에 성공한 '진보야당세력', 즉 정권 밖의 좌파세력인 민주노동당이다. 이들 좌파정치세력들 이외에 친북시민단체들도 노무현 시대에 활발한 움직임을 보였다. 이로 인해 노무현 시대의 좌우 이념대립은 김대중 시대와 비교할 수 없는 정도로 격렬했다.

노무현을 대통령 후보로 공천한 새천년민주당(약칭 민주당)은 결코 진보정당이 아니다. 당 강령에서 명시했듯이 '중도개혁정당'이다. 노무현 자신도 2002년 3월 대선후보자 경선토론 때 "나는 중도개혁주의와 개혁적 국민정당 등을 정강정책으로 내세운 민주당 노선에 가장 충실한 민주당원"이라고 해명했다.[1] 그러나 많은 사람들은 그의 이념성향을 좌파로 규정했다. 그의 노선에 대한 시비는 맨 먼저 민주당의 후보경선과정에서 제기되었다. 마지막까지 그의 라이벌이었던 이인제(李仁濟) 예비후보는 2002년 3월 TV토론에서 노무현이 1988년 국회 대정부 질문과 89년 현대중공업 파업 현장에서 "노동자가 주인 되는 세상을 만들자", 그리고 "재벌 총수와 그 일족의 주식을 정부가 매수해 노동자에게 분배하자"고 했다면서 그의 노선이 '급진좌파' 노선이라고 비난했다.[2] 이인제는 그 다음날에도 노무현의 주장이 '유럽의 좌파도 상상할 수 없을 정도의 과격한 주장'이라면서 그를 '좌파 정치인'이라고 몰아세웠다.[3]

후보 지명 받은 뒤에도 사퇴 압력

민주당 내의 이 같은 비난은 반대당인 한나라당 대선후보 경선에 나온 이회창의 공격으로 이어졌다. 그는 2002년 4월 대선후보 경선출마 선언문을 발표하는 자리에서 "만약 민주당 정권이 5년 더 연장된다면 우리를 기다리는 것은 위기와 불안의 대한민국"이라면서 "지금 급진세력이 좌파적인 정권을 연장하려 하고 있으며, 음모와 술수로 상황에 따라 말을 바꾸는 무원칙한 작태가 횡행하고 있다"고 공격했다.[4] 노무현에 대한 좌파시비는 그가 후보로 선출된 다음에도 당내에서 그치지 않았다. 그해 6·13 지방선거 참패 후 민주당의 이근진(李根鎭) 의원은 성명을 발표하고 "노무현당은 중도개혁이 아니라 급진좌파당의 시대착오다"라고 비판했다. 민주당 고문 안동선(安東善) 역시 성명을 통해 "노 후보의 급진좌파적 이념에 대해 중산층과 보수층의 우려는 심각하다. 급진좌파 이념으로 국민의 심판을 받겠다고 나선 사람은 노 후보가 처음이어서 놀라움을 금할 수 없다"고 주장했다.[5]

노무현은 그 자신의 부인에도 불구하고 민주당과 이념면에서 상당한 괴리가 있었으며 당내에서 가장 좌파 쪽에 속한 것이 사실이다. 대통령선거가 있기 10

개월 전인 2002년 2월 발표된 《중앙일보》와 한국정당학회 공동조사 결과에 의하면 당시 예비주자였던 노무현은 이념지수가 1.5로, 그가 속한 민주당 소속의원 평균치인 3.7보다 훨씬 좌파 성향이 강한 것으로 나타났다. 다른 예비주자 중 진보파로 분류된 유종근(柳鍾根)이 3.3, 김근태가 3.7이었던데 비하면 노무현의 이념경향은 아주 좌측인 셈이었다(지수가 적을수록 좌파성향이다).[6] 《조선일보》는 전문가들의 분석을 토대로 노무현의 경제정책이 그가 속한 민주당보다는 좌파정당인 민주노동당과 참여연대에 가깝다는 진단을 내렸다.[7]

노무현은 변호사 시절인 1981년, 부산지역 학생운동가들이 관련된 '부림(釜林)사건'의 변호를 맡은 것을 계기로 정신적 운동권이 된 것으로 알려졌다. 당시 35세였던 그는 금서로 분류된 리영희(李泳禧)의 《전환시대의 논리》같은 책을 읽고 감동해 세상을 보던 눈이 달라졌다. 노무현은 그의 자전적 에세이 《여보 나 좀 도와줘》에서 자신의 젊은 시절에 리영희의 《베트남 전쟁》, 에드거 스노의 《중국의 붉은 별》 같은 책을 읽고 사회주의에 마음이 '좀 끌리다가도' 자신이 상대주의철학에 기초를 둔 법률을 공부했기 때문에 "이건 아니다로 돌아서곤 했다"고 회고했다.[8] 이것은 그가 사회주의자가 아님을 주장한 것이다. 그가 말한 사회주의가 마르크스-레닌의 정통사회주의, 즉 공산주의였는지, 아니면 서구식 사회민주주의를 의미했는지는 분명하지 않다.

노무현은 1988년 14대 국회의원 총선 때 당선되어 정치에 입문할 무렵 혁신계 정당활동을 하려 했다는 자료가 있다. 김영삼 정부 시절 청와대 행정관을 지낸 김용철(金容哲)은 《노무현론》이라는 책에서 "노무현은 '나는 일찍부터 혁신정당의 필요성을 생각하고 있었다'고 말했다. 노무현은 진보계인 한겨레민주당 참여를 권유받았으나 거절하고 민중의 당에도 입당하지 않았다. 그를 망설이게 한 것은 당선 가능성의 문제였다"고 썼다.[9] 노무현은 그 대신 보수계인 김영삼의 통일민주당을 선택해 부산 동구에서 당선되었다.

물론 그렇다고 그의 '진보적' 개혁주의자의 꿈이 사라진 것은 아니었다. 노무현은 앞에서 소개한 바와 같이 후보경선 당시 경쟁자였던 이인제가 그의 1988년 국회에서의 재벌해체 발언을 공격하자 그 발언이 '장(場)의 논리' 또는 '역설의 야유'라며 해명했다. 그러나 이 해명은 사실이 아니다. 그는 문제의 대정부질문 때 재벌해체 발언을 하면서 "공연히 한 번 해보는 소리가 아닙니다"라고 분명히 말했었다. 그의 이런 인식은 1988년 총선 공약집에도 나타나 있다. 《오 민주여, 사람 사는 세상이여》라는 제목이 붙은 그의 공약집에는 "재벌을 해체하고…재벌과 부정축재자들이 독점하고 있는 토지는 강제 징발하여 무주택 서민과 중소기업 육성자금으로 전환되어야 합니다"라는 구절이 들어 있다.[10] 노무현은 자전적인 에세이집인 《여보, 나 좀 도와줘》에서 이렇게 쓰고 있다. 1989년 당시 그가 속한 민주당의 총재이던 김영삼이 일본 사회당의 초청을 받고 노무현을 불러 일본방문에 수행할 것을 요청했다. 그러나 노무현은 김영삼의 제의를 거절하면서 "총재님, 앞으로 정권이 교체되어 정말로 민주주의가 되면 전 진보정당에 참여할 생각입니다. 그때가 되면 총재님하고도 갈라서야 할 판입니다. 그런데 지금부터 총재님을 졸졸 따라다니는 사진만 나오면 뒷날 제 입장이 무척 곤란해질 것 같습니다"라고 말했다는 것이다.[11]

'진보' 옹호론

노무현은 대통령 취임 이후에는 공개적으로 '진보'노선을 옹호했다. 그는 취임 1년 후인 2004년 5월 27일 연세대에서 열린 '리더십 특강'에 강사로 나가 보수와 진보 문제에 대해 "보수는 힘 센 사람이 좀 마음대로 하자, 경쟁에서 승리한 사람에게 거의 모든 보상을 주는 것"이라고 정의했다. 그에 의하면 자본주의 사회에 있는 한, 대개 보수는 적자생존론에 근거하고 있고, 약육강식론에 근거하고 있고, 아울러 되도록이면 바꾸지 말자, 특히 한국처럼 아주 오른쪽에 있는 나라에서는 더욱 더 바꾸지 말자, 기득권의 향수가 강할 수밖에 없다는 것이다. 보수와 수구를 완전히 동일시하는 시각이다. 그는 이어 "복잡하게 이야기할 것 뭐 있어? 보수, 합리적 보수, 따뜻한 보수, 별놈의 보수를 다 갖다 놔도, 보수는 바꾸지 말자, 이겁니다"라고 단언했다.[12] 노무현은 이어 '진보'에 대해서는 "진보는 뭐냐. 더불어 살자, 인간은 어차피 사회를 이루어 살도록 만들어 있지 않냐, 사회를 이루어 사는 한…연대죠. 연대, 더불어 살자, 이런 얘깁니다"라고 말한 다음 "뭘 좀 바꾸자, 고쳐가면서 살자, (이것이) 진보죠"라고 결론지었다.[13] 그는 2007년 10월 벤처기업인들을 상대로 한 특강에서 "보수주의

의 문제점은 정의가 없고, 연대의식, 지속가능한 미래에 대한 전략이 없다는
것"이라고 비난하면서 "보수주의는 전통적으로 대외정책에 있어 대결주의를
취한다"면서 "지금 미국을 보라, 일본의 보수주의를 보라, 대결주의 입장에 항
상 서 있다. 그래서 평화는 진보주의가 가깝다"고 주장했다.[14]

노무현은 2005년 9월 27일 청와대에서 중앙언론사 경제부장들과의 오찬 석
상에서는 스스로를 '통합적 진보주의자'라고 밝혔다. 그는 자신은 당연히 '진보'
인데, '진보'라고 말을 못 하는 이유는, '진보' 하면 비타협적 투쟁노선으로 비
치기 때문에 그렇게 스스로를 부르는 것이라고 말한 것이다.[15] 노무현은 '진보'
의 옹호자이자 예찬론자였다. 그는 "한국에서 뻑 하면 진보, 진보는 좌파고, 좌
파는 빨갱이다, 이렇게 몰아붙이는(데 이)것은 한국사회의 진보를 가로막는 암
적인 존재"라고 단언했다.[16] 이 때문에 노무현은 기회 있는 대로 자신이 "진보
적 가치를 지향하고 있다"고 분명히 밝혔다.

'교조적 진보' 비난한 노무현

그는 2006년 10월 《청와대브리핑》에 기고한 '대한민국 진보, 달라져야 합니
다'라는 글을 통해 그의 한미FTA추진을 비판하는 진보세력을 향해 "진보의 가
치를 실현하는 데 필요하면 그것이 신자유주의자들의 입에서 나온 것이든 누
구의 입에서 나온 것이든 채택할 수 있는 유연성을 가져야 한다"고 밝혔다. 노
무현은 이 글에서 그를 비판하는 진보적 지식인들을 '교조적 진보'라고 역공하
면서 "진보적 가치 실현을 위해선 유연성이 중요하다"고 강조한 다음 "참여정
부의 노선은 굳이 이름을 붙이자면 '유연한 진보'라고 붙이고 싶다. '교조적 진
보'에 대응하는 개념이라 생각하고 붙인 이름이다"라고 설명했다.[17] 그의 이 발
언은 즉각 진보파 학자들의 반론을 불러와 당시 언론이 명명한 이른바 '진보논
쟁'[18]의 도화선이 되었다. 진보파 학자들이 노무현의 진보노선에 대해 의문을
제기한 직접적 계기는 양극화 심화현상과 참여정부의 한미FTA추진이었다. 대
표적인 예로, 손호철 서강대 교수는 노무현의 노선에 대해 "유연한지는 몰라도
진보인 것 같지는 않다"고 비꼬면서 "노무현 정부의 노선은 민주노동당 같은
진보도, 한나라당 식의 '냉전적 보수'도 아닌, '중도개혁', '자유주의적 개혁', '개

혁적 보수'라고 보는 것이 맞는 것 아닌가"라고 지적한 다음 노무현이 '유연한 중도'내지 '유연한 개혁' 대신 '진보'라는 명칭을 고집하는데 문제가 있다고 지적했다.[19]

그렇다면 노무현이 집요하게 자신을 진보주의자라고 자임하고 있는 데 대해 많은 진보파 지식인들이 그것을 결코 인정하지 않으려 한 것을 우리는 어떻게 보아야 할 것인가. 이탈리아 정치학자 보비오(Norberto Bobbio)의 말처럼 어느 누구도 공산주의자이면서 동시에 자유주의자나 가톨릭이 될 수가 없듯이 그 누구도 좌파인 동시에 우파가 될 수는 없다.[20] 확실히, 한미FTA체결을 신자유주의정책의 증좌로 보는 한국의 정통 좌파이론가들의 시각에서 볼 때는 노무현은 결코 진보가 아니다. 노무현은 '진보'를 자임함으로써 진보라는 용어에 혼란을 일으키고 있을 뿐이다. 그러나 한국의 진보파 지식인들이 정통좌파이론에 입각해서 "우리는 진보지만, 너는 아니야"라는 식으로 진보를 독점하려는 것 역시 문제가 있다. 그것은 세계화시대인 21세기의 시각에서 볼 때 '진보의 수구화'라고 해야 할 것이다. 노무현은 2007년 1월 TV연설에서 "진보개혁 세력이 개방에 대한 생각을 바꾸지 않으면 (역사의) 주류 세력이 안 된다"고 비난하고 "개방도, 노동의 유연성도 더 이상 이념의 문제가 아니라 현실적 효용성의 문제"라고 주장했다.[21] 스스로를 '진보의 비주류'를 자처한 노무현이 자신의 노선을 '좌파신자유주의' 운운한 것은 언어의 기교라 하더라도 그가 "나는 신자유주의자가 아니며 한나라당이나 일부 정치언론이 말하는 그런 좌파도 아니다.…나는 진보의 가치를 지향하지만, 무슨 사상과 교리의 틀을 가지고 현실을 재단하는 태도에는 동의하지 않는다"[22]고 선언한 것은 그대로 유의할 필요가 있을 것이다. 따라서 노무현의 '유연한 진보' 노선을 간단하게 '정체성의 혼란'이라고 치부하고 그를 단순한 중도개혁파나 자유주의적 개혁파로 규정하기보다는 중도좌파노선이라고 보는 것이 온당할 것이다.

노무현은 2007년 가을에는 그전까지 주장하던 '유연한 진보'에서 한 걸음 더 나아가 '진보적 시민민주주의'와 '진보적 시장주의'를 주장했다. '유연한 진보'가 그의 실용주의적 진보이념이라면, 진보적 시민민주주의 또는 진보적 시장주의는 그런 이념을 실천할 방법론을 의미하는 것 같다. 그는 2007년 10월 서울 강남구 코엑스 오라토리엄에서 열린 벤처코리아2007행사에 참석, "진보적 시민민주주의는 내가 앞으로도 추구해야 될 정치적 노선"이라면서 "신주류가 나타나 새로운 세상을 만들어야 한다"고 강조했다.[23]

그는 2008년 말부터 2009년 5월 23일 이른 아침 자살할 때까지 경남 김해 진영읍 봉하마을 사저에서 몇몇 학자들과 함께 진보주의연구회를 운영하면서 그의 진보사상을 발전시키려 했다. 노무현은 부인 권양숙이 박연차 태광실업 사장으로부터 현금 3억원과 명품시계 2개를 받고 미국에 있는 딸은 박연차로부터 100만달러를 송금 받은 사실이 드러나자 부인과 아들이 검찰에서 조사를 받고, 자신도 4월 30일 검찰에 소환되어 10시간 동안 조사를 받았다. 결국 그는 20여일 후 "너무 많은 사람들에게 신세를 졌다"면서 "결국 삶과 죽음이 모두 자연의 한 조각 아니겠는가?"라고 쓴 유서를 남기고 봉하마을 뒷산의 부엉이바위 아래로 투신해 스스로 목숨을 끊었다.

2. 노무현의 정치적 시각

대한민국 건국에 대한 부정적 인식

노무현은 소년기부터 초대 대통령 이승만에 대해 강한 반감을 가진데다가 청년기에는 좌파지식인들의 저서에서 영향을 받아 한국현대사와 대한민국에 대해 부정적 관점을 갖게 되었다. 그는 중학교 1학년 때 작문시간에 '우리 이승만 대통령'이라는 과제를 받고 반장이면서 백지동맹을 선동하고 그 자신은 백지에다가 '우리 이승만 택통령'이라고 써냈다. '택'은 턱도 없다는 뜻이었는데 이 때문에 학교가 발칵 뒤집혔으나 그는 반성문 쓰기를 끝내 거부했다.[24]

노무현은 민주당 대선예비주자 시절인 2001년 11월 경북 안동시민학교에서 특강을 하면서 "그 당시(광복 직후) 소련을 등에 업고 공산주의 국가를 세우려는 세력과 미국을 등에 업고 자본주의 국가를 세우려는 세력이 극한 대립하는 상황에서 민족의 통일과 자주독립이 중요하다고 주장하던 중도통합세력들은 모조리 패배해 버렸다"고 주장했다.[25] 그는 2002년 5월 중견언론인들의 모임인 관훈클럽 초청토론에서 대한민국을 '자본주의 분열세력'이라고 표현했다.

자본주의 분열세력이란 바로 대한민국 건국의 주역인 이승만과 한국민주당 세력을 의미한다. 노무현은 유엔이 대한민국을 한반도의 유일한 합법정부라고 인정하지 않았느냐는 질문을 받고는 "유일한 합법정부이지만 분열세력인 것도 맞다. 양립이 가능하다"고 단호하게 말했다. 그는 이어 북한과 남한을 같은 분열세력으로, 등가(等價)로 보는가라는 질문에 대해서는 "정통성과 합법성은 별도로 하고, 분열세력이라는 점은 같다. 광복 후의 상황을 객관적으로 표현한 것으로 남한의 정통성을 부인한 것은 아니다"라고 덧붙였다.[26]

　노무현은 대한민국의 수립을 '분열주의' 행동이라고 보았기 때문에 그 후의 역사를 부정적으로 보았다. 그는 대한민국은 기회주의자들이 판치는 세상이었다고 단정했다. 노무현은 2003년 2월 취임식에서 행한 연설에서 "정의가 패배하고 기회주의자가 득세하는 굴절된 풍토는 청산되어야 한다"고 호소했다.[27] 그의 이와 같은 대한민국 건국에 대한 역사인식은 1980년대를 풍미한 수정주의 해석의 영향 때문이다. 노무현이 1981년경부터 읽고 영향을 받았다는 책들은 바로 수정주의에 입각한 역사 서적이다. 하지만 그는 대통령 취임 이후에는 점차 현대사에 대한 인식의 변화를 보였다. 예컨대 그는 2005년 6월 현충일 추도사에서 "그동안 우리는 해방과 건국, 경제와 민주주의 발전에 이르기까지 많은 것을 이뤄냈다. 2차대전 이후 수많은 나라가 독립했지만 우리만큼 큰 성취를 이뤄낸 나라는 없다"고 긍정적인 견해를 피력했다. 그러나 그는 1개월 후 청와대에서 열린 제12기 민주평화통일자문회의 전체회의에서는 대회사를 통해 다시 "지난날 역사의 고비마다 통합을 주장한 사람들은 항상 좌절하고, 분열세력이 승리해 왔다"고 말했다.[28] 그의 분열세력관은 그 후 흔들림 없는 확고한 신념으로 그의 뇌리에 자리 잡은 것 같다.

그의 통일관

　노무현은 후보시절부터 김대중 정부의 햇볕정책을 보완적으로 계승할 뜻을 밝혔다. 그의 이 말 속에는 보수세력이 폐기하라고 주장하는 6·15공동선언의 준수도 당연히 포함된다. 보수세력이 이 공동선언을 문제 삼고 나선 것은 특히 제2항의 통일조항이 북한의 연방제 방안을 받아들인 것으로 간주했기 때문이었다. 그런데 노무현은 연방제에 대해 훨씬 긍정적이었다. 그는 후보시절인 2002년 5월 관훈클럽 초청토론에서 "연방제는 북한에서 내놓은 안이기 때문에 금기시하는데…연방 개념은 단일 헌법을 반드시 전제하지 않고 있다"고 주장한 다음 "(북한이 말하는 안은) 결국 연합인데, 용어를 연방으로 쓴다고 (해서 우리가) 쌍방 간의 차이를 크게 확대한다면 공통점을 만들기 어렵다"고 언명했다. 그는 "북한이 남한적화 전략을 갖고 있다는 것은 모두 알고 있으나 그것은 관념적 주장이지, 현실에서 가능하지 않다. 가능하지도 않은데 가능하다는 것을 전제로 해석하고 굳이 매달릴 이유가 뭐냐"고 말했다. 그의 말은, 북한 측에서 말하는 안(낮은 단계의 연방제)은 단일헌법을 전제로 하지 않기 때문에 사실상 우리가 주장하는 연합이므로 수용하지 못할 이유가 없다는 것이다.[29]

그는 취임 후에는 한 걸음 더 나아갔다. 노무현은 2004년 2월 취임 1주년을 맞아 개최된 방송기자클럽 초청 토론회에서 "우리의 통일은 독일처럼 흡수통합이 아니라 오랫동안 일종의 국가연합체제로 갈 것"이라고 전제한 뒤 "판문점이나 개성 일대에 서울이나 평양보다 규모가 작게 통일수도가 대단히 상징적으로 만들어질 것"이라고 말했다. 그는 "국가연합의 사무국과 의회 등이 여기에 건설되고, 대부분의 권한과 행정은 지방정부가 각기 해 나가는 것이 장기적인 통일과정에서 합리적일 것"이라고 밝혔다.[30] 이 발언의 문제점은 '지방정부'라는 대목이다. 남북한의 두 정부가 지방정부가 되고, 공동의 사무국과 의회 등을 두자는 안은 바로 북측의 연방제 통일방안이다. 남측의 국가연합방안은 '1민족 2국가 2정부 체제'로, 남북의 두 정부는 각각 주권국가이지 결코 지방정부가 아닌 것이다.

노무현은 2005년 4월 독일을 방문한 기회에는 동포간담회와 독일 일간지 《디 벨트》(Die Welt)와의 회견에서 자신은 독일식 흡수통일을 반대한다고 밝히면서 "한국의 통일은 천천히 준비해 먼저 평화구조를 정착시키고, 그 토대 위에 교류협력을 통해 관계를 발전시키고, 북한도 통일을 감당할 만한 역량이 성숙되면 국가연합 단계를 거쳐 통일되면 좋을 것"이라고 4단계의 통일방안을 밝혔다.[31] 여기서도 여전히 국가연합을 말하고 있으나 연방제와의 차이 여부에 대해서는 언급이 없었다.

미국에 대한 태도와 갈릴레오 재판

노무현은 후보시절 젊은 층의 반미정서에 편승했다. 선거운동기간 중인 2002년 9월 대구 영남대학교 특강에서 "미국에 가본 적 있느냐"는 질문을 받은 그는 "왜 그 얘기가 그렇게 중요하다고 생각하는 것이냐. 빌 클린턴 전 미국 대통령이 한국 다녀가서 미국 대통령이 되었느냐"고 역공을 했다.[32] 노무현은 한때 주한미군철수론자였다. 그러나 곧 태도를 바꾸었다. 2002년 3월 민주당 대선후보 경선운동기간 중 경쟁자인 이인제로부터 1990년 11월 주한미군 철수를 요구하는 시국선언문에 서명한 사실에 대해 해명을 요구받았다. 그는 "초선 국회의원일 때 다소 부정적인 견해였던 것은 사실이나 1991년 (통합)민주당 대변인이 된 뒤 김대중 당시 총재와의 토론을 통해 주한미군 철수는 외교현실을 고려해야 하는 공당으로서는 적절치 않다는 입장 조율을 하게 되었다"고 밝혔다. 그러면서 그는 "통일 후에도 지금과 같은 안보적 대치구도가 유지된다면 주한미군은 계속 주둔해야 한다"고 수정된 입장을 피력했다.

노무현은 당선자 시절에는 더욱 적극적인 자세를 보였다. 그는 2003년 1월 미군이 한국에 계속 남아 동북아의 '힘의 균형자' 역할을 해야 한다고 거듭 확인했다. 그는 한미관계 역시 장래에는 의존관계에서 대등한 상호협력관계를 이루어 가야 한다면서 "양국관계는 수평적이고 대등한 관계로 갈 만큼 경제와 안보 환경이 변화했다"고 말했다.[33]

노무현이 좌파세력의 반발을 산 것은 주로 취임 초의 친미적인 거동과 미국의 요청에 의한 이라크파병 결정 및 임기 말의 한미FTA체결 때문이다. 그는 당선자 시절 한미관계를 의존관계에서 대등한 상호협력관계로 발전시켜야 한다고 강조해 좌파세력의 환심을 샀으나 곧 태도를 바꾸어 대통령에 취임하기도 전에 한미연합사령부를 방문하고 주한미군의 노고를 치하하면서 주한미군의 계속 주둔과 한미우호관계의 중요성을 강조했다.[34]

그는 취임 직후인 2003년 3월에는 부시 미국대통령의 요청에 따라 이라크에 공병단(서희부대)과 의료지원단(제마부대)을 파견키로 결정[35]한 다음 5월에 미국을 방문, 한미우호관계를 다짐했다. 노무현은 5월 13일 뉴욕의 코리아소사이어티 초청연설에서 미국의 계속적인 한국지원을 요청하면서 "만약 53

년 전 미국이 우리 한국을 도와주지 않았더라면 저는 지금쯤 정치범 수용소에 있을지도 모른다는 생각을 하고 있다"고 말했다. 그는 이어 14일에는 미국 국회의원들에게 "미국의 이상과 제도, 협력이 가장 성공적으로 꽃피운 나라가 바로 한국"이라며 친밀감을 표시했다.[36] 그는 방미기간 중 부시에게 북핵문제 해결을 위해 미국과 전적인 협조관계를 이룩할 것을 약속하고 필요할 경우 북한에 대한 추가적 조치를 검토하기로 그와 합의했다. 그런데 노무현은 미국방문을 마치고 비행기 타고 돌아오면서 지동설을 주장해 종교재판애 회부된 갈릴레오 갈릴레이가 재판정에서 지동설을 부인해 살아서 나오면서 혼잣말로 "그래도 지구는 돈다"고 소리친 사실이 떠올랐다고 나중에 회고했다.[37] 이것은 그가 대미관계를 위해 마음에 없는 말을 할 수밖에 없는 현실주의적 타협의 정당성을 주장한 것으로 보인다.

3. 정권 내부의 운동권세력

386세대의 도구를 자처한 노무현

노무현 정부의 출범을 계기로 386세대 운동권 출신들이 정권과 여당의 실세로 등장하자 거센 소용돌이가 각 분야에서 일기 시작했다. 청와대 비서실은 초기에 이들 386세대가 주류를 이루었다. 청와대 1, 2급 비서관 37명 중 31명이 386세대여서 관료 출신은 비서실 인사에서 완전히 배제되었다. 이들 386 출신 비서관 대다수는 노무현의 선거운동을 도운 운동권 출신들이다.

노무현은 자신의 측근들을 '동지'라고 불렀는데, 그가 2003년 2월 대통령에 취임하기 이틀 전에 가진 비서들과의 워크숍에서 공개한 측근들의 이야기는 상징적이다. 이광재(李光宰), 안희정 등 그의 386 측근들은 전년 8월 그의 생일을 맞아 "우리의 도구로서 변함없이 나가 주시기 바랍니다"라는 편지를 생일선물 상자 안에 넣어 노무현에게 보냈다는 것이다. 노무현은 이보다 앞서 그의 386 측근들에게 "당신들이 꿈꾸는 사회를 이루려는 도구로 나를 선택한 것 아니냐"고 농반진반 조로 얘기했기 때문에 이들이 도구 이야기를 한 것이다.[38] 자신이 386운동권이 꿈꾼 사회를 만들기 위한 도구가 되겠다고 자임한 노무현은 이들을 청와대 요직에 포석했다.

　노무현이 당선된 다음 청와대와 여당의 핵심 고위요직은 민청학련 출신들이 차지했다. 정무수석에 임명된 유인태(柳寅泰) 전 의원은 민청학련 사건으로 사형선고를 받은 재야운동권 출신이며, 인사보좌관에 임명된 정찬용(鄭燦龍) 광주 YMCA 사무총장은 같은 사건으로 1년간 옥살이를 한 인물이다. 같은 사건으로 10년형을 선고받은 민주당 이해찬(李海瓚) 의원은 노 당선자 측 중국 방문 단장으로 기용되었고, 당시 민청학련의 대구지역 핵심 인물이었던 이강철(李康哲)과 부산 지역을 대표했던 김재규(金在圭, 나중에 부산민주공원 관장)도 중용되었다. 대선 막판에 국민통합21 대표 정몽준(鄭夢準)의 노무현 지지 철회 발표에 반발, 국민통합21을 탈당한 이철(李哲) 전 의원도 민청학련 사건으로 사형 선고를 받았었다. 민청학련 핵심 4인방의 한 사람으로 알려진 김근태(金槿泰)는 노무현과 보조를 같이해 나중에 열린우리당을 창당하는 데 주동역할을 했다.[39]

청와대 비서실 핵심은 전대협 출신

　청와대 비서실의 1, 2급 비서관, 그리고 그 아래인 행정관에 기용된 인사들 중에는 386운동권 출신 중에서도 특히 전대협 출신들이 많았다. 이호철(李鎬喆) 민정1비서관(후에 민정수석비서관)은 부산대 총학생회장 출신으로 '부림사건' 때 그의 변호인이던 노무현 당선자와 인연을 맺은 뒤 초대 보좌관 등을 맡은 인물이고, 연세대 운동권 출신인 이광재 국정상황실장은 1988년부터 노무현의 보좌관으로 그의 대통령 당선 후에도 핵심 브레인 역할을 한 실세참모였다. 같은 연세대 운동권 출신이며 교내에 유인물을 배포한 혐의로 구속된 바 있는 윤태영(尹太瀛) 연설담당비서관(후에 대변인), 연세대 문과대 학생회장 출신 문용욱(文龍旭) 제1부속실장, 연세대생으로 교내시위를 주도하다가 구속된 천호선(千皓宣) 기획비서관(후에 국정상황실장과 대변인), 국민대 출신 운동권인 서갑원(徐甲源) 의전비서관(후에 17대 의원으로 당선), 연세대 재학 중 구국학생동맹 사건으로 구속된 바 있는 김만수(金晩洙) 보도지원비서관(후에 대변인), 연세대 삼민투 위원장을 지낸 박선원(朴善源) 안보전략비서관도 '노무현

사단'의 핵심들이었다. [40] 이밖의 전대협 출신 386운동권으로는 서양호(徐良鎬) 대통령직속 동북아시대위 자문위원, 최인호(崔仁昊) 청와대 국내언론비서관, 송인배(宋仁培) 청와대 시민사회수석실 행정관, 김은경 대통령직속 지속가능발전위 비서관, 한주형 전 청와대 국민제안비서관실 행정관, 이승 전 청와대 홍보기획비서관실 행정관 등이 대표적이었다. [41] 또한 양정철(楊正哲) 홍보기획비서관은 외국어대 자민통 위원장 출신이다. [42]

재야 출신들도 다수 들어갔다. 2004년 5월 시민사회비서관으로 들어갔다가 곧 시민사회수석비서관으로 승진한 황인성은 전국연합 집행위원장과 의문사진상규명위원회 사무국장을 역임한 재야운동권 출신이다. 같은 시기 민정비서관으로 청와대에 들어간 전해철(全海澈) 민정수석비서관은 고려대 출신의 386세대 변호사로 전국연합 인권위원과 민변(정식 명칭 민주사회를 위한 변호사모임) 언론위원장 및 의문사진상규명위원회 비상임위원을 지냈다. [43]

이들은 임명 당시 대다수가 30대 후반에서 40대 초반이었다. 비서관 31명 가운데 23명이 40대였고, 3명은 30대였다. [44] 청와대의 운동권 출신수는 노무현의 집권후반기에는 상당히 줄었지만 2006년 10월 현재 비서실의 행정관 이상 268명 중 30~40명 이상이 NL 계열 운동권 출신이었고, 그 이전에 이미 퇴직한 171명 중에도 수십명이 있었다. [45]

'주체사상 메모리칩이 머릿속에 박힌 386들'

학생시절인 1980년대에 반미청년회 핵심간부를 지내고 뉴라이트로 돌아선 인터넷매체 《프리존뉴스》 편집인 강길모는 2006년 11월 한국프레스센터에서 개최된 자유민주주의학회에서 자신이 열린우리당 소속 국회의원 우상호 오영식(吳泳食), 청와대 제1부속실장 문용욱, 제2부속실장 이은희(李恩姬), 청와대 대변인 김만수, 제1부속실 행정관 여택수(呂澤壽)에게 주체사상을 교양했다고 주장해 파문이 일어났다. 그는 정권에 들어간 운동권들은 전향을 하지 않고 '주사 메모리칩'이 머릿속에 박혀 있어서 모든 현안을 '북한 정권의 이해'에 비추어 판단한다고 비판했다. 그러나 당사자로 거론된 본인들은 강길모의 주장을 부인하면서 "그는 과거 정권부터 한나라당 골수분자로 언론을 이용하고 있다"고 반

박했다.[46)]

청와대에 들어간 386참모들은 공식, 비공식으로 국정에 막강한 영향력을 행사했다. 이들은 국정경험 부족으로 정부 각료 및 열린우리당 지도부와 마찰을 일으키기도 했다. 정권 초기에는 국가기밀인 국정원 간부들의 사진을 언론에 흘리고 비서관들이 가족과 함께 공무용 소방헬기를 탑승하는 등 기강해이를 보이기도 했다. 386참모들의 부패스캔들은 여론을 들끓게 했다. 노무현의 최측근으로 '좌희정, 우광재'로 불린 이광재 전 대통령국정상황실장과 안희정(대선 당시 노무현 후보 정무팀장) 열린우리당 충남 창당준비위원장, 그리고 '20년 집사'로 알려진 최도술(崔導術) 전 총무비서관 역시 SK 비자금을 받은 혐의로 구속 또는 불구속 기소되어 유죄판결을 받았다.[47)] 노무현의 광주 경선 1위 돌풍의 숨은 주역이었던 양길승(梁吉承) 전 제1부속실장과 여택수 제1부속실 행정관도 검찰의 조사를 받았다. 임기 후반기에 비리사건에 연루되어 구속된 대표적인 케이스는 노무현의 386 측근인 정윤재(鄭允在) 전 의전비서관이다.[48)]

노무현은 정부 출범 10개월 만인 2003년 12월 청와대 비서실을 대폭 개편, 17대 국회의원 총선 출마자 11명을 포함한 386비서관 23명이 물러남으로써 취임 초 비서관 3분의 2가 교체되었다. 386참모 가운데 유임한 비서관급은 윤태영(대변인) 천호선(정무기획) 황이수(黃二秀, 행사기획) 등이었다.[49)] 2004년에 실시된 총선에는 비서실의 대폭인사가 있기 전에 출마를 위해 미리 청와대를 떠난 이광재를 비롯해 모두 19명의 청와대 비서관 출신이 출사표를 던졌다. 그러나 2명은 사전선거운동 혐의로 구속되고 10여 명이 당선, 나머지는 낙선의 고배를 마셨다.[50)]

NL계가 주류를 이룬 청와대 386참모들은 북핵문제가 불거졌을 때 북한을 감싸기 일쑤였고 친북단체의 폭력시위에 대해서도 관대했다. 노무현 취임 초기에 청와대 치안비서관을 역임한 바 있으며 시위농민사망사건으로 재야단체들의 압력에 의해 경찰총수 자리에서 물러난 허준영(許准榮) 전 경찰청장은 "청와대 비서관들이 불법 폭력시위에서 연행된 이들을 석방하라는 요구를 자주 했다"고 폭로했다. 그에 의하면 일부 386비서관은 또한 공사구별을 못하고 전날 밤에 늦게까지 토론을 했다는 핑계로 이튿날 한낮이 되도록 출근을 안 하는 경우가 있었으며 유인태 정무수석비서관 아래 자신을 제외한 5명의 비서관 모두가 감옥을 다녀온 운동권 출신들로 어떤 비서관은 회의 도중 유인태를 '형'이라고 부르는 일까지 있었다는 것이다.[51]

4. 열린우리당 창당과 해체

여당에 진입한 운동권 출신

노무현 정부 출범 6개월 만인 2003년 가을부터 민주당 내 동교동비서 출신 구주류와 당개혁 문제로 갈등을 빚던 친노그룹의 신주류세력이 민주당을 탈당, 새 살림을 차렸다. 말하자면 김대중의 민주당을 버리고 노무현계의 신당을 만드는 것이었다. 당연히 노무현도 그해 9월 민주당을 탈당한 다음 한동안 무소속으로 있다가 이듬해 5월 신당에 입당했다. 개혁과 지역당 탈피, 그리고 국민통합을 이룩한다는 명분 아래 창당된 열린우리당은 민주당 내 친노무현계인 김근태 임채정(林采正) 이해찬 장영달 이재정(李在禎) 등을 비롯한 진보-좌파 성향의 국회의원 47명이 주축이 되었다. 유시민(柳時敏) 김원웅(金元雄) 등이 이끌던 개혁국민정당(약칭 개혁당)도 자진 해산하고 열린우리당에 합류했다.

열린우리당은 2003년 11월 창당대회에서 '새로운 정치, 잘사는 나라, 따뜻한 사회, 한반도 평화' 등 4대 강령과 국민참여 및 통합의 정치 등 100대 기본정책을 채택했다. 열린우리당의 정강정책은 김대중 정부의 노선을 상당 부분 이어받은 바탕 위에 노무현 대통령의 대선 공약을 충실히 반영했으나 기본적으로 민주당의 정책 노선과 큰 차이가 없었다. 열린우리당은 남북문제에 관해서는 김대중 전 대통령의 햇볕정책을 계승한 노 대통령의 '평화번영정책'을 정강정책에서 구체화함으로써 한나라당의 대북정책과 대조를 보였다. 당의 강령을 구체화한 기본정책 가운데는 한미관계의 수평적 관계 개선, 동북아경제중심 구축, 지방분권 추진을 통한 균형 발전, 부당한 부의 대물림 근절 등 노무현 대통령의 선거공약을 그대로 옮겨 놓은 듯한 점이 특징이었다.[52]

2004년 4월에 실시된 제17대 총선은 열린우리당을 152석의 거대 여당으로 만드는 동시에 친북운동권 출신들이 대거 진입하는 계기가 되었다. 이는 한나라당과 민주당이 주도해서 국회에서 통과시킨 노무현에 대한 탄핵소추안의 역풍이 주된 이유였다. 열린우리당 당선자 가운데는 1백여 명이 초선이었는데, 전대협 출신만 10여 명, 그리고 여야를 통틀어 386세대 당선자는 55명이었다.[53] 이때 당선된 운동권 출신 의원은 심재철(沈在哲, 안양동안갑, 서울대 총학생회장), 고진화(高鎭和, 영등포갑, 성균관대 총학생회장) 등 한나라당 소속도 있었으나 열린우리당 소속이 압도적으로 많았다. 열린우리당 김근태 원내대표를 비롯해서 이인영(李仁榮, 구로갑, 고려대 총학생회장). 오영식(강북갑, 고려대 총학생회장). 우상호(서대문갑, 연세대 총학생회장). 정봉주(鄭鳳株, 노원갑, 한국외대 민추위회장), 우원식(禹元植, 노원을, 연세대), 이화영(李華泳, 중랑구갑, 성균관대), 우윤근(禹潤根, 광양구례, 전남대) 등 긴급조치 위반자 및 기타 386 출신들이 대부분이었다. 이들 중 이인영, 오영식은 전대협 의장을 지냈다. 개혁당 출신은 김원웅(대전대덕, 서울대). 유시민(고양덕양갑, 서울대)을 주축으로 유기홍(柳基洪, 관악갑, 서울대 민청련의장). 김형주(金炯柱, 광진을, 한국외대). 이광철(李光喆, 완산을, 민통련), 강기정(姜琪正, 광주북갑, 전남대), 김태년(金太年, 성남수정, 경희대총학생회장), 김재윤(金才允, 제주 서귀포남제주, 명지대) 등이다. 이들 중 전남대 삼민투 위원장 출신인 강기정은 6선 관록의 민주당 김상현(金相賢) 후보를 꺾고 국회에 진출했다. 노무현의 386 핵심 참모들 가운데는 연세대 운동권 출신이자 '참여정부의 실세'였던 전 청와대 국정상황실장 이광재(영월평창, 연세대)와 청와대 의전비서관 서갑원(순천, 국민대), 그리고 전대협 연대사업국장 출신인 전 청와대 정무비서관실 행정관 백원우(시흥갑)도 원내에 들어왔다.[54] 이들 이외에 국회의원 보좌관과 비서들을 합하면 운동권 출신들이 여야를 통틀어 100여 명이 넘었다.

국회의 권력중심, 우에서 좌로 이동

운동권 출신들의 대거 진입으로 제17대 국회는 과거 보수일색이던 권력의 중심이 우에서 좌로, 보수에서 진보로 이동했다. 제헌국회 이후 줄곧 보수 일색이었던 국회가 보수—진보간의 경쟁체제에 들어섰음을 보여주었다. 이 사실은 당시 동아일보사가 연세대 국제학대학원 모종린(牟鍾璘) 교수팀과 공동으로 17

대 당선자 전원을 대상으로 실시한 서면 및 대면 인터뷰를 근거로 한 이념성향 분석에 의해 밝혀졌다. 이 분석에 의하면 원내 제1당이 된 열린우리당 소속 당선자들은 평균적으로 진보에 가까운 중도성향을, 원내 제2당이 된 한나라당 당선자들은 평균적으로 중도보수를 각각 이념적 기반으로 하고 있는 것으로 평가되었다.[55]

　　이들 386운동권 출신의 이념성향을 그들이 활동했던 시기별로 보면, 1987년의 민주항쟁 이전의 386세대 활동가들로는 CA계열의 리더였던 열린우리당 민병두(閔丙梧) 총선기획단장이 비례대표로 당선되었고 80년 '서울의 봄' 당시 고려대 총학생회장이었던 신계륜(申溪輪, 성북을)은 3선에 성공했다. 같은 고려대 총학생회장 출신의 김영춘(金榮春, 광진갑)과 연세대 총학생회장 출신의 송영길(宋永吉, 계양을)은 재선에 성공했다. 또한 전 전남대 총학생회장 강기정(광주북갑)과 노동운동을 한 이화영(李華泳, 중랑갑) 및 연세대 학생회 활동을 하다가 당시 인권변호사였던 노무현과 인연을 맺은 이광재(영월평창)도 같은 계열이다. 이들은 대체로 민중민주주의(PD)노선과 그로부터 갈라져 나온 제헌의회파(CA)계열이 주류를 이루었다.[56]

　　이에 비해 민족해방파(NL)계열이 주류를 이루었던 1987년 이후의 운동권세력인 전대협 세대에서는 모두 10명이 당선되었다. 이인영은 고려대 총학생회장 출신으로 전대협 1기 의장을 지냈으며 역시 고려대 총학생회장 출신인 오영식은 전대협 2기 의장, 재선에 성공한 임종석은 1989년 임수경을 전대협 대표로 북한에 파견해 세상을 떠들썩하게 한 한양대 총학생회장 출신의 전대협 3기 의장이었다. 전대협의 1, 2, 3기 의장이 모두 열린우리당 의원으로 원내에 진입한 것이다. 서울 서대문갑구에서 재선된 우상호는 전대협 1기 부의장이었다. 그는 87년 6월 연세대생 이한열(李韓烈)군이 최루탄에 맞아 사망할 때 연세대 총학생회장을 지낸 인물이다. 김태년 역시 경희대 총학생회장 출신으로 전대협 간부였으며 백원우(시흥갑, 고려대)는 2기 전대협 연대사업국장을 거쳐 청와대 행정관을 지냈다. 노무현 후보 선대위에서 일한 최재성(崔宰誠, 남양주갑)은 동국대 총학생회장 출신이며 이철우(李哲禹, 연천포천, 서울시립대)와 정청래(鄭淸來, 마포을, 건국대)도 전대협 간부 출신이다.[57]

"좌파이미지가 열린우리당의 실패 불러"

열린우리당은 노무현의 실정으로 차츰 인기가 동반 하락했다. '백년정당'을 자임하면서 열린우리당을 만든 친노무현파 의원들은 노무현의 인기가 바닥권에서 헤매던 정권말기에 침몰하는 배에서 탈출하듯 앞을 다투어 탈당했다. 당 밖으로 나가서 시민단체들과 함께 개혁적 통합신당을 창당하겠다면서 초기단계에 열린우리당을 탈당한 천정배(千正培) 의원은 2007년 1월 인터넷언론 기자들과의 오찬간담회에서 "침몰하는 타이타닉호에서는 뛰어내려야 한다. 그게 사는 길이며, 이는 공적인 생존의 문제"라고 말했다. 그는 노무현의 최측근 중한 사람으로 열린우리당 원내대표와 법무장관을 역임했었다. 그와 행동을 같이 한 386세대의 변호사 출신인 최재천(崔載千) 의원(성동갑)은 "무능과 무책임, 무생산의 질곡에 빠진 당이 창조적 분열을 해야 한다"면서 "민주주의를 심은 시민들의 희망을 위해 원내 제1당, 여당이라는 집을 떠나 광야로 나올 때"라고 주장했다.[58] 이 무렵 386세대 의원 자신들에 대한 평가도 급속히 떨어졌다. 민노당 진보정치연구소가 2006년 8월 한길리서치에 의뢰, 국회 공무원, 출입기자 100명을 상대로 한 여론조사 결과 386세대 의원들이 '17대 국회에서 가장 실망스러운 집단 1위(78.8%)로 뽑혔다.[59]

천정배보다 약간 늦게 열린우리당을 탈당하고 '중도개혁통합신당추진모임'(대표 최용규 의원)을 만든 김한길 강봉균(康奉均) 등 전 노무현계 의원 23명은 새 원내교섭단체를 만들기 위해 2007년 2월 경기도 용인시 중소기업인력개발원에서 워크숍을 갖고 열린우리당의 문제점을 토론했다. 이 자리에서 김대중 정부 당시 청와대 정무수석비서관을 지낸 이강래(李康來) 의원은 열린우리당 창당 때 민주당 박상천(朴相千) 전 대표가 자신에게 "당신들은 틀림없이 좌파 정당을 만들 것"이라고 말한 사실을 소개하면서 "17대 총선 이후 당헌 개정 작업을 하는 과정에서 개혁당 그룹과 갈등을 빚다가 그 말뜻을 이해하게 되었다"고 토로했다. 그는 열린우리당의 실패를 '노무현 대통령의 15가지 잘못'에서 이유를 찾을 수 있다면서 그의 반복적 말실수, 코드인사, 언론과의 적대적 관계, 고집·오만·독선, 싸움의 정치, 경험의 부족과 미숙, 정책의 일관성 부족 등을 꼽은 다음 열린우리당이 '좌파 정당'으로 인식된 점을 실패의 원인으로 들었다. 그 이유는 열린우리당이 개혁당·운동권 출신 의원과 청와대의 386 출신 참모들, 그리고 일부 기간당원들의 '좌파' 이미지를 탈색하지 못한 결과라는 것이다. 이강래는 "청와대의 좌파적 386과 개혁당 출신, 108명의 초선 의원들이 섞이면서 (열린우리당은) 완전히 잡탕 비빔밥이 되어 버렸다"고 자평하면서 "이들이 좌파적 색채를 강화했다"고 지적했다. 이 자리에서 조선대 총장 출신인 양형일(梁亨一) 의원(광주동)은 17대 총선 직후인 2004년 5월 노무현이 열린우리당 당선자들을 청와대 영빈관으로 초청, 만찬을 베푼 자리에서 386세대 당선자들과 당중앙위원들 33명이 운동권 노래인 '임을 위한 행진곡'을 합창한 사실을 소개하면서 "노래를 부르면서 적절한가를 생각했다. 이후로도 '이건 아닌데' 하면서도 용기 없이 따랐던 제 자신을 탓하고 싶다"고 회고했다.[60] '임을 위한 행진곡'을 부른 이날 청와대 모임은 어떤 자리였는가. 만찬모임 참석자의 한 사람인 전민련 출신의 정봉주 당선자는 나중에 친노 정치포털사이트인 《서프라이즈》에 올린 '청와대 만찬 감상기'에서 다음과 같이 썼다.

> "앞서서 나가니 산자여 따르라, 앞서서 나가니 산자여 따르라!" 시위현장도 파업현장 아닌 청와대에서, 그것도 대통령이 함께 한 자리에서 '임을 위한 행진곡'이 한반도 전체에 울려 퍼져 나가고 있었다. 상상이나 했겠는가? 이런 날이 오게 될 줄을…[61]

흥미로운 사실은 이날 노무현이 만찬 참석자 전원에게 '노무현 시계'와 함께 《제3의 길》의 저자 기든스가 쓴 책 《노동의 미래》를 선물한 점이다.[62]

대선 패색 짙어지자 붕괴의 길로

그러나 열린우리당은 2007년 들어 17대 대선에서 패색이 짙어지자 당내 갈등으로 파열음을 내기 시작하더니 끝내 소멸하고 말았다. 탈당파들이 연합해서 그해 8월 원내의석 85석의 대통합민주신당을 창당하고[63] 대통합민주신당은 다시 잔류파들이 남아있던 원내의석 58석의 열린우리당을 흡수 합당해 의석 143석의 원내 제1당이 되었다.[64] 노무현은 이에 앞서 그해 2월 열린우리당 지도부의 요구로 당을 탈당했다.

대통합민주신당은 이어 그해 11월 과거에 노무현의 탄핵소추안을 한나라당과 함께 공동 발의했던 민주당의 후신인 중도통합민주당과 통합민주당(가칭)이라는 이름으로 합당, 세칭 '도로 민주당'으로 환원하기로 합의했다. 그러나 곧 양당간에 당직 지분문제로 이견이 생겨 대선 전 양당의 합당은 실현되지 못했다.[65] 노무현을 지지하던 열린우리당이 분당과 합당을 되풀이하는 과정에서 당내 386세대들도 이합집산을 거듭하다가 결국 대통합민주신당에 다시 모였다. 대통합민주신당은 이강래가 말한 '좌파잡탕 비빔밥당'의 체질을 그대로 유지한 채 2007년 12월 대선에 임해 정동영 후보가 3공 이후 여당후보로서는 최악의 대참패를 맞았다. 대통합민주신당은 대선 패배 후 이해찬 유시민 김두관 등 친노무현 계열이 탈당하고 난 다음 당초 합의대로 민주당과의 합당을 실현함으로써 '노무현당의 실험'은 '한여름 밤의 꿈'처럼 완전한 실패로 끝나고 말았다.

② 노무현 정부의 공과

"당신 신자유주의자지?" 이렇게 질문하는 사람들이 많이 있습니다. 다른 쪽에서는 '당신 좌파정부지?'라고 자꾸 물어봅니다. 하도 답답해서, 좌파정책 할 것 하고 우파정책 할 것하는, 좌파 신자유주의 정부라고 말합니다.

－노무현, 국민과의 인터넷 대화(2006. 3)

1. 권위주의 청산과 작전통제권 환수 결정

민주주의 신장 위해 권력분산 노력

노무현 정부가 스스로를 '참여정부'라고 부른 것은 국민의 참여가 일상화되는 참여 민주주의를 실현해 진정한 국민주권, 시민주권 시대를 열겠다는 목표를 국정지표로 삼았기 때문이다. 노무현은 3대 국정목표를 ① 국민과 함께하는 민주주의 ② 더불어 사는 균형발전사회 ③ 평화와 번영의 동북아시대로 삼았다. 노무현은 퇴임 직전 자신의 국정수행 성과에 대해 부동산문제를 제외하면 꿀릴 것이 없다고 자평했지만 이들 3대 국정목표 중 먼저 민주주의 신장 목표는 상당한 성과를 거두었다. 노무현은 민주주의 신장을 위해 권위주의 청산과 권력분산, 그리고 지역당구도의 타파에 역점을 두고 선거공영제를 확대, 돈 덜 드는 선거를 실현하는데 상당한 성과를 거두었다. 그는 국정원장의 독대보고를 금하고 젊은 여성변호사(강금실)을 법무장관에 임명해 사법부의 개혁을 시도했다. 또한 노무현은 법치주의 실현에 노력을 기울여 노조의 위법행위도 눈감아 주지 않아 구속된 노동자수가 김영삼 정부 당시의 2배였다.

그러나 그가 과거에 대통령이 여당 총재를 겸함으로써 국회까지 사실상 지배하던 제왕적 대통령제도의 전통을 혁파하기 위해 단행한 당청(黨靑)분리, 즉 여당과 청와대의 역할 분리는 취지는 좋았으나 효과적으로 작동되지 못한 것이 사실이다. 당청분리는 오히려 청와대와 집권당 간의 불협화로 나타나 국정실패의 한 요인이 되기도 하고 지역당 구도의 개혁 역시 결과는 만족할 만하지 못했다.

노무현의 나머지 국정목표 중 평화와 번영의 동북아시대 개막이라는 목표는 북한의 핵개발로 한계에 부딪쳤다. 다만 한미동맹 강화정책은 무난하게 달성되었다. 노무현은 미국 부시정부가 요청한 이라크 파병에 동의해 과거 보수정권 때나 크게 다를 바 없는 양국간 협력관계를 유지해 당내 운동권 세력으로부터 '보수와 다름없는 친미주의 외교'라는 비판을 들었다. 미국 백악관 동아시아태평양 선임보좌관을 지낸 마이클 그린은 노무현에 대해 "부시 대통령이 만난 정상 중 가장 예측할 수 없는 인물이지만 그 어느 대통령보다도 한미동맹을 강화시킨 대통령"이라고 평가했다.[1] 노무현 정부가 출범 3년 만에 한미FTA(자유무역협정)를 체결한 것과 미중 양국정부와 긴밀한 교섭을 통해 반기문 외교통상부장관을 유엔사무총장으로 선출하는 데 성공한 것은 노무현 정부의 외교업적이다.

자주외교 노선과 전시작전통제권 회수

노무현은 임기 중반에 들면서 자주외교노선을 표방해 미국과 마찰을 빚었다. 이 때문에 국내에서는 보수진영의 격렬한 반발을 샀다. 그렇다고 좌파진영으로부터 환영만을 받은 것도 아니다. 노무현은 동북아에서의 한국의 균형자 역할을 강조하고 자주노선을 역설하면서 국내의 '친미인사'들을 격렬하게 비난함으로써 보수세력의 큰 반발과 미국의 불신을 샀다. 그는 2005년 2월 취임 2주년을 맞아 국회에서 국정연설을 하는 가운데 "우리 군대는 스스로 작전권을 가진 자주군대로서, 동북아시아의 균형자로서 동북아 지역의 평화를 굳건히 지켜낼 것"이라고 밝혔다.[2]

노무현은 그해 8월에는 전시작전통제권 '회수' 방침을 밝히고 이를 적극 추진해 2006년 10월 미국과 최종 합의하고 아울러 한미연합사령부의 해체도 결정했다. 한미양국은 그해 10월 연례안보협의회에서 전시작전통제권을 2009~2012년 사이에 환수하기로 합의한 데[3] 이어 2007년 2월에는 전시작전통제권 환수와 한미연합사 해체날짜를 2012년 4월 17일로 최종 합의했다.[4] 이 결정이 나오기까지 군 출신 인사들을 포함한 보수세력의 격렬한 반대가 이어졌다.

노무현의 자주노선은 특히 북핵문제를 둘러싸고 미국과의 대립으로 발전했다. 그는 2006년 1월 신년기자회견에서 미국이 북한체제의 붕괴를 바란다면 한·미 마찰이 일어날 것이라면서 부시행정부의 대북압박을 공개적으로 비판했다. 노무현 정부는 그 해 5월 고위안보관계자 회의에서 북한의 위폐 제조와 인권문제로 교착상태에 빠진 6자회담을 계속 방치할 수 없다는 판단아래 "더 이상 우리의 운명을 미국에 맡길 수 없다"면서 대북 독자노선을 추진하기로 했다. 같은 달 노무현은 북핵은 방어용이라고 변호하고 7월에는 북한이 미사일을 시험발사하자 한국에는 위협이 안 된다고 주장했다. 하지만 그는 그해 10월 9일 북한이 막상 제1차 핵실험을 단행, 온 세계가 충격을 받자 처음에는 북핵을 결코 용인하지 않을 것이라고 말하면서 기존의 대북포용정책을 재검토할 듯이 밝혔다. 그러나 그는 한 달도 못된 11월 2일에는 "북한 핵무기의 위협을 과장해서는 안 된다"고 강조하고 "북한의 핵무기 개발로 한반도의 군사균형이 깨지지는 않았다"고 주장했다.[5] 이에 따라 정부는 금강산관광 및 개성공단 운영 등 종전의 대북지원을 계속할 뜻을 밝히고 유엔의 대북제재 결의에도 소극적으로 임했다.

노무현 정부는 미국이 주도하는 MD(미사일방어망) 체제에 참여하기를 거부했다. 또한 핵개발 관련 물질을 수송하는 북한의 선박을 공해상에서 강제 검문하는 미국 주도의 PSI(대량살상무기 확산방지구상)에도 참여하지 않을 방침을 밝혔다. 그의 이 같은 방침은 민족공조를 중시하는 그의 기본자세에서 비롯되었지만 미국의 노무현에 대한 불만은 그만큼 증대했다. 노무현 정부는 외교정책을 수행하는 과정에서 대미외교와 대북정책을 둘러싸고 자주파와 동맹파 간의 갈등을 겪었다. 이 같은 갈등은 유엔에서의 북한인권결의안을 반대 내지 기권하자는 자주파와 북한의 인권유린을 규탄하는 국제여론을 존중해야 한다는 동맹파의 대립이 그 대표적인 예이다. 이들은 또한 이라크 추가 파병문제, 주한미군 용산기지 이전협상문제로 다투었다. 자주파는 이종석 국가안보회의 사무차장을 비롯한 주로 운동권 출신의 청와대와 여당 실세들이었고 동맹파는 주로 외교부 간부들과 직업 외교관 출신 각료들 및 청와대 외교안보라인이었다.

2. 조건 없는 대북지원정책

햇볕정책 개악한 무원칙의 대북정책

노무현은 김대중 정부의 햇볕정책을 보완적으로 계승한다면서 자신의 대북 정책을 '평화번영정책'이라고 명명했다. 그 역시 김대중처럼 북한의 핵무기개 발을 자위용이라고 비호하고 북한의 인권문제에는 침묵했다. 그는 김대중보다 대북지원에는 더 적극적이었다. 후보시절에 "남북대화 하나만 성공시키면 나 머지(국정)는 깽판 쳐도 괜찮다"[6]고 말한 그가 임기 동안 중앙정부 지방정부 민 간단체의 유무상 지원금을 포함, 북한에 지원한 액수는 김대중 정부 당시의 2 조 7,028억원의 2배가 넘는 5조 6,777억원에 달했다.[7]

김대중과 김정일이 서명한 2000년의 6·15선언은 제2차 정상회담을 서울에 서 하기로 명기하고 있다. 그러나 노무현은 스스로 남북합의사항을 깨고 평양 을 찾아가는 저자세도 마다하지 않았다. 그는 2007년 10월 3~5일까지 북한에 체류하면서 김대중이 그랬던 것처럼 국군포로와 납북어민 송환문제, 북한 인권 문제, 그리고 가장 중요한 북핵문제에 대해 심도 있는 토론도 하지 않고 뒤에서 설명하는 바와 같이 6자회담에 이 문제를 넘기고 말았다.[8] 그는 예우면에서도 수모를 당했다. 그 예가 7년 전 김대중이 그랬던 것처럼 만수대의사당에서 가 진 김영남(金永南) 최고인민회의 상임위원장과의 두 시간 남짓한 공식회담이었 다. 북측은 최고인민회의 상임위원장인 김영남이 헌법상 국가원수이므로 노무 현과 최고위급 회담을 가져야 한다고 주장했고 남측은 이를 받아들였다. 그러 나 이 주장은 북측의 엉터리주장이다. 아시아 아프리카 지역의 국가원수가 북 한을 방문하면 김영남과 만나 회담하지만 러시아 대통령이나 중국의 국가주석 은 바로 김정일과 만난다. 북한과 남한은 국가와 국가 간의 사이가 아닌, '통일 을 지향하는 과정에서 잠정적으로 형성된 특수관계'라고 남북기본합의서에서 규정한 이상 남북의 두 최고지도자가 만나는 것이 당연하다. 북한당국이 노무 현을 맞으면서 남측의 대통령을 개도국의 국가원수처럼 취급해 김영남이 상대 한다는 것은 어불성설이다.

굴욕적인 김영남과의 회담 내용

　김영남과의 회담 내용도 굴욕적이었다. 김영남은 노무현을 맞아 '자주'와 '민족공조' 등 이른바 '근본문제'에 관해 1시간 가까이 준비된 원고를 읽었다. 이를 참다못한 노무현은 "이제 들은 것으로 합시다"라고 제지했다.[9] 노무현의 방북 첫 날 저녁 북측의 환영파티 역시 김영남이 주최하고 김정일은 나타나지 않았다. 김정일은 노무현이 그 이튿날 저녁 북측을 위해 주최한 만찬회 자리에도 불참하고 김영남이 북측을 대표해 참석했다. 김정일은 노무현이 떠나는 날 오찬을 베풀었다. 이런 북측의 태도는 그들이 대한민국 대통령을 의도적으로 김영남과 동격으로 만들려는 데서 비롯된 것이다. 북측이 남측을 이렇게 대하는 것은 그들이 여전히 '남조선해방'과 백두혈통인 김일성 일가족을 통일한국의 최고지도자로 하는 세습왕국을 만들려는 꿈을 포기하지 않았기 때문이다.

　노무현은 10월 5일 경기도 파주군 도라산에서의 귀환보고회에서 자신의 평양방문 성과에 대해 크게 만족하면서 "가져간 보자기가 작을 만큼, 짐을 다 싸지 못할 만큼 성과가 좋았다고 생각한다"고 자화자찬했다. 그는 남북관계가 새로운 단계에 진입했으며 한반도 평화구축과 군사적 긴장완화를 실질적으로 이루어냈고 남북 경협도 한반도 전체를 배경으로 틀을 잡았다고 말했다.[10] 그는 평양에서 발표된 '2007년 남북정상선언'에서 한반도 평화체제 구축을 합의한 것을 가장 큰 업적인양 말했다. 그러나 평화체제 구축문제는 이미 1991년 12월에 체결된 남북기본합의서 제5조에서 "남과 북은 현 정전체제를 남북 사이의 공고한 평화상태로 전환시키기 위하여 공동으로 노력하며…"라고 규정하고 있다. 따라서 북핵문제를 6자회담에 넘긴 것 이외에 이보다 진전된 알맹이가 없는 노무현과 김정일의 평화구축 선언은 결코 평화체제의 '새로운 이정표'가 될 수가 없다. 문제의 '2007년 남북정상선언'(세칭 '10·4선언')제4항은 "정전체제를 종식시키고 평화체제를 구축해 나가야 한다는 데 인식을 같이 하고 3개국 또는 4개국 정상들이 한반도에서 만나 종전을 선언하는 문제를 추진하기 위해 협력해 나가기로 합의했"고 밝히면서도 북핵 폐기라는 전제가 없다. 다만, 제4항은 별항에서 '한반도 핵문제' 해결을 위해 6자회담의 9·19공동선언과 2·13합의가 순조롭게 이행되도록 공동노력하기로 했다면서 이 문제를 6자회담에 넘김으로써 종전선언과 북핵 폐기 문제를 연동시키지 않고 있는 것이다.

북측의 변함없는 목표는 연방제를 달성함으로써 주한미군을 철수시키고 국가보안법 철폐로 남한에 친북정권을 수립하는 데 있다. 그런 점에서 '2007년 남북정상선언'이 제1항에서 6·15공동선언의 고수와 6·15기념일의 제정을 합의, '우리끼리'를 강조하고 제2항에서 내부문제 불간섭, 즉 북한 인권문제 제기에 쐐기를 박는 동시에 '통일을 위한 법률적 제도적 정비', 즉 국가보안법 철폐 주장의 근거를 마련한 것은 김정일의 승리이자 노무현의 양보라 할 것이다.

북한의 개혁·개방 원칙 포기

평양선언은 또한 '민족경제의 균형 있는 발전과 유무상통의 원칙'에 입각한 남측의 대북경제지원이라는 이상한 원칙을 선언했다.[11] 이것은 노무현식 '통 큰' 정책이기는 해도 경제지원을 통해 북측의 개혁 개방을 유도한다는 김대중식 햇볕정책 정신을 포기한 것을 의미한다. 노무현은 방북 이틀째인 4일 오전 김정일이 그를 향해 개성공단에 대해 언급, "특구 해서 우리가 덕 본 것 없다. 남쪽이 개성공단을 개혁·개방의 성공적 사례라고 자랑하는데, 특구 하자고 해놓고 개혁·개방 같은 정치선전을 하면 우리는 못한다"고 거세게 항의했다. 이 말을 들은 노무현은 그날 저녁 남쪽 대표단만의 옥류관 만찬에서 북한 체제를 존중하는 '역지사지'의 자세를 강조하면서 "(나는) 개혁과 개방이라는 용어에 대한 불신감과 거부감을 회담에서 느꼈다. 개성공단의 성과를 얘기할 때 북측 체제를 존중하는 용의주도한 배려가 있어야 한다"고 말했다.[12] 그는 또 이튿날 서울로 돌아오는 도중 개성공단을 시찰하는 자리에서도 인사말을 통해 "이번에 (북측과) 대화를 해 보니 '남측에서 개성공단을 정치적으로 이용해서 못마땅하다'는 말을 들었다. 그동안 '개성공단이 잘되면 북측의 개혁, 개방을 유도하게 될 것이다'고 말해 왔고 나도 그렇게 생각했다"면서 "그러나 이곳은 남북이 함께 성공하는 자리이지 누구를 개혁, 개방시키는 자리가 아니다. 개혁, 개방은 북측이 알아서 할 일이다"고 말했다.[13] 며칠 후 통일부는 웹사이트에서 '개혁 개방'이라는 구절을 삭제했다.

그러면서도 노무현은 평양방문 기간 중 임기를 불과 5개월밖에 안 남긴 시점에서 엄청난 대북경제협력을 약속했다. 노무현과 김정일의 '2007년 선언'은 '서해평화협력 특별지대'를 설치해 NLL(북방한계선)을 유명무실화 할 수 있는 공동어로구역과 평화수역 설정 및 경제특구의 확대, 개성-신의주 철도와 개성-평양 고속도로 공동이용 추진, 조선협력단지 건설 등등 많은 경제 프로젝트들을 합의했다.[14] 이들 지원계획에 소요되는 14조 3천억규모[15]의 방대한 재원을 어떻게 조달할지도 문제이지만 북한의 정치 경제체제를 그대로 둔 채 추진하는 이 같은 경제프로젝트들이 과연 통일에 기여할 수 있을지 문제가 아닐 수 없다. 북측이 남조선혁명을 포기하고 있지 않은 상황에서는 무조건적인 대북 경제지원은 그들의 체제와 역량만 강화하는 어리석은 행동이 될 우려가 있다. 북한으로 하여금 핵개발을 하도록 방치한 햇볕정책의 문제점이 바로 여기에 있다. 과거 평양 주재 소련대사관에서 8년간 근무한 바 있는 바실리 미헤예프 러시아 세계경제 및 국제관계 연구소(IMEMO) 동북아시아연구센터 소장은 노무현의 평양방문을 지켜본 다음 남측의 대북경협확대가 한반도의 긴장완화에 도움이 되지 않을 것이라고 전망하면서 "북한 체제가 시장경제를 지향하도록 바꾸지 못할 경우 남한의 지원금은 군수품으로 바뀔 것이다. 경협 확대의 결과 긴장이 풀릴 것이라고 생각하면 정말로 순진하다고 본다"고 논평했다.[16]

3. 좌파세력 비호정책

보안법 폐지 추진과 한총련 합법화 기도

노무현은 취임 초부터 국가보안법 폐지를 추진하다가 보수세력의 강력한 저항에 부딪쳐 끝내 이를 보류하고 말았다.[17] 그가 국가보안법 폐지를 결심한 것은 변호사 시절부터였다. 그는 1984년 반미·자주화를 내건 삼민투(三民鬪)사건 변론 때 국가보안법의 위헌성을 강력히 주장했다. 국가보안법은 범죄구성요건이 명확하지 않아 죄형법정주의에 맞지 않고, 특히 이적표현물 소지죄는 사상의 자유와 양심의 자유를 침해할 소지가 있다는 것이었다. 이어 1988년 9월 울산사회운동협의회 주최로 열린 강연회에서 그는 마침내 "국가보안법은 사상의 자유를 억압하는 악법"이라고 선언하기에 이르렀다.[18] 그와 함께 국가보안법 폐지에 적극 나선 세력은 정부여당 내의 386운동권 출신들이었다. 이에 대해 운동권 출신인 한나라당 이성헌(李性憲) 사무2부총장은 '전향하지 않은 주사파들'이 보안법 개정추진 주체라고 주장했다.[19] 노무현은 퇴임 후에는 헌법에 평화통일조항이 있는 것을 잊었는지 국가보안법이 평화통일을 위한 남북대화에 장애가 된다고 북측과 같은 주장을 폈다.[20]

탄핵 역풍 속에서 원내 과반수를 달성한 열린우리당은 2004년 17대 국회 첫 정기회의에서 국가보안법, 사립학교법, 과거사진상규명법, 언론관계법의 4개 법안을 개혁 대상으로 지목하고 개정작업에 착수했다. 이들 법률을 손보려 한 것은 열린우리당의 좌파적 성향에서 나온 것이어서 야당의 격렬한 반대에 부딪 쳤으나 과거사진상규명법은 의도대로 개정되었다.

노무현은 국가보안법 폐지문제와 직결되는 한총련의 합법화에 대해서도 적극적이었다. 그는 후보시절 "남북관계와 제반 정치적 상황 등을 살펴볼 때 한국 사회가 저명하고 대표성 있는 학생단체를 굳이 이적단체로 법으로 금지하고 다뤄야 문제가 풀리는 수준은 아니라고 본다"고 말했다.[21] 노무현은 취임 직후인 2003년 3월 법무부의 업무보고를 받는 자리에서 한총련의 이적성 여부와 피수배자의 수배문제를 재검토하라고 지시하면서 "언제까지 한총련을 이적단체로 간주해 수배할 것인지 참 답답하다"고 말했다. 그는 이어 한총련이 대법원에 의해 이적단체로 확정 판결된 사실을 알면서도 "이는 시대의 변화에 맞지 않는 만큼 이 문제에 대해 진지하게 검토해 달라"고 당부했다.[22]

그의 지시는 보수세력의 큰 반발을 샀다. 노무현의 지시를 국가 정체성 훼손으로 본 야당과 보수계의 신문 및 헌변(정식 명칭 헌법을 생각하는 변호사 모임) 등 보수진영은 대통령이 검찰과 법원의 직무유기를 조장하고 있다고 맹렬하게 비난했다. 검찰 역시 부정적인 입장이었다.[23] 보수세력의 우려는 그 후 한총련의 폭력시위활동으로 그 정당성이 입증되었다. 이들의 무분별한 폭력시위 때문에 PD계열이 1999년 떨어져 나와 전국학생회협의회(전학협)를 결성하더니 2006년에는 온건파 대학생 조직인 21세기한국대학생연합(한대련, 2005년 발족)으로 대부분의 대학 총학생회가 옮겨갔다. 2008년 한총련 16기 의장선거에는 단 1명의 후보도 나오지 않아 집행부를 구성조차 하지 못하고 김현웅 남총련의장(전남대 총학생회장)을 비상대책위원장격인 한총련투쟁본부장으로 추대했다. 이를 계기로 한총련은 결성 15년 만에 사실상 와해되어 끝내 합법화되지 못했다.[24]

간첩 방치로 국가안보 저해

김대중 정부 아래서 공안사건 적발건수가 전임 정권에 비해 급감해 "김대중 정권이 들어서면서 한 사람의 간첩도 잡지 않았다"고 김영삼이 비난한 사실은 이미 Ⅶ-**4**(90년대 후반~2000년대 초의 지하조직)에서 살펴보았지만 노무현 정부 들어서는 그런 경향이 더욱 심했다. 노무현 정부 당시는 2006년 7월 노동당 35호실 소속 공작원인 직파간첩 정경학[25]을 체포한 것이 유일한 북한직파 간첩 검거사건이었다. 노무현 정부가 적발한 해외교포와 내국인들이 관련된 간첩사건은 뒤에서 설명하는 일심회간첩사건 정도였다.

노무현은 취임 첫해에 재독학자 송두율(宋斗律) 교수를 감싸고 돌아 논란을 불러일으켰다. 노무현과 보조를 맞춘 강금실(康錦實) 법무장관은 2003년 9월 "송 교수가 북한 노동당 정치국 후보위원 김철수라고 할지라도 처벌할 수 있겠느냐"면서 송두율을 처벌할 수 없다는 견해를 공개적으로 표명해[26] 한나라당을 비롯한 보수세력의 거센 비난을 받았다. 노무현은 그해 10월 청와대 기자들과의 간담회에서 송두율이 관계기관에서 적절하게 처리되는 것이 마땅하다고 말하면서도 "송 교수나 그 밖의 많은 사람들은 분단체제 속에서 생산된 것이고, 이런 것을 가지고 (이념공세의) 건수를 잡았다고 좋아할 일이 아니다"라고 동정을 표명했다.[27]

그러나 2003년 9월 귀국한 송두율은 검찰에 의해 국가보안법 위반 혐의로 구속되어 재판에 회부된 끝에 이듬해 7월 1심에서 징역7년, 2심에서 징역3년에 집행유예 5년을 선고받았다.[28] 집행유예로 석방된 그는 검찰의 출국금지조치 포기로 2004년 8월 독일에 되돌아감으로써[29] 국내 좌파세력이 시도하고, 노무현이 적극 지원한 그의 무사귀국과 국내에서의 활동을 보장하려는 기도는 끝내 좌절되고 이를 둘러싼 논란도 일단락되었다. 아마 이때 송두율이 무사히 귀국해서 국내에서 강연 같은 활동을 벌였다면 큰 파란이 일어났을 것이다.

노무현의 좌파세력 감싸기는 동국대 강정구 교수 사건에서도 잘 드러났다. 강정구는 2004년 10월 좌파세력이 인천 자유공원에 세워져 있는 맥아더동상 철거운동을 벌이고 있는 와중에서 언론 기고문을 통해 "해방 직후 공산·사회주의를 채택해야 했다" "6·25전쟁은 통일전쟁"이라는 글을 써 국가보안법 위반 혐의로 수사를 받았다. 여론이 비등해져 수사에 착수한 검찰이 그를 구속하려 하자 천정배 법무부장관은 그를 불구속으로 수사하라고 검찰총장에 대한 수사지휘권을 발동했다.[30] 법무부장관이 수사지휘권을 발동한 것은 검찰역사상 처음이어서 이를 둘러싸고 격렬한 이념대립이 표출되었다. 물론 이 조치는 노무현의 지시에 따라 취해진 것으로 알려졌다. 강정구는 결국 2005년 12월 검찰에 의해 불구속 기소되고, Ⅶ-**3**(6·15공동선언과 친북단체들)에서 설명한 바와 같이 그동안 연기되었던 그의 만경대발언사건에 대한 재판도 함께 재개되어 1심에서 징역2년에 집행유예3년을 선고받고 이어 2007년 11월 2심 선고공판에서는 1심 형량과 같은 징역2년에 집행유예3년을 선고받았다.[31]

노무현 정부 아래서 일어난 불가사의한 사건이 바로 2003년 MBC와 SBS 등 일부 TV방송이 1987년의 KAL기 추락사건을 정부가 일으킨 폭파사건으로 몰아붙이면서 김현희가 안기부 공작원인양 보도한 일이다. 김현희는 자신이 이 프로에 출연을 거부하자 노무현 정부가 자신의 거주지를 의도적으로 화면에 노출시킨 것은 "자기들이 직접 나를 손댈 수는 없고 북한공작원이 와서 나를 살해하라"는 것이었다고 거세게 반발했다.[32] 이 프로그램 방영의 진상은 그 후에도 밝혀지지 않고 계속 미스터리로 남아 있다.

노무현 정부 아래서 과거에 발생한 많은 반국가사건의 관련자들이 민주화운동자로 인정되어 보상을 받았다. 김대중 정부가 발족시킨 민주화운동심의위는 부산 동의대사건 관련자들을 민주화운동 관련자로 판정, 유족들과 일반국민들로부터 강력한 항의를 받았다. 노무현 정부 때는 남민전사건, 남한조선노동당 중부지역당사건, 구국전위사건, 민혁당사건, 단기학생동맹사건, 영남위사건, 일심회간첩사건 등 관련자들에 대해 같은 결정을 내렸다. 전국연합, 한총련, 실천불교전국승가회, 사월혁명회, 민주언론시민연합 출신 등 진보계 인사들로 구성된 이 위원회가 2000년 9월 출범한 이래 2016년 4월 현재 총 9,713건의

민주화운동이 인정되었다.[33]

4. 인기영합주의로 경제침체

성장률 7% 공약이 4.4%로

그의 국정실패 중 경제정책 실패는 가장 큰 것이었다. 노무현은 대선후보 시절 7%의 경제성장률을 약속했지만 막상 취임 첫해인 2003년의 실질경제성장률은 당시 세계경제가 비교적 호황이었는데도 불구하고 외환위기 이후 최저치인 3.1%에 그쳤다. 노무현은 2004년 11월 남미순방도중 "2002년 대선 때 이회창 후보가 경제성장률 6%를 내놓기에 저도 약이 올라서 7%로 올려 내놓았다"며 좌중을 웃게 한 후 "7%는커녕 지난해 3.1%, 올해 5%에 그쳐 매를 맞아도 싸죠"라고 털어놓았다.[34] 노정권 아래서 한국경제는 5년간 평균성장률이 3%대였던 OECD 회원국들 중에서는 상위권인 3위였지만, 아시아 각국의 평균성장률 7%와 세계평균 4.9%에는 못 미치는 4.4%에 그쳤다.[35] 국내총생산에 있어서 세계10위였던 한국은 노무현 정부 아래서 2004년에 인도, 2005년에 브라질, 2006년에는 러시아에 연속적으로 추월당해 세계13위로 주저앉았다.[36] 국가경쟁력과 외국인 직접투자 유치 등 국제사회에서의 국가 위상을 나타내는 세계화 순위도 연속적으로 떨어져 2006년의 29위에서 2007년에는 35위로 후퇴했다.[37]

경제는 김대중과 노무현의 좌경 중도정권 10년 동안 침체상을 겪었다. 김영삼 정부 때까지 7%대 이상의 성장률을 보인 한국경제가 김대중·노무현 정부 아래서 5%대로 뚝 떨어져 '잃어버린 10년' 논쟁을 촉발했다. 다만 노무현 정부 아래서 정보화의 착실한 확대와 급속한 IT산업의 성장으로 수출이 연평균 18.4%나 늘어난 것은 분명히 업적에 들어간다. 그러나 수출이 크게 증가했음에도 불구하고 경제성장률이 잠재성장률을 밑돈 것은 평균 3.8%에 불과한 설비투자 증가율 등 경제정책의 과오에 기인한 것이라 해야 할 것이다.[38]

분배 강조 후 서민 생활 더 어려워져

노무현은 "골고루 잘 사는 나라, 중산층과 서민도 당당하게 대우받는 나라를 만들어야 한다"고 강조하면서 분배를 중요시하는 정책을 썼다.[39] 일부 비판자들은 노무현의 분배 편향정책을 '포퓰리즘과 사회주의의 합작품'이라고 규정하고 그가 성장잠재력의 지속적인 하락을 불러 '빈곤의 평등'을 결과했다고 지적했다. 그의 경제정책 기조를 이루는 키워드는 항상 '서민'과 '빈부격차 완화'였다. 일부 언론이 그의 경제노선을 가리켜 "과거 (그의) 사고보다는 더 시장주의적이고, DJ(김대중)보다는 더 사회주의적인 중간선에서 조정될 것으로 예상된다"고 전망한 것[40]도 이 때문이다.

당시 언론들은 전문가들의 분석을 토대로 노무현의 경제정책이 그가 후보 당시 속했던 민주당보다는 좌파정당인 민주노동당과 참여연대에 가깝다는 진단을 내렸다.[41] 노무현이 경제정책에 있어서 김대중보다 더 복지를 중시하고 있다는 사실은 2002년 4월 27일의 후보수락 연설에서 잘 나타났다. 그는 "국민의 정부가 생산적 복지에 힘쓴 것은 훌륭했지만 충분하지는 못했다"면서 김대중 정부보다 더욱 복지정책에 주력할 것을 시사했다.[42] 그는 이를 위해 4대 보험의 안정적 운용, 기초생활보장제도 개선, 사회안전망 확충을 다짐했다. 노무현은 대선 투표일에 임박해서 사회보장비 지출 규모를 2002년의 국내총생산 대비 10%에서 2007년까지는 13.5%로 늘리겠다고 공약했다.[43] 그는 취임 후 복지분야 예산을 임기 5년 동안 연평균 20.1% 이상 늘렸다.[44]

그러나 성장동력 확충보다는 분배우선의 이 같은 복지정책에도 불구하고 저성장 고실업, 즉 경제침체로 인해 실업자, 특히 청년실업자가 늘어나고, 못사는 사람은 더욱 못살게 되어 참여정부 출범 이후 경제의 양극화는 해를 거듭할수록 심화되었다.[45] 김대중 정권 출범 전인 1996년 68.7%였던 중산층은 노무현 정부 말기였던 2006년에는 58.5%로 10.2%포인트 줄어들어 100분위로 따지면 14.6%나 감소, 서민의 삶은 더 어려워졌다.[46]

노무현의 평등주의정책은 그의 국가균형발전정책에서도 잘 나타났다. 그는 이를 위해 공기업의 지방 이전과 행정도시를 비롯한 혁신도시 및 기업도시 등 건설계획을 내놓았다. 지역균형발전정책의 백미는 그가 끈질긴 집념으로 밀어

붙인 신행정수도 건설계획일 것이다. 대선공약으로 충청권에 행정수도 건설을 약속한 그는 취임 첫해인 2003년 12월 국회에서 신행정수도 건설 특별조치법 안을 통과시키고 이듬해 8월에는 최종후보지로 충남 연기·공주지역을 선정했다. 그러나 2004년 10월 헌법재판소는 신행정수도 건설특별법에 대해 위헌결정을 내림으로써 노무현에게 대타격을 가했다. 하지만 노무현은 이에 굴하지 않고 이번에는 원래의 계획을 변형한 '행정중심복합도시'계획을 밀어붙여[47] 우여곡절 끝에 2007년 7월 연기군 '중심행정타운' 예정지에서 행정중심복합도시 (행복도시)인 세종특별자치시 건설 기공식을 거행하기에 이르렀다. 그는 축사에서 앞으로 세종시에는 청와대와 정부부처가 이전해 와야 한다고 다시 주장했다.[48]

국가 개입 선호한 좌파적 경제정책

노무현은 시장의 자유와 자동조절 기능보다는 국가의 개입을 선호하는 좌파적 경제정책을 선호했다. 그 대표적인 예가 노동시장과 부동산시장에 대한 국가개입정책이다. 그는 임기 중 일자리 250만개의 창출을 공약했으나 경제침체로 고용이 늘지 않자 2004년부터 5년간 200만개의 일자리를 창출할 목적으로 국가예산에서 현금 12조 원을 쏟아 부었다. 하지만 신규 일자리는 계속 줄어들어 목표에 크게 미달하고 실업자는 늘어만 갔다. 노정권 5년간 도산으로 인해 국가가 대신 근로자 임금 등을 지급한 중소기업수는 김대중 정부 때의 4.4배인 8,651개 사(고용원 18만 8,441명)에 달했다.[49]

노무현은 부동산 가격을 안정시키기 위해 시장에 개입, 강력한 조세정책을 폈다. 그러나 결과적으로는 부동산가격은 폭등하고 집 없는 서민들이 주택을 살 기회만 박탈하고 말았다. 노무현 정부가 재임기간 동안 지방도시 개발계획으로 토지를 수용당한 사람들에게 지급한 토지보상비 87조 1천억원[50]이 주택 구입에 동원됨으로써 부동산값 폭등의 한 원인이 되었다. 그는 취임 후에는 부동산문제로 서울 강남지역의 부유층을 노골적으로 공격해 빈부격차를 강조하고 못 가진 자의 가진 자에 대한 반감을 자극했다. 이 때문에 당시 경제부총리이던 이헌재(李憲宰)는 "요즘은 한국이 진짜 시장경제를 할 수 있을지에 대한

의문이 들기도 한다"고 말하면서 시장경제원리를 거스르는 사례로 아파트 분양원가 공개, 주식 백지신탁제도, 부유층에 대한 사회적 반감 등을 들었다.[51] 노무현의 인기영합주의는 노조의 불법행동에는 관대한 친노동정책으로 나타나 노사관계를 불안하게 함으로써 기업의 투자분위기를 위축시켰다. 노무현 정부가 노조의 불법파업에 단호하게 대처하지 않은 데 대해 2007년 10월, 김성호(金成浩) 전 법무장관은 "불법파업에 대한 무관용 원칙을 통해 법질서 바로세우기를 전 정부적으로 확산시키지 못한 것은 다른 견해를 가진 쪽의 저항이 간접적 원인이었다"고 술회했다.[52]

노무현은 선진국들이 지향하는 '작은 정부'의 원칙을 외면하고 임기동안 558회의 조직개편을 통해 공무원 6만 6천여 명을 증원했다. 좌파들이 국가의 비대화를 선호하는 전형적인 예이다. 공무원 증원 상황을 보면, 청와대 비서실은 2003년 2월 현재 405명이던 정원을 2007년 10월 현재 531명으로 31%나 늘어나고 장관급은 33명에서 40명으로, 차관급은 73명에서 96명으로 늘어났다. 이로 인해 공무원 인건비가 2003년 16조원에서 2007년에 5조원(30%)이나 늘어난 21조원에 달하는 등 정부지출이 증가했다. 이 같은 방만한 재정집행으로 인해 국가채무가 1948년 건국 후 김대중 정부말까지 누적된 전체 국가채무 133조보다도 많은 165조가 노무현 집권 5년 동안에 늘어나 국가부채 총액이 2007년 말 현재 298조 9천억 원에 이르렀다.[53]

"노무현 정부는 좌파 신자유주의 정권"

노무현은 임기 마지막 해인 2007년 1월 신년사에서 '소득 2만달러 시대'라는 캐치프레이즈를 내걸고 성장정책으로 돌았다. 다행히 저환율 덕으로 그 해의 1인당 소득은 간신히 2만 달러에 도달했으나 기름값 급등, 환율불안, 그리고 친노동·반기업정책 등으로 인한 투자저조로 실업과 비정규직문제가 심각한 사회문제로 등장했다.

노무현은 반시장적 태도에도 불구하고 세계화와 신자유주의라는 흐름을 거스르기보다는 투명성과 책임성을 이룩하고 자유경쟁에 뛰어들어야 한다고 생각했다. 그가 한미FTA(자유무역협정)에 대해 긍정적인 것도 이 때문이었다.[54]

노무현은 외자유치와 시장개방 및 노동시장 유연화에도 적극적인 태도여서 민노당 및 민주노총과는 분명한 차이점을 나타냈다.[55] 노무현은 이로 인해 노조 측으로부터는 신자유주의 정권이라는 반발을 사 그의 경제정책이 보수 진보 두 세력으로부터 모두 비판받는 사면초가 상태가 되었다. 노무현은 2006년 3월 청와대에서 마련된 '국민과의 인터넷 대화' 시간에서 자신의 정부가 '좌파 신자유주의 정부'라고 말하면서 "순수 이론적인 어떤 이념적 틀 속에 국가가 들어가는 것이 아니라 국가 안에 여러 가지 이념이 들어오는 것이다. 나는 양 날개를 조화해서 갈 수 있다고 생각한다"고 말했다.[56] 노무현을 평해 "머리는 레닌의 '제국주의론', 마음은 민족지상주의, 몸은 신자유주의에 있는 노무현 정부는 기형"이라고 한나라당 남경필(南景弼) 의원은 비판했지만[57] 노무현을 옹호하는 사람들은 "그는 오른 쪽에서 보면 좌파이고, 왼쪽에서 보면 우파"라고 평가했다. 결론적으로 평가하자면, 노무현 정부의 경제정책은 한미FTA체결을 제외하면, 불법시위와 불법파업 등 법치주의의 문란과 반시장 반기업 환경, 무리한 지방발전계획으로 인한 막대한 토지보상비 지급 등 예산 과다지출과 비대한 적자정부 운영으로 경제의 활력을 살리지 못했다.

5. 평등주의 교육정책과 좌편향 교과서

'교육혼란의 10년'

노무현 정부의 교육정책은 지나친 평등주의 때문에 교육의 전반적인 질적 하향평준화를 가져왔다. 김대중·노무현 정부는 교육이 백년대계라고 강조하면서도 김대중 정부에서는 7명, 노무현 정부에서는 5명의 교육부장관을 바꾸어 장관마다 새로운 교육정책을 내놓는 바람에 정책의 일관성을 잃고 학부모들을 혼란에 빠뜨렸다. 한마디로, 좌경정권 10년이 '교육혼란의 10년'이었다는 비판[58]은 결코 과장이 아니다.

두 정권의 교육정책은 과거의 보수정권에 비해 진보성을 띤 점에서는 비슷했지만 김대중 정부 아래서 교육의 수월성과 평등성 간에 갈등을 보여 혼란을 빚었다면 노무현 정부 아래서는 완전히 인기영합적인 평등주의에 기울어 계속 학교 측과 마찰을 빚었다고 할 수 있다. 노무현 정부의 교육평등주의는 거의 교조주의적이었다. 김대중 정부 당시의 수월성과 평등성 간의 형평 배려는 경시되고 인기영합적인 평등주의가 교육정책을 지배했다. 화두가 된 것만으로 세상을 떠들썩하게 했지만 노무현이 슬쩍 입에 올렸다가 심한 반발을 불러일으킨 '서울대 폐지론'이 그 단적인 예이다. 노무현 정부는 대학입시 본고사부활과 고교평준화정책, 그리고 대학의 기부금입학제를 금지하는 이른바 3불정책을 고수하면서 수능·내신의 실질 반영비율과 논술문제 유형 등을 정한 가이드라인을 강요해 임기가 끝날 때까지 대학 측과 갈등을 빚어 왔다.

노무현 정부 당시 논란거리였던 교육문제 중 하나가 근현대사 교과서였다. 2003년에 전체 고교의 54%, 2004년에는 51%가 채택한 금성출판사 발행 고교 2~3년생용의 《한국근·현대사》는 민중사관과 반제민족해방이론을 바탕으로 한 수정주의역사관에 입각해서 대한민국의 정통성을 사실상 부인했다는 비난을 받았다. 이 교과서는 또 좌경적 시각에서 김일성체제가 북한의 자립경제의 토대를 마련했다고 북한정권을 미화하면서 북한의 《현대조선역사》 내용을 그대로 옮겨 "사회주의 기초건설의 총적 과업은…자립경제의 토대를 튼튼히 닦는 것이었다"고 기술했다.[59]

교원노조의 영향력 증대와 교육 엑서더스

평준화교육이라는 이념의 덫에 사로잡힌 노무현의 참여정부는 영재교육을 위한 특수목적고등학교, 그 중에서도 외국어고 및 자립형사립학교 설립을 억제했다. 노무현의 교육정책에는 전교조의 영향도 컸다. 김대중 정부 들어 합법화되면서 차츰 교육현장에서 발언권을 갖기 시작한 전교조는 노무현 정부 아래서는 청와대와 열린우리당의 386운동권 출신들과 함께 정부의 교육정책 입안에도 간여했다. 전교조 출신들을 청와대 비서관과 행정관에 임명한 노무현 정부는 출범 첫해인 2003년 7월 발족한 제3기 교육부정책자문위원회의 각 분과에 전교조와 좌파시민단체 인사들을 대거 영입했다. 좌파코드인사들은 교육혁신위원회, 사학분쟁조정위원회, 교육현장안정화대책위원회, 대학자율화위원회 등 각종 위원회에도 대거 포진했다.[60]

노무현 정부는 이른바 4대 개혁입법의 하나로 사립학교법을 개정, 개방형이
사제를 도입해 전교조의 영향력을 강화함으로써 사학재단의 운영권을 약화시
켰다. 역대 정부는 일부 사학에 대해 학원비리를 이유로 재단이사진을 해임하
고 (관선)임시이사를 파견했다. 노무현 정부 들어 이런 사학들이 크게 늘어나
전체 학교수가 33개(대학 13개, 전문대 8개, 고교 12개)나 되었다.[61] 일부 사학
에서는 교원노조나 외부세력이 학생들을 선동해서 학원분규를 일으키면 정부
가 이를 구실로 개입했다.

평준화교육으로 인해 공교육의 파행이 일어나고 학생들은 사설학원으로 몰
려가는 사태가 되자 이로 인한 사교육비가 노무현 정부 5년간 김대중 때보다 2
배나 되는 연평균 21조원에 달했다.[62] 영어 수업을 비롯한 각종 선진교육을 받
기 위해 해외에 조기유학을 가는 초중고교생들이 기하급수로 증가, 2006년의
경우 1,839명이던 1999년의 15배나 되는 2만 9,511명으로 늘어났다. 이에 따
라 자녀와 부인을 외국에 보내고 국내에서 혼자 사는 이른바 '기러기아빠' 수
도 2006년의 경우 약 1만명에 달했다.[63] 2007년에는 서울에서만 미국 등 해외
에 조기유학을 떠난 학생수가 그 2년 전보다 2배로 불어난 1만 5,237명(초등
8,298명, 중학 4,379명, 고등학교 2,560명)에 달했다.[64]

6. 보수언론 옥죄기

언론과의 전쟁을 선언

노무현의 언론정책은 자유민주주의적인 언론질서와 시장원칙에 따른 언론시
장판도를 근본적으로 바꾸려는 대담한 내용이었다. 그의 언론관은 한국현대사
에 대한 수정주의적 역사관, 즉 대한민국은 분열세력이 세운 나라이며 기회주
의자들이 판치는 나라라는 부정적인 그의 역사인식과 밀접한 관련이 있다. 그
는 기존 보수언론이 분열세력의 이같이 썩은 체제와 제도를 지탱하는 수구세력
이라고 단정하고 이들 언론이 주류를 이루고 있는 한국의 언론질서를 개편하
고자 했다. 그는 이를 관철하기 위해 '언론과의 전쟁'도 불사하겠다는 전투적인
자세를 취했다. 이 같은 그의 언론관은 시민단체의 급진적 언론개혁운동과 그

바탕이 되는 서양의 좌파적인 정치경제학적 언론이론이 뒷받침되었다.

노무현의 언론정책은 첫째, 영향력이 막강한 방송매체를 장악하기 위해 그와 코드가 맞는 우호적인 인사들을 방송사 경영자로 임명하는 인사정책이었다. KBS 사장에 2002년 대선 때 그를 지원한 한겨레신문의 논설주간 정연주(鄭淵珠)를 임명한 것이 그 대표적인 예이다. KBS는 2004년 국회에서 한나라당과 민주당이 노무현에 대한 탄핵소추안을 통과시키자 전파를 통해 집중적으로 그 국회 결의 자체가 부당한 것처럼 선전하면서 야당들을 공격해 마침내 그해 총선에서 열린우리당이 압승하는 데 기여했다. 노무현은 방송정책을 결정하고 감독하는 방송위원회의 상임위원 5명 중 위원장을 비롯한 3명을 그와 코드가 맞는 민언련(정식 명칭 민주언론시민연합) 출신들로 충원했다. 노무현 정부 당시 이백만 청와대 홍보수석비서관이 이해찬 국무총리의 측근을 아리랑TV 부사장에 임명하라고 유진룡(柳震龍) 문광부 차관에게 청탁을 했다가 거부당하자 청와대가 그를 차관 취임 6개월만에 해임, 물의가 일어난 사건은 노무현 정부 당시 행해진 이른바 코드인사의 전형이었다.[65]

둘째는 《동아일보》《조선일보》《중앙일보》 등 그에게 비판적인 3대 보수지의 회사지배구조 변경시도였다. 노무현은 이들 신문을 '족벌언론'이라고 규정하고 "족벌언론은 수구적 이익과 자기 회사 이익에 맞지 않으면 공격을 하며, 자신들의 이익을 보호하기 위해 왜곡된 공격을 하고 있다"고 비난했다.[66] 그는 이에 따라 '족벌언론'의 소유구조를 고쳐 신문사의 일가족 소유를 금함으로써 특정인의 언론사 지배력을 약화시키려 했다. 그는 김대중 정부 당시 언론사에 대한 세무조사가 진행 중이던 2001년 7월 MBC라디오와의 인터뷰에서 "언론이 단순한 사유재산이 아니고 국가의 공공적 재산이라면 (언론사의) 소유지분을 제한하는 제도개혁이 있어야 한다고 생각한다. 기자들에게 언론자유를 돌려주기 위해서는 인사권 독립까지 가야 하며, 그래야 기자들이 자유롭게 취재하고 보도하는 언론자유가 꽃필 수 있다"고 소신을 밝혔다.[67]

셋째는 신문사 구독률의 상한제 설정이다. 특정신문의 구독률 상한선을 설정해서 그 이상의 부수를 팔지 못하도록 하자는 웃지 못할 발상이었다. 노무현은 2002년 11월 언론의 독과점 문제에 대해 "유럽 국가처럼 우리나라도 특정 언론사의 시장 점유율이 일정 수준을 넘지 못하도록 제한할 필요가 있다"고 밝혔다.[68] 이런 주장은 나중에 국회에서 법제화되었으나 헌법재판소로부터 위헌판결을 받았다. 노무현에 비판적인 보수신문에 대한 견제 움직임은 시민단체들의 운동으로도 나타났다. 2002년 5월 노사모(정식 명칭 노무현을 사랑하는 사람들의 모임)는 "1차로 올 연말까지 조선일보 50만부 절독(切讀)운동을 벌이겠다"면서 조선일보 보이콧운동을 목표로 내걸었다.[69] 언론개혁시민연대의 집행위원장인 김동민(金東民) 한일장신대 교수는 2002년 12월 《한겨레》에 기고한 칼럼에서 "현재의 (3대지 전체 점유율) 75%를 35%로 낮추어 그 빈자리는 한겨레나 한국, 경향, 대한매일, 문화 등 비교적 공정보도의 원칙을 지키는 젊은 신문들로 채워야 한다"고 주장했다.[70]

넷째는 보수계신문을 견제하기 위해 자신과 정치적 코드가 맞는 마이너신문을 지원했다. 이는 이이제이(以夷制夷)전술이었다. 노무현은 대선에서 승리한 다음 한겨레신문사를 찾아가 간부들에게 "협조에 감사한다"고 사의를 표했으며 나중에 단독회견도 해주는 특전을 베풀었다. 선거기간 중 그를 호의적으로 보도한 인터넷신문인 《오마이뉴스》와도 단독회견을 가졌다. 뿐만 아니라 이들 마이너신문에는 재정적으로도 지원했다. 노무현 정부는 이를 위해 신문발전위원회와 신문유통원을 설립, 중앙지를 지원하고 지역신문발전위원회를 만들어 지방지에도 별도의 재정지원을 했다.[71] 그러나 노무현이 한미FTA를 체결하고 기자실통폐합 같은 극단적인 언론옥죄기정책을 강행하자 이들 '진보언론'들도 그에게 등을 돌리기 시작했다. 노무현은 상황이 이렇게 바뀌자 "옛날에는 편을 갈라서 싸우던 언론이 전체가 다 적이 되어 버렸다"면서 "나를 편들어 주던 소위 진보적 언론이라고 하는 언론도 일색으로 나를 조진다"고 불평했다.[72]

다섯째, 그의 언론정책은 비판적 언론에 대한 소송제기 등 여러 종류의 강공책을 특징으로 했다. 이것은 김대중 정권의 표적 세무사찰을 통한 보수언론 탄압이 실효를 거두지 못하는 것을 본 그가 취임 초부터 언론을 길들이려는 '초전박살' 전략을 쓴 데에서 비롯되었다. 노무현은 언론의 '부정확하거나 불공정한' 기사를 반박하기 위해 '청와대브리핑'이라는 인터넷홍보매체를 만들고, 정부 각 부처 관리들이 문제될 만한 기사를 미리 발견하기 위해 그 전 날 저녁에 사서 읽던 조간 가판(街版)의 구독관행을 중단시켰다. 그는 또한 언론의 '불공정하고 편파적인' 일반 기사뿐만 아니라 '비논리적인' 사설과 칼럼에 대해서도 논박하고 법적으로 대응할 것을 관계부처에 지시했다.[73] 청와대는 오보를 이유로 비판적인 신문에 대해 징벌적인 액수의 손해배상을 청구하는 위압적인 소송을 제기했으며 중재신청도 남발했다. 그 결과 노무현 정부 아래서 국가기관이 언론중재위원회에 중재신청을 낸 건수가 김영삼 정부 당시 27건의 27.8배, 김대중 정부 당시 118건의 6.4배나 되는 752건에 달했다.[74]

언론규제 위해 법 전면개정

노무현의 언론정책은 취임 후 3단계에 걸쳐 실천에 옮겨졌다. 제1차 조치(홍보업무운영방안)는 그의 취임 직후에 단행되었다. 이창동(李滄東) 문화관광부 장관은 2003년 3월 14일 새로운 '홍보업무운영방안'을 발표했는데 그 골자는 기자실의 폐지와 브리핑실 및 취재지원실 설치, 그리고 브리핑제 실시였다. 이 가운데 문제가 된 것이 기자들의 사무실 방문 취재제한과 기자의 사무실 방문 취재 때 공보관의 사전협력을 받도록 하고 취재대상자의 실명표시제를 실시하며 공무원은 기자와의 회식을 자제하고 취재에 응한 공무원은 공보관에게 통보하도록 한 조치였다. 이런 방안은 자유로운 취재활동에 대한 사실상의 탄압조치라 할 것이다. 이로 인해 국민여론이 나빠지고 비판이 일자 노무현은 4월 2일 국회에서의 취임 첫 시정연설에서 기자들의 정부부처 사무실 출입은 제한하는 것이 옳지만 업무에 지장을 주지 않는 범위 안에서 자유롭게 공무원을 만날 수 있도록 보장할 것이라고 밝혔다. 그리고 기자가 취재 때 공보관을 거치거나 공무원이 신고하도록 한 규정도 없애 이를 공무원의 자율에 맡기겠다고 밝혔다. 이로써 문광부의 새로운 조치는 일부 완화되었다. 그러나 이 문제는 뒤에서 살펴보는 바와 같이 제3차 조치에서 부활되었다.

제2차 조치(언론관계법 개정)는 2005년 1월 1일 새벽 두 개의 언론관계법안을 통과시킴으로써 실현되었다. 전년의 그믐날 국회본회의가 신정 새벽으로 연장된 끝에 통과된 두 법안 중 하나는 기존의 정기간행물법을 대체하는 '신문 등의 자유와 기능 보장에 관한 법률(신문법)안'이며 다른 하나는 '언론중재 및 피해구제 등에 관한 법률(언론중재법)안'이었다. 이들 두 언론관계법안은 노무현 정부가 추진한 국보법폐지법, 과거사조사법. 언론개혁법, 사립학교법 등 이른바 4대 개혁입법 계획 중에서 여야 합의로 맨 먼저 통과되었다. 노무현이 구상한 근본적인 언론구조개혁은 법제화가 필요했기 때문에 야당이 다수를 차지한 제16대 국회에서는 불가능했다. 그러나 2004년 4월 실시된 17대 국회의원 총선에서 열린우리당이 다수당이 되자 이를 추진하게 된 것이다. 이 법안에는 노무현이 공언했고, 또한 그동안 시민단체들이 그렇게도 집요하게 요구했던 언론사 소유구조개편, 즉 대주주의 주식소유 상한을 30%로 제한하는 조항은 열린우리당 측에서 위헌소지가 있다고 스스로 판단해 제외되었다. 국회를 통과한 신문법안은 1년 반 만인 2006년 6월 29일 그 일부가 헌법재판소에 의해 위헌결정이 났다. 위헌 결정이 난 조항은 신문의 시장점유율 조항 등이다. 1개 신문의 시장점유율이 30%가 넘거나 3개 신문이 60%를 넘는 경우에는 이를 독과점으로 인정해 특별규제를 받게 한다는 규정이었다. 헌재는 공정거래법상 여타 업종의 경우 1개 사업자 50% 이상, 3개 이하 사업자 75%일 경우에 시장지배적 사업자로 추정된다는 점, 그리고 신문의 시장지배적 지위가 독자의 선택에 의해 형성된다는 점 등을 감안할 때 이 조항은 평등권과 신문의 자유를 침해하는 규정이라고 밝혔다. 헌재의 위헌판결로 노무현 정부가 대신문의 시장점유율을 인위적으로 묶으려던 시도는 실패로 돌아갔다. 헌재는 또 정정보도 청구소송 재판을, 민사집행법상 가처분 절차에 따라 신속하게 진행하도록 함으로써 자유로운 보도를 위축시킬 위험이 컸던 언론중재법 제26조 6항 앞부분에 대해서도 위헌 결정을 내렸다. 헌재는 정정보도 청구는 그 자체가 본안 소송이라는 점에서 가처분 절차에 따라 재판을 하는 것은 옳지 않다고 판단했다.[75]

제3차 조치(취재지원선진화방안)는 노무현의 직접 지시로 단행된 가장 졸렬한 언론 옥죄기 조치였다. 그의 임기를 9개월 앞둔 2007년 5월 22일 발표된 이 조치의 골자는 청와대와 국방부 등 일부 부처를 제외한 대부분 정부 부처의 브리핑실을 세종로 정부중앙종합청사와 과천종합청사의 종합브리핑실로 통합하는 것을 골자로 하는 것이다. 이 5·22조치는 사실상 기자들의 정부부처 출입을 원천적으로 봉쇄하는 극단적인 취재제한 조치였다. 이 방안에는 브리핑실 통폐합과 함께 사전 허락 없이는 기자의 공무원 접촉 및 부처 사무실 방문을 금지한다는 조항도 들어 있었다.

5·22조치에 대한 언론의 반발이 심하게 일자 국정홍보처는 9월 14일 수정안을 발표했다. 그 내용은 '취재지원에 관한 기준안'(총리훈령)에서 대표적인 독소조항으로 지적되어 온 공무원의 기자접촉 때의 공보관과의 사전협의 조항과 면담장소 제한 조항을 삭제한다는 것이다. 그러나 브리핑실 통폐합 방침에는 변화가 없었다. 국정홍보처는 언론계의 강력한 반발을 무시하고 9·14 수정안 실시를 끝내 강행, 10월 12일 세종로 정부중앙종합청사에 있던 총리실 통일부 등 9개 부처의 브리핑실을 폐쇄하고 말았다. 1천여 명에 달하던 등록기자와 200여 명에 달하던 상주기자들은 세종로 정부청사에서 모조리 쫓겨나게 되고 재정경제부 법무부 등 10개 부처가 들어있던 과천종합청사도 1개의 통합브리핑실 이외는 모든 부처별 브리핑실을 폐쇄, 상주기자 250여 명이 없어지게 되었다. 쫓겨난 취재기자들은 정부가 새로 마련한 통합브리핑실에서 브리핑 받는 것을 거부하고 해당 부처의 로비에서 농성시위하면서 송고하는 전대미문의 사태가 벌어졌다. 브리핑실 통합문제는 노무현의 성격이 얼마나 집요한가를 잘 말해 주는 하나의 예이다. 이 광적인 조치는 이듬해 2월 이명박 정부의 출범으로 모두 백지화되어 한국언론사의 한 에피소드로 남게 되었다.

7. 진보파에 장악된 문화예술단체

노무현 정부 아래서 문화 예술계만큼 시끄러운 분야도 없었을 것이다. 왜냐하면 문화예술단체들이 진보−좌파 성향의 인사들에게 장악되어 보수성향의 문화인과 예술인들이 계속적으로 저항하는 사태가 일어났기 때문이다.

노무현의 참여정부 출범 직전인 2003년 1월 민예총(한국민족예술인총연합)과 '문화개혁을 위한 시민연대' 공동주최로 열린 새 정부 문화정책 세미나에서 강내희(姜來熙) 시민연대 집행위원장(중앙대 교수)은 "새 정부에서는 예총(한국예술문화단체총연합회) 같은 기득권 세력이 발을 못 붙이게 하고 민예총 등 진보세력을 전진 배치해 개혁을 주도해 나가야 한다"고 주장했다.[76] 이 발언은 문화예술을 사회변혁과 개조의 수단으로 삼기 위해 새판을 짜려는 전주곡이라고 일부 언론이 풀이했다. 과연 민예총과 '문화개혁을 위한 시민연대'(노무현 정부 출범 직전 '문화연대'로 명칭 변경) 출신으로 구성된 '노무현을 지지하는 문화예술인 모임'(노문모)은 2002년 대선에서 노무현 당선에 협력한 공로를 인정받아 정부의 문화예술단체 중요인사를 좌지우지하는 존재로 부상했다. 그 핵심인사는 노무현 당선의 공신인 영화인 명계남(明桂南)과 문성근(文盛瑾) 이창동 여균동(呂均東) 등으로, 이들은 우선 문화관광부장관 자리에 이창동을 앉혔다. 언론보도에 의하면 원래 이 자리에는 민주당의 이철 전 의원이 내정단계였으나 조각발표 직전인 2월 27일 문성근 감독이 노무현을 만난 다음 이창동으로 갑자기 바뀌었다고 한다.[77]

노무현 취임 후인 2003년 9월에는 국립현대미술관장과 국립국악원장에 민예총 이사장인 김윤수와 민족음악인협회 전 이사장 김철호(金鐵浩)가 각각 임명되었다. 국악계의 대선배를 제치고 임명된 김철호의 경우는 당시 '문화쿠데타'라고 불릴 정도로 과거의 관례를 뒤집은 인사여서 문화계의 거센 반발을 샀다. 국악계 원로들은 국악원장 취임식 참석을 거부하고, 전국대학 국악과 교수 포럼은 인사의 철회와 문화관광부장관의 사퇴를 요구했다. 연극계에서도 '연극인 100인 성명'을 발표하고 문화관광부는 문화예술단체장의 진보진영 편중인사를 중지하라고 요구했다.[78]

2005년 8월 한국문예진흥원의 후신으로 출범한 한국문화예술위원회(약칭 문예위)도 진보성향의 민예총 인사들에게 사실상 장악되었다. 문예위의 민간위원 11명 중 예총 소속은 2명에 불과하고 다수가 민예총 출신으로 채워졌다. 문예진흥기금을 문화계에 배분한 문예위는 지원금을 진보성향의 작가들에게 집중 배분함으로써 끼리끼리 나누어 먹는다는 비판이 일어났다. 2003년에 예총(회원 38만명) 지원액의 92%였던 진보성향의 민예총(회원 10만명) 지원액은 문예위가 발족한 2005년에는 162.9%, 이듬해인 2006년에는 거의 2배가 되는 191.3%로 증가했다.[79] 초대위원장 김병익(金炳翼)은 그해 7월, '원월드뮤직페스티벌' 추진과정의 문제를 둘러싸고 민예총 출신 위원들의 반발에 부딪쳐 임기를 1년 앞두고 물러나고 그 자리는 민중미술화가 1세대이자 민예총 이사와 문

화연대 공동대표를 지낸 김정헌(金正憲) 위원(공주대 미술교육과 교수)이 임명되었다.[80]

영화진흥위원회(약칭 영진위) 역시 김대중 노무현 두 정부 10년간 정치권력과 가까운 몇몇 영화인들에게 장악되어 좌파운동권을 지원하는 기구로 전락했다는 비판을 받았다. 한국영화감독협회(이사장 정인엽, 鄭仁燁, 감독)는 2008년 1월 성명을 발표하고 이들 몇몇 영화인들은 자신들에게 동조하지 않는 영화인을 타도대상으로 몰았으며 영진위는 이 전략과 실행을 주도하는 기지 역할을 했다고 비난했다.[81] 그 결과 친북반미 성향의 많은 영화들이 쏟아져 나오는 상황이 벌어졌다. 또한 연간 9천억원의 연구지원금을 배분하는 한국학술진흥재단(약칭 학진)도 진보성향 학자들과 노무현 정부 창출에 협조한 교수들과 연구소에 연구비를 편중 지원했다는 비난이 일었다.[82]

③ 민주노동당의 약진과 추락

민노당 내 종북파가 진정으로 섬기는 당은 북한의 조선노동당이고, 민노당은 북한 정권을 보위하는 수단에 불과한 것이다. 종북파는 진보가 아니라 수구 중에서도 가장 반동적인 세력이다.
—진중권, "민노당 쇄신, 새 진보정당 건설이 답이다"(2007. 12)

1. 좌우구도의 정치판도 출현

건국 이후 최초의 좌파정당 다수 원내 진입

2004년 4월 15일 실시된 제17대 국회의원 총선거는 민주노동당(약칭 민노당)의 원내진출을 가능케 함으로써 한국정치사상 획기적 기록을 남겼다. 개표 결과 전 지역구에 후보를 공천한 민노당은 전체의석 299석 가운데 지역구 2석, 전국구 8석, 도합 10석을 얻어 152석을 얻은 열린우리당과 121석을 얻은 한나라당 다음의 제3당으로 부상했다. 민주당은 9석, 자유민주연합은 4석을 각각 얻어 제4당, 제5당이 되었다. 민노당의 지역구 당선자는 권영길(權永吉, 창원을)과 조승수(趙承洙, 울산북)이며, 비례대표 당선자는 강기갑(姜基甲), 노회찬(魯會燦) 등 8명이다.[1] 좌파정당이 득표율에서 지역구 후보 4.3%, 정당 13%를 각각 얻어 모두 10명이나 원내에 진출한 것은 제헌국회 이래 최초의 일로, 한국 정치지형의 큰 지각변동이었다. 민노당은 2000년의 16대 총선에서 1.2%, 2002년 지방선거에서 8.1%, 같은 해 대선에서는 권영길이 3.9%(96만표)를 각각 얻어 원내진출에 서광이 비치기 시작했던 것이다.[2] 원내 진출에 성공한 민노당의 핵심들은 세대별로 보면 1980년대에 학생운동과 노동운동을 한 좌파 신세대 2기라 할 것이다. 해방 직후의 조공과 남로당 및 인민당과 근민당, 그리고 건국 후의 진보당을 이끈 박헌영 여운형 백남운 조봉암 등이 구세대 1기라면 4·19 이후 신군부 정권까지 혁신정당들을 이끈 김달호 윤길중 박기출 고정훈 김철 등은 구세대 2기이며, 민주화 직후 민중당을 이끈 이우재 장기표 이재오 등은 신세대 1기라고 할 수 있다.

제17대 총선에서 민노당이 10명이나 당선되자 여의도 중앙당사는 축제분위기로 들떴다. 민노당의 권영길 대표는 "기존 보수정당 일색의 독점적 정치구조가 '대한민국 정치 1기'였다면, 민노당의 원내 진출은 '진보 대 보수'로의 지형변동을 일으키는 '대한민국 정치 2기'를 의미한다"면서 "2008년 제1야당, 2012년 집권을 향한 본격적인 첫 발걸음이 시작되었다"고 주장했다. 민노당은 인터넷홈페이지에 이날을 '공순이, 공돌이, 농사꾼 국회에 들어간 날'이라고 명명했다.[3] 제17대 총선에서 민노당이 10명이나 당선된 배경은 산업화의 진전과 빈부격차의 심화에 따른 노동계층의 각성과 김영삼 김대중 김종필 3김의 영향력 감소에 따른 지역구도의 약화, 그리고 1인2표제로의 선거법개정이 큰 원인이었다. 이 중에서도 가장 큰 직접적 원인은 아무래도 제17대 총선에서 후보와 함께 정당에도 투표하는 1인2표제가 처음으로 실시된 데 있다고 할 것이다.

민노당의 약진에는 민노총 이외에 전농(전국농민총연맹) 및 전국빈민연합 등 진보단체들이 공동선거대책위원회를 만들고 민노당 후보들을 지지한 데도 원인이 있었다. 이들은 선거운동기간 중 매일 직종별, 세대별 릴레이식 기자회견 또는 성명발표를 통해 민노당 지지를 표명했다.[4] 민노당에 대한 지지선언에 동참한 인사들은 대략 1만명에 달한 것으로 보도되었다.[5] 이들 가운데 오종렬 전국연합 상임의장, 진관 스님 등 좌파통일운동단체 지도자 10여 명은 민노당사에서 기자회견을 갖고 "민노당은 자주와 통일, 평등과 해방을 외치며 쓰러져간 많은 노동자, 농민 민중들의 피땀으로 키워온 나무"라면서 "미국의 부당한 간섭으로부터 민족통일 시대를 열어갈 수 있는 정당은 민노당뿐"이라고 주장했다.[6]

급진적 공약과 참여 교수들

제17대 총선을 전후해서 민노당의 당원수도 비약적으로 불어났다. 2000년 1월 창당 당시 1만1천여 명이었던 민노당 당원수는 2003년 1월 말에는 그 배인 2만4천명으로 늘어나고 2004년 4월에는 4만8천명으로 4배가 되었다. 민노당은 "총선을 전후해 하루 평균 2백여 명이 신규 당원으로 가입해 왔으며, 총선 이후에는 평균 3백명을 넘어섰다"고 발표했다.[7] 민노당 당원은 창당 7주년을 맞은 2007년 1월에는 7만3천여 명으로 증가했다.[8] 민노당의 당원은 다른 정당들과는 달리 모두가 당비를 내는 진성당원이어서 이 같은 당원의 증가는 대단히 고무적인 것이었다.

민노당은 제17대 총선의 선거운동과정에서 보수정당들과 차별화된 선거공약을 내놓았다. 그 골자는 완전고용 실현, 한반도 평화실현, 식량주권 수호 등이었다. 구체적인 안으로는 부유세 도입, 신무기 도입 중단, 비례의석수 확대, 이라크 파병 철회, 주한미군 철수, 예비군 폐지, 비정규직 노동자의 정규직 전환, 근로자파견법 철폐, 쌀 개방 저지, 서울대 해체 등으로 이념적 특성을 명백히 한 것이었다. 이 중에서도 이라크 파병을 결정한 정책 책임자를 전범으로 처벌하겠다는 것과 서울대 해체 공약이 눈에 띠었다.[9]

원내 입성에 성공한 민노당은 2004년 4월, 국회 개원 직후 추진할 '우선 정책'으로 이라크 파병 철회, 공무원노조 정치활동 허용, 신용불량자 회복, 비정규직 차별 철폐, 노조활동 관련 손해배상·가압류 금지 등 5개 사안을 선정했다.[10] 민노당은 이어 국회 개원에 앞서 그해 5월 전북의 남원연수원에서 당선자 정책 연수를 갖고 발표한 '대국민 실천선언'에서 "노동자 농민 시민사회단체들과 '개혁 과제 네트워크'를 구축해 이라크 파병 철회와 민생 입법, 정치개혁을 최우선 추진하겠다"고 밝혔다. 민노당은 개혁 과제 네트워크를 통해 실현할 진보적 과제로 비정규직 차별 철폐, 무상의료 무상교육 실현, 한반도 평화 실현, 식량주권 회복 등을 들었다. 또 당직 및 공직 후보의 상향식 선출과 진성당원 확대, 당원소환제 채택을 통해 열린우리당과 한나라당의 '정치 교과서'가 되겠다는 의지를 밝혔다.[11]

미니정당의 한계와 원외투쟁

민노당은 원내 제3당으로 화려하게 국회에 데뷔하면서 노동자 농민을 대변하는 계급정당으로서 의욕적인 의정활동에 들어갔다. 민노당은 우선 영세상인들을 위한 상가건물임대차보호법 개정안을 국회에 제안했다. 의원 전용 엘리베이터를 없앰으로써 국회의 문턱을 낮추고 국회의원의 철도 무임승차카드를 반려한 민노당은 당 재정 현황을 빠짐없이 공개하기로 했다. 민노당은 또한 소속

의원의 세비도 노동자들의 평균임금인 180만원만 받고 나머지는 전액 당에 납부해 깨끗한 정치를 실천함으로써 다른 정당에 모범이 되려 했다. 민노당은 또한 당직과 공직(의원직)을 분리하는 원칙을 채택하고 당의 최고의사를 결정하는 기구인 최고위원단을 원외중심으로 구성키로 했다.[12] 이에 따라 권영길 의원이 당 대표최고위원직을 사퇴하고 김혜경(金惠敬) 부대표가 전당대회에서 후임으로 선출되었다.[13]

민노당은 열린우리당과 한나라당이라는 거대양당 사이에서 선별적 공조로 결정권을 행사하면서 중요안건을 처리했다. 그 예가 김혁규 전 경남지사의 국무총리 임명동의안 반대를 위한 야3당공조, 이라크 파병 중단 결의안 제출을 위한 타당소속 진보 계열 의원들과의 이른바 '항미성명' 채택 및 여당과의 4대 '개혁입법' 공조결정이다.[14]

그러나 소속의원이 10명밖에 안 되는 미니정당의 한계가 곧 드러났다. 민노당이 발의한 안건들이 타당의 반대로 입법화에 실패하기가 일쑤였다. 그 대표적 예가 본회의 통과에 실패한 이라크 파병중단 및 재검토 결의안, 비정규직 철폐 관련법안, 사립학교법 개정안, 남북교류협력법 개정안, 교원 및 공무원 노동3권 보장법안, 국회법개정안, 국가보안법 폐지안, 노동조합법 개정안 등 법안 및 결의안이다.[15] 이들 법안 중에는 국회의원의 면책특권 제한과 국민소환법안[16]의 경우처럼 지나치게 급진적인 정책들도 있었다. 이 때문에 민노당은 '발의정당'이라는 별명이 붙었다.[17]

민노당은 미니정당으로서의 한계로 인하여 국회에서 민노총 등 운동권과 함께 구호를 외치면서 시위를 벌이거나 타당 주도의 의안 통과를 저지하기 위해 소속의원들이 몸으로 항거하는 사태를 자주 빚었다. 그 예가 이라크 파병 저지를 위한 국회에서의 영화시사회, 세계무역기구(WTO)와의 쌀협상 비준동의안의 외교통상위 상정 저지사건, 강기갑 의원의 국회사무처장실 난동사건 등이다.[18] 민노당은 원내에서뿐 아니라 원외에서도 시위를 자주 벌였다. 원외시위의 예는 이라크파병 결정 철회를 위한 노상단식농성, 평택미군기지반대시위, 포항의 포스코 본사건물 점거농성 지원, 한미FTA반대 시위, 이랜드비정규직 해고 항의 등이다.[19] 한미FTA반대 시위의 경우는 이를 주도한 범국본(한미FTA

저지범국민운동본) 명의로 제출한 집회신고가 경찰에 의해 거부되자 민노당 이름으로 시위허가를 내는 변칙적 행동을 해서 여론의 집중적인 비난을 받았다.[20] 이 같은 민노당의 원외투쟁은 뒤에서 보는 바와 같이 당의 인기를 떨어뜨리는 한 요인이 되었다.

2. 당내 이념 대립

1년 만에 닥친 위기와 NL파와 PD파의 대립

민노당은 제17대 총선에서 기세 좋게 10석이나 얻어 원내 제3당으로서 화려하게 국회로 진출한 지 불과 1년 만에 위기에 휩싸였다. 총선 무렵 하루가 다르게 불어나던 민노당 입당 희망자가 급격히 줄면서 20% 가깝던 당지지율이 4월 말에는 한 자릿수인 9.7%로 내려앉았다.[21] 2005년 초 작성된 내부보고서는 민노당 사정을 '총체적 위기 상황'으로 규정하고 그 이유를 안일한 현실인식, 표류하는 정책, 조직의 조로(早老)현상, 분파 간 갈등문제 등이라고 신랄하게 지적했다.[22]

그렇다면 당내의 분파 간 갈등이란 무엇인가. 17대 총선 당시 《동아일보》가 분석한 바에 의하면, 당내에는 사회주의그룹, 민족주의그룹, 급진사회주의그룹, 트로츠키그룹의 네 분파가 있으나, PD파인 사회주의그룹(평등파)과 NL파인 민족주의그룹(자주파)이 당의 양대 산맥이었다. 사회주의그룹은 민주노총 중앙파(전진그룹)와 진보정치연합 출신들이 주축으로 환경운동을 주창하는 생태사회주의자들도 이 그룹에 속했다. 민족주의그룹은 민주노총 국민파(범자민통그룹)와 한총련 등이 가입해 있는 전국연합 출신들이 핵심세력이다. 이들은 민노당의 전신인 국민승리21이 결성된 1997년부터 당내 주요 세력으로 참여했다.[23] 민노당은 당초 민주노총 중앙파 출신 PD계열(평등파)의 주도로 창당되었지만 2002년 지방선거와 2004년 총선을 계기로 전국연합과 전국농민회총연맹(전농) 소속의 자주파가 대거 입당, 당내 다수파가 되어 당권을 장악했다. 2004년 총선 직후 실시된 최고위원회 선거에서 자주파는 13명의 최고위원 중 9명을 선출시키는 데 성공했다.[24]

제17대 국회에 들어간 10명 가운데 자주파는 권영길 최순영(崔順永) 등 민주노총 국민파 출신과 천영세 강기갑 이영순(李永順) 현애자(玄愛子) 등 전국연합 출신들이며, 평등파는 단병호 심상정 등 민주노총 중앙파 출신 및 노회찬 조승수 등 진보정치연합 출신들이다. 이들 중 권영길과 천영세 최순영은 양파를 융합하려는 중도노선을 걸었다. 전국연합의 이창복과 이인영은 열린우리당으로 옮겨갔다.[25] 그러면 민족주의그룹(자주파)과 사회주의그룹(평등파)이 지향하는 노선은 어떻게 다른가. 민족 모순을 강조하면서 진보적 민주주의와 반미친북 노선으로 기울어진 NL계열의 민족주의파(자주파)는 "당 강령에서 사회주의 규정을 삭제하고 '계급연합적 성격'을 더 강화해야 한다"는 주장을 내세웠다. 이에 반해, 계급모순을 강조하면서 민주적 사회주의를 주장하는 PD계열의 사회주의파(평등파)는 '사회주의적 이상'을 강조했다. 이때의 사회주의는 소비에트의 과오를 극복한다는 차원에서 '광의의 사회주의' 또는 '민주적 사회주의'였다. 이 같은 노선 대립은 2003년 말 당 발전특위가 "사회주의 이상과 원칙을 계승하고 발전시키는 활동을 강화한다"는 정치노선을 채택함으로써 평등파의 승리로 일단락되었다. 그러나 2000년 4·15 총선 이후 실시된 지도부 선거에서 '진보적 민주주의'를 내세운 자주파가 승리함으로써 정세가 역전되었다. 2007년 말 현재 민노당 8만 당원 중 자주파와 평등파의 비율은 대체로 6 대 4로 알려졌다. 그렇기는 하지만 양파간의 대립은 이 같은 당권장악으로 승부가 나지 않고 '노동자계급정당'이냐 '진보적 대중정당'이냐 라는 근본노선의 대립으로 이어오다가 2008년 초 끝내 분당사태를 맞이했다.[26]

북한 핵무기 실험에 애매한 성명

양파의 노선갈등은 주로 대북정책을 둘러싸고 노정되었다. 그 대표적인 예가 17대 국회 개원 후 자주파 출신의 통합파인 권영길 원내대표가 7월 정치분야 대정부질문에서 "북한은 이미 군사적으로도 우리의 상대가 되지 못하므로 더 이상 우리의 주적이 아니며, 한반도의 평화통일을 이루는 데 함께 가야 할 동반자"라고 말하면서 북한을 대상으로 하는 주적개념을 바꾸자고 주장한 일이다. 이때 노회찬 의원 등 평등파는 "북핵에 대해서도 강하게 규탄해야 한다"는 태도였다.[27] 평등파는 2005년 2월 북한 핵보유에 대해 비판적인 내용을 담은 '북핵결의문'을 중앙위원회에 제안했으나 참석 중앙위원 200명 중 60%에 달하는 자주파 118명이 안건 채택에 반대, 무산되고 말았다. 북한의 핵실험 발표 후인 2006년 10월 중앙위원회는 '한반도 평화 실현을 위한 특별 결의문'을 채택하려 했으나, 북한 핵실험에 대해 '유감'이냐 '반대'냐의 표현을 둘러싼 견해 차로 참석자들이 퇴장하면서 당론 확정에 다시 실패했다. 민노당은 닷새 후 최고위원회와 확대간부회의를 연이어 개최하고 이 문제를 논의했다. 그러나 "북핵은 자위권 측면에서 인정해야 한다"는 당내 다수파인 자주파와 "어떤 종류의 핵에도 반대해야 한다"는 평등파가 논쟁을 되풀이했다. 이에 양파는 절충안을 채택, ① 북의 핵실험에 대해 분명한 유감의 뜻을 표한다 ② 현재 상황의 근본책임은 미국의 대북정책에 있다 ③ 유엔을 통한 대북제재에 반대한다 ④ 추가 핵실험 등 상황이 악화되는 것을 막기 위해 모든 노력을 다 한다 등의 내용을 담은 어중간한 '현 정세에 대한 최고위원회의 입장'을 채택했다.[28]

양파의 대립은 이로써 겉으로는 일단 봉합되었지만 미국이 주도한 PSI(대량살상무기 확산방지구상)의 한국 참여문제가 제기되자 다시 표면화되었다. 이때 박용진(朴用鎭) 당대변인은 기자브리핑에서 미국이 한국에 PSI 참여와 금강산 관광 재검토 등을 요구한 것은 "부당한 내정 간섭"이라면서 "정부가 금강산 관광을 지속하기로 한 것은 평가할 만한 자세"라고 논평했다. 그러나 노회찬 등 평등파는 '북핵에 대해서도 강하게 규탄해야 한다'는 견해를 표시했다.[29] 양파의 대립은 386세대인 최기영(崔琪永) 사무부총장과 이정훈 전 중앙위원이 연루된 '일심회간첩사건'[30]이 터졌을 때 다시 표면화됐다. 자주파 지배하의 민노당은 성명을 내어 "이번 사건은 신공안 분위기를 만들어 반북·반통일 분위기를 조성하려는 국정원의 음모"라고 비판하면서 '신공안 탄압 비상대책위원회'를 구성했다. 당원들은 국정원에 몰려가 정문 앞에서 항의시위를 벌였으며 이들에 대한 재판 때는 법정소란을 일으켰다. 이에 대해 평등파는 북한과 관련해 무슨 일만 터지면 사실 규명도 없이 무조건 '반통일'이라는 구호로 매도하는 것은 당에 아무런 도움이 되지 않는다고 반발적인 태도였다.[31]

3. 급격한 지지율 추락

국민 불신 부른 일심회사건과 대북 굴종자세

자주파가 이끈 민노당은 당내 평등파의 견제에도 불구하고 철저하게 대북 저자세를 견지했다. 민노당은 2005년 8월 북한의 조선사회민주당의 초청을 받아 4박5일 동안 일정으로 남쪽 정당으로서는 최초로 평양을 공식 방문했다. 조선사회민주당은 조선노동당의 대남기구인 통일전선부 산하의 허울뿐인 정당이므로 사실상 북한 정권의 초청이다. 대표단 18명 안에는 김혜경 당대표를 비롯해서 천영세 당부대표 겸 의원단대표와 심상정 권영길 최순영 의원 및 최규엽(崔圭曄) 최고위원, 홍승하(洪丞河) 대변인 등이 포함되어 있었다. 방문목적에 대해 김혜경 당대표는 인천공항 출국장에서 "'6·15 남북 공동선언' 5돌과 광복 60돌을 맞아 남북교류 활성화와 남북 정당·정치인 교류의 물꼬를 트기 위해 구체적인 노력을 기울일 것"이라고 밝혔다.[32]

그런데 이들은 방북 첫날 김일성의 생가인 만경대를 방문한 데 이어 이튿날에는 평양 신미리에 있는 애국열사릉을 참관, 묵념을 올렸다. 이 소식은 북한의 조선중앙방송이 보도함으로써 남측에 알려졌다. 애국열사릉에는 일제 때 독립운동을 했거나 북한 정권 수립에 공헌한 인물들이 안치되어 있으며 제주4·3사건 당시 무장대를 이끈 주역인 김달삼, 남로당 지하당 총책 김삼룡, 지리산 빨치산대장 이현상 등의 묘도 있다.[33] 김혜경 대표는 애국열사릉을 참배하면서 '당신들의 애국의 마음을 길이길이 새기겠다'고 방명록에 썼다. 이 사실이 뒤늦게 밝혀지자 국내에서는 '제2의 강정구사건'이라고 규탄하는 소리가 거세게 일었다.[34]

민노당은 이듬해인 2006년 10월에도 북한의 핵실험과 일심회간첩사건의 와중에서 법무부와 국가정보원의 만류에도 불구하고 방북단을 보냈다. 문성현(文成賢) 당대표와 권영길 의원단대표를 비롯해 노회찬 의원, 박용진 대변인 등 13명으로 구성된 북한방문단 일행은 중국 베이징을 거쳐 평양 순안공항에 도착했다. 문 대표 이름으로 발표된 성명은 "외세에 의해 분단된 강토의 또 다른 가족들을 만나기 위해 중국을 통해 먼 길을 돌아왔지만 평양에 도착하니 기쁨과 설렘으로 마음이 벅차오른다"고 말해 또 다시 국내여론의 빈축을 샀다. 이 성명은 "북측이 진행한 핵실험을 둘러싼 긴장과 대립이 우리 모두를 답답하게 하고 있다"고 애매하게 언급하고는 "자신들의 패권을 위해서라면 한반도에서 언제라도 전쟁을 일으켜 보겠다는 미국과 일본의 준동이 계속되고 있다"고 미국과 일본을 비난했다.[35] 문제는 그 다음에 벌어졌다. 조선사민당과의 1차 실무접촉에서 문성현 대표가 모두발언을 통해 "민노당은 핵실험에 대해 유감을 표명한 바 있다"고 말하자 김영대 조선사민당 중앙위원장은 그의 말을 끊고 "핵실험에 대해 유감을 표시하는 것은 있을 수 없는 일이다. 북-미 대결관계에서 나온 것이지 다른 곳을 겨냥하지는 않는다"며 거꾸로 민노당에 유감을 표명했다. 그러나 양측은 서로 유감을 주고받는 과정에서 웃음이 터져 나온 사실이 정호진(丁皓眞) 민노당 부대변인의 브리핑에서 밝혀졌다. 이 소식이 국내에 전해지자 한나라당과 민주당은 강한 어조로 민노당을 비난했다. 비판의 목소리는 민노당 내부에서도 나왔다. 민노당의 창당주역이면서 평등파인 주대환 전 정책위의장은 "민노당은 북핵에 대해 명백히 반대했어야 하고 방북은 하지 말았어야 한다"면서 지도부를 강하게 비판하고 "세상에 군사독재 정권을 지지하는 진보·좌파가 어디 있느냐. '난 김정일 정권을 반대한다'고 외치고 싶다"고 목소리를 높였다. 그는 "모든 분들이 다 공통적으로 느끼는 것은 최근 국민들이 민노당에 실망하고 민노당의 정체성에 대해 의혹을 갖고 있다는 것"이라고 덧붙였다.[36]

잦은 시위로 국민신뢰 떨어져

민노당은 친북저자세와 일심회간첩사건, 불법파업 동조, 그리고 급진적 경제정책 때문에 인기가 급속도로 떨어졌다. 원내활동면에서도 날로 심화되는 양극화, 양산되는 비정규직, 폭등하는 부동산 가격 등 민생문제에 대한 효과적인 대책을 제시하지 못해 원내 제3당의 지위가 크게 흔들리기 시작했다. 2005년 9월 민노당의 조승수(울산 북) 의원이 대법원으로부터 부정선거 혐의가 인정되어 당선무효에 해당하는 벌금 150만원을 선고받아 이날자로 의원직을 상실하자 민노당 의석은 9석으로 줄어들었다. 이 때문에 민노당은 그 무렵 의석이 11

석으로 불어난 민주당에 이어 원내 제4당으로 내려앉아 단독으로 의안발의가 불가능한 군소정당의 신세가 되고 말았다.[37]

　사태는 2005년 10월 치러진 국회의원 보선에서 더욱 악화되었다. 민노당은 전국에서 4개 지역의 국회의원을 새로 뽑는 10·26재보선에서 조승수 의원의 출신구인 울산 북구에 전 현대자동차 노조위원장 정갑득(鄭甲得)을 공천했다. 그러나 정 후보는 한나라당 윤두환(尹斗煥, 16대 국회의원) 후보에게 1,793표차로 떨어지고 말았다.[38] 노동자 밀집지역인 이 지역에서 민노당 후보가 낙선한 사실은 당으로서는 여간한 타격이 아니었다. 민노당은 이제 제17대 국회에서는 잃어버린 의석을 만회할 기회를 사실상 상실해 완전한 군소정당으로 굳어졌다. 민노당은 2006년의 5·31전국동시지방선거에서 또다시 큰 타격을 입었다. 한나라당이 휩쓴 이 선거에서 민노당은 광역자치단체장은 물론이고 기초단체장 1명도 당선시키지 못하는 참패를 맛보았다. 지지율에서도 답보 정도가 아니라 하락으로 나타났다.[39] 5·31지방선거 당시 주목할 일은 북한정권이 대남발표를 통해 '제일 당선 가능한 6·15평화세력 후보'에게 지지표를 찍어주라고 선동한 점이다. 북한 조국평화통일위원회(약칭 조평통)는 '남조선 동포형제들에게 고함'이라는 발표문을 내고 이번 선거에서 한나라당이 승리하면 미국에 추종하는 '전쟁머슴 정권'이 들어설 것이라면서 한나라당을 반대하는 연합전선을 결성해 비한나라당 후보 중 가장 당선 가능성이 있는 자에게 몰표를 줄 것을 권고했다.[40] 북측은 이보다 앞선 5월 10~11일 금강산에서 열린 남북대학생 대표자회의에서도 "민노당을 찍으면 사표가 되기 때문에 민노당원이라도 열린우리당을 찍어야 한다"고 말했다.[41]

17대 대선 앞두고 지리멸렬 상태

　민노당은 2006년 10월 당의 두 간부가 관련된 일심회사건이 발표되자 당의 정체성이 국민들의 의혹 대상이 되었다. 민노당이 창당 7주년을 맞은 2007년 1월에 실시된 여론조사에 의하면 그 지지율이 4%대로 추락, 심각한 위기에 빠졌다.[42] 그해 11월에는 제17대 대통령선거를 불과 1개월 앞두고 김형탁(金炯卓) 대변인이 사임하고 당 정책연구원 19명도 집행부에 반기를 드는 자중지란이 일어났다. 권영길 대선 후보의 '코리아연방공화국' 공약이 연구원들의 반대에도 불구하고 국가비전이라는 핵심공약으로 결정된 데 대한 항의 표시였다.[43] 그러나 자주파는 끝내 이 대목을 권영길의 핵심공약사항으로 대선포스터에 넣었다가 선대위 전략회의에서 강력한 항의가 제기되자 이 대목을 삭제하고 포스터를 다시 인쇄하는 소동이 빚어졌다.[44]

민노당의 추락에는 자신의 책임도 많지만 잦은 불법파업과 과격시위, 그리고 인사비리로 국민들의 불신대상이 된 민노총의 책임도 크다. 민노총은 민노당의 전신인 국민승리21이 1997년에 결성될 때부터 민노당의 중앙위원 및 대의원 지분 30%를 갖고 당을 실질적으로 주도[45]했기 때문에 민노총에 대한 비난은 바로 민노당에 대한 비난으로 돌아오기 일쑤였다. 민노당의 인기하락에는 민노당 측이 '짝퉁진보'라고 규정한 노무현 정부의 인기추락에도 원인이 있었다. 노회찬은 노무현을 "자유주의적 개혁파이자 개혁적 보수주의자"라고 규정하고 그가 '진보'를 자처하는 것은 "공부를 안 한 탓"이며 "학자들이 들으면 웃는다"고 비난했지만[46] 일반 국민들은 노무현과 민노당의 노선을 초록이 동색이라고 생각하는 경향이 많았다. 이 점에 대해 권영길 당시 대통령후보는 "민노당은 노무현 정부의 실패와 열린우리당의 몰락으로 가장 큰 피해를 본 정당이다. 국민은 노무현 정부를 좌파 진보 개혁 정권으로 보고 있어 민노당이 동반 하락하고 있다. 억울하고 답답하다"고 술회했다.[47]

4. 시대변화 외면한 당 노선

민노당의 강령–친북 저자세와 부정적 역사관

민노당은 2000년 1월 창당대회에서 새로운 당 강령을 채택했는데 제17대 국회의원 총선거 뒤인 2005년 2월 27일 정기당대회에서 통일 항목을 개정했다. 새로 제정된 통일강령은 "우리의 당면과제는 미국과 중국 사이의 동북아 신냉전이 구축되기 이전에, 최소한 국가연합이나 연방제 방식의 통일이라도 이루어 국제적으로 우리의 민족통일을 기정사실화하는 일"이라고 밝혀 사실상 북측의 통일방안과 다름이 없는 안을 제시했다.[48] 자주파가 당권을 쥐고 있는 민노당은 '민족해방'을 당의 목표로 삼아 당의 강령 전문에서 외세문제에 관해 다음과 같이 밝혔다.

외세를 물리치고 반민중적인 정치권력을 몰아내어 민중이 주인 되는 진보정치를 실현하며, 자본주의 체제를 넘어 모든 인간이 인갑답게 살 수 있는 평등과 해방의 새 세상으로 전진해 나갈 것이다.[49]

자주파다운 반외세 선언이라 할 것이다. 그렇다면 민노당은 분단과 6·25전쟁의 원인을 어떻게 보고 있는가. 강령은 다음과 같이 주장하고 있다.

우리 민족은 제국주의 열강에 의해 숱한 고초를 겪어 왔다. 미국을 정점으로 한 외세는 한반도를 분할하고 남북간에 전쟁을 부추겨 민족상잔의 참극을 야기시켰으며, 남북 모두에게 소모적인 군비경쟁을 유도함으로써 민중의 삶을 황폐하게 만들고 민주와 자유를 빼앗아 갔다. 또 친일 매국노들을 해방 조국의 지배자로 만들고, 군사독재를 앞세워 민중의 거센 투쟁을 탄압하고, 노동자를 비롯한 민중의 희생을 강요해 왔다.[50]

이 대목은 한국현대사에 대한 좌파적 역사관을 그대로 반영하고 있다. 한반도는 미국과 소련의 냉전에 의해 분단되었음에도 불구하고 민노당은 미국 제국주의만 언급하고 있다. 이 강령은 북한 김일성이 소련과 중국의 협력을 얻어 도발한 6·25전쟁을 미국이 일으킨 것으로 설명하고 있다. 또한 남북한의 대결과 긴장 및 그 영향도 전적으로 미국에 책임이 있다고 단정하면서 대한민국의 건국세력을 미국이 내세운 친일세력으로 규정하고 군사독재정권의 등장과 통치도 미국의 배후조종이라고 규정하고 있다. 이것은 1980년대부터 문익환 등이 이끌던 민통련(민족통일민중운동연합)과 전민련(전국민족민주운동연합), 그리고 전국연합(민주주의민족통일전국연합) 및 NL계의 학생운동권의 반미친북적인 기본인식을 계승한 것이다. 그 뿌리는 남로당과 조선노동당에 있는 것이다. 우리는 민노당 강령을 1950년대에 창당된 진보당의 강령과 비교해 볼 필요가 있다. 민노당의 강령과 진보당의 강령을 비교해 보면 21세기 초 한국 좌파세력의 기수라 할 민노당이 얼마나 대한민국의 정통성을 부인하고 친북적으로 변화했는가를 금방 알 수 있다. 진보당은 강령에서 이렇게 언명하고 있다.

우리는 8·15해방을 무한한 기쁨과 감격으로 맞이하였다. 그러나 그 때에…북한에서는 붉은 군대의 점령하에 크렘린의 충성한 앞잡이들인 러시아-한국인들을 중심으로 공산괴뢰 권력기관이 수립 강화됨과 아울러…남한에서는 미군정기와 대한민국 수립 이후를 통하여-낡은 미국식 자유민주주의의 형식적 모방하에-이 나라 민주정치는 건전한 전진을 할 수 없었으며 사회적 불안과 경제적 혼란은 나날이 우심하여지지 않을 수 없었다.…스탈린과 그의 일당은 드디어 북한괴뢰들로 하여금 불의의 침략전쟁을 도발시켰다.[51]

진보당 강령은 또한 한국 민중의 경제적 어려움과 고난이 오로지 미국에 있다는 식의 민노당 강령과는 달리 그 원인을 다음과 같이 다각도로 분석했다.

우리의 사랑하는 국민대중을 이렇듯 비참한 생활형편에 빠뜨리게 한 책임은 부분적으로는 우리에게 지도와 원조를 주는 지위에 있는 미국인들에게 있으며, 보다 더 많이는 크렘린의 충실한 앞잡이인 공산역도들에게 있다. 이와 동시에 그 책임의 큰 부분이 군정기에 있어서 미군정에 협력하였던 한국의 보수적 정치세력과 정부수립 이후에 있어 한국정치의 추기(樞機)를 장악하고 민주주의의 이름 밑에 반(半) 전제적 정치를 수행하여 온 특권관료적 매판자본적 정치세력에게 있다.[52]

이상과 같은 진보당의 강령과는 확연히 다른 좌편향적인 인식 때문에 민노당은 봉건세습왕조인 김정일 정권을 추종하면서 북한의 인권문제를 외면하고 핵개발을 옹호해, 과연 진보를 내세우는 좌파정당인가 정체성 위기를 맞았다.

위헌론 불러온 '새로운 해방공동체' 조항

민노당 강령에서 주목할 또 다른 대목은 '사회주의적 이상과 원칙'에 입각한 '새로운 해방공동체의 구현'이라는 당의 목표이다. 강령의 전문 가운데 '우리가 만들 세상'이라는 항에서 다음과 같이 선언하고 있다.

> 민주노동당은 국가사회주의의 오류와 사회민주주의의 한계를 극복하는 한편, 인류의 오랜 지혜와 다양한 진보적 사회운동의 성과를 수용함으로써, 인류사에 면면히 이어져 온 사회주의적 이상과 원칙을 계승 발전시켜, 새로운 해방공동체를 구현할 것이다.[53]

이 대목에서 한 가지 확실한 것은 민노당이 일부에서 생각하고 있고 또한 희망하고 있는 것 같은 서유럽식 사회민주주의 정당이나 민주사회주의 정당이 결코 아니라는 사실이다. 민노당이 정통사회주의 실현을 포기한 현재의 영국 노동당이나 독일 사민당처럼 '제3의 길'을 추구하고 있지도 않다는 점 또한 의심할 나위가 없다.

이미 Ⅱ-3(진보당)에서 살펴본 바와 같이 1950년대의 진보당은 '복지국가' 건설을 최고목표로 하고 있고, Ⅱ-4(민주사회주의 정당)에서 살펴본 것처럼, 같은 시기의 민주혁신당 등 민주사회주의 정당의 이념적 기초가 된 프랑크푸르트선언은 서구의 사회주의운동에 획기적 전환점을 마련했다. 즉 종래의 사회민주주의가 자본주의체제의 사회주의체제로의 이행을 피할 수 없는 것으로 보았으나 프랑크푸르트선언에서 밝힌 민주사회주의는 그렇지 않다고 보았다. 프랑크푸르트선언은 사회주의의 실현을 필연적인 것이 아니라고 선언하고 사회주의의 실현은 그 최고의 형태로 발전했을 때의 민주주의라고 규정한다. 이에 비해 민노당 강령에서 밝히고 있는 '인류사에 면면히 이어져 온 사회주의적 이상과 원칙'이란 바로 마르크스가 '공상적 사회주의'라고 비판한 루소로부터 레닌에 이르기까지 발전되어 온 사회주의 사상이 아닌가. 이미 오래전에 '수정주의'라고 매도당한 사회민주주의나 반공적인 민주사회주의는 현재 더욱 우경화하고 있으며 공산당 일당독재를 하고 있는 중국에서조차도 일부 지식인들이 사회민주주의를 지향해야 한다고 주장하고 있다.

그런데도 민노당은 여전히 사회주의를 기초로 한 해방공동체에 연연하고 있는 것이다. 민노당 강령은 '새로운 공동체'를 노동자와 민중 중심의 민주적 사회경제체제이자 사회적 소유를 바탕으로 하여 시장을 활용하는 경제체제로서, 소유의 사회화와 사회적 조절을 소유와 시장적 조절보다 우위에 두는 체제라고 규정했다. 강령은 이를 위해 ① 민중이 사적 소유라는 족쇄로부터 해방하도록 하기 위해 사적 소유권을 제한하고 생산수단을 사회화하며 ② 노동자를 비롯한 생산주체들이 생산수단을 민주적으로 점유하고 ③ 재벌 총수 일족의 지분을 강제로 유상 인수하여 재벌을 해체하고 해당 기업의 노동자를 비롯해 다수 국민들이 소유에 참여할 수 있는 민주적 참여기업으로 전환하며 ④ 정부규제의 신자유주의적 완화에 반대하며 ⑤ 노동자 농민 등 민중대표를 중심으로 하고 정부와 기업경영자 대표가 참여하는 경제정책위원회를 창설하여 경제 전체의 기본 계획을 수립하고 소득의 분배가 효율성과 형평성의 원칙에 따라 이루어지도록 시장을 감시, 통제토록 하며 ⑥ 대외무역과 자본이동에 대한 통제를 강화하고, WTO체제를 수정, 수입을 억제하며 국내생산을 촉진할 수 있는 권리를 보장한다는 것이다. 이 같은 강령 내용은 보수세력의 반발을 불렀다. 일부 우파 단체, 예컨대 국민행동본부(본부장 서정갑, 徐貞甲)는 2004년 6월 이 강령이 헌법이 규정한 민주적 기본질서에 위배된다고 주장하면서 민노당의 해산을 법무부에 청원했다.[54]

4 진보적 지식인들과 친북단체들

인류 해방이라는 추상적인 이상, 압제적인 당, 관료적인 형식주의에 속박되지 않고 이를 물리칠 수 있게 하는 힘은 인간을 하나의 인간으로 사랑하는 휴머니즘과 진실의 왜곡을 허용치 않는 지적 양심에서 우러나온다.

—레이몽 아롱, *L'Opium des Intellectuels*(1955)

1. 두 정권 도운 진보파 학자들

김대중 정부 및 총선시민연대 자문교수들

대학교수와 연구원 등 전문지식인들은 어느 정권 때도 현실참여를 했지만 특히 김대중 정부와 노무현 정부 당시에는 많은 진보−좌파 지식인들이 활발하게 다양한 방식으로 정책수립에 참여했다. 이들의 현실참여는 이 무렵 활발해진 시민단체의 활동과 때를 같이해서 활기를 띠었다. 이들 중 상당수는 유럽식 좌파이론, 특히 네오마르크스주의 이론과 고전적 민족주의 이념을 바탕으로 한국사회를 분석하는 진보적 이론가들로 1980년대 이후 학계에서 지적 헤게모니를 잡고 있었다.[1] 이들은 김대중 노무현 두 정부 아래서 개별적 또는 시민단체를 매개로 해서 정부에 대거 참여하기도 하고 권력과 일정한 거리를 유지하면서 현실에 참여했다. 1989년 출범한 경실련(정식 명칭 경제정의실천시민연합)에 이은 대표적인 진보적 시민단체인 참여연대(정식명칭 참여민주주의와 인권을 위한 시민연대)의 경우 1994년 창립이후 신원이 확인된 전·현직 임원 416명 중 36.12%에 이르는 150명이 청와대와 정부 고위직 및 산하 각종 위원회 위원 등 313개의 자리를 맡은 것으로 밝혀졌다. 이들이 차지한 자리 수는 정권별로는 김영삼 정부 때 22개(7%), 김대중 정부 때는 113개(36.1%), 노무현 정부 때는 158개(50.9%)로 급증했다.[2] 김영삼 정부 아래서 정부에 비판적인 입장이었던 참여연대는 김대중 정부 때부터는 정부를 지원하는 여당 입장으로 돌아섰으며 특히 노무현 정부 아래서는 권력과 일체가 되다시피 해 영향력을 극대화했다.

시민단체 이외에 김대중 노무현 정부를 개별적으로 도운 지식인 그룹은 김대중의 대중경제에서 이름을 딴 '중경회'(衆經會)와 '지혜의 샘'이라는 뜻의 '지정회'(智井會), 그밖에 '학현(學峴, 변형윤, 邊衡尹, 전 서울대 교수의 아호)학파', '새시대포럼' 등이다. 대표적 인물은 중경회의 이진순(李鎭淳, 숭실대, 전 KDI원장), 전철환(全哲煥, 충남대, 전 한국은행 총재), 김태동(金泰東, 성균관대, 전 청와대 정책기획수석), 이선(李烍, 경희대, 전 산업연구원장), 윤원배(尹源培, 숙명여대, 전 금융감독위 부위원장) 등 과거의 비주류 경제학자들로, 이들은 박정희 시대 때부터 30여년동안 한국경제 발전이론을 공급한 남덕우(南悳祐, 전 국무총리) 등 '서강학파(서강대 상대 출신 관료)'와 교대했다. 지정회(회장 柳勝男, 국민대) 소속 교수는 황태연(黃台淵, 동국대), 황병덕(黃炳悳, 통일연구원 선임연구위원) 등이며 학현학파 소속으로는 강철규(姜哲圭, 서울시립대, 전 공정거래위원장) 등이 대표적이다. 새시대포럼은 길승흠(吉昇欽, 서울대, 정치학), 최장집(崔章集, 고려대, 전 대통령자문정책기획위원장), 김홍명(金弘明, 조선대), 한상진(韓相震, 서울대, 전 대통령자문정책기획위원장) 등이 대표적 인물이었다. 이밖에 채수찬(蔡秀燦, 미국 라이스대), 이문영(李文永, 고려대, 전 아태재단 이사장), 조창현(趙昌鉉, 한양대, 전 중앙인사위원장), 오기평(吳淇平, 서강대, 전 세종재단 이사장), 김성훈(金成勳, 중앙대, 전 농림부장관), 박승(朴昇, 중앙대, 한국은행 총재) 등도 김대중 정부의 브레인 역할을 했다.[3]

김대중 정부 당시 진보적 지식인들은 정부뿐 아니라 진보적 시민단체에 참여해서 활발한 활동을 벌였기 때문에 그들의 영향력은 더욱 컸다. 2000년 4월의 제16대 국회의원 총선거를 앞두고 발족한 총선시민연대 정책자문단 소속 교수들이 대표적인 경우이다. 그해 1월 말 출범한 총선시민연대 정책자문단의 대표격인 리영희(한양대)는 발족 기자회견에서 "독재정권과 반공 극우 이데올로기와의 투쟁을 거쳐 온 우리 국민들은 이제 (부적격 후보의) 낙천·낙선운동을 통해 직접 정치에 참여하는 시민혁명의 단계에 이르렀다"고 밝혔다. 모두 147명에 달한 진보적 지식인들을 대표하는 공동단장에는 백낙청(서울대) 강만길(고려대) 노융희(盧隆熙, 서울대) 김성이(金聖二, 이화여대) 리영희(한양대) 신인

령(辛仁羚, 이화여대) 김태정(金泰定, 외국어대) 손호철(孫浩哲, 서강대) 황한식(黃漢植, 부산대) 박호성(朴虎聲, 서강대) 등이 선출되었다.[4] 진보성향이면서도 2001년에 결성된 대안연대회의 소속 이찬근(李贊根, 인천대) 장하준(張夏準, 영국 케임브리지대) 정승일(鄭勝日, 국민대) 등은 김대중의 신자유주의 정책을 비판했다.

노무현 도운 지식인 1천여 명 달해

노무현을 지원한 정책브레인들은 2002년의 당내 대선후보 경선과 대통령선거운동 과정에서부터 그의 싱크탱크로 활약했다. 그 수는 1,100명에 달했는데 이들은 '참여와 개혁을 위한 전국교수모임'을 결성했다. 노무현이 당선된 후에는 이들 중 680여 명의 교수가 대통령직인수위원회의 정책자문단으로 위촉되었다.[5] 자문단 단장을 맡은 김병준(金秉準) 국민대 교수와 정해구(丁海龜) 성공회대 교수가 정치분야 비전 제시를 뒷받침하고 한림대 성경륭(成炅隆) 교수는 지방분권 분야를 맡아 노 당선자의 행정수도 충청 이전 공약을 만들어냈다. 김병준은 나중에 청와대의 정부혁신지방분권위원장을 거쳐 청와대 정책실장에, 성경륭은 국가균형발전위원장에 각각 임명되었다. 노무현 당선자 정책자문단 간사를 맡아 이들의 활동을 조정하는 역할을 맡은 조재희(趙在喜) 전 고려대 노동대학원 연구교수는 나중에 청와대 정책관리비서관으로 임명되었다. 임혁백(任爀伯) 고려대 교수와 정상호(鄭相鎬) 한양대 연구교수는 김대중 정부 때도 대통령 자문 정책기획위원을 지냈다. 외교안보 분야에서 노무현을 도운 진보적 학자는 서동만(徐東晩) 상지대 교수와 나중에 통일부장관이 된 이종석(李鍾奭) 세종연구원 남북관계연구실장, 문정인(文正仁) 연세대 교수 등 세칭 '3인방'이 대표적이다. 경제과학분야에서는 이정우(李廷雨) 경북대 교수와 김대환(金大煥) 인하대 교수 및 유종일(柳鍾一) 한국개발연구원(KDI) 국제정책대학원 교수, 그리고 김대중 정부의 경제정책자문역이었던 중경회 소속인 이진순 숭실대 교수와 전철환 전 한은 총재, 김태동 금융통화운영위원도 노무현을 도왔다. 이정우는 나중에 청와대 정책실장에 임명되었다. 교육분야에서는 윤덕홍(尹德弘) 대구대 총장(전 교육부총리)과 성공회대 총장 출신으로 노 당선자의 교육정책을 만들어 낸 바 있고 기독교사회주의를 표방한 이재정(李在禎) 민주당 의원이 있었다.[6] 이들 실무자문단 이외에 원로자문단에는 백낙청 이문영 리영희 강만길 최장집 백경남(白京男) 등이 참여한 것으로 보도되었다.[7]

노무현은 대통령에 취임하면서 이들을 각료 등 요직에 대거 등용했다. 윤덕홍과 이종석 이외에 외교통상부장관에 서울대 윤영관(尹永寬) 교수, 노동부장관에 영남대 권기홍(權奇洪) 교수, 해양수산부장관에 동아대 허성관(許成寬) 교수, 금융감독위 부위원장에 이동걸(李東傑) 금융연구원 연구위원이 임명되었다. 대통령자문 정책기획위원회 위원장에는 '참여와 개혁을 위한 전국교수모임'을 총괄해온 계명대 이종오(李鍾旿) 교수를 임명했다.[8] 노무현의 대통령 취임사 집필소위원회 멤버로 취임사 문안을 기초하는 데 참여한 이화여대 조기숙(趙己淑) 교수는 나중에 대통령 홍보수석비서관에 임명되었다.[9]

민노당의 이념을 이론화하는 작업에는 진보적인 대학교수 그룹과 각 분야 전문가들이 핵심적인 두뇌 역할을 했다.[10] 민노당은 총선 후 싱크탱크로 장상환(蔣尚煥) 교수를 소장으로 하는 진보정치연구소를 설립했다.[11]

2. 진보파 지식인들의 성분

진보적 지식인들의 맥

우리는 앞에서 1960년대 이후 대표적 좌파지식인으로 활동해 온 빨치산 출신의 좌파민족주의 경제학자 박현채를 살펴보았지만, 한국 좌익진영에는 그 이전에도 유명한 진보좌파학자들이 있었다. 그 대표적인 예가 한국에서 최초로 유물사관에 입각해서 《조선사회경제사》(1933)를 쓴 연희전문 교수 출신의 마르크스주의 경제학자이자 남조선신민당 위원장과 남로당 부위원장을 지낸 백남운이다. 경성제대 철학과를 나와 숭의전문 교수를 역임한 평론가이며 《사상과 현실》(1946)의 저자인 박치우(朴致祐, 1909∼?)는 박현채처럼 빨치산이 된 인물이다. 1946년 말 남로당계 지식인들과 함께 월북한 그는 강동정치학원 부원장을 지낸 다음 빨치산부대 정치위원으로 남파되었다. 사회민주주의자로는 앞에서 본 사회당 대표이자 삼균주의자인 조소앙과 진보당 강령을 기초한 동경제대 출신의 뛰어난 이론가 이동화를 들 수 있다.

1960년대 이후에는 송건호 리영희 박현채 강만길 한완상 백낙청 등 많은 진보적 지식인들이 좌파운동에 영향을 주었다. 송건호 등이 쓴《해방전후사의 인식》과 리영희의《전환시대의 논리》, 조정래(趙廷來)의《태백산맥》은 가장 많이 읽혔다. 노무현 정부에서 국무총리를 지낸 1952년생의 이해찬은 자신의 학생 시절과 그가 애독한 저서들에 관해 다음과 같이 썼다.

> 캄캄했던 그 시절 사회과학 책이 귀하기도 했지만 유신정권의 언론·학술 통제 덕분에 사실 읽을 만한 책은 더욱 귀했다. 그래도 젊은 학도들에게 분단시대의 역사의식과 사회과학적 시각에 영향을 주고 마침내 '뼈가 되고 살이 되는' 책들은 있었으니, 송건호 선생님과 리영희 선생님을 비롯해 박현채 선생님의 책 역시 그런 종류에 속한다. 개인적으로 나는 송건호 선생님의 〈한국민족주의의 연구〉에서 민족을 배웠고, 리영희 선생님의 〈우상과 이성〉에서 외교·정치를 배웠으며, 박현채 선생님의 〈민족경제론〉에서 경제를 배웠다. 나는 지금도 나의 젊은 시절에 가장 영향을 준 책을 꼽으라면 이 세 분의 책을 말하는 데 주저하지 않는다.[12]

1980년대 이후 지식인사회 헤게모니 장악

좌파운동이 본격화한 1985년 계간지《창작과 비평》이 주도한 '사회구성체 논쟁'은 이들 진보학자 그룹의 영향력을 절정에 달하게 했다. 지식인사회는 이들의 영향력으로 인해 좌파이론의 헤게모니 아래 들어갔다. 그러나 1989년 말~90년대 초의 동구권 사회주의체제 붕괴와 서독에 의한 동독흡수 통일은 한국의 좌파지식인들에게는 청천벽력과도 같은 충격이 아닐 수 없었다. 좌파지식인들의 영향력이 급격히 감소하는 것은 당연한 결과였다. 그런 가운데서도 일부 좌파 지식인들은 급진적인 좌파민족주의자로 변신, 영향력을 계속 유지했다. 1980년대에 가장 영향력이 컸던 대표적인 진보적 지식인은 리영희(한양대 교수), 강만길(상지대 총장), 한완상(韓完相, 전 상지대 총장, 통일부총리, 교육부총리), 백낙청(서울대 교수), 최장집(고려대, 정치학), 안병욱(安秉旭, 가톨릭대, 역사학), 김세균(서울대 교수), 서중석(徐仲錫, 성균관대, 역사학) 강정구(동국대, 사회학), 손호철(서강대, 정치학), 조희연(曺喜嚥, 성공회대, 사회학) 등이다. 진보적 지식인들 중 일부인사들은 한국의 눈부신 경제성장에 주목해 좌파들의 한국사회 구성체 이론인 식민지 반봉건사회론을 버리고 중진자본주의론으로 돌아섰다. 대표적인 인물이 김근태 김문수 등 80년대 운동권 핵심들의 대부였던 서울대 교수 안병직(安秉直, 경제학)이다. 그는 노무현 정부 아래서 신우파운동을 지도하다가 2006년 뉴라이트재단 이사장에 취임해 좌파지식인 비판의 선봉에 섰다.[13]

윤건차의 진보파 지식인 분류

한국의 진보파 지식인들은 성장배경과 이념성향도 그 만큼 복잡하다. 구좌파적 마르크스주의자들이 있는가 하면 알튀세르적 마르크스주의자들과 신좌파적 마르크스주의자들이 있다. 또한 좌파적 시민사회론자, 급진적 민주주의자, 진보적 민족주의자, 그리고 비판적 자유주의자, 진보적 자유주의자, 개량적 자유주의자도 있었다. 재일 교포학자 윤건차(尹健次, 가나가와, 神奈川 대학 교수)가 분류한 이들의 계보는 다음과 같다.[14]

구좌파적 마르크스주의	○(정통적 마르크스주의) 김세균 손호철 최갑수 　　　　　　　김수행 김성구
	○(트로츠키주의) 정성진
알튀세르적 마르크스주의	○(알튀세르, 발리바르) 윤소영
신좌파적 마르크스주의	○(문화사회, 문화정치) 강내희 심광현
	○(코뮌주의, 소수자운동) 이진경 윤수종
좌파적 시민사회론	○(좌파적 시민사회론) 조희연 김동춘
	○(그람시적 노동운동론) 임영일
	○(사회민주주의적 노동운동론) 신광영 김수진
	○(그람시적 시민사회론) 유팔무 김호기
급진적 민주주의론	○(페미니즘) 이효재 조혜정 장필화 고갑희 태혜숙

	김은실 조은 조순경
	○(환경근본주의) 김종철
	○(아나키즘)박홍규 방영준 구승희
	○(급진적 민주주의) 이병천
진보적 민족주의	○(진보적 민중사관) 강만길 안병욱 서중석
	김인걸 도진순
	○(마르크스주의적 방법론) 이세영
	○(남북연대) 송두율 강정구
	○(민족문화론, 근대비판/근대주의) 백낙청 최원식
	○(시민공동체적 민족주의) 임지현
비판적 자유주의	○(지식인비판) 강준만 김영민 고종식 진중권
진보적 자유주의	○(민주적 시장경제론, 민주국가/시민사회론) 최장집
	○(자유주의적 시민사회론) 한완상 김성국
	○(성찰적 근대화론, 협조주의적 노동운동론)
	임현진 임혁백
개량적 자유주의	○(중민론, 제3의 길, 중용사상) 한상진
	○(지식프롤레타이아트, 생태사회 주의론) 황태연
	○(경제개혁론)정운찬, 김태동, 이근식

노무현과 진보논쟁 벌이기도

노무현 정부 시기인 2003년부터 2006년 사이에는 노무현의 정책노선과 민노당의 교조적인 좌파이념에 비판적인 지식인 그룹들이 등장했다. 집권 초기에 노무현을 지지한 상당수의 진보파 지식인들은 그가 임기 중반 이후 외교 안보 대북 경제 정책분야에서 실정을 거듭하고 특히 한미FTA체결을 추진하자 그로부터 이탈함과 동시에 그를 정면 비판하기 시작했다. 대표적인 예가 한미FTA 협상중지를 요구하는 서명작업에 동참하면서 "한미FTA는 졸속"이라고 비난한 이정우 전 청와대 정책실장, 그리고 "노 대통령은 한미 FTA 청문회에 설 수밖에 없다"고까지 말한 노무현의 '경제교사'이자 대통령경제비서관이었던 정태인

(鄭泰仁) 등이다. 최장집도 정권교체와 한나라당의 집권 가능성을 언급하면서 노무현을 정면 비판했다.[15] 이들은 노무현 측과 이른바 '진보논쟁'을 벌이기도 했다. 특히 손호철은 노무현이 "유연한지는 몰라도 진보는 아니다"라고 통박했다.[16] 정통좌파노선을 비판한 학자그룹은 유럽식 사회민주주의를 지향하면서 신자유주의 극복을 내건 '대안연대회의'(초대 운영위원장 박진도, 朴珍道, 충남대 교수)와 '지속가능한 진보'를 내세우면서 한국판 제3의 길을 추구하는 좋은 정책포럼(공동대표 임혁백 고려대 교수, 김형기, 金炯基, 경북대 교수)과 개방형 민족주의를 내걸고 '신진보주의' 발전모델을 제시한 한반도사회경제연구회와 북구식 복지국가혁명을 주창한 복지국가소사이어티 등이다.

3. 전성기 맞은 친북단체들

친북단체들의 '민족의 단합' 내세운 반미활동

노무현 정부 5년간은 친북반미세력의 전성기였다. 친북반미단체들은 노무현 정부 아래서 주한미군 철수, 연방제 실현, 국가보안법 폐지 운동을 자유롭게 전개했다. 다수의 단체들은 정부의 막대한 재정적 지원도 받았다. 이들은 주로 집회와 거리시위, 그리고 인터넷 매체를 통해 투쟁을 벌였다. 이들 친북반미단체 중 일부는 북한당국의 비밀지령을 받고 행동하기도 했다. 남북공동선언실천연대 간부가 중국 베이징에서 북한의 통일전선부 공작원과 비밀리에 접촉, 반미운동 조직화와 남한으로 망명한 전 노동당비서 황장엽 및 김정일을 비판한 김영삼 전 대통령의 살해 지령을 받은 것도 노무현 정부 당시인 2004년의 일이었다. 관련자 5명은 이명박 정부 출범 이후인 2008년 9월 검거되었다.[17]

친북반미단체들은 김대중·노무현 두 정부 지원 아래 민간레벨의 남북공동행사를 주도했다. 그 결과 남북간의 민간교류에서 남측의 보수세력은 사실상 배제되고 남북 좌파끼리만의 파행적인 교류가 진행된 것이다. 2000년의 6·15공동선언 발표 이후 이를 기념하기 위해 해마다 개최되던 남북공동행사는 노무현 정부 출범 첫해인 2003년에는 동아시아 지역에서 맹위를 떨친 조류독감(AI) 때문에 열리지 못하고 남북 양측이 별도로 행사를 가졌다. 즉 남북 양측의 행사

추진본부는 서울 백범기념관과 평양 조국통일3대헌장기념탑 앞에서 각각 민족통일 대축전을 개최했다. 북측 행사장에서는 최고인민회의 상임위원회 김영남 위원장이, 남측 행사장에서는 한상렬 통일연대 상임대표가 각각 기념보고를 했다. 양측은 사전에 공동작성한 '7천만 겨레에게 보내는 호소문'을 동시 발표했다. 이 호소문은 현 난국을 타개하고 민족의 자주권과 나라의 평화를 지키는 가장 믿음직한 길은 우리민족끼리 힘을 합쳐 6·15공동선언의 기본정신을 드높이고 실천하는 데 있다"고 주장했다.[18] 이 같은 '반미·반외세·우리민족끼리' 등 친북반미적인 노선은 그 후의 남북공동행사장의 기조가 되었다. 행사를 주관한 통일연대 사무처장 민경우(閔庚宇)와 전 의장 이종린은 나중에 서울경찰청 보안수사대에 연행되어 조사를 받았다. 민경우는 이듬해인 2004년 1월, 범민련 사무처장 때 국내 통일단체의 동향 등을 일본 범민련 해외본부를 통해 북한에 알려준 혐의 등으로 구속 기소되어 1심에서 징역4년을 선고받고 2심에서는 징역3년6개월을 선고받았다.[19] 민경우와 함께 구속된 이종린은 83세의 고령이라는 사실이 참작되어 징역2년집행유예3년을 선고받고 풀려났다.[20] 그러나 두 사람은 2005년 광복절 특사 때 노무현 정부가 사면한 국가보안법 위반 사범 총 273명(한총련 관련자 204명)에 포함되어 공적 활동을 다시 보장받았다.[21]

2004년의 6·15 우리민족대회는 6월 14일부터 이틀간 인천과 서울에서 남과 북, 해외동포 대표단이 참가한 가운데 개최되었다. 이 대회에는 1993년 북한으로 송환된 비전향 장기수 이인모(李仁模)의 외동딸 이현옥(평양 개선1고등중학교 교장)이 북측 대표단의 일원으로 참석했다. 대회는 회의 마지막 날 "온 겨레는 6·15 공동선언 정신인 민족자주의 원칙에 기초해 단합할 것"을 다짐하는 '민족대단합 선언'을 발표했다.[22]

남북공동행사 위해 남측위원회 상설

6·15공동선언 기념 남북공동행사는 2005년부터 참석범위와 준비방식에 변화가 왔다. 이 해부터 정부대표도 참석했다. 그해 6월 14~16일 평양에서 열린 6·15공동선언 5주년 기념 민족통일대축전에 정동영(鄭東泳) 통일부장관을 단장으로 하고 박병원(朴炳元) 재경부차관 등을 대표로 한 17명의 당국 대표단이

참석했다. 대회 첫 날인 14일 북측 준비위원회 명예위원장인 양형섭(楊亨燮) 최고인민회의 상임위원회 부위원장은 "복잡한 국제정세 속에서 우리 민족끼리 힘을 합쳐 새천년 역사의 활로를 찾아내자"고 강조했다. 정부대표단의 일원인 유홍준(俞弘濬) 문화재청장은 평양 만수대 예술극장 연회장에서 북한의 전쟁영웅을 찬양하는 영화인 '이름 없는 영웅들'의 주제곡을 불러 파문을 일으켰다.[23] 이 해에는 남북공동행사 준비를 위해 '6·15공동선언 실천을 위한 남·북, 해외 공동 행사준비위원회'라는 상설기구가 설치되었다. 남측위 위원장은 서울대 명예교수이자 대표적인 진보파 학자인 백낙청이 맡았다.[24] 남측 행사준비위원회 공동대표에는 남한 내 친북단체의 주축인 통일연대의 한상렬 상임대표 의장, 전국연합의 오종렬 상임의장, 범민련 남측본부 이규제 의장, 한총련 장송회 의장, 비전향장기수들의 모임인 '통일광장'의 권낙기 대표 등이 선임되었다. 이로써 남북접촉의 주도권이 진보−좌파세력에 완전히 장악되었다.

이 해 8월 광복 제60주년을 맞아 서울 마포구 상암동 월드컵경기장에서 열린 8·15민족대축전에 참석한 안경호 등 북측 대표단은 서울 동작구 국립묘지를 방문해 5초간 짧은 묵념을 했다. 남북공동행사와는 별도로 전국민중연대와 통일연대는 서울 종로구 대학로에서 1만2천여 명이 참석한 가운데 '반전평화 자주통일 범국민대회'를 갖고 '자주 평화 통일'의 구호가 적힌 수백 개의 피켓을 든 채 종로에서 광화문 부근까지 약 2.5km를 행진했다. 집회 참가자들은 푸른색 한반도기를 들고 '반전 평화 자주 투쟁으로 평화통일 쟁취하자' 등의 구호를 외치며 "주한미군 철수하라"고 주장했다.[25]

백두산에서의 반미 시 낭송

2005년에는 최초의 남북한 '민족작가' 모임이 북한에서 개최되었다. 이 해 7월 20일부터 25일까지 북한에서 열린 이른바 '6·15 공동선언 실천을 위한 민족작가회의'는 양측의 문인들이 남북공동선언의 실천을 다짐하는 결의대회가 되었다. 나흘째 회의일정으로 백두산 정상에서 열린 '통일문학의 새벽' 행사는 특기할 만하다. 백두산 장군봉 아래 개활지에서 열린 이 행사에는 남북 및 해외동포 문인 150명이 참석했다. 남쪽에서 고은, 신경림(申庚林), 백낙청, 황석영(黃

皙暎) 등 100여 명, 북쪽에서는 홍석중, 오영재, 남대현, 김병훈 등 20여 명과 미국 동포작가 이언호, 일본의 김학렬, 김정수 등이다.[26)]

이날의 '통일문학의 새벽' 행사는 남북민족작가회의 개회일인 20일 평양 인민문화궁전에서 열린 본대회에서 채택된 공동선언문을 낭독하는 것으로 개막되었다. 공동선언문 낭독에 이어 고은(남한), 이언호(미국), 박세옥(북한), 송기숙(宋基淑, 남한), 김학렬(일본), 박경심(북한), 안도현(安度眩, 남한), 남대현(북한), 현기영(玄基榮, 남한), 정지아(鄭智我, 남한), 오영재(북한)가 차례로 나와 시를 낭송하거나 소감을 밝혔다. 장편소설 '빨치산의 딸' 작가이자 운동권 출신 소설가인 정지아가 낭송한 시는 1979년의 남민전사건으로 징역15년을 선고받았던 김남주(金南柱, 1947~94) 시인의 '조국은 하나다'라는 시였다.[27)] 이 시의 도입 부분을 소개하면 다음과 같다.

조국은 하나다.
이것이 나의 슬로건이다.
꿈 속에서가 아니라 이제는 생시에
남 모르게가 아니라 이제는 공공연하게
조국은 하나다.
양키 점령군의 탱크 앞에서
자본과 권력의 총구 앞에서
조국은 하나다.[28)]

'통일문학의 새벽' 행사는 조선작가동맹 김병훈 위원장의 연설에 이어 참가자들이 "백두산 만세" "민족문학 만세" "조국통일 만세"를 외치는 가운데 산회했다.[29)]

북측, 한나라당 집권하면 전쟁 발발 협박

통일연대 등 친북세력의 활동은 2006년경에는 아무 거리낌 없이 공개적으로 전개되었다. 통일연대는 이 해 3월 벨기에 수도 브뤼셀에서 열린 제3회 북한인권대회를 반대하기 위해 원정시위를 감행했는데 이때 그 전 같으면 도저히 상상할 수 없는 일이 벌어졌다. 즉 원정시위 차 출국한 '한반도평화원정대' 참가자들 중에는 빨치산 출신으로 국군 4명을 살해해 사형선고를 받고 35년간 복역하다가 1989년에 석방된 비전향장기수이자 통일광장 공동대표인 김영승도 끼어있었다. 그는 보안관찰 대상의 신분임에도 불구하고 노무현 정부 아래서 자유롭게 출국했다. 김영승은 원정시위를 다녀온 다음에는 그의 인터넷 블로그에 6·25를 '위대한 조국해방전쟁'이라고 주장하는 등 이적성 글을 17회 올려 그해 11월 국가보안법 위반 혐의로 인천지검에 의해 불구속 기소되었다.[30]

2006년 6월 14~17일 사이에 광주 월드컵경기장에서 김대중 전 대통령 등 2만여 명이 참석한 가운데 개막식을 가진 6·15공동선언 6주년 기념 민족대축전에는 이종석 통일부장관을 단장으로 하는 13명의 당국 대표단이 참석했다. 북측으로부터는 김영대 민족화해협의회장이 이끄는 대표단이 광주를 찾았다. 이 해의 기념행사에서는 반미분위기가 절정에 달했다. 북측은 '6·15공동선언 이행'이라는 구실 아래 '주한미군철수'와 '민족공조' 등의 선전을 노골적으로 벌였다. 행사장 주변 곳곳에는 '우리민족끼리 힘을 합쳐 주한미군 몰아내고 통일을 이루자'는 현수막이 붙어 있었다. 또한 북측 민간대표단장으로 온 안경호 조국평화통일위원회 서기국장이 "한나라당이 집권하면 온 나라가 전쟁의 화염에 휩싸일 것"이라고 발언, 물의를 빚었다. 이종석 통일부장관은 그를 만나 남한 정치에 대해 '중립'을 지켜 달라고 요청하고 서울에서 여야는 즉각 이 발언에 대해 유감을 표명했다. 또한 김지하 시인과 종교계 인사 등 10여 명이 그에게 '내정 불간섭' 원칙을 강조하는 글을 보내 항의했다. 그러나 안경호는 광주행사가 끝난 다음 평양으로 귀환하면서 성명서를 내고 "우리의 평화애호적인 정당한 주장과 입장을 못마땅한 것으로 간주하고 시비한다면 북남관계를 파괴하고 온 민족을 위협하는 전쟁국면으로 몰아가는 것으로밖에 볼 수 없다"고 도리어 남측에 역습을 가했다.[31] 안경호를 비롯한 북측 대표단 가운데 59명은 광주 북구 운정동 국립5·18민주묘지를 참배하고 헌화했다.[32]

회의 마지막 날 남북 및 해외 대표단은 '해내외 동포들에게 보내는 (공동)호소문'을 발표했다. 이 호소문은 "① 우리민족끼리 힘을 합쳐 조국통일 이룩하자

② 민족자주로 통일의 활로를 열어나가자 ③ 거족적인 평화운동으로 민족의 안녕을 지키자 ④ 민족의 대단합으로 조국통일의 새로운 전기를 마련하자"고 강조했다.[33] 이 해의 공동행사 때 벌어진 국내 친북세력의 활동도 우려스러운 것이었다. 한총련 소속 학생들이 5·18민주묘지에서 '주한미군 철거가'를 부르고, 광주 시내 일부 지역에는 '남북농민 통일단결, 주한미군 몰아내자'라는 현수막이 내걸렸다.[34] 뿐만 아니라 통일축전 행사장에서 북한 정권에 대한 '충성 맹세'가 담긴 디스켓 3장을 북측 참가자에게 전달하려 한 남파간첩 출신의 범민련 남측본부 서울시연합 부의장 우모가 국가정보원에 의해 적발되어 구속된 사건이 나중에 밝혀져 충격을 주었다.

한나라당 대표 주석단 착석문제로 회담 결렬

2007년의 6·15 남북공동선언 7돌 기념 민족통일대축전은 6월 14일 평양 대성산 남문에서 개막식을 시작으로 4일간 개최되었다. 정부의 대북 쌀 차관 유보결정의 여파로 정부대표가 불참하고 민간대표만 참석한 이날 대회는 한나라당 의원이 주석단(귀빈석)에 앉는 것을 인정할 수 없다는 북측의 강경한 태도로 회의가 일시 중단되는 소동을 겪었다. 북측은 회의 이틀째인 15일 인민문화궁전에서 열릴 예정이던 '민족단합대회'에 착석하려는 남측 대표단의 주석단 입장을 중단시키고 "박계동(朴啓東) 한나라당 의원이 주석단에 앉을 수 없다"고 말했다. 북측은 14일 열린 개막행사에서는 한나라당을 포함한 각 정당의 대표자가 주석단에 앉는 것에 대해 문제 제기를 하지 않다가 이날 갑자기 한나라당 의원 배제 주장을 편 것이다.[35] 결국 이 문제는 남북 양측이 한나라당뿐 아니라 다른 정당 대표도 주석단에 앉지 않기로 합의함으로써 해결되었으나[36] 이런 결정은 남측이 무원칙하게 양보한 것이다.

이 해 8월의 민족통일대회는 부산에서 열리기로 되었다. 그러나 북측은 행사를 불과 10일 앞두고 돌연 회의불참을 통고해 옴으로써 대표단 1백명을 보내겠다던 그들의 약속을 파기해 공동행사가 무산되었다. 북한이 이렇게 나온 배경은 실무협의에서 북측 대표가 한나라당 의원의 귀빈석 착석과 연설에 반대의사를 밝혔으나 남측이 수용하지 않자 회담 자체를 깬 것으로 알려졌다.[37]

전국민중연대 2년간 준비위 거쳐 결성

전국민중연대는 원래 김대중 정부 때 통일연대 발족과 비슷한 시기에 결성을 준비했으나 정식 발족은 노무현 정부 때인 2003년 5월 실현되었다. 민주노총, 전국연합, 전농, 민노당 등 35개 노동, 농민, 학생, 재야 운동단체의 연합체인 '민족자주 민주주의 민중생존권쟁취 전국민중연대'(민중연대) 준비위가 결성된 것은 2001년 3월이었다. 이 기구를 만들려고 한 것은 정부의 신자유주의적 경제정책에 떠밀려 노동자 농민 등 소외계층의 삶이 더욱 피폐해지고 있다는 좌파단체들의 주장 때문이었다. 민중연대 준비위의 공동대표에는 단병호 민주노총 위원장, 권영길 민주노동당 대표, 정광훈 전농의장, 오종렬 전국연합 의장, 최갑수(崔甲壽) 민교협의장 등 15명이 추대되었다.[38]

전국민중연대는 2003년 5월 서울 종로구 기독교회관에서 37개 사회단체 대표들이 참석한 가운데 결성식을 갖고 정식으로 발족했다. 이날 회의는 정광훈 (전 전농 의장) 준비위원장을 상임대표로 추대하고, 단병호 민주노총 위원장과 정현찬 전농 의장, 김흥현 전빈련 의장, 권영길 민주노동당 대표 등 7명을 공동 대표단으로 선출했다. 전국민중연대는 정식발족에 앞서 철도·발전 민영화 저지, 한−칠레 자유무역협정 반대, 두산중공업 노동탄압 중지 등 '신자유주의·세계화 반대' 투쟁에 주력하고 의정부 여중생 신효순·심미선의 사망사건 규탄과 이라크 전쟁 반대 등 '반전·평화'운동도 벌였다.[39]

국가보안법 반대에 총력

국가보안법 폐지운동은 17대 총선에서 열린우리당이 국회의 다수당이 된 다음 절정에 달했다. 전국민중연대, 통일연대, 민주사회를 위한 변호사 모임 등 122개 시민·사회단체는 2004년 6월 서울 태평로 언론회관에서 기자회견을 열고 전국 규모의 '국가보안법 폐지 국민연대'(국민연대)를 결성하고 연말까지 보안법을 폐지하기 위한 총력 투쟁에 나서겠다고 선언했다. 이들은 선언문에서 "남북이 이미 경제협력과 인적·물적 교류를 활발히 하면서 통일을 대비하고 있는 상황에서 북한을 적국으로 규정하는 국가보안법은 더는 명분이 없다"면서 "17대 국회가 올해 안에 국보법을 전면 폐지하도록 국민 차원에서 저항운동을

펼쳐 나가겠다"고 밝혔다.[40]

2004년 9월에 접어들어 친북좌파세력이 맥아더동상 철거운동을 벌일 무렵 민중연대는 더욱 노골적으로 친북입장을 표명했다. 민중연대의 인터넷 홈페이지 게시판에 《김일성저작집》과 《김일성회고록》 등 많은 북한 저작물이 1년간 계속 게시되었다. 이들 자료들 중 《역사가 본 조선전쟁》에는 6·25가 "한국을 아시아 반공 전초기지로 만들고 전쟁으로 경제위기를 해결하려는 미국과 선거 패배로 인한 정치적 혼란과 위기를 극복하려는 이승만 정권이 야합해 먼저 북을 침공해 발발한 전쟁"이었다는 북측 주장이 그대로 실려 있었다.[41]

노무현 정부 아래서 친북좌파진영의 '힘'을 과시한 사건이 한·칠레FTA반대 시위 중 농민 한 사람이 사망하자 경찰청장을 경질하라는 시위를 벌여 이를 관철한 사건이다. 이들은 '농민 살해 규탄 촛불문화제'를 경찰청 옆 지하철 서대문역 앞에서 열고 경찰청장 사퇴를 촉구했다. 결국 허준영(許准榮) 경찰청장은 연말국회에서 민노당과의 협력을 중시한 청와대와 여당의 압력을 이기지 못하고 사표를 제출한 다음 "(대통령의) 통치에 부담을 드려서는 안되겠다는 결론을 내리고 물러난다"고 말했다.[42]

연방제와 국정원 폐지 주장

2000년 김대중과 김정일 사이에 체결된 6·15공동선언 발표 후 종래 북측의 연방제에 동조하던 한총련 등 국내의 급진단체들이 통일방안을 6·15공동선언의 제2항과 같게 앞 다투어 수정했으나 그 후 시일이 지남에 따라 많은 급진단체들은 자신들의 통일방안을 다시 연방제로 바꾸었다.

노무현 정부 주도의 과거사 진상 규명 활동에 맞서 반친북좌파 활동을 벌인 민간 차원의 '친북반국가행위 진상규명위원회'(위원장 제성호, 諸成鎬, 중앙대 교수)가 2007년 11월 이들 단체의 강령, 규약, 발표문 등을 분석한 끝에 밝혀낸 바에 의하면, 이들 단체들은 대부분 남측의 통일 방안인 남북연합제를 부정하고 북측의 연방제를 공식, 비공식으로 지지하고 있다는 것이다. 이 위원회는 민노총, 한총련, 전교조, 전국연합, 통일연대, 범민련 남측본부, 실천연대, 평통사(정식 명칭 평화와 통일을 여는 사람들), 한청(한국청년단체협의회) 등 9

개의 주요 급진단체가 내건 통일방안이 북한의 '연방제'와 일치한다고 발표했다.[43]

이들 단체의 구체적인 통일방안을 보면, 2001년 연방제 강령을 삭제한 한총련은 2006년 임시대의원대회 자료집에서는 "연방통일 조국건설을 위해! 투쟁을 전면적으로 벌이자"고 강조했다. 2002~2007년 한총련의 통일 구호(총노선 발표문)는 그해 북한이 신년 사설에서 발표한 통일 구호와 일치했다. 전교조는 통일론을 담고 있는 각종 자료를 비공개로 운영하고 있으나 2001년 자료에서 "평화 통일의 구체적인 방안은 연방제 통일"이라고 밝혔다.[44]

9개 단체들은 주한미군 철수와 국가보안법 폐지를 줄기차게 주장했다. 유엔(UN)사·한미연합사 해체, 한미 합동군사훈련 중단, 국가정보원, 국군기무사령부 폐지 등도 요구했다. 민노총은 2007년에 "연방제 자주 통일을 앞당기기 위한 노동자 민중의 당면 투쟁 과제는 그 모든 것의 걸림돌인 주한미군 철수와 국보법 폐지"라고 밝혔다. 전국연합은 강령에서 '자주국방'을 위해 "주한미군이 사용하던 모든 기지와 시설을 국민을 위한 시설로 전환한다"고 주장했다. 노무현과 김정일 간의 2007정상선언에 명시된 '법률적, 제도적 장치'의 정비문제는 1993년 범민련의 1차 공동의장단 회의에서 이미 언급되었던 것으로 조사되었다. 당시 범민련은 "민족 대단결과 통일을 가로막는 구시대의 유물인 국보법과 안기부, 기무사 같은 법적·제도적 장치를 철폐하고…"라는 결의문을 발표했다.[45]

좌파 22개 단체가 '반보수 대연합'으로 진보연대 결성

제17대 대통령선거가 실시된 2007년 초 좌파진영은 한나라당의 대선승리를 막기 위한 집중적인 투쟁에 나섰다. 남북공동선언실천연대, 조국통일범민족청년학생연합(범청학련) 남측본부 등은 일제히 신년사를 통해 "대선 승리를 위해 모든 역량을 총동원하자!" '반(反)보수 대연합'으로 올해 대통령선거에서 '미국과 한나라당을 끝장낼 것'이라고 선언했다. 이들은 신년사에서 "2007년에 반미 반전투쟁의 역사적 전환기를 이루어야 한다"고 다짐했다. 6·15청학연대(정식 명칭 6·15공동선언실천청년학생연대)가 전년 12월 31일 소식지에서 "미국은 한반도 이남에 친미 사대정권을 세우기 위해 음으로 양으로 책동할 것이다"라고 주장한 것도 같은 맥락이었다. 이 같은 좌파세력의 움직임은 북한정권이 새해 《노동신문》 등에 실린 신년공동사설에서 한나라당을 지목, 노골적인 반대투쟁을 요구한 것을 충실하게 따르는 것이었다.[46]

친북좌파진영은 즉시 전국연합 이후 최대 규모의 연맹체를 결성하기 위한 준비위원회를 구성했다. 민주노총 한총련 전농 등 전국 22개 단체는 1월 9일 서울 용산구 백범기념관에서 "진보운동의 혁신과 더 튼튼한 단결을 위해 연대체가 필요하다"고 주장하면서 '한국진보연대 준비위원회'를 결성했다. 새로 출범할 이 단체는 민족자주, 신자유주의 세계화 반대, 민중 생존권 쟁취, 6·15공동선언 이행과 자주적 평화통일 등을 강령의 주요 내용으로 채택키로 했다. 공동준비위원장은 민주노총 조준호 위원장, 민주노동당 문성현 대표, 전국농민회총연합 문경식 의장, 전국빈민연합 김흥현 의장, 전국여성연대 윤금순 대표, 정광훈 민중연대 상임의장, 오종렬 전국연합 상임대표, 한상렬 통일연대 상임대표 등 8명이 맡았다.[47]

그러나 한국진보연대의 정식 발족식은 지연된 끝에 2007년 9월 16일 여의도문화마당에서 개최되었다. 박석운 민중연대 집행위원장의 사회로 진행된 이날행사에서 오종렬 준비위원회 상임의장은 "신자유주의, 자본주의를 몰아내 민중해방을 일으키자"고 선언했다. 진보연대는 종래 진보진영의 연합체였던 민통련, 전민련, 전국연합, 통일연대·민중연대로 이어져 온 단일 진보전선을 승계한 것으로, 그동안 진보진영의 연합체였던 통일연대와 민중연대는 발전적으로 해소키로 했다. 진보연대는 오종렬 전국연합 상임의장, 정광훈 민중연대 상임대표, 한상렬 통일연대 상임대표 3인과 전농 문경식 의장, 민주노동당 문성현 대표, 전빈련 김흥현 의장, 전국여성연합 윤금순 대표 등 7인으로 위원장단을 구성했다.[48] 이로써 친북좌파 재야단체는 전국연합 이후 다시 결집하게 되었는데, 민노당이 진보세력의 원내단체라면 진보연대는 원외단체인 셈이다.

'민족교육' 이념 내세운 전교조의 친북반미교육

전교조는 1998년의 김대중 정부 출범을 계기로 노사정위원회 결정과 관계법개정에 따라 합법화되었다. 1999년 7월 1일 '교원의 노동조합 설립 및 운영 등에 관한 법률'이 발효됨으로써 합법화된 전교조는 합법화와 동시에 참교육운동에 박차를 가했다. 전교조는 1989년 발족 당시 제정한 강령 제3항에서 "우리는 학생들이 민주시민으로서 자주적 삶을 누릴 수 있도록 민족 민주 인간화 교육에 앞장선다"고 선언했는데[49] 2002년 2월 25일 열린 제32차 전국대의원대회에서 채택한 참교육실천강령 제2항은 "우리는 민족의 자주성 확보와 평화통일을 앞당기기 위한 교육을 실천한다"라고 규정하고 있다. 그러면 전교조가 말하는 민족교육이란 무엇인가. 전교조 결성 당시 사무처장이며 제9대 위원장인 이수호는 그해 6월 사월혁명민족학교 강의에서 당면한 '민족의 문제'를 정의해 다음과 같이 말했다.

> 가까이는 민족경제를 급속히 세계자본(미국자본)에 예속 당하게 해 민중들의 삶을 파탄에 빠뜨리고 있는 신자유주의라 불리는 신제국주의 침략문제와 미국 부시 정부의 세계전략과 냉전세력의 정략에 의해 한반도 화해와 평화통일로의 진전이 발목 잡히고, 한반도의 전쟁위험이 높아지는 문제를 들 수 있고, 멀리는 전반적으로 사대화 되어 있는 우리의 문화와 의식의 문제, 역사의 인식의 문제를 들 수 있다.[50]

그는 이에 따라 민족교육의 과제가 ① 친일, 친미 사대주의의 교육 청산(교육의 자주성 회복의 과제) ② 반공 냉전적 이데올로기 대결의 교육 청산(화해 평화통일 교육의 과제) ③ 국적불명의 교육문화 청산(정체성 있는 민족문화 형성 과제)라고 정의했다. 그는 ①과 관련, 한반도 분단과정에서 민족자주세력이 거의 말살당하고 친미세력으로 변신한 친일파가 한국교육의 주도권을 장악하고 일제식 교육제도를 온존 강화했다고 주장했다. 이수호는 ②와 관련, 친일파는 반공을 내세우면서 분단정권 수립과 전쟁과정에서 소위 애국자로 변신하여 우리 사회의 지배층이 되었고 그 연장선상에서 반공과 냉전 이데올로기가 그들의 생존의 철학으로 체계화되고 이론화되고, 신념화되었다고 주장했다. 따라서 냉전적 통일교육을 화해교육, 평화교육, 공존의 통일교육으로 변화시켜야 한다고 그는 주장했다. 그는 ③과 관련, 사대주의와 반공냉전의식의 지배는 우리 교육문화를 국적불명의 정체성 없는 문화로 만들고 민족교육을 그 기초로부터 허무는 무서운 힘이 되고 있다고 역설했다. 따라서 민족동질성을 형성해 줄 정체성 있는 민족문화를 이룩해야 하며 이는 민족교육, 민족문화운동이 해결해야할 매우 중요한 과제라고 그는 말했다.[51] 전교조는 이 같은 노선에 입각해서 2001~2002년 사이에 친북반미적 통일교재인《이 겨레 살리는 통일》과《살아 있는 한국사 교과서》를 만들어 일선학교에 배부함으로써 교육계와 학부모들에게 큰 충격을 주었다.

전교조의 반미교육은 2003년 4월 국무회의에서도 말썽이 되었다. 노무현 대통령은 "(전교조가) 학생들에게 반전사상을 교육하는 과정에서 반미 내용까지 포함하고 있다는 보고를 받았다"고 말하고 교육인적자원부가 사실 여부를 파악해서 적절한 대책을 마련하라고 지시했다. 그러나 노무현의 지시에 대해 전교조는 즉시 성명을 내고 "전교조에 대한 오해를 불러 올 수 있는 성급한 발언"이라면서 "전교조는 반전 평화교육을 실시하는 것일 뿐 반미교육을 하는 것은 아니다"라고 반박했다. 전교조가 반발하자 노무현은 곧 청와대 수석비서관 및 보좌관 회의에서 "외교적 관계를 고려해 반미로 가서는 곤란하니 실태를 정확하게 조사해 보라고 한 것인데 마치 반미교육으로 단정한 것처럼 비쳤다"면서 "이 문제를 과장하거나 과잉반응하지 않았으면 좋겠다"고 해명했다.[52]

북측과 공동수업 실시

노무현 정부의 애매한 태도와는 반대로 전교조의 좌파이념 편향 수업이 2003년 들어 교육계 내부에서 강력한 반대에 부딪쳤다. 그해 5월 11일 서울시 교육연수원에서 4천여 명이 참석한 가운데 한국국공사립 초중고교 교장회장협의회 주최로 '학교교육을 살리기 위한 자성과 전교조와의 알력으로 자살한 충남 예산 보성초등학교 서승목(徐承穆) 교장을 추모하는 전국교장 결의대회'라는 긴 이름의 이색적인 회의가 열렸다. 이날 회의에서 이상진(李相珍, 서울 대영교 교장) 회장은 대회사를 통해 "전교조는 초등학생까지 반미시위에 참여하도록 반미친북 수업을 하는 등 나라의 장래를 짊어질 어린 영혼을 더럽히고 있다"고 맹공했다. 그는 "전교조는 반전을 선동하면서 김정일 정부에 불리한 반핵은 이야기하지 않고 동맹국 미국에 대한 증오심을 부추기는 반미를 가르치고 있다"고 지적하면서 "대통령과 교육인적자원부, 일부 언론은 전교조의 불법행동에 대해 엄정대처하지 않고 오히려 고무 격려하는 양상까지 보이고 있다"고 비난했다. 이날 회의는 교내불법행위에 대한 단호 대처와 자기 입장만 내세우는 교육구성원의 자제를 촉구하는 결의문을 채택했다.[53]

전교조는 그해 7월 북한교원단체의 초청을 받고 통일교사모임 교사 등 130명으로 구성된 평양교육견학단(단장 조희주 부위원장)을 분단 후 최초로 북한에 파견, 29일부터 4박5일 동안 회의를 가졌다. 전교조 견학단은 방북기간 동안 북한의 교원단체인 조선교육문화직업동맹과 남한 학생들의 북한 수학여행, 남북 교육자토론회, 교원단체 상호방문 정례화, 교육자료 교환 등을 협의했다.[54] 전교조는 한국교총과 함께 이듬해인 2004년 7월에는 금강산에서 북한의 조선교육문화직업동맹 측과 6·15공동선언 실천을 위한 남북교육자대회를 갖고 공동결의문을 채택했다. 원영만 전교조 위원장, 윤종건 한국교총 회장, 김영도 조선교육문화직업동맹 위원장이 참석한 이 대회에서 채택된 결의문은 "이 땅에서 외세에 의한 전쟁과 분단의 고통이 더 이상 지속되어서는 안 되며 자라나는 새 세대에게 평화롭고 부강 번영하는 통일조국을 물려주는 것이 우리 교육자들의 역사적 사명이라는 데 뜻을 같이 했다"고 천명하고 ① 교육부문에서 6·15공동선언의 적극 실천, ② 민족의 자주적 대단결과 평화와 통일을 지향하는 교육, ③ 민족의 평화와 단합과 통일이라는 공동과제를 실천하기 위한 연대와 협력의 강화라는 3개 항을 결의했다.[55]

전교조는 6·15남북공동선언 5주년을 맞아 2005년 6월 교총과 북한의 조선교육문화직업동맹 측과 함께 남북한에 걸쳐 남북교원단체 공동수업을 처음으로 실시했다. 공동수업이지만 교재와 수업내용은 남북이 따로따로 마련했다. 이 수업을 진행한 서울 강북구 수유동 우이초등학교 6학년 5반의 담당교사는 "5년 전 남북정상은 우리 민족끼리 통일을 이야기하자는 원칙에 따라 서로 협조하기로 약속했다"면서 "약속은 중요한 것이기 때문에 남과 북 모두 이를 지키기 위해 노력해야 한다"고 학생들에게 당부했다.[56] 이 무렵 전북 임실군 소재 K중학교의 전교조 소속 교사이자 전교조 전북지부 통일위원장인 김형근이 학생 및 학부형 180명을 이끌고 전북 순창군 내 회문산에서 열린 통일광장 등 친북단체 주최 빨치산 추모제인 '남녘 통일애국열사 추모제'에 참석한 사실이 나중에 밝혀져 물의가 일어났다. 추모제에 나온 범민련 남측본부 명예의장인 이종린은 "오늘 밤은 회문산 해방구라 말하고 싶다"면서 "남녘 동포들이 회문산에서 용감히 싸웠던 역사를 기리면서 올해는 반드시 미군 없는 나라를 만들자"는 내용의 격려사를 했다.[57] 경찰은 이 사건이 1년 반 후인 2006년 12월 뒤늦게 언론에 크게 보도되고 난 다음에도 시일을 끌다가 2007년 4월 가택수색을 벌였으나 사법처리 여부를 결정하지 않았다. 그러다가 수사 착수 9개월 만인 2008년 1월, 노무현 정부 말기에야 김 교사를 국가보안법 위반 혐의로 구속함으로써 정권교체기에 눈치보기 수사를 했다는 비판을 받았다.[58]

전교조는 홈페이지에서 '중등용 국가보안법 수업지도안'을 올렸는데 거기에 시 한 수를 첨부했다. 그 내용은 "그런 법(국가보안법) 따위 헌 신짝처럼 던져버리자/ 너는 고무하라 나는 찬양하리니/ 너는 잠입하라 나는 탈출하리니/ 오, 우리들의 평화로운 이적행위여(하략)"라고 조롱하는 투로 묘사하고 이 시를 교사가 학생들 앞에서 낭송하도록 했다. 전교조는 또 제주4·3사건에 관련해 '칠판 부착자료'로 올려놓은 그림 자료에서 벌거벗은 남자의 등을 인두로 '치이익–' 지지는 장면과 교수형에 처하는 장면 등을 넣었다.[59]

전교조는 이명박 정부가 들어선 다음인 2008년 2월 27일 전북 무주에서 제54차 정기 전국대의원대회를 열고 교원평가실시, 자율형 사립고 확대, 영어몰입교육 등 새 정부의 교육정책에 대한 폭로투쟁과 대안적 요구투쟁을 결합한 전면 투쟁을 벌이기로 결의했다.[60]

미군 장갑차 위에 올라가 구호 외친 한총련

한총련은 노무현 정부 출범 이후 남북한 양측 정부로부터 비호를 받았다. 즉, 노무현은 대통령에 취임하자마자 강금실 법무장관에게 한총련 합법화와 수배자 수배 해제 등을 지시하고[61] 수배자들이 민가협(민주화실천가족운동협의회) 주선으로 연세대에서 집단적으로 가족들과 면회하는 것도 묵인했다.[62] 그러나 대법원은 변함없이 한총련이 '이적단체'라는 판결을 내렸다. 대법원 1부(주심

배기원 대법관)는 2003년 5월, 제10기 한총련 집행부가 출범하면서 '연방제통일방안' 대신 6·15 공동선언을 통일강령으로 삼는 등 강령과 규약을 온건한 방향으로 개정했으나 이는 남북관계 등 여건 변화에 따라 부득이하게 취한 조치이거나 합법 단체로 인정받아 활동의 자유를 확보하려는 의도에서 나온 조치일 뿐 기존 한총련의 이적단체성이 근본적으로 변화되었다고 보기는 어렵다고 판시하고 한총련 제10기 의장 김형주에게 징역2년을 선고한 원심을 확정했다.[63] 사법당국의 이 같은 입장은 노무현 정부 아래서 출범한 제11기 한총련 집행부에 대해서도 그대로 견지되어 계속 이적단체로 규정했다.[64]

북한정권의 한총련 비호는 노골적이었다. 노무현 취임 직후인 2003년 3월 북측은 조평통 담화와 아태평화위원회 성명을 통해 대북송금 특검제 도입 등 조치를 "북남관계를 동결상태에 몰아넣게 될 것"이며 이는 "극우 보수세력들의 반민족적–반통일적 행위"라고 비난하면서 한총련 합법화와 국가보안법 철폐 주장을 했다.[65] 과연 한총련은 북한의 기대대로 노무현 정부 아래서 격렬한 반미투쟁을 전개했다. 한총련은 2003년 소속 학생 30여 명이 미국대사관 진입을 시도하다가 전원 전경에게 붙잡힌 사건[66]을 시발로 '300만 대학생 행동의 날' 동맹휴학을 단행하는가 하면 노무현이 미국 방문 중 대미굴욕 외교를 했다 해서 광주 5·18기념 행사장에서 기습시위를 벌였다. 2005년의 제13기 의장 송효원(여, 홍익대 총학생회장)을 비롯한 간부들은 정부의 승인 아래 금강산에서 열린 남북대학생 상봉모임에 참석했다.[67] 이때부터 한총련은 사실상 합법화된 것과 다름없었다.

한총련의 반미시위는 노무현 정부 임기 중 계속 격렬하게 전개되었다. 2003년 8월 경기도 포천군 내 미8군 종합사격장에 난입한 한총련 소속 학생시위대 12명은 운전병이 탑승하지 않은 정차중인 장갑차에 올라가 '한반도 전쟁 반대' 등의 구호를 5분여 동안 외치다가 미군 병사들에 의해 사격장 밖으로 쫓겨난 뒤 출동한 경찰에 연행되었다.[68]

북측과 '한나라당 청산'을 결의

이듬해인 2004년 8월에는 한총련 소속 학생 150여 명이 서울 양천구 목동에 있는 탈북자들의 인터넷 방송 '자유북한방송' 건물 앞에서 "북한을 비방해 온 방송을 즉각 중단하라"는 등의 구호를 외치면서 시위한 뒤 자진 해산했다.[69] 2005년 5월에는 한총련 소속 대학생과 시민단체 회원 등 시위대 3천여 명이 광주 공군 제1전투비행단(광주공항) 정문 앞에서 주한미군의 패트리엇 미사일 기지 폐쇄를 요구하면서 격렬한 시위를 벌이다가 부대 주위에 둘러쳐진 2중 철 조망 일부를 뜯어내고 부대 안으로 진입을 시도한 사건이 일어났다.[70] 한총련 은 2006년 5월에는 금강산에서 북한 대학생 대표들과 분단 이후 최초의 '남북 대학생대표자회의'를 열고 6·15공동선언 실천과 '우리 민족끼리'를 다짐했다.[71]

한총련은 제17대 대통령선거가 실시되는 2007년에는 "낮은 단계의 연방제를 수립할 수 있는 정치지형을 형성하기 위해 진보세력은 대선에서 승리해야 한 다"며 구체적인 반(反)한나라당 투쟁지침을 내렸다.[72] 한총련은 이어 그해 2월 제15기 출범식에서는 반미반전 미군철수 투쟁과 반수구·반한나라당 투쟁, 6·15 공동선언 이행투쟁, 그리고 국가보안법 폐지와 한총련 합법화 투쟁을 연중 벌 이기로 결의했다.[73] 전국 각 대학에는 반수구·반한나라당 투쟁을 위한 농성장 이 설치되었다.

맥아더 동상 철거운동과 선군정치 전시회

인천 자유공원에 있는 맥아더 장군의 동상을 철거하려는 좌파세력의 운동은 2004년부터 2006년까지 집요하게 계속되었다. 좌파단체의 이전요구는 곧 철 거운동으로 발전, 2005년에는 더욱 격화되었다. 좌파단체들은 이 해 제헌절을 맞아 '제국주의의 상징'인 맥아더 동상 끌어내리기를 단행한다고 발표한 것이 다.[74] 이 때 역시 보수단체들의 강력한 반대에 부딪쳐 그해 제헌절은 무사히 넘 겼다. 그런데 4년 전 '만경대 정신' 운운해서 말썽을 일으킨바 있는 강정구 교수 가 이 무렵 한 인터넷 매체에 기고한 칼럼에서 6·25는 '통일전쟁'이라면서 "맥 아더 동상은 역사 속에 던져야 한다"고 주장해 다시 거센 논란이 벌어졌다. 그 는 '맥아더를 알기나 하나요?'라는 제목의 칼럼에서 "집안싸움인 통일내전에 미 국이 개입하지 않았더라면 전쟁은 한 달 이내에 끝났을 테고, 우리가 실제 겪었 던 그런 살상과 파괴라는 비극은 없었을 것"이라면서 "전쟁 때문에 생명을 박탈당한 약 4백만 명에게 미국이란 생명의 은인이 아니라 생명을 앗아간 원수"라고 비난했다.[75] 이 무렵 미국 하원 국제관계위원회 소속인 헨리 하이드 위원장과 다나 로라베이처, 에드 로이스, 에니 팔레오마배가, 조지프 크라울리 등 하원의원 5명은 주한미국대사관을 통해 노무현 대통령에게 공동명의로 된 서한을 보내고 "동상을 훼손하거나 허물어뜨리느니 차라리 미국인에게 양도해 달라"고 요청해 이 문제가 외교문제로 비화했다.[76]

2006년 9월 우리민족연방제 통일추진회의(약칭 연방통추, 공동대표 김수남)는 맥아더 동상 앞터에서 '미군 추방 맥아더 동상 타도 선전전'을 열고 "왜곡된 역사를 바로잡기 위해 제국주의의 상징인 맥아더 동상을 철거해야 한다"고 주장했다.[77] 이에 대해 보수계의 맥아더 장군 동상 보존 시민연대(회장 유청영)는 "맥아더 동상은 북한의 한반도 적화 야욕을 물리친 것을 기념하는 역사적 상징물"이라며 한 달 동안 동상 주변에서 맥아더 동상 사수 결의대회를 열겠다는 집회신고서를 제출했다.[78] 보수단체들의 이 같은 단호한 태도 때문에 맥아더 동상은 그 이후 무사하게 되었다.

2005년 5월 통일연대와 '비전향 장기수 송환추진위원회', 그리고 실천불교전국승가회는 경기도 파주시 보광사 경내에 이른바 '불굴의 통일애국투사 묘역'을 조성, 마지막 빨치산으로 알려진 정순덕(2004년 71세로 사망)을 비롯한 비전향 장기수 6명의 유골을 묘비와 함께 이곳에 안치했다.[79] 이들 묘비는 누군가에 의해 회색 페인트로 칠해진 채 발견되었는데 그 후 북파공작특수임무동지회 등 보수단체 회원들이 이들 묘비를 모두 철거했다.[80]

이 사건이 언론에 크게 보도되자 수사에 나선 검찰은 전 통일연대 공동대표 권낙기와 '비전향 장기수 송환추진위원회' 집행위원장 노모를 조사한 끝에 이들을 국가보안법 위반(찬양·고무) 혐의로 불구속 기소했다. 그러나 1심과 2심 재판부는 장기수 자신들이 불리고 싶은 호칭을 피고인들이 적어 표지석을 세운 것은 자유민주주의 질서에 해악을 주려는 행위로 보기 어렵다면서 두 사람에게 무죄판결을 내렸다.[81]

2006년과 2007년은 서울 도심에서 친북행사가 공공연하게 개최된 해였다. 그 첫째 행사는 통일연대, 민중연대를 비롯한 좌파단체들로 구성된 '민족민주열사·희생자 추모단체 연대회의'였다. 친북단체들은 2006년 9월 이른바 '민족 민주열사희생자 범국민 추모주간'을 선포하고 서울 시청 앞 광장 및 도심 일대에서 다양한 추모행사를 벌였다. 이들 단체가 추모대상으로 삼은 5백여 명 중에는 건국 이후 간첩 또는 빨치산 활동으로 실형을 받은 윤기남 정대철 김광길 박판수 박현채 및 인민군 또는 남로당 활동 중 검거된 변형만 한태갑 김규호 최한석 이용운 황필구 최재필 양재영 최주백 권양섭 장광명 등과 남민전사건의 이재문 신향식, 통혁당사건의 김종태 김질락 이문규 최영도 정태묵 등이 포함되어 있었다.[82]

가두 추모제는 2007년 10월에도 같은 장소에서 개최되었다. 추모대상자 중에는 북한의 남파간첩 출신인 금재성 김도한 김남식 신창길 왕영인 윤용기 진태윤 최백근 최남규 최인정과 빨치산 출신인 권양섭 김광길 김병인 김용성 김현순 류낙진 박관수 손윤규 안상운 윤기남 장광명 정대철 정순덕 주명순 등이 포함되어 있었다. 이들 이외에 남민전사건의 주범 이재문과 신향식, 그리고 통혁당 간부로서 월북, 조선노동당에 입당했던 김종태, 김질락 이문규 등 간첩 전력자들과 범민련 남측본부 공동의장을 지낸 신창균도 포함되어 있었다.[83] 그 둘째 행사는 2007년 9월 세종로 동아일보사 앞 보도에서 남북공동선언실천연대 주최로 열린 북한의 선군정치를 선전하는 거리 전시회였다. 그 다음 달 초 평양에서 열리기로 된 제2회 남북정상회담을 환영하는 사업의 일환으로 열린 이 전시회에는 김정일의 선군정치 등 북한체제를 선전하는 게시물을 전시했다.[84] 친북전시회가 길거리에서 열린 것은 이때가 처음이었다.

제5부
북핵과 안보위기 시기

1. 서울 청계광장에서 열린 미국산 쇠고기 수입 반대 촛불 문화제 참가자들이 촛불을 흔들며 "광우병 소 수입 반대" 구호를 외치고 있다(2008.5.3.). 사진《동아일보》.

2. 민주노동당을 집단 탈당한 노회찬(왼쪽), 심상정(가운데), 이덕우 등 평등파가 2008년 3월 16일 서울 동대문 서울패션아트홀에서 열린 진보신당 창당대회에서 구호를 외치고 있다.

통합진보당 2011년 12월 11일 국회의원회관에서 민주노동당, 국민참여당, 새진보통합연대가
합쳐 창당식을 갖고 출범했다. 사진《뉴스1》.

통합진보당에서 비례대표후보 부정선거사건이 일어나자 노회찬 심상정 등 진보신당 계열은
2012년 10월 집단 탈당해 진보정의당을 창당했다. 다음해 7월 당명이 정의당으로 바뀌었다.
사진《뉴시스》.

2014년 12월 22일 서울 정동 프란치스코 회관에서 열린 통합진보당 강제해산에 항의하고 대책을 세우는 비상원탁회의에 참석한 진보좌파인사들. 사진 《민중의소리》.

1. 2015년 5월 광주에서 열린 5·18민주화운동 35주년 기념식(사진)에서 문재인 새정치민주연합 대표(앞줄 맨 오른쪽부터), 김무성 새누리당 대표, 정의화 국회의장이 '임을 위한 행진곡'을 부르고 있다. 반면 정부 쪽의 최경환 국무총리 대행(앞줄 왼쪽 둘째)과 박승춘 보훈처장(앞줄 맨 왼쪽)은 입을 다물고 있다. 문재인은 2017년 5월 대통령취임 즉시 박승춘 보훈처장을 경질하고 문제의 노래를 정부 기념식에서 제창을 하도록 지시했다. 사진《연합뉴스》.

2. 조국통일범민족연합(범민련)·민주사회를위한변호사모임(민변) 등 33개 좌파 성향 단체들이 조직한 '4·7 미국규탄대회 준비모임'이 2018년 4월 7일 서울 세종대로 주한미국대사관 앞에서 '통일반대·내정간섭·전쟁위협 미국규탄대회'를 열었다. 사진《뉴데일리》이종현 기자.

'최순실 게이트'와 관련해 박근혜 대통령의 퇴진을 요구하는 시민들이 5일 서울 광화문광장을

가득 메운 채 촛불집회를 열고 있다(2016.11.5). 사진《동아일보》.

2017년 3월 4일 서울 광화문광장에서 (왼쪽부터) 추미애 더불어 민주당 대표, 최성, 문재인,
이재명 더불어 민주당 대선 예비후보들. 사진〈문재인 예비후보캠프〉.

1. 문재인 대통령이 2017년 8월 청와대에서 열린 5부 요인 초청 오찬 간담회에 참석하기 위해 임종석 비서실장과 얘기를 나누면서 복도를 걸어가고 있다. 사진 〈청와대〉.

2. 더불어민주당은 2017년 9월 18일 창당62주년 기념식을 경기도 광주시 신익희 생가에서 가졌다. 더불어민주당은 새정치민주연합 당시인 2015년부터 자유당 정권 때인 1955년에 창당한 민주국민당의 후신이자 호헌동지회의 정당화 형식으로 창당한 민주당의 법통을 이어받는다는 의미에서 이 해를 창당 60주년으로 삼기로 하고 기념식을 거행했다. 더불어민주당은 앞으로 당명도 민주당으로 바꾸기로 했다. 사진《뉴시스》.

출범 한 달, '문재인 정부'
신(新)권력지도

임종석
비서실장

장하성
정책실장

조국
민정수석
비서관

윤영찬
국민소통수석
비서관

김수현
사회수석
비서관

윤건영
국정상황
실장

이낙연
국무총리

청와대
명실상부한
국정 운영의 컨트롤타워

내각
'책임 총리'
기조 속
역할 확대

국정기획
자문위원회 등
외곽
청와대와
호흡을 맞추며
국정 운영 보완

김진표
국정기획
자문위원회
위원장

김동연
경제
부총리 겸
기획재정부
장관

서훈
국가정보
원장

이용섭
일자리위원회
부위원장

홍남기
국무조정
실장

서주석
국방부
차관

천해성
통일부
차관

김태년
국정기획자문위원회
부위원장 겸
더불어민주당
정책위의장

김경수
더불어민주당
의원

1. (사진 좌) 문재인에게 이념적 영향을 준 리영희. (사진 우) 문재인이 존경하는 신영복.

2. "문재인정부 신권력지도". 《동아일보》, 2017.7.31. 한상준 기자.

1. 2017년 5월 12일 인천공항을 방문하고 공항공사 로비에서 비정규직 직원들과 만나고 정규직으로 임명하겠다고 약속하는 문재인. 사진 〈청와대〉.

2. 문재인이 2017년 6월 7일 서울 용산구 용산소방서를 찾아가 소방대원들에게 커피를 따라주면서 격려하고 있다. 그는 "임기 중 소방인력을 확충하겠다"고 약속했다. 사진 《뉴시스》.

1

2

1. 2018년 2월 10일 청와대를 예방한 북한의
   김영남 최고인민회의 상임위원장과 김정은
   의 친동생인 김여정 노동당 중앙위 제1부부
   장과 함께 신영복의 글씨 앞에서 기념촬영을
   하는 문재인. 사진 〈청와대〉.

2. 2018년 4월 27일 판문점 남측 평화의집
   에서 남북정상회담을 가진 문재인 대통령
   과 김정은 북한 국무위원장이 '판문점 선언'
   에 서명한 뒤 포옹하고 있는 모습. 사진 〈청
   와대〉.

성주의 사드기지 입구를 시위대가 차단해 고립된 미군이 헬기로 비상발전기용 유류를 비롯한 보급품을 기지로 수송하는 모습-2017년 9월 사드배치가 완료된 후 이듬해 4월 경찰이 시위대를 강제해산할 때까지 외부와 고립되었던 미군은 대부분 식사도 헬기로 공수되는 전투식량(MRE)으로 때웠다. 사진《연합뉴스》.

IX. 이명박·박근혜 정권하의 진보세력

① 17대 대선 패배의 영향

역사의 길에서 일시적인 우여곡절은 있어도 영원한 퇴보는 없으며, 진보를 향한 민중의 발걸음은 정권의 향배와 관계없이 한순간도 멈춤이 없이 계속된다는 것은 우리의 변할 수 없는 신념이다.…민중들이여! 화를 복으로, 위기를 기회로 삼아 민중이 주인 되는 새 시대를 향해 힘차게 전진하자.

─한국진보연대, '대선결과에 대한 입장'(2007.12)

1. 선거 참패의 의미

유권자들의 '표 폭탄'

2007년 12월 19일과 이듬해 4월 9일 각각 실시된 제17대 대통령선거와 제18대 국회의원 총선거는 진보진영에 일대 참패를 안겨주었다. 즉 '유연한 진보'를 내건 노무현 정부의 집권여당인 대통합민주신당은 보수세력인 한나라당에 마치 산사태 같은 결정적 타격을 입었다. 정통진보를 자처하는 민주노동당(약칭 민노당) 역시 2004년의 역사적인 원내진입 후 겨우 3년 8개월 만에 충격적인 패배를 당했다. '민주평화진보세력'의 기수를 자임한 대통합민주신당 정동영 후보는 총유효투표의 26.14%인 617만표를 얻어 48.67%인 1,149만여표를 얻은 한나라당 이명박(李明博) 후보에게 대통령선거역사상 가장 큰 531만여표 차로 패배했다.[1] 이로 인해 '진보'를 기치로 내세운 대통합민주신당은 그 전신인 새정치국민회의 후보 김대중이 집권한 지 꼭 10년 만에 정권을 다시 한나라당에 넘겨주었다.

선거전 종반에 들어 대통합민주신당의 패색이 짙어지자 진보성향의 '7인회의' 소속 원로들이 나섰다. 사회시민종교단체의 원로격인 백낙청(서울대 명예교수), 함세웅(신부), 박형규(목사), 박영숙(朴英淑, 한국여성재단 이사장), 장임원(張任源, 중앙대 명예교수), 김용태(金勇泰, 한국민족예술인총연합 이사장), 윤준하(尹畯河, 환경운동연합 공동대표) 등 7명은 '당선가능성이 있고 다수의 힘을 결집할 수 있는 후보', 즉 정동영에게 투표하라고 호소하고 나섰다.[2]

그러나 이들의 마지막 호소작전마저 노무현의 국정실패에 실망한 유권자들의 무자비한 '표폭탄' 앞에서 물거품이 되고 말았다. 정동영의 선거 패배 원인은 그의 노인폄하발언과 상대방의 약점만 공격하는 네거티브전술 위주의 선거운동방식이 유권자들을 식상하게 한데다가 시급한 경제회복이라는 국가적 의제를 경제계 출신의 이명박에게 선점당한 선거전략의 실패 때문이었지만, 그보다 근본적인 패인은 노무현의 국정실패에 있었다.

진보세력 일대 참패

제17대 대선에서 정통좌파를 자처하는 민노당의 대통령후보 권영길의 득표도 예상 밖으로 저조했다. 그는 총유효투표의 3.0%인 71만여표를 얻는 데 그쳤다. 권영길은 1, 2위인 이명박(한나라당)과 정동영(대통합민주신당)은 말할 것도 없고 3, 4위인 이회창(무소속, 355만여표)과 문국현(文國現, 창조한국당, 137만여표)에도 훨씬 뒤져 득표5위라는 초라한 성적을 올리는 데 그쳤다.[3] 그의 득표율 3.0%는 2004년 제17대 총선에서 민노당이 얻은 13%에 비하면 너무도 형편없는데다가 민노당이 원외정당 당시인 2002년의 제16대 대선 때보다도 0.9%포인트가 하락했다.[4]

권영길의 선거 참패 원인은 Ⅷ-**3**(민주노동당의 약진과 추락)에서 자세히 살펴본 바와 같이 진보세력에 대한 유권자들의 일반적인 외면과 민노당의 친북이미지가 결정적이었다. 그가 선거공약으로 제시한 국가보안법 철폐, 한미동맹 해체, 주한미군 철수, 한미FTA 백지화, 국군 20만 명으로의 감축, 예비군제도 폐지, 모병제 실시, 재벌그룹 해체, 재벌기업의 사회화, 부유세 신설 등 17개 항목은 현실성이 결여되었고 민노당의 친북이미지를 짙게 하는 것이었다.

2. 방향 잃은 대통합민주신당

'새로운 진보'와 '제3의 길' 제시한 손학규

제17대 대선에서 참패한 대통합민주신당은 그 후 만 9년간의 이명박과 박근혜 두 보수정권 아래서 계파간 이합집산을 거듭해 연속적으로 새로운 당을 창당했다. 당명 변경과정은 상당히 복잡하다. 대통합민주신당—통합민주당(민주당)—민주통합당(민주당)—새정치민주연합(더불어민주당)의 순으로 당명이 바뀐 것이다(괄호안의 정당명은 창당 후 바꾼 새 당명).[5] 그 과정을 자세하게 살펴보자.

2008년 1월, 대선 패배에 책임을 지고 사퇴한 오충일(吳忠一) 대통합민주신당 대표의 후임에 선출된 손학규(孫鶴圭) 전 경기지사는 "과거 열린우리당(노무현 정부 당시의 여당)이 국민에게 안정감을 주지 못한 것은 급진적인 좌파의 모습을 보였기 때문"이라고 진단하면서 "국민은 이념을 버렸다"고 강조했다.[6] 손학규는 취임 이튿날 기자회견에서 재창당 수준의 과감한 당 쇄신을 단행하겠다고 밝힌 다음 당의 새로운 노선으로 '국민의 생활을 돌보는 새로운 진보의 길'을 제시했다. 당내의 압도적인 반대론과는 달리 한미FTA 찬성론자인 그는 대통합민주신당의 대선패배는 선거전략의 실패가 아니라, 시대흐름과 국민의 마음을 제대로 헤아리지 못했기 때문이라고 진단하면서 "유연한 사고와 행동으로 21세기에 맞는 진보의 가치를 실현해 나가야 한다"고 역설했다.[7]

손학규가 밝힌 '새로운 진보'의 내용은 무엇인가. 그는 '새로운 진보'의 모델에 언급, "예컨대 영국 노동당이 자기 혁신을 통해 추구했던 '제3의 길'을 들 수 있다"고 밝혔다. 그는 "80년대에 (내가) 영국에 있을 때 노동당이 어떻게 낡은 좌파이념을 갖고 쇠락해 갔는지를 보았다. '제3의 길'을 추구하면서 실천적인 국민의 이익에 봉사하는 진보노선을 추구해 나가는 모습도 보았다"고 밝혔다. 그의 생각은 말하자면 '실용주의적 제3의 길' 모델이다.[8] 이것은 당시까지 노무현이 추진한 좌파적 경제정책과는 큰 차이가 나는 것이다. 손학규는 "새로운 진보, 우리 사회가 지향해야 할 진보는 보수는 물론이고 낡은 진보와도 대칭선상에 있다"고 말하고 "진보진영의 개혁이 계속되어야 한다"고 강조했다.[9] 손학규는 그해 2월, 취임 1개월 기자회견장에서 기자들과 당직자들에게 붉은 장미 한 송이씩을 나누어 주어 정가의 화제가 되었다. 붉은 장미에는 정치적 의미가 있었다. 영국의 토니 블레어 전 총리가 1986년 '제3의 길' 노선에 따라 신자유주의 노선을 과감하게 수용한 '신노동당(New Labor)' 정책과 당 쇄신을 발표하면서 당의 상징을 붉은 깃발에서 붉은 장미로 바꾸었기 때문에 손학규의 붉은

장미도 블레어식 당 개혁 의지로 해석되었다.[10]

18대 총선 대비 민주당과 합당, 중도개혁노선으로

손학규는 대통합민주신당의 중요당직 인사에서 열린우리당 3선의원 출신으로 서울시 정무부시장과 노무현 대통령당선자 비서실장을 지낸 신계륜 전 의원(고려대 총학생회장)을 사무총장에, 열린우리당 대변인 출신인 우상호 의원(연세대 총학생회장, 서울 서대문갑)을 당대변인에, 열린우리당 당의장 특보 출신인 이기우(李基宇) 의원(성균관대 총학생회장, 수원권선)을 비서실장에 임명하는 등 386 운동권 출신들을 다수 기용했다. 이 같은 인사는 당내 세력이 취약한 손학규가 1970년대 자신의 운동권 경력을 기반으로 해서 80년대 운동권들을 당의 핵심세력으로 만들어 당을 이끌려는 전략에서 이루어진 것이다.[11] 손학규체제가 출범하자 친노무현세력은 대통합민주신당을 잇따라 탈당했다. 친노파의 구심점인 이해찬 전 '실세' 국무총리와 노무현의 정치적 별동대라 불리던 전 보건복지부장관 유시민 의원, 그리고 '리틀 노무현'이라 불린 김두관 전 행자부장관은 모두 당을 떠났다.

손학규체제하의 대통합민주신당은 제18대 총선을 앞둔 2008년 2월, 그 전해의 제17대 대선 직전에 합의했다가 당권 지분문제로 무산된 박상천의 중도통합민주당과의 통합에 다시 합의, '통합민주당'(나중에 민주당으로 당명 개정)을 출범시켰다. 양당은 당의 노선을 '경제성장과 소외계층 보호를 함께 추구하는 중도개혁주의'로 합의했다고 발표했다.[12] 이 대목은 손학규가 당초 제시한 '새로운 진보'보다 약간 오른쪽으로 옮겨 간 듯한 감을 주었다.

총선 연거푸 패배 후 노선갈등

그러나 통합민주당은 불과 2개월 후인 2008년 4월의 제18대 국회의원총선거에서 대패, 의석 81석(지역구 66석, 비례대표 15석)을 겨우 얻어 제17대 국회 당시의 152석에 비해 의석수가 대폭 감소함으로써 원내 제2당으로 밀려났다. 이는 제17내 대신에 이은 연속적 참패였다. 이에 비하면 보수야당 측은 한나라당 자유선진당 친박(근혜)연대 친여무소속 당선자를 모두 합치면 원내 전체의

석(299명)의 3분의 2가 넘는 203명을 얻어 국회가 4년 만에 다시 우파세력의 지배 아래 들어갔다. 통합민주당은 다수의석을 잃었을 뿐 아니라 당 수뇌부가 대거 낙선했다. 당대표인 손학규(서울 종로)와 제17대 대선 후보였던 정동영(서울 동작을), 그리고 운동권의 맏형격인 김근태(서울 도봉갑)와 유인태(서울 도봉을)도 낙선했다. 386 출신 의원들도 다수가 낙선했다.

출마한 23명의 386 출신 중 전대협 등 학생운동권 핵심 세력인 임종석(서울 성동을) 이인영(서울 구로갑) 오영식(서울 강북갑) 우상호(서울 서대문갑) 정청래(서울 마포을) 정봉주(서울 노원갑) 윤호중(尹昊重, 경기 구리)과 친노 계열인 전해철(全海澈, 경기 안산 상록갑) 김만수(경기 부천 소사) 등은 낙선하고, 강기정(광주 북갑) 서갑원(전남 순천) 조정식(趙正湜, 경기 시흥을) 최재성(경기 남양주갑) 안민석(安敏錫, 경기 오산) 강성종(康聖鐘, 경기 의정부을) 송영길(인천 계양갑) 및 친노무현계인 이광재(강원 태백·정선·영월·평창) 백원우(경기 시흥갑) 등 10여 명만 당선되었다.[13]

총선 패배 책임을 지고 물러난 손학규의 후임에는 2008년 7월 6일 서울 올림픽공원 체조경기장에서 열린 전당대회에서 4선의원인 정세균(丁世均)이 경선을 통해 선출되었다. 정세균은 노무현이나 손학규에 비해 개성이 강하지 않은 온건한 중도파에 속한다. 이날 전당대회는 당명을 민주당으로 환원하고 당의 기본노선을 '중도개혁'이라고 규정한 새로운 당 강령을 채택했다. 당초 그달 2일의 최고위원회에는 당의 이념을 '중도개혁'과 '중도진보'를 명시한 2개의 당 강령안이 상정되었다. 토의 과정에서 박상천 공동대표를 비롯한 김충조(金忠兆), 신낙균(申樂均), 최인기(崔仁基) 최고위원 등 옛 민주당 출신들은 중도개혁을, 손학규 공동대표와 김상희(金相姬) 최고위원 등 대통합민주신당 출신들은 중도진보를 각각 주장해 결국 중도개혁파가 승리했다. 새로운 당 강령은 "개인과 공동체, 시장과 정부, 자율과 책임, 사익과 공익의 조화와 균형을 통해 고른 경제성장과 서민, 중산층의 복지향상을 함께 추구하고, 국민의 삶의 질 향상을 도모하는 중도개혁주의 정당임을 선언한다"는 내용으로 정리되었다. 기존 통합민주당의 강령에서 밝힌 '더 많은 기회, 더 높은 책임, 더 넓은 배려'와 '소외계층의 보호'라는 문구는 삭제되고 중도개혁의 개념이 보다 상세하게 명문화되었다.[14] 결국 민주당은 5년 만에 당초의 새천년민주당처럼 정강과 당 지도자의 성향에 있어서 진보색채를 탈색한 완전한 중도개혁정당으로 되돌아갔다. 이로써 노무현의 '유연한 진보'에 이어 '새로운 진보'를 내걸었던 손학규의 실용적인 진보노선도 2선으로 후퇴했다.

그러나 민주당에는 곧 변화가 일어났다. 당내 비주류인 열린우리당 출신인 김근태 천정배 계열 등 현역 의원 16명이 2008년 12월 민주연대(공동대표 李鍾杰 崔圭成 崔奎植)를 출범시켰다. 이들은 당의 노선인 '중도개혁'에 반대되는 '진보개혁'을 통한 정권재창출을 기치로 내세우고 한미FTA 비준 저지를 위해 민주노동당과 손을 잡는 등 독자행동에 나섰다.[15] 같은 달에는 문학진(文學振) 안규백(安圭伯) 등 개혁성향 의원 10여 명이 '국민과 함께하는 국회의원모임'(국민모임)의 창립총회를 갖고 온건노선을 걷는 당 지도부를 비판했다.[16] 이런 당내 분위기에 영향을 받아 12월 하순 민주당의 뉴민주당비전위원회(위원장 金孝錫)는 기존의 중도개혁노선을 폐기하고 '새로운 진보' 노선을 골자로 하는 '뉴민주당선언안'을 마련, 최고위원회에서 채택했다. 그러나 이 안 역시 '현대화'와 '성장'이라는 보수적 가치를 수용한 것이어서 당내 좌파들의 비판을 면치 못했다. 김효석은 당초 당 지도부에 보고됐던 '새로운 진보' 개념이 최종 초안에서 삭제된 것과 관련해 "새진보를 어떤 사람이 뉴레프트로 규정하더라"면서 "(새로운 민주당선언이) 이념을 뛰어넘자는 것이므로 제목에서 이념 냄새를 풍기면 안 되겠더라"고 밝혔다.[17]

3. 문재인의 1차 고배

안철수의 양보와 문재인의 1차 고배

민주당은 2010년 들어 행운을 맞았다. 그해의 6·2지방선거에서 한나라당을 누르고 압도적인 승리를 거두었다. 그보다 4년 전 16개 광역지자체 단체장 중 12곳을 차지했던 한나라당은 이 해에는 절반인 6곳만 건졌다. 연이어 실시된 전국 교육감 선거에서도 진보성향 교육감 6명이 당선되었다. 한나라당 지도부가 사퇴하고 7월 안상수 대표체제가 출범했다. 2011년 8월 26일 학교급식문제에 관한 시민투표 패배에 책임을 지고 오세훈(吳世勳) 서울시장이 사퇴함에 따라 실시된 10·26 서울시장 보선에서 진보성향의 무소속 박원순(朴元淳)이 당선되었다. 민주당은 2011년 말 민주통합당(약칭 통합민주당 때와 같은 '민주당')으로 당명을 바꾸었다.

그러나 민주통합당의 앞길은 밝지 않았다. 이듬해인 2012년 12월의 18대 대통령선거에서 문재인 후보가 새누리당의 박근혜 후보에게 참패를 당했다. 박정희 대통령의 딸로 헌정사상 첫 여성대통령후보가 된 박근혜는 최종개표결과 1,577만3,128표(51.6%)를 얻어 1,469만 2,632표(48.0%)를 얻은 문재인에게 3.6%p(108만 496표)차로 승리해 건국 이후 첫 부녀대통령이 되었다.[18] 문재인은 선거운동 기간 중 남북연방제를 제의했다가 다시 남북한 경제공동체를 거론하는 등 종잡을 수 없는 공약을 내걸어 보수적인 유권자들, 특히 '5060', 즉 50대와 60대 고령층의 불신을 샀다. 그는 서울 및 호남지역에서는 박근혜에게 이겼지만 나머지 지역에서는 모두 패했다.

국회는 2012년 4월 11일의 제19대 국회의원총선거 2개월을 앞둔 2월 27일 여야합의로 국회의원 정원을 300명으로 증원했다. 그러나 민주통합당은 국회의원 정원 300명시대가 처음 열린 4·11총선에서도 패배를 거듭했다. 민주통합당은 전체 246개 지역구 선거구 중 106개구에서 승리해, 127개구에서 이긴 새누리당에 비해 21석이 모자랐다. 통합진보당은 7석, 자유선진당은 3석, 무소속은 3석을 각각 얻었다. 원내과반수를 목표로 한 민주통합당과 통합진보당의 야권연대는 또다시 실패했다. 54명의 비례대표의원을 뽑는 정당투표에서도 민주통합당(36.5%)은 새누리당(42.8%)에 졌다. 통합진보당은 정당득표에서 6석을 얻어 총의석이 13석에 이르러 원내교섭단체에는 이르지 못했으나 원내 제3당이 되었다.

제19대 총선에서는 거물급이 다수 낙마했다. 민주통합당의 정동영 의원, 새누리당의 홍사덕 홍준표 두 의원과 권영세 사무총장, 그리고 선진당의 심대평 대표가 낙선했다. 민주통합당의 문재인 상임고문과 이해찬 전 국무총리와 김한길 전 의원은 당선되고, 새누리당에서는 정몽준 의원이 7선으로 최다선 의원이 되었으며 이재오 김태호 의원도 당선되었다. 민주통합당은 2013년 5월 4일 정기전국대의원대회를 열고 비주류의 지원을 받은 김한길을 임기 2년의 당 대표에 선출했다. 김한길 대표 체제하의 민주통합당은 그해 9월 1일 영등포당사로 이전한 지 10년 만에 다시 여의도로 이전하고 기존의 노란색과 녹색을 벗어나 파랑을 당의 상징색으로 채택했다.

이 시기에 민주통합당에 바람을 일으킨 인물이 정치신인 안철수였다. 2011년 재보궐선거 무렵부터 돌풍을 일으킨 안철수는 2012년의 4·11총선 때는 출마하지 않는 대신 그해 12월의 제18대 대통령선거에 출마해 화제를 모았다가 곧 문재인 후보와의 단일화로 사퇴했다. 야권의 실질적인 단일 후보가 된 문재인은 나름대로 최선을 다했으나 당시 선거의 여왕으로 불린 박근혜 새누리당 후보를 따라잡지 못했다. 안철수는 이 무렵부터 이미 '유력 대권주자'로 부상해 있었다. 이 때문에 민주통합당이 2013년의 4·24 국회의원재보궐선거를 앞두고 그의 영입을 제의했다가 거부당한 것은 놀랄 일이 못된다. 안철수는 4·24 국회의원재보궐선거 때 서울 노원병지구에서 무소속으로 출마해 국회에 입성했다. 박근혜 정부 출범 이후 처음 실시된 이 재보궐선거에서 새누리당은 2승1패를 기록했다. 안철수와 같이 화려하게 당선된 김무성(부산 영도, 새누리당)과 이완구(충남 부여·청양, 새누리당)는 그와 함께 '빅3'라고 불리었다. 이 재보궐선거에서 당선자를 한 사람도 내지 못한 민주통합당은 '불임정당'이라는 별명이 붙었다.

② 양분된 민노당

양키를 몰아내고 자주국가를 세우기 위해 운동권이 활동하고 있지만 운동의 원칙을 지키는 데서 부족한 부분이 있다.…운동은 도락이 아니라 배고프고 춥고 고통스러운 것임을 명심하고 중단 없는 양키추방 활동과 련방제 통일추진 활동을 벌여 나가자.

－강희남(연방통추 상임대표, 2005), 연방통추 송년회 인사말

1. 평등파, 종북주의 청산과 제2창당 주장

김일성주의자들이 안방을 차지

민노당은 2007년 12월 19일 실시된 제17대 대선 패배 이후 양대 정파인 자주파(NL)와 평등파(PD) 간에 선거 패배 원인을 둘러싸고 대립이 격화, 결국 분당이라는 최후국면을 맞이했다. 조승수(趙承洙) 진보정치연구소장을 선두로 해서 주대환(周大煥) 전 정책위의장, 김형탁 전 대변인, 심상정 의원 등 평등파 간부들은 차례로 나서서 자주파를 '종북세력'이라고 비난하면서 탈당의사를 밝혔다.

조승수는 "북한 군사왕조정권을 보위하고 북한식 사회주의로 통일하려는 것을 자신들의 최고 임무로 하는 세력과는 진보정당을 함께 할 수 없다"고 밝히고 "자주파들은 당을 정당으로 생각하기보다는 (남한 내에서) '의회투쟁의 전선기구' 쯤으로 생각하고 있다"고 격렬하게 비난했다.[1] 주대환은 "현재 민노당 위기의 핵심은 '김일성주의자'들이 당의 안방을 차지한 것"이라고 비판하고 "이제 자주파와 노선 정리를 끝내고 제2의 창당이 필요하다"고 선언했다. 그는 "민노당은 원래 영국 노동당을 모델로 창당된 당이고, 이 모델의 핵심은 '실용적 좌파'였는데, 민노당이 국회에 진출한 이후 김일성주의자들이 갈 데가 없으니까 당에 들어와 기생하면서 노선이 변질되었다"고 주장했다.[2] 민노당 당원이자 정치평론가인 홍세화(洪世和)도 "자주파가 민노당의 당권을 잡고 있는 한 민노당은 진보정당이 아니고 종북주체일 뿐"이라면서 "제로상태에서 새로운 정당을

창당하는 게 더 낫다"고 주장했다. 한때 민노당 당원이었다가 자주파가 당권을 장악하자 탈당한 진중권(陳重權) 동양대 겸임교수도 "민노당 내 종북파가 진정으로 섬기는 당은 북한의 조선노동당이며, 민노당은 북한 정권을 보위하는 수단에 불과한 것"이라면서 "종북파는 진보가 아니라 수구 중에서도 가장 반동적인 세력"이라고 비난했다.[3]

민노당은 2007년 12월 말 경기도 성남시민회관에서 이틀날 새벽까지 12시간 동안 중앙위원회를 열고 당 수습책을 논의했다. 결과는 타협점을 찾지 못하고 평등파와 자주파의 갈등만 더욱 첨예화했다. 자주파의 종북주의와 패권주의 청산을 요구한 평등파는 종북주의 청산문제가 자주파의 방해로 회의 안건에도 올라 있지 않다고 주장하면서 퇴장해 버렸다. 결국 당 수습방안이 마련되지 않은 가운데 중앙위원회에 이어 개최된 확대간부회의에서 문성현 당대표 등 지도부는 총사퇴했다. 문 대표의 사퇴에 이어 천영세 원내대표를 대표직무대리로 하는 임시지도부가 출범해 비상대책위 구성문제를 처리하기로 합의하는데 그쳤다.[4]

종북주의 청산 안건 전당대회에서 부결

민노당은 지도부 공백사태가 열흘 이상 지난 2008년 1월에야 서울 관악구민회관에서 중앙위원회를 열고 그해 4월의 제18대 총선을 치를 비상대책위원회를 구성하기로 했다. 이에 따라 제17대 대선 때 후보경선에서 권영길에 패배했던 평등파의 리더격인 심상정을 비대위 대표로 선출했다. 민노당 당권은 이로써 평등파로 일단 넘어갔다.[5] 심상정 비대위 대표는 과감한 당의 혁신을 통해 자주파의 '종북주의' 청산을 단행하겠다고 다짐하고 "친북당, 운동권정당, 민주노총당 이미지와 단절해…책임 있는 평화정당으로 거듭 나는 제2의 창당운동을 하겠다"고 선언했다.[6]

심상정은 당 쇄신과 제18대 총선에 대비해 평등파 내지 반자주파로 비대위를 구성했다. 비대위는 ① 일심회간첩사건에 관련되어 유죄판결을 받은 최기영 전 사무부총장과 이정훈 전 중앙위원을 제명하고 ② 북한당국에 당의 독립성과 자주성을 훼손시키려 한 것을 엄중항의하며 이후 북측은 남한의 진보정당운동에 대한 개입을 즉각 중단할 것을 요구하고 ③ 2003년 민노당 강모 고문이 연루된 간첩사건과 북한 인권 및 탈북자와 국군포로 문제를 민노당이 외면한 것 등을 당의 친북 이미지를 누적시킨 사례로 규정, 이들 문제를 그해 2월 임시전당대회에 안건으로 상정키로 했다.[7] 심상정 비대위체제가 발족한 직후 당 밖에서는 평등파들이 중심이 되어 서울 중구 명동 천주교 노동사목회관에서 '21세기 진보정당 운동의 재구성'을 주제로 한 토론회를 개최하고 신당창당 방향을 모색했다. 조희연(성공회대학 교수)은 발제를 통해 "지난해 대선은 민노당과 진보에 대한 대중적 파산 선고였다"고 진단하고 "대선 이후 당권파인 자주파와 그 핵심인 종북파는 사태를 미온적으로 수습하려 하면서 평등파가 당을 깨자는 것은 배신자논리라는 적반하장격 주장만 하고 있다"고 비난했다.[8]

그런데 막상 그해(2008년) 2월 3일 서울 서초구 반포동 센트럴시티 밀레니엄홀에서 열린 임시전당대회는 평등파를 완전히 실망시켰다. 대회에 상정된 안건은 당초 초안에 들어갔던 '편향적 친북행위'라는 표현과 "미군철수 완료시점에 북핵무기 폐기를 완료한다"는 제17대 대선 공약을 무효화하는 내용이 빠졌다. 북한 당국에 "남한 진보정당 운동에 개입하지 말라"고 요구하는 내용 역시 삭제되었다.[9] 뿐만 아니라 당초 안보다 후퇴한 내용인 '제2창당을 위한 평가·혁신안 승인의 건'조차도 이날 임시전당대회에서 자주파의 반대로 통과되지 못했다.

결국 이날 임시전당대회에서는 평등파가 제안한 일심회사건 관련자 제명조항, 편향적 친북행위를 대선 참패의 원인 중 하나로 규정한 조항, 지나친 민주노총 의존에 대한 비판 부분을 모두 삭제하고, 대선참패의 원인과 의미에서 '참패'라는 표현을 '실망스러운 결과'로 바꾼 수정동의안을 대의원 867명 중 553명의 찬성으로 통과시킴으로써 심상정이 낸 비대위의 혁신안은 자동 폐기되었다. 이날 회의는 2차례 정회시간을 포함해 9시간 동안 열려 격론을 벌였으나 평등파는 자주파의 다수 앞에서 아무 것도 할 수 없었다. 자주파는 전당대회장 밖에서 "민주노동당은 더 친북해야 한다"는 피켓을 들고 시위를 벌이는 판이었다.[10] 심상정은 전당대회에서 당 쇄신안이 폐기되자 비대위 전원 사퇴를 발표하는 기자회견에서 "과연 북한과 음성적으로, 개별적으로 관계하는 것이 이 당에서 계속 용인되어야 하는 것인지 자주파가 분명히 답해야 한다"고 비난했다.[11] 심상정이 비대위 대표 자리를 사퇴하자 천영세가 당대표 직무대행을 맡았다.

2. 평등파 집단탈당, 진보신당 창당

노회찬 선두로 1,700여 명이 탈당

2008년 2월 3일 임시전당대회에서 심상정의 당 쇄신안이 부결되자 당내 평등파의 지도자 중 하나인 노회찬 의원이 이틀 후인 2월 5일 국회에서 기자회견을 갖고 자신의 탈당 계획을 공개했다. 그는 "침몰하는 타이타닉호와 같은 민노당에서 승객들을 안전하게 피신시킨 뒤 마지막으로 배에서 나올 것"이라면서 반자주파 세력을 규합해 집단탈당에 나설 것임을 시사했다. 같은 날 박용진 전 대변인, 박치웅(朴稚雄) 강동구 위원장 등 서울지역 총선출마자 및 지역위원장 20여 명과 민노당의 지지기반인 울산 및 부산 지역 당원 140여 명도 집단 탈당하는 등 전국에서 1,700명의 탈당자가 나왔다.[12] 며칠 후에는 김혜경 전 당대표, 이덕우 전 당대회 의장 및 김기수 심재옥 홍승하 김종철 전 최고위원이 국회에서 기자회견을 갖고 탈당을 선언했다.[13] 2월 17일에는 심상정이 의원회관에서 기자회견을 열고 임시국회 마무리 후 탈당할 뜻을 재확인하면서 '진보신당 연대회의'(약칭 진보신당)라는 임시 명칭으로 총선을 치른 뒤 외연을 넓혀 새로운 진보정당을 창당하겠다고 밝혔다.[14]

그런데 민노당에서는 이미 2월 3일 임시전당대회 이전인 1일부터 조승수 김형수 등 평등파 간부들이 신당 준비를 위해 탈당하는 사태가 일어나고 있었다. 이들은 심상정의 비대위가 자주파와 타협하려는 것조차 맹렬히 비난했다.[15] 이들 탈당파는 3월 중 신당을 창당한다는 목표로 '새로운 진보정당 준비위원회'를 구성했다. 준비위에는 조희연 정책위 부위원장(성공회대 교수), 조돈문(가톨릭대 교수), 홍세화(한겨레신문 기획위원) 등 40여 명이 동참했다.[16] 이들 탈당파는 3월 2일 서울 용산구 효창동 백범기념관에서 가칭 진보신당 창당발기인대회를 열어 신당 결성을 공식 선언하고 심상정 노회찬 의원, 김석준 부산대 교수, 이덕우 변호사, 박김영희 '장애여성 공감' 대표 5인을 공동대표로 선출했다.

진보신당 창당발기인은 진중권 동양대 교수, 박노자 오슬로국립대 교수, 정태인 전 청와대 국민경제비서관, 영화감독 변영주 등 336명이었다.[17]

북한인권 개선 노력 다짐

진보신당은 2008년 3월 16일 서울 동대문의 패션아트홀에서 당원 및 대의원 1천여 명이 참석한 가운데 중앙당 창당대회를 열고 공식출범했다. 진보신당은 이날 창당대회에서 당헌과 정강정책을 채택하고 심상정 등 5명을 공동대표로 선출했다.

'진보정치의 새 출발'을 내세운 진보신당의 정강정책은 제1항인 '궁극목표'에서 "자본주의와 제국주의, 남성지배 체제와 생태 파괴 문명을 극복하고, 평등·평화·생태·연대의 새 세상을 건설한다"고 선언했다. 민노당 강령에 나오는 "사회주의적 이상과 원칙을 계승 발전시켜, 새로운 해방공동체를 구현한다"는 식의 표현을 지양했다. 이 정강정책은 구체적으로 사회연대·평화·녹색 국가의 지향, 국가기구의 민주화, 한반도 평화 실현과 진보적 통일, 진보적 동아시아 공동체, 신자유주의 극복, 재벌 지배 구조의 해체, 비정규직 문제 해결, 공공주택 확대와 1가구 다주택 소유 해체, 무상교육과 대학의 평준화 체제, 보편적 복지실현 등을 다짐했다.[18] 민노당 강령에 비하면 훨씬 표현이 완화되었지만 '진보적 통일'과 '진보적 동아시아 공동체'라는 용어는 애매한 표현이다.

진보신당은 3월 말 북한의 인권 개선을 위해 적극적으로 노력할 것을 골자로 하는 북한인권정책을 발표하고, 납북자 국군포로 문제 등의 인도적 해결, 한반도 인권 향상을 위한 남북인권대화 채널 마련, 개성공단 노동조건 개선을 위한 남북노동협약 추진, 금강산 관광지구에 이산가족 실버타운 건설 및 이산가족 서신 교환과 정기적 상봉 제도화 등을 선거공약으로 내걸었다.[19]

3. 민노당과 진보신당 모두 총선 참패

민노당 5명 원내진출

반쪽이 된 민주노동당과 새로 생긴 진보신당은 다 같이 2008년 4월의 제18

대 총선에서 참패했다. 민노당은 지역구 후보 가운데 권영길(경남 창원을)과 강기갑(경남 사천)이 당선되고 정당득표율이 5.7%여서 비례대표 후보 3명(곽정숙 실로암재활원 원장, 홍희덕 환경미화원, 이정희 변호사)이 당선되어 모두 5명이 원내에 진출했다. 이 숫자는 4년 전 제17대 총선 때(10명)의 절반인 셈이다.

민노당이 총선에 참패한 원인은 종북주의적 편향성 때문임에도 불구하고 총선 후 당내 기류는 정반대로 흘렀다. 즉, 민족해방파인 잔존세력 중 가장 친북적인 세력이 당권을 장악하고 나머지 트로츠키주의 계열과 민족 해방 좌파 세력은 비당권파가 되었다. 이들 NL친북세력은 당대표, 정책위의장, 사무총장 등 당3역을 장악하고 나머지 주요 당직도 독차지했다. 이들의 지원을 받은 광주전남연합은 재정을 담당하는 사무총장을 세습하듯 자기들 끼리 승계했다. 그 대표적인 예가 제19대 총선에서 당선된 김선동(순천 곡성), 오병윤(광주 서구을), 원외의 장원섭이 차례로 사무총장을 맡은 사실이다. 이들이 장악한 원내 총무실은 당권파가 아니면 접근하지 못했다.

이들의 친북성향은 2007년의 17대 대선 당시 당후보의 코리아연방제 제안에서도 잘 나타난다. 당초 민노당 후보인 권영길은 북한의 고려연방제과 비슷한 코리아연방공화국 제안을 대선 주요 정책으로 제시했지만, 이는 원래 권영길 자신이 반대했음에도 불구하고 당시 선거대책본부장이였던 김선동이 당무를 거부하고 잠적하기까지 하면서 강력히 주장해 부득이 수용한 것이었다.

광우병 시위 때 적극 활동…통진당 결성

진보신당 계열이 탈당한 후부터 당권을 맡은 강기갑 대표 체제하의 민노당은 2008년 미국산 쇠고기 반대 시위 때 적극 활동했다. 그 영향으로 민노당은 당권파와 비당권파의 대립에서 비롯된 분당위기를 가까스로 수습하는 데 성공했다. 2008년의 18대 총선에서 비례대표로 당선된 변호사 출신의 이정희(李正姬)는 '유연한 진보'를 내걸고 새로운 진보의 아이콘으로 떠오르면서 원내대표와 최연소 여성당대표의 자리에 올랐다. 민노당은 당시 제1야당이던 통합민주당을 비롯한 다른 야당들과의 야권연대로 성과를 올려 제5회 지방선거에서 창당

이후 가장 많은 당선자를 내는 데 성공했다.

그 후 재보궐선거에서도 야권연대를 통해 좋은 성과를 낸 것을 계기로 민노당은 2012년의 제19대 총선을 앞두고 이정희 주도로 당내 비당권파의 반대를 물리치고 자유주의 정당인 유시민의 국민참여당과 심상정과 노회찬을 중심으로 한 진보신당 탈당파가 주축을 이룬 새 진보통합연대가 합당해 통합진보당을 창당했다. 그러나 유시민 심상정 노회찬 등은 구 민노당 계열의 통진당 당권파와 마찰을 일으킨 끝에 이들과 결별하고 뒤에서 설명하는 바와 같이 진보정의당을 창당했다.

진보신당 1명도 원내진출 못해

진보신당은 2008년의 제18대 총선에서 민노당보다 더 완패했다. 대표주자인 심상정(경기 고양 덕양갑)과 노회찬(서울 노원병)이 모두 낙선하고 정당득표에서도 불과 2.8%를 얻어 원내진출에 실패했다. 정당득표율만 보면 민노당과 진보신당을 합쳐도 9.5%에 불과했다.[20]

진보신당은 2009년 3월 첫 전당대회에서 노회찬 상임공동대표를 당대표에 선출, 창당 이래 5명의 공동대표(이들 중 상임공동대표는 심상정·노회찬)로 운영되던 당의 지도체제를 단일지도체제로 바꾸었다. 부대표에는 정종권, 이용길, 박김영희, 윤난실 등 4명이 선출되었다.[21] 이 대회에서는 또한 창당 때 만든 강령을 전면 개정한 새로운 당 강령을 채택하고 당헌도 개정했다. 이른바 '만남 강령'이라 불리는 새 강령은 자본주의 극복, 남과 북의 두 체제를 지양한 진보적 통일 등 종래의 강령 내용을 그대로 담으면서 진보신당이 추구하는 나라가 '평등·생태·평화·연대의 사회공화국'이라고 밝혔다. 새 강령은 또한 진보신당의 과제가 "모든 진보적 운동의 역사에서 좋은 것을 배우고, 과오를 교정하며, 한계를 극복하면서 인류 진보의 역사를 이어나가는 일"이라고 선언하고, 개정된 당헌의 전문에서는 "진보신당은 한국 사회의 근본 변화를 위해 새로운 진보의 길을 열어가는 정당이다"라고 밝혔다.[22]

2008년 총선에서 패배해 한 사람도 국회에 입성하지 못한 원외정당이 되었다가 2009년의 4·29재보선에서 조승수 후보(울산북구)의 당선으로 겨우 1석을 건진 진보신당은 2011년 원내 5석을 가진 민주노동당과의 통합문제가 제기되어 이에 찬성한 노회찬 심상정 조승수 등은 진보신당을 탈당했다. 이들은 새진보통합연대를 결성한 다음 끝내 그해 12월 앞에서 설명한 바와 같이 이정희 체제하의 민노당 및 유시민의 국민참여당과 함께 통합진보당을 결성했다. 그러나 이듬해 19대 총선을 앞두고 통합진보당의 비례대표 후보 부정선거사건이 일어나자 노회찬 심상정 유시민 등이 탈당해 2012년 10월 진보정의당을 만들었다. 진보정의당은 창당 때 노회찬과 조준호를 제1기 당(공동)대표로 선출한 다음 2013년 7월 혁신전당대회에서 당명을 정의당으로 개명하고 서구식 사회민주주의적 당 강령을 채택하는 한편 천호선을 제2기 당대표로 선출했다. 이어 2015년 7월에는 지도부 선출대회에서 심상정을 제3기 당대표로 선출했다.[23]

③ 통합진보당 해산

보수주의가 급진화된 것과는 대조적으로 사회주의는 보수화되었다.…사회주의자들은 대부분 방어적 입장으로 물러났다. '역사(발전)의 전위'라던 그들의 좌표는 복지제도를 지키는, 보다 작은 과업으로 후퇴했다.

—Anthony Giddens, *Beyond Left and Right*(1994)

1. 헌정사상 최초의 헌재 결정

이석기의 내란음모사건이 발단

통합진보당의 해산은 헌정사상 최초의 헌법재판소 결정에 따라 이루어진 점에서 자유당 정권 당시인 1958년 정부에 의한 진보당 해산과는 다르다. 진보당은 위원장인 조봉암 등 당간부들이 간첩 및 국가보안법 위반 혐의로 검찰에 의해 구속기소된 1개월 후인 그해 2월 16일 정부가 진보당의 정당등록을 취소함으로써 해산되었다. 통합진보당의 해산은 박근혜 정부 당시 헌법재판소의 결정으로 이루어졌지만 그 발단은 2013년 3월 이 당의 사무총장인 이석기 의원 구속사건이다.

2010년부터 수년간 통신감청 등 감시를 시작한 국정원은 이석기 및 주변 인물들에 대한 내란 예비음모, 국가보안법상 찬양 또는 고무 혐의에 대한 내사를 벌였다. 그 대상자는 이석기 외에 우위영 전 대변인, 김홍열 경기도당 위원장, 김근래 경기도당 부위원장, 홍순석 부위원장, 이상호 경기진보연대 고문, 이영춘 민주노총 고양파주지부장, 조양원 사회동향연구소 대표, 한동근 전 수원시 위원장, 박민정 전 중앙당 청년 위원장 등 10명이었다.

국정원은 2013년 8월 28일 이석기 의원의 자택과 국회의원회관 그의 사무실을 비롯한 10곳에 대해 전격적으로 압수수색을 실시했다. 이어 5일 후인 9월 2일 국회는 정부가 제출한 그에 대한 체포동의안을 접수하고 그날로 본회의를 열어 이를 보고한 다음 이틀 후인 9월 4일 본회의에서 재석의원 289명 가운데 찬성 258명, 반대 14명, 기권 11명, 무효 6명의 압도적인 표차로 체포동의요구서를 통과시켰다. 이날 국회에 출석한 황교안 법무부장관은 표결에 앞서 "이석기 의원은 주체사상을 지도이념으로 남한사회 체제변혁을 목적으로 하는 지하혁명 조직, 이른바 RO를 결성하여 총책으로 활동하면서 조직원들에게 북한의 전쟁 도발에 호응하여 물리적, 기술적 준비를 해야 한다고 선동하고 주요 기간시설 타격 등 폭동을 일으키는 방안을 강구하여 내란을 음모했다"고 보고했다. 그에게는 내란음모죄, 내란선동죄 및 국가보안법상 이적동조죄가 적용되었다. 구체적인 혐의내용은 그가 2013년 3월 북한의 정전협정 백지화 선언으로 인해 한반도에 긴장감이 고조되자 RO 조직원에게 '전쟁대비 3대 지침'을 하달했다는 것이다.[1] 국가정보원은 체포동의안 통과 즉시 구인장 집행에 나서 의원회관 사무실에 머물던 그의 신병을 확보했다.

대법원에서 당원 4명 유죄 확정

검찰은 9월 26일 이석기 등 4명을 형법상 내란음모 및 선동, 국가보안법상 찬양고무(이적동조)로 기소했다. 2014년 2월 17일 선고공판을 가진 1심 재판부는 그에게 징역12년과 자격정지10년을, 다른 관련자들에게도 각각 징역10년 이하와 자격정지10년 이하를 선고했다. 항소심 재판부는 회합 참석자들에게 실제 내란죄를 저지르기 위한 구체적인 합의가 있었다고 보기 어렵다는 이유로 내란음모 혐의에 대해서는 무죄판결을 내리고 내란선동 혐의에 대해서는 유죄로 판단했다. 대법원은 2015년 1월 22일 상고를 기각함으로써 항소심 판결을 확정했다.[2]

2. 8 대 1의 다수결로 해산 결정

박근혜 정부, 헌재에 해산심판 청구

박근혜 정부의 통합진보당 해산 절차는 이석기 기소 후 곧 시작되었다. 2013년 11월 5일 국무회의는 법무부가 긴급 안건으로 상정한 '위헌정당 해산심판 청구의 건'을 의결했다. 2014년 12월 19일 헌법재판소는 통합진보당 해산 청구 사건에 대해 8 대 1로 해산판결을 내렸다. 해산에 찬성한 8명(박한철 이정미 이

진성 김창종 안창호 강일원 서기석 조용호)의 다수의견이 제시한 해산근거는 피청구인(통합진보당)이 북한식 사회주의를 실현한다는 숨은 목적을 가지고 내란을 논의하는 회합을 개최하는 등 활동을 한 것은 헌법상 민주적 기본질서에 위배된다고 판시했다.[3]

　민주적 기본질서란 인권의 존중, 국민주권, 권력분립, 사법권의 독립, 복수정당제 등 민주국가의 근간이 되는 가치와 제도를 의미한다. 이처럼 민주적 기본질서를 파괴하는 행위까지는 용인하지 않는 제도를 과거의 자유방임적 민주주의와 구별하기 위해 방어적 민주주의라 부른다. 방어적 민주주의(Defensive Democracy)란 민주주의는 민주적 기본질서를 해치지 않는 범위 내에서는 자유가 주어지지만 그 범위를 넘어 민주질서를 파괴하는 행위에 대해서는 스스로 헌법질서를 지킨다는 사상이다. 이 제도는 2차 대전 이전 독일의 바이마르공화국이 나치의 횡포로 붕괴된 쓰라린 교훈을 살려 민주헌정을 지키기 위해 전후에 서독의 헌법인 기본법에 조문화했다.

　헌재는 이러한 피청구인의 실질적 해악을 끼치는 구체적 위험성을 제거하기 위해서는 정당해산 외에 다른 대안이 없고 피청구인에 대한 해산결정은 비례의 원칙에도 어긋나지 않으며, 위헌정당의 해산을 명하는 비상상황에서는 국회의원의 국민 대표성은 희생될 수밖에 없으므로 피청구인 소속 국회의원의 의원직 상실은 위헌정당해산 제도의 본질로부터 인정되는 기본적 효력이라는 판단을 내렸다. 이에 대해 정당해산의 요건은 엄격하게 해석하고 적용하여야 하는데, 피청구인에게 은폐된 목적이 있다는 점에 대한 증거가 없고, 피청구인의 강령 등에 나타난 진보적 민주주의 등 피청구인의 목적은 민주적 기본질서에 위배되지 않으며, 경기도당 주최 행사에서 나타난 내란 관련 활동은 민주적 기본질서에 위배되지만 그 활동을 피청구인의 책임으로 귀속시킬 수 없고 그 밖의 피청구인의 활동은 민주적 기본질서에 위배되지 않는다는 김이수 재판관의 반대(소수)의견이 있었다.

소속 의원 5명 국회의원 자격 상실

　의원직을 상실한 통합진보당 소속 의원은 비례대표 의원인 이석기와 김재연,

지역구의원인 김미희(경기 성남 중원구), 오병윤(광주 서구을), 이상규(서울 관악구을) 등 모두 5명이다. 이들 5명은 헌재 판결 다음 달인 2015년 1월 "의원직을 돌려 달라"면서 법원에 국회의원 지위 확인소송을 냈으나 1심에서 "이 사건의 심판권이 법원에 없다"는 이유로 각하당했다. 2심에서도 역시 "헌법재판소의 결정 효과로서 당연히 의원직을 상실한다고 판단된다"라는 이유로 기각당했다.[4]

헌재의 통진당 해산판결 3일 후인 2014년 12월 22일 중앙선거관리위원회는 전체회의를 열고 해산된 통합진보당의 비례대표 광역의원 3명과 비례대표 기초의원 3명 등 모두 6명의 비례대표 지방의원들의 의원직 상실 결정을 내렸다. 그러나 지역구 지방의원 31명에 대해서는 정당법, 공직선거법에 규정이 없어 선관위의 판단 사항이 아니라고 결정했다. 이에 따라 통합진보당 소속 지역구 지방의원은 일단 무소속으로 의원직을 유지하게 되었다.[5]

그런데 중앙선관위의 통진당 소속 비례대표 지방의원 자격상실 결정에 불복한 전라북도 의회의 비례대표 의원 이현숙을 포함한 통진당 소속 광역 및 기초단체 비례대표 지방의원 6명은 중앙선관위를 상대로 서울행정법원에 의원직을 돌려달라는 소송을 제기했다. 그러나 이 소송은 2015년 9월 행정소송의 대상이 아니라는 이유로 각하당했다.[6] 이렇게 되자 이들 6명 중 이현숙은 홀로 전북도를 상대로 퇴직처분무효소송을 제기해 2015년 11월의 1심 판결에 이어 2016년 4월의 항소심 판결에서 계속 승소함으로써 의원직을 유지하게 되었다.[7]

4 촛불의 반격

촛불시위는 위대한 디지털 포퓰리즘의 승리 같습니다. 이 말은 빈정대는 뜻이 절대 아닙니다. 그러나 제 생각에는 위대한 동시에 끔찍하기도 한데, 앞으로 정말 중요하고 큰 문제에 대해서도 또다시 이런 방식으로 나올 수 있다는 점에서 그렇다는 것입니다. 그렇지만 이것을 승리로 만든, 침묵하는 다수의 선택도 저는 인정합니다.

―이문열, 광우병 촛불시위에 대한 소감(2008.6.11)

1. 광우병 사태 계기로 대대적인 촛불시위

대규모 촛불시위의 효시는 두 여중생 사망사건

촛불시위는 일과를 마친 시민들이 참여하기가 쉽고 시각적으로도 자극적인 효과가 있다. 해외에서 일어난 촛불시위의 대표적인 예는 1960년대 후반기, 특히 1968년과 1969년 미국 각지에서 대규모로 열린 베트남전쟁 반대시위이다. 유럽의 유명한 촛불시위는 체코슬로바키아가 1993년 체코와 슬로바키아로 분리되기 5년 전인 1988년 3월, 현재의 슬로바키아의 수도 브라티슬라바에서 1만 명이 참가한 가운데 일어난 종교의 자유와 인권보장 요구 촛불시위사건이다. 한국에서는 1992년 2월에 일어난 PC통신망 케텔(KETEL)의 유료화 반대를 위한 촛불시위가 최초인 것으로 알려져 있다.[1]

집회 및 시위에 관한 법률은 일몰 후에는 집회 및 시위를 금지하고 있으나 문화행사 등을 예외로 하는 점을 이용해 케텔사건 이후 문화제 등의 명목으로 촛불시위가 개최되기 시작했다. 그 대표적인 예가 2002년 6월 13일 경기도 양주시 광적면 지방도로에서 훈련을 위해 이동 중이던 주한미군 장갑차에 치여 보행 중 숨진 두 여중생, 즉 신효순·심미선 양의 사망사건에 항의하기 위해 서울 광화문에서 개최된 대규모 반미 촛불집회이다. 사고에 책임이 있는 미군운전병 등 2명이 그해 11월 미군법정에서 무죄를 선고받자 12월부터 항의시위가 일어난 것이다.

당초 거리에서의 항의집회로 시작된 이 모임은 『오마이뉴스』의 인터넷게시판에서 한 네티즌이 촛불집회를 제안한 것이 촛불시위의 시발점이 되었다. 이 촛불시위는 그 후 해마다 사고당일 사고현장과 서울에서의 추모행사로 이어졌다. 추모행사를 주관한 '평화와 통일을 여는 사람들(평통사)'은 사고 15주년을 맞은 2017년 6월 13일에는 의정부 시내에서 '사드 가라', '자주 평화', '진상 규명' 등이 적힌 플래카드를 들고 행진했다. 마침 이날은 의정부에 주둔한 미국 육군2사단이 창설100주년 기념음악공연을 하기로 예정되어 있었으나 반미단체의 방해로 공연을 하지 못했다.[2] 두 여중생 사건 촛불시위가 있기 전인 2004년 3월 12일에는 국회에서 야당인 한나라당과 새천년민주당 주동으로 노무현 대통령에 대해 탄핵소추안이 가결되자 노무현 지지자를 비롯한 친여세력이 대대적인 탄핵반대 촛불시위를 벌였다.[3]

이명박 정권 붕괴를 목표

이 사건 이후 일어난 대규모 촛불시위는 2008년 5월의 광우병 파동 때였다. 이 사건은 MBC의 허위사실에 기초한 선동적인 광우병 PD수첩 특집 보도[4]로 촉발되었다. 이로써 막 출범한 이명박 정부는 엄청난 정치적 타격을 받았다. 광우병촛불시위는 규모면에서 당시까지 한국 시위역사상 최대규모였다. 5월 2일 첫 집회가 열린 다음 2개월간 연일 수만에서 수십만 명이 참가해 참가자수가 6월 10일 정점을 찍고 7월 이후에는 주말 집회가 계속되었다.

이 촛불시위에 참가한 대다수 시민들은 선량한 일반국민들이었지만 그 배후에는 한국진보연대와 민노총 및 전교조 내의 친북반미세력들이 있었다. 보수 측은 이명박 정부 출범 2개월 만에 일어난 광우병 촛불시위가 이명박을 당선시킨 17대 대통령선거에 대한 사실상의 불복운동이라고 주장했다. 당시 언론보도에 의하면 광우병 관련 촛불집회에 불을 댕긴 '2MB(이명박) 탄핵투쟁연대'의 실체는 대선기간인 2007년 12월 19일 개설된 반이명박 인터넷 카페였다. 2008년 2월 16일자로 만든 이 카페의 정관 2조는 "본 카페는 이명박 당선자의 당선 무효를 일차 목적으로 한다"고 운영 목적을 밝히고 있다.[5]

언론인 서옥식이 발표한 연구논문에 따르면 실제로 당시 경찰에 압수된 한국진보연대의 문건에는 "우리의 진정한 목표는 이명박 정부를 주저앉히는 것이다. 밤에는 국민이 촛불을 들고, 낮에는 운동역량의 촛불로써 사회를 마비시켜 야 한다"라는 구절이 있었다. 또한 MBC의 광우병 PD수첩의 메인 구성작가 K 가 지인에게 보낸 이메일에는 "출범 100일된 정권의 정치적 생명줄을 끊어놓 고, 결국 무너지지 않을 것 같은 조중동의 아성에 균열을 만든, 과거 그 어느 언론도 운동세력도 해내지 못한 일을 해낸 그 '대중의 힘'의 끝이 나는 못내 불 안해요"라는 대목(2008년 6월 13일 지인에게 보낸 편지)이 있음이 검찰 수사결 과 밝혀졌다.[6]

이 촛불시위로 인해 이명박의 리더십은 땅에 떨어졌다. 이명박 정부 출범 100일 만에 광우병 난동 시발 1개월 후 최초로 실시된 2008년 6월의 6·4재·보 궐선거는 정부여당에 대한 민심이반 때문에 한나라당에 참패를 안겼다. 9곳의 기초단체장, 29곳의 광역의원, 14곳의 기초의원 재·보궐선거에서 한나라당은 기초단체장 1곳, 광역의원 7곳, 기초의원 1곳에서만 당선자를 냈다. 한나라당 은 특히 수도권 기초단체장 선거 3곳에서 모두 패배했다.[7] 광우병 촛불시위를 계기로 그해 10월 서울중앙지법이 낸 위헌법률심판 제청을 받고 헌법재판소가 야간 집회 금지 조항에 대해 헌법 불합치 결정을 내리고 자정까지의 야간 시위 금지에 대해서는 한정 위헌 결정을 내려[8] 그 때부터 촛불집회가 사실상 무제한 으로 허용되는 시대가 왔다.

2. 세월호 침몰 사건과 촛불시위

국정원 댓글사건 박근혜 퇴진요구로

박근혜가 대통령에 당선된 2012년 12월의 제18대 대통령선거는 국정원 대선 개입사건으로 선거 이후가 시끄러웠다. 이 사건은 선거운동을 앞두고 국정원이 여론을 조작하기 위해 민간인을 고용해 야당후보를 비방하는 글을 인터넷에 집 단적으로 올린 혐의이다. 원세훈 국정원장이 이를 지시한 것으로 밝혀졌다.

야당인 민주통합당의 고발로 이 사건 수사에 착수한 검찰은 이듬해 3월 혐의 사실을 확인하고 원세훈을 구속했다. 이를 계기로 전국에서 교수와 대학생들의 시국선언이 잇따르고 그해 6월에는 서울 도심에서 연일 대규모 촛불시위가 개최되었다. 광화문 KT 사옥 앞에서 집회를 가진 부정선거진상규명시민모임은 '국정원이 만든 대통령 박근혜 퇴진 촉구 시민 시국선언대회'를 개최했다. 같은 날 이에 반대하는 보수단체의 시위도 열려 종북세력이 국정원 무력화를 시도하고 있다고 비난했다.[9] 원세훈은 1심에서 국정원법 위반만 인정되고 공직선거법 위반 혐의는 무죄로 판단되어 징역2년6월에 집행유예4년을 선고받았다. 그러나 2심에서는 두 법 위반 사실이 모두 인정되어 징역3년을 선고받고 법정구속되었다. 그러나 대법원은 선거법 위반의 근거가 된 핵심증거들의 증거능력을 인정하기 어렵다고 2심 판결을 깨고 사건을 서울고법에 돌려보냈다. 원세훈은 파기환송심 서울고법의 재판과정에서 보석으로 풀려나 불구속상태로 재판을 받다가 2017년 8월 선고공판에서 두 가지 혐의에 대해 모두 유죄가 인정되어 징역4년을 선고받고 다시 법정구속되었다.[10]

세월호사건과 박근혜 퇴진운동

2014년 4월에 일어난 세월호 침몰 사건은 인천에서 제주로 항해하던 정기 연안 여객선인 세월호가 그해 4월 16일 오전 8시 50분경 전남 진도군 조도면 부근 해상에서 침몰한 사고이다. 이 배에는 제주도로 수학여행 가던 경기도 안산시 단원고등학교 2학년 학생 325명, 교사 14명, 여행사 인솔자 1명, 일반 승객 93명, 승무원 29명 등 총 462명의 승객이 타고 있던 것으로 최종 확인되었다. 승객들 중 172명은 사고 발생 후 긴급 출동한 해양경찰과 민간선박의 선원들에 의해 구조되고, 사망자는 295명, 미수습자는 9명으로 최종 집계되었다.[11]

세월호사건 역시 대규모 촛불시위를 불렀다. 사고 직후에는 주로 노란 리본을 단 실종자 가족들이 대국민호소문을 발표하는 정도의 집회였으나 1개월 후인 5월 17일에는 서울 청계광장에서 참여연대와 민주노총 등 300개 시민단체가 주최한 세월호 추모집회가 3만명이 대부분 노란 리본을 달고 나온 가운데 개최되었다. 이 자리에서 원탁회의 대표인 김상근 목사는 "국민들의 목숨을 지키지 못한 대통령은 온전한 대통령이 아니다"라고 박근혜의 책임을 물었다. 이 무렵부터 세월호사건에 관련해서 박근혜의 책임문제가 집중적으로 거론되기 시작했다. 반면 청계광장 건너편의 동화면세점 앞에서는 대한민국재향경우회, 고엽제전우회, 육·해·공군·해병대 대령 연합회 등이 주최한 '세월호 참사 악용세력 규탄 집회'가 2천여 명(경찰 추산)이 참석한 가운데 열렸다. 이들은 "세월호 침몰 사고를 기회로 삼아 박근혜 정부의 퇴진을 주장하는 세력이 있다"고 규탄해 진보좌파와 보수우파의 치열한 대결을 예고했다.[12]

박근혜 퇴진운동은 그 후 3년간 계속되었다. 2017년 4월 15일 세월호 참사 3주년을 기념하는 제22차 범국민행동의 날 주말 촛불집회는 박근혜정권퇴진비상국민행동에 의해 세종로광장에서 10만 명(주최 측 주장)이 모인 가운데 개최되었다. 이날 집회는 세월호사건 미수습 실종승객 수습과 철저한 선체조사, 책임자 처벌, 철저한 박근혜 수사와 처벌, 우병우 구속, 한반도 평화, 적폐청산을 요구했다. 이날 세월호사건과 최순실게이트 사건은 마치 북한강과 남한강이 경기도 양수리에서 합치듯 서로 뒤엉켜 박근혜 퇴진운동의 열기가 더욱 고조되었다. 최순실 국정농단 규탄 촛불시위는 앞에서 설명한 광우병 촛불시위와 세월호 촛불시위의 완결판이라 할 것이다. 뒤에서 자세히 살펴보는 바와 같이 진보좌파세력은 드디어 박근혜를 청와대에서 축출하는 데 성공하게 된다.[13]

3. 민주당의 총선 승리

새정치민주연합의 탄생

2016년의 20대 총선 이전 몇 년간은 안철수 선풍으로 시끄러웠다. 민주통합당의 부진으로 '안철수신당' 창당설이 정계에 나돌기 시작하더니 2013년 11월에는 본인이 신당 창당계획을 정식으로 선언했다. 안철수 신당인 '새정치연합' 창당계획이 구체화되자 가상 지지율이 민주통합당의 지지율을 웃돌아 정계 일각에서는 안철수당이 민주통합당을 누르고 제1야당이 될 것이라는 전망까지 나왔다. 그러나 안철수의 새정치연합 창당준비위는 지방선거 후보 영입의 부진과 당내 갈등으로 인해 지지율이 점차 하락하면서 고전을 거듭했다. 그 결과 2014년 새정치연합은 민주통합당과의 합당에 동의한다. 사실상 야권의 연대가 이루어진 것이다. 안철수와 민주통합당 대표 김한길은 통합신당 창당 준비작업을 거듭한 끝에 그해 3월 26일 민주통합당과 새정치연합 창준위가 최종 합당을 선언해 '새정치민주연합'이 출범했다.

2014년 6·4지방선거 직전에 세월호 침몰 사고가 터지자 새정치민주연합은 뒤에서 설명하는 바와 같이 이를 '정부의 무능', '정부의 책임'이라 맹렬히 비난했다. 그 결과 새정치민주연합은 전국에서 9명의 광역단체장을 당선시키는 데 성공한다. 그러나 선거 막판 새누리당 후보들이 이른바 '눈물마케팅', 즉 박근혜 대통령이 눈물을 흘리는 사진과 함께 "대통령을 지켜주세요"라는 문구가 든 피켓을 들고 지지를 호소해[14] 부산, 인천, 대구, 경기에서는 여권후보들이 근소한 차이로 당선했다.

2014년 7월 30일 실시된 국회의원 재보궐선거는 일종의 미니총선이었다. 지방선거에 출마하기 위해 사퇴한 국회의원들과 재판 결과 의원직을 상실한 국회의원들의 의석을 모두 합하면 총 15명의 국회의원을 뽑는 선거였기 때문이다. 새정치민주연합은 공천 과정에서의 잡음과 함께 광주 광산구 을 선거구의 권은희 공천에 대한 보은 공천 논란으로 겨우 4석만 얻는 참패를 당했다. 전통적인 우세 지역이던 수도권에서는 수원시 정(丁) 선거구 단 한 곳만을 건지는 데에 그쳤다. 전라남도 지역의 순천·곡성 선거구에서조차도 새누리당에 패배해 민주화 이후 전라남도 지역 최초로 보수 정당의 후보가 당선되는 사태가 일어났다. 새누리당의 지역 정치 신인들을 상대로 싸운 손학규, 김두관, 정장선 등 새정치민주연합의 중진급 후보들조차 낙선했다.

새정치민주연합은 재보궐선거 참패의 책임을 지고 지도부의 총 사퇴를 결의했다. 이로 인해 김한길, 안철수 두 공동대표 체제가 4개월 만에 막을 내리고, 2015년 1월 이후로 예정된 전당대회까지 당을 이끌 비상대책위원회가 구성되었다. 새정치민주연합은 박영선과 문희상 비상대책위원장 체제를 거쳐 2015년 2월 제1차 정기전국대의원대회에서 문재인을 새 당대표로 선출했다. 그해 12월에는 제3세력과 중도세력을 표방한 정당 창당을 선언한 안철수가 문재인 대표의 퇴진을 요구하는 새정치민주연합 비주류 세력과 함께 대거 탈당하는 사태가 일어났다. 안철수는 2016년 1월 더불어민주당에서 탈당한 김한길과 제휴해 '담대한 변화'라는 슬로건 아래 '국민의당' 창당발기인대회를 열었다. 그 후 안철수는 천정배가 창당을 추진하던 국민회의와 통합하기로 합의한 데 이어 박주선이 창당을 추진하던 통합신당과 통합해 2월 2일 '중도 개혁'과 '양당체제의 종식'을 내건 창당대회를 열고 국민의당을 공식 출범시켰다. 안철수(상임)와 천정배가 공동대표를 맡았다.

더불어민주당으로 개명–총선 승리

새정치민주연합은 안철수파의 탈당을 계기로 당무회의 의결을 거쳐 2015년 12월 28일자로 당명을 '더불어민주당'으로 바꾸었으나 안철수 탈당의 여파로 집단탈당사태가 일어났다. 주승용 장병완 권은희 의원 등 호남 의원들이 김한 길, 김영환 등 비주류파와 함께 집단적으로 탈당해 총선을 앞두고 큰 혼란이 발생했다. 이들은 탈당의 명분으로 더불어민주당에 대한 호남의 지지율 하락, 친노 인사들의 패권주의 등을 들었다. 대다수 의원들은 안철수의 국민의당으로 입당했다. 호남 세력의 주축인 박지원도 통합의 밀알이 되겠다면서 탈당한 뒤 나중에 국민의당에 입당했다.

그러나 2016년 봄이 되자 더불어민주당에 행운이 찾아왔다. 그해 4월 13일 치러진 제20대 국회의원 총선거에서 예상을 크게 뒤집는 행운이 온 것이다. 더불어민주당은 여론조사기관과 언론의 일치된 전망과 달리 가장 많은 123석(그중 지역구 110명)을 획득해, 122석(그중 지역구 105명)을 차지한 새누리당과 1석 차이로 제1당이 되었다. 국민의당은 38석(그 중 지역구 25명), 정의당은 6석(그중 지역구 2명), 무소속은 11석을 각각 얻었다.[15] 새누리당은 후보 공천과정에서 박근혜 대통령이 그에게 반기를 들었던 대구 동구을의 유승민 계열을 공천에서 배제하려다가 비박계 김무성 당대표의 이른바 옥새파동이 일어나 국민들의 신뢰를 크게 잃은 것이다. 새누리당의 총선패배는 그해 말의 박근혜 탄핵사태를 예고하는 것이었다. 총선 이후 더불어민주당은 2016년 8월 27일 제1차 정기전국대의원대회를 개최하고 추미애를 새 당대표로 선출했다. 더불어민주당은 2017년 4월 3일 서울 고척스카이돔에서 열린 수도권·강원·제주 순회경선 끝에 그동안 4차례 경선의 누적 득표율이 과반인 문재인 전 대표를 당 대선후보로 선출했다. 더불어민주당 대선예비후보들의 득표수는 문재인(57%) 이재명(21.2%) 안희정(21.5%) 최성(0.3%) 순이었다.[16]

X. 9년 만에 정권 되찾은 진보세력

① 제3기 진보정권의 탄생

역사는 말합니다. 어느 국가의 멸망은 외침에 원인이 있는 것이 아니라 내홍에 있다는 교훈을. 우리 사회 전체의 분열 갈등 혼돈의 중심에 태풍의 눈 같이 이 사건(최순실사건)이 자리하고 있습니다.

—최순실 변호인 이경재 변호사의 결심변호서에서

1. 진보좌파세력의 결전

박근혜의 공과와 국정실패 책임

박근혜는 아버지 박정희의 후광을 배경으로 화려하게 등장한 한국 헌정사상 최초의 여성대통령이었다. 그러나 그의 대통령직 역시 아버지처럼 비참하게 마감했다. 그 직접적인 계기는 그가 최순실이라는 희대의 탐욕스러운 여인에게 어처구니없게 이용당한 데서 비롯되었다. 그는 국회로부터 탄핵소추를 받아 헌법재판소에서 대통령직을 파면당한 다음 검찰에 구속되어 재판을 받고 있다. 박근혜는 6개월간의 구속기간이 다시 6개월 연장되자 사법부의 권위와 신뢰를 전적으로 부정하고 나섰다. 그는 "내가 징역30년, 40년을 받는 것이 문제가 아니라 대한민국을 살려야겠다"면서 사실상 재판거부를 선언했다. 그의 이 같은 재판 불복 행동에 그를 동정하는 보수층 지지세력은 연민의 정과 함께 문재인 정권, 그리고 정치검찰에 실망과 분노를 숨기지 않았다. 반면 그를 탄핵하고 감옥에 보내는 데 찬성한 진보좌파세력은 그의 '뻔뻔스러움'과 '초법적 처신'에 냉소적이었다.

아마도 박근혜를 가장 괴롭힌 것은 자신의 손으로 창당한 새누리당의 후신인 자유한국당의 그에 대한 자진탈당 권유 결정이었을 것이다. 자유한국당 대표 홍준표는 "대통령은 결과에 대해 무한 책임을 지는 자리"라면서 "왜 무한권력을 가지고도 당합니까, 대통령이 국민의 동정이나 바라는 그런 자리입니까"라고 직격탄을 날렸다. 홍준표의 말에는 충분히 일리가 있지만 박근혜는 친정에서조차 버림받은 한낱 가련한 여성이 되고 말았다.

대통령으로서의 박근혜의 공과는 역사가 판단할 것이다. 그렇기는 하지만 동시대인의 눈으로 볼 때 외교와 내치 분야에서 나름대로의 공로와 과오를 다 같이 남겼다. 자유민주주의의 통일한국을 이룩하기 위한 통일준비위원회 출범, 북한인권법 제정 등 확고한 대북정책 수립 및 사드 배치, 한중 FTA, 동북아평화구조 수립 및 국제적 통일환경 조성 노력 등 통일·외교·안보 분야의 노력, 그리고 김영란법 제정, 통합진보당 해산, 교원노조의 노조자격 박탈, 공무원연금 개혁 등 내정분야 공로는 인정될 수 있을 것이다.

그의 과오 역시 적지 않다. 국민들이 51.6%의 과반수 지지로 그에게 위임한 막중한 대통령 자리를 지키지 못하고 권좌에서 밀려난 그의 정치력의 빈곤은 개인적 불행을 가져왔을 뿐 아니라 국가적 위기를 초래할 정도로 엄중한 결과를 빚었다. 무엇보다도 큰 과오는 박근혜가 청와대 참모진을 직언할 줄 모르는 사람들로 채운 것이며 이것은 그의 최악의 실책이었다. 만약 제대로 된 참모들이 그를 보좌했더라면 최순실사건은 미연에 방지했거나, 아니면 중도에서라도 언론에 터져 나오기 전에 수습할 수 있었을 것이다. 그의 불운한 성장과정에서 비롯된 '공주마마'의 단점을 끝내 극복하지 못한 그는 통치자에게 절대 필요한 관용과 포용의 정신도 부족했다. 그는 2016년 4월의 제20대 국회의원 총선에서 자신에게 복종하지 않은 유승민 등 새누리당의 일부의원들을 공천에서 탈락시키려고 끝까지 무리수를 썼다. 그 결과는 새누리당의 쓰라린 총선 패배였고 마침내는 자신에 대한 국회의 탄핵소추안 통과라는 부메랑으로 돌아왔다.

박근혜는 민주적 정치지도자에게는 금기인 권위주의에 빠져 국민들, 그리고 특히 야당과 언론과 소통의 문제를 극복하는 데 실패했다. 김종필이 말했다는 '5천만 국민 모두가 나서도 꺾을 수 없다는 그의 고집'은 일종의 재앙이었다. 그는 집권당의 대표이면서 당 간부들이 강력하게 반대한 국회선진화조항을 기어코 통과시켰다. 다수결의 기본원리를 외면하고 국회에서의 중요 의안통과에 무조건 3분의 2이상의 찬성이 필요하도록 만든 이 법규정으로 인한 국회의 만성적인 비효율성은 박근혜 정부 자신에게 족쇄가 되어 소신 있는 국정수행을 방해했다. 그의 집권 4년 동안 국가 경제는 성장동력을 잃었고, 경제활동의 주체인 기업은 각종 규제의 덫에 갇혔다. 지구상에서 가장 전투적인 한국의 대기업 노조는 이제 헌정사상 가장 친노조 정권이라는 문재인 시대에 들어와서도 정부 위에서 군림하려 하고 있다. 결과적으로 박근혜의 '창조경제' 비전은 제대로 피지도 못한 채 4%의 GDP성장, 70%의 고용률 달성으로 재임기간 중 국민소득 4만 달러 시대를 열겠다던 그의 '474 비전'은 공중에 뜨고 말았다. 박근혜 정부의 '근혜노믹스' 실적은 2.9%의 성장률, 59.1%의 고용률, 2만7,561달러의 1인당 국민소득이라는 초라한 성적표를 기록했다. 그의 대통령 재임 4년간(2013~2016년)의 평균경제성장률 2.9%는 4.5%였던 노무현 정부(2003~2007년)뿐만 아니라 3.2%였던 이명박 정부(2008~2012년)에도 미치지 못 했다.[1]

그렇다면 박근혜의 탄핵과 구속은 당연한 결과인가. 이 역시 상당한 시일이 지난 다음 역사가 제대로 판단할 사항이다. 박근혜가 최순실에게 이용당하고 끝내 그의 발호를 막지 못한 과오를 저질렀고 검찰조사에 순순히 응하지 않고 청와대에 대한 압수수색을 거부한 것은 사실이다. 그러나 이를 사유로 해서 그에게 헌법 위반과 헌법수호의지 결여라는 딱지를 붙여 임기만료(2018.2.24) 11개월밖에 안 남은 그의 대통령직을 박탈한 헌법재판소의 결정과 파면 이후 진행된 형사소추 과정에는 적지 않은 문제가 있는 것도 사실이다.

언론이 이끈 박근혜 축출 제1막

박근혜 비극의 드라마는 언론보도-촛불시위-국회의 탄핵소추안결의-헌재의 파면결정-박근혜 구속이라는 5개 단계로 전개되었다. 최순실사건의 언론보도는 TV조선과 한겨레, 그리고 JTBC가 앞장섰다. 당시 이들 언론사의 모 기획취재부장은 "애초부터 청문회와 특검을 내다보고" 취재에 임했다고 말했고, 다른 언론사의 모 취재팀장은 "정권이 바뀌기를 희망"해서 취재를 한다고 토로했다. 박근혜 탄핵의 결정적인 계기는 2016년 10월 24일 JTBC의 녹음파일 보도였다. JTBC는 "청와대 비선실세가 국정을 쥐락펴락했던 사실이 고스란히 담겨 있는 증거물이 발견되었다"고 흥분했다. 이 방송은 "최순실씨가 사용한 태블릿PC에서 박근혜 대통령의 미공개 연설문 44개를 비롯해 200여 개의 파일이 발견되었다"면서 최순실이 이를 수정한 듯이 보도했다. 이들 문건들 가운데는 "통일은 대박"이라는 드레스덴연설, 신년사, 5·18기념식축사 등 연설문들과 국무회의 및 수석비서관회의 모두발언, 인사 관련 문서, 지방자치단체 업무보고회 발언 등 각종 기밀문서들이 포함되어 있다고 보도했다.[2] 이날 JTBC의 방송은 박근혜에게 치명적이었다. 최순실이 자신의 이득을 위한 단순한 이권운동이나 관계 관료나 재벌기업에 대해 호가호위(狐假虎威)적인 행패 수준이 아닌, 박근혜 배후에서 대통령을 마음대로 조종해 대한민국의 외교, 내치, 그리고 중요인사를 좌지우지한 것 같은 인상을 국민들에게 주었기 때문이다.

　JTBC 방송 직후 박근혜는 그 내용을 자세히 파악하지 않은 채 이 보도의 내용을 사실상 시인하는 사과성명을 발표해 최순실의 어마어마한 국정농단설을 기정사실화했다. 이를 계기로 최순실 국정농단 보도는 갑작스럽게 홍수를 이루었고, 이로 인해 최순실의 '정치적 지도'를 받는 박근혜는 하루아침에 무능하고 타락한 통치자가 됨으로써 곧바로 대통령 퇴진을 요구하는 헌정사상 최대규모의 촛불시위를 촉발했다. 최순실게이트는 세월호사건 때문에 더욱 박근혜에게 불리하게 작용했다. 즉, 박근혜는 이미 세월호사건으로 야당의 퇴진공작 대상이 된 처지에서 최순실사건이 터지자 더욱 거센 축출공세에 직면하게 되었다.

촛불시위-박근혜 축출 제2막

　더불어민주당의 추미애 대표는 국회의 박근혜탄핵소추안 가결 1주년을 하루 앞두고 열린 당최고위원회의에서 "탄핵은 누구의 선동에 의한 것이 아니었고 오로지 시민의, 시민을 위한, 시민에 의한 촛불 혁명의 성과"라고 말했다.[3] 그러나 다수의 보수우파세력은 박근혜 퇴진요구 촛불시위를 자연발생적으로 보지 않았다. 특히 태극기시위를 편 친박근혜진영은 이를 언론과 야당, 그리고 좌파시민단체, 특히 친북세력의 '기획된 탄핵'이자 '군중선동에 의한 정권쟁탈', 즉 헌정질서파괴행위로 인식했다. 일본 교토 소재 류코쿠(龍谷)대학 사회학부의 이상철(李相哲)교수는 《산케이신문》에 기고한 "내전 중인 한국"이란 기고문에서 박근혜 대통령 탄핵 사태는 친북세력과 반북세력의 대리전쟁이라고 주장하였다. 통합진보당을 해산하고 전교조를 불법 단체로 규정한 박근혜 정권을 전복시킬 기회를 호시탐탐 노리던 친북·반미 좌파 세력이 최순실게이트를 계기

로 격렬하게 정권 탈취를 시도해 발생한 것이 촛불시위라는 것이 이 교수의 주장이다.[4]

이 교수의 주장을 반드시 극우적인 견해라고 일축할 수 없는 사태가 실제로 전개되었다. JTBC의 최순실 국정농단 첫 보도가 나간 5일 후인 10월 29일 토요일 주말을 맞아 박근혜 규탄 촛불시위가 서울 광화문을 비롯한 전국 주요도시에서 시작되었다. 이 촛불집회를 주도한 세력은 국가정보원 여론조작사건 직후인 2013년부터 기회가 있을 때마다—즉, 세월호사건 국정교과서문제 노동정책문제 농민운동가 백남기 사망사건 등—박근혜 하야(나중에는 퇴진)를 요구하는 민중총궐기 촛불집회를 지속적으로 주최한 '민중총궐기 투쟁본부'였다. 박근혜 축출을 목표로 한 '역전(歷戰)의 용사(勇士)들'인 이들은 나중에 다른 단체들과 함께 '박근혜정권퇴진비상국민행동'을 결성했다. 이들은 2017년 4월 29일까지 6개월간 매주 토요일 서울 광화문에서 23차례의 집회를 가진 끝에 결국 박근혜 축출에 성공했다. 이에 반해 박근혜 퇴진에 반대하는 태극기집회는 처음에는 주말마다 일부 보수단체 위주로 열리다가 시일이 갈수록 참가자가 크게 늘어났다. 각종 보수단체들이 연대한 '대통령 탄핵 기각을 위한 국민총궐기 운동본부'가 대한문 앞에서 집회를 주최한 것이다. 특히 2016년 12월 9일 박근혜 탄핵소추안이 국회에서 가결된 이후에는 태극기집회 참가자가 촛불시위 참가자를 상회한 적도 있었다.

그러나 언론은 촛불시위 때도 박근혜퇴진운동세력의 편을 들었다. 촛불시위는 신문 방송에 대대적으로 보도되었으나 태극기집회는 거의 묵살당했다. 이런 언론환경 아래서 여론조사기관인 리얼미터가 2016년 12월 5~7일간 조사한 국민여론에서 박근혜 탄핵 지지율이 78.2%로 거의 80%에 육박한 것[5]은 오도된 여론이라 할 것이다. 문재인 정권 출범 이후 경찰이 조사한 바에 의하면 태극기집회를 위해 후원금을 낸 일반시민이 2만명으로 밝혀져[6] 태극기집회가 결코 박근혜를 위한 어용집회가 아니었다고 할 것이다. 그렇다면 당시 언론이 태극기집회를 제대로 보도하지 않은 것은 공정보도의 의무를 저버린 것이다.

촛불시위가 시작되자 야당의원들이 앞장서서 촛불집회장에 몰려나왔다. 이들 중에는 더불어민주당의 대통령선거 예비주자였던 문재인도 포함되어 있었다. 그는 박근혜의 잘못이 아직 제대로 밝혀지기 전인 2016년 11월 26일 "국가 권력을 사익 추구의 수단으로 삼아온, 경제를 망치고 안보를 망쳐온 가짜 보수 정치세력을 거대한 횃불로 모두 불태워 버리자"고 시위군중을 향해 외쳤다. 그는 이날 서울 종로구 청계광장에서 열린 박근혜 대통령 퇴진 결의대회에서 인사말을 통해 "박근혜 대통령은 한시라도 빨리 스스로 내려오는 것이 국민들을 덜 고생시키고 국정공백의 혼란을 최소화하는 것"이라고 역설했다.[7]

박근혜퇴진요구 촛불시위만큼 국민들을 심각하게 분열시킨 사건은 아마도 1987년 민주화 때 이후 처음이었을 것이다. 2012년의 18대 대선에서 문재인보다 박근혜를 지지한 보수세력은 촛불시위 자체 못지않게 촛불 이후의 대한민국의 장래 진로를 더 우려했다. 당시 언론매체들은 촛불시위를 대부분 평화적인 시위라고 피상적으로 보도했지만 대부분의 촛불시위 현장에서는 박근혜 탄핵과 관련이 없는 국가보안법 폐지, 전 통합진보당의 이석기 석방 등 좌파의 선전 슬로건이 자주 나왔다.

'거꾸로 진행된 탄핵' 절차─박근혜 축출 제3막

국회는 언론보도 내용만을 근거로 2016년 12월 3일 박근혜에 대한 탄핵소추안을 발의하고 같은 달 9일 본회의에서 이를 통과시켜 헌재에 넘겼다. 국회가 대통령을 탄핵소추하려면 먼저 특검을 설치해 대통령을 퇴출시키지 않으면 안 될 중대한 혐의가 포착되었을 때 비로소 탄핵소추를 발의해야 한다. 그러나 일은 그렇게 되지 않았다. 당시 일부 외신은 한국에서 탄핵발의부터 해 놓고 나중에 조사를 하는 '거꾸로 된 탄핵'이 진행되고 있다고 비판했다.[8] 한국의 대표적인 원로법조인들은 헌법재판소의 비정상적인 탄핵심판 방식을 공개적으로 비판했다. 2017년 2월 9일 정기승(전 대법관), 김두현(전 대한변호사협회장), 이종순(전 헌법을생각하는변호사모임 회장), 이시윤(전 헌재 재판관), 이세중(전 대한변호사협회장), 김종표(원로 변호사), 김문회(전 헌재 재판관), 함정호(전 대한변호사협회장), 김평우(전 대한변호사협회장) 등 9명은 '탄핵심판에 관한 법조인의 의견'이라는 성명을 발표하고 막 시작된 박근혜 탄핵심판의 부당성을 지적했다.

그 이유는 ① 국회의 탄핵소추만으로 대통령의 권한이 정지되는 매우 특이한 제도 아래서 국회가 아무런 증거조사 절차나 선례 수집 과정 없이 신문기사와 심증만으로 탄핵을 의결, 박 대통령의 권한을 정지했고, ② 특검의 조사가 본격적으로 시작되기도 전에 탄핵소추를 의결한 것은 이번 탄핵이 비정상적으로 졸속 처리됐음을 단적으로 드러낸 것이며 ③ 법적 성격이 전혀 상이한 13개 탄핵사유에 대해 개별적으로 심의, 표결하지 않고, 일괄하여 표결한 것 역시 중대한 적법절차 위반이며 ④ 박대통령은 헌법의 원리나 원칙을 부정하거나 반대한 사실이 없고 몇 개의 단편적인 법률 위반이나 부적절한 업무집행 의혹을 근거로 헌법 위반이라고 주장하는 것은 논리의 비약이며 ⑤ 대통령의 공익법인 설립 및 그 기본재산의 출연을 기업들로부터 기부 받은 행위는 선례도 많고, 목적이 공공의 이익을 위한 것이므로 이를 범죄행위로 단죄하는 것은 법리에도 맞지 않으며, ⑥ 헌재는 9명의 재판관 전원의 심리 참여가 헌법상의 원칙이므로 일시 재판을 중지하였다가 전원 재판부를 구성한 연후에 재판을 재개하여 심리를 진행해야 한다는 것이다.[9]

시간에 쫓긴 헌재의 파면 결정―박근혜 축출 제4막

대통령의 탄핵심판은 법에 따라 6개월 안에 하도록 되어 있다. 그럼에도 불구하고 박근혜에 대해 국회의 탄핵소추가 있은 지 3개월 만인 3월 10일 그의 파면결정을 내린 것도 적지 않은 문제였다. 재판을 이렇게 서둔 것은 박한철 헌재 소장이 임기가 만료되어 사건심리 도중에 물러나고 이정미 권한대행도 잇따라 임기만료(3월 13일)가 다가오고 있어 9명이 정원인 헌재 재판관이 7명으로 준 상태에서 재판을 계속할 수가 없기 때문이라고 했다. 그렇게 되면 단 2명만 탄핵인용에 반대해도 박근혜 탄핵소추는 기각될 판이었다. 사리를 따진다면 헌재의 사정이 그렇다면 결원을 보충해서 심판을 하는 것이 정답이다. 그러나 정치정세에 지나치게 예민한 헌재는 대통령권한대행인 황교안 국무총리의 헌법재판관 추천을 피하기 위해 심리기간을 단축하는 방법으로 문제를 해결하려는 편의주의를 선택했다. 일반 고급공무원에 대한 탄핵심판도 3개월간의 심리로 결론을 내는 것은 졸속재판이 될 우려가 있는데 하물며 국가안보가 우려되는 위기상황에서 국군통수권자인 대통령의 파면 여부를 결정하는데 필요한 심리 기간의 단축을 선택한 것은 장차 역사적으로 비판받아 마땅한 일이 아닐 수 없다.

박근혜에 대한 국회의 탄핵소추 사유는 네 가지였다. 그 중 공무원인사권 남용, 세계일보 사장 해임 등 언론탄압, 세월호 인명구조 의무 위반의 3건은 헌재에 의해 증거부족 또는 탄핵사유에 해당되지 않는다는 이유로 기각되었다. 나머지 1건, 즉 최순실 관련부분만 헌재가 인용했다. 이른바 그의 국정농단사건이다. 그 골자는 ① 박근혜가 기업에 압력을 가해 최순실에게 각종 개인적 이득을 주고 대기업들로부터 각각 486억원과 288억원을 출연 받아 재단법인 미르와 재단법인 케이스포츠를 설립하고 두 재단의 운영에 관한 의사결정을 출연자들이 아닌, 자신과 최순실이 하게 하고, 최순실로 하여금 자신의 대통령직무활동에 간여케 한 행위가 헌법, 국가공무원법, 공직자윤리법 등의 위배이며, 기업의 재산권 침해요 기업경영의 자유 침해이자 국가공무원법의 비밀엄수의무 위배이며, ② 박근혜의 이 같은 헌법과 법률 위배행위가 재임기간 전반에 걸쳐 지속적으로 이루어졌으므로 대의민주제 원리와 법치주의 정신을 훼손한 것이고, ③ 특별검사의 소환 불응과 청와대에 대한 압수수색 거부는 헌법수호의지의 결여로 박근혜의 위헌 위법행위가 헌법수호의 관점에서 중대한 법 위배행위라고 규정했다. 요컨대 박근혜는 오직 최순실로 인해 대통령직을 잃게 된 것이다. 문제는 ①항과 관련해 이재용 삼성전자 부회장의 뇌물혐의에 대한 2심 판결이 대부분 무죄로 나와 박근혜에 대한 헌재 결정의 정당성이 흔들린 사실이다.[10] 또한 JTBC가 보도한 최순실 소유 태블릿PC에서 나왔다는 외교·내정에 관한 중요 연설문과 국무회의 및 수석비서관회의 모두 발언, 인사 관련 등 업무에 최순실이 실제로 간여하지 않았고 박근혜가 최순실의 편의를 보아준 정도라면 문제의 핵심은 달라질 수밖에 없다. 다시 말하면 이른바 최순실 국정농단 문제의 성격도 당초 일반국민들이 인식한 것과는 거리가 있다는 뜻이다.

박근혜 구속으로 진보좌파세력 완승─축출 제5막

시간에 쫓기듯 서둘러 심리를 끝낸 헌재는 결정문에서 "국민으로부터 직접

민주적 정당성을 부여받은 피청구인을 파면함으로써 얻는 헌법수호의 이익이 대통령 파면에 따르는 국가적 손실을 압도할 정도로 크다"고 파면결정 이유를 밝혔다. 대통령 파면에 따르는 국가적 손실은 무엇인가. 그것은 국정공백과 정치적 혼란을 지칭하는 것 같다.[11]

그렇다면 과연 박근혜 파면에 따르는 국가적 이익이 손실보다 더 컸을까. 박근혜 정권 붕괴를 기쁘게 받아들인 정치세력은 더불어민주당이고 박근혜 퇴진 이후의 정치상황을 우려한 세력은 보수우파세력이었다. 그리고 자신들의 표현처럼 박근혜퇴진을 아주 '행복하게' 받아들인 세력은 박근혜정권퇴진비상국민행동 내의 주요조직인 좌파세력들이다. 이들 단체는 박근혜가 파면되자 "1,700만 촛불과 함께 한 모든 날이 행복했습니다. 퇴진행동은 해산하지만 세상을 바꿀 촛불은 언제든지 타오를 것입니다"라고 선언했다.[12]

여기서 말하는 '세상을 바꿀 촛불'은 과연 무엇일까. 이를 보수우파세력 일각에서는 대한민국의 국가적 위기, 즉 종북으로 가는 첫 단계로 본다. 또한 문재인의 포퓰리즘을 우려하는 보수우파에서는 박근혜 탄핵파면 이후의 상황을 '북핵을 실은 남미행 열차'라고 비판한다. 이런 비판과 우려들은 근거가 있는 것인가. 이를 현 단계에서 뭐라고 단정할 수는 없다.

박근혜는 헌재에 의해 파면된 지 18일 만인 2017년 3월 31일 검찰에 구속. 구치소에 수감되었다. 그리고 4월 17일 구속기소되어 2018년 4월 6일 1심에서 검찰이 기소한 18개 혐의 중 16개가 유죄로 인정되어 징역 24년과 벌금 180억원을 선고받았다.

2. 박근혜 끌어내리기 작전의 막후

분노한 국민들 배후에서 좌파세력이 시위 주도

이 촛불시위를 주도한 박근혜정권퇴진비상국민행동은 독일 사회민주당 계열의 프리드리히 에버트재단이 수여하는 2017년도 인권상을 수상했다. 수상 이유는 "한국 시민은 민주적인 참여에 대한 새로운 기준을 국내뿐 아니라 전 세계적으로 세워나갔다"는 것이며, 비상국민행동에게 수상하는 것은 "한국 민주주의에 새 활력을 불어넣으며 수 주간 평화적 집회의 권리를 행사해온 모든 이들을 대신하여 퇴진행동이 본 상을 수여 받는다"고 설명했다. 이 상은 박근혜 퇴진요구 촛불시위를 한국민주주의뿐 아니라 세계의 민주주의 발전에도 기념비적 사건으로 승화시키는 데 한 몫을 했다고 찬양했다.

그러나 에버트재단은 모든 시위참여자들이 평화적이고 모범적인 의도와 방법으로 촛불을 든 것은 아니라는 사실을 간과했다. 이들 시위참가자들은 '평화집회'와는 거리가 먼 단두대, 박근혜 인형 효수 조형물, 주사기가 목에 꽂힌 박근혜 조형물 등을 수레에 싣고 행진했으며, 경찰관, 기자, 태극기 집회 참가자에게 폭행을 가했다. "촛불시위는 세계 역사상 가장 평화스럽고 위대한 시민명예혁명"이라는 박원순 서울시장의 발표나 그런 내용의 기사를 쓴 언론의 보도도 진실과 거리가 있었다.[13] 다만 시위가 대규모의 폭력시위가 되지 않은 것은 경찰당국의 제지가 없었고 도리어 서울시가 시위를 도왔기 때문이다. 박 시장은 시위자들을 물심양면으로 지원한 것으로 보도되었다.

박근혜정권퇴진비상국민행동의 진면목을 이해하기 위해서는 2017년의 8·15 서울시청앞 시위를 살펴볼 필요가 있다. 당시 시위의 조직주체는 '주권회복과 한반도평화실현 8·15 범국민 평화행동 추진위원회'라는 명칭이었다. 이날 추진위원회에는 민노총과 한국진보연대 6·15남측위원회 등 200여개 단체 회원 약 6천 명(경찰 추산)이 모인 가운데 '8·15범국민대회'를 갖고 사드 배치 철회를 요구했다. 이들은 서울시청광장에서 세종로네거리를 지나 미대사관 앞까지 행진하면서 한미연합군사훈련 중단, 사드 배치 철회, 남북대화 개시, 평화협정 체결, 한일위안부합의와 군사협정 철회 등 친북반미구호를 외쳤다.[14]

이적단체도 박근혜 축출운동에 가세 선동작전

박근혜 탄핵에 결정적인 역할을 한 박근혜정권퇴진 비상국민행동에는 전교조, 민노총, 참여연대, 민변, 백남기투쟁본부 4·16연대 등 일반 진보좌파시민단체 이외에 범민련 남측본부, 민자통, 연방통추 등 이적단체, 그리고 대법원이 불법 이적 단체로 판결한 남북공동선언실천연대의 후신인 민권연대(민생민주평화통일주권연대)와 환수복지당 재건통진당 등이 참여했다. 이들은 대북강경책을 견지한 박근혜를 타도하려는 세력들이었다. 또한 문재인 지지세력인 드루킹(김동원) 일파는 박근혜 탄핵과 대선 때 9만 건의 인터넷 댓글조작으로 여론몰이를 했다. 촛불시위에는 일본 노조원들도 참가했다. 일본의 공산주의자 단체인 '중핵파'(中核派)가 발행하는 격주간지인 《전진》(前進)은 2016년 11월 12일 서울의 100만 민중총궐기대회에 일본노조 '방한단' 220명이 참가해 프롤레타리아혁명을 위한 국제연대를 과시했다고 보도했다.[15]

비상국민행동 측에 의하면 참여단체수는 1,503개(2016년 11월 9일 기준)에 달한다는 것이다. 이들 단체들은 국가보안법 철폐, 한미동맹 해체 등을 주장했다. 이들 주요 참가 단체들은 이명박 정권 출범 직후인 2008년 '광우병 난동'의 주역이었던 '광우병 위험 미국산 쇠고기 전면 수입을 반대하는 국민대책회의(광우병 대책회의)'와 같은 사람들이다. 이명박정권을 전복하려 했던 세력들이 박근혜 정권을 무너뜨리기 위해 다시 뭉친 것이다.[16]

박근혜 축출에 결정적인 공로를 세운 비상국민행동은 2017년 5월 24일 서울 프레스센터에서 공식 해산을 선언했다. 비상국민행동은 해산선언 및 촛불대개혁 호소 기자회견을 갖고 문재인 정부에 '촛불개혁 10대 분야 100대 과제'를 부여했다. 비상국민행동이 제시한 10대 촛불개혁 분야는 재벌체제개혁, 공안 통치기구개혁, 정치 선거제도 개혁, 좋은 일자리와 노동기본권, 사회복지 공공성 생존권, 성 평등과 사회소수자 권리, 남북관계와 외교안보정책 개혁, 위험사회 구조개혁(안전과 환경), 교육 불평등 개혁 및 교육공공성 강화, 언론개혁과 자유권 등이다.[17] 이들은 사실상 문재인 정권에 상당한 압력이 될 것이다.

3. 풀리지 않는 수수께끼

박근혜 측이 제기한 음모설

박근혜 탄핵의 배후에는 조직적인 음모가 있었다는 주장이 탄핵재판 이전부터 제기되었다. 우선 박근혜 본인이 2017년 1월 25일 청와대 상춘재에서 열린 언론인 정규재와의 TV단독회견에서 "대통령을 끌어내리기 위해 어마어마한 허위사실을 만들어냈다"고 주장했다. 박근혜는 "이번 사건은 누군가가 언론에 자료를 주거나 이야기를 만들어 주고 있다는 주장이 있다"는 질문을 받고 "그 동안 쭉 진행과정을 추적해 보면 뭔가 오래전부터 기획된 것이 아닌가 하는 느낌을 지을 수가 없다"고 답하고 그 기획이 누구에 의한 것인가에 대해서는 "지금 말씀드리기는 그렇죠"라고 말했다.[18]

JTBC가 보도한 태블릿PC의 입수 경위와 그 내용에 관해 변호사들이 계속 의문을 제기했다. 문제의 태블릿PC가 포렌식조사 결과 최순실 것이라는 2016년 10월 25일자 대검찰청 디지털수사과의 보고서가 나온 이후에도 논쟁은 가라앉지 않았다. 박근혜를 옹호하는 태블릿PC조작진상규명위원회의 도태우 변호사는 2017년 1월 15일 기자회견에서 폭탄선언을 했다. 즉, JTBC가 최순실의 소유라며 보도한 태블릿PC는 다른 사람의 것이며 검찰이 개입한 거대한 사기극이고 이 증거위조에는 당시 야당도 연계된 의혹이 있다는 것이다.[19] 같은 해 9월 18일에는 박근혜공정재판법률지원단(단장 김기수 변호사)이 JTBC가 박근혜에 대한 국민들의 분노를 자극하기 위해 사전 조작되고 검찰도 방조해서 만든 자료들을 기획 탄핵의 방아쇠로 사용했다는 성명서를 발표했다.[20]

최순실의 것이라는 태블릿PC를 둘러싼 의혹

2017년 10월 8일에는 과거 박근혜선거캠프에서 일한 서혜원이 대한애국당의 주선으로 국회정론관에서 기자회견을 갖고 JTBC가 보도한 문제의 태블릿PC는 최순실의 것이 아닌, 자신의 것이었다고 '양심고백'을 하면서 특검을 요구했다.[21] 서혜원의 이날 '양심고백'은 JTBC가 그 내용을 보도한 직후 검찰에 제출했다고 방송사 측에서 주장한 태블릿PC가 최순실의 것이 맞다는 검찰의 발표와 상치된다. 당시 특검 이규철 대변인은 최순실의 것이라면서 그의 조카 장시호가 제출한 '제2의 태블릿PC'의 실물이라고 공개했었다. 초기 단계에서 JTBC의 보도는 국민들의 분노와 박근혜 탄핵소추의 도화선이 되었는데 서혜원의 주장대로라면 JTBC가 최순실의 국정농단 증거라고 주장한 44건의 파일에 관한 보도가 완전한 허위라는 뜻이 된다.

재판부의 의뢰로 이를 감정한 국립과학수사연구원은 2017년 11월 27일자 보고서에서 문제의 태블릿PC가 "최순실 소유가 아니라고 하기에도 애매하지만,

최순실 것이라고 확언하기도 어렵다"고 흐리면서 "사용자가 단수인지 다수인지 명확하게 판단하기 어렵다"고 밝혔다. 그리고는 "태블릿PC로 연설문을 수정 저장이 가능한 에플리케이션은 발견되지 않았다"고 검찰 측과는 다른 판단을 내렸다.[22]

　최순실의 측근이자 그가 만든 개인회사인 더블루K의 이사였던 고영태에 의한 박근혜 탄핵음모설도 큰 화제가 되었다. 그 내용은 고영태가 최순실이 일부 재벌로부터 돈을 모아 마련한 케이스포츠재단의 돈을 빼돌려 독차지하기 위해 최순실과 박근혜를 '죽이기로' 음모를 꾸몄다는 것이다. 고영태는 2016년 7월 자기 측근들에게 '찔끔 찔끔' 최순실의 비리에 관한 정보를 언론에 흘릴 것이 아니라 "좀 더 강한 것이 나왔을 때 한꺼번에 터뜨리자"고 제안했다는 것이다. 그는 "언론을 이용해 최순실의 다른 측근 라인인 차은택 감독과 김종 전 문화체육부차관을 모두 무너뜨리고 특정정치세력과 결탁해 최순실과 박근혜를 죽이자"고 주장했다고 언론들이 보도했다.[23] 고영태의 음모설을 믿는 사람들은 이들이 관련 파일을 담은 태블릿PC를 JTBC에 제공했다고 추측한다. 실제로 최순실의 변호인인 이경재 변호사는 "검찰이 오는 21일 박근혜 전 대통령 소환조사에 앞서 고영태의 기획폭로 등 고씨 일당의 범행부터 수사해 공정한 검찰권을 행사해야 한다"고 촉구했다. 그는 기자회견에서 "녹음파일로 인해 검찰이 공소유지에 결정적인 진술을 한 사람으로 내세우는 고영태, 노승일, 박헌영의 진술·증언의 신빙성이 무너졌다"고 주장했다. 그는 또 "이들 일당이 고씨를 중심으로 기획 폭로한 정황들이 녹음내용에서 확인됐다"면서 "고씨 녹음을 보면 현직 검사와 사전접촉한 정황도 나와 있다"고 말하고 "검찰은 해당 검사가 누구인지를 확인해 사건 수사에 영향을 미친 것은 없는지 규명해야 한다"고 강조했다.[24] 그러나 이 변호사의 요구는 검찰에 의해 거부되었다.

박근혜 탄핵의 일등공신 안민석과 민주당의 비밀TF

　박근혜 탄핵 배후에는 야당인 더불어민주당 소속 의원의 탄핵기획이 있었다는 주장도 있다. 이 같은 주장은 2017년 4월 TBS(교통방송) "김어준의 뉴스공장" 프로에서 당시 바른정당 소속이다가 나중에 자유한국당으로 돌아가 원내

대표에 선출된 김성태 의원이 "더불어민주당의 안민석 의원이 3년 동안 박근혜 탄핵을 준비하고 기획해서 터뜨렸다"고 그의 면전에서 발설한 것을 계기로 세상의 주목을 받기 시작했다.[25] 안민석은 2014년 4월 8일, 박근혜 대통령의 '최측근의 딸'이 승마 국가대표선수로 선발되어 특혜를 누린다는 평화운동가 박창일 신부의 그해 1월 15일의 제보를 기초로 국회에서의 대정부질문에서 국정조사가 필요하다고 주장해 최순실의 존재를 처음으로 세상에 알렸다.[26] 그 후 안민석은 3년간 단신으로 최순실 국정농단과 그의 숨겨진 재산을 밝혀내고 청와대에 근무한 간호장교를 만나기 위해 유럽으로, 미국으로 동분서주했다. 안민석은 2016년 8월 체육과 교수들과 한 아이스크림 가게에서 담소를 나누던 중 최순실이 이화여대에 나타나 자기 딸 지도교수에게 행패를 부렸다는 이야기를 듣고 정유라의 이화여대 부정입학의 단서를 얻었다 한다.[27]

안민석의 박근혜 뒤캐기가 처음부터 탄핵을 목적으로 했건 아니건 결과적으로 그의 집요한 활동이 박근혜 몰락에 크게 기여한 것은 엄연한 사실이다. 이낙연 국무총리는 2017년 8월 청와대 영빈관에서 열린 문재인 대통령 초청 더불어민주당 오찬 및 간담회 인사말에서 "국민과 더불어 추미애 대표의 탁월한 지도력과 안민석 의원의 걸출한 활동으로 정권교체를 이루었다"고 칭찬했다.[28] 안민석 자신도 자신의 저서 북 토크쇼에서 "제가 박근혜 정권 무너뜨린 원흉(?)입니다"라고 말한 것으로 일부 언론은 보도했다.[29]

최순실사건 발생 당시 더불어민주당 원내대표를 지낸 우상호 의원이 박근혜 탄핵소추안 국회통과 1주년을 하루 앞둔 2017년 12월 9일 공개한 백서에는 흥미 있는 대목이 있다. 우상호와 당의 싱크탱크인 더미래연구소가 공동으로 발간한 "탄핵, 100일간의 기록"이라는 백서에 의하면 민주당은 최순실 게이트가 공론화되기 전인 2016년 8월부터 물밑에서 이른바 '최순실 TF'를 만들어 활동했다 한다. 이 TF에는 우상호, 박범계, 도종환, 조응천, 손혜원 등 5명의 의원이 참여했는데 당내에서도 그 존재가 비밀에 부쳐졌다. 이들은 9월부터 한자리에 모여 "도 의원은 정유라의 이화여대 비리를, 조 의원은 청와대와 재벌 쪽 정보를, 손 의원은 문화계와 차은택 쪽 정보를 내어 놓았다"는 것이다. 이 정보들을 한 곳에 모아서 맞추어 보니 사건의 전모가 완성되기 시작했다. 우 원내대표는 이들이 "국정감사에서 어떤 방식으로 협공해 나가야 할지에 관한 전략을 수립하고 역할을 분담했다"고 밝혔다.[30] 앞에서 설명한 대로 태블릿PC조작진상규명위원회의 도태우 변호사가 이 사건은 검찰이 개입한 거대한 사기극이며 이 증거위조에는 당시 야당(더불어민주당)도 연계된 의혹이 있다고 주장한바 있는데, 민주당의 안민석 또는 이 TF 멤버들의 활동이 어떤 역할을 했는지는 잘 알려지지 않았다.

북한정권 역시 박근혜 제거 선동에 발을 벗고 나섰다. 세월호사건이 일어난 2014년부터 최순실사건으로 박근혜가 탄핵당한 2017년까지 북한정권은—공개된 것 만 해도—6회에 걸쳐 지속적으로 박근혜 탄핵을 선동했다.[31] 북한정권의 선동작전이 박근혜탄핵사태에 어떤 영향을 주었는지는 밝혀지지 않았지만 최소한 국내의 종북세력에게는 지침으로 작용하는 등 적잖은 영향력을 행사한 것으로 짐작된다. IV-2-2(통일혁명당)에서 설명한 바와 같이 북한이 남한 내에 있다고 주장하는 반제민전도 2016년 10월 인터넷 웹사이트인《구국전선》을 통해 박근혜 퇴진촛불시위를 부추기는 "끝장을 볼 때까지"라는 선동기사를 연일 게재한 것이 좋은 예이다. 또한 일본 공산주의계열의 노조단체가 서울에 집단으로 원정을 와서 촛불시위에 참가한 것은 북한정권의 선동과 무관하지 않을 것이다.

4. 문재인의 19대 대통령선거 승리

문재인, 41% 득표 당선

헌법재판소의 박근혜 파면 결정 2개월 만인 2017년 5월 9일 실시된 제19대 대통령선거는 예상대로 문재인(文在寅, 1953~) 더불어민주당 후보의 승리로 끝났다. 이 선거에는 군소정당 및 무소속 후보를 포함해 모두 15명(이들 중 2명은 중도에 사퇴)이 출마해 역대 대통령선거 가운데 가장 많은 후보들이 나왔다. 개표 결과 문재인은 득표율 41.08%(득표수 13,428,800표)를 얻어 득표율 24.03%(득표수 7,852,849표)를 얻은 차점자 홍준표 자유한국당 후보를 여유 있게 눌렀다.[32] 진보좌파세력은 노무현 정부 이후 9년 만에 정권을 되찾았다.

국회의 박근혜 탄핵소추와 헌재의 탄핵소추사건 심리와 파면 결정은 문재인의 당선에 결정적으로 기여했다. 최순실 국정농단과 집권 새누리당에 대한 국민들의 실망과 분노로 여당은 큰 타격을 입었기 때문이다. 또한 문재인은 다른 당 후보들보다 일찌감치 선거운동을 위해 뛰었기 때문에 사실상 그의 독주상태였다. 선거공고 이전부터 실시된 여론조사 결과 문재인은 시종일관 다른 후보에 비해 압도적인 우위를 차지했다. 문재인의 우세가 확실해지자 장애인단체 '공인노무사' 독립PD 등 각계인사들이 속속 그의 지지를 선언했다. 그 중에서도 대표적인 케이스가 선거일 1개월 전에 국민참여당 대변인 김영대, 참여네트워크대표 조경호를 비롯한 국민참여당, 창조한국당, 민주노동당, 정의당 및 진보정당 간부급 당원 509명이 더불어민주당에 입당하고 문재인후보 지지선언을 한 것이다.[33]

보수세력 분열로 무혈입성

여론조사기관들의 조사에 따르면 문재인은 2017년 연초부터 지지율이 30%대로 올라가 투표일 직전에는 40%대로 상승했다. 이에 비해 국민의당 후보 안철수는 선거 1년 전인 2016년 봄에는 한때 문재인보다 지지율이 높았으나 2017년 들어서는 한자릿수로 떨어졌다가 선거일 2개월 전에 겨우 회복, 1개월 전에 30%대로 상승했다. 하지만 그는 후보토론회에서 서툰 토론솜씨 때문에 지지율이 급속하게 추락해 투표일이 다가오자 다시 20%대로 추락했다.

급작스럽게 자유한국당의 후보가 된 홍준표는 공식선거운동이 시작된 4월 말에야 겨우 10%대로 올라가 승산이 적게 보였다. 정의당의 심상정 후보와 새누리당 내 박근혜 탄핵 찬성 세력이 만든 바른정당의 유승민후보는 다 같이 지지율이 한자릿수를 넘지 못했다. 선거판세가 문재인의 승세로 기울어지자 보수세력 일부가 안철수에게 표를 몰아주어 문재인의 당선을 저지하자는 주장을 제기해 보수세력 내부에서 갈등이 빚어지기도 했으나 아무런 합의에 이르지 못했다. 안철수의 국민의당은 2018년 2월 유승민의 바른정당과 합병해 바른미래당을 만들고, 합병에 반대한 국민의당 내의 호남세력은 민주평화당을 창당했다.

② 문재인 정권의 성격

문재인 정부 출범 이후 첫 번째 대규모 집회이다. (우리는)이 정국의 들러리와 대상이 아닌, 주체이고 주인임을 선포한다. (이 자리는)우리가 외쳤던 개혁의 과제, 우리 사회가 나아갈 바를 외치고 촉구하는 투쟁선포의 장이다.

–민주노총 한상진 조직국장, 2017.5.27, 서울 광화문 청계광장에서(중앙SUNDAY 2017.5.29자)

1. 문재인의 이념과 사상

문재인의 진보주의 이념

문재인은 헌정사상 최초의 학생운동권 출신 대통령이다. 그의 멘토 노무현은 변호사 시절 운동권학생들에게 동정적인 진보좌파성향의 인물이었지만 자신이 대학에 들어가지 못했기 때문에 학생운동권은 아니었다. 문재인은 직접 대학시절 학생운동에 앞장섰다.

그러나 그는 노무현과는 달리, 자신이 진보주의자임을 내세우지는 않는다. 다만 그는 진보세력을 '민주화를 성취한 양심세력'이라고 생각한다. 문재인은 인권변호사 시절인 1992년 봄《월간 말》지 기고문에서 제14대 총선(1992.4.14)을 맞아 진보세력의 원내진출 필요성을 강조하면서 이들 '양심세력'의 역할을 중요시했다. 그가 당시 진보세력이라고 부른 정당은 4·19학생운동 출신인 이우재의 민중당이었다. 문재인은 이 글에서 "이들(진보세력)은 경직된 반공이데올로기에 의한 끊임없는 탄압 속에서도 오늘 우리가 누리고 있는 이 정도의 민주화라도 성취하게 한 양심세력"이라고 찬양했다.

반면 문재인은 보수세력에 대해서는 노무현과는 달리 그들을 싸잡아서 비난하지 않는다. 노무현은 앞의 Ⅷ-①-1('진보의 가치' 신봉자 노무현)에서 본 바와 같이 "합리적 보수, 따뜻한 보수, 별놈의 보수를 다 갖다 놔도, 보수는 바꾸지 말자, 이겁니다" 하고 완전히 수구세력과 동일시했다. 반면 문재인은 보수세력을 '진정한 보수세력'과 '위장된 보수세력'으로 양분한다. 그는 '오직 권력에 영합할 뿐 아무런 이념도 가지고 있지 않으면서 보수인양 위장하고 있는' 세력을 '위장보수세력'이라고 규정한다. 문재인은 2016년 11월 박근혜 대통령 퇴진 촛불집회에서의 인사말을 통해 "국가권력을 사익 추구의 수단으로 삼아온, 경제를 망치고 안보를 망쳐온 가짜 보수 정치세력을 거대한 횃불로 모두 불태워 버리자"고 말했다.[1] 그는 이들이 축출되어야만 "정당한 이념에 기초한 진정한 보수세력이 자리를 잡을 수 있다"고 주장하면서 '진정한 보수와 진보의 양립구도를 정립할 것'을 제창한다.[2] 그러나 문재인은 진보세력의 경직성을 비판한다. 그는 이를 '우리 안의 근본주의'라면서 성장과 안보 등 보수세력이 중시하는 가치도 수용하는 중도진보 노선을 지향해야 한다고 주장하고 있다. 그는 "바야흐로 세계는 '진보-보수 융합의 시대'이다"라고 주장한다.[3] 이것은 노무현과 크게 다른 점이다.

문재인이 지향하는 진보주의적 정치행태의 특성은 두 개의 키워드로 설명할 수 있다. 하나는 '싸가지 없는 진보'이고, 다른 하나는 '태도보수'라는 단어이다. 그는 2012년 대선에서 민주당 후보로 나갔다가 박근혜에게 패한 뒤 반성 겸 새로운 각오를 밝힌 그의 책 『1219 끝이 시작이다』에서 이렇게 썼다.

> 우리가 민주화에 대한 헌신과 진보적 가치들에 대한 자부심으로 생각이 다른 사람과 선을 그어 편을 가르거나 우월감을 갖지 않았는지 되돌아볼 필요가 있습니다. 우리가 이른바 '싸가지 없는 진보'를 자초한 것이 아닌지 겸허한 반성이 필요한 때입니다…'태도보수'라는 말이 우리에게 익숙한 개념은 아니지만, 핵심을 찌른 면이 있다고 생각합니다. 우리의 이념, 정책, 주제 자체가 아니라 그걸 표현하는 태도 때문에 지지를 받지 못한다면 그건 대단히 안타까운 일이 아닐 수 없습니다.[4]

'싸가지 없는 진보'라는 말의 원조는 열린우리당 소속 국회의원이자 당내 386 초·재선 모임인 '새로운 모색'의 공동대표였던 김영춘이다. 그는 2005년 3월 같은 열린우리당 소속으로 당의장 경선에 나선 유시민에게 보낸 공개편지에서 그에 대한 지지를 철회한다고 밝히면서 "저렇게 옳은 소리를 저토록 X가지 없이(죄송) 말하는 재주는 어디서 배웠을까 라고 마음속으로 생각했다"고 직격탄을 날렸다.[5] 김영춘은 2017년 문재인 정권 들어 초대 해양수산부장관에 발탁되었다. '태도보수'라는 단어는 민주통합당 소속 국회의원이자 18대 대선 당시 문재인 후보의 선거대책위원장을 맡은 이낙연이 사용한 단어이다. 그는 2012년 연말 대선 패배 직후에 발표한 '제3세대 민주당을 준비해야 합니다'란 제목의 성명에서 이 용어를 썼다. 이낙연은 이 성명에서 '정치적 주장에 동의해도 생활에 미치는 변화는 거부하는 생활보수나 진보적 가치를 중시하면서도 막말이나 극단적인 접근은 싫어하는 태도보수'를 강조하면서 "민주당은 그런 국민들께 신뢰받는 정책을 꾸준히 제시할 수 있어야 한다"고 주장했다.[6] 이낙연은 4년 반 뒤 문재인 정권의 초대 국무총리로 등용되었다.

'종북' 비판에 펄펄 뛰는 문재인

문재인은 2012년 18대 대선에서 자신이 패배한 이유 중 하나가 그에 대한 '종북' 비난이었다고 생각하고 있다. 그가 당시 들은 말들 가운데 "종북세력에게 나라를 맡길 수 없다"는 말은 그래도 점잖은 축에 속하고, 심지어 "빨갱이들에게 나라가 넘어가면 큰일이다"라는 말이 횡행했으며 자신이 가장 자주 들었던 말은 "문 후보는 좋은데 주변에 빨갱이들이 많아서…"였다고 회고했다. 그러면서 그는 당시의 이 같은 종북 프레임을 '사악한 주술'이라고 비난했다.[7]

그는 5년 후의 19대 대선 때는 자신을 '종북'이라고 부르는 사람에 대해 "군대 피하는 사람들, 방산비리 사범들, 국민 편 갈라 분열시키는 가짜 보수세력, 특전사 출신인 저보고 종북이라는 사람들이 진짜 종북"이라고 반박했다.[8] 그는 2017년 2월 서울 용산 백범김구기념관에서 열린 더불어국방안보포럼에 참석해 이명박·박근혜 보수정권을 '병역면제정권'이라고 부르면서 '가짜 안보세력'이라고 비난했다.[9]

그렇다면 왜 보수우파 측에서는 이 같은 문재인을 친북으로 보는 것일까. 문재인은 대학 재학 때 유신반대 시위에 참가하던 시절에 베트남전쟁 때문에 미국에 크게 실망했다. 그는 많은 운동권학생들이 그랬듯이 당시의 대표적 진보적 논객인 리영희의 《전환시대의 논리》에 압도된 이른바 '리영희키즈'에 속했다. '베트남전쟁의 부도덕성과 제국주의적 성격, 미국 내 반전운동 등'을 예리하게 지적하고 미국의 패배와 월남의 패망을 예고한 리영희의 논문을 읽고 문재인은 큰 충격을 받았다. 문재인은 월남이 드디어 패망하자 "그 예고가 그대로 실현된 것을 현실 속에서 확인하면서…나 자신도 희열을 느꼈던 기억이 생생하다"고 그의 회고록에서 쓰고 있다.[10]

문재인은 1975년 4월 경희대학교 총학생회 총무부장 재임 때 총학생회장 강삼재(김영삼 정권 당시 신한국당 사무총장)가 예비구금되자 총학생회장 대행으로 유신반대 데모를 주동하다가 구속과 동시에 학교에서 제적되었다. 그는 그해 6월 1심에서 검찰로부터 징역2년을 구형받았으나 징역8개월에 집행유예1년을 선고받고 석방되었다. 문재인은 2개월 후 징집되어 특전사령부 예하 제1공수특전여단 제3대대에 배치되었다. 31개월간의 근무를 마치고 병장으로 제대하기 전까지 그는 공중낙하 등 공수훈련과 특수전훈련, 여단전임훈련을 받으면서 폭파를 주특기로 하는 공수병이자 폭파병으로 수중침투훈련과 폭동진압훈련도 받았다. 그의 훈련성적은 좋은 편이어서 정병주 특전사령관으로부터는 폭파과정 최우수표창을, 전두환 여단장으로부터는 화생방 최우수 표창을 각각 받아 부대 안에서 A급 사병으로 평이 났다. 문재인은 미군과 독수리훈련 및 팀스피리트훈련을 합동으로 하면서 점프훈련도 함께 했다. 그가 병장 때는 북한군의 판문점도끼만행사건이 일어나 주한미군장교가 희생되자 그가 소속된 공수 제1여단이 문제의 미루나무를 자르는 작전을 실시했으나 그는 차출되지 않았다.[11] 문재인은 특전사 출신임을 과시하기 위해 《문재인의 운명》이라는 자서전에 특전사 복무시절의 사진을 싣고, 특전사 전우회 주최 마라톤 대회에 전투복을 입고 나타나기도 했다. 그는 또한 TV의 예능프로에 출연해 격파시범을 보여주기도 하고, 특전사 전우들로부터 공개적으로 그의 군번이 새겨진 목걸이를 선물로 받기도 했다.

그런데 문재인은 Ⅳ-②-2(통일혁명당)에서 설명한 바와 같이 이 사건으로 무기징역을 선고받고 20년간 복역한 다음 1988년 민주화 이후 가석방된 신영복에게 경도되어 탄핵 대상이라는 비난을 받고 있다. 그는 새정치민주연합 대표였을때 안철수가 탈당하자 당명을 바꾸면서 〈더불어숲〉이라는 신영복의 서서 제목을 딴 '더불어민주당'이라는 안을 채택했다. 문재인은 "선생님은 떠나셔도 선생님의 정신이 우리당 당명속에 살아있다"고 말했다. 그는 대통령이 된 다음에는 중국 국빈방문 때 시진핑 주석에게 신영복의 '통'(通)이라는 글씨를 선사하고 귀국해서는 '준풍추상'(春風秋霜)이라는 횡액을 청와대 비서실에 기증하기도 했다. 2018년 평창동계올림픽 때는 '통'이라는 대형 글씨가 벽에 걸린 청와대 복도에서 북한의 김영남 일행과 기념촬영을 하는가 하면 평창올림픽 개회식 리셉션 환영사에서는 신영복을 자신이 존경하는 '사상가'라고 찬양하면서 그의 말을 인용하기도 했다. 자신에 대한 종북비판에 펄펄 뛰면서 월남식 공산 통일을 기도한 신영복을 존경한다고 공언하는 이 모순을 어떻게 보아야 할까.

2. 청와대와 내각의 운동권 출신들

'젊고 역동적이고 군림하지 않는 청와대'가 목표

문재인 정부는 출범 초 청와대 직제를 개편해 그 전까지의 3실(비서실 안보실 경호실)체제에 정책실을 부활시켜 4실(비서실 정책실 국가안보실 경호처) 체제로 만들었다. 비서실장 정책실장 국가안보실장은 모두 장관급이고 경호처 장은 차관급이다. 그러나 비서실장은 정책실장을 휘하에 둠으로써 광의의 정무와 국가안보실 소관의 외교·안보·통일분야 이외의 정책 전반을 직제상으로 총괄할 수 있도록 했다. 막강한 비서실장 자리에 임명된 임종석은 50대초반이며 비서실의 요직은 그와 호흡을 같이 하는 과거의 386세대로 채워졌다. 문재인은 임종석의 임명을 발표하는 기자회견에서 "청와대를 젊고 역동적이고 군림하지 않는 청와대로 변화시키겠다"고 밝혔다.[12] 문재인은 노무현 정권의 민정 수석으로 일할 당시 "나는 개혁적 인사들이 일거에 내각과 청와대의 대세를 장악해야 한다고 생각했다"고 그의 회고록《문재인의 운명》에서 술회하고 있다. 김영삼의 문민정부와 김대중의 국민정부 때 개혁적 인사 한두 명씩 내각이나 청와대에 발탁되어 들어왔다가 견디지 못하고 물러나는 모습을 보았기 때문이라고 했다.[13] 비서실에는 수석비서관 5명(정무 민정 사회혁신 국민소통 인사), 정책실에는 수석비서관 3명(일자리 경제 사회)과 보좌관 2명(경제 과학·기술)

을 각각 배치했다. 수석비서관과 보좌관은 차관급이다. 국가안보실장 아래에는 차관급인 차장 2명을 두었다.

청와대 3개 실의 핵심은 문재인의 당선에 일등공신 역할을 한 그의 선거캠프 '광흥창팀'(서울 지하철6호선 광흥창역 인근 대선사무실)의 주요 멤버들이다. 언론매체들이 분석한 바에 의하면, 임종석을 비롯해 한병도 정무수석비서관, 윤건영 국정상황실장, 신동호 연설비서관, 송인배 제1부속비서관, 조용우 국정기록비서관, 조한기 의전비서관, 이진석 사회정책비서관 그리고 비서관급 실세행정관으로 입성한 의전비서관실의 탁현민(성공회대 겸임 교수), 정무기획비서관실의 오종식(전 민주당 대표비서실 부실장), 사회혁신수석실의 김종천(전 사무처장), 자치분권비서관실의 유행렬(전 민주당 충북도당 사무처장)이 이들이다. 노무현 정권 때 문재인과 함께 일한 청와대 및 행정부 요직자와 문재인이 이사장을 맡았던 노무현재단 사람들, 그리고 2012년과 2017년의 대선캠프 구성원들도 대거 정부와 청와대 비서실에 들어갔다. 이낙연 국무총리, 서훈 국가정보원장, 장하성 청와대정책실장, 조현옥 인사수석비서관, 백원우 민정비서관, 정태호 정책기획비서관 등이 대표적인 인물이다. 임종석과 신동호, 그리고 한병도도 이 그룹에 해당된다. 문재인은 국가안보실장에는 군인을 배제하고 외교관 출신의 정의용을 임명했다.[14] 문재인의 코드 인사는 사법부 인사에도 나타나 대법관 경력이 없는 50대의 김명수 춘천지법원장을 대법원장에 발탁 임명했다. 김원장은 부산 출신에 진보 성향 판사들의 '우리법연구회' 출신으로, 그 후신의 성격이 강한 국제인권법연구회 초대 회장을 지낸 인물이다. 그는 양승태 전임 대법원장과는 사법연수원 기수가 13회나 차이가 있어 그의 임명은 대폭적인 사법부 개혁을 예고하는 것이다.

문재인 정부 발족 100일 당시의 요직자 168명(장·차관급 인사 103명, 청와대 비서관급 이상 인사 65명) 가운데 호남 출신은 27%(46명)로 영남 출신 27%(46명)와 동수이다. 그러나 과거 영남 출신이 압도적으로 많았던 전임정권들에 비하면 그 수가 상대적으로 약진한 셈이다. 장·차관급 이상 103명만을 대상으로 하는 경우 호남 출신은 32%(33명)가 된다. 호남 출신의 대표적인 인물은 이낙연 국무총리와 김상곤 사회부총리 겸 교육부장관, 박상기 법무부장관, 문무일

검찰총장, 김현미 국토부장관, 그리고 임종석 비서실장, 장하성 정책실장 등이다.[15]

청와대 비서실에는 전대협 출신들이 실세

문재인 정권 발족 6개월이 지난 시점에서 언론이 분석한 청와대 비서진의 이념적 성향은 VIII-①-3(정권 내부의 좌파세력)에서 자세하게 설명한 노무현의 초기 청와대 비서실 구성원들과 비슷하다. 그 때나 문재인의 청와대 비서실이나 86그룹이 대거 참여한 것은 비슷했다. 86그룹이란 80년대 학번에 60년대 출생의 학생운동권을 지칭한다. 1980년대에 한창 이름을 떨친 운동권학생들, 이른바 386세대의 열혈청년들이 이제는 586세대, 즉 50대의 원숙한 정치인들이 되어 있다는 점이 다를 뿐이다.

문재인의 청와대 3개실(비서실 정책실 국가안보실)의 비서관급 이상 63명 중 35%에 해당하는 22명이 운동권과 시민단체 출신이다. 특히 임종석 직할인 비서실의 비서관급 이상 30명 중에서는 57%에 해당하는 17명이 운동권 또는 시민단체 출신이다. 이들 운동권 출신은 주사파인 NL(민족해방) 계열의 전대협(전국대학생대표자협의회) 의장 출신들이 주류를 이룬다.[16] 전대협 의장과 간부 출신이 5명(임종석, 한병도, 신동호, 백원우, 유행렬)이며, 청와대의 문고리 실세 3인방(윤건영 국정상황실장, 송인배 제1부속실장, 유송화 제2부속실장)도 전대협 출신이다. 전대협 3기 의장을 지낸 임종석은 '임수경 방북 사건'을 주도해 국가보안법 위반죄를 적용받아 징역5년형을 선고받고 3년6개월 복역했다.

이 밖에 민청학련 전대협 등 학생운동가 출신으로는 윤영찬(국민소통수석), 하승창(사회혁신수석), 정태호(정책기획비서관), 황인성(민주평화통일자문회 사무처장), 노영민(주중 대사), 진성준(정무기획비서관), 김금옥(시민사회비서관), 조한기(의전비서관), 문대림(제도개선 비서관), 박수현(대변인), 권혁기(춘추관장) 등이 있다. 이들 중 비서관이면서 수석에 못지않은 실권을 쥔 3인방, 즉, 대통령에게 올라가는 국정정보를 관장하는 윤건영과 적폐청산 업무를 맡은 백원우, 그리고 정책을 맡은 정태호는 모두 전대협 간부 등 운동권 출신이다. 조국 민정수석비서관은 NL계가 아닌 PD(민중민주)계의 '남한사회주의노동자동맹'(약칭 사노맹) 산하 '남한사회주의과학원' 사건에 연루된 인물이다. 청와대 비서진의 출신성분을 행정관급까지 내려가면 운동권이 더욱 많다. 오종식(정무기획비서관실 선임행정관), 여준성(사회수석실 행정관)이 그들이다. 문재인을 대통령으로 만드는 데 산파역할을 한 측근실세 중의 실세인 이호철(노무현 정권 당시 청와대 민정수석비서관) 양정철(노무현 당시 청와대 홍보기획비서관) 전해철(현 민주당 재선국회의원)의 세칭 '3철'은 문재인 정부 초대 요직인사 때 스스로 고사하고 2선으로 후퇴했다. 그럼에도 《월간조선》이 조사한 바로는 청와대·내각 요직 중 공무원 출신을 제외한 67명 중 절반에 가까운 32명이 운동권 출신이다.[17]

청와대 비서실이 NL파 운동권 출신으로 메워진 결과는 문재인의 국정수행에 큰 영향을 미치고 있다. 사드 배치문제에서 잘 드러났듯이 북핵 위협에 직면해 미국과 중국 사이를 왔다 갔다 하는 무정견한 대외정책과 북한에 대한 국제적 제재를 강화해야 할 시점에 개성공단 재가동과 대북 인도지원이라는 명목으로 경제지원을 하려는 시도가 그 좋은 예이다. 2017년 9월 21일(현지시간) 문재인이 유엔총회 연설에서 스탈린과 모택동과 김일성의 공모로 이루어진 6·25전쟁 개시를 연설기초자의 식견부족 탓으로 '내전이면서 국제전이기도 했던 그 전쟁'[18]이라고 표현하는 엉뚱한 실수를 초래했다.

운동권과 재야 출신들의 당정 권력지도

정권인수위원회 없이 당선 즉시 취임한 문재인 대통령은 195일 만에 내각 구성을 완료했다. 검증 과정에서 탈락된 고위직 인사만 헌법재판소장을 비롯해 7명에 달한다.[19] 1기 내각에는 학생운동권 출신 5명(김상곤 부총리, 김부겸 행정안전부장관, 김영춘 해양수산부장관, 도종환 문화체육관광부장관, 김현미 국토교통부장관)이 입각했다. 재야단체 시민운동가 출신은 5명(박상기 법무장관, 김은경 환경부장관, 정현백 여성가족부장관, 김상조 공정거래위원장, 이효성 방송통신위원장)이다. 여성 각료는 최초의 외교부 수장이 된 강경화 장관과 역시 최초의 국토교통부 수장이 된 김현미 장관, 그리고 김은경 환경부장관, 정현백 여성가족부 장관 등 모두 4명이다. 청와대에 들어간 시민단체 출신 비서관들은 국무총리 소속의 인사혁신처에 시민단체 경력을 공무원의 호봉 책정에 반영하라는 지침을 내리는 데 주동역할을 한 것으로 보도되었다.[20]

여당인 더불어민주당도 청와대와 내각처럼 86그룹이 핵심자리를 차지했다. 2016년의 20대 총선에서 당선된 더불어민주당의 각 대학총학생회장 출신만 대충 14명 정도가 된다. 문재인 정부 출범 직후 단행된 당직 개편으로 이들 86그룹이 핵심 요직을 차지했다. 즉, 원내 사령탑에 '운동권 그룹'의 맏형 격인 우원식 원내대표가 같은 전대협 출신의 전임 우상호 원내대표의 바통을 이어받으면서 소장파 의원들에게 힘이 쏠리는 모습이다. 경희대 총학생회장을 지낸 박홍근 의원이 원내수석부대표에 발탁되고, 건국대 총학생회장이었던 강훈식 의원은 원내대변인을 맡아 운동권 뒷 세대의 몫을 차지했다. 그리고 김태년 정책위의장과 김민석 민주연구원장이 당의 전면에 배치되었다. 김대중 노무현 두 정부에 이은 '제3기 민주정부'를 자처하는 문재인 정부는 최소한 향후 10년간 진보개혁세력이 계속 정권을 담당한다는 기본 구상 아래 현정권을 이어받는 '제4기 민주정부'를 창출하기 위해 586그룹의 향후 역할을 중시하고 있는 것 같다.

국영기업 수장과 문화예술기관장 모조리 캠코더 출신

문재인 정부는 공공기관과 국영기업 수장에도 모조리 여권 인사를 임명해 문재인의 탕평인사공약은 완전한 헛구호로 끝났다. 즉, 국민건강보험공단 이사장에는 김용익, 마사회장에는 김낙순 등 모두 문재인 캠프 인사들로 채워졌다. 한국주택금융공사 사장에는 민주당 후보로 두 번이나 총선에 출마했다가 낙선한 이정환이 임명되고, 한국도로공사 사장에는 이강래 전 민주당 의원, 국민연금공단 이사장에는 김성주 전 민주당 의원, 코레일 사장에는 오영식 전 민주당 의원이 선임되었다. 대통령직속인 원자력안전위원회 위원장에는 탈원전 주장자인 강정민(전 미국 천연자원보호위원회 선임연구위원)을 임명했다. 또한 문재인 정부와 가까운 노동계 인사들도 헌정사상 최초로 장관과 주요기관장에 다수 영입되었다. 고용노동부장관에 김영주(한국노총 출신)와 대통령 직속 노사정위원장에 문성현(민노총 출신)이 임명되고, 한국폴리텍대학 이사장에는 이석행(전 민주노총 위원장)이 영입되었다. 전국에 34개 캠퍼스를 가진 폴리텍대학은 고용노동부 산하 직업교육 전문 훈련기관으로 총장을 두지 않고 임기 3년의 이사장이 대학운영을 책임지고 있다. 그 밖에 임기 3년인 고용노동부 산하 한국산업인력공단 이사장에는 김동만(전 한국노총 위원장)이 발탁되었다. 정부의 저출산정책 컨트롤타워 역할을 하는 대통령 직속 저출산고령사회위원회에는 한국노총 위원장(김주영)과 민주노총 수석부위원장(최종진)이 들어갔다. 또한 고용노동부의 정책자문위원회에는 위원 16명 중 5명이 민주노총과 한국노총 출신이고 나머지는 대학교수 또는 국책연구원 소속이며 경영계 출신은 없다.

정부 산하 문화예술기관 및 단체장들 역시 '캠코더'(캠프·코드·더불어민주당 출신)들로 메워졌다. 2017년 4월 제19대 대선을 앞두고 문화예술계 인사 290명이 문재인을 지지하는 선언을 해 그에게 큰 힘이 되었던 만큼 문재인 정부는 문화예술정책에 각별한 관심을 가지고 있다. 문재인은 대통령에 당선된 다음 민중화가 임옥상이 2016년 광화문 광장의 '촛불집회'를 주제로 그린 대형 그림을 청와대 본관 벽에 걸었다. 2012년과 2017년 대선 때 문 대통령을 공개 지지한 임옥상은 박근혜 정부 당시 문화예술계의 '블랙리스트'에도 포함된 인물이다. 문재인은 "우리 정부 정신에 부합하는 그림"이라고 찬양했다.

문재인 정부 들어 단연 화제가 된 인사는 대한민국역사박물관 관장 임명이었다. 문 대통령은 그동안 좌편향 논란을 빚은 고교 한국사 교과서 대표 집필자이자 국정교과서 반대운동에 앞장섰던 주진오 상명대교수를 이 자리에 임명했다. 그가 과연 이 박물관의 전시를 앞으로 어떻게 바꿀지가 지식층의 큰 관심사로 떠올랐다. 또한 연간 2,300억 원 가까운 지원금을 문화예술계에 배부하는 문화예술위원회 위원장에는 2017년 5월에 실시된 제19회 대선 직전 '문재인 후보 지지 문학인 선언'을 주도한 황현산 고려대 명예교수가 위촉되었다. 한국콘텐츠진흥원 원장에는 2012년과 2017년 대선 당시 문재인 캠프에서 일한 김영준 전 다음기획 대표가 임명되었다. 또한 연간 600억원의 지원금을 나누어주는 영화진흥위원회의 부위원장 겸 위원장직무대행에는 영화계의 대표적인 친문인사로 알려진 이준동 나우필름 대표가 임명되었다.[21]

NL파 출신들은 생각을 바꾸었는가—임종석과 야당의원들의 설전

문제는 이들 운동권 출신들이 그동안 과거의 사상과 이념을 바꾸었느냐 여부
이다. 정확한 실상은 본인들만이 알 것이다. 그러나 확실한 사실은 지난날 '위
수김동'(위대한 수령 김일성 동지)을 입에 달고 살던 이들 중 한 사람도 현재까
지 생각이 바뀌었다고 전향의 뜻을 밝힌 이는 없다. 2017년 11월 초 국회 운영
위원회의 문재인 정부 최초의 청와대 비서실 감사장에 나온 임종석 비서실장과
야당의원들 간에 벌어진 설전은 이를 잘 설명하고 있다. 자유한국당의 전희경
의원이 "전대협 강령과 회칙을 보면 '미국에 반대하고 외세의 부당한' 등등 민
족과 민중에 근거한 진보적 민주주의를 밝히고 있다. 청와대에 들어간 전대협
인사들이 이 같은 사고에서 벗어났다고 볼 수 있는 근거가 없다. 이런 인사들이
트럼프 방한에 때 맞춰 반미운동을 하는 사람들과 뭐가 다른지 알 수 없다"고
주장했다. 이에 대해 임종석은 "그게 질의냐"고 반문한 다음 "나의 생애에 가장
큰 모욕이었다"고 반발하면서 "강력한 유감을 표명한다"고 항의했다. 그는 "5
공화국 6공화국 때 정치군인들이 광주를 짓밟고 민주주의를 유린할 때 의원님
이 어떻게 사셨는지 모르겠다. 그런데 의원님이 거론한 대부분의 사람들이 민
주주의를 위해 노력한 사람이다"라고 반박했다. 이에 대해 전희경을 비롯한 야
당의원들은 "그때는 그렇게 생각했고, 지금은 이렇다고 해명하면 될 일인데 왜
역공을 하느냐"고 다그쳤다. 그러나 임종석은 끝내 자신의 이념과 사상에 관해
함구로 일관했다.[22]

그런데 임종석은 자신이 전대협 의장을 지낸 데 대해 최근까지도 큰 자부심
을 갖고 있는 것 같다.[23] 그는 2000년 4월 제17대 총선에서 국회의원이 된 다음
에는 국가보안법 폐지를 주장하고 미국의 북한인권법 제정이 북한의 강한 반
발을 불러온다고 반대했다. 그는 김대중 정부의 5억 달러 대북불법송금에 대한
특검수사를 반대했으며 2005년에는 남북경제문화협력재단을 만들어 국내 매
체나 출판사가 북한의 영상 또는 저작물을 이용했을 경우 북한을 대리해 23년
간 22억원의 저작권료를 거두어 북한에 송금했다. 이명박 정부의 5·24조치로
송금이 금지된 돈을 법원에 신탁해 놓고 있다는 것이다. 운동권 출신인 바른미
래당의 하태경 의원은 "임(종석) 실장은 지금은 이석기(전 통합진보당 의원) 같
은 주사파가 아니다" 라고 옹호한다.[24] 그렇다면 앞에서 살펴본 전희경 등 야당

의원들의 말처럼 "그때는 그렇게 생각했고, 지금은 이렇다"고 설명하거나 아예 "나는 주사파였던 적이 없다"고 해명하면 될 일이다. 그러지 않으니까 임종석은 계속 '의문의 사나이'로 남아 있는 것이다.

3. 국민통합과 적폐청산

보수정권에서 소홀했던 약자층 보듬어

문재인은 2017년 늦봄 대통령 취임식에서 "저는 감히 약속드립니다. 2017년 5월 10일, 이날은 진정한 국민 통합이 시작되는 날로 역사에 기록될 것입니다"라고 다짐했다. TV로 이 광경을 지켜본 많은 국민들은 큰 기대를 걸었다. 문재인은 "저를 지지하지 않은 국민 한분 한분도 저의 국민"이라고 밝혔다. 이처럼 진지하게 말하는 대통령인지라 그가 강조하는 '통합과 공존의 새로운 세상'이 그동안 불신과 갈등으로 갈기갈기 찢어진 우리 사회에 머지않아 도래할 것이라는 기대가 그 만큼 클 수밖에 없었다. 그의 국정수행지지도가 취임 초 82 내지 83%를 기록한 이후에도 70%대의 고공행진을 계속하는 것도 결코 우연이 아니다.

문재인은 또한 "지난 세월 국민들은 이게 나라냐고 물었습니다. 대통령 문재인은 바로 그 질문에서 새로 시작하겠습니다. 오늘부터 나라를 나라답게 만드는 대통령이 되겠습니다"라고 감동적으로 말했다. 그는 이어 "문재인과 더불어민주당 정부에서는 기회는 평등할 것입니다. 과정은 공정할 것입니다. 결과는 정의로울 것"이라고 강조했다. 그는 또한 "소외된 국민이 없도록" 하고 "국민들의 서러운 눈물을 닦아드리는 대통령이 되겠다"고 다짐했다.

과연 이런 약속대로 그는 취임하자마자 소외된 국민들을 따뜻이 보듬어 주기 시작했다. 문재인은 취임 초 서울 용산소방서를 찾아가 공무원 중에서 가장 고생이 많은 소방대원들을 위로했다. '소방관이 눈물 흘리지 않는 나라를 만들겠다'는 주제로 진행된 이날 행사에 참석한 문재인은 소방대원들과 커피타임을 갖고 소방인력 증원을 약속했다. 그는 이 자리에서 "소방청을 독립시키는 정부조직개편안을 입안했다"고 밝힌 다음 용산소방서장에게 "대통령으로서 명령"이라면서 결혼을 3주 앞두고 화재 현장에서 부상한 소방대원이 신혼여행을 다녀 올 수 있도록 하라고 당부했다. 이 자리에서 어떤 소방대원들은 문재인에게 감사하면서 감격의 눈물을 흘렸다.

그는 우리 사회에서 전통적으로 남성에 비해 약한 지위에 있는 여성, 특히 군대에서 여전히 차별대우를 받고 있는 여군을 배려하는 특단의 조치를 취했다. 그는 창군 이래 최초로 여군 대령 3명을 한꺼번에 준장으로 진급시켜 군대 내에서의 양성평등을 실현했다. 문재인의 이 같은 과감한 발상은 지난날 보수정권 지도자들의 머리로는 생각이 미치지 않는 전향적인 행태이다.

적폐청산 내걸고 이명박도 구속

그러나 문재인은 탕평인사를 공약하고도 제대로 지키지 않았다. 그는 정부 여당 청와대뿐 아니라 사법부에도 친문인사들을 기용했다. 대표적인 경우가 사법부의 수장인 대법원장에 대법관 경력이 없는 58세의 진보적인 김명수 춘천지방법원장을 파격적으로 기용한 점이다. 문 대통령은 코드인사를 강행하느라 스스로 정한 인사채용에 있어서의 본인과 직계가족의 병역면탈, 세금탈루, 위장전입, 부동산투기, 논문표절 등 5대비리 혐의자 배제원칙을 선별적으로 지키고 국회 인사청문회의 권위도 존중하지 않으면서 "국민 눈높이에 맞추겠다"고 솔직하지 못한 해명으로 일관했다.

문재인은 국민통합과 적폐청산은 별개문제로 생각하는 듯하다. 그는 2017년 5월 1일 서울 신촌 유세에서 자신이 당선되면 최순실을 비롯해서 국가권력을 이용한 부정축재재산을 환수하고 이명박의 4대강비리 방산비리 자원외교비리도 다시 조사하기 위해 적폐청산특별위원회를 만들겠다고 공약했다. 그는 취임 후 19개 행정부처에 모두 39개 TF를 만들어 놓고 검사 등 조사관 589명을 투입해 전 정권의 비리를 캐고 있다. 그는 "대한민국이 다시 시작"되고 '나라를 나라답게 만드는 대역사'를 시작했으므로 어느 정도의 진통은 불가피하다고 주장했다. 적폐청산이란 과거의 잘못된 관행을 고치는 작업인 만큼 제도개혁이 주가 되어야 하는데도 이를 앞세워 과거정권 요인들을 줄줄이 구속해 야당 측으로부터 '정치보복'이라는 비난을 받았다. 그러나 문재인은 아랑곳하지 않고 인적 적폐청산작업에 치중했다. 국정원 TF는 국정원 댓글사건 등 15개항의 의혹조사

결과를 발표했다. 검찰은 2018년 2월 말 현재 원세훈(전 국정원장) 민병주(전 심리전단장) 및 검사장급 검사들을 비롯한 52명을 구속했다. 검찰은 국정원이 박근혜에게 특수활동비를 상납한 의혹사건에 관련해 전직 국정원장 3명에 대해 구속영장을 신청해 남재준과 이병기는 구속되고 이병호는 구속영장이 기각되었다.

검찰은 또한 이명박 정부 당시 군 사이버사령부 530심리전단의 정치개입 의혹사건에 관련해 김관진 전 장관과 임관빈 전 국방정책실장을 구속했다. 그러나 김관진 장관과 임관빈 실장은 법원의 적부심사 끝에 구속이 부당하다 해 구속 11일 만에 석방되었다. 검찰은 또한 이명박 대통령 당시 청와대 대외전략비서관이었던 김태효 성균관대 교수가 군 사이버사의 정치개입의혹사건에 관여하고 각종 국가 기밀서류를 유출했다는 혐의로 구속영장을 청구했다가 구속의 필요성을 인정할 수 없다고 기각 당했다. 국정원과 국방부에 대한 대대적인 조사와 함께 가장 나중에 착수된 이명박의 소유로 소문난 자동차부품업체 다스 (DAS)의 비자금조성 혐의에 대한 검찰의 집중조사는 이명박이 2008년 4월의 광우병촛불시위 때 당한 탄핵위기 보다 훨씬 더 치명적이었다. 노무현의 자살사건을 계기로 좌파세력의 증오 대상이 되었던 이명박은 끝내 영어의 신세가 되었다. 그는 광우병촛불 발생 10년 후인 2018년 3월 23일 구속된 다음 4월 9일 뇌물수수 111억원, 횡령 350억원 등 14개 혐의로 구속 기소되었다.

문재인 정부는 이명박 박근혜 정권 기간을 가리켜 "지난 10년간 우리 사회에서 가장 심하고 참담하게 무너진 부문이 공영방송"이라고 주장했다. 그 이유로 "지난 정권에서 방송을 장악하기 위해 많은 부작용들이 있었다"고 주장했다. 그러나 문 정권 스스로는 임기가 남은 KBS와 MBC의 이사들과 경영진을 퇴출시키기 위해 감사원을 동원해 재무감사를 진행하고 심지어는 취임 6개월밖에 안 된 MBC 김장겸 사장이 노동부의 출석요구에 응하지 않았다는 이유로 구속영장을 청구했다가 기각 당하는 일까지 일어났다.

4. 표류하는 국가정체성

1948년 건국 주장을 '반역사적 반헌법적'으로 규정

문재인이 이념적 정체성을 의심받고 있는 주된 이유는 그 자신의 정치적 소신과 그의 참모들 때문이다. 그는 대한민국의 1948년 건국설을 단호하게 배척한다. 문재인은 취임 3개월 뒤인 2017년 8월 15일 서울 세종문화회관에서 열린 광복절기념식에서 그동안 보수와 진보 두 진영 간의 첨예한 갈등요인이 되어온 건국절 문제에 대해 진보진영의 주장을 지지하는 입장을 공식 표명했다. 그는 이날 광복절 경축사에서 "2019년은 대한민국 건국과 임시정부 수립 100주년을 맞는 해입니다"라고 선언해 1919년 상해에서 설립된 대한민국임시정부의 수립일을 대한민국 건국일이라고 선언한 것이다. 문재인은 더불어민주당의 대선예비후보 당시인 2016년 8월 그의 페이스북에서 건국절에 관해 당시 대통령인 박근혜와 날카로운 대립각을 보이면서 1948건국설이 "역사를 왜곡하고 헌법을 부정하는 반역사적, 반헌법적 주장이며, 대한민국의 정통성을 스스로 부정하는 얼빠진 주장"이라고 강력하게 비판했다.

건국절 문제에는 첨예한 이념적 정치적 요소가 있음을 잊어서는 안 된다. 즉 논쟁의 이면에는 바로 1948년 유엔결의에 따른 대한민국의 탄생과정, 특히 남한 단독선거와 그 결과로 태어난 이승만 중심의 대한민국의 친미 반공적 성격에 기인한다. 반미 친북세력을 포함한 진보좌파들은 이승만 주도의 대한민국의 정통성에 흠집을 내기 위해 과거 자신들이 평가절하했던 1919년에 수립된 좌우 합작의 대한민국임시정부를 들고 나온 것이다. 건국절 문제는 좌우파간의 이념 대결적 성격으로 인해 문재인 정권 아래서 국론분열을 더욱 악화시키는 큰 요인으로 작용할 가능성이 있다. 스스로 건국절 논쟁의 와중에 빠져든 문재인은 2019년의 건국100주년기념행사문제로 인해 더욱 강력한 보수우파세력의 저항에 직면할 것이다.[25]

국정역사교과서 폐기와 '임을 위한 행진곡' 제창 결정

문재인 대통령은 취임 직후부터 국정역사교과서 제작 중지, 광주항쟁기념식에서의 '임을 위한 행진곡' 제창을 지시했다. 문 대통령은 2017년 5월 12일 대통령 취임 사흘째를 맞아 청와대 위민관 집무실에서 국정역사교과서 폐지와 제 37주년 5·18 기념식 제창곡으로 '임을 위한 행진곡'을 지정해 부르도록 관련 부처에 지시했다. 문재인은 재야시절인 2015년 10월에 이미 서울 세종로 광장 이순신동상 앞에서 '역사왜곡 교과서 반대'라는 말이 적힌 피켓을 들고 1인 시위를 한 바 있다. 윤영찬 국민소통수석은 이날 브리핑을 통해 "문 대통령은 상식과 정의를 바로 세우기 차원에서 역사교육 정상화를 위한 국정 역사교과서 폐지를 지시했다"고 밝히면서 "국정역사교과서는 구시대적인 획일적 역사 교육과 국민을 분열시키는 편가르기 교육의 상징으로, 이를 폐지하는 것은 더 이상 역사교육이 정치적 논리에 의해 이용되지 않아야 한다는 대통령의 확고한 의지를 보인 것"이라고 설명했다.[26] 문재인 정부 출범 후 교육과정평가원이 마련한 고교역사교과서 집필 시안에는 이른바 분단극복사관에 입각해 4·3제주폭동사건을 통일시도로 미화하고 1948년의 대한민국 수립을 정부 수립으로 바꾸며 6·25전쟁 당시 북한의 남침을 언급하지 않아 논란을 불러일으켰다.

청와대 측은 또한 '임을 위한 행진곡' 제창 지시는 "정부 기념일로 지정된 5·18 광주 민주화 운동과 그 정신이 더 이상 훼손되어서는 안 된다는 대통령의 강한 의지가 반영된 것"이라고 설명했다.[27] 문재인은 6일 후 광주에서 열린 5·18기념식에 참석해 더욱 단호한 어조로 "(이 곡은) 단순한 노래가 아니다. 오랜 피와 혼이 응축된 상징이며 5.18 민주화 운동의 정신 그 자체다. (이 곡을 부르는 것은) 희생자의 명예를 지키고 민주주의의 역사를 기억하겠다는 것"이라면서 "오늘 제창으로 불필요한 논란이 끝나길 바란다"고 밝혔다.[28] 그러나 문대통령의 이 곡 제창지시에는 그가 간과한 중대 문제가 있다. 그 이유는 이 곡이 당시 신군부의 정치개입과 야당지도자 김대중의 체포에 반대하는 광주시민들의 평화적 항의시위에 편승해 체 게바라 식 도시게릴라작전으로 광주를 '해방'하려 했던 남조선민족해방전선(남민전) 계열의 공산주의자이자 광주사태 때 이른바 '시민군'의 지휘부를 장악해 무장투쟁을 주도한 윤상원(전남대 졸업생)과 그의 노동운동 동지인 박기순(전남대 재학생)의 영혼결혼식을 위해 작곡된 것이기 때문이다.[29]

문재인 정권은 2017년 10월 제주 강정마을 해군기지 건설을 지연시킨 시민단체 등을 상대로 제기한 34억5천만원의 손해배상청구 소송을 철회하기로 결정했다. 그런데 언론보도에 의하면 정부의 구상금 청구 철회 결정으로 혜택을 보게 된 개인 116명 중 마을 주민은 31명에 불과하며 단체 5곳 가운데는 강정마을회 하나뿐이고 나머지는 모두 외부세력이다. 말로는 평화를 내세우는 이들의 정체는 과연 무엇인가. 또한 이들을 감싸는 사이비 진보적 지식인 성직자 언론 등 문재인 말대로 제 나라의 '안보를 외면하는' 그들은 도대체 어떤 사람들인가.

흔들리는 한민족공동체통일방안

문재인은 2017년 7월 6일 독일 베를린에서 발표한 신베를린선언에서 그의 통일관 일부를 드러냈다. 그의 연설을 '신베를린선언'이라고 부르는 것은 2000년 3월 9일 김대중 대통령이 베를린에서 행한 대북제의를 이어받은 것이라는 의미에서다.

문재인은 이 신베를린선언에서 1989년 9월 노태우 대통령이 국회에서 특별연설 형식으로 발표하고 최근의 박근혜 정권까지 근 30년 동안 지켜온 대한민국 정부의 공식적 통일정책인 '한민족공동체통일방안'에 배치되는 내용을 공표했다. 한민족공동체통일방안의 골자는 화해협력 단계–남북연합 단계–완전한 통일국가 완성 단계라는 3단계 통일방안이다. 이 통일방안대로 한다면 남북한은 일정한 화해협력단계만 거치면 통일의 전 단계인 남북연합을 이룩하도록 되어 있다. 민족공동체 건설이라는 개념을 기초로 하고 있는 이 공식적 통일방안은 자유민주주의의 이념을 구현하는 것을 목표로 하고 있다. 자유민주주의체제로의 통일은 어떤 희생을 치르더라도 반드시 이룩해야 하는 국가적 가치이며 이 최고 가치에 대한 도전은 용납되지 않는다. 이 때문에 우리 헌법 4조도 "대한민국은 통일을 지향하며, 자유민주적 기본질서에 입각한 평화적 통일 정책을 수립하고 이를 추진한다"고 규정하고 있다. 헌법 66조 3항은 "대통령은 조국의 평화적 통일을 위한 성실한 의무를 진다"고 규정하고 있다.

그런데 문재인 대통령은 북핵으로 극도의 긴장상태가 조성된 가운데 발표된 신베를린선언에서 헌법규정과는 배치되는 통일방안인 "우리는 북한의 붕괴를 바라지 않으며, 어떤 형태의 흡수통일도 추진하지 않을 것"이고 "인위적인 통일을 추구하지도 않을 것"이라고 밝혔다. 그는 이어 "통일은 쌍방이 공존공영하면서 민족공동체를 회복해 나가는 과정"이며 "통일은 평화가 정착되면 언젠가 남북간의 합의에 의해 자연스럽게 이루어질 일"이라고 주장했다. 북한의 붕괴나 흡수통일을 바라지 않는다는 것까지는 이해한다고 치더라도 인위적인 통일을 추구하지 않겠다는 것은 헌법 4조의 자유민주체제로의 통일원칙과 66조 3항의 평화통일 노력조항의 위반이라는 비난을 살 것이다.

여기서 생각나는 의문점은 문재인 자신이 최소한 최근까지 연방제에 집착하고 있었다는 사실과 그를 둘러싸고 있는 청와대 참모들이 과거 연방제를 신앙처럼 신봉했다는 사실이다. 문재인은 19대 대선 때는 18대 대선에서 공약한 남북연방제를 다시 제안하지 않았다. 그러나 박근혜 탄핵으로 조기에 실시된 제19대 대통령선거 기간 중인 2017년 4월 25일 JTBC 주최 후보 토론회에서 바른정당 유승민 후보로부터 "낮은 단계의 연방제 통일에 찬성하느냐"라는 질문을 받고 긍정도 부정도 아닌 애매한 화법으로 즉답을 피했다. 그는 "낮은 단계의 연방제는 대한민국정부가 주장하는 남북연합과 거의 다르지 않다고 생각한다"고 응수해 그가 연방제에 여전히 집착하고 있음을 시사했다.[30] 연방제는 또한 Ⅴ-2-2(범민족대회와 범민련)와 Ⅴ-2-4(범청학련)에서 살펴본 바와 같이 이미 30여 년 전에 제1차 범민족대회에서 채택되고 전대협이 '유일한 통일방안'이라고 신앙처럼 떠받든 바로 그 방안이다. 공교롭게도 현재 문재인의 청와대 비서실 핵심 참모들이 대부분 전대협 출신이라는 점에서 특별한 주목을 끌고 있다.

3 국가 운명을 손에 쥔 진보정권

촛불의 바다에서 한없는 행복감을 우리는 경험했었다. 국민들이 직접 투쟁전선으로 나와 국민주권시대를 개척하는 것을 우리는 감동적으로 확인했었다. 30년만에 차려진 축복이었다. 더구나! 지금, 한반도에는 여명이 밝아오고 있다.

–지주통일연구소, "분석과 전망"(2017.4.4)

1. 문재인 정권과 기로에 선 대한민국

북핵사태의 급진전과 한반도정세 변화

문재인 대통령은 2017년 5월 10일 대통령 취임식에서 자신의 당면한 과업이 안보위기 해결이라고 밝히고 "한반도 평화를 위해 동분서주하겠다"고 다짐했다. 그는 필요하면 곧바로 워싱턴으로 날아가고 베이징과 도쿄에도 갈 것이며 여건이 조성되면 평양에도 가겠다고 말했다. 그는 또 한미동맹을 더욱 강화하고 사드(THAAD, 고고도미사일방어체계) 배치문제의 원활한 해결을 위해 미국 및 중국과 진지하게 협상하겠다고 밝혔다. 그는 또 북핵 문제를 해결할 토대를 마련하고 동북아 평화구조를 정착시켜 한반도 긴장완화의 전기를 이룩하겠다고 약속했다. 문재인은 취임 2개월만인 그해 7월 1일 미국을 방문하고 워싱턴의 한 세미나에서 "남북관계에서 우리가 운전석에 앉아 주도해 나가겠다"고 다짐했다. 문재인 정권 출범 약 11개월이 흐른 2018년 4월 현재 한반도를 둘러싼 안보정세는 평창동계올림픽을 계기로 급진전을 보여 바야흐로 북핵문제의 해결이냐 아니냐의 중대한 갈림길에 서게 되었다.

문재인은 미국 방문 5일후인 7월 6일 독일 베를린에서 신베를린선언을 발표했다. 신베를린선언의 골자는 ①북한 체제의 안전을 보장하는 한반도 비핵화 ②비핵화와 동시에 한반도 평화협정 체결 ③남북 철도연결, 남·북·러 가스관 연결 등의 '한반도 신경제지도' 구상 ④민간교류 협력추진의 제안이었다. 그는 이 같은 원칙을 토대로 먼저 쉬운 일부터 시작하자면서 ①이산가족 상봉 ②북한의 평창 동계올림픽 참가 ③군사분계선에서의 적대행위 중단 ④남북정상회담을 포함한 대화 재개 등 4개항의 제안을 내놓았다. 언론보도에 의하면 문 대통령은 이 자리에서 당초 원고에 없던 말까지 했다. 즉 그는 한반도의 긴장과 대치국면을 전환시킬 계기가 된다면 언제 어디서든 북한의 김정은 위원장과 만날 용의가 있다"고 남북정상회담을 정식 제의했다.[1]

냉엄한 국제 권력정치의 현실

문재인이 신베를린선언을 발표한 이 시기는 북한이 미국 독립기념일을 맞은 7월 4일 미국 본토에 도달할 수 있는 ICBM(대륙간탄도탄) 화성 14형의 발사시험에 성공해 온 세계에 충격을 준 이틀 후였다. 미국을 비롯한 주요 서방국가들이 유엔에서 새로운 제재방안을 논의하던 시기였다. 문 대통령의 제안에 대해 북한정권은 공식반응은 보이지 않고 대외선전매체인《우리민족끼리》를 통해 이튿날 "남조선 당국이 지금처럼 대미 추종과 동족 대결을 추구한다면 북남관계는 언제 가도 개선될 수 없다"고 비난하는 논평을 냈다.[2]

문재인은 대북선언 발표에 앞서 베를린에서 취임 후 처음으로 시진핑 중국 국가주석과 정상회담을 가졌다. 그는 시진핑에게 "지금까지 북핵 문제 해결을 위한 중국의 역할을 평가하지만 앞으로 중국이 더 많은 기여를 해줄 것을 요망한다"며 '중국 역할론'을 강조했다. 그러나 사드배치문제로 심사가 틀어진 시진핑은 냉담한 반응을 보였다. 시진핑은 "(중국은) 충분히 노력을 하고 있는데 국제사회가 중국의 노력 부족을 비난하는 것은 인정할 수 없다"고 되받은 다음 "북핵 문제는 한국과 북한의 문제가 아니라, 북한과 미국의 문제로 파악해야 하는 것 아닌가"라면서 북한과 같은 주장을 했다. 시진핑은 더 나아가 중국과 북한의 혈맹관계가 근본적으로 변하는 것은 아니라고 밝혔다. 그는 또한 이 자리에서 "한국은 미국을 동맹이라고 말하는데 결국 한·미·일 협력 체제로 가려는 것 아니냐"면서 "바람직하지 않다"고 우려를 표명했다.[3]

결국 미중 사이에서, 그리고 북한에 대해 나름대로 독자적인 역할을 하려 했던 문재인은 냉엄한 국제권력정치의 벽에 부딪치고 말았다. 그는 귀국 직후인 7월 11일 국무회의에서 독일에서의 미중일 정상들과의 접촉 및 여러 국가의 정상들과의 회담 성과를 설명하는 가운데 "우리에게 한반도문제를 해결할 힘이 있지 않고, 합의를 이끌어낼 힘도 없다는 것을 뼈저리게 느꼈다"고 토로했다.[4] 이를 지켜본 성남시장 이재명은 "북핵문제와 남북관계에서 거미줄에 걸린 나비 같은 처지가 안타깝다"고 논평했다.[5] 그의 논평은 표현이 약간 지나친 것이지만 갓 출범한 문재인정부가 대외관계에서 곤경에 처한 것을 빗댄 점에서 정곡을 찌른 평가라 할 것이다. 북한의 핵실험과 미사일발사가 계속됨에도 불구하고 강대국들의 권력정치 탓에 오히려 '코리아 패싱'이라는 말이 나도는 상황의 전개는 대한민국 전체가 '거미줄에 걸린 나비' 신세가 되었다고 해도 과언이 아니다.

미·중 두 강대국에 낀 한국외교

경북 성주에 배치된 사드에 불만을 품은 중국의 시진핑 정부가 한국에 대해 가한 경제보복조치를 풀기 위해 2017년 10월 31일 한국측 남관표 청와대 국가안보실 제2차장과 중국측 콩쉬안유 외교부 부장조리가 합의한 '한중합의사항 발표문'은 그 내용이 공개되자 즉각 파문을 일으켰다. 이른바 '3불 파동'이다. 그 골자는 한국이 사드를 추가배치하지 않으며 한국은 미국의 미사일방어망(MD)에 가입하지 않고 장차 한미일 동맹으로 발전하지 않겠다는 것이다.[6] 한국의 야당과 언론은 이것을 중국에 대한 저자세외교 내지 주권의 포기라고 규탄하고 나섰다. 미국측에서도 불만이었다. 하버트 맥매스터 미국 백악관 국가안보보좌관은 "한국이 세 가지 영역에서 주권을 포기할 것으로 생각하지 않는다"고 밝혔다.

중국공산당 기관지 《인민일보》의 자매지인 《환구시보(環球時報)》는 '3불'에 플러스 알파를 붙여 "한국은 '3불1한'을 지켜야 한다"면서 한국정부가 '1한'은 포함되지 않는다고 반복적으로 주장한다"며 한국측을 비난했다. 이 신문이 말하는 '3불'이란 사드 추가배치, 미국 미사일방어체계(MD) 편입, 한·미·일 군사동맹 불가를, '1한'은 한국에 배치된 사드를 북한에 대해서만 제한적으로 운용한다는 의미이다. 이 신문은 이어 "한국이 약속을 지키지 않으면 중·한 관계가 낮은 단계로 곤두박질칠 것"이라며 경고했다.[7]

이 무렵 문재인은 '한중균형외교'를 공개적으로 표명해 미국측의 불신을 샀다. 그는 2017년 11월 3일, 트럼프의 방한을 나흘 앞두고 싱가포르의 보도전문

방송인《채널뉴스아시아》와의 회견에서 "북핵 해결을 위해 한미 공조가 무엇보다 중요하지만 중국과의 관계도 더더욱 돈독하게 만드는 균형있는 외교를 하겠다"고 강조한 다음 "한미일 공조가 군사동맹 수준으로 발전하는 것은 바람직하지 않다"고 밝혔다.[8] 균형외교에 관한 논란이 일자 청와대 핵심 관계자는 "북핵 문제 해결에 중국의 역할이 그 어느 때보다 중요하다는 의미를 강조한 것"이라며 "참여정부 때 얘기했던 균형자론과는 다른 얘기"라고 해명했다.

정부의 해명에도 불구하고 문재인의 균형외교론은 '3불' 문제와 함께 국내에서 뿐 아니라 미국에서도 큰 논란을 불러일으켰다. 미국 보수계 신문인《월스트리트저널》(WSJ)은 트럼프의 방한이 끝난 직후 "한국, 베이징에 고개 숙이다"라는 사설을 싣고 문재인을 '못믿을 친구'(an unreliable friend)라고 혹평했다. 이 사설은 "한국은 사드와 민주주의 동맹에 흠집을 냈다"고 주장하면서 "한국 정부가 미국의 미사일 방어 체제에서 빠지고, 한·미·일 군사동맹에 가담하지 않는다고 선언한 덕에 미국이 유럽의 나토(NATO) 형 아시아 집단 방위체제를 구축하지 못하게 하려는 중국의 목표가 달성되었다"고 비판했다. WSJ는 이어서 문 대통령이 중국의 압력에 직면한 한국 및 동맹국의 안보를 희생시키는 것은 균형이 아니라고 지적했다.[9]

취임 첫 해 일관성 잃었던 대미 대중 외교

문재인은 이 무렵 대미 대중 외교에 일관성을 유지하지 못했다. 문재인은 11월 7일 트럼프의 방한을 맞아 열린 한미정상회담 발표문에서 한·미·일 공조 관계 강화를 원하는 미국 측 입장을 고려해 "북한의 핵·미사일 위협에 대응하기 위해 일본과의 3국 간 안보협력을 진전시켜 나간다는 의지를 재확인했다"고 밝혔다. 이 자리에서 트럼프는 인도-태평양지역 안보협력문제도 거론했다. 한미 공동발표문에 의하면 트럼프는 "상호신뢰에 기초하고 있고 자유 민주주의 인권 그리고 법치의 가치를 공유하고 있는 우리의 동맹은 인도-태평양지역의 안전과 안정과 번영을 위한 핵심이다"라고 못 박았다.[10]

12월 18일(현지시간) 백악관에서 발표한 미국의 국가안보전략보고서는 인도-태평양 구상을 공식화하면서 미국 일본 오스트레일리아 인도의 4각협력의 중요성을 강조했다. 이 보고서는 또 "북한 미사일에 대비한 다층적 미사일 방어망을 구성할 것"이라면서 "역내 방어 능력 향상을 위해 한·일과 미사일방어(MD)에도 협력할 것"이라고 했다.[11] 이 점은 '3불'과 충돌할 우려가 있다. 문재인 정부는 당초에는 트럼프의 인도-태평양구상에 대해 소극적인 입장을 보였으나 강경화 외교장관은 12월 25일 한국은 이 구상을 환영한다면서 "우리가 협력할 부분을 찾겠다"고 긍정적인 자세를 보였다.[12]

그런데 문 대통령은 12월 12일 3박4일간 중국을 국빈방문해서는 뉘앙스가 다른 약속을 중국측에 했다. 시진핑과의 정상회담 후에 나온 한국측의 발표문에 의하면 두 정상은 북핵문제와 관련해 한반도 평화와 안정을 위한 4대 원칙을 채택했다. 이 원칙들은 ① 한반도에서의 전쟁은 절대 용납할 수 없다 ② 한반도의 비핵화 원칙을 확고하게 견지한다 ③ 북한의 비핵화를 포함한 모든 문제는 대화와 협상을 통해 평화적으로 해결한다 ④ 남북한 간의 관계 개선은 궁극적으로 한반도 문제를 해결하는 데 도움이 된다는 것이다.[13] 여기서 문제가 되는 것이 트럼프의 대북 군사옵션을 사실상 반대하는 한반도에서의 전쟁 절대 불용납 대목과 한국의 핵무장이나 미전술핵 이동배치를 원천적으로 막은 한반도의 비핵화 두 대목이다. 한중관계 회복에 고심한 문재인 대통령으로서는 어쩔 수 없는 선택이었다 하더라도 한미동맹과의 마찰 소지를 담고 있다. 한미동맹을 강화하면서 동시에 3불정책을 지켜야 하는 한국외교의 딜레마는 더욱 심화되었다.

해가 바뀌면서 한반도 정세 급변

다행히도 북한당국은 유엔 안보리의 계속되는 제재조치에 점차 고통을 느끼게 되자 6개월 후인 2018년 1월 김정은의 신년사를 통해 새로운 메시지를 보내왔다. 그는 평창동계올림픽 참가와 남북대화를 희망하는 발언을 한 것이다. 문재인에게 본인의 표현대로 '기적과 같은 남북대화'의 기회가 온 것이다. 문재인 정부는 즉각 남북고위급당국자회담 개최를 북한에 제의했다. 북측이 이를 수락함으로써 2015년 12월 남북간에 마지막 고위급회담이 열린지 2년 1개월 만인 1월 9일 남북고위급회담이 성사되었다. 판문점 남측 평화의 집에서 열린 이 회담에는 남측의 조명균 통일부장관과 북측의 리선권 조국평화통일위원장을 각각 수석대표로 하는 양측 대표들이 참석했다.

　이날 회담에서 양측은 북한의 평창올림픽대회 참가, 한반도 긴장완화를 위한 군사당국회담 개최, 남북관계 개선을 위한 각 분야 회담을 갖기로 하는 등 3개 항에 합의했다. 북한측은 평창에 선수단 15명을 대규모 미녀응원단과 함께 파견해 남한측과 단일팀을 만들고 삼지연관현악단을 보내 강릉과 서울에서 1회씩 연주토록 했다. 2018년 2월 9일 개막 당일 낮에는 김영남 최고인민회의 상임위원장을 단장으로 하는 평창올림픽 대표단이 항공편으로 도착해 개회식에 참석했다. 대표단에는 김정은 노동당 위원장의 여동생인 김여정 당중앙위 제1부부장과 최휘 당 부위원장 겸 국가체육지도위원장, 그리고 리선권 조국평화통일위원장이 포함되었다. 대표단은 이튿날 청와대를 예방하고 오찬을 겸한 접견 자리에서 문 대통령과 만났다. 이 자리에서 김정은의 특사 자격으로 방남한 김여정은 오빠의 문재인 평양초청 친서를 전달했다. 이에 대해 문재인은 "여건을 만들어서 성사시켜나가자"고 답했다. 오찬석상에서 김여정은 문재인을 향해 "문 대통령께서 통일의 새 장을 여는 주역이 되셔서 후세에 길이 남을 자취를 세우시길 바란다"고 치켜세웠다. 25일 열린 평창올림픽 폐회식에는 북한 노동당 중앙위 부위원장 겸 조국통일전선부장 김영철이 조국평화통일위원장 리선권과 함께 참석했다.

　문재인은 김여정이 김정은의 특사로 서울을 방문한데 대한 답방형식으로 3월 5일 정의용 청와대 국가안보실장을 단장으로 하고 서훈 국정원장, 천해성 통일부차관, 김상균 국정원 3차장, 윤건영 청와대 국정상황실장을 단원으로 하는 대통령특사단을 평양에 파견했다. 이들은 1박2일간 북한에 머물면서 김정은을 비롯한 북한정권 수뇌들과 회동했다. 김정은은 특사단을 따뜻이 환영하고 4월 말 판문점에서 제3차 남북정상회담을 갖기로 하는 등 6개항을 특사단과 합의했다.(남북은 3월 29일 판문점 북측 통일각에서 열린 정상회담 준비를 위한 고위급회담에서 4월 27일로 결정) 나머지 5개항은 남북정상간 핫라인전화의 설치, 북측의 체제안전 보장 시의 비핵화 의지 표명, 북측의 비핵화협의를 위한 미국과의 대화 용의, 남북 및 북미 대화기간 중 북측의 전략도발 중지, 북측의 핵무기와 재래식 무기의 대남 불사용이다.

정의용 단장은 서훈 국정원장과 함께 평양으로부터 귀경 이틀 후인 3월 8일 미국 방문길에 올라 9일(현지시간 8일) 백악관에서 트럼프 대통령을 만나고 그를 평양에 초청한다는 김정일의 뜻을 전달했다. 트럼프는 즉석에서 이 제의를 받아들여 곧 미북정상회담을 갖기로 전격적으로 결정했다. 김정은은 비핵화에 대한 의지와 핵과 미사일의 실험 자제를 약속하고, 한미양국의 정례적 군사훈련의 계속에 이해를 표명했다고 정의용 단장은 이날 백악관에서 열린 기자회견에서 밝혔다.

판문점선언의 성과와 문제점들

2007년 노무현과 김정일간의 제2차 남북정상회담 이후 11년만인 2018년 4월 27일 판문점 남측 평화의집에서 열린 제3차 남북정상회담에서 문재인 대통령과 김정은 북한 국무위원장 3개항의 합의사항을 담은 '한반도의 평화와 번영, 통일을 위한 판문점 선언'이라는 공동선언을 발표했다. 그 주요내용은 ① 남북 관계의 전면적이며 획기적인 개선과 발전, ② 한반도에서 군사적 긴장상태의 완화와 전쟁 위험 해소, ③ 한반도의 항구적이며 공고한 평화체제 구축을 위한 적극 협력을 다짐했다. 두 사람은 그 구체적인 방안으로 남북공동연락사무소의 설치, 확성기방송중단, 서해평화수역 설치, 연내의 종전선언과 평화협정 체결을 위한 남·북·미 3자 또는 남·북·미·중 4자회담 개최, 문재인의 금년 가을 평양방문에 합의했다.

이날 정상회담과 판문점선언은 평화를 갈구하는 다수 국민들의 환호를 받았으나 전문가들로부터는 적잖은 논란을 불러일으켰다. 우선 공동선언이 북핵문제를 '한반도의 비핵화'문제로 확대시키고 "남과 북은 북측이 취하고 있는 주동적인 조치들이 한반도 비핵화를 위해 대단히 의의 있고 중대한 조치라는데 인식을 같이 하고, 각기 자기의 책임과 역할을 다하기로 했다"고 북을 찬양하고 남북공동책임을 다짐한 점이 논란거리가 되었다.

판문점정상회담은 북측이 더 급해서 열린 회담인데 합의내용은 그 반대이다. 남측이 부담할 사항이 훨씬 더 많았다. 제1항의 '공동번영과 자주통일', 그리고 '민족자주의 원칙'이라는 표현과 정상회담 합의사항의 조속한 실행 대목이 대표적인 예이다. 또한 성급한 확성기 방송과 전달살포의 중지, 서해평화수역 설정대목이 그렇다.

판문점선언의 문제점은 문안작성을 북측이 주동적으로 하고 남측은 따라간 것 같은 인상을 준 점이다. 민족주의를 지나치게 강조하는 내용도 그렇거니와 문장도 그렇다. 3항의 무력불사용 대목이 대표적이다. 어떤 형태의 무력도 서로 사용하지 "않을 데 대한…"이라는 우리에게 익숙하지 않은 북한식 표현을 우리 정부는 우리식으로 표현한다면서 "않을 때 대한…"이라고 쓴 것은 잘못된 표현이 아니라면 아주 이상한 표현이 아닌가. 알아듣기 쉬운 우리말로 풀어서 썼어야 했다.

6월 12일 싱가포르에서 열린 트럼프와 김정은의 역사적인 미북정상회담 후에 나온 공동성명 역시 원론에 그쳐 만족스럽지 못했다. 공동성명은 미북관계 수립, 한반도의 지속적이고 안정적인 평화체제 구축, 북한의 판문점공동선언 재확인과 완전한 한반도비핵화를 위한 노력, 전쟁포로의 유해수습이라는 네 가지 원칙적 합의만을 밝히고 있다. 미국측이 그렇게도 강조하던 북핵의 CVID(Complete, Verifiable, Irreversible Dismantlement, 완전하고 검증 가능하고 불가역적인 해체) 원칙은 공동성명에는 그냥 '한반도의 완전한 비핵화'(Complete Denuclearization of Korean Peninsula) 라는 용어로 표현되었다. 문재인은 미북정상회담을 "한반도를 비롯한 세계가 전쟁과 적대시대에서 벗어나 평화와 공동번영의 시대로 나아가는 아주 역사적인 위업"이라고 평가했지만, 트럼프가 기자회견에서 북미교섭기간 중에는 한미합동군사훈련을 중지하고, "지금은 때가 아니지만 언젠가는 주한미군을 본국으로 데려와야 한다"고 밝힌 것은 한국에 새로운 안보불안 요소로 작용할 가능성이 커졌다.

2. 좌파민족주의의 그늘

개성공단 및 5·24조치 미국이 옹호

문재인 정부는 출범 직후 박근혜 대통령의 개성공단 폐쇄결정과 일본과의 위안부문제 타결을 문제시하고 나섰다. 이 같은 행동은 즉각 국제사회의 비웃음과 불신의 빌미를 제공하고 외교적 고립을 자초했다.

통일부의 적폐청산태스크포스(TF)인 정책혁신위원회라는 좌편향적인 민간 기구는 2017년 12월 28일, 박근혜 정권이 북한의 4차 핵실험(2016년 1월 6일)과 장거리 미사일 발사(2월 7일)에 대응해서 긴급하게 결정한 개성공단 폐쇄조치(2월 10일)를 취한 것을 비판하고 나섰다. 5·24 대북 경협중단 조치는 이명박 정권이 북한의 천안함 폭침사건(2010년 3월 26일) 후 내린 조치인데 이 역시 이 위원회가 비판하고 나섰다. 통일부 정책혁신위원회는 3개월 동안 활동 끝에 두 가지 조치가 모두 법에 근거하지 않은 대통령의 일방적인 지시로 이루어져 통치행위 방식으로 결정되었으며 이로 인해 남북협력사업이 파행했다는 결론을 내렸다. 위원회는 박근혜와 이명박 두 대통령이 NSC(국가안전보장회의) 결정 전에 구두로 일방지시를 하고 이 안건을 국무회의 심의나 문서로써 행하지 않았다고 절차문제를 제기했다. 위원회는 그러면서 정부에 "개성공단 중단, 5·24조치, 금강산 관광중단 등의 해제를 위한 로드맵을 수립해야 한다"고 촉구했다.

주목할 점은 이에 대한 통일부의 반응이다. 통일부는 대변인 발표를 통해 "문제지적을 겸허한 자세로 받아들인다. 향후 정책추진과정에 반영해 나갈 수 있도록 노력하겠다"고 다짐했다. 마치 남북경협 조기 재개를 위해 양측이 짜고 하는 행동 같았다. 하기야 이 위원회는 진보좌파 성향의 외부인사 9명으로 구성되었다. 김종수 위원장은 10여 차례 북한을 방문한 인물이고 위원 중 강영식 위원은 우리민족서로돕기운동 사무총장으로 100여 차례 북한을 방문했다 한다. 따라서 위원회의 결론이 그렇게 날 것은 미리 예상하면서 구성되었다고 볼 수밖에 없다.[14]

이 같은 문재인 정부의 움직임에 대해 미국 정부는 부정적인 입장을 발표했다. 마이클 케이비 미 국무부 동아시아·태평양 담당 대변인은 이날 즉시 "우리는 북한의 도발적이고 (역내) 안정을 저해하는 행동에 직면해 개성공단을 폐쇄한 2016년의 결정을 지지한다"고 박근혜의 조치를 긍정적으로 평가했다. 그는 "그 결정은 북한의 점증하는 위협과 유엔 안전보장이사회의 여러 결의를 노골적으로 무시하는 데 대해 역내에서 점증하는 우려를 반영했다"고 덧붙였다. 그는 또한 "렉스 틸러슨 국무장관의 말처럼 모든 나라는 북한의 경제적 고립을 심화시키기 위해 행동을 취해야 한다"고 촉구했다.[15]

위안부합의 백지화로 한일관계 악화

위안부문제에 대한 문재인 정부의 입장은 문 대통령이 청와대 대변인을 통해 발표한 자신의 '입장문'에 잘 나타나 있다. 그는 박근혜 정부 당시인 2015년 12월의 한일양국 합의를 인정할 수 없다면서 사실상 이 합의의 백지화를 선언함으로써 양국간의 심각한 외교문제를 일으켰다. 문재인의 입장문은 외교부 위안부문제TF가 조사결과를 발표한 직후에 나왔다. 외교부의 TF보고서는 박근혜 정부가 한일위안부합의 때 제3국에서의 소녀상 건립을 지원하지 않고 '성노예'라는 표현을 쓰지 않겠다는 이면합의를 하고 당사자인 피해할머니들의 의견을 듣지 않은 채 일본 측과 이 문제를 합의했다는 등 문제점들을 지적했다.

아베 일본 수상은 문재인의 발표에 대해 "합의는 1mm도 움직일 수 없다"고 강경한 거부의사를 밝혔다. 또한 총리관저에서 아베와 면담하고 나온 가와무라 다케오 한일의원연맹 간사장은 "양국 정상이 합의한 일인데, 이건 경우가 아니다"라면서 "한국 정부는 국민이 합의를 지지하지 않는다지만 그렇게 부추긴 것은 한국 정부"라고 비난했다. 일본 언론들 역시 격앙된 어조로 문재인의 발표를 대서특필하면서 보수 진보 언론 모두가 "한국은 국가간의 약속을 가볍게 본다"고 비난하고 "한국은 못믿을 나라"라는 식으로 보도했다. 특히 일본 최대의 부수를 발행하는 《요미우리신문》은 "문재인 정부 내에 좌파세력의 영향이 커지고 한·미·일 연계를 중시하는 안보노선에 대해서도 불만이 나오고 있다"고 주장했다. 일본언론의 이 같은 노조는 문재인 정권 내의 좌파민족주의세력에 대한 경계심을 노골적으로 표시한 것이다.

북핵문제 해결을 위해 한일 양국이 긴밀하게 협력해야 할 판에 위안부문제가 재연되어 혼선을 빚은 것은 비단 한일 양국간뿐 아니라 두 나라의 긴밀한 협력을 바라는 미국도 크게 자극했다. 미국의 틸러슨 장관은 즉시 강경화 외교부 장관에게 전화를 걸어 "북핵 문제 해결을 위한 공조 확대와 관련해 한미동맹을 기반으로 한미일 협력 등도 중요하다"고 강조했다. 외교부는 두 사람의 통화가 약 20여분간 계속되어 한미간 상호 관심사에 대해 폭넓은 협의를 가졌다고 발표했다. 강 장관은 이에 대해 북 핵·미사일 위협 대응을 위한 3국 협력의 중요성에 공감을 표하는 한편 "이런 차원에서 우리 측으로서는 일본과의 위안부 문제를 포함한 과거사 문제에도 불구하고 안보·경제 등 실질협력은 안정적으로 추진해 나갈 것"이라고 답변했다.[16] 결국 문재인 정부는 일본 측에 대해 기왕에 체결된 협정의 개정을 요구하지 않기로 하고 일본 측이 제공한 10억 엔도 손을 대지 않기로 하되 일본 측의 자발적인 사죄를 촉구한다는 선으로 물러섬으로써 문재인 정부의 위신만 떨어뜨린 결과를 빚었다. 일이 이 지경이 된 것은 문재인 정부가 전임 박근혜 정부의 잘못을 캐내려다가 부메랑을 맞은 것이다.

3. 친노동 경제정책과 포퓰리즘 복지정책

최저임금 파동이 낳은 17년만의 최악 실업률

어떤 정권의 경제실적은 임기가 끝나야 제대로 평가할 수 있다. 그런 점에서 문재인 정권의 경제실적도 그의 대통령 임기가 끝나야 공정한 평가가 가능하다. 그의 취임 1년간을 중간평가 하자면, 그의 취임 첫해인 2017년은 반도체 등의 수출호조에 힘입어 3년만에 무역 1조달러를 회복해 세계6위의 무역대국 지위에 오르고, 3.1%의 경제성장을 이룩했다. 전임 정권들의 연평균 경제성장 실적이 김영삼 정부 7.4%, 김대중 정부 5.3%, 노무현 정부 4.5%, 이명박 정부 3.2%, 박근혜 정부 2.9%(이상 한국은행 통계)임을 감안하면 문재인 정부가 취임 첫해에 일단 이 정도의 실적을 달성한 것은 전 정권에 비해 크게 손색이 없는 셈이다. 취임 둘째 해인 2018년도 거시경제에 관한 한 그 전망도 비관적인 것만은 아니다. 취업자 증가폭은 32만명으로 아래에서 설명하는바와 같이 전년 보다 나아질 것이 없겠고 경상수지 역시 810억 달러에서 790억 달러로 줄어들겠지만 경제성장률은 3%대를 유지할 것으로 전문가들은 보고 있다.[17]

그러나 문재인정부는 고용정책에 크게 실패했다. 문재인 정부는 2020년의 최저임금을 시간당 1만원으로 결정해 놓고 이를 위해 당장 2017년에 16.4%를 인상, 7,530원으로 책정했다. 또한 주당 68시간까지 허용되던 근로시간도 주당52시간으로 대폭 단축, 2018년 7월부터 대기업부터 3단계로 시행하기로 했다. 가장 타격을 입은 중소기업, 특히 영세업체는 종업원수를 줄이는가 하면 종업원의 인건비 충당을 위해 제품 판매가, 특히 대중식당에서는 식사 값을 10%이상 올리는 방식으로 자구책을 찾았다. 정부가 운영하는 취업 인터넷웹 사이트에서 고용주들이 내는 구인규모가 지난 5년간 꾸준히 늘어나다가 2017년 12월에는 전년 같은 달에 비해 갑자기 절벽처럼 17%나 감소했다. 정부는 최저임금 인상을 지원하기 위해 30인 미만의 사업주에 근로자 1인당 월 최대 13만원을 현금으로 지급하는데 소요되는 일자리안정기금 예산 2조 9,707억원을 2018년도 예산에 책정해 야당의 동의를 얻었다. 결국 정부가 국가예산으로 영세업체에 현금지원을 하는 남미식 복지정책을 택한 것이다. 사태가 이 지경으로 발전하자 드디어 정부 내부에서 이견이 표출되었다. 어수봉 최저임금위원장과 나중에는 김동연 경제부총리도 문재인의 대선 공약인 2020년 시급 1만 원 최저임금 공약이행에 속도조절이 필요하다는 견해를 밝혔다.[18]

소득주도 성장정책 시행착오 1년 지나고도 계속 강행

하지만 문재인은 이에 아랑곳하지 않고 영세사업자들에게 임금보다 더 부담이 되는 상가임대 부담을 낮추도록 하라는 실효성이 의문시되는 대책의 마련을 청와대 수석(비서관)·보좌관 연석회의에서 지시했다. 과연 2018년 3월의 실업률은 2001년의 5.1% 이후 17년만에 최악인 4.5%로 집계되고 특히 청년실업률은 11.6%로 2년만에 가장 상황이 나빠져 이 해의 경제전망을 어둡게 했다. 문재인정부가 최저임금 인상에 무리수를 쓴 근본 원인은 이른바 소득 주도 경제 성장정책에 집착한 탓이다. 문재인은 이 정책을 1년 이상의 시행착오에도 포기하지 않았다. 그는 취임 첫해인 2017년에 국가예산으로 근로자의 임금을 올려 경제성장을 가능케 하겠다는 세계초유의 실험을 시작했다. 그는 후보시절 실업자 117만명의 심각한 상황을 완화하고 소득주도 성장을 위해 ① 5년간 공공부문 일자리 81만개 창출, 민간부문 일자리 50만개 창출, ② 비정규직 임금 차별 해소와 중소기업 청년고용 지원, ③ 4차 산업규제 완화, ④ 최저임금 시급 1만원으로의 인상, ⑤ 고령층 일자리 정책 등 다섯 가지의 일자리창출 공약을 했다. 그가 공약한 공공부문 일자리 81만개의 내용은 소방, 사회복지전담, 교사, 경찰 등 공무원 일자리 17만4000개 사회복지, 보육, 요양 등 사회서비스 공공기관 일자리 34만 개, 근로시간 단축을 통한 일자리 만들기 및 공공부문 간접고용 노동자 직접고용 등으로 30만 개를 확충한다는 것이다.

문재인 정부는 공공부문 일자리를 늘리기 위해 2017년도 추경예산안에 우선 1만2,221명 채용에 필요한 예산을 반영했으나 야당의 반대로 삭감되고 이를 2018년도 새해 예산안에 계상했다. 그러나 이 역시 야당의 계속적인 반대로 인해 결국 채용인원을 9,475명으로 줄였다. 이 숫자는 당초 문재인이 5년간 임명하겠다고 공약한 17만4,000명의 6.6%에 불과해 시행 첫해에 용두사미가 되고 말았다. 보육·의료·요양 등 사회서비스 공공기관 및 민간수탁부문 일자리 문제는 첫해에는 본격적으로 착수하지도 못했다. 근로시간 단축을 통한 30만개 일자리 창출을 위해 문 대통령은 취임 3일 째를 맞아 첫 나들이로 직접 인천국제공항공사를 방문해 공항 관련업체에서 일하는 1만명의 비정규직을 모두 정규직으로 돌리겠다는 깜짝 발표를 했다. 이날 열린 '찾아가는 대통령, 공공부문 비정규직 제로시대를 열겠습니다!' 행사에 참석한 일부 비정규직 근로자들은 감격해서 눈물을 흘렸다. 그러나 해당 협력업체들이 난색을 표하고 정규직 노조가 반대해서 당초 약속한 2017년 연말까지 목표 실현은 불가능하게 되어 2018년으로 넘어갔다.

그의 포퓰리스트적인 정책의 대표적인 예는 탈원전정책이다. 방사능으로부터 안전한 사회를 만들겠다는 그의 환경운동가적 소박한 희망은 많은 환경운동가들의 박수를 받았다. 그러나 다수의 전문가들은 이 정책을 급작스럽게 시행할 경우 생기는 막대한 국가적 손실을 고려에 넣지 않은 그의 아마추어리즘을 맹렬하게 비판한다. 현재 짓고 있는 원자력발전소의 건설을 당장 중단할 경우 그에 따른 막대한 국고손실은 물론이고 전기료 상승과 함께 원자력 업체들이 줄 도산할 우려가 있다는 것이다. 그렇게 되면 200만개 이상의 일자리가 사라질 것이며 나아가서 장차 한국이 최고수준인 원자력 기술의 국제경쟁력을 잃고 원자력발전시설 수출로 얻어질 막대한 수입이 감소한다. 뿐만 아니라 한국의 전반적인 미래 기술 및 산업, 특히 핵추진 잠수함 건설 등 방위산업 발전에도 치명적 타격을 줄 가능성이 예견된다. 다행히 문재인정권은 법적 근거가 약한 공론화위원회를 만들어 3개월간의 논의 끝에 그동안 건설을 잠정 중단한 신고리 5,6호 원전발전소의 건설작업을 재개하되 장차는 원자력발전 비율을 축소하는 방향에서 국가의 에너지정책을 추진하라는 절충적인 건의안을 도출해 문재인의 체면을 겨우 살리고 사태를 수습했다.

과도한 복지향상 – 빨간불 켜진 주력산업

문재인 정권의 복지정책은 가히 혁명적이다. 수조 내지 수십조원이 들어가는 노인들의 기초연금 월 30만원으로의 인상 소요예산(임기 5년간 21조8000억 원), 아동수당 신설(2018년 한 해만 1조 1000억원), 기초생활보장 수급자 확대(임기 5년간 9조5000억 원)를 약속했다. 이밖에 누리과정 100% 지원, 독립유공자의 3대까지의 예우, 참전유공자 예우 확대, 순직 군인 경찰 소방관 유가족 지원 확대 등 많은 복지시책을 공표했다. 그의 의료복지정책은 의사들이 대대적인 반대시위를 할 정도로 급진적이다. 문 대통령은 서울성모병원을 방문해 입원환자들과 만나고 2022년까지 전국민의 의료비부담을 평균 18% 낮추는 획기적인 건강보험 보장성 확대정책을 발표했다. 건강보험 보장성 확대에는 30조6000억 원이 들어간다. 그리고 그는 이에 앞서 서울 노원구의 요양원을 방문해서는 '국가 치매 책임제'를 발표했다. 청와대는 '치매안심센터·병원' 설립에 1조8000억 원이 든다고 밝혔다. 나중에 보건복지부는 2017년 10월부터 중증치매환자의 진료비는 본인이 건강보험의료비의 10%만 부담하게 될 것이라고 발표했다.

이 같은 친노동정책 추진과 복지예산 증가로 인해 2018년 예산안은 전년 대비 무려 7.1%나 증가한 사상 최대규모인 429조원으로 짜여졌다. 증액된 내역은 공무원증원, 최저임금인상분 지원, 부자증세, 법인세인상 등 수조원 씩의 예산증액으로 반영되었다. 이로 인해 소득세를 인상해 과세표준 연 3억원이상에 대해서는 소득세율을 38%에서 40%로, 연 5억원이상에 대해서는 40%에서 42%로 각각 인상했다. 법인세의 경우는 미국 일본 등 선진국들이 20%로 삭감하고 있는 것과는 반대로 문재인 정부가 기왕의 22%를 더욱 높여 25%로 인상한 것은 국제적 추세에 완전히 역행하는 것이었다. 이상과 같은 포퓰리스트 복지정책에 반대하는 자유한국당이 표결에 불참한 가운데 당초의 정부원안 보다 1,375억원이 삭감된 428조8,339억원의 2018년 예산안이 통과되었다.

문재인정부의 경제정책을 긍정적으로 보는 일부 진보적 경제학자들은 "수요적 측면에서는 포스트케인즈주의, 공급적 측면에서는 네오슘페터주의가 잘 결합되어있다"고 찬양했다. 또한 이들은 최저임금인상 등 일련의 친노조정책에 대해 고용친화적이자 케인즈주의적 복지국가의 면모를 갖추게 되었다고 평가했다.[19]

그러나 문재인정부의 급진적인 친노조·반기업적 경제정책과 급팽창하는 복지 부담에 따른 재정압박 가능성을 우려하는 보수파 경제전문가들은 문재인정부가 '남미행 열차'를 탔다고 비판한다.

문재인정권은 4차산업혁명에 대비해 노동 금융 공공부문과 교육의 일대 쇄신을 단행해 혁신성장전략을 수립해야하는 긴급한 시대적 과제에 직면해 있다. 세계 최고를 자랑하던 스마트폰 마저 중국시장에서 매출이 격감하는 등 주력산업에 빨간불이 커졌다. 후진국형 각종 법적 행정적 규제 혁파와 그 동안 IMF와 OECD 등 국제기관에서 꾸준히 주문해온 노동개혁은 하루도 미룰 수 없는 문제이다. 경제계는 문재인 정부 출범 첫해를 넘기면서도 규제개혁이 지지부진한데 대해 불만이 크다. 정부의 과잉규제로 인해 4차 산업혁명 초기부터 중국에 뒤지면서 104만 명의 청년들이 사실상 실업상태에 빠졌다고 재계는 비판하고 있다.

4. 한국진보세력의 역사적 책무

진정한 진보개혁세력이라면

문재인은 이 장 앞 도입부인 X-2-1(문재인의 이념과 사상)에서 살펴본 바와 같이, 보수세력을 '진정한 보수세력'과 '위장 보수세력'으로 구분한다. 그는 '오직 권력에 영합할 뿐 아무런 이념도 가지고 있지 않으면서 보수인양 위장하고 있는' 세력을 '위장 보수세력'이라고 규정한다. 그는 이어 "경제를 망치고 안보를 망쳐온 가짜 보수 정치세력을 거대한 횃불로 모두 불태워 버리자"고 역설하면서 "이들이 축출되어야만 "정당한 이념에 기초한 진정한 보수세력이 자리를 잡을 수 있다"고 주장했다. 성장과 안보 등 보수세력이 중시하는 가치도 수용하는 '중도진보 노선'을 지향해야 한다고 확신하는 문재인은 진보세력의 '경직성'을 '우리 안의 근본주의'라고 부르고 있다.

그렇다면, 그가 말하는 진보세력에도 분명히 '진정한 진보세력'과 '위장 진보세력'이 있을 것이다. 이런 전제가 옳다면 '위장 진보세력'은 어떤 세력일까. 그의 논법을 차용해서 서술해 보자면 오직 친북 또는 종북세력에 영합하는 생각이나 가졌을 뿐 진정한 의미에서 아무런 진보이념도 가지고 있지 않으면서 진보인 양 위장하고 있는 세력을 '위장 진보세력'이라고 해야 할 것이다. 이미 Ⅸ-2-1(평등파, 종북주의 청산과 제2창당 주장)에서 설명한 바와 같이 2007년 민주노동당의 당원이었다가 자주파가 당권을 장악하자 탈당한 진중권(陳重權) 동양대 겸임교수는 "종북파는 진보가 아니라 수구 중에서도 가장 반동적인 세력"이라고 지적해 화제를 모은 일이 있다.

전대미문의 3대 세습 공산왕조조차 받아들이는 이들 위장 진보세력은 리영희류의 좌파민족주의에 물들어 민족통일이면 어떤 내용이든 수용해야 한다고 주장한다. 평화를 애호한다는 그들은 북핵은 규탄하지 않으면서 전쟁반대만 외쳐댄다. 여기서 문재인식 논법을 발전시킨다면, 이들 위장 진보세력은 당연히 축출되어야만 정의, 자유, 인권, 평등 같은 진정한 의미의 진보적 가치를 믿는 '정당한 이념에 기초한 진정한 진보세력'이 대한민국에 자리를 잡을 수 있을 것이다. 문재인은 후보시절에 자주 듣던 이야기가 "문 후보는 좋은데 주변에 빨갱이들이 많아서…"였다고 회고한다. 문재인 정권 출범 때 청와대에 포진한 전대협 등 NL파 출신 비서진에 대해 많은 야당의원들은 "청와대 비서진 중 한 사람도 현재는 생각이 바뀌었다고 전향의 뜻을 밝힌 이는 없다"고 말하고 있다. 과연 이 말이 맞는가. 문재인 자신은 어떻게 생각하고 있는가를 국민들은 알고 싶어 한다.

가짜 진보세력이 안보 · 통일문제 좌지우지하면 국가적 재앙

문재인 정부는 스스로를 '진보개혁세력'이라 부르고, 자신의 정부에 대해서는 공식적으로 '제3기 민주정부'라고 호칭한다. '진보개혁세력'이라는 용어는 정치적인 표현이니까 그렇다고 치고, '제3기 민주정부'라는 표현 안에는 1987년 민주화 이후 들어선 보수정권은 모조리 비민주적인 정권이라고 암시하는 독선적이고 오만한 자세를 읽을 수 있다. 그렇기는 하나 스스로를 민주정부라고 부를 때 그 민주정부는 상식적인 의미에서 독재를 하지 않는 정부요, 보다 전문적인 의미에서는 자유민주주의를 수호하는 정부라 할 것이다. 그렇다면 헌법과 그 핵심가치인 자유민주주의 정치질서와 시장경제 질서를 수호할 때 문재인 정부는 비로소 민주정부가 될 자격이 있다.

　이 원칙은 다름 아닌 한반도의 평화정착과 통일문제에도 적용되어야 한다. 만약 문재인 정부가 북핵문제의 해결방안으로 남북연방제를 생각하고 있다면 그것은 심각한 문제이다. 그런 방안은 무엇보다도 자유민주주의와 시장경제를 핵심가치로 하는 우리 헌법에 위반된다. 또한 이 같은 유화주의는 북한정권에 대한 그 몰이해와 희망적 관측, 그리고 그 순진함 때문에 우리 국가안보에 심대한 위해를 끼칠 우려가 있다. 북한정권이 내세우는 연방제는 순수한 의미에서의 연방제가 아닌, 한미동맹체제의 해체를 위한 정치적인 전술임을 알아야 한다. 그들은 연방제라는 보호막 아래서 조선노동당의 조직과 선전활동을 통해 남한을 '주체의 나라'로 만들려는 정략을 이미 40년 이상 견지하고 있다. 그리고 한미동맹체제가 소멸되면 한국은 통일된 이후에도 중국 앞에서 핀란드 화될 우려가 크다.

　만약 진정한 진보세력임을 자임하려면 인간의 존엄성, 민주주의, 그리고 자유와 인권, 생명 존중이라는 진보사상 본연의 이상을 저버려서는 안된다. 맹목적인 북한정권 감싸기에서 벗어나지 못하는 친북 종북세력이야 말로 위장된 진보요, 가짜 진보세력이다. 서구민주국가들의 진보좌파세력은 정통 사회주의에서 사회민주주의로, 그리고 민주사회주의로 진화했다. 근래에는 보비오의 '자유주의적 사회주의'(liberal socialism)[20]와 기든스의 '제3의 길'도 등장했다. 그러나 한국의 구태의연하고 교조적인 좌파세력은 선진국의 진보좌파세력과는 너무도 거리가 멀다.

문재인의 '제3기 민주정부'가 성공한 정권이 되려면 하루속히 정부와 여당에 둥지를 틀고 있는 가짜 진보세력, 위장 진보세력의 그릇된 이념과 사상과 결별해야 한다. 문재인 자신의 말처럼 나라가 잘 되려면 진정한 보수세력과 진정한 진보세력이 협력하고 경쟁해야 한다. 문재인은 진정으로 이를 실현시키기 위해 노력해야 한다. 가짜·위장 보수세력과 가짜 위장·진보세력이 정치판을 좌지우지한다면 그것은 바로 국가에 재앙이 된다는 점을 명심해야 한다. 문재인은 집권2년차를 맞은 2018년 1월 신년기자회견 모두발언에서 "올해를 한반도 평화의 새로운 원년이 되도록 하겠다"고 다짐했다. 한반도 평화에는 북핵의 포기가 당연히 전제가 되어야 할 것이다. 북핵 폐기 없는 성급한 관계개선과 경제지원은 문재인 정권이 북핵을 사실상 인정하는 결과를 가져올 가능성이 있다.

2018년 6월 13일 미북정상회담 바로 이튿날 실시된 6·13 전국동시 지방자치단체장과 교육감 선거 및 '미니총선'이라 불린 국회의원 재·보궐선거는 지방선거사상 최대의 여당압승을 기록했다. 출범 1년 1개월 된 문재인정부에 대한 중간평가적인 성격이 강했던 이날 선거에서 더불어민주당은 17명의 광역단체장 중 14명을 당선시키고, 역시 17명의 시도 교육감 중 진보성향 14명을 당선시켰다. 더불어민주당은 또한 국회의원 재·보궐선거 후보 12명 중 11명을 당선시켜 원내의석을 119석에서 130석으로 불림으로써 친여계의 다른 정당 소속과 합치면 범여권의석이 전체국회의석 300석의 과반인 154석으로 불어나 최소한 국회의 표대결에서는 문재인 정권을 견제할 세력이 없게 되었다.

2018년 여름 현재 대한민국이 당면한 안보와 정치상황은 그 어느 때보다도 국가최고지도자의 경륜과 지혜가 겸비된 리더십이 요구되는 시점이다. 그런 점에서 문 대통령이 현재 이끌고 있는 한국의 진보세력은 대한민국의 운명을 손안에 쥐고 있다 할 것이다. 그 책임이 얼마나 막중한가를 잊어서는 안 될 것이다.

주 석
참고문헌
찾아보기

주 석

제1부 건국과 전쟁 시기

I - 1 좌익세력의 정국주도와 건준 및 인공

1) 이정식(2008), 《여운형-시대와 사상을 초월한 융화주의자》, 서울대학교출판부, p. 495.
2) 박일원(1984), 《남로당의 조직과 전술》, 세계, p. 19; 여운형이 엔도와 만난 경위와 송진우와의 자세한 교섭 내용은 남시욱(2006), 《한국보수세력연구》, 나남출판, pp. 197~198을 참조할 것.
3) 이만규(1946), 《여운형 선생 투쟁사》, 민주문화, pp. 185~186.
4) 한태수(1961), 《한국정당사》, 신태양사출판국, p. 34.
5) 여연구 지음/신중영 편집(2002), 《나의 아버지 여운형》, 김영사, p. 142; 이기형(2005), 《여운형 평전》, 실천문학사, pp. 367~368.
6) 박갑동(1983), 《박헌영》, 인간사. p. 96.
7) 한태수(1961), pp. 35~36.
8) 이만규(1946), p. 217.
9) 한태수(1961), p. 39.
10) 이기형(2005), pp. 404~406; 남로당 내막을 폭로하는 책을 쓰고 나중에 암살당한 박일원(朴馹遠)은 인공 수립이 9월 4일 경성의전병원(현 서울대병원)에 입원 중이던 허헌의 병실에서 박헌영 여운형 허헌 정백 등 4명이 만난 비밀회합에서 합의되었다고 쓰고 있다. 박갑동과 김남식도 같은 의견이다. 박일원(1984), p. 23; 박갑동(1983), pp. 101~102; 김남식(1984), 《남로당 연구 I》, 돌베개. p. 46.
11) 박갑동(1983), p. 102.
12) 인공의 강령 전문은 다음과 같다. ① 우리는 정치적 경제적으로 완전한 자주적 독립국가의 건설을 기함, ② 우리는 일본제국주의와 봉건적 잔재세력을 일소하고 전민족의 정치적 경제적 사회적 기본요구를 실현할 수 있는 진정한 민주주의에 충실하기를 기함, ③ 우리는 노동자 농민 및 기타 일체 대중생활의 급진적 향상을 기함, ④ 우리는 세계민주주의 제국의 일원으로서 상호 제휴하여 세계평화의 확보를 기함. 한태수(1961), pp. 44~45.
13) 박일원(1984), p. 13~14.
14) 이정식(2008), p. 547.
15) ibid., p. 535.
16) 이만규(1946), p. 264.
17) 《매일신보》 1945. 9. 15.
18) 김남식(1984), p. 49.
19) 고하선생전기편찬위원회 편(1990), 《독립을 향한 집념-고하송진우전기》, 동아일보사, p. 456.
20) Scalapino, Robert A. & Lee, Chong-sik(1972), *Communism in Korea, Part I* (*The Movement*), Berkeley and Los Angeles: University of California Press. pp. 245~246.
21) Scalapino, Robert A. & Lee, Chong-sik(1972), p. 271; 《매일신보》 1945. 10. 11.
22) *ibid.*
23) 임경석(2004), 《이정 박헌영 일대기》, 역사비평사. pp. 226~227.
24) 송남헌(1985), 《해방3년사 II, 1945~1946》, 까치, p. 40; Scalapino, Robert A. & Lee, Chong-

sik(1972), p. 271.

25) 《조선일보》, 1945. 12. 13.

26) 전현수(1995), "소련군의 북한 진주와 대북한정책", 독립기념관 한국독립운동사연구소, 《한국독립운 동사연구 제9집》, p. 365.

27) 《동아일보》 2004. 10. 4, "급조된 인공, 등 돌린 좌우".

28) 김남식(1984), p. 50.

Ⅰ–2 좌익혁명세력: 조공과 남로당

1) 김남식(1984), pp. 17~19; Scalapino, Robert A. & Lee, Chong-sik(1972), pp. 241~244; 박갑동은 이들이 16일 아침 11시에 재경혁명자대회를 장안빌딩에서 열었으며 참석자는 2백명에 달해 회의장소 를 덕성여자상업학교로 옮겨 진행했다고 설명하고 있다. 홍남표의 사회로 진행된 이날 회의는 회의장 에서 누군가가 "소련군이 서울역에 도착한다"고 외치는 통에 삽시간에 수라장이 되어 모두가 서울역으 로 향하는 바람에 20분 만에 유회되고, 정백 등이 이날 밤 다시 장안빌딩에서 모임을 갖고 조선공산당 을 조직했음을 선언했다고 한다. 박갑동(1983), pp. 85~86; 장안파공산당이 급조되던 같은 15일 밤, 서울 동대문 밖에서는 ML(마르크스-레닌)계의 최익한(崔益翰), 이우적(李友狄), 하필원(河弼源) 등이 모여 공산주의정당을 조직하기로 하고, 우선 조선공산당 서울시당부 간판을 사무실에 내걸었다. 이들 ML계 인사들은 장안파 공산당의 요직이 서울파와 화요계에 장악되었기 때문에 이들과는 별도로 서울 시당을 모체로 독자적인 공산당 설립을 꾀했다. 그러나 이들은 나중에 박헌영 계의 재건파 조선공산당 이 출현하자 이에 대항하자면 장안파와 제휴하는 것이 효과적일 것으로 판단, 장안파 공산당의 하부조 직으로 들어갔다. 같은 날 밤 서울 영등포에서도 ML계의 이정윤(李廷允)이 측근들을 모아 공산주의협 의회를 소집하고 공산당 조직 문제를 해결해야 한다고 주장했다. 이들은 정식으로 당을 결성하지 않고 사태를 관망하기로 했다. 김남식(1984), pp. 17~18.

2) ibid., p. 19.

3) 장안파 조선공산당 핵심인물들의 일제시기 성분은 다양했다. 일제시기에 해체된 조선공산당의 재건 운동을 해방되는 그날 까지 초지일관 집요하게 벌인 이정윤 같은 사람이 있는가 하면 오랜 기간 운동 일선을 떠난 사람도 있었다. 예컨대 고향인 함남 북청에서 놀면서 세월을 보낸 이영과 사상전향을 하 고 광산브로커 노릇을 하던 정백 같은 사람도 있었다. 인천상업 출신인 이승엽은 일제 때 조공에 가입 했다가 체포되어 2년간 복역한 다음 사상전향을 하고 8·15 때까지 투쟁대열에서 이탈, 인천에서 식량 배급조합의 이사로 있었다. 또한 일본 와세다(早稻田)대학 출신인 최익한은 ML당(제3차 조선공산당) 의 중앙위원을 역임했으나 일제의 탄압이 심해지자 운동일선에서 물러나 동대문 밖에서 주류소매업 을 하면서 국학 연구를 했다. 김남식(1984), pp. 17~18; 박갑동(1983), pp. 85~86.

4) 임경석(2004), p. 207; 김남식(1984), p. 20; 박갑동(1983), p. 86.

5) 임경석(2004), pp. 210~211; 김남식은 박헌영이 동지들을 처음으로 만난 장소를 서울 종로구 명륜동 에 있는 연희전문 영문학교수 김해균(金海均)의 집이라고 보고 있다. 김남식(1984), p. 20.

6) 임경석(2004), pp. 211~213; 중앙일보 특별취재반(1992), 《비록 조선민주주의인민공화국》, 중앙일보 사, pp. 67~71, pp. 328~330.

7) 김남식(1984), pp. 20~21; 박갑동은 회의장소를 서울 종로구 낙원동 안중(安仲)빌딩으로 기록하고 있 다. 박갑동(1983), p. 89.

8) 김남식(1984), pp. 19~33.

9) 조공 중앙당 간부명단은 다음과 같다. ○중앙위원 박헌영 김일성 이주하 박창빈(朴昌斌) 이승엽 강진

(姜進) 최용건(崔庸健) 홍남표 김삼룡 이현상 이주상 이순금 무정(武亭) 서중석 이인동(李仁同) 조복례(趙福禮) 권오직 박광희(朴光熙) 김점권(金點權) 허성택(許成澤) 김용범(金鎔範) 홍덕유 (洪悳裕) 주자복 문갑송(文甲松) 강문석(姜文錫) 최창익(崔昌益) 김근(金槿) 오기섭(吳琪燮) ○ 중앙검열위원 이관술 서완석(徐完錫) 김형선(金炯善) 최원택(崔元澤) ○총비서 박헌영 ○정치 국 박헌영 김일성 이주하 무정 강진 최창익 이승엽 권오직 ○조직국 박헌영 이현상 김삼룡 김 형선 ○서기국 이주하 허성택 김태준 이구훈 이순금 강문석. 임경석(2004), pp. 218~219; 김 남식(1984), p. 26.

10) 김남식(1984), 34~36.

11) 김창순(1999), 《김창순북한연구전집 Ⅷ, 한국공산주의운동사 (하)》, 북한연구소, p. 359~360.

12) 중앙선거관리위원회(1981a), 《대한민국정당사 제1집(1945년~1972년), 재판》, p. 136; 김창 순(1999), p. 360; 스칼라피노·이정식 공저(1986), 《한국공산주의운동사 2》, 돌베개, p. 324.

13) 이정 박헌영 전집 편집위원회 편(2004), 《이정 박헌영 전집 제2권》, 역사비평사, pp. 47~56.

14) *ibid.*, p. 287.

15) 이정 박헌영 전집 편집위원회 편(2004), 《이정 박헌영 전집 제5권》, 역사비평사. pp. 51~69.

16) Suh, Dae-Sook(1970), *Documents of Korean Communism, 1918-1948*, Princeton: Princeton University Press, pp. 243~256; 이창주 편(1996), 《조선공산당사: 비록》, 명지대 출판부, pp. 475~487.

17) *ibid.*

18) Scalapino, Robert A. & Lee, Chong-sik(1972), p. 248.

19) 이정 박헌영 전집 편집위원회 편(2004), 《이정 박헌영 전집 제4권》, 역사비평사, pp. 225~ 227.

20) 임경석(1992), "일제하 공산주의자들의 국가건설론", 《대동문화연구 27집》, pp. 221~223.

21) 이정 박헌영 전집 편집위원회 편(2004), 《이정 박헌영 전집 제5권》, 역사비평사. p. 51.

22) 박갑동(1983), pp. 108~109; 윤치영(1991), 《윤치영의 20세기》, 삼성출판사, p. 158.

23) 박갑동(1983), p. 109.

24) *ibid.*, pp. 111~112; 김철수 본인은 생전에 남긴 구술자료에서 박헌영이 "반동들이 모이는 곳에 안 오려고 했는데…" "그만 돌아갑시다" 운운한 대목과 이승만이 침실로 되돌아 갔다 는 대목을 술회하고 있으나 이승만을 '미제국주의 앞잡이' 운운했다는 대목은 없다. 한국정신 문화연구원 현대사연구소 편(1999), 《지운 김철수》, 한국정신문화연구원 현대사연구소, pp. 255~256.

25) 임경석(2004), pp. 253~254.

26) 임경석(2004), pp. 225~226.

27) 임경석(2004), pp. 238~268.

28) 임경석(2004), p. 285.

29) 이정식(2008), pp. 596~598.

30) 전현수(1997), "소련의 미소공위 대책과 한국임시정부 수립 구상", 김용섭교수정년기념한국 사학논총간행위원회, 《김용섭교수정년기념한국사학논총 3: 한국 근현대의 민족문제와 신국 가건설》, 지식산업사, pp. 575~576.

31) 김남식(1984), pp. 235~236.

32) 김남식(1984), p. 235.

33) 김남식(1984), p. 237; 박갑동(1983), pp. 146~147.

34) 김남식(1984), pp. 235~236.

35) 박갑동(1983), p. 148.

36) 심지연(2006), 《이강국 연구》, 백산서당, p. 197.

37) 김남식(1984), pp. 237~238.

38) 김남식(1975), pp. 283~289; 강만길(2003b), pp. 212~213; Cumings(2002), *The Origins of the Korean War*, Vol. I, Seoul: Yuksabipyungsa. pp. 351~379.

39) 중앙정보부(1973), 《북한대남공작사 제1권》, p. 237; 박갑동(1983), pp. 151~156.

40) *ibid.*

41) 조공 대회파 이외에 박일원 역시 "(남로당은 이 두 사태를) 자연발생적으로 일어난 '성스러운 인민항쟁'이라고 하나 이것은 자기의 죄과를 은폐하려는 기만에 지나지 않는다"고 통박했다. 박일원(1984), p. 35.

42) 전현수 강인구 편집/번역(2004), 《쉬띄꼬프일기 1946~1948》, 국사편찬위원회, p. 6.

43) 전현수 강인구 편집/번역(2004), p. 7.

44) 전현수 강인구 편집/번역(2004), p. 24.

45) 전현수 강인구 편집/번역(2004), pp. 33~34.

46) 전현수 강인구 편집/번역(2004), pp. 56~58.

47) 좌익정당 통합을 이룬 다른 동구 국가들은 폴란드(사회당과 노동당이 폴란드연합노동당으로), 헝가리(사회민주당과 공산당이 헝가리노동당으로), 불가리아(사회당과 공산당이 불가리아공산당으로), 루마니아(사회민주당과 공산당이 루마니아노동당으로), 체코슬로바키아(사회민주당과 공산당이 공산당으로), 알바니아(공산당이 알바니아노동당으로 개칭) 등 7개국이다. Lankov, Andrei(2002), *From Stalin to Kim Il Sung: The Formation of North Korea 1945-1960*, New Brunswick, New Jersey: Rutgers University Press. pp. 29˜30.

48) 임경석(2004), p. 348.

49) *ibid.*, pp. 354~355.

50) *ibid.*, p. 358; 김현우(2000), 《한국정당통합운동사》, 을유문화사, p. 173..

51) 김현우(2000), p. 182.

52) 임경석(2004), pp. 359~366.

53) 김남식(1984), pp. 252~257.

54) 중앙일보 특별취재팀(1992), 《비록 조선민주주의인민공화국》, 중앙일보사, pp. 258~259.

55) 김남식(1984), pp. 255~256.

56) 전현수 강인구 편집/번역(2004), p. 21.

57) 김남식(1984), pp. 263~264; 임경석(2004), p. 388;

58) 남로당의 강령 전문은 다음과 같다. 1. 우리 당은 조선 근로인민의 이익을 진정하게 대표하고 옹호하는 당으로서 조선근로인민에게 민주주의 개혁 실시를 보장할 수 있고 연합국 대열에 동등한 국가의 자격으로 참가할 수 있는 강력한 민주주의 자주독립 조선국의 건설을 과업으로 한다. 2. 이러한 과업을 실시하기 위하여 조선 근로인민의 모든 힘의 단결을 도모하는 바 그것은 조선에 민주주의 인민공화국을 건설하기 위함이며 이 건설의 보장을 목적으로 모든 권력을 참된 인민정권의 기관인 인민위원회에 넘겨주기 위하여 투쟁한다. 3. 조선에서 봉건잔재를 청산하기 위하여 일본인과 조선인 지주들에게 속한 토지를 반드시 몰수하여 토지 없는 농민과 토지 적은 농민들에게 무상으로 나누어 주는 토지개혁 실시를 주장한다. 4. 근로인민의 기본적 민주주의 권리를 보장하며 근로인민의 물질적 복리를 향상하기 위하여 8시간 노동제 실시와 노동자와 사무원의 사회보험과 성별 연령이 차이없이 남녀 노

동의 동등임금제를 위하여 투쟁한다. 5. 강력한 민주주의국가의 물질적 토대의 창설을 목적하고 일본 국가와 일본인과 조선민족 반역자에게 속한 산업 광산 철도 해운 통신 은행과 금융기관 상업기관 및 문화기관의 국유화를 주장한다. 6. 조선의 모든 국민에게 민주주의적 권리의 보장을 목적으로 언론 출판 집회 결사(특히 정당 사회단체)의 조직 시위 파업 및 신앙의 자유를 주장한다. 7. 전 조선인민에 게 동등한 정치권리를 보장할 것을 목적하고 친일분자와 민족반역자를 제외한 20세 이상이 모든 국 민에게 재산의 유무 거주기간 신교 성별 교육 정도의 차이가 없이 선거권과 피선거권을 향유케 하기 위하여 투쟁한다. 8. 여자에게 남자와 동등한 정치적 법률적 경제적 사회적 권리를 주며 가정생활 풍 속관계에서 봉건적 유습을 청산하여 어머니와 아동의 국가보호를 위하여 투쟁한다. 9. 교육기관에서 일본교육제도를 청산할 것과 전 조선인민에게 지식정도의 향상을 목적하고 인민교육개혁의 실시, 모 든 국민에게 재산유무 신앙 성별의 차이를 불문하고 교육 받을 권리의 보장, 의무적 일반무료의 초등 교육, 조선민족 문화, 예술, 과학의 발전을 위하여 투쟁한다. 10. 근로인민에게 무겁게 부담되어있는 일제적(日帝的) 세금제도의 청산을 목적하고 진보적 세금제 실시를 위하여 투쟁한다. 11. 조선인민공 화국의 자유로운 자주독립 존재의 보장을 목적하고 민족군대의 조직과 일반 의무병역제 실시를 주장 한다. 12. 연합국 대오에 서서 세계평화를 위한 투쟁에 적극 참가하기 위하여 모든 이웃 나라 등과 다 른 평화애호국 및 민족들과의 친선을 굳게 할 것을 주장한다. 중앙선거관리위원회(1981a), p. 138.

59) 김남식(1984), pp. 264~266; 임경석(2004), pp. 388~389.

60) 남로당 간부 명단은 다음과 같다. ○위원장 허헌(신민당) ○부위원장 박헌영(조공) 이기석(인민당) ○정치위원 박헌영 이주하(이상 조공) 이기석 김용암(金龍岩, 이상 인민당) 허헌 구재수(具在洙, 이 상 신민당) ○정치위원 후보 이승엽 김삼룡(이상 조공) ○중앙위원: 박헌영 이기석 이승엽 구재수 김 삼룡 김용암 강문석(姜文錫) 유영준 이현상 고찬보(高贊輔) 김오성(金午星) 송을수(宋乙洙) 윤경철(尹 敬喆) 이재우(李載雨) 김상혁(金相赫) 김영재(金永才) 김계림(金桂林) 김광수 정노식 성유경(成有慶) 정윤(鄭潤) 김진국(金振國) 현우현(玄又玄) 홍남표 박문규(朴文圭) 이주하(李舟河) 김태준(金台俊) 허 성택(許成澤) 허헌. ○중앙감찰위원: 최원택(崔元澤, 위원장) 김형선(金炯善, 부위원장) 이석구(李錫 玖, 부위원장) 윤일주(尹一柱) 홍덕유(洪惠裕) 오영(吳英) 이영욱(李永旭) 홍성우(洪誠友) 이정모(李正 模) 한영욱(韓永煜) 남경훈(南경훈) 외 2명. 김남식(1984), p. 265; 박갑동(2003), pp. 160~164.

61) 전현수 강인구 편집/번역(2004), p. 36.

62) 박갑동(2003), p. 174.

63) ibid., p. 174.

64) 전현수 강인구 편집/번역(2004), p. 55.

65) 박갑동(1983), p. 175.

66) 전현수 강인구 편집/번역(2004), p. 29.

67) 박갑동은 박헌영이 미군정의 체포령이 내리기 하루 전인 9월 5일 관속에 들어간 채 화물차를 타고 극비리에 서울을 탈출했다고 주장한다. 이것은 그에 대한 체포령이 곧 내리리라는 첩보가 조공 정보 망에 포착되었기 때문이며, 그 정보 소스는 미군정 수사기관의 고위층과 살림을 하고 있던 김수임(金 壽任)일 가능성이 크다고 주장했다. 박갑동(1983), pp. 167~168.

68) 중앙일보 특별취재팀(1992), pp. 255~256, p. 264.

69) 임경석(2004), pp. 382~387.

70) 임경석(2004), p. 390.

71) ibid., p. 389.

72) 박헌영이 연속적으로 발표한 논문 제목과 집필일자, 게재책자 이름 및 발행일자는 다음과 같다. ○ "10월인민항쟁," 1946.11. 집필, 《동학농민란과 그 교훈》(1947.연말 발행)에 게재, ○"3·1운동의 의의

와 그 교훈," 1947.2. 집필,《동학농민란과 그 교훈》(1947.연말 발행)에 게재 ○"동학농민란과 그 교훈," 1947.4. 집필, 《동학농민란과 그 교훈》(1947.연말 발행)에 게재 ○"창간에 즈음하여 자기 사명에 충실할 터," 1947.6. 집필, 남로당 기관지 《노력인민》(창간호, 1947.6)에 게재; 임경석(2004), pp. 386~389, p. 395, p. 397, p. 401.

73) 임경석(2004), pp. 368~369.

74) 임경석(2004), p. 386.

75) 전현수 강인구 편집/번역(2004), p. 22.

76) 임경석(2004), pp. 368~369.

77) 박갑동(1983), pp. 178~181.

78) ibid., p. 181; 서울대학교 60년사 편찬위원회(2006),《서울대학교 60년사》, pp. 19~22.

79) 김남식(1984), pp. 276~277.

80) 박갑동(1983), pp. 182~183.

81) 김남식(1984), pp. 280~281.

82) ibid.

83) 중앙정보부(1973), ,p. 238; 김남식(1984), pp. 290~291.

84) 중앙정보부(1973), p. 238; 김남식(1984), pp. 292~294.

85) 중앙정보부(1973), pp. 238~239; 김남식(1984), pp. 295~296.

86) ibid., pp. 296~297.

87) 체포된 민전 간부들은 다음과 같다. ○남로당 부위원장 이기석, 감찰위원 최원택 김태준 김상혁 강문석 등, ○여성동맹 위원장 유영준, 부위원장 정칠성 등, ○전평 문은종 외 118명, ○전농 부위원장 이구훈 김기용 현동욱 등 10여명(위원장 백용희는 이미 구속), ○근민당 위원장 백남운 및 이영성 등 12명, ○협동조합 위원장 박경수, ○기타 인민공화당 청우당 민전 문련 등의 간부 수백 명. 김남식(1984), pp. 296~297; 박갑동(1983), p. 185.

88) ibid., p. 407.

89) 2월 7일부터 20일까지의 집계에 의하면 전국적으로 파업 30건, 맹휴 25건, 충돌사건 55건, 시위 103건, 봉화 204건이 발생하고 이로 인해 검거된 인원은 8,479명에 달했다. 김남식(1984), pp. 304~305.

90) ibid., pp. 306~308.

91) 중앙정보부(1973),《북한대남공작사 제1권》, pp. 312~326.

92) 국방부전사편찬위원회(1986),《한국전쟁 요약》, 국방부, pp. 87~89; 김남식(1984), pp. 367~378.

93) 제주4·3사건진상보고서작성기획단(2003), "제주4·3사건진상보고서", http://action.or.kr.

94) 제21차 제주4·3위원회 보도자료, 2017.2.19.

95) 김남식(1984), p. 410.

96) ibid., p. 412.

97) ibid., pp. 413~414.

98) 1948년 11월 말 주한미군사령부가 집계한 좌익계열의 파괴활동 건수는 다음과 같은데, 나중에 밝혀진 제주4·3사태를 감안하면 그 수자는 훨씬 더 많을 것으로 보인다. HQ XXIV Corps G-2(1948), Weekly Summary(Nov. 19~26, 1948). No. 167. Part I-South Korea.

	1월	2월	3월	4월	5월	6월	7월	8월	9월	10월	11월	합계
도 시 습 격	--	--	--	5	73	9	1	--		4	4	96
경찰서 습격	--	130	118	50	86	12	11	11	4	9	12	443
경찰관 사망	--	33	20	15	34	1	1	5	1	15	11	147
우 익 사 망	1	14	14	81	144	51	10	1	7	12	4	339
좌 익 사 망	1	74	75	70	155	83	33	22	1	151	3	833
시 위	6	118	69	126	196	81	24	12	7	11	159	657
청 사 습 격	--	9	14	2	9	3	--	--	--		7	37
파 업	--	14	6	3	16	1	--	--	--			40
동 맹 휴 학	--	7	5	4	9		--	--	--			25

I -③ 좌익온건세력: 인민당과 사로당-근민당

1) 사회민주당은 1945년 9월 5일 서울 중구 정동교회에서 결성되었다. 해방 당일인 8월 15일 밤 서울 종로 장안빌딩에서 마르크스주의자들이 장안파공산당을 결성한지 약 20일 뒤의 일이다. 위원장에 박용희(朴容羲) 목사가 선출되었으며 기독교계 인사가 주축을 이루었다. 부서책임자는 총무부 강준표(姜俊杓), 재무부 박용래(朴容來), 선전부 최동(崔棟), 기획부 민대호(閔大鎬), 지방부 유기태(劉起兌), 청년부 유윤배(柳允培) 변택주(邊宅周)이다. 사회민주당의 강령은 '국민의 기회균등'과 '국민생활의 향상,' 그리고 '산업의 다각적 급속발전'을 강조함으로써 온건한 사회민주주의적인 노선을 천명했다. 이기하(1961), 《한국정당발달사》, 의회정치사, pp. 67~68; 그러나 사회민주당은 출범 불과 19일 만인 9월 24일 조선국민당, 자유당, 공화당, 협찬동지회, 근우동맹(槿友同盟) 등과 통합, 국민당(위원장 안재홍)을 결성함으로써 단명으로 끝났다. 국민당은 그 후 김구가 이끄는 한국독립당(약칭 한독당)에 흡수되었는데 사회민주당 위원장인 박용희는 국민당의 부위원장이 되었다가 한독당 합류 후에는 김구를 지지하는 유력한 기독교세력이 되었다. 일제 때 기독교계의 지도자로 독립운동가였던 박용희는 중간파로서 1947년 6월 미소공위 참가문제로 한독당에 내분이 생기자 중간파 정당인 신한국민당(위원장 박용희)을 결성하고 그 해 10월 20일에는 민주독립당(위원장 홍명희)에 합류했다. 김현우(2000), pp. 91~94, pp. 225~230.

2) 1945년 8월 18일 원세훈(元世勳, 1887~1959)이 발기한 고려민주당은 광복 후 최초로 사회민주주의를 강령에 표방한 정당이다. 그해 9월 12일 창당한 고려민주당은 강령에서 '진정한 사회민주주의정권'을 수립할 것을 천명하는 등 사회민주주의를 공식적으로 표방했다. 이 때문에 고려민주당을 '고려사회민주당'으로 부르는 사람들도 있다. 이기하(1961), pp. 57~58; 중앙선거관리위원회(1965), 《정당의 기구 기능과 정강 정책 당헌 등》, p. 101; 고려민주당의 강령과 정책은 당시로서는 대단히 시대에 앞서는 것이다. 이는 원세훈의 온건 좌파적 노선에서 비롯되었다. 한일합방 전야에 일본경찰에 3개월간 예비검속된 다음 비밀결사인 '독립단'에 참여했다가 다시 5개월간 옥고를 치른 그는 1911년 소련 연해주로 망명, 그곳에서 전로한인회 중앙총회위원으로 활약하면서 독립운동을 계속했다. 원세훈은 3·1운동 직후 전로한인회가 '대한국민의회'라는 임시정부로 개편된 다음 그 전권대표로 중국 상해임정과의 통합을 논의하기 위해 상해에 파견되었다. 그는 그 후 상해임정의 독립운동 노선을 둘러싸고 갈등이 생겼을 때는 박은식 김규식 등과 함께 임정을 해체하고 새로운 조직을 만들자는 이른바 창조파에 속했다. 원세훈은 1927년 2월 중국관헌에 체포되어 일본영사관에 넘겨져 국내로 압송된 다음 징역 2년을 선고받고 복역했다. 원세훈은 만기출옥 한 후에는 국내에서 문필활동으로 일제에 항거하다가 해방을 맞았다. 김재명(2003), 《한국현대사의 비극-중간파의 이상과 좌절》, 도서출판 선인, pp. 97~134; 고려민

주당은 위원장 원세훈이 당 발족 불과 10일 후인 8월 28일 김병로(金炳魯) 이인(李仁) 백관수(白寬洙) 조병옥(趙炳玉) 등 우익지도자들과 함께 조선민족당을 발족, 당수에 추대됨으로써 정당으로서 제대로 활동도 시작하지 못한 채 해체되었다. 조선민족당은 9월 16일 백남훈(白南薰) 김도연(金度演) 허정(許政) 장덕수(張德秀) 유억겸(俞億謙) 윤치영(尹致暎) 등이 발기한 한국국민당과 합당, 보수우파의 한국민주당(약칭 한민당)을 출범시켰다. 원세훈은 한민당의 최고위원격인 총무단의 일원으로서 수석총무 송진우 아래서 백관수 서상일 김도연 허정 백남훈 등 7명과 함께 활동했다. 김현우(2000), pp. 94~98; 한민딩내 진보파인 원세훈은 김규식과 함께 좌우합작운동에 적극 참여했다. 그는 1946년 10월 좌우합작위원회에서 당론과 배치되는 농지의 조건부 보상과 무상분배를 골자로 하는 타협적인 7개 원칙에 합의했다가 당내 우파의 반대에 부딪쳐 승인을 못 받게 되자 한민당을 탈당했다. 그를 지지하는 박명환(朴明煥), 송남헌(宋南憲) 등 고려민주당계 간부 15명도 연이어 탈당하고 이들에 이어 김약수(金若水), 이순택(李順澤), 김병로 등 한민당 중진을 포함한 270명도 당을 떠나는 파동이 일어났다. 원세훈은 그 후 민중동맹에 참여한 다음 조선농민당을 창당하고 김규식과 함께 민족자주연맹(약칭 민련)을 결성하고 평양의 남북정당단체연석회의에도 참석했다. 원세훈은 1950년 5월 제2대 국회의원 총선거 때 민련 후보로 출마, 당선되었으나 불과 1개월도 안되어 6·25가 일어나 인민군에 납치되었다. 김재명(2003), pp. 129~130.

3) Cumings(1981), p. 195.

4) 인민당의 중앙당 요직은 다음과 같다. ○위원장 여운형, 부위원장 장건상(張建相), ○서기장 이만규, ○사무국장 이임수(李林洙), 정치국장 이여성(李如星), 조직국장 조한용(趙漢用) 선전국장 장건상, 기획국장 송을수(宋乙洙). 중앙선거관리위원회(1981a), pp.140~141.

5) 이기형(2005), pp. 434~436.

6) 중앙선거관리위원회(1981a), pp. 140~141.

7) 김남식(1984), pp. 175~177.

8) ibid.

9) ibid.

10) 정태영(1995),《한국 사회민주주의정당사》, 세명서관, pp. 126~130, pp. 137~146.

11) ibid.

12)《서울신문》1946. 1. 8; 1946. 1. 9; 1946. 1. 10.

13)《서울신문》1946. 1. 18; 김현우(2000),《한국정당통합운동사》, 을유문화사. pp. 135~136.

14) 김남식(1984), pp. 191~206; 정태영(1995), p. 191;《조선일보》1946. 2. 16.

15) 민전의 중요간부는 다음과 같다. ○의장 여운형 허헌 박헌영 김원봉, ○부의장 한빈(韓斌) 홍남표(洪南杓) 백용희(白庸熙) 유영준(劉英俊) 백남운(白南雲) 이여성(李如星) 장건상(張建相) 성주식(成周寔) 김성숙(金星淑) ○중앙상임위원 (의장 부의장 포함) 이주하(李舟河) 이승엽(李承燁) 이영(李英) 이정윤(李廷允) 강진(姜進) 이강국(李康國) 장시우(張時宇) 김오성(金午星) 김세용(金世鎔) 허성택(許成澤) 정칠성(丁七星) 이호제(李昊濟) 이태준(李泰俊) 최익한(崔益翰) 이기석(李基錫) 한철(韓哲) 유림(柳林) 도상록(都相祿) 이병남(李炳南) 송기성(宋基成) 박문규(朴文圭) 정노식(鄭魯湜) 김상덕(金尙德) 임화(林和) 김철수(金綴洙) 홍덕유(洪悳裕) 이승기(李升基) 강기덕(康基德) 정운영(鄭雲永) 조한용(趙漢用) 김기림(金起林) 김태준(金台俊) 박치우(朴致祐) ○사무국장 이강국. 중앙선거관리위원회(1981a), p. 137.

16)《서울신문》1946. 2. 17;《시울신문》1946. 2. 18; 김남식(1975), p. 236~241.

17) 심지연(1991), pp. 95~96.

18) ibid., p. 97.

19) 김남식(1984), p. 247.

20) 양파의 명단은 다음과 같다. ○47인파 이기석 김오성 김용암 윤경철 이천진(李天鎭) 성유경 정윤(鄭潤) 이석구 김세용 도유호 김진국(金振國) 송을수 현우현 오처윤(吳處允) 한일(韓鎰) 염정권(廉廷權) 등. ○31인파 여운형 이만규 조한용 이여성 이임수 이정구 이영선 이상백 장건상 황진남 김양하 김일출(金一出) 강명종(姜明鍾) 손길상(孫桔湘) 홍순엽(洪淳燁). 김남식(1984), pp. 252~254.

21) ibid., p. 250.

22) ibid., p. 258.

23) 김남식(1984), pp. 256~257.

24) 김남식(1984), p. 257.

25) 김남식은 박헌영이 9월 총파업을 지시한 것은 대회파인 강진 등의 대회소집 요구를 저지하기 위한 계략 때문이라고 분석했다. 그에 의하면 박헌영이 3당통합을 원만하게 추진하려 했다면 9월 총파업과 같은 투쟁은 설사 미리 계획되었다 하더라도 중지시키는 것이 당연한데도 거꾸로 무모한 총파업 투쟁을 벌였다는 것이다. 총파업으로 인해 조공 간부들이 지하로 들어가면 당대회 소집은 불가능하며 인민당과 신민당에 조공의 실력을 과시할 수 있기 때문에 박헌영은 이런 계략을 택했다는 것이 김남식의 주장이다. 김남식(1984), pp. 258~259.

26) ibid., p. 259.

27) 전현수 강인구 편집/번역(2004), p. 33, p. 51.

28) 김남식(1984), p. 259..

29) 전현수 강인구 편집/번역(2004), p. xxxv.

30) 전현수 강인구 편집/번역(2004), p. 33.

31) 전현수 강인구 편집/번역(2004), p. 36.

32) 전현수 강인구 편집/번역(2004), pp. 33~36; 김현우(2000), p. 201.

33) 강령 요지는 다음과 같다. ① '조선민주공화국'의 건설 ② 정권형태로 인민위원회 구성 ③ 20세 이상 선거권 부여 ④ 언론 출판 신앙의 자유 ⑤ 반민주주의단체 해체 ⑥ 일제 악법 철폐 ⑦ 누진세제 실시 ⑧ 무상몰수 무상분배의 토지개혁 ⑨ 중요산업의 국유화 ⑩ 무역의 국영 ⑪ 민족산업의 부흥과 근로자의 생활향상 ⑫ 8시간 노동제 실시 ⑬ 적산(敵産, 일본소유) 주택 국유화 ⑭ 남녀평등권 법률 실시 ⑮ 민족문화 발전 ⑯ 의무교육 실시 ⑰ 보건 후생의 국가관리 ⑱ 국방군 조직과 의용병제 실시 ⑲ 평화애호 국가와의 단결 강화 등이 핵심이다. 《조선일보》1946. 10. 17;《조선일보》1946. 10. 18.

34) 전현수 강인구 편집/번역(2004), p. 21.

35) ibid., p. 261.

36) ibid.

37) ibid., p. 262.

38) 다른 간부들은 다음과 같다. ○상무위원 여운형 백남훈 강진(姜進) 윤일 김대희(金大熙) 강병도(姜炳度) 고철우(高哲宇) 정백(鄭栢) 허윤구(許允九) 한조명(韓造明) 이우적(李友狄) 조한용(趙漢用) 유병진(劉秉璡) 김근(金槿) 신표성(愼杓晟) 권주근(權週根) 함봉석(咸鳳石) 정희영(鄭禧永) 신동일(申東一) 이상백(李相佰) 이정구(李貞求) 신용우(申用雨) 김명진(金明鎭) 구소현(具小鉉) 이영선(李永善) 박봉연(朴鳳然) 주진경(朱鎭京) 이은우(李殷雨) 이여성 신기언(申基彦) 서중석. ○감찰위원 장건상 최익환(崔益煥) 강응진(姜應震) 오석균(吳錫均) 조동호(趙東祜) 이문홍(李文弘) 이만규 이장하(李章夏) 김진우(金振宇). 정태영(1995), p. 256;《조선일보》1946. 11. 19.

39) 김현우(2000), pp. 206~207.

40) 이기형(2005), pp. 462~463; 박갑동(1983), p. 172.

41) 김현우(2000), p. 207~208.

42) 전현수 강인구 편집/번역(2004), p. 61.

43) 김현우(2000), p. 207~208.

44) 《조선일보》1946. 12. 12.

45) 사로당 탈당파 11명의 명단은 다음과 같다. 김양하(金良瑕) 이상백(李相佰) 김진우(金振宇) 이제황(李濟晃) 김일출(金一出) 이영선(李永善) 신기언(申基彦) 김진기(金鎭琪) 성기원(成基元) 황진남(黃鎭南) 강창제(姜昌濟). 정태영(1995), p. 265; 《서울신문》1946. 12. 13; 《농아일보》1946. 12. 13.

46) 개편된 새 진용은 다음과 같다. ○총무부장 대리 최백근(崔百根) ○선전부장 최성환(崔星煥) ○노동부장 박봉연(朴鳳然) ○부인부장대리 설정순(薛貞順) ○농민부장 공석 ○기관지부 책임자 허윤구(許允九) ○기획부장 공석. 심지연(1991), p. 148; 정태영(1995), p. 265; 《서울신문》1946. 12. 15; 《경향신문》1946. 12. 15.

47) 심지연(1991), p. 149.

48) 심지연(1991), p. 150.

49) 김현우(2000), p. 202.

50) *ibid.*

51) 심지연(1991), p. 151.

52) 김현우(2000), p. 203.

53) 김남식(1984), p. 271.

54) 김현우(2000), pp. 208~210.

55) 정태영(1995), pp. 283~285.

56) *ibid.*

57) 김현우(2000), pp. 208~210; 정태영(1995), pp. 286~287.

58) 중앙선거관리위원회(1965), 《정당의 기구 기능과 정강 정책 당헌 등》. p. 118.

59) 정강의 전문은 다음과 같다. (1) 정치적으로 민주주의연합국의 공동협조를 보장하여 통일민주 독립정부를 수립하고 일제의 장기 해독을 철저히 숙청하며 모스크바삼상결정을 충실히 실행할 것을 근본방책으로 한다. (2) 경제적으로 외국의 경제적 지배 하에 두지 않기 위하여 토지제도의 개혁과 주요산업의 국유화를 단행하여 계획적이고 능률적인 공업건설을 도모해야 한다. (3) 교육 문화 방면에 있어서는 민족문화의 좋은 전통을 계발 동시에 선진민주국가의 문화를 섭취 소화하기에 노력해 할 것이다. (4) 노동문제와 사회문제에 있어서는 국가행정과 근로인민의 단결 및 자주성의 앙양으로 전 인민의 생활조건이 개선되고 노동자의 노동조건이 보장되어야 한다. (5) 외국국방상으로는 사대주의외교를 배격하고 자주적 대외정책을 확립하여 미소 양국으로 하여금 조선독립원조의 공약을 완전히 실천케 하며 국방군의 조직과 일반 의무병제를 시하여야 한다. (6) 조직적 임무로서 인민의 민주통일전선의 결성은 당면의 긴급과제이나 각종 단체는 그 독자적 임무수행을 위한 유기적 결합을 가능케 할 것이며 대중단체를 당의 전속물시하는 편견을 배격한다. 정태영(1995), p. 287.

60) 김현우(2000), pp. 210~211.

61) 이밖에 중앙위원과 중앙상임위원, 그리고 감찰위원 명단은 다음과 같다. ○중앙위원 여운형 백남운 장건상 이영 이만규 이여성 김성숙 이상백 정백 최익한 문갑송 서병인 조동호 조한용 유재련(劉泰璉) 한일대(韓一大) 김문송(金文松) 이은우(李殷雨) 신막(愼幕) 이영선(李永善) 최성환(崔星煥) 성대경(成大慶) 최영래(崔永來) 이정구(李貞求) 구소현(具小鉉) 최희선(崔熙善) 윤동명(尹東明) 허윤구(許允九) 최한검(崔漢儉) 손길상(孫桔相) 김영근(金永根) 박동철(朴東喆) 장철(張鐵) 강호경(康鎬景) 백기만(白基萬) 김ㅁ식(金 ㅁ植) 이동선(李東善) 김기현(金基鉉) 김ㅁ언(金 ㅁ彦) 유병묵(劉秉默) 윤승현(尹昇玄) 정해룡(丁海龍) 고명자(高明子) 김기양(金箕陽) 조음봉(趙音鳳) 박태련(朴泰鍊) 김재홍(金在弘) 이정주

(李廷柱) 권덕수(權德洙) 이영준(李英俊) 황헌(黃憲) 함익구(咸益銶) 강용(姜鎔) 정태희(鄭泰熙) 신언식(申彦植) 김상기(金相基) 김우갑(金又甲) 외 4명, ○중앙상임위원 여운형 장건장 백남운 이영 이여성 이상백 문갑속 이만규 정백 이운우 외 21명, ○감찰위원 장두환(張斗煥, 위원장) 강응진(부위원장) 이림수(부위원장) 김진우(위원) 외 14명, 고철우(高哲宇, 위원보) 외 위원보 9명. 김남식(1984), p. 271; 정태영(1995), pp. 285~286.

62) 김현우(2000), pp. 208~210.

63) 유영구(1993), 《남북을 오고간 사람들》, 글, pp. 28~29.

64) 정태영(1995), p. 317.

I-4 박헌영과 여운형

1) 이강국의 죄목 가운데 하나는 그가 미국 정보기관의 고용간첩이었다는 것인데, 이 점은 그동안 국내에서는 일반적으로 신빙성이 희박한 것으로 인식되어왔다. 그러나 2008년 8월 17일자 미국의 AP통신은 여자간첩 김수임사건이 조작되었다는 내용의 미육군 정보국 비밀자료에서 이강국이 사실상 미국의 첩자로 나타났다고 보도했다. 이 보도에 의하면 "최근 비밀이 해제되어 미국립문서보관소에서 입수된 이 비밀문서는 이강국이 CIA(중앙정보국)의 비밀조직인 JACK(Joint Activities Commission Korea, 재한 국합동활동위원회)에 고용된 것으로 기술되어있다"는 것이다. 《조선일보》, 2008. 8. 18.

2) 박갑동(1983), p. 278.

3) 임경석(2004), pp. 466~468; 박갑동(1983), p. 278.

4) 임경석(2004), pp. 468~476.

5) 와다 하루키(和田春樹)에 의하면, 박헌영은 한국전쟁 당시인 1952년 9월 김일성과 함께 모스크바를 방문, 스탈린과 휴전문제를 협의하는 석상에서 조기휴전을 바라는 소련독재자의 의중에 반해 '해방전쟁'의 계속을 주장하다가 스탈린의 불신을 받은 것이 몰락의 원인일 가능성이 있다고 한다. 스탈린은 한국전쟁의 실패도 박헌영의 배반 때문이 아닌가 의심하고 이를 김일성에게 전달했을 가능성이 있다는 것이다. 스탈린은 혁명운동을 하던 공산주의자가 일단 투옥되면 전향할 가능성이 있다고 의심하는 것이 습성이었다. 박헌영처럼 스탈린의 불신을 사서 스파이혐의를 받고 숙청된 세계의 공산지도자로는 체코슬로바키아의 슬란스키(Rudolf Slansky) 공산당서기장과 일본 공산당의 이토 리츠(伊藤律)가 있다는 것이다. 와다 하루끼 지음/서동만 옮김(2003), 《한국전쟁》, 창작과비평사, pp. 275~277.

6) 임경석(2004), pp. 476~477.

7) 임경석(2004), pp. 41~65.

8) ibid., pp. 66~95.

9) ibid., pp. 95~169.

10) ibid., pp. 169~187.

11) ibid., pp. 188~204.

12) 자세한 내용은 남시욱(2005), pp. 207~208을 참조할 것.

13) 박헌영(1926), "공산주의-김재봉 외 19인 신문조서", 《이정 박헌영전서, 제1권 일제시기 저작편》, pp. 100~101.

14) 김남식 심지연 편저(1986), 《박헌영 노선비판》, 세계, p. 17.

15) 이 책은 김오성이 1946년에 낸 《지도자론》(조선인민보사)을 보완해서 쓴 것이다.

16) 김오성(1946), 《지도자군상》, 대성출판사, pp. 1~27.

17) 박갑동(1983), pp. 124~125.

18) 중앙일보 특별취재팀(1995), pp. 105~118.

19) 김창순(1999), 《김창순북한연구전집 Ⅷ, 한국공산주의운동사(하)》, 북한연구소, pp. 383~386.

20) 임경석(2004), pp. 258~259.

21) 임경석(2004), pp. 259~262; 중앙일보특별취재반(1992), p. 286.

22) 북한정권의 자세한 수립과정은 남시욱(2005), pp. 270~274를 참조할 것.

23) *ibid*., pp. 421~423.

24) 김현우(2000), p. 253~256.

25) 이종석(2003), 《조선로동당연구》, 역사비평사, pp. 204~213.

26) 임경석(2004), p. 437.

27) 박헌영의 투쟁노선을 북측 관점에서 비판한 대표적인 인물은 김남식이며 그의 영향을 받은 상당수의 소장 연구자들이 같은 입장에 있다. 김남식·심지연 편저(1986), 《박헌영 노선비판》, 세계; 박헌영의 간첩행위설은 일부 좌파세력과 친북단체 인터넷사이트에서 자주 제기되었다.

28) 이정식(2008), p. 7.

29) 여연구 지음/신준영 편집(2002), 《나의 아버지 여운형》, 김영사, pp. 16~22, p. 332.

30) *ibid*, pp.172~182

31) 이기형(2005), pp. 113~154.

32) 이만규(1946), 《여운형 선생 투쟁사》, 민주문화사, pp. 148~157.

33) 이정식(2008), pp. 451~462.

34) 이기형(2005), pp. 307~309.

35) 이기형(2005), pp. 327~330.

36) 심지연(1991), 《인민당연구》, 경남대학교극동문제연구소, pp. 62~63.

37) 심지연(1991), pp. 58~59.

38) *ibid*. pp. 62~65.

39) 《동아일보》 1946. 10. 8.

40) 이기형(2005), p. 480.

41) 이정식은 이들이 좌우합작위에 참여하고 있던 김규식이나 원세훈일 것이라고 추측했다. 이정식(2008), p. 629.

42) Johnson, Edgar A. J.(1971), *American Imperialism in the Image of Peer Gynt: Memoirs of a Professor-Bureaucrat*. Minneapolis, University of Minneapolis Press, p. 168.

43) 이기형(2005), pp. 481~485.

44) 이정식(2008), p. 635.

45) 김두한(1963), 《피로 물들인 건국전야-김두한회고기》, 연우출판사, pp. 135~136.

46) 이기형(2005), pp. 491~496; 여연구 지음/신준영 편집(2002), p. 246~248.

Ⅰ-5 제3세력

1) 이기하(1961), p. 136.

2) 한상도(2006), pp. 48~98.

3) 조동걸(2001), 《한국근현대사의 이상과 형상》, 푸른역사, p. 428.

4) 이기하(1961), p. 136.

5) 이원규(2005), 《약산 김원봉》, 실천문학사, p. 613.

6) 이기하(1961), pp. 96~97.

7) 사민당의 간부진은 다음과 같다. ○총무회 대표 여운홍, ○임원 최진(崔鎭) 허규(許珪), 기획실 정경모(鄭慶謨) 송규항(宋圭桓) 차윤홍(車潤弘) 권서윤(權瑞閏), ○부서책임자(국장) 당무국 신화수, 정치국 허규, 선전국 여운홍, 조사국 박영화, 훈교(訓敎)국 장권. 이기하(1961), pp. 136~137.

8) 이기하(1961), pp. 136~137.

9) ibid., pp. 98~100.

10) http://www.danjuyurim.org/danju01_9.htm

11) ibid., pp. 272~273.

12) 창당 당시의 간부진은 다음과 같다. ○위원장 유림, ○부위원장 결원(나중에 박열이 선출됨), ○사무국 부장 상무 유우석, 기획 한하연, 조직 차고동, 선전 양일동, 문교 이진언, 경리 박영희, 정치부차장 김태민, 정보부차장 유인철, 농민 이종하, 청년 우한용, 부인 김말봉. 노농 김영춘, 후생 김남해, 상공 유진걸. http://www.danjuyurim.org/danju01_9.htm.

13) 중앙선거관리위원회(1965), p. 110; http://www.danjuyurim.org/danju01_9.htm

14) 김재명(2003), pp. 300~301.

15) 김재명(2003), pp. 304~305.

16) http://www.danjuyurim.org/danju01_9.htm

17) 강경주(2004), 《벽초 홍명희 평전》, 사계절, pp. 234~249.

18) 김현우(2000), p. 228.

19) 간부 명단은 다음과 같다. ○의장단 홍명희 박용희 김호 이극로 김용원(金容元), ○서기 강준표 외 2인, ○중앙집행위 위원 홍명희 박용희 김호 이극로 김용원 홍기문(洪起文) 조헌식(趙憲植) 권정식(權廷植) 이순탁(李順鐸) 정이형(鄭伊衡) 이의식(李義植) 장자일(張子一) 김창목(金昌睦) 김상규(金商圭) 유석현(劉錫鉉) 황흥주(黃興周) 유기열(柳驥烈) 김기환(金琦煥) 이갑섭(李甲燮) 송남헌(宋南憲) 김무삼(金武森) 엄우룡(嚴雨龍) 구철(具喆) 등 170인, ○중앙감찰위 위원 유재성(劉在晟) 정원화(鄭元和) 한흥(韓興) 문무술(文武術) 이두열(李斗烈) 김문(金文) 등 30인, ○당대표 홍명희, ○부서책임자 총무책임위원 유석현, 재무책임위원 윤원상(尹元上), 조직 권정식, 선전 엄우룡, 비서 김종화, 훈련 이경석, 정치 조헌식, 문화 이갑섭, 조사 홍상희(洪祥熹), 후생 신진우(申鎭雨), 노동 박의양(朴儀暘), 농민 김상규. 박기출(2004), 《한국정치사》, 이화, p. 122; 정태영(1995), p. 319.

20) 강영주(2004), pp. 257~258.

21) ibid., pp. 279~292.

22) 《조선일보》 1947. 2. 2.

23) 《조선일보》 1947. 2. 22.

24) 독전 간부들은 다음과 같다. ○위원장 이극로, ○부위원장 이동산(李東山) 백남규(白南奎) 조봉암, ○상무위원 이극로 김찬(金燦) 이동산 이지탁(李智鐸) 이광진(李光鎭) 배성룡 박희철(朴熙哲) 박일래(朴一來) 박금(朴錦) 이경석(李景錫) 김성숙(金成璹) 김재절(金在節) 이인세(李仁世) 박문희(朴文熹) 우문(禹文) 임유동(林有棟) 임원근(林原根) 여도현(呂道鉉) 정이형(鄭伊衡) 백남규(白南奎) 원우관(元友觀) 조봉암(曺奉岩) 이기원(李基元) 문용채(文容彩) 유성복(劉聖福) 김희정(金熙廷) 정열모(鄭烈模) 황의돈(黃義敦) 유진식(俞鎭式) 김의연(金義演) 최성룡(崔性龍) 김성구(金性九) 이우세(李佑世) 이순탁(李順鐸) 신귀만(申貴萬) 정영자(鄭英子) 심성택(沈性澤) 이영선(李英善) 이균(李均) 박준(朴竣) 김신삼(金信三) 황성철(黃性喆) 양절로(梁鐵鑪) 외 2인, ○정치위원회 조봉암 등 11인, ○책임부서장 총무부 김찬, 비서부 이지용, 조직부 김성도, 선전부 조봉암, 재정부 문용채, 조사부 여도현, 지방부 박일래, 문화부 박준, 노동부 이광진, 농민부 박문희(朴文喜), 청년부 박희철, 학생부 윤시형(尹始

衡), 부녀부 김신삼, 외교부 우문, 후생부 최성장(崔性章), 체육부 이경석, 사회부 임유동, 산업부 임원근. 문한동(1994), 《죽산 조봉암》, 일원, p. 68; 《조선일보》 1947. 3. 8; 《동아일보》 1947. 3. 9.

25) 《조선일보》 1947. 3. 19.

26) 《조선일보》 1947. 3. 26; 문한동(1994), p. 70.

27) 문한동(1994), p. 69; 《조선일보》 1947. 4. 1.

28) 문한동(1994), p. 69.

29) 이기하(1961), p. 134.

30) ibid.

31) 《조선일보》 1947. 2. 19.

32) 정태영(1995), p. 294; 《동아일보》 1947. 5. 30.

33) 정태영(1995), pp. 294~295, pp. 300~301.

34) 이기하(1961), pp. 134~135.

35) 정태영(1995), p. 298; 《경향신문》 1947. 6. 21.

36) 정태영(1995), p. 299; 《서울신문》 1947. 7. 6.

37) 정태영(1995), p. 300.

38) 이기하(1961), pp. 134~135.

39) ibid., p. 135.

40) 민련 간부는 다음과 같다. ○위원장 김규식, ○중앙상집위 김붕준 최동오 여운홍 송남헌 최석창(崔石昌) 강순(姜舜) 이중근(李重根) 유석현 성대경(成大慶) 장권 배성룡 박은성 권태석 신기언(申基彦) 김약수(金若水), ○정치위원장 홍명희, ○정치위원 안재홍 김붕준 김호(金乎) 원세훈 등 22명, ○위원장 재무 최석창, 외교 황진남(黃鎭南), ○국장 총무 여운홍, 조직 최동오, 선전 김붕준, 비서처장 송남헌. 정태영(1995), p. 317.

41) 우사연구회 편/심지연 저(2000), 《송남헌회고록─김규식과 함께 한 길》, 한울, p. 94.

42) 김기승(1999), p. 166.

43) 우사연구회 엮음/ 서중석 지음(2000), 《우사 김규식 생애와 사상 2. 남북협상─김규식의 길, 김구의 길》, 한울, p. 105.

Ⅱ-① 이승만 정부와 남로당의 대결

1) 중앙선거관리위원회(1968), 《대한민국정당사(1968년 증보판)》, p. 902.

2) 김남식(1984), pp. 355~358.

3) 김현우(2000), pp. 254~256.

4) 이종석(2003), p. 209.

5) 당시 신문은 이들을 '남로당 두 거두'라고 불렀다. 《조선일보》, 1950. 4. 1.

6) 김남식(1975), pp. 335~336.

7) 국방부전사편찬위원회(1977), 《한국전쟁사 제1권(개정판)》, 국방부, p. 158.

8) 국방부전사편찬위원회(1986), 《한국전쟁 요약》, 국방부, p. 89; 김남식(1984), pp. 379~384.

9) 그밖에 반란군 사살은 392명, 반란군 체포는 2,116명, 그리고 진압부대 사망자는 61명, 부상자는 119명이며 가옥소실은 1천 538동, 이재민은 9천8백 명에 달했다. 국방부전사편찬위원회(1986), p. 89; 김남식(1984), pp. 385~386.

10) 황남준(1989), "전남지방정치와 여순사건", 박현채 외, 《해방전후사의 인식 3》, 한길사, p. 471.

11) 국방부전사편찬위원회(1967), 《한국전쟁사 제1권: 해방과 건군》, 국방부, p. 489; 김남식(1984), pp. 389~391.

12) *ibid.*, pp. 389~392.

13) 백선엽(2008), "노병이 걸어온 길 13: 숙군이 시작되다", 《국방일보》 2008. 5. 28.

14) 국방부전사편찬위원회(1967), pp. 494~498.

15) 백선엽(2008), "노병이 걸어온 길 14: 숙군", 《국방일보》 2008. 5. 29.

16) 김남식(1984), pp. 404~405.

17) *ibid.*, p. 406.

18) *ibid.*, pp. 407~408.

19) 중앙정보부(19723), pp. 336~348.

20) 《조선일보》, 1950. 6. 10.

21) 역사학연구소(1995), pp. 272~273.

22) 김현우(2000), pp. 245~253.

23) 조용중(2004), 《대통령의 무혈혁명: 1952 여름 부산》, 나남출판, pp. 49~58; 인촌기념회(1975), 《인촌김성수전》, 인촌기념회, pp. 567~568; 조용중(2004), pp. 42~43.

24) 이 문제를 자세히 다룬 연구로는 Henderson, Gregory(1968), *Korea: Politics of the Vortex*, Cambridge: Harvard University Press, p. 116; 동아일보사 편(1975), 《비화 제1공화국 2》, 홍우출판사, pp. 51~53; 박명림(2003), 《한국전쟁의 발발과 기원 Ⅱ−기원과 원인》, 나남출판, pp. 463~469; 김정기(2008), 《국회프락치사건 재발견》전 3권, 한울아카데미 등이 있다.

25) 선우종원(2002), 《사상검사》, 계명사, p. 115; 조용중(2004), pp. 49~58.

26) 유영구(1993), pp. 62~66.

27) 선우종원(2002), pp. 119~120.

28) 법조프락치사건 피고인의 형량은 다음과 같다(괄호안은 구형량). ◯1차 사건 양규봉(楊圭鳳, 변호사) 징역4년(징역12년), 백석황(白錫璜, 변호사) 징역3년(징역12년), 강중인(姜仲仁, 변호사) 징역3년(징역8년), 윤학기(尹學起, 변호사) 징역2년(징역8년), 이경용(李暻鏞, 변호사) 징역2년 집유4년(징역8년), 오규석(吳圭錫, 변호사) 징역2년 집유4년(징역8년), 김영재(金寧在, 차석검사) 징역2년 집유3년(징역3년), 김승필(金承弼, 변호사) 징역2년 집유3년(징역3년), 차노현(車魯鉉, 변호사) 징역2년 집유3년(징역3년), 장진호(張軫昊, 변호사) 징역2년 집유3년(징역5년), 강혁선(姜赫善) 무죄(징역4년), 《조선일보》1950. 3. 26; 《동아일보》1950. 3. 27; ◯2차사건 김진홍(金振弘, 판사) 징역5년(징역8년), 백상덕(白相悳, 일반인) 징역2년(징역3년), 이정남(李正男, 검사) 무죄(징역5년), 김두식(金斗植, 판사) 무죄(징역5년), 이사묵(李仕黙, 검사) 무죄(징역3년), 김영하(金永夏, 판사) 무죄(징역2년), 강일구(姜日求, 판사) 무죄(징역3년). 《조선일보》1950. 3. 22; 《경향신문》1950. 3. 23.

29) 《조선일보》1950. 3. 29.

30) 《조선일보》1950. 6. 4; 유영구(1993), pp. 72~90; 우사연구회 엮음/ 서중석 지음(2000), 《남북협상: 김규식의 길, 김구의 길》, 한울, p. 317.

31) 유영구(1993), pp. 72~90.

32) 김남식(1984), pp. 435~438.

33) 김남식(1984), p. 393.

34) *ibid.*

35) 김남식(1984), pp. 393~395.

36) 중앙선거관리위원회(1968), p. 898.

37) 김남식(1984) pp. 413~414; 박명림(2003), 《한국전쟁의 발발과 기원 Ⅱ : 기원과 원인》, 나남출판, p. 632.

38) 선우종원(2002), pp. 121~134.

39) 오제도(1957), 《사상검사의 수기》, 창신문화사, pp. 70-77.

40) 강동정치학원은 남로당의 중견간부들에게 정치공작과 유격전술을 교육시키기 위해 1947년 9월 평남 강동군에 설립한 정치군사학교이다. 국방부전사편찬위원회(1986), p. 92.

41) 김남식(1984), pp. 395~412, pp. 420~422.

42) ibid., pp. 389~395, pp. 412~422.

43) 국방부전사편찬위원회(1977), 《한국전쟁사 제1권(개정판)》, 국방부, p. 160; 박헌영의 최측근인 이승엽의 보고는 이 보다 훨씬 더 많은 병력이 당시 남한에서 유격전을 벌였다고 주장했다. 즉 1949년 1월부터 1950년 4월에 이르기까지 월별로 최소 1만6천명에서 최대 8만9천여명의 게릴라들이 남한지역에서 유격투쟁을 벌였다. 그 중 '9월공세' 기간인 1949년 9월에는 7만7,256명, 10월에는 8만9,900명, 11월에는 7만7,900여명에 달했다는 것이다. 박명림(2003), p. 826.

44) 국방부전사편찬위원회(1977), p. 839.

45) 김남식(1984), pp 443~444.

46) 김남식(1984), p. 444.

47) 중앙정보부(1973), 《북한대남공작사 제1권》, pp. 364˜370; 점령 초기의 각시도 당위원장은 다음과 같다. 서울시당 김응빈(金應彬), 경기도당 박광희(朴光熙), 충북도당 이성경(李成京), 충남도당 박우헌(朴宇憲), 전북도당 방준표(方俊杓), 전남도당 박영발(朴永撥), 경북도당 박종근(朴宗根), 경남도당 남경우(南庚宇). 김남식(1984), pp. 446~447.

48) ibid., pp. 449~454.

49) 김남식(1984), p. 443, p. 446.

50) 선거가 실시된 지역은 108개 군, 1,186개 면 및 1만 3,654개 리이며 선출된 인민위원수는 군 인민위원 3,878명, 면인민위원 2만 2,314명, 리인민위원 7만 7,716명이었다. 김남식(1984), pp. 447~448.

51) 김남식(1984), pp. 447~449..

52) 박명림(2003), 《한국전쟁의 발발과 기원 I, 결정과 발발》, (주)나남출판, pp. 299~300.

53) 《문화일보》2007. 6. 22..

54) 공보처통계국(1952), 《대한민국통계연감 단기4285년》, 공보처, p. 321; 반면 국방부전사편찬위원회는 비상경비총사령부 정보처의 통계를 근거로 1950년 6월 25일부터 1950년 10월 31일까지 사이의 민간인 피학살자 총수를 106만968명(남자 96만4,281명, 여자 19만6,687명)으로 집계했다. 국방부전사편찬위원회(1971), 《한국전쟁사 제4권》, 국방부, p. 760; 노무현정부 때 설치된 진실·화해를 위한 과거사정리위원회(위원장 안병욱)는 2008년 7월 한국전쟁 중 이장 면장 등 우익인사들이 전남 무안군 해제면 천장리에서 151명, 충남 금산에서 118명, 충남 당진에서 250여명, 전북 완주에서 23명, 전북 무주에서 51~55명, 인천경찰서에서 50여명, 경남 통영에서 3명이 희생된 사실이 밝혀졌다고 발표했다. 가해자는 대부분 자위대원, 내무서원, 빨치산, 정치보위부원을 포함한 지방좌익과 인민군 등이다. 《문화일보》2008. 7. 7.

55) 김남식(1984), pp. 454~456.

56) ibid., pp. 463~468.

57) 치안국의 비상경비사령부 정보처가 발표한 서울수복 후(1950년 9월 30일부터 12월 31일까지) 후방지역 공비(빨치산) 잠복현황에 따르면, 좌익의 무장병력은 총 5만6,432명, 비무장병력은 총 4천명이었다. 이들 공비들 가운데 2만 2,699명은 그해 6월 25일부터 연말사이에 진투경찰에 사살되었다. 국

방부전사편찬위원회(1971), 《한국전쟁사 제4권》, 국방부, pp. 758~759. p. 760.

58) 김남식(1984), pp. 457~458.

59) ibid., pp. 458~460.

60) ibid., pp. 460~462. 중앙정보부(1972), pp. 371~375.

61) 중앙정보부(1973), pp. 370~371; 김남식(1984), pp. 463 · 464.

62) ibid., pp. 463~464.

63) 금강정치학원은 그해 1월 서울시인민위원장 이승엽이 인민군의 2차 서울점령 때 경기상업학교에 세운 '서울정치학원'을 이곳으로 이전하고 이름도 변경한 것이다. 김남식(1984), pp. 463~464. .

64) ibid., pp. 467~473.

65) 중앙정보부(1972), pp. 371-375.; 김남식(1984), pp. 473~474.

66) ibid., pp. 474~475.

67) 이기하(1961), p. 456.

II-2 사회당과 노농당

1) 국학진흥연구사업추진위원회(1997), 《한국독립운동사자료집-조소앙 편(4)》, 한국정신문화연구원, p. 1036.

2) 김재명(2003), 《한국현대사의 비극-중간파의 이상과 좌절》, 도서출판 선언, pp. 371~373.

3) 김재명(2003), pp. 369~376; 조동걸(2001), pp. 246~350.

4) 김재명(2003), pp. 374~376.

5) ibid. 이 자리에서 이승만의 장문의 축사를 그의 비서가 대독하는 동안 조소앙은 이 대통령에게 예우를 갖추기 위해 회의 참석자 전원이 기립해서 축사를 듣도록 해 화제가 되었다. 《조선일보》, 1948.12. 12 및 1948.12.14

6) 국학진흥연구사업추진위원회(1997), p. 1053.

7) 김재명(2003), p. 376에서 재인용.

8) ibid., pp. 380~381.

9) 사회당 입당 의원 중 밝혀진 사람은 다음과 같다. 오기열(吳基熱) 김병희(金秉會) 강선명(姜善明) 김장열(金長烈) 박윤원(朴允源) 손재학(孫在學) 오택관(吳澤寬) 이구수(李龜洙) 김영기(金英基) 김경배(金庚培) 최태규(崔泰奎) 홍순옥(洪淳玉) 차경모(車庚模) 조옥현(趙玉鉉) 배헌(裵憲) 이문원(李文源) 박기운(朴己云). 김재명(2003), pp. 378~379.

10) 김재명(2003), pp. 377~378.

11) 김재명(2003), pp. 373~390.

12) 노경채(1996), 《한국독립당연구》, 신서원, p. 47; 신용하(2002), 《일제강점기 한국민족사(중)》, 서울대학교출판부, pp. 507~508.

13) 정용대(2002), "소앙 조용은의 삼균주의 정치사상", 《한국정치사상사》, 집문당, p. 482.

14) 추헌수(1995), 《한민족의 독립운동과 임시정부의 위상》, 연세대학교 출판부, pp. 31~33.

15) ibid., pp. 485~486.

16) 이현희(2003), 《이야기 인물한국사》, 청아출판사, p. 510.

17) 신용하(2001), 《일제강점기 한국민족사(상)》, 서울대학교출판부, p. 149.

18) 김기승(2002), "사회민주주의", 한국사시민강좌편집위원회 편, 《한국사강좌 25》, 일조각, p. 156; 삼균학회(1986), "한국독립승인결의안" 및 "한국독립에 관한 결정서", 《삼균주의연구논문집 8》, pp.

193~204.

19) 조동걸(2001), pp. 327~346; 정용대(2002), pp. 483~484.

20) 정용대(2002), p. 485.

21) 자세한 내용은 남시욱(2005), p. 268, pp. 294~295를 참고할 것.

22) 대한민국국회(1998),《대한민국국회 50년사》, 국회사무처, p. 146.

23) 김재명(2003), pp. 390~391.

24) 자세한 상황은 남시욱(2005), pp. 209~210을 참조할 것.

25) 전진한(1996),《이렇게 싸웠다》, 무역연구원, pp. 271~308.

26) ibid., pp. 106~209.

27) 부서책임자는 다음과 같다. 총무부 유화룡, 훈련부 임흥만(林興萬), 조직부 변종철(卞鍾喆), 협동조합부 권철(權鐵), 선전부 김용환(金用煥), 농민조합부 유상렬(柳尙烈), 재정부 미정, 노동조합부 김철(金喆), 문화부 김예철(金예鐵), 청년조합부 권경주(權景柱), 조사부 방학진(方學진), 감찰부 미정, 어민부 미정, 부녀부 미정. 중앙선거관리위원회(1981a), p. 232; 이기하(1961), pp. 239~240.

28) 중앙선거관리위원회(1981a), p. 232; 이기하(1961), pp. 240~241.

Ⅱ-③ 진보당

1) 정태영(1995), pp. 394~395.

2) 문한동(1994),《죽산 조봉암》, 일원, pp. 91~92; 정태영(1995), pp. 406~407.

3) 남시욱(2005), p. 581: 문한동(1994), p. 99~100.

4) 문한동(1994), p. 110.

5) 표결결과는 재적의원 203명 중 출석의원 202명에 찬성 135, 반대 60, 기권 6, 무효 1, 결석 1표로 부결되고 말았다. 개헌정족수 136표에 1표가 모자랐다. 자세한 경과는 남시욱(2005), p. 293.

6) 민주당 탄생과 조봉암의 이탈에 관련된 자세한 설명은 남시욱(2005), pp. 326~329를 참고할 것.

7) 계파별 참석자 명단은 다음과 같다. ○범민련계(김규식·여운형 계) 〈공위계〉 민주독립당계 박기출 임갑수(林甲守) 조헌식(趙憲植) 윤복득(尹福得) 김일사(金一史), 미소공위확대위계 이명하(李明河), 민주당독당계 김기철(金基喆), 독립운동자동맹계 정이형(鄭伊衡), 삼민당(조선신화당)계 문용채(文容彩), 건민회계 김성숙(金成璹) 배성룡(裵成龍), 공위계 김찬(金燦), 원우관(元友觀) 〈시협계〉 근민당계 장건상 정해룡(丁海龍), 근로대중당계 이광진(李光鎭), 민중동맹계 서세충(徐世忠), 민족공화당계 이병희(李秉熙), 천도교보국당계 신숙(申肅) ○한독당계(김구) 최익환(崔益煥) 양우조(楊雨朝) 신창균(申昌均) 조규택(趙圭澤) ○신한민족당계(안재홍) 박용희 조규희(曺圭熙) 김경태(金景泰) 장지필(張志弼, 형평사) ○독립로농당계(정화암) 정화암(鄭華岩) ○자유사회당계(조봉암) 조봉암 강진국(姜辰國) ○호헌동지회계 윤길중 서상일 신도성 김수선(金壽善) 안도명(安道明, 홍사단) 고정훈(高貞勳) ○기타 정구삼(鄭求參) 양운산(楊雲山) 정인태(鄭寅泰) 조향록(趙香祿) 김영주(金英主). 박기출(2004), p. 259; 정태영(1995), p. 424.

8) 김현우(2000), p. 313; 정화암(1982),《이 조국 어디로 갈것인가―나의 회고록》, 자유문고, pp. 310~312.

9) 이기하(1961), p. 256; 문한동(1994), pp. 120~121.

10) 문한동(1994), pp. 121~123.

11) 문한동(1994), pp. 123~126.

12) 문한동(1994), p. 127; 자세한 선거전 양상은 남시욱(2005), pp. 329~330을 참고할 것.

13) 이기하(1961), p. 261.

14) 서상일은 1957년에 진보당 창당추진 경위에 대해 "내가 진보당 조직을 발기한 것도 진보세력의 대동단결로써 앞으로 올 본격적인 정계재편에 대비코자 한 것이고 보수, 진보 양당제도가 확립됨으로써 한국정계가 정상적인 민주주의적 생리작용을 하게 될 것이라 믿기 때문이었다"고 말했다. 서상일 (1957), "험난할 망정 영광스런 먼 길", 신태양편집부 편,《월간 신태양 별책−내가 걸어온 길, 내가 걸어갈 길》, 신태양사, p. 57.

15) 진보당 추진위원회에서 탈퇴한 중앙상무위원은 서상일 이동화 최익환(崔益煥) 김성숙(金成璹) 정구삼 박노수 박용철(朴容喆) 신용순(申容純) 주기영(朱起瑩) 안재환(安載煥) 고정훈 안도명 최재방(崔在邦) 백영규(白泳奎) 김기태(金基泰) 선우기준(鮮于基俊) 유천(劉天) 이파림(李巴林) 김욱진(金煜鎭) 고시현(高時賢) 박지호(朴志虎) 김영식(金英植) 장지필(張志弼) 등 23명이다. 이기하(1961), p. 289.

16) 정태영(1995), p. 445.

17) 정태영(1995), p. 449.

18) 정태영(1995), p. 463.

19) 강령은 다음과 같다. 1. 우리는 원자력혁명이 재래할 새로운 시대의 출현에 대응하여 사상과 제도의 선구적 창도로써 세계평화와 인류복지의 달성을 기한다. 2. 우리는 공산독재는 물론 자본가와 부패분자의 독재도 이를 배격하고 진정한 민주주의체제를 확립하여 책임 있는 혁신정치의 실현을 기한다. 3. 우리는 생산 분배의 합리적 계획으로 민족자본의 육성과 농민 노동자 모든 문화인 및 봉급생활자의 생활권을 확보하여 조국의 부흥번영을 기한다. 4. 우리는 안으로 민주세력의 대동단결을 추진하고 밖으로 민주우방과 긴밀히 제휴하여 민주세력이 결정적 승리를 얻을 수 있는 평화적 방식에 의한 조국통일의 실현을 기한다. 5. 우리는 교육체제를 혁신하여 점진적으로 국가보장제를 수립하고 민족적 새 문화의 창조로써 세계문화에의 기여를 기한다. 정태영(1995), p. 464.

20) 정태영(1995), pp. 460~462.

21) 진보당 당직자 명단은 다음과 같다. ○중앙부서 위원장 조봉암, 부위원장 박기출 김달호 간사장 윤길중, 부간사장 이명하 당무부장 최희규(崔熙奎), 재정부장 박준길(朴俊吉), 조직부장 이명하, 노동부장 임기봉(林基奉), 농민부장 임갑수(林甲守), 사회부장 윤복덕(尹福德), 선전부장 조규희(曺圭熙), 교양부장 김병휘(金炳輝), 의원부장 미정 ○중앙상무위원 윤길중 조규택(曺圭澤) 이창호(李昌鎬) 강진호(姜鎭浩) 이성진(李成鎭) 김병휘 신창균(申昌均) 박준길 서진걸(徐進杰) 송건(宋建) 온삼엽(溫三燁) 김하돈(金河敦) 성낙준(成樂準) 임갑수 박지수(朴智帥) 정동억(鄭東億) 송순범(洪淳範) 서재록(徐載祿) 조규희 안준표(安浚杓) 안경득(安慶得) 황민암(黃珉岩) 이규석(李圭奭) 이명하 이봉래(李奉來) 최희규 곽현산(郭玄山) 선우봉(鮮于鳳) 이흥렬(李興烈) 전세룡(全世龍) 한병욱(韓秉郁) 조중찬(趙中燦) 김규찬(金奎璨) 윤복덕(尹福德) 김창수(金昌水) 최운기(崔運基) ○위원장 통제 김위제, 총무 장지필, 기획 김안국(金安國), 재정 신창균, 통일문제연구 송두환(宋斗煥) 출판 박기출. 문한동(1994), pp. 142~144.

22) 경찰청(1992),《해방이후 좌익운동권 변천사(1945년~1991년)》, p. 68.

23) 문한동(1994), pp. 147~148.

24) 국회 백범김구선생암살진상소위원회(1995), "백범김구선생암살진상보고서", http://72.14.235.104/search?q=cache:jNJ0lo99C6QJ:www.kimkoo.or.kr

25) 《조선일보》 1953. 10. 8.

26) 《동아일보》 1961. 3. 24

27) 진보당 부위원장이었으며 조봉암과 함께 기소되어 유죄선고를 받은 박기출에 의하면, 1957년 10월 15일 경기도 시흥의 장택상 별장에서 자유당 2인자인 이기붕, 민주당 대표최고위원 조병옥, 무소속 중진 장택상은 선거법 개정문제를 협의한 다음 상호협조를 다짐하는 공동성명을 발표했는데, 그 자리에서 진보당에 대해 어떤 조치가 필요하며 적어도 다음해의 제4대 민의원 총선거에는 참여치 못하

게 한다는데 의견일치를 보았다는 것이다. 이 이야기는 후일 자신이 장택상에게서 직접 들은 것이라 면서 이때부터 진보당 말살 음모가 꾸며졌다는 것이다. 박기출(2004), 《한국정치사》, 이화, pp. 272 ~273.

28) 문한동(1994), pp. 148~149; 박정호 관련 부분은 무혐의로 밝혀졌다.

29) 조봉암과 함께 기소된 진보당 간부 17명은 윤길중 박기출 김달호 김기철 이동화 조규희 이명하 정태영(鄭太榮) 조규택 신창균 김병휘 최희규 박준길 안경득 권대복 이상두(李相斗) 임신환(任信煥) 이다.

30) 문한동(1994), pp. 150~151.

31) 문한동(1994), pp. 151~153.

32) 문한동(1994), pp. 153~155.

33) 문한동(1994), p. 157.

34) 문한동(1994), pp. 23~25.

35) 문한동(1994), pp. 25~26.

36) 문한동(1994), p. 26; 조봉암(1957), "내가 걸어 온 길", 권대복 편(1985), 《진보당: 당의 활동과 사건 관계 자료집》, 지양사, p. 358.

37) 문한동(1994), pp. 27~29; 조봉암(1957), pp. 360~361.

38) 문한동(1994), pp. 29~33.

39) 문한동(1994), pp. 33~34.

40) 문한동(1994), pp. 34~40.

41) 문한동(1994), pp. 40~41.

42) 문한동(1994), pp. 41~43.

43) 문한동(1994), pp. 43~49.

44) 문한동(1994), pp. 49~51.

45) 《동아일보》2007. 9. 28.;《경향신문》2011. 1. 20.;《오마이뉴스》2017. 8. 1.

Ⅱ-4 민주사회주의 정당들

1) 이기하(1961), pp. 289~290; 한태수(1961), p. 230.

2) 김현우(2000), p. 316.

3) ibid.

4) 간부 명단은 다음과 같다. ○회장 조헌식(趙憲植) ○정책심의회 부위원장 장백산(張白山) ○통제위원회 간사장 서상일, 부간사장 김성숙(金成淑), 일명 金成璹), 위원장 신숙(申肅) ○정치위원회부장 정보부 윤명근(尹明根), 섭외부 김수한(金守漢), 재무부 박찬훈(朴贊熏), 총무부 김종원(金鍾元) ○선거대책위원회위원장 우문(禹文) ○선전국부장 선전부 김철(金哲), 출판부 나일(羅一), 계몽부 오도영(吳道泳) ○조직국부장 청년부 김정순(金正淳), 노동부 이종연(李鍾淵). 한태수(1961), pp. 234~235.

5) 한태수(1961), p. 238.

6) 한태수(1961), p. 338.

7) 한태수(1961), pp. 339~361.

8) 이기하(1961), pp. 287~294.

9) 김현우(2000), p. 324.

10) The Aims and Tasks of Democratic Socialism: Declaration of the SocialistInternational, http://www.socialistinternational.org/5Congress/1-FRANKFURT/Frankfurtdecl-e.html

11) 정화암(1982),《이 조국 어디로 갈 것인가–나의 회고록》, 자유문고, p. 310.

12) 정화암(1982), pp. 314~315.

13) 한태수(1961), pp. 235~240.

14) 한태수(1961), p. 237.

15) 박호성(2005),《사회민주주의의 역사와 전망》, 책세상, pp. 121~123, p. 248; 박호성(1991), "사회민
주주의는 현실적 대안인가",《역사비평》계간 12호(1991년 봄), 역사비평사, p. 70.

16) 한태수(1961), p. 236.

17) 민주사회당의 정강(정치의 5대 목표)은 ① 대의정치제도의 충실화와 책임내각제의 실시, ② 민주적
복지국가의 건설, ③ 협력 자주 창의의 사회윤리 확립, ④ 민족고유문화의 보호 육성과 세계문화 창성
(創成) 기여, ⑤ 유엔 및 사회주의인터내셔널의 일원으로 세계일가(世界一家)의 실(實) 구현이 골자이
다. 중앙선거관리위원회(1965), pp. 164~165.

18) 한태수(1961), pp. 235~238.

19) *http://www.socialistinternational.org/viewArticle.cfm?ArticleID=39&Search=frankfurt.*

20) *ibid.*

21) 이기하(1961), pp. 412~413.

22) 이기하(1961), p. 413.

23) 한태수(1961), pp. 221~222.

24) 한태수(1961), p. 324.

25) 한태수(1961), pp. 323~324.

26) 한태수(1961), p. 324.

27) 한태수(1961), pp. 325~326; 민족민사당의 강령은 ① 정치적 민주주의와 경제적 민주주의가 구현
된 진정한 민주사회를 건설한다, ② 민족주체세력을 증강하여 대한민국 주권 하에 남북통일 과업을
촉진하고 국제적으로 통한(統韓)주권을 장악한다, ③ 동서문화를 지양, 통일하여 신민족문화를 창
조한다, ④ 통일된 민족국가를 완성하여 세계평화와 인류복지 향상에 주체적으로 기여한다고 규정했
다. 정태영(1995), p. 536.

28) 한태수(1961), p. 308.

29) 정태영(1995), p. 540.

제2부 권위주의 통치와 산업화 시기

Ⅲ–① 혁신세력의 재기와 분열

1) 반독재민주수호연맹은 서상일(민혁당) 이훈구(민족민사당) 장택상(반공투위) 정화암(민사당 발기인)
박기출(구 진보당) 김성숙(金成淑, 일명 金成璹, 민혁당) 등이 그해 2월 2일 결성한 단체이다. 정태영
(1995), p. 534.

2) 박기출(2004), pp. 289~290.; 장택상은 당시 자청해서 깡패들에게 후보등록서류를 탈취당한 혐의가
4·19이후 드러나 불구속 기소 되었으나 나중에 개헌으로 정부통령선거법이 폐지됨에 따라 항소심에서
집행유예를 선고받았다.《조선일보》, 2016.1.30.

3) 정태영(1995), pp. 533~534.

4) 두 김성숙 가운데 앞의 김성숙(金星淑, 호 雲巖, 1898~1969)은 평북 철산에서 태어난 독립운동가이

며 승려 출신으로 중경 임시정부 국무위원을 역임하고 근로인민당과 진보당에 관여한 인물이다. 뒤의 김성숙(金成淑, 일명 金成璹, 호 鳴呼 또는 悔乙, 1896~1976)은 제주출신으로 독립운동가이며 이극로의 건민회와 조봉암의 민주주의독립전선에 참여하고 5대 의민원을 지냈다. 《야후코리아백과사전》, *http://kr.dic.yahoo.com.*

5) 박기출(2004), p. 312; 김현우(2000), pp. 325~326.

6) 박기출(2004), p. 312.

7) 정화암(1984), p. 326.

8) 배순길(1995),《한국사회주의정당사》, 한마음, p. 136.

9) 김현우(2000), pp. 325~326.

10) 확정된 창당준비위원회의 간부진용은 다음과 같다. ○당무위원회 대표총무위원 서상일(민혁당계) 간사장 윤길중(진보당계) 위원 서상일(민) 윤길중(진) 이동화(민) 박기출(진) 김성숙(金星淑, 근) 유병묵(근) 이훈구(민족민사당계) 김달호(진) 송남헌(민련계) 정화암(민사당계) 조헌식(민련계) 김기철(金基喆, 진) ○통제위원회 위원장 최근우(근) ○부위원장 이명하(李明河, 진) 위원 윤명찬(尹命贊) 조중찬(趙中燦, 진) 홍성환(洪性煥, 민사) 이시우(李時雨) 장백산(張白山) 문창곡(文昌谷) 온재열(溫在烈, 진) 김규찬(金奎贊, 진) 변관수(卞觀洙) 이흥로(李興魯) 조영성(趙永星) 손정수(孫貞秀) 정예근(鄭禮根) ○당무위원회 위원장 송남헌(宋南憲) 선전위원회 위원장 유병묵 ○특별위원회 위원장 재정 구익균(具益均, 민혁당계), 선거대책 조헌식, 인권옹호 장홍염(무소속), 기획 이동화, 국토통일 박노수(朴魯洙). 정태영(1995), pp. 543~544.

11) 정태영(1995), pp. 546~547.

12) 정태영(1995), p. 546.

13) 정태영(1995), p. 544.

14) 김현우(2000), p. 346;《조선일보》1960. 6. 15; 중앙선거관리위원회(1965),《정당의 기구 기능과 정강·정책·당헌 등》, pp. 214~217.

15) 김현우(2000), p. 346; 중앙선거관리위원회(1965), p. 217.

16)《조선일보》1960. 6. 21; 1960. 7. 8.

17)《조선일보》1960. 6. 15; 1960. 6. 19.

18) 김현우(2000), p. 346; 국회사무처(1971),《국회사》(제4대 국회-제6대 국회), p. 231.

19) 정태영(1995), p. 540.

20) 김현우(2000), pp. 325~326.

21)《조선일보》1961. 2. 10.

22) 정태영(1995), p. 544.

23) 김현우(2000), p. 327.

24) *ibid.*

25) 정태영(1995), p. 557.

26) 정태영(1995), pp. 544~545.

27) 김현우(2000), p. 343; 단주유림선생기념사업회(1991),《단주 유림 자료집(1)》, 백산, pp. 140~141.

28) 김현우(2000), p. 346~347.

29) 정태영(1995), p. 552.

30) 정태영(1995), pp. 551~552.

31) 정태영(1995), pp. 551~552.

32) 정태영(1995), p. 555.

33) 부서책임자는 다음과 같다. 당무 변관수(邊寬洙) 외 6인, 조직 조중찬(趙中燦) 외 14인, 선전 윤성식(尹成植) 외 9인, 기획 심형섭(沈亨燮) 외 6인, 재정 김판엄(金判嚴) 외 4인, 통제 송두재(宋斗在) 외 14인, 선거대책위 김판엄 외 24인. 정태영(1995), p. 555.

34) 정태영(1995), p. 556.

35) 한태수(1961), p. 390.

36) 정태영(1995), p. 548;《세계일보》1960. 5. 20.

37) 김현우(2000), p. 366.

38) 중앙부서 인선 내용을 다음과 같다. ○위원장 조직 김정규(부위원장 최백근, 崔百根), 선전 유병묵, 재정 서동렬, 기획 유한종 ○부장 선전 하태환(河泰煥), 부녀 이계덕(李桂德), 노동 황금수(黃錦秀), 당무 김영옥(金英玉), 청년 김배영(金培英), 학생 진병호(陳炳昊). 김세원 증언, 한상구 구성(1991), "4월혁명 이후 전위조직과 통일운동: 사회당 인혁당 남민전",《역사비평》15호(1991년 겨울), pp. 402~404.

39) 박태순·김동춘(1991),《1960년대의 사회운동》, 까치, pp. 122~124.

40) 부서위원장은 다음과 같다. 총무 조기하(趙棋賀), 조직 이형우(李亨雨), 기획 장홍염(張洪琰), 재정 윤길중. 정태영(1995), p. 556.

41) 정태영(1995), pp. 356~557.

42) 정태영(1995), p. 557.

43) 김현우(2000), pp. 348~349.

44) 중앙당 간부 명단은 다음과 같다. ○정치위원회 위원장 이동화, 위원 서상일, 정화암, 김성숙(金星淑), 김성숙(金成淑), 이훈구, 박기출, 윤길중, 정상구, ○당무위원회 위원장 송남헌 ○부위원장 이명하, 국장 총무 신창균, 조직 박권희, 선전 고정훈, 기획 현익재(玄翼在), 국제 김철, 의회 황빈(黃貧) ○특별위 위원장 재정 구익균, 통일촉진 김기철, 정책심의 정상구, 국민대중운동 이강훈(李康勳), 국회대책 조헌식, 중앙상임통제 성낙훈(成樂勳). 정태영(1995), pp. 559~560.

45)《조선일보》1961. 2. 22.

46) 정태영(1995), p. 560.

47)《조선일보》1961. 2. 28.

48) 김현우(2000), p. 365.

Ⅲ-2 혁신세력의 급진적 통일운동

1) 민주화운동기념사업회, *http://www.kdemocracy.or.kr/Minju/Minju2_History/sub_01_view.asp?Num=2586*.

2) 정태영(1995), p. 566.

3) 민민청은 대표인 김상찬(金相賛)과 하상연(河相演) 등이 주도하고, 통민청은 대표(중앙위원장)인 우동읍(禹東邑, 일명 우동선, 禹洪善)을 비롯한 김배영(金培英) 김달수(金達洙) 김재봉(金在奉) 이규영(李圭英) 김성현(金星現) 김낙중(金洛中) 김영광(金永光) 양춘우(楊春遇) 등 좌파 청년들과 일부 남로당 계열 및 빨치산 출신들이 주도했다. 대구지방에서는 대표인 우동읍과 이재문, 그리고 전남지방에서는 김시현(金是現)이 통민청 계열로 활발하게 활동했다. 박태순·김동춘(1991), pp. 123~124.

4) 김기선, "민주운동사의 거대한 뿌리-박현채 2", 민주화기념사업회, *http://webzine.kdemocracy.or.kr/webzine/200603/index_sub.asp?ho=200603&idx=254*.

5) 정태영(1995), pp. 566~570.

6) 정태영(1995), pp. 568~569.

7) 김용욱(2004), 《한국정치론》, 오름, p. 333~334; 양호민 이상우 김학준(1982), 《민족통일의 전개》, 형성사, pp. 306-343.

8) 정태영(1995), p. 573.

9) 정태영(1995), p. 568.

10) 김준하(2002), 《대통령과 장군》, 나남출판, pp. 204~205.

11) 우사연구회 엮음/심지연 지음(2000), 《송남헌회고록-김규식과 함께한 길》, 한울, p. 177.

12) 김준하(2002), 《대통령과 장군》, 나남출판, pp. 204~205.

13) 한국정신문화연구원 편(2001), 《내가 겪은 민주와 독재》, 선인. p. 49.

14) 《동아일보》1961. 4. 19; 《조선일보》1961. 4. 19.

15) 《조선일보》1961. 5. 12.

16) 《조선일보》1961. 5. 14.

Ⅳ-① 박정희 정부 하의 혁신정당

1) 한국혁명재판사편찬위원회(1962), 《한국혁명재판사 제2집》, p. 68, p. 60.

2) 조용수는 처형된지 47년만인 2008년 1월 16일 서울지법 형사합의22부(부장판사 김용석) 심리로 열린 재심 선고공판에서 당시 그에게 적용된 특별법(특수범죄처벌에 관한 특별법)은 정당이나 사회단체의 주요간부가 반국가단체의 활동을 찬양 고무 또는 동조했을 때 처벌하는 법률이므로 영리를 목적으로 하는 주식회사 민족일보사 사장인 피고인은 여기에 해당되지 않는다는 이유로 무죄를 선고했다. 이에 앞서 2006년 11월 진실·화해를 위한 과거사정리위원회는 민족일보사건에 대한 재심 권고결정을 내렸으며 이에 따라 조용수의 동생 조용준이 2007년 4월 재심을 청구했다. 《동아일보》2008. 1. 17; 이 판결은 검찰이 항소를 포기함으로써 조용수의 무죄가 확정되었다. 《동아일보》2008. 1. 24; 서울중앙지법 형사합의31부(수석부장판사 허만)는 2008년 5월 조용준 등 유족 8명이 낸 형사보상청구송송 판결에서 국가가 이들에게 6,287만여원을 지급하라고 명령했다. 《동아일보》2008. 5. 22.

3) 혁명재판에 회부되어 유죄 판결을 받은 혁신계 정당과 단체는 민족일보사건 이외에 사회당(7명), 민족통일전국학생연맹(12명), 혁신당(6명), 민족자주통일 중앙협의회(11명), 마산영세중립회(3명), 통일사회당(7명) 등이다. 박기출(2004), pp. 334~335.

4) 당산김철전집간행위원회(2000), 《당산김철전집 1-민족의 현실과 사회민주주의》, 해냄출판사, p. 363.

5) 정태영(1995), pp. 592~593.

6) 당산김철전집간행위원회(2000), p. 254.

7) 기타 중앙당 간부들은 다음과 같다. ○국장 총무 장철(張徹), 조직 안필수, 국제연대 김철, 선전 안필수, 근로협동 정동훈(鄭東勳) ○위원장 선거대책 함석희(咸錫熙), 국민대중운동 유갑종, 국회대책 정운관(鄭雲寬), 재정 전세열(全世烈), 통제 홍성환(洪性煥), 당학교장 김청운(金淸雲) ○무임소당무위원 정명환(鄭明煥) ○중앙위원 김성식(金聖植) 차영주(車榮柱) 김상현(金尙鉉) 안수추(安秀秋) 최희수(崔熙洙) 김상균(金相均) 간만규(簡萬圭) 강명(姜明) 정운성(鄭雲成) 이갑행(李甲行) 외 23명. 중앙선거관리위원회(1981aa), 《대한민국정당사 제1집》, p. 856.

8) 중앙선거관리위원회(1981aa), p. 864.

9) 중앙선거관리위원회(1981aa), pp. 864~866; 정태영(1995), p. 602.

10) 중앙선거관리위원회(1981aa), p. 865.

11) 중앙선거관리위원회(1981aa), p. 866.

12) 중앙선거관리위원회(1981aa), p. 833.

13) 중앙선거관리위원회(1981aa), p. 833~836.

14) 《조선일보》1966. 5. 9.

15) 중앙선거관리위원회(1981a), p. 835~836; 김현우(2000), pp. 469~473.

16) 중앙선거관리위원회(1981a), pp. 848~852.

17) 중앙선거관리위원회(1981a), p. 845.

18) 중앙선거관리위원회(1981a), p. 847.

19) 전권대표는 대중당에서는 이청천 김하경 안정용 김린 이형연 이완수, 통일사회당에서는 손철 김철 안필수 류감종 유영봉 김성식 등이다. 김현우(2000), p. 501.

20) 김현우(2000), p. 501.

21) 김학준(1987), p. 249.

22) 김현우(2000), pp. 500~501.

23) 김현우(2000), pp. 501~502.

24) 김현우(2000), p. 503; 정태영(1995), p. 632; 중앙선거관리위원회(1981ab), 《대한민국정당사 제2집 (1972년~1980년)》, p. 380.

25) 중앙선거관리위원회(1981b), p. 363.

26) 이 밖의 통사당 당직자는 다음과 같다. ○전당대회의장 정명환(鄭明煥), ○중앙상임위의장 박인목 (朴仁穆), ○통제위원회 의장 정운동(鄭雲東), ○회계책임자 이범수(李範洙). 중앙선거관리위원회 (1981ab), p. 363~365.

27) 중앙선거관리위원회(1981b), p. 366.

28) 중앙선거관리위원회(1981b), p. 365, p. 372.

29) 중앙선거관리위원회(1981b), p. 373.

30) 중앙선거관리위원회(1981b), p. 374.

31) 중앙선거관리위원회(1981b), pp. 374~375.

Ⅳ-2 60~70년대의 지하조직

1) 《조선일보》1964. 8. 15.

2) 민비연은 인혁당 사건 이후인 1967년 7월 중앙정보부에 의해 힉생시위의 배후세력으로 몰려 지도교수 황성모(黃性模)와 이미 졸업한 민비연 회원들 및 재학 중인 회원들이 모조리 간첩혐의로 구속되었다. 구속자 가운데 황성모와 김중태(金重泰)는 반공법 위반죄로 대법원에서 징역2년이, 현승일(玄勝一, 나중에 한나라당 국회의원 역임)은 징역1년6월이 각각 확정되어 복역을 하고 만기 출소했다. 나머지 이종률(李鍾律, 청와대 대변인 역임), 박범진(전 민자당 국회의원), 김경재(金景梓, 민주당 국회의원 역임) 그리고 김도현(金道鉉) 박지동(朴智東) 등은 무죄판결을 받았다. 이들에 대한 재판은 상고심에서 2심판결을 파기 환송하고 2심에서 파기환송재판을 한 후 다시 상고를 하는 통에 모두 5번이나 재판을 했다. 《중앙일보》1968. 7. 30;《중앙일보》1969. 7. 9.

3) 중앙정보부(1973), 《북한대남공작사 제2권》, p. 439;《조선일보》1964. 8. 15.

4) 《조선일보》1964. 8. 15.

5) 《조선일보》1965. 1. 21.

6) 《조선일보》1965. 5. 30.

7) 《조선일보》1965. 9. 22.

8) 박현채는 이 책 뿐 아니라 김대중의 경희대 석사학위논문('대중경제의 한국적 전개를 위한 연구', 1969)과 동아일보사 발행 월간《신동아》기고문('대중경제론을 주창한다', 1969)도 대필했다. 김병태 (2006), "대중경제론에 얽힌 이야기", 고박현채10주기추모집·전집발간위원회(2006), pp. 52~57; 임동 규(2006), "아 박현채!", 고박현채10주기추모집·전집발간위원회(2006),《아! 박현채》, 해밀, .pp. 264 ~265;

9) 김기선(2006), "민주운동사의 거대한 뿌리-박현채 2", 민주화기념사업회, *http://webzine. kdemocracy. or. kr/webzine/200603/index_sub.asp?ho=200603&idx=254.*

10) 김낙중(2006), "박현채와의 인연들", 고박현대10주기추모집·전집발간위원회(2006),《아! 박현채》, 해 밀, pp. 41~43.

11) 김기선(2006), op. cit.

12)《한겨레》2006. 6. 6.

13)《한겨레》2007. 9. 21.

14) 서관모(1999), "80년대 말·90년대 초 변혁운동의 이론 정세"(1999년 3월 6일 숭실대 사회봉사관 212호실에서 개최된 진보정론지 발간을 위한 토론회에서 발표된 글). *http://jbreview.jinbo.net/ archives/files/kmseo01.html*

15) 임동규(2006), "아! 박현채", 고박현채10주기추모집전집발간위원회,《아! 박현채》, 해밀, pp. 261~262.

16)《조선일보》1974. 4. 26.

17)《조선일보》1974. 5. 28; 2007년 국정원과거사조사위원회는 모두 1,034명이 검거된 인혁당 및 민청 학련사건 관련자 가운데 57명, 인혁당사건 관련자 24명 및 재야인사 7명이 구속되었다고 발표했다. *http://whois.nis.go.kr/pdf/2007_report_02.pdf.*

18)《조선일보》1974. 9. 5.

19) 피고인 별 형량은 다음과 같다. ○사형 서도원(徐道源) 도예종(都禮鍾, 이상 인혁당 지도위원) 하재완 (河在完, 동 경북지도부 지도책) 송상진(宋相振, 상동) 이수병(李銖秉, 동 서울지도부 지도책) 우홍선 (禹洪善, 상동, 별명 禹東邑) 김용원(金鏞元, 상동). ○무기징역 김한덕(金漢德) 유진곤(柳震坤, 인혁 당 재건위 자금책) 나경일(羅慶一, 동 조직책) 강창덕(姜昌德, 상동) 김종대(金鍾大, 상동) 전재권(全在 權, 동 자금책) 이태환(李台煥, 상동) 전창일(全昌一, 동 조직책). ○징역20년 황현승(黃鉉昇) 이창복 (李昌福, 인혁당 재건위 조직책) 조만호(趙萬鎬, 상동) 정만진(丁滿鎮, 상동) 이재형(李在衡, 상동) 임 구호(林久鎬, 상동).《조선일보》1974. 7. 12.

20) 피고인들의 형량은 다음과 같다. ○사형 이철(李哲), 유인태(柳寅泰, 민청학련 부책), 여정남(呂正男, 인혁당 학원담당책), 김병곤(金秉坤, 서울시내대학책), 나병식(羅炳湜, 기독학생책), 김영일(金英一, 일명 金芝河, 배후조종), 이현배(李賢培, 동), ○무기징역 유근일(柳根一, 배후조종), 김효순(金孝淳, 유인물책), 정문화(鄭汶和, 서울대책). 황인성(黃寅成, 지방대책), 서중석(徐仲錫, 사회인사포섭책), 안량로(安亮老, 제2선조직책), 이근성(李根成, 유인물제작책), ○징역20년 정윤광(鄭允洸, 제2선지도 원), 강구철(姜求哲, 서울대문리대책), 이강철(李康哲, 경북지구대학책), 정화영(鄭華永, 경북대담당), 임규영(林奎永, 동), 김영준(金永畯, 연세대책), 송무호(宋武鎬, 동), 정상복(鄭相福, 배후조종), 나상 기(羅相基, 동), 이직형(李溭炯, 동), 서경석(徐京錫, 동), 이광일(李光日, 동), ○징역15년 구충서(具充 書, 단대 및 고교책), 김정달(金貞吉, 전남지구대학책), 이강(李鋼, 동), 윤한봉(尹한奉, 전남대책), 김 수길(金秀拮, 성균관대책), 안재웅(安載雄, 배후조종),《조선일보》1974. 7. 14.

21)《조선일보》1974. 9. 8.

22)《동아일보》1975. 4. 10.

23)《서울신문》2007. 1. 24.

24)《한겨레》2005. 12. 8;《동아일보》2005. 12. 8.

25) *http://whois.nis.go.kr/pdf/2007_report_02.pdf.*

26)《동아일보》2006 1. 24.

27)《동아일보》2007. 1. 24.

28)《동아일보》2007. 1. 31; 2007년 8월 서울중앙지법 민사합의28부(부장판사 권택수)는 이들 8명의 유족에게 모두 245억원을 국가가 배상하라는 판결을 내렸다. 재판부는 8명의 희생자 유가족 46명이 "국가의 불법행위로 육체적, 정신적 고통을 당했다"며 국가를 상대로 낸 340억 원의 손해배상 청구소송에 대해 "국가는 245억 원을 물어 주라"며 유족 측에 21일 일부 승소 판결했다. 재판부는 희생자 본인에게는 10억 원씩, 희생자의 아내와 부모에게는 6억 원씩, 자녀들에게는 4억 원씩 유가족별로 모두 27억~33억 원을 배상하라고 국가에 명령했다. 재판부는 국가가 손해배상금뿐 아니라 8명의 사형이 집행된 1975년 4월 9일부터 판결 선고일인 이날까지 손해배상금에 대한 32년 치 이자 392억여 원도 지급하도록 명령해 유가족들이 실제 받는 전체 액수가 637억여 원에 이르렀다.《동아일보》2007. 8. 22.

29)《한국일보》2018. 1.24;《조선일보》2009. 9. 19.

30) 정행산(1996), "인혁당 사건 과연 조작인가",《자유공론》, 1996년 8월호, pp.

31) 한국정신문화연구원 편(2001),《내가 겪은 민주와 독재》, 선인, p. 90˜91.

32) 한국정신문화연구원 편(2001), p. 68.

33)《조선일보》1964. 8. 19 및 1965. 1. 28.

34) 김세원 증언, 한상구 구성(1991), "4월혁명 이후 전위조직과 통일운동: 사회당·인혁당·남민전".《역사비평》15호(1991년 11월호), pp. 414~415.

35) 일설에는 그가 민민청에 가입했고 1차 인혁당 사건에 연루된 한의원 경영 이영석이라고 하며 이들 5명이 모인 장소는 서울 종로구 청진동 청진여관이라 한다. 이수병선생기념사업회 편(2005),《이수병평전》, 민족문제연구소, p. 198.

36) 경락회의 강령은 민자통의 것으로 한다는 묵시적 합의가 있었다고 한다. 이수병선생기념사업회(2005) 편, p. 201.

37) 김세원 증언, 한상구 구성(1991), pp. 415~418.

38) 정화영(2005), "영원한 님, 그대의 길을 따라", 민청학련운동계승사업회 편,《실록▨민청학련 4, 1974년 4월》, 학민사, p. 186.

39) 강창덕(2005), "아! 4월 9일이여", 민청학련운동계승사업회 편, p. 237.

40) 전창일(2005), "세칭 인혁당을 말한다", 민청학련운동계승사업회 편, p. 249.

41) 정창현(1991), "1960·70년대 공안사건의 전개양상과 평가", 한국역사연구회 현대사연구반,《한국현대사 3》, 풀빛, p. 180.

42) 전창일(2005), pp. 254~255.

43) 조희연(1993),《현대 한국 사회운동과 조직》. 한울, pp. 104~105.

44) 중앙정보부(1973),《북한대남공작사 제2권》, pp. 438~439; 1965년까지 잠잠하던 북한은 1966년부터 대남무력도발을 강화, 그 회수가 그해 33건, 1967년 195건, 1968년 574건으로 급증했다. 1966년 3월 일본공산당의 미야모토 겐지 서기장 일행이 평양을 방문했을 때 이들 북한방문단에게 김일성이 한 말을 기록한 김일성발언록(1978년 일본사상연구소 발행,《일본공산당 사전》에 수록)에 의하면 중국공산당 주석 모택동은 1965년 3월 북경을 방문한 최용건 조선노동당 부위원장에게 "남조선 인민이 게릴라투쟁을 시작하도록 지도하라"고 당부했으나 김일성은 그 보고를 듣고 성공하기 어려운 게릴라투쟁 대신 "대중 속에 비공연조직(非公然組織)을 만들도록 했다" 한다. 소진철(2008), "북한 김일성의 1966년 발언록", 한국외교협회,《외교》86호(2008. 7), pp. 108~109.

45) 《조선일보》 1968. 7. 21.

46) 《조선일보》 1968. 7. 21.

47) 《조선일보》 1968. 12. 28.

48) 2심 선고내용은 다음과 같다(괄호 안은 원심 형량). ○사형 정태묵(鄭泰默, 전 남로당원, 사형) 최영도(崔永道, 전 임자면장, 사형) 윤상수(尹相守, 중학교사, 사형) ○징역10년 박신규(朴信奎, 국민교교장, 무기징역) ○징역7년 김홍구(金泓國, 삼창산업사장, 징역15년) ○싱역5년 김학춘(金學春, 징역7년) ○징역4년 정태상(鄭泰翔, 징역7년) 최수남(징역5년) ○징역3년 최병복(崔炳福, 징역5년) ○징역2년 집유5년 정태인(鄭泰寅, 징역2년) ○징역1년6월 최용모(崔容模, 징역1년6월) ○징역1년6월 집유3년 강지원(姜智遠, 징역1년6월) ○징역1년 집유2년 김인태(金仁泰, 징역1년 집유2년) 최병대(崔丙大, 징역1년 집유2년) 오종득(吳鍾得, 징역1년 집유2년) 이팔만(李八萬, 징역1년 집유2년). 《조선일보》 1969. 5. 1.

49) 《조선일보》 1969. 11. 27.

50) 《조선일보》 1969. 11. 29.

51) 《동아일보》, 1968. 8. 24; 김질락(1991), 《어느 지식인의 죽음》(원제 《주암산》), 행림출판, pp. 36~49.

52) 《동아일보》, 1968. 8. 24; 중앙정보부(1973), p. 442.

53) 김질락(1991), pp. 72~75.

54) 《중앙일보》 1968. 8. 24.

55) 《조선일보》 1968. 9. 5.

56) 《중앙일보》 1969. 1. 11;《조선일보》 1969. 1. 26; 1969. 1. 28; 1969. 1. 19.

57) 《월간조선》 2006년 5월호, *http://monthly.chosun.com/board/view_content. asp?tnu=200605100040 &catecode=I&cPage=1.*

58) 《동아일보》 1969. 5. 28. 및 1969. 7. 10.

59) 2심판결내용은 다음과 같다(괄호 안은 1심 형량). ○사형 김종태(金鍾泰, 통일혁명당수, 사형, 항소포기로 확정) 김질락(金瓆洛, 청맥지 주간, 사형) 이문규(李文奎, 학사주점 초대 대표, 청맥지 편집장, 사형) 이관학(李官學, 북한군 중위, 사형) 김승환(金승환, 사형) ○무기징역 신광현(申光鉉, 김종태에 포섭되어 활동, 무기징역) 조동소(趙鍾韶, 무기징역) 이재학(李在學, 학사주점 2대 대표, 무기징역) 오별철(吳炳哲, 통혁당 교양책, 무기징역) ○징역15년 박성준(朴聖焌, 징역15년) ○징역12년 임영숙(林榮淑, 김중태의 처, 징역7년) ○징역7년 노인영(盧仁永, 징역7년) ○징역6년 김병영(金炳榮, 이문규의 처, 간첩행위 방조, 징역5년) ○징역5년 윤상환(尹相煥, 조국해방전선 교양책, 징역15년) 김희순(金熙淳, 징역10년) 이장원(李長元, 4H구락부에 침투 기도, 징역7년) ○징역4년 이종태(李鍾台, 징역7년) ○징역3년6월 신향식(申香植, 조국해방전선 성원, 징역7년) ○징역3년집유5년 양동림(梁東林, 김종태 불고지, 징역5년) 김종화(金鍾和, 징역5년) 박경호(朴璟鎬, 징역5년) 이근상(李根相, 징역3년 집유5년) 이영윤(李永潤, 이화여대 서클에 교양 실시, 군재, 징역5년) 송준철(宋浚喆, 해군대위), 군재, 징역5년) ○징역2년집유5년 신남휴(南南休, 해군소위, 신영복과 접선하고 북한간행물 탐독, 군재, 징역4년) ○징역2년집유3년 임규택(林奎澤, 삐라 살포, 징역7년) 권오창(權五昌, 삐라 살포, 징역7년) 허정길(許正吉, 이재학에게 포섭되어 중앙대생 포섭, 징역5년) ○징역1년 김상도(金相道, 동생 김중태 불고지, 징역3년) ○징역1년집유3년 임중빈(任重彬, 월북권유 수락, 공작금 받음, 징역3년) ○징역1년집유2년 이해경(李海景, 학사주점 핵심멤버, 징역3년) 은철수(殷哲洙, 징역2년 집행유예 3년) 김국수(金國柱, 징역2년 집유3년) 《조선일보》 1969. 7. 24.

60) 《중앙일보》 1969. 9. 17.

61) 《조선일보》 1972. 7. 16.

62) 《조선일보》 1968. 12. 19.

63) 《동아일보》 1969. 7. 10; 《중앙일보》 1969. 11. 6.

64) 김성욱(2006), 《대한민국적화보고서》, 조갑제닷컴, p. 185~186; 《데일리NK》 2006. 10. 30. *http://www.dailynk.com/korean/sub_list.php?page=3&cataId=nk06000.*

65) 《세계일보》 1992. 6. 3.

66) *http://www.kcna.co.jp/item2/1999/9903/news03/14.htm.*

67) *ibid..*

68) 《동아일보》 1971. 5. 14.

69) 《미래한국신문》 2007. 4. 27.

70) 《동아일보》 1979. 4. 20.

71) 동아일보사(1980), 《동아연감 1980》, p. 304.

72) 연합통신사(1981), 《연합연감 1981》, p. 225.

73) 《세계일보》 1992. 6. 3.

74) *http://ndfsk.dyndns.org/kuguk8/munon05.htm.*

75) 《동아일보》, 1968. 8. 24.

76) 《조선일보》 1968. 11. 29.

77) 《조선일보》 1969. 1. 19.

78) 항소심 형량은 다음과 같다(괄호 안은 1심 형량). ○사형 권재혁(權再赫, 회사원, 사형), ○무기징역 이일재(李一宰, 무직, 사형), ○징역15년 이강복(李康福, 회사원, 무기징역), ○징역10년 이형락(李亨洛, 상업, 무기징역) 노정훈(盧廷勳, 상업, 징역15년) 박점출(朴点出, 노동, 징역15년), ○징역7년 김봉규(金鳳圭, 무면허치과의사, 징역10년), ○징역5년 김병권(金秉權, 공업, 징역7년), ○징역3년집유5년 조현창(趙顯昌, 라디오상, 징역5년) 오시황(吳時煌, 운전사, 징역3년6월), 나경일(羅慶一, 직공, 징역5년) 김판홍(金判鴻, 공무원, 징역5년). 《동아일보》 1969. 5. 27.

79) 《동아일보》 1969. 7. 10; 《조선일보》 1969. 11. 6.

80) 《한겨레》 2005. 6. 17.

81) 《조선일보》 1979. 10. 10.

82) *ibid.*

83) 《조선일보》 1979. 10. 17.

84) 대검찰청 공안부(1981), 《좌익사건실록》, p. 321.

85) 이태복은 남민전이 식민지반봉권사회론에 입각한 '식민지론', '앞잡이론'을 주장했다고 말하고 있는데 반해 남민전 관련자인 박석률은 남민전이 규정한 신식민지의 개념은 80년대 사회구성체 논쟁에서 논의된 신식민지와는 다르다고 말했다. 전한용(1990), "특별연구 남민전", 《역사비평》, 계간 10호(1990년 가을호), p. 267; 이태복(1994), "노동운동 투신동기와 민노련·민학련 사건", 《역사비평》 1994년 여름호; pp. 269~270; 박석률(1989), 《저 푸른 하늘을 향하여》, 풀빛, pp. 318~319.

86) 《조선일보》 1979. 11. 14.

87) 《조선일보》 1979. 12. 9..

88) 《조선일보》 1979. 12. 12.

89) 《조선일보》 1980. 5. 3.

90) 《조선일보》 1980. 9. 6.

91) 대법원에서 확정된 형량은 다음과 같다. ○사형 이재문(李在汶, 남민전 중앙위원장, 경북대 인혁당사건으로 구속) 신향식(申香植, 중앙위원, 서울대 철학과 졸, 통혁당사건으로 구속), ○무기징역 안재구

(安在求, 중앙위원, 전 숙명대 교수) 최석진(崔錫鎭, 청학위조직원, 한국경제개발협회 연구원) 이해경(李海景, 중앙위원, 무직, 69년 반공법위반 구속) 박석률(朴錫律, 청학위 호남책, 서강대 졸, 무직) 임동규(林東圭, 무력부장, 서울대 상대 졸, 무직) ○징역15년 차성환(車成煥, 민학련 지도위원, 서울대 농대 졸) 이수일(李鍒日, 민학련 조직지도위원, 전 정신여중 교사) 김병권(金秉權, 중앙위원, 무직) 김남주(金南柱, 혜성대원, 시인) 박석삼(朴錫三, 혜성대원, 전남대 중퇴, 무직) 황금수(黃金秀, 제5위원회, 혜성대원, 침술사) 김종삼(金鍾三, 무력부원, 가톨릭농민회 조사부장), ○징역10년 임규영(林圭映, 청학위 조직책, 경북대 중퇴, 회사원) 노재창(盧載昌, 민학련 교양지도위원, 서울대 상대 졸) 김부섭(金富燮, 민학련 조직지도위원, 서울대 공대 제적) 김영옥(金英玉, 제5위원회, 전 사회당 위원), ○징역7년 이문희(李文姬, 서기보좌, 이재문 동거녀) 윤관덕(尹寬德, 기독교사회문제연구원 간사) 김봉권(金奉權, 혜성대, 빨치산출신), ○징역5년 이계천(李啓天, 민교련 위원장, 대우개발 인사과장대리) 이재오(李在五, 통일전선부 민투지도, 국제엠네스티 한국지부 사무국장) 임준렬(任俊烈, 출판부 민투지도, 필명 임헌영, 문학평론가) 심영호(沈永浩, 경제조사담당, 새한자동차 기획조정부장) 이학영(李學永, 전남대 제적) 김홍(金弘, 택시기사) 최광은(崔光雲, 노동운동) 김명(金明, 민교련, 고교교사) 백정호(白廷鎬, 경북조직, 일신학원 강사) 정만기(鄭萬基, 경북조직, 상업), ○징역3년 임기묵(林麒黙, 출판부 통일전선부, 여고교사) 전수진(全壽鎭, 이호덕의 처) 최평숙(崔坪淑, 무력부원, 역술가) 권영근(權寧勤, 농민분과 교양지도원, 한국크리스찬 아카데미 간사) 김정길(金貞吉, 전남대 줄, 보일러공) 이강(李鋼, 일간 학습정보사 전남지부장) 김재술(金在述, 일월서각 영업부장) 김특진(金特珍, 경북조직, 일신학원 강사) 황철식(黃哲植, 경북조직, 코리아슐츠 경북지사 영업부장) 최강호(崔江浩, 세호양행 관리과장) 권오헌(權五憲, 통일전선부 민투, 전 통사당 문화국장), ○징역3년 집유5년 김세원(金世源 상고포기, 양동슈퍼마켓 대표) 이영주(李英洲, 동국대 졸) 곽선숙(郭善淑, 여성유권자연맹 간사) 김승균(金承均, 통일전선부 민투, 사상계 편집장, 일월서각 대표), ○징역2년 김성희(金成熙, 일신학원 강사), ○징역2년집유3년 장혁수(張赫秀, 서울대 수학과 4년, 상고포기) 박인영(朴仁英, 상고포기) 이은숙(李殷淑, 고려대 대학원 재학, 상고포기) 김문자(金文子, 파출부, 상고포기) 탁무권(卓武權, 민학련, 성균관대 사학과4년) 김경중(金景中, 민학련, 서울대 화공 3) 김충희(金忠姬, 동성제약 약사) 박미옥(朴美玉, 외대 불문 4) 박문담(朴文淡, 민노련, JOC회원) 임영빈(任英彬, 서울대 제적), ○징역1년 집유2년 이호덕(李鎬德, 총무부, 관세사, 상고포기) 신영종(愼永鍾, 성균관대 경제 3) 권명자(權明子, 민학련, 서울여대 국문 4) 서혜란(徐惠蘭, 이대 졸, 신용협동조합 서기) 나강수(羅康秀, 통일전선부, 세창철강 총무과장) 김영철(金永哲, 회사원) 김정자(金貞子, 민교련, 중학교사) 황기석(黃基錫, 서울대 원예 4) 박남기(朴南基, 한국근로복지공사 서기) 신우영(申友泳, 민교련, 중학 교사) 민동곤(閔東坤, 민학련, 서울대 화학 4) 박광숙(朴光淑, 민교련, 여중 교사), ○징역8월 조봉훈(趙奉勳, 전남대), ○징역8월집유1년 김희상(金羲相, 회사원) 장미경(張美璟, 민교련, 여중 교사). 대검찰청공안부(1981),《좌익사건실록 제12권》, 대검찰청, pp. 822~825;《조선일보》1980. 12. 24.

92) http://www.demopark.or.kr.

93) 동아일보사(1981),《동아연감 1983》, p. 248.

94)《동아일보》2006. 3. 15;《한겨레》2006. 3. 14.

95)《조선일보》2006. 9. 22.

96)《동아일보》2006. 9. 15.

97) http://news.chosun.com/site/data/html_dir/2006/09/20/2006092060361.html.

IV-③ 전두환 정부 하의 혁신정당

1) 중앙선거관리위원회(1992a), 《대한민국정당사 제3집(1980~1988)》, p. 951.

2) 중앙선거관리위원회(1992a), p. 951.

3) 중앙선거관리위원회(1992a), p. 953.

4) 민사당의 중앙당 요직 진용은 다음과 같다. ○정치위원회 의장 고정훈(高貞勳), 부의장 김국주(金國柱) 한왕균(韓旺均), 위원 곽현산(郭玄山) 황구성(黃龜性) 김상현(金尙鉉) 권두영(權斗榮) 김병균(金炳均) 김학락(金鶴洛) 장철(張鐵) 이종문(李鍾文) 정창주(鄭昌柱) 김종규(金從圭) 김정길(金貞吉) 한명수(韓明洙), ○당직자 사무총장 김국주, 사무차장 겸 조직담당 이강백(李康伯), 국제담당 조선원(趙宣元), 정책위원장 권두영, 당교육연수원장 김학락, 노사문제위원장 김병균, 인권옹호위원장 정창주, 재정위원장 장철, 국제문제특별위원장 홍숙자(洪淑子) 선전홍보특별위원장 김상현, 중앙상무위의장서리 황구성. 중앙선거관리위원회(1992a), p. 954.

5) 중앙선거관리위원회(1992a), p. 987, p. 995.

6) 중앙선거관리위원회(1992a), p. 987, p. 996.

7) 중앙선거관리위원회(1992a), pp. 997~1009.

8) 중앙선거관리위원회(1992a), pp. 1009~1013.

9) 중앙선거관리위원회(1992a), p. 1076.

10) 중앙선거관리위원회(1992a), pp. 1076~1077.

11) 중앙선거관리위원회(1992a), pp. 1081~1082.

12) 중앙선거관리위원회(1992a), pp. 1078~1087.

13) 중앙선거관리위원회(1981c), 《제11대 국회의원선거 상황》, p. 153.

14) 중앙선거관리위원회(1992a), p. 1036.

15) 중앙선거관리위원회(1992a), pp. 1038~1042.

16) 이밖의 사민당 중앙당 진용은 다음과 같다. ○고문 이병우(李秉宇), ○전당대회의장 정명환(鄭明煥), ○중앙위의장 김길언(金吉彦) ○통제위위원장 김상득(金相得), ○정치위원 김철 박인목 정명환 김길언 유영봉 신태호(申泰浩) 이만희(李萬熙) 심연식(沈淵植) 이시준(李時俊) 박기수(朴基守) 차능회(車能會) 소진은(蘇鎭殷) 지용하(池龍河). 중앙선거관리위원회(1992a), pp. 1038~1040.

17) 중앙선거관리위원회(1992a), pp. 1040~1054.

18) 중앙선거관리위원회(1992a), pp. 1054~1076.

IV-④ 신군부정권 하의 급진단체

1) 《경향신문》 2004. 4. 11.

2) *ibid.*

3) 민주화실천가족운동협의회 민족민주운동연구회(1989), 《80년대의 민족민주운동 10대 조직사건》, 아침.

4) 민주화실천가족운동협의회 민족민주운동연구회(1989), pp. 76~79.

5) 민주화실천가족운동협의회 민족민주운동연구회(1989), pp. 73~74.

6) 《조선일보》 1985. 9. 19; 10. 30.

7) 《조선일보》 1986. 3. 7.

8) 《조선일보》 1986. 9. 24; 《연합뉴스》, 2014. 5. 29.

9) 민주화실천가족운동협의회 민족민주운동연구회(1989), pp. 90~91.

10) *ibid.*.

11) 《경향신문》 2004. 4. 25.

12) 《조선일보》 1985. 3. 31.

13) 경찰청(1992), pp. 224~225.

14) 《중앙일보》 1986. 3. 22.

15) 《중앙일보》 1986. 4. 29.

16) 《중앙일보》 1986. 5. 2.

17) 《조선일보》 1986. 5. 4.

18) 《중앙일보》 1986. 11. 10; 1986. 11. 12; 1987. 2. 23; 1987. 2. 28; 1987. 4. 24; 1987. 4. 25.

19) 《중앙일보》 1986. 11. 8.

20) 《중앙일보》 1987. 5. 27.

21) 《중앙일보》 1986. 11. 10.

22) 민족민주운동연구소(1989), 《민통련: 민주통일민중운동연합평가서(Ⅰ)-자료편》, p. 480.

23) 민족민주운동연구소(1989), pp. 482~483.

24) 《조선일보》 1986. 11. 13.

25) 《조선일보》 1988. 1. 10.

26) 《중앙일보》 1988. 1. 13.

27) 《중앙일보》 1988. 1. 28.

28) 김용기·박승옥(1989), 《한국노동운동논쟁사》, 현장문학사, pp. 114~115, pp. 124~125.

29) 《조선일보》 1985. 4. 18.

30) 《조선일보》 1985. 4. 26; 1985. 6. 1.

31) 《동아일보》 1985. 7. 1; 1985. 7. 2; 1985. 7. 3.

32) 《동아일보》 1985. 12. 14; 《경인일보》 1986. 12. 8~12.

33) 《조선일보》 1985. 11. 9.

34) 《동아일보》 1985. 12. 14; 《경인일보》 1986. 12. 8~12.

35) 《경향신문》 2004. 6. 28.

36) 민주화실천가족운동협의회 민중민주운동연구소(1989), pp. 126~127.

37) 민주화실천가족운동협의회 민중민주운동연구소(1989), pp. 120~125.

38) 《조선일보》 1986. 7. 3.

39) 피고인별 형량은 다음과 같다. ○징역8년 김문수 윤현숙, ○징역5년 이은홍 박정애 김순천 김진태 송재섭, ○징역4년6월 유시주, ○징역4년 서혜경 노정래, ○징역3년 유인혜 최한배, 민주화실천가족운동협의회 민중민주운동연구소(1989), p. 135.

40) 민주화실천가족운동협의회 민중민주운동연구소(1989), pp. 136~137.

41) 민주화실천가족운동협의회 민중민주운동연구소(1989), pp. 228~229.

42) 《조선일보》 1987. 2. 28.

43) 《조선일보》 1987. 5. 1.

44) 민주화실천가족운동협의회 민중민주운동연구소(1989), pp. 237~241.

45) 《인천신문》 2006. 11. 16, "인천민주화운동사(6편)-민주노조 운동과 노동운동 탄압", *http://www.i-today.co.kr/html/view/?no=7352*

46) 《인천신문》 2006. 11. 16

47) *ibid.*

48) 《조선일보》 1986. 5. 4.

49) 민주화운동기념사업회, "1980년대의 노동운동", *http://www.kdemocracy.or.kr/friend/ history -80-4.asp*

50) 《조선일보》 1986. 10. 9.

51) *ibid.*

52) 전국대학생대표자협의회(1997), 《전대협》, 돌베개, pp. 33~34.

53) 전국대학생대표자협의회(1997), pp. 275~276.

54) 《조선일보》 1987. 8. 20.

55) 《조선일보》 1987. 11. 17.

56) 《조선일보》 1987. 12. 12.

57) 《조선일보》 1988. 3. 22.

58) 전대협의 NL 소수파는 후보단일화를 주장한데 비해 CA파는 민중 독자후보론에 기울어 백기완을 지지했다. 최연구(1990), "80년대 학생운동의 이념적 조직적 발전과정", 조희연 편, 《한국사회운동사》, 한울, pp. 263~264.

IV-5 80년대 전반의 지하조직

1) 1960년대 중반 이후 서울대 좌파이념 서클 출신 중에서 노동현장에 침투, 장기간 노동현장 활동을 해온 운동가들이 주축이 되어 구성한 단체로 주동자들은 '무림'의 선배격이라 할 수 있다. 관련자 50여명이 검거되었는데 80년대 들어 북한과 연계되지 않은 이른바 '자생적 좌파집단'으로서 최초로 적발된 조직이다. 경찰청(1992), 《해방이후 좌익운동권 변천사(1945년~1991년)》, p. 103.

2) 일송정 편집부(1988), 《학생운동논쟁사》, 일송정, pp. 29~34; 무림파는 당시 학생운동권의 주류(MC, Main Current)를 이루고 있었고, 나중에 '민투'(민주화투쟁위원회, 영어로는 발음을 따서 MT로 표기)를 결성한 학림파는 비주류여서 무학논쟁을 MT-MC논쟁이라고 부르기도 했다. 당시 반깃발파(MC)의 학생지도부를 'Po그룹' 또는 'Po-System'이라고 불렀는데, Po는 Post의 준말로 각 단과대 별로 학생운동을 지휘하는 책임자가 '기둥'과 같은 존재라는 뜻이다. 당시 학원가에서는 이들 학생운동지휘책임자 집단을 'Po그룹', 그 연합체를 'Po-System'이라고 각각 불렀다. 일송정 편집부(1988), pp. 77~78.

3) 《조선일보》 1980. 12. 14.

4) 일송정 편집부(1988), pp. 29~34.

5) 《동아일보》 1980. 12. 13.

6) *ibid..*

7) *http://cafe217.daum.net/_bbs_search_read?grpid=17th1a&fildid=5SZp&contentval=0000G.*

8) *http://cafe217.daum.net/_bbs_search_read?grpid=17th1a&fildid=5SZp&contentval=0000G*; 《경향신문》 2004. 2. 23.

9) 《중앙일보》, 1981. 6. 2.

10) 피고인별 형량은 다음과 같다. ○징역3년 김명인(金明仁, 국문4) ○징역2년 현무환(玄武煥, 국문4) 허헌중(許憲中, 정치4) ○징역1년6월 박용훈(朴容勳, 국사3) 남명수(南明洙, 언어4) ○징역1년6월 집유3년 김회경(金會京, 교육4) 윤형기(尹亨基, 토목4) 남충희(南忠熙, 철학4) ○징역1년 집유2년 고세현(高世鉉, 철학 졸). 《중앙일보》, 1981. 6. 2.

11) 민주화실천가족운동협의회 민족민주운동연구회(1989), pp. 34~35.

12) 《경향신문》 2004. 3. 1; 민주화실천가족운동협의회 민족민주운동연구회(1989), 《80년대의 민족민주운동 10대 조직사건》, 아침. pp. 31~32.

13) *ibid.*.

14) 《경향신문》 2004. 3. 1; 민주화실천가족운동협의회 민족민주운동연구회(1989), 《80년대의 민족민주운동 10대 조직사건》, 아침. pp. 31~32.

15) 민주화실천가족운동협의회 민족민주운동연구회(1989), pp. 29~30. p. 40.

16) 《경향신문》 2004. 3. 1.

17) 《조선일보》 1982. 1. 23.

18) 민학련과 민노련 관련자의 2심 형량은 다음과 같다. 〈민노련〉 ○무기징역 이태복(李泰馥, 전 광민사 대표), ○징역2년6월 양승조(梁承朝, 전 청계노조 지부장) 김철수(金鐵洙, 서울대 신문과 4년 휴학) 정경연(鄭京連, 통일제강, 고려대 출신 노동자) 징역2년 송병춘(宋秉春, 서울대 사대 휴학) 송영인(宋永仁, 서울대 사대 휴학) 최규엽(崔圭曄, 고려대 3년 제적) 엄주웅(嚴柱雄, 고려대 4년 제적) 오상석(吳相錫, 고려대 3년 제적), ○징역2년집유4년 유해우(柳海佑, 전 삼원섬유 분회장) 김병구(金丙久, 연합노조 경북지부장 노숙영(魯淑英, 서울여대 4년 제적) 신철영(申澈永, 도시산업선교회 간사), ○징역1년집유3년 박태련(朴泰蓮, 전 YH노조 사무장), ○무죄 박태주(朴太鉒, 서울대 경제과 3년). 〈민학련〉 ○징역7년 이선근(李善根, 중앙위원, 서울대 경제학과 3년), ○징역5년 박문식(朴文植, 중앙위원, 서울대 경제학과 4년), ○징역3년 이덕희(李德熙, 중앙위원, 서울대 대학원 미생물학과), ○징역2년6월 홍영희(洪英姬, 중앙위원, 이화여대 사회학과 졸), ○징역2년 윤성구(尹聖九, 경인지부장, 서울대 수학과 3년) 민병두(閔丙桓, 경인지부부지부장, 성균관대 무역학과 4년), ○징역1년6월 김창기(金昌基, 청량리 지회장, 외국어대 영어과 4년) 최경환(崔敬煥, 중앙 지회장, 성균관대 사학과 3년) 김진철(金鎭哲, 관악 연락책, 서울대 물리교육학과 4년) 송형민(宋炯民, 연세대 지반책, 연세대 수학과 3년), ○징역10월 이종구(李鍾球, 동국대 지반책, 동국대 교육학과 3년). 《동아일보》 1982. 5. 22; 《조선일보》 1982. 5. 23.

19) 동아일보사(1983), 《동아연감 1983》, p. 248; 민주화실천가족운동협의회 민족민주운동연구회(1989), p. 31.

20) '야비'는 운동권학생들의 야학활동 지침서인 《야학비판》의 준말로 '무림파'의 이론을 계승, 학생운동은 전위조직 형성을 우선과제로 해야 한다고 주장했다. 반면 '전망'은 다른 학생운동권그룹이 낸 《학생운동의 전망》이라는 소책자의 준말로 '학림파'의 이론을 계승, 학생들이 당장 가두투쟁을 벌여야 한다고 주장했다. 학생운동의 당면과제와 방법론을 70년대의 현장론과 정치투쟁론의 대립까지 거슬러 올라가 보면, '현장론-무림-야학비판' 대 '정치투쟁론-학림-전망'으로 나누어진다. 전자는 혁명의 주체를 노동계급이라고 보기 때문에 학생운동권은 투쟁을 자제하고 노동계급이 성장하도록 노동현장으로 이전해야 한다는 노선인데 반해 후자는 학생운동의 당면과제를 노동자가 될 준비를 하는데 국한하지 않고 노동계급의 계급적 각성과 전체운동을 자극하고 지도하기 위한 선도적 정치투쟁을 해야 한다는 노선이다. 일송정 편집부(1988), pp. 35~45. 두 책자의 내용은 일송정 편집부(1988), pp. 227~322.

21) 《한겨레》 2002. 1. 17; 《오마이뉴스》, 2012.6.15; 《한국일보》, 2016.3.1.

22) 민주화실천가족운동협의회 민족민주운동연구회(1989), p. 99.

23) 《동아일보》 1985. 10. 29.

24) *ibid.*

25) *ibid.*

26) *ibid.*

27) 서울대 민추위사건 피고인들의 1심 형량을 다음과 같다(괄호 안은 구형량). ○징역7년 문용식(10년) 안병룡(12년), ○징역5년 황인상(12년) 민병렬(10년) 민관홍(10년), ○징역4년 이종원(10년), ○징역3년 윤성주(7년) 이흥구(7년) 김희갑(7년) 김재광(7년), ○징역2년 김찬(3년), ○징역2년집유3년 박충렬(5년) 장혜경(3년). 《동아일보》 1986. 1. 16; 《조선일보》 1986. 1. 17.

28) 《조선일보》 1986. 2. 11.

29) 민주화실천가족운동협의회 민족민주운동연구회(1989), p. 113.

30) 민주화실천가족운동협의회 민족민주운동연구회(1989), pp. 100~102.

31) 《경향신문》, 2004. 3. 8.

32) 《조선일보》 1982. 3. 31.

33) 《조선일보》 1982. 4. 9.

34) 《조선일보》 1982. 8. 11.

35) 민주화운동기념사업회, "1980년대의 학생운동", *http://kdemocracy.or.kr/minju/democracy/1980_student.html.*

36) *http://www.kdemocracy.or.kr/friend/history-80-3.asp*

37) 《동아일보》 1985. 11. 4; 1985. 11. 6.

38) 《동아일보》 1986. 5. 21.

39) 《조선일보》 1985. 7. 19; 전학련 산하에 삼민투가 공식적으로 결성, 발족된 것은 그해 5월 7일이다. 일송정 편집부(1988), 《학생운동논쟁사》, 일송정, p. 102.

40) 당시 학생운동권 내부에서는 CDR(Civil Democratic Revolution, 시민민주혁명)-NDR(National Democratic·Revolution, 민족민주혁명)-PDR(People Democratic Revolution, 민중민주혁명) 3종의 혁명론 사이에 이론투쟁이 일어났는데 그것이 바로 이른바 C-N-P논쟁(민주변혁논쟁)이다. 이들 세 노선 중 NDR가 최종적으로 다수의 호응을 얻어 삼민투의 지도노선이 되었다. 일송정 편집부(1988), pp. 57~65.

41) 《조선일보》 1985. 7. 19.

42) 《조선일보》 1985. 7. 19.

43) 《조선일보》 1985. 7. 19.

44) 《조선일보》 1986. 3. 20.

45) 《조선일보》 1986. 3. 21.

46) 《조선일보》 1986. 7 15.

제3부 민주화와 세계화 시기

V - 1 노태우 정부하의 좌파정당

1) 《동아일보》 1988. 1. 29.

2) 중앙선거관리위원회(1992a), p. 1339.

3) 《동아일보》 1988. 3. 7.

4) 중앙선거관리위원회(1992a), p. 1341.

5) 중앙선거관리위원회(1992a), pp. 1342~1347.

6) 노찬백(1995), 《한국에서의 진보적 군소정당의 실패에 관한 연구: 1987년~1992년》(경희대 박사학위

논문), pp. 215~216.

7) 《조선일보》1988. 4. 6.

8) 중앙선거관리위원회(1992a), p. 1352.

9) 노찬백(1995), pp. 157~158.

10) 중앙선거관리위원회(1992a), p. 1213.

11) 중앙선거관리위원회(1992a), p. 1214.; 주요 창당발기인은 다음과 같다. ○정계 홍사덕(洪思德) 한영수(韓英洙) 고영구(高泳耉) 홍성표(洪晟杓) 김도현(金道鉉) ○학계 이수인(李壽仁) 차상훈(車相勳) 서정기(徐正淇) 여운승(呂運昇) 양재혁(梁再爀) 언론계 주섭일(朱燮日) 이근성(李根成) ○재야 김재훈(金在焄) 문병란(文炳蘭) 김승균(金承均) 황길구(黃吉九) ○문화계 원동석(元東石) 이장호(李將鎬) ○법조계 정성철(鄭聖哲) ○노동-농민운동 최병욱(崔秉旭) 김병구(金秉九) 윤정석(尹正石) 정찬용(鄭燦溶) ○지역운동 임구호(林丘鎬) 오원진(吳元鎭) 이하원(李夏源) 강구철(姜求哲) 이강철(李康哲) ○학생운동 이현배(李賢培) 유인태(柳寅泰) 원혜영(元惠榮) 고영하(高永夏) 장광근(張光根) 장신환(張信煥) 이대용(李大鏞) 김부겸(金富謙) 이정우(李政祐). 《조선일보》1988. 2. 18.

12) 《조선일보》1988. 2. 25.

13) 《조선일보》1988. 3. 2.

14) 《조선일보》1988. 3. 4.

15) 《조선일보》1988. 3. 5.

16) 《동아일보》1988. 3. 29; 중앙선거관리위원회(1992a), p. 1215.

17) 《동아일보》1988. 3. 29.

18) 중앙선거관리위원회(1992a), p. 1215.

19) 중앙선거관리위원회(1992a), p. 1218.

20) 이 방안에 의하면 제1단계인 평화공존과 민족동질성 회복단계에서는 남북교류를 확대하고 남북불가침협정을 체결하며 군축을 단행하고 남북 상호간에 상설 교차 주재기관을 설치하며 평화협정을 체결한다. 제2단계인 한겨레공동체 실현단계에서는 정부차원의 남북한 대표로 한겨레공동체를 구성하고 비핵원칙을 선언하며, 한겨레공동체라는 단일국호로 유엔에 가입한다. 제3단계인 평화통일의 단계에서는 남북총선거로 단일정부를 구성하고, 각각의 군사동맹관계를 청산함으로써 한반도의 중립화를 선언한다는 것이다. 중앙선거관리위원회(1992a), pp. 1218~1224.

21) 노찬백(1995), pp. 154~155.

22) 《조선일보》1988. 9. 15.

23) 《조선일보》1989. 9. 28; 1989. 10. 12.

24) 《조선일보》1990. 3. 4.

25) 《조선일보》1990. 3. 12.

26) 《조선일보》1990. 3. 21; 1990. 3. 22.

27) 노찬백(1995), pp. 134~136.

28) 이날 선출된 그 밖의 임원은 다음과 같다. ○고문 계훈제(상임) 김정한 김윤환 김규동 박순경 김한림 권처흥 ○지도자문위원 홍성우(상임) 김윤수 신경림 안병직 이수인 김정남 정민성 하일민 ○집행위원장 이부영 ○부서책임(위원장) 조직위 장기표, 정책위 제정구, 총무위 조춘구, 선전위 유인태, 대외협력위 여익구, 정치연수원장 오세철, 기획조정실장 정태윤, 대변인 이재오 ○특별위원장 여성위 지은희, 노동위 김문수, 농민위 최병욱, 청년위 박계동, 조국통일특위 손병선, 인권특위 박용일. 《한겨레》1990. 4. 14.

29) 노찬백(1995), pp. 136~137.

30) *ibid.*

31) 노찬백(1995), p. 138.

32) 《조선일보》 1990. 6. 28.

33) 노찬백(1995), pp. 138~139.

34) 노찬백(1995), p. 217.

35) 노찬백(1995), pp. 217~228.

36) 《한겨레》 1991. 7. 16.

37) 《한겨레》 1991. 7. 25.

38) 노찬백(1995), pp. 163~165.

39) 노찬백(1995), pp. 162~163.

40) 《한겨레》 1991. 11. 30.

41) 《한겨레》 1992. 1. 19.

42) 《한국일보》 1992. 2. 10;《세계일보》 1992. 2. 10.

43) 《한국일보》 1992. 2. 10.

44) 노찬백(1995), pp. 169~170.

45) 《한겨레》 1992. 1. 24.

46) 노찬백(1995), pp. 170~171.

47) 노찬백(1995), pp. 171~172.

48) 《한겨레》 1992. 3. 26; 1992. 4. 9.

49) 《한국일보》 1994. 9. 28.

50) 《한국일보》 1992. 4. 24.

51) 《한겨레》 1992. 6. 10.

52) 《한겨레》 1992. 10. 6.

53) 《한겨레》 1992. 10. 20.

54) 《한겨레》 1990. 4. 7.

55) 《한국일보》 1990. 7. 19.

56) 《한겨레》1992. 11. 22.

57) 《동아일보》 1992. 12. 19;《한겨레》 1992. 12. 20.

58) 《한겨레》1992. 12. 20.

V-2 80년대 후반~90년대 초의 급진단체

1) 《중앙일보》 1989. 1. 9.

2) 전민련 간부진은 다음과 같다. ○상임공동의장 이부영 ○공동의장 배종렬(지역대표, 전국농민회총연맹의장, 전남민련) 이영순(노동대표, 여성노동자회회장) 김상덕(농민대표, 가톨릭농민회회장) 오충일(종교대표·목사) 이창복 (재야대표, 민통련부의장) ○고문 문익환, 백기완, 계훈제, 박형규 ○집행부 사무처장 장기표, 정책실장 김근태, 정책차장 이승환, 대변인 박계동, 총무국장 김도연, 편집실장 이태복, 국제협력국장 김현장, 조국통일위원장 이재오, 민생위원장 여익구.《중앙일보》 1989. 1. 21.

3) 《중앙일보》 1989. 1. 21.

4) *ibid.*

5) 《중앙일보》 1989. 1. 22.

6) 《중앙일보》 1989. 2. 15.

7) 《중앙일보》 1989. 3. 2.

8) 《중앙일보》 1989. 3. 27.

9) 《중앙일보》 1989. 1. 4.

10) 《중앙일보》 1989. 5. 2.

11) 《중앙일보》 1989. 3. 27; 1989. 4. 3; 1989. 5. 2.

12) 《중앙일보》 1989. 4. 3.

13) 《중앙일보》 1989. 3. 28.

14) 《중앙일보》 1989. 3. 28; 1989. 3. 31; 1989. 4. 13.

15) 《중앙일보》 1989. 4. 6.

16) 《중앙일보》 1989. 3. 28.

17) 《중앙일보》 1989. 4. 3.

18) 《중앙일보》 1989. 4. 3.

19) 《중앙일보》 1988. 8. 3.

20) 《중앙일보》 1989. 5. 8.

21) 《중앙일보》 1989. 10. 5; 1990. 2. 10; 1990. 6. 8..

22) 《한겨레》 1990. 10. 21.

23) 《중앙일보》 1989. 3. 27.

24) 《중앙일보》 1989. 3. 27.

25) 《중앙일보》 1989. 4. 4.

26) 조국통일범민족연합남측본부(2000), 《범민련 10년사 1》, pp. 248~249.

27) 《동아일보》 1994. 1. 20; 1994. 1. 21.

28) 《경향신문》 1994. 1. 21.

29) 《한겨레》 1994. 1. 25.

30) 《중앙일보》 1989. 4. 22.

31) 《동아일보》 1991. 5. 27.

32) 《동아일보》 1992. 7. 25.

33) 《한겨레》 2007. 11. 14.

34) 《동아일보》 1988. 8. 3.

35) 《중앙일보》 1988. 8. 9; 범민족대회의 최초 제안자는 1990년 범민족대회 개최를 위한 서울예비회의 남측대표였으며 베를린에 열린 범민련 결성을 위한 실무회의에 남측 대표로 파견되었다가 구속된 조성우이다. 그는 그해 7월 13일 한반도 평화와 통일을 위한 세계대회 및 범민족대회의 개최를 제의했다는 것이다. 문익환 박형규 계훈제 등은 그의 제안을 받아들여 자신들의 명의로 제의했다고 한다. 윤한동(1992), 《범민련 어떤 단체인가》, 남북문제연구소, p. 9.

36) 《중앙일보》 1988. 12. 10.

37) 《중앙일보》 1989. 2. 15.

38) 《중앙일보》 1989. 2. 20.

39) 《중앙일보》 1989. 3. 1.

40) 《중앙일보》 1989. 3. 15.

41) 《중앙일보》 1989. 7. 10.

42) 《중앙일보》 1990. 8. 7.

43) 《중앙일보》 1990. 8. 13.

44) 《중앙일보》 1990. 8. 16;《한겨레》1990. 8. 16.

45) 《한겨레》1990. 8. 18.

46) 《동아일보》1990. 8. 21;《한겨레》1990. 8. 21.

47) 황석영은 그 후 1991년 11월 미국으로 건너가 1993년 1월 5일 범민련과의 결별을 선언했다. 그는 이 날 기자회견을 갖고 "지난달 16일자로 베를린에 있는 범민련 본부에 대변인직 사직서를 보냈으며 오늘로 범민련과의 관계를 청산한다"고 말했다. 그는 범민련에서 손을 뗀 이유에 대해 "한국내 정치적 변화 등이 지난 90년 범민련을 결성할 당시와는 많이 달라져 범민련의 시대적 사명은 끝났다고 판단했기 때문"이라고 말했다. 그는 또 "국내 재야 및 운동권도 시대의 흐름에 맞춰 방향과 조직면에서 일대 재편성이 이뤄져야할 것"이라고 덧붙였다. 《한겨레》1993. 1. 8.

48) 《한겨레》1990. 11. 21.

49) 《한겨레》1990. 12. 1.

50) 《한겨레》1991. 5. 14.

51) 《한겨레》1990. 12. 30.

52) 《한겨레》1991.1. 24.

53) 《동아일보》1991. 1. 25; 1991. 2. 21; 1991. 7. 17; 1991. 8. 13.

54) 《동아일보》1992. 2. 20; 1992. 3. 18.

55) 《한겨레》1991. 7. 17.

56) 《동아일보》1991. 1. 25.

57) 《한겨레》1991. 1. 27.

58) 《동아일보》1991. 7. 9.

59) 《동아일보》1991. 7. 13.

60) 《한겨레》1991. 8. 9.

61) 《한겨레》1991. 8. 16.

62) 《한겨레》1991. 8. 20.

63) 《한겨레》1992. 8. 16.

64) 《중앙일보》1990. 2. 24.

65) 《중앙일보》1990. 3. 7.

66) 《중앙일보》1990. 3. 17.

67) 《동아일보》1991. 6. 4.

68) 《동아일보》1991. 6. 28.

69) 《동아일보》1991. 6. 4.

70) 《한겨레》2001. 4. 2.

71) 《조선일보》1991. 5. 5.

72) 《조선일보》1991. 5. 11.

73) 《중앙일보》1988. 6. 9.

74) 《조선일보》1988. 6. 5.

75) 《중앙일보》1988. 6. 7.

76) 《조선일보》1988. 6. 5.

77) 《중앙일보》1988. 7. 18.

78) 《동아일보》1988. 8. 7;《조선일보》1988. 8. 14.

79) 《중앙일보》1988. 8. 11.

80) 《중앙일보》1988. 7. 30.

81) 《중앙일보》1988. 12. 26.

82) 《중앙일보》1989. 6. 6.

83) 《중앙일보》1989. 6. 30.

84) 《중앙일보》1989. 7. 1.

85) 《중앙일보》1989. 7. 3.

86) 천주교정의구현사제단은 이 무렵부터 구성원 상당수가 진보좌파노선으로 흘러 90년대 이후 국가보
안법 폐지, 한미군사동맹 파기, 한총련 합법화, 송두율 교수 석방, KAL기 폭파사건 진상조사 요구,
평택미군기지 저지, 미국산 쇠고기 전면수입 반대 투쟁을 다른 진보단체들과 함께 벌였다.

87) 《중앙일보》1989. 8. 15.

88) 《중앙일보》1990. 2. 5.

89) 《중앙일보》1990. 6. 11.

90) 《중앙일보》1990. 9. 25.

91) 《중앙일보》1990. 2. 5.

92) 《중앙일보》1990. 9. 17; 《한겨레》 1990. 12. 27.

93) 《동아일보》1991. 3. 23.

94) 《동아일보》1991. 6. 22.

95) 《서울신문》1991. 7. 27.

96) 전대협 의장은 ○제1기 이인영(고려대 총학생회장, 국문 4, 1987년도), ○제2기 오영식(고려대 총학
생회장, 법학 4, 1988년도), ○제3기 임종석(한양대 무기재료 4, 1989년도), ○제4기 송갑석(전남대
총학생회장, 1990년도), ○제5기 김종식(한양대 총학생회장, 사회 4, 1991년도), ○제6기 태재준(서
울대 총학생회장, 경제 4, 1992년도)이다. 이들 중 이인영, 오영식, 임종석 3명은 나중에 열린우리당
국회의원으로 정계에 진출했다. 《중앙일보》1987. 11. 17; 1988. 9. 24; 1991. 4. 15; 1992. 1. 7.

97) 《동아일보》1991. 4. 17.

98) 《한겨레》1992. 6. 29.

99) 《동아일보》1991. 5. 7.

100) 《한겨레》1991. 6. 28.

101) 구속자는 다음과 같다. 한철수, 하태경(서총련 조통위 연대사업담당, 서울대 물리4), 손성표(서총련
사무국 계열부분담당, 고려대 전 법대 학생회장), 김시몽(목포대 전 총학생회장), 신현욱(전대협 의
장수행비서, 한양대 사회4), 정진성(전대협 의장 수행비서, 한양대 중문4). 《한겨레》1991. 7. 9; 1991.
7. 10. 1991. 8. 11.

102) 《한겨레》1991. 7. 26.

103) 《동아일보》1991. 8. 3; 《한겨레》1991. 8. 9.

104) 《동아일보》1991. 8. 12.

105) 《동아일보》1991. 8. 16; 《한겨레》1991. 8. 17.

106) 《한겨레》1991. 8. 18.

107) 《동아일보》1992. 4. 11.

108) 《동아일보》1992. 4. 23; 《한겨레》1992. 4. 24.

109) 《한겨레》1992. 5. 7.

110) 《한겨레》1992. 7. 2.

111) 《한겨레》 1992. 5. 23.

112) 《한겨레》 1992. 5. 31.

113) 《동아일보》1992. 7. 20.

114) 《한겨레》1992. 8. 16.

115) 범청학련 남측본부, "강령과 규약", *http://bchy.jinbo.net/http://bchy.jinbo.net.*

116) *http://www.eduhope.net/commune/view.php?board=eduhope-256&id=4&page=&SESSIONID*
    =3d6592b1d837518a7ae67c312f483051

117) *ibid.*

118) *ibid.*

119) *ibid.*

120) *ibid.*

121) 《동아일보》 1991. 11. 30.

122) 《한겨레》 1991. 12. 2.

123) 《한겨레》 1991. 12. 11.

124) 《한겨레》 1992. 1. 31.

125) 《한겨레》 1992. 3. 11.

126) 《한겨레》 1992. 5. 20.

127) 발기인 명단은 다음과 같다. 강기종(전국연합) 권영길(업종회의) 권종대(전국연합) 김근태(전민련·
    수감중) 김동완(목사) 김상근(〃) 김영곤(노운협) 나병식(출판) 단병호(전노협) 박남운(건약) 배종렬
    (전농) 손병선(반핵평련) 신경림(민예총) 안병욱(학단협) 양연수(전빈련) 오용호(신부) 유영재(건치)
    이범영(한청협) 이영희(전교조) 이우재(민사협) 이재오(〃) 이창복(전민련·수감중) 이현수(민자통)
    장기표(민사협) 장임원(민교협) 진관(정토구현승가회) 지선(통불협) 최민화(민족민주운동연구소) 최
    열(공추련) 최윤(진정추) 최장집(학단협) 태재준(전대협) 한경남(전국노련) 함세웅(신부), 《한겨레》
    1992. 7. 15; 1992. 9. 27.

128) 《한겨레》 1992. 10. 13.

129) 양측의 정치협상에는 민주당 쪽에서 김원기 최고위원을 단장으로 이길재, 임채정, 이해찬, 김옥두,
    박계동, 신계륜 의원과 이경배 김대중 후보 비서실차장이, 전국연합 쪽에서는 고광석 공동의장, 단병호
    전노협 위원장, 배종렬 전농 의장, 양연수 전빈련 의장, 이영희 전교조 위원장, 장임원 민교협 의장, 김쾌
    상 경기남부연합 의장, 최규성 제도정치위원장이 각각 참여했다. 《한겨레》 1992. 11. 25.

130) 《한겨레》 1992. 12. 11; 1992. 12. 13.

131) 《세계일보》 1992. 11. 18.

132) 《한겨레》 1992. 12. 22.

Ⅴ-③ 민주화 시기의 지하조직

1) 《세계일보》 1991. 8. 10.

2) 《세계일보》 1991. 8. 10.

3) 《조선일보》 1986. 8. 31.

4) 《조선일보》 1986. 8. 31.

5) 민민투의 투쟁노선을 밝힌 대표적인 논문은 "혁명운동의 기수를 제헌의회 소집으로!"와 "무엇이 프롤
   레타리아의 진군을 가로 막는가"라는 제목의 소책자이며 자민투의 그것은 "반제민중민주주의운동의

횃불을 들고 민족해방의 기수로 부활하자"(일명 해방서시)라는 소책자이다. 일송정 편집부(1988), pp. 113~140.

6) 일송정 편집부(1988), pp. 208~211.

7)《조선일보》1986. 8. 31.

8) http://www.kdemocracy.or.kr/friend/history-80-3.asp.

9)《조선일보》1986. 8. 31.

10)《조선일보》1986. 12. 30.

11)《조선일보》1986. 12. 31.

12)《동아일보》2006. 12. 15.

13)《조선일보》1987. 2. 4.

14)《조선일보》1987. 2. 4.

15)《조선일보》1987. 7. 11.

16)《동아일보》1987. 7. 21.

17)《조선일보》1987. 10. 16.

18)《조선일보》1987. 10. 16.

19)《조선일보》1987. 10. 16.

20)《조선일보》1987. 10. 22.

21)《조선일보》1987. 11. 12.

22)《서울신문》1996. 8. 21;《국민일보》1994. 8. 29; 김영명(1999),《한국현대정치사》, 을유문화사, p. 254; 김인걸 외(2003),《한국현대사강의 1945~1990》, 돌베개, p. 426;《조선일보》1985. 8. 19.

23)《조선일보》1986. 10. 25.

24)《조선일보》1986. 10. 25.

25) 민주화실천가족운동협의회 민중민주운동연구소(1989), pp. 192~193.

26)《조선일보》1987. 3. 14;《동아일보》1987. 3. 17.

27)《조선일보》1986. 11. 28.

28)《동아일보》1986. 11. 12.

29) 민주화실천가족운동협의회 민중민주운동연구소(1989), pp. 197~174.

30) 관련자들의 형량은 다음과 같다(괄호 안은 구형량). ○징역7년 박충렬(서울대 법대 졸, 무기징역) ○ 징역5년 이민영(서울대 물리 3 제적, 징역15년) 우종원(서울대 경제 4 제적, 징역10년) ○징역4년 문 성민(서울대 인류 3 휴학, 징역12년) 조정식(서울대 물리 3 제적, 징역10년) 박시종(서울대 정치 4 제 적, 징역12년) 전원하(서울대 무역 4 제적, 징역10년) 이광규(성울대 사회 3 제적, 징역7년) 이의역 (서울대 산업공학 4 제적, 징역10년) ○징역3년6월 김진우(서울대 정치 4 제적, 징역10년) ○징역3년 이병주(서울대 물리 3, 징역7년) ○징역2년6월 김현권(서울대 천문 4 제적, 징역7년) 김진호(서울대 정치 졸, 징역7년) 김규현(서울대 대학원 정치 휴학, 징역7년) ○징역2년 구용희(서울대 수학 4 제적, 징역5년) 염종영(서울대 물리 3 휴학, 징역7년)《조선일보》1987. 5. 8.

31)《중앙일보》1987. 2. 24.

32) MBC, 1985.9.1. "보도특집, 학원에 뻗힌 붉은 손길―학원침투유학생긴침단"; 박찬수,《NL현대사》(인 물과사상사, 2017), p. 54.

33)《중앙일보》1987. 2. 24.

34) ibid.

35)《조선일보》1987. 6. 21.

36) 《중앙일보》1989. 4. 14.

37) 《한국일보》1991. 3. 23.

38) 《중앙일보》1990. 2. 16.

39) 《경향신문》1991. 7. 27.

40) 《한국일보》1991. 3. 23.

41) 《세계일보》1991. 8. 10.

42) 《인천신문》2006. 11. 16.

43) 김진국 외(1991), 《선진노동자의 이름으로》, 소나무, p. 168.

44) 김진국 외(1991), pp. 174~175.

45) 김진국 외(1991), pp. 174~175.

46) 김진국 외(1991), pp. 175~181.

47) 김진국 외(1991), p. 168.

48) 김진국 외(1991), p. 169.

49) 김진국 외(1991), p. 170.

50) 《조선일보》1989. 10. 19.

51) 노회찬(2005), "인민노련 혁명을 꿈꾸다-〈한국의 진보〉 3부작 제2부", *http://www.nanjoong.net/g4/bbs/board.php?bo_table=media&wr_id=129&page=31.*

52) 김진국 외(1991), pp. 213~214.

53) 《조선일보》1990. 4. 15.

54) 1심 선고 내용은 다음과 같다. ○징역3년 오동렬(吳東烈, 서울대 철학 졸) ○징역2년6월 윤철호(尹哲鎬, 서울대 철학 졸) 노병직(魯炳稷, 서울대 상대 졸) 노회찬(魯會燦, 고려대 정치외교 졸) ○징역2년 정종주(鄭鍾柱, 서울대 법대 졸) 이헌영(서울대 철학 졸) ○징역1년6월 최건섭(崔健燮, 서울대 법대 1 제적) 이면재(李勉宰, 서울대 정치 졸) 김진희(金珍姬, 여 고려대 국문 졸) 권우철(서울대 경제 졸) 김용숙(金鏞淑, 여 방송통신대 가정 1 자퇴) ○징역1년 신동수(申東洙, 서울대 사학 졸) 이태주(李汰周, 고려대 영문 3 제적) 최남기(崔南基, 고려대 경영 졸) 김창덕(울산기계공고 중퇴) ○징역10월 김혜인(金惠仁, 여 서울대 불어교육 3). 심은남(沈銀男, 여 인하대 행정 졸). 윤철호 오동렬 외(1990), pp. 214~217.

55) 노찬백(1995), pp. 166~169.

56) 《한겨레》1991. 12. 17.

57) 《조선일보》1992. 1. 20.

58) 노찬백(1995), pp. 165~166.

59) 《한겨레》1992. 2. 6; 1992. 2. 8.

60) 《한겨레》1994. 9. 6.

61) 《중앙일보》1988. 3. 21.

62) 《한겨레》1994. 9. 6.

63) 《경향신문》1994. 9. 6.

64) 성공회대 부설 사이버NGO자료관, *http://www.demos.or.kr/data/viewbody.html?code=datacenter&page=10&number=242&bkind=&dkind=importance&keyfield=&key=*

65) 《조선일보》2006. 11. 3.

66) 《중앙일보》1990. 12. 26.

67) *ibid*；《한겨레》1991. 5. 8.

68) 《조선일보》1989. 11. 15.

69) 《조선일보》1990. 10. 31.

70) 《조선일보》1992. 5. 16.

71) 《조선일보》1992. 5. 16.

72) 《조선일보》1992. 5. 16.

73) 《조선일보》1992. 5. 16.

74) 《조선일보》1991. 3. 12; 1992. 4. 30.

75) 《조선일보》1992 4. 25.

76) 《조선일보》1991 9. 10; 1991. 12. 30.

77) 《조선일보》1992. 5. 16.

78) 《조선일보》1992. 5. 16.

79) 《조선일보》1991. 3. 14; 1991. 3. 16; 1991. 7. 31; 1991. 8. 28; 1992. 10. 28; 1993. 2. 21. 《국제신문》
2017.5.11.

80) 《조선일보》1998. 8. 15: 2008. 12. 27.

81) 《동아일보》1992. 9. 7.

82) 《동아일보》1992. 9. 7.

83) 《동아일보》1992. 11. 4.

84) 《동아일보》1992. 10. 6.

85) *ibid.*

86) *ibid.*

87) 《동아일보》1993. 2. 23.

88) 《동아일보》1993. 6. 18.

89) 《동아일보》1993. 10. 12.

90) 《동아일보》1993. 2. 23.

91) 《동아일보》1993. 2. 24.

92) 《조선일보》1993. 7. 6.

93) 《동아일보》1993. 2. 24.

94) 《동아일보》1993. 2. 27.

95) 《동아일보》1993. 6. 18.

96) 황인오(1997), 《조선노동당 중부지역당》, 천지미디어, p. 183.

97) *http://www.cbs.co.kr/Nocut/Show.asp?IDX=36834.*

98) 《동아일보》2006. 12. 15.

99) 《경향신문》2006. 8. 2.

100) 《경향신문》2006. 8. 2.

Ⅵ-① 김영삼 정부 하의 좌파정당

1) 《경향신문》1993. 1. 5.

2) 《한국일보》1993. 5. 16.

3) 《한국일보》1994. 9. 28.

4) 《한겨레》1995. 9. 26.

5) 《한겨레》1997. 8. 19.

6) 《한겨레》1997. 9. 2.

7) 《한겨레》1997. 9. 8.

8) 《한겨레》1997. 10. 27; 《서울신문》1997. 10. 27.

9) 자문교수들은 분야별로 1 통일 강정구, 2 외교안보 이삼성 이해영, 3 정치 손호철 정영태, 4 경제 장상환 정건화, 5 사회 강정구 김동춘, 6 노동 김형기, 7 역사 안병욱, 8 사회복지 김종해 남구현, 9 교육 박거용 교수 등을 책임자로 하는 소위원회를 구성했다. 《한겨레》1997. 11. 1.

10) 《한국일보》1997. 11. 11.

11) 이재영(2002), *http://2001.kdlp.org/zboard/print.php?id=top0201&no=3&action* .

12) 《한겨레》1997. 11. 18.

13) 권영길은 겨우 30만6,026표를 얻어 득표율이 1.2%에 불과, 5년 전 백기완이 얻은 23만8,638표와 오십보백보의 차이였다. 《한겨레》1997. 12. 20.

14) 대표적인 인물로는 이창복(전국연합 상임의장, 국민승리 공동대표, 민주당 국회의원) 유기홍(한청녑의장 국민승리21 대변인, 청와대 비서실) 이인영(전국연합 정치부장, 국민승리21 조직부국장, 민주당 지구당 위원장) 등이다. 이재영(2002), *http://2001.kdlp.org/zboard/print.php?id=top0201&no=3&action*.

15) 이재영(2002), *http://2001.kdlp.org/zboard/print.php?id=top0201&no=3&action*; 오세철은 2008년에 사회주의노동자연합(약칭 사로연)을 결성, 경찰에 의해 구속영장이 청구되었으나 법원에서 기각되었다. 《조선일보》2008. 8. 29.

16) 《한겨레》1998. 2. 24.

Ⅵ-② 90년대 전반의 급진단체

1) 《한겨레》1993. 4. 27.

2) 《한겨레》1993. 4. 27.

3) 《동아일보》1993. 4. 27.

4) 《한겨레》1993. 5. 19; 1993. 5. 20.

5) 《동아일보》1993. 5. 31.

6) 《동아일보》1993. 5. 30; 1993. 5. 31.

7) 《동아일보》1993. 6. 5.

8) 《한겨레》1993. 6. 13.

9) 《한겨레》1993. 6. 14.

10) 《동아일보》1993. 6. 18.

11) 《동아일보》1993. 7. 2.

12) 《한겨레》1993. 12. 21.

13) 《한겨레》1993. 8. 5.

14) 《한겨레》1994. 8. 5.

15) 《한겨레》1995. 8. 15.

16) 《동아일보》1994. 4. 21; 1994. 7. 15.

17) 《동아일보》1994. 8. 30.

18) 《한겨레》1994. 5. 29.

19) 《한겨레》 1994. 5. 31.

20) 《동아일보》 1994. 5. 30.

21) 《동아일보》 1994. 5. 31.

22) 《한겨레》 1994. 5. 27.

23) 《한겨레》 1994. 6. 2; 1994. 6. 8.

24) 《동아일보》 1994. 7. 20; 1994. 9. 30.

25) 《동아일보》 1994. 7. 20; 1994. 7. 21.

26) 《동아일보》 1994. 7. 21.

27) 《동아일보》 1994. 7. 20.

28) 《동아일보》 1994. 7. 23.

29) 《동아일보》 1994. 7. 27.

30) 《서울신문》 1994. 8. 16.

31) 《동아일보》 1994. 8. 16.

32) 《동아일보》 1994. 10. 5.

33) 《동아일보》 1996. 8. 12.

34) 《한겨레》 1996. 8. 15.

35) 《동아일보》 1996. 8. 21; 《동아일보》1996. 9. 18.

36) 《동아일보》 1996. 11. 5; 《동아일보》1996. 11. 6.

37) 《동아일보》 1996. 8. 19; 《동아일보》1996. 8. 22.

38) 《동아일보》 1996. 8. 23.

39) 《동아일보》 1996. 8. 28.

40) 《동아일보》 1996. 9. 18.

41) 《한겨레》 1996. 11. 25; 1996년 11월 24일 총학생회장 선거를 마친 87개 대학 중 NL계열이 43개, PD 계열이 10개, 비운동권이 34개 대학에서 당선되었다. 이것은 전해에 전국 4년제 대학 169개 가운데 NL계가 94개, PD계가 17개, 비운동권이 52개 대학에서 총학생회장에 당선된 것과 큰 차이를 보였다. 《동아일보》 1996. 8. 16.

42) 《동아일보》 1997. 2. 21; 1997. 5. 27.

43) 《동아일보》 1997. 3 13; 1997. 3. 15; 《한겨레》 1997. 3. 27; 1997. 4. 5.

44) 《한겨레》 1997. 4. 7.

45) 《한겨레》 1997. 4. 15.

46) 《동아일보》 1997. 5 31.

47) 《동아일보》 1997. 6 3.

48) 《한겨레》 1997. 6. 5; 1997. 6. 7.

49) 《한겨레》 1997. 6. 6.

50) 《동아일보》 1997. 6. 6.

51) 《한겨레》 1997. 6. 26.

52) 《동아일보》 1997. 6 5.

53) 《동아일보》 1997. 6 10; 1997. 6. 14; 1997. 6. 17.

54) 《동아일보》 1997. 7. 17.

55) 《동아일보》 1997. 7. 24.

56) 《동아일보》 1997. 8. 1; 1997. 9. 25..

57) 《동아일보》 1997. 7. 30.

58) 《한겨레》 1997. 7. 31.

59) 《한겨레》 1997. 8 16.

60) 《한겨레》 1992. 7. 29; 《경향신문》 1994. 1. 21.

61) 《동아일보》 1994. 7. 13.

62) 《동아일보》 1994. 7. 14.

63) 《조선일보》 1994. 7. 17.

64) 《동아일보》 1994. 7. 17.

65) 《동아일보》 1994. 7. 19.

66) 《민족21》 2006. 10. 19, "현대사발굴 이종린의 현대사 회고", *http:www.minjog21/150009926743*.

67) 조국통일범민족연합남측본부(2000), 《범민련 10년사 1》, p. 107, pp. 250~252; 조국통일범민족연합 남측본부, "범민련역사", *http://tongil.jinbo.net*; 그러나 당시 신문에는 이날 남측본부가 결성되었다 는 보도가 전혀 없어, 준비위원회가 당국의 탄압을 피하기 위해 비밀리에 결성대회를 개최했다고 볼 수 있으나 자세한 내용은 여전히 베일에 싸여있다.

68) 《동아일보》 1995. 11. 30.

69) 《동아일보》 1997. 7. 1; 《서울신문》 1997. 7. 5.

70) 《한겨레》1993. 12. 14.

71) 《동아일보》 1994. 3. 26.

72) 《한겨레》 1997. 6. 11.

73) 《동아일보》 1994. 7. 3.

74) 《한겨레》1995. 4. 1.

75) 《한겨레》1994. 1. 11.

76) *ibid.*

77) 《동아일보》 1994. 8. 10.

78) 《한겨레》 1994. 10. 11.

79) 《한겨레》1995. 8. 14.

80) 《한겨레》 1996. 8. 16.

81) 《한겨레》1997. 8. 6.

82) 《한겨레》1997. 8. 15.

83) 《한겨레》 1999. 8. 2.

84) 《한겨레》 1999. 8. 12.

85) 《한겨레》 2003. 9. 23.

86) 전국민주노동조합총연맹, "민주노총 약사", *http://nodong.org/new/sogae_01.html*.

87) 《동아일보》 1995. 11. 12.

88) 《동아일보》 1995. 11. 12.

89) 《동아일보》 1995. 11. 24.

90) 《동아일보》 1997. 1. 8.

91) 《동아일보》 1997. 1. 30.

92) 《동아일보》2004. 3. 24; 2004. 6. 30; 2006. 5. 4; 2006. 8. 4.

93) 《통일뉴스》 2008. 3. 24. *http://www.tongilnews.com*; 《동아일보》 *2008. 12. 9.*

Ⅵ-③ 동구권 붕괴 후의 공안사건

1) 《동아일보》 1994. 8. 30.
2) 《경향신문》 1994. 7. 27.
3) 《동아일보》 1994. 8. 30.
4) 《서울신문》 1994. 7. 3.
5) 《한겨레》 1994. 7. 3; 《서울신문》 1994. 7. 3; 《동아일보》 1994. 7. 3.
6) 《한겨레》 1994. 9. 4.
7) 《한겨레》 1997. 7. 31.
8) 《동아일보》 1994. 7. 29.
9) 《서울신문》 1994. 8. 18.
10) 《동아일보》, 1994. 7. 30.
11) 《한겨레》, 1996. 12. 26.
12) 《한겨레》 1994. 9. 29.
13) 《동아일보》 1994. 12. 1.
14) 《문화일보》1998. 8. 14; 《동아일보》 1999. 8. 14.
15) 《문화일보》 2001. 3 16.
16) 《한겨레》 1996. 11. 13.
17) 《세계일보》 1997. 2. 22.
18) 《경향신문》 2003. 3. 1; 《동아일보》 2003. 4. 26; 《경향신문》, 2007. 2. 17.
19) 《한겨레》 1991. 6. 6.
20) 《한국일보》 1991. 6. 13.
21) 《문화일보》2007. 2. 6.
22) 《한겨레》1992. 2. 26.
23) 《동아일보》 1992. 2. 28.
24) 경찰은 94년에는 이 조직이 90년 10월에 창설되었다고 수정 발표했다. 《동아일보》 1994. 10. 19.
25) 《한겨레》1992. 4. 2.
26) 《서울신문》 1994. 10. 19.
27) http://www.bolshevik.org/hangul/on-Korea/Free%20South%20Korean%20Leftists.htm.
28) 《한겨레》1995. 1. 23; 1995. 6. 12; 1997. 1. 31; 《서울신문》 1998. 5. 16.
29) 《한겨레》 2000. 3. 15.
30) 《한겨레》 2000. 6. 16.
31) 《서울신문》1997. 4. 13.
32) 《서울신문》1997. 4. 13.
33) 《서울신문》1997. 11 12.
34) 《동아일보》 1994. 8. 5.
35) 《동아일보》 1994. 8. 5.
36) 《한겨레》 1994. 12. 26.
37) 《한겨레》 1994. 8. 23.
38) 《동아일보》1995. 10. 26.
39) 《동아일보》1998. 2. 28.

40) 박래군(인권운동사랑방 사무국장), "국가보안법 7조3항의 문제점", *http://www.sarangbang.or.kr/bbs/view.php?board=data&id=33&page=3&category1=4.*

제4부 진보정권 시기

Ⅶ-① 김대중 정부의 좌경정책과 그 공과

1) 자세한 내용은 남시욱(2005), p. 509.
2) 김대중은 1970년 1월호 《사상계》에 성장과 분배를 똑같이 중시해 자본주의체제와 사회주의체제가 각기 갖는 모순을 극복하는 한국형 혼합경제체제를 의미하는 '대중경제'를 주장하는 글을 썼다. 그는 1971년 후보 기자회견에서는 부유세 신설도 주장했다. 김대중전집편찬위원회(1989), 《김대중 전집 1: 조국에 바친 신명》, (사)한경과연, p. 43, p. 79.
3) 김대중전집편찬위원회(1989), p. 89.
4) 《중앙일보》 2001. 7. 5.
5) 《뉴스위크 한국판》, 2002. 10. 16; 《조선일보》 2002. 10. 10.
6) 《동아일보》 2000. 6. 16.
7) 통일부(2005), 《남북교류협력 및 인도적 사업동향》 제164호, p. 20.
8) 《동아일보》 2000. 6. 17.
9) 《동아일보》 2008. 9. 30.
10) 이 책은 1971년의 제7대 대통령선거를 앞두고 박현채가 정윤형(전 홍익대 교수), 임동규(민족무예 경당 대표), 그리고 김대중의 비서였던 김경광 등 3명과 함께 집필해 대중경제연구소 명의로 발간되었다. 이 책은 1989년에 간행된 전 12권의 김대중전집편찬위원회(1989), 《김대중전집》, 한경과연의 제2권에 수록되어있다; 김대중은 그 후 신군부정권 때 미국에서 2년 3개월간 망명생활을 하던 중 9개월 동안(1983. 9~1984. 6) 하버드대학교 국제문제연구소의 초청연구원 생활을 하면서 나중에 전북도지사와 그의 경제고문이 된 유종근(당시 뉴저지주 경제연구소 근무)의 도움을 받아 Kim Dae Jung(1985), *Mass-Participatory Economy, A Democratic Alternative for Korea*(Cambridge: Harvard University Press)를 출간했다. 그는 귀국 후 이 책을 번역정리해서 한국어판 《대중경제론》을 발간했다. 김대중(1986), 《대중경제론》, 청사, pp. 3~5; 그런데 하버드대출판부는 1996년, 김대중의 영문판 책을 대폭 고쳐 쓴 개정증보판을 출판, 그 한글판이 1997년 도서출판 산하에서 《대중참여경제론》이라는 새 제목으로 나왔다. 김대중(1997), 《대중참여경제론》, 산하, pp. 4~5; 김대중은 같은 해 그의 경제이론을 알기 쉽게 풀이하고 경제회생책을 제시한 《김대중의 21세기 신민경제이야기》라는 책을 같은 출판사에서 출간했다. 김대중(1997), 《김대중의 21세기 신민경제이야기》, 산하, pp. 4~5.
11) 김대중(1986), pp. 5~8.
12) 김대중(1997), pp. 26~28.
13) 《한겨레》 1999. 5. 1.
14) 《세계일보》 1999. 4. 23; 《서울신문》 1999. 4. 23.
15) 《세계일보》 1999. 4. 23; 《서울신문》 1999. 4. 23.
16) 《한겨레》 2007. 3. 20.
17) 《중앙일보》 2002. 12. 5. "전문가 253명의 대선 후보 평가".
18) 삼성경제연구소(2000), 《한국경제의 회고와 과제》, 삼성경제연구소, pp. 122~144.

19) 삼성경제연구소(2000), p. 188.

20) 통계청(2007), 《한국통계연감 2007》, p. 76.

21) 《조선일보》2001. 11. 4;《조선일보》2001. 7. 1;《동아일보》2001. 7. 9;《경향신문》2001. 7. 5;《서울신문》2001. 7. 25'《동아일보》2001. 9. 18.

VII-2 김대중 정부 하의 좌파정당

1) 《한겨레》 1998. 11. 28.

2) 한국사회당(2007), "한국사회당이 걸어온 길", *http://www.sp.or.kr/sp2004/intro/ history. php.*

3) *ibid.*

4) 《한겨레》 1998. 11. 30.

5) *http://go.jinbo.net/commune/view.php?board=413-11&id=3&page=1&SESSIONID=4b2b7f723c5 d403ffcf0e2e40fa3b735.*

6) 《서울신문》 1999. 3. 26.

7) 《한겨레》 2000. 4. 14.

8) *http://www.sp.or.kr/sp2007/bbs/1_1.htm*;《한겨레》2007. 12. 21.

9) 한국사회당 홈페이지, *http://www.sp.or.kr/sp2007/bbs/1_3.htm*;《매일노동뉴스》, *http://www. labortoday.co.kr/news/ articleView.html?idxno=109775.*

10) 《한겨레》 1998. 2. 24.

11) 《동아일보》 1998. 6. 6.

12) 《한겨레》 1999. 10. 30.

13) 성공회대 민주자료관, "진보정당운동의 흐름―민주노동당 원탁회의의 성과를 모아 마침내 출범의 돛 올리다", *http://www.demos-archives.or.kr/pavilion/pavilion_03.html*

14) 《한겨레》 1999. 1. 26.

15) 《한겨레》 1999. 4. 19.

16) 《한겨레》 1999. 6. 14.

17) 《동아일보》 1999. 8. 30;《한겨레》 1999. 8. 30.

18) 《한겨레》 2000. 1. 31.

19) 《한겨레》 2000. 4. 11.

20) 《동아일보》 2000. 3. 18;《한겨레》 2000. 3. 18.

21) 《한겨레》 2000. 3. 27.

22) 《한겨레》 2000. 4. 15.

23) 《동아일보》 2000. 4. 18.

24) 《한겨레》 2000. 4. 29.

25) 《동아일보》 2000. 6. 10.

26) 《한겨레》 2001. 10. 26.

27) 《한겨레》 2002. 6. 15.

28) 《한겨레》 2002. 6. 15.

29) 《동아일보》2002. 8. 9.

1) 《동아일보》1998. 3. 14; 1998. 8. 13.

2) 《동아일보》1998. 4. 5.

3) 《서울신문》1998. 4. 11; 《한겨레》1998. 4. 11.

4) 《동아일보》1998. 5. 14.

5) 《한겨레》1998. 5. 30; 1998. 6. 1; 1998. 6. 3; 《동아일보》1998. 6 1.

6) 《한겨레》1998. 5. 26.

7) 《동아일보》1998. 6. 18.

8) 《한겨레》1998. 8. 8.

9) 《한겨레》1998. 8. 8.

10) 《한겨레》1998. 8. 20.

11) 《동아일보》1998. 11. 4; 《한겨레》1999. 4. 14.

12) 《한겨레》1998. 3. 31.

13) 《한겨레》1999. 1. 6.

14) 《한겨레》1999. 2. 4.

15) 《한겨레》1999. 5. 10.

16) 《서울신문》1999. 5. 29; 《한겨레》1999. 5. 31.

17) 《한겨레》2000. 5. 29.

18) 《동아일보》2002. 2. 19; 2002. 10. 2.

19) 《한겨레》2002. 11. 19.

20) 《동아일보》1998. 9. 4

21) 《동아일보》1998. 7. 7.

22) ibid.

23) 《한겨레》1998. 7. 11.

24) 《한겨레》1998. 7. 22.

25) 《동아일보》1998. 8. 17

26) 《동아일보》1998. 8. 13.

27) 《한겨레》1998. 8. 17; 《동아일보》1998. 8. 21.

28) 《동아일보》1998. 8. 17.

29) 《서울신문》1998. 8. 28.

30) 《문화일보》1998. 10. 22.

31) 《한겨레》1999. 4. 1; 《서울신문》1999. 5. 8.

32) 《문화일보》1999. 7. 5; 《서울신문》1999. 7. 29.

33) 《한겨레》1999. 8. 7.

34) 윤기진은 도피기간 중 2004년 6월 그의 부인과 함께 민주화운동기념사업회의 '제2회 박종철인권상'을 받았으며, 민주노동당 부대변인이던 그의 부인 황선이 2005년 10월 북한에서 아리랑공연을 참관하던 중 산기를 느껴 평양산원에 입원, 둘째 딸을 낳아 '남한 사람의 첫 북한 출산'이라며 큰 화제를 모았다. 황선은 범청학련 남측본부 의장 당시에는 범청학련 홈페이지 의장칼럼에 '김정일 국방위원장의 유훈정치, 통일의지'란 강연록을 올리는 등 활동을 계속했다. 《한국일보》2008. 2. 28; 그는 2008년 8월 1심에서 징역3년을 선고받았다. 《동아일보》2008. 8. 28.

35) 《한겨레》 1999. 8. 16.

36) 《동아일보》 1999 8. 9.

37) 《세계일보》1999. 8. 20.

38) 《한겨레》 2000. 8. 14.

39) 《한겨레》 2000. 8. 15.

40) 《동아일보》 1999. 11. 13.

41) 《동아일보》 1999. 5. 3; 2001. 7. 25.

42) 《한겨레》 1999. 9. 13; 1999. 9. 29.

43) 《한겨레》 1999. 11. 15.

44) 《한겨레》 2000. 1. 19.

45) 《한겨레》 2000. 5. 15.

46) 《한겨레》 2000. 6. 2.

47) 《한겨레》 2000. 8. 15.

48) 《미래한국》 2007. 12. 29.

49) 《프리존뉴스》2008. 4. 11.

50) 《매일경제》2000. 10. 22.

51) 《시민의신문》2001. 11. 21; 2001. 11. 23.

52) 《동아일보》 2008. 10. 25; 《조선일보》 2008. 12. 3.

53) 자세한 내용은 남시욱(2005), pp. 513~516 참조할 것.

54) 《한겨레》 2000. 12. 14.

55) 《한겨레》2001. 4. 7.

56) 《동아일보》2001. 4. 6; 《한겨레》2001. 4. 7.

57) 《한겨레》2001. 4. 26.

58) 《한겨레》2001. 6. 4.

59) 《한겨레》2001. 8. 7.

60) 《서울신문》 2001. 8. 30.

61) 《한겨레》2001. 9. 20.

62) 《동아일보》 2001. 7. 25.

63) 《서울신문》2001. 3. 16; 《한겨레》2001. 3. 20.

64) 《동아일보》2001. 8. 20.

65) 《경향신문》2001. 6. 4.

66) 《매일경제》2001. 3. 22.

67) 《세계일보》2001. 4. 12.

68) 《한겨레》 2001. 5. 24.

69) 《한겨레》2001. 6. 4.

70) 《서울신문》2001. 6. 12; 《동아일보》2001. 6. 14.

71) 《한겨레》2001. 6. 16.

72) 《한겨레》 2000. 10. 6.

73) 《국민일보》2001. 8. 15.

74) 《동아일보》 2001. 8. 16.

75) 《국민일보》 2001. 8. 17.

76) 《서울신문》 2001. 8. 20.

77) 《동아일보》 2001. 8. 20.

78) 《국민일보》 2001. 8. 21.

79) 《한겨레》 2001. 8. 25.

80) 《동아일보》 2001. 10. 12; 2005. 12. 2;

81) 《서울신문》 2002. 2. 20.

82) 《동아일보》 2005. 12. 2.

83) 《동아일보》 2002. 2. 8; 이들 중 전상봉은 그가 의장으로 있던 한국청년단체협의회 사건으로 다시 기소되어 2004년 7월 서울중앙지법 형사합의24부(부장판사 이대경) 심리로 열린 국가보안법 위반사건 선고공판에서 징역2년 집행유예3년을 선고받았다. 재판부는 "한청의 강령이나 소식지는 남한 사회를 미 제국주의 식민지로 규정하고 있고, 북한을 찬양하면서 주한미군 철수, 인민민주의혁명 등을 주장하고 있어 공소사실이 모두 유죄로 인정된다"고 밝혔다. 그러나 그는 신문지상을 통해 이 판결이 부당하다고 비판하면서 국가보안법 폐지운동을 벌이다가 이듬해 6월 재판에 계류 중인 상태에서 정부의 방북승인을 받고 평양에서 열린 민족통일대축전에 남측 민간대표로 참석했다. 《동아일보》 2004. 7. 21; 《서울신문》 2005. 6. 14.

84) 《동아일보》 2001. 9. 7.

85) 《동아일보》 2001. 9. 3.

86) 《한겨레》 2002. 2. 27.

87) 《한겨레》 2002. 2. 28.

88) 《동아일보》 2002. 2. 28.

89) 《서울신문》 2002. 3. 14.

90) 《한겨레》 2002. 6. 14.

91) 《한겨레》 2002. 8. 16.

Ⅶ-④ 90년대 후반~2000년대 초의 지하조직

1) 《한겨레》 1998. 8. 19.

2) 《세계일보》 1999. 6. 8.

3) 《문화일보》 2008. 8. 28.

4) 《동아일보》 2006. 8. 30.

5) 통계에 의하면, 김영삼 정부 말기인 1997년에 국가보안법 위반 입건자가 919명(구속자 573명, 이하 같음)이던 것이 김대중 정부를 거쳐 노무현 정부 들어서는 해마다 줄어 2005년에는 107명(12명)으로 대폭 감소되고 2007년에는 입건자 64명(검찰의 구속기소 11명)이었다. 국가보안법 위반 입건자(괄호 안은 구속자)는 김대중 정부가 남북정상회담을 개최한 2000년에는 391명(128명)을 기록하고, 노무현 정부 들어서는 2003년 210명(77명), 2004년 164명(32명), 2005년 107명(12명), 2007년 64명(11명)으로 급감했다.《세계일보》 2006. 10. 30; 《서울신문》 2001. 6. 18; 검찰통계로는 구속기소가 2005년 10명, 2006년 16명, 2007년 11명이다.《한겨레》 2008. 8. 29; 2006년 11월 국회 정보위 소속 송영선 한나라당 의원이 공개한 자료에 의하면 1998년 김대중 정부 출범이후 검거된 간첩수는 총 60명(국정원 42명, 경찰 2명, 군경 합동 16명)으로 국가안보수사 역량이 그 전의 김영상 정부 당시보다 국정원 36%, 경찰 48%, 기무사 36%, 검찰 51%가 감소되었다는 것이다. 《연합뉴스》 2006. 11. 20.

6) 《서울신문》 2003. 1. 28; 국가보안법 위반사범에 대한 처리결과를 보면 구속률과 실형선고률이 현저

하게 감소했다. 2001년 국회의 국정감사 기간 동안 대법원이 최병국 한나라당 의원에게 제출한 1997
년부터 2001년 8월 말 현재의 통계를 보면, 국가보안법 위반사범 구속률은 97년 75.6%에서 2000년
에는 51.5%로 낮아졌으며, 이들 사범들에 대한 법원의 실형 선고는 97년 14.3%, 98년 10.3%, 99년
6.6%, 2000년 3.2%, 2001년 8월 말 현재 2.7%로 크게 줄었다. 처벌이 느슨해졌음을 알 수 있다. 《한
겨레》 2001. 10. 3.

7) 《한겨레》 1998. 7. 2.

8) 《동아일보》 2006. 9. 2.

9) 《동아일보》 2001. 7. 6.

10) 《동아일보》 2001. 9. 24.

11) 홍진표(2005), "민혁당 조작설은 소가 웃을 일―쓸모 있는 바보들의 쓸 데 없는 거짓말(18)", *http://www.newright.or.kr/read.php?catald=nr*

12) *ibid.*

13) 《동아일보》 1997. 11. 21.

14) 《한겨레》 1998. 7. 23.

15) 《국민일보》 1999. 1. 15.

16) 《한겨레》 1999. 5. 18.

17) 《한겨레》 2000. 1. 11.

18) 홍진표(2005), *http://www.newright.or.kr/read.php?catald=nr*

19) 《서울신문》 1999. 8. 20.

20) 홍진표(2005), *http://www.newright.or.kr/read.php?catald=nr*;《한겨레》 1999. 9. 10.

21) 《한겨레》 1999. 9. 10.

22) 《동아일보》 2000. 2. 12.

Ⅷ-① '유연한 진보' 주장한 노무현

1) 《동아일보》 2002. 3. 29.

2) *ibid.*

3) 《동아일보》 2002. 3. 30.

4) 《문화일보》 2002. 4. 3.

5) 《세계일보》 2002. 6. 18.

6) 이 조사는 국가보안법 개폐문제 등 10개 정책분야 핵심쟁점들과 본인이 스스로 판단한 자신의 이념성
향 등 모두 11개 항목에 걸친 질문에 답한 것을 기준으로 분류한 것이다. 이념지수는 가장 진보적인 성
향을 0으로, 그리고 가장 보수적인 성향을 10으로 하여 평균치를 내었다. 새천년민주당의 중도파로 분
류된 김중권은 4.0, 한화갑은 4.3, 이인제는 4.8, 정동영은 5.0였다. 중도파로 분류된 한나라당의 박근
혜는 4.7, 보수파로 분류된 자민련 후보 김종필은 7.7이었다. 한나라당의 이회창 총재는 설문에 응하
지 않았다. 《중앙일보》 20002. 2. 1.

7) 《조선일보》 2002. 5. 27.

8) 노무현(1994), 《여보 나좀 도와줘》, *http://www.cwd.go.kr/cwd/kr/president/book*; 자세한 내용은
남시욱(2005), pp. 518~519 참조할 것.

9) 김용철(1992), 《노무현론》, 사회문화연구소, pp.36~37.

10) 《동아일보》 2002. 5. 19.

11) *http://www.cwd.go.kr/cwd/kr/president/book/book_01.html.*

12) *http://www.cwd.go.kr/cwd/kr/archive/archive_view.php?meta_id=speech&page.*

13) *ibid.*

14) 《조선일보》 2007. 10. 19.

15) *http://www.president.go.kr/cwd/kr/archive/archive_view.php?meta_id=news_data&id=d12a11cae2 cdc237fd65a87c&_sso_id_=56e6520273e385b52bf7dd4a22c34c3e;* 《조선일보》 2005. 9. 28.

16) *http://www.cwd.go.kr/cwd/kr/archive/archive_view.php?meta_id=speech&page*

17) 《경향신문》 2007. 2. 20.

18) 진보논쟁은 최장집, 손호철, 조희연, 노회찬, 김민웅, 김호기, 백낙청 교수 등 당대의 대표적 진보파 논객들과 노무현을 비롯해 청와대 홍보수석비서관이었던 조기숙 이화여대 교수 및 김창호 국정홍보처장 사이에서 벌어졌다. 한미FTA문제를 둘러싸고는 그 교섭의 중단을 요구하는 서명운동을 주도한 노무현정부 당시의 청와대정책실장 이정우 경북대 교수를 비롯해 박태주 전 대통령노동비서관, 충남대 박진도 교수, 강원대 이병천 교수 등 대통령자문정책기획위원회 소속 교수들과 김상봉(전남대) 이진경(서울산업대) 김종엽(한신대) 등 진보파 학자들이 한미FTA가 한국경제의 미국종속과 양극화 확대를 가져온다고 노무현을 비판했다. 《동아일보》 2007. 1. 24; 2007. 2. 21.

19) 《한겨레》2007. 2. 26.

20) Bobbio, Norberto(1993), *Left and Right: The Significance of a Political Distinction*, Chicago: The Universtiy of Chicago Press, p. 1, p. 56.

21) 《동아일보》 2007. 1. 24.

22) 《한겨레》2007. 2. 22.

23) 《한국일보》 2007. 10. 19.

24) 노무현(1994), 《여보 나좀 도와줘》, 새터, *http://www.cwd.go.kr/cwd/kr/president/book;* 자세한 내용은 남시욱(2005), pp. 521-522을 참조할 것.

25) 《동아일보》 2002. 4. 4.

26) 《동아일보》 2002. 5. 15.

27) 《동아일보》 2003. 2. 26.

28) 《문화일보》 2005. 7. 1.

29) 《동아일보》 2002. 5. 15.

30) 《동아일보》 2004. 2. 25.

31) 《한겨레》 2005. 4. 15.

32) 《동아일보》 2002. 9. 12.

33) 《동아일보》 2003. 1. 18; 2002. 4. 4; 《조선일보》 2002. 4. 3.

34) 《동아일보》 2003. 1. 16.

35) 《동아일보》 2003. 3. 21; 공병지원단 6백명, 의료지원단 1백명을 이라크에 보내기 위한 파병동의안은 2003년 4월 2일 국회 본회의에서 찬성 179표, 반대 68표, 기권 9표로 가결되었다. 《동아일보》 2003. 4. 3.

36) 《동아일보》 2003. 5. 16.

37) 《오마이뉴스》, 2003.05.18.; 《매일경제》 2003.5.19.

38) 《국민일보》2003. 2. 24.

39) 《동아일보》2003. 2. 7.

40) 《한겨레》2003. 2. 18.

41) *http://www.breaknews.com/new/sub_read.html?uid=51947*; 《미래한국》2007. 4. 14.

42) 《동아일보》2006. 5. 4; 《데일리NK》 2006. 11. 17 *http://www.dailynk.com/korean/read.php?cataId=nk00100&num=32710*; 이밖에 행정관 가운데 운동권출신은 다음과 같다. ○김영배(민정수석실, 고려대 정경대 학생회장), ○송진옥(비서실장실, 고려대 NL계열), ○황이수(민정1, 서울대 총학생회장 권한대행), ○김종민(대변인, 서울대 국문과 출신 NL계열의 선전전문가), ○여택수(제1부속실, 고려대 총학생회 부회장), ○백원우(민정수석실, 고려대), ○이정민(정무1, 고려대) ○김병규(정무기획, 연세대 총학생회 부회장), ○권오중(민정2, 연세대 총학생회장), ○이은희(제2부속실장, 연세대 총여학생회장), ○유송화(국민참여, 이화여대 총학생회장), ○오승록(참여기획, 연세대 부학생회장), ○임상경(총무수석실, 숭실대 총학생회장), ○강병원(총무수석실, 서울대 총학생회장), ○권혁기(국정홍보, 국민대 총학생회장), ○윤건영(정무2, 국민대 총학생회장), ○김성진(정무2, 경남대 총학생회장), ○김현(보도지원비서관, 한양대 총학생회 학술부장), ○김정섭(국정기록비서관실, 고려대 총학생회 총무부장), ○강대진(국정홍보, 국민대 총학생회 정책국장), ○이은영(여론조사, 국민대 총학생회 간부), ○김성환(정책관리, 전대협 대외협력 담당), ○신용훈(춘추관, 연세대 운동권), ○최광웅(정무수석실, 서울대 운동권), ○정재호(정무1, 외환카드 노조위원장), ○오종식(정책프로세스개선팀, 고려대 총학생회 조국통일위원회 위원장), ○민경배(국정모니터, 사이버문화연구소), ○김경수(국정상황실, 서울대 총학생회 학술부장), ○유민영(대변인팀, 성균관대 총학생회 간부), ○서양호(정무2, 전대협 정책위원), ○정동수(기획조정, 부산대 운동권), ○성제도(시민사회2, 종교운동), ○김정호(총무 구매, 부산대), ○윤경태(민원, 부산대), ○장유경(참여기획, 부산대), ○남영주(민정1, 경북대), ○김학기(지방자치, 계명대), ○김진향(국가안보보좌관, 경북대 강사). 임석규(2003), 《한겨레21》 2003. 3. 13. 신주현(2006), "청와대에 NL386 출신 40여명 포진", *http://www.allinkorea.net/sub_read.html?uid=4064&section=section16#*.

43) 《동아일보》2005. 11. 16; 신주현(2006), "청와대에 NL386 출신 40여명 포진", *http://www.allinkorea.net/sub_read.html?uid=4064&section=section16#*.

44) 《한겨레》2003. 2. 18.

45) 신주현(2006), *http://www.allinkorea.net/sub_read.html?uid=4064&section=section16#*.

46) 《문화일보》 2006. 11. 3; 《미래한국》2007. 4. 14.

47) 《동아일보》 2004. 7. 27.

48) 《동아일보》2003. 12. 19; 2007. 10. 19.

49) 《동아일보》2003. 12. 22; 2003. 12. 23..

50) 《경향신문》2004. 4. 17.

51) 《조선일보》2007. 11. 22.

52) 《동아일보》2003. 11. 12.

53) 《문화일보》 2004. 4. 21; 《서울신문》2004. 4. 16.

54) 《한겨레》 2004. 4. 16; 《경향신문》2004. 4. 17.

55) 모종린 교수의 조사결과 진보와 보수를 구분할 수 있는 주요 기준 중 하나인 국가보안법 개정문제에 대해 열린우리당 당선자의 70%가 개정 또는 대체에, 28.3%가 폐지에 찬성한 반면 유지하자는 의견은 1.6%에 그쳤다. 한나라당의 경우 64.4%가 개정 또는 대체에, 35.5%가 유지에 찬성했다. 그리고 북한 핵문제 해법과 관련해서는 열린우리당의 100%가 해결방법으로서 경제지원을 선호한 반면 한나라당은 75.6%가 경제지원을, 24.4%가 대북압박을 주장했다. 한국의 가장 중요한 협력국가는 어느 나라로 삼아야 하느냐는 항목에서 열린우리당은 50%가 중국을, 41.7%가 미국을 꼽은 반면 한나라당은 미국

을 꼽은 이가 66.7%로 가장 많고 중국을 꼽은 이는 26.7%에 불과했다.《동아일보》2004. 4. 17.

56)《동아일보》2004. 4. 17.
57)《동아일보》2004. 4. 17.
58)《경향신문》2007. 1. 25.
59)《경향신문》2006. 10. 2.
60)《동아일보》2007. 2. 12;《조선일보》2007. 2. 12.
61)《동아일보》2004. 5. 31.
62)《동아일보》2004. 5. 31.
63)《동아일보》2007. 8. 6.
64)《동아일보》2007. 8. 21.
65)《동아일보》2007. 11. 13.

Ⅷ-2 노무현 정부의 공과

1)《중앙일보》, 2008.2.15.
2)《동아일보》2005. 2. 26.
3)《동아일보》2006. 10. 24.
4)《한겨레》2007. 2. 23;《동아일보》2007. 2. 26.
5)《동아일보》2006. 11. 3.
6)《동아일보》2002. 5. 29.
7)《동아일보》2008. 9. 30.
8) 노무현은 2007년 10월 5일 서울로 돌아오는 도중 도라산역에서 귀환보고를 하는 자리에서 이들 문제를 제기했다고 말했다. 즉 그는 "납북자와 이산가족 문제를 해결하자고 제의했다. 이산가족 문제가 중요하다는 데 공감했다. 이산가족 상봉 확대에 동의했다. 납북자 문제는 이견 차이로 국민들의 기대만큼 합의를 이뤄내지 못했다. 하지만 많은 대화를 했다. 앞으로 밑거름이 됐으면 하는 바람이다. 어쨌든 이번에 해결하지 못해 죄송하다"고 말했다.《서울신문》2007. 10. 6.
9)《한겨레》2007. 10. 6.
10)《서울신문》2007. 10. 6.
11) *ibid.*
12) *ibid.*
13)《동아일보》2007. 10. 5.
14) *ibid.*
15) 이명박 정부 출범 이후 통일부가 2008년 9월 국회 외교통상통일위 소속 한나라당 윤상현 의원에게 제출한 자료에 의함.《동아일보》2008. 9. 19.
16)《동아일보》2007. 10. 9.
17) 노무현의 국가보안법 폐지 노력과 실패의 자세한 경과에 대해서는 남시욱(2005), pp. 531~533을 참조할 것.
18)《동아일보》2002. 5. 16.
19)《동아일보》2004. 9. 17.
20) *http://www.knowhow.or.kr/bbs_speeches/view.php?page=1&path=c3BlZWNoZXMjIyMjIyM%3D& data_id=34197.*

21) 《동아일보》 2002. 10. 30.

22) 《동아일보》 2003. 3. 18.

23) *ibid.*

24) 《경향신문》 1990.9.22; 한국대학생연합 홈페이지 *www.upschool.net*; 《주간동아》, 2008.4.16.

25) 《조선일보》 2006. 8. 22.

26) 《동아일보》 2003. 9. 25.

27) 《동아일보》 2003. 10. 4.

28) 《동아일보》 2004. 7. 22.

29) 《한겨레》 2004. 8. 6.

30) 《동아일보》 2005. 10. 13.

31) 《동아일보》 2006.5.27.; 《조선일보》 2007.11.14.

32) 《조갑제TV》 "대한항공 폭파 30년… 폭파범 김현희의 직격탄", 2017.11.26. *https://www.youtube. com/watch?v=jhhY8ogG1fk.*

33) "민주화보상위원회, 민주화운동백서 발간," 민주화기념사업회, 2016.4.26, *http://www.kdemo. or.kr/notification/news/page/5/post/129?*

34) 《동아일보》 2004. 3. 24; 《한국일보》 2004. 11. 16.

35) 《세계일보》 2007. 1. 25.

36) 《문화일보》2007. 11. 1.

37) 《조선일보》 2007. 10. 23.

38) 수출은 2003년의 1,938억 달러에서 2007년에는 3,718억 달러로 늘어났으며, 그 중 정보통신기기의 수출은 2003년의 705억 달러에서 2007년에는 1,132억달러(추정치)로 늘어났다. 2007년의 경우 정보통신기기 수출액이 총 수출액에 차지하는 비중이 30.4%에 이르러 이 부문의 성장이 수출 전체에 기여하는 몫을 알 수 있다. 통계청(2007), p. 549, p. 542; 《한겨레》 2008. 1. 3; 정보통신정책본부 (2007), *http://www.kait.or.kr/filedb/File/KAITNews/2007/070307.*

39) 《동아일보》 2002. 4. 29.

40) 《매일경제》 2002. 4. 28.

41) 《조선일보》 2002. 5. 27.

42) 《세계일보》 2002. 5. 28.

43) 《한국경제》 2002. 11. 9.

44) 전체 예산에 차지하는 복지예산 비중은 2002년의 20%에서 2006년에는 28%, 2007년에는 30%로 증가했다. 《동아일보》 2008. 9. 18.

45) 2003년 7.23배였던 소득 5분위 배율(상위 20% 소득을 하위 20% 소득으로 나눈 값)은 해마다 늘어 2007년에 7.66배까지 벌어졌고, 지니계수(1에 가까울수록 불평등) 역시 2003년 0.341에서 2007년 0.352로 커졌다.《동아일보》2008. 2. 15. 2 0.295에서 2007년 0.324로 커졌다. 《파이낸셜뉴스》, 2009. 5.. 21.

46) 《문화일보》 2008. 10. 6.

47) 《연합뉴스》 2005. 11. 24.

48) 《조선일보》 2007. 7. 21.

49) 재정지출로 만들어진 신규 일자리는 2004년 41만8천개, 2005년 29만9천개, 2006년 29만5천개로 차츰 줄어들고 공식통계로 집계된 실업자만 2002년 75만2천명에서 2006년 82만7천명으로 연평균 10% 늘었다. 《동아일보》 2007. 9. 21; 2008. 10. 21.

50) 《중앙일보》 2007. 11. 5.

51) 《동아일보》 2004. 7. 21.

52) 《중앙일보》 2007. 10. 30.

53) 《동아일보》 2007. 10. 20; 《중앙일보》 2007. 11. 5; 《문화일보》 2008. 4. 1; 이로 인해 노무현 정부 아래서 국내총생산 대비 국가채무 비중이 2002년의 20%수준에서 2006년 33.3%까지 치솟았다. 《동아일보》 2008. 9. 18.

54) 《한겨레》 2002. 4. 29.

55) 《동아일보》 2002 4. 29; 《한겨레》, 2002. 4. 29.

56) http://www.president.go.kr/cwd/kr/archive/archive_view.php?meta_id=pre_news1&id=2584503b0f75394ba37a2337

57) 《서울신문》 2005. 12. 1.

58) 《동아일보》 2008. 1. 9.

59) 《조선일보》 2008. 9. 12; 《동아일보》 2008. 10. 7.

60) 《동아일보》 2008. 1. 9.

61) 이계성(2007), 《전교조 없는 학교에서 사교육 없이 공부하고 싶다》, 썬기획, p. 260.

62) 《동아일보》 2007. 12. 18.

63) 《조선일보》 2008. 1. 26.

64) 《조선일보》 2008. 6. 18.

65) 《조선일보》 2008. 1. 25.

66) 《한겨레》 2001. 2. 13.

67) 《동아일보》 2001. 7. 13.

68) 《문화일보》 2002. 11. 2.

69) 《경향신문》 2002. 5. 14.

70) 《한겨레》 2002. 12. 25.

71) 노무현 정부는 신문발전위원회의 운영을 위해 2006년부터 신문발전기금을 조성, 2006년 한겨레 등 12개 언론사에 157억원, 2007년 오마이뉴스 등 43개 사에 114억원을, 2008년 경향신문 등 40개사에 75억을 각각 지원했다. 지원명목은 독자권익위원회 지원, 고충처리인 지원, 경영컨설팅 지원, 구조개선 및 신규사업 지원, 시설도입 및 정보화사업 지원 등 이다. 《동아일보》 2008. 7. 10.

72) http//www.ohmynews.com. 2007. 9. 2.

73) 《한국일보》 2003. 3. 4.

74) 《문화일보》 2008. 9. 2.

75) 《동아일보》 2006. 6. 30.

76) 《문화일보》 2003. 2. 3.

77) 이밖에 문화관광부장관 정책보좌관에는 민족문학작가회의 문화정책위원장 이영욱이, 문화관광정책연구원장에는 문화연대 정책위원회 부위원장이던 이영진이 임명되었다. 현기영 민족문학작가회의 이사장이 한국문화예술진흥원장에 임명된 것은 이 보다 약간 빠른 그해 2월 중순 노무현의 취임 직전 이었다. 《동아일보》 2003. 2. 18; 2008. 1. 7; 《조선일보》 2008. 1. 25.

78) 《동아일보》 2003. 9. 5; 2003. 9. 20.

79) 《동아일보》 2008. 10. 8; 2007년 2월 바른사회시민회의가 주최한 노무현 정부 4주년 평가 연속토론회에서 문화분야를 발제한 조희문 상명대 교수는 "참여정부는 이념적 과잉에 갇혀 문화예술을 우리 사회의 기반을 개조하기 위한 수단으로 전락시켰다"면서 문화예술계의 현실을 지난 세기 공산혁명

직후 모든 문예활동을 이념선전 수단으로 동원하던 러시아에 비유했다.《문화일보》2007. 2. 23. 사설 "문화예술계는 지금 공산혁명 직후 러시아."

80) 《동아일보》2007. 8. 31;《국민일보》2007. 9. 8;《동아일보》2008. 1. 7.

81) 한국영화감독협회의 성명은 한겨레신문 출신이자 원혜영(元惠榮) 대통합민주신당 의원의 부인인 안정숙(安貞淑)이 위원장이며 노문모 회원들이 이사인 영진위가 문성근이 초대 이사장을 지낸 반미적인 스크린쿼터문화연대 등에 8년간 13억원을 지원했다고 비난했다.《동아일보》2008. 1. 26;《조선일보》 2008. 1. 26.

82) 노무현 정부 당시의 역대 학진 이사장은 김대중 정부 말기인 2002년에 임명된 충북대 총장 출신의 주자문(朱子文)과 2005년에 임명된 순천대 총장과 노무현 정부의 농림부장관을 역임한 허상만(許祥萬)이었다.《동아일보》2008. 1. 26. 사설 "학진-영진-문예위 자금 코드배분 실상 밝혀야".

Ⅷ-③ 민주노동당의 약진과 추락

1) 민노당의 비례대표 당선자는 강기갑(姜基甲), 노회찬(魯會燦), 단병호(段炳浩), 심상정(沈相奵), 이영순(李永順), 최순영(崔順永), 현애자(玄愛子), 천영세(千永世). 다른 군소정당이 얻은 의석수는 국민통합21 1석, 무소속 2석이다. 중앙선거관리위원회(2004),《제17대 국회의원선거총람》, p. 151.

2) 동아일보사(2005), p. 31; 연합뉴스사(2005),《2005 연합연감》, p. 240.

3) 《한겨레》2004. 4. 16.

4) 그 밖에 민노당을 지지한 단체는 전국연합(상임의장 오종렬), 전교조(위원장 원영만), 전국교수노동조합(위원장 황상익), 비정규직교수노동조합(위원장 변상출), 전국사립대학교수협의회연합회(회장 김성수), 전국공무원노조(위원장 김영길), 장애인이동권연대(공동대표 박경석), 한국뇌성마비장애인연합(운영위원장 유효주)이고, 개별인사는 김영현, 김하경, 도종환 등 작가 63명, 봉준호, 박찬욱, 문소리,·오지혜 등 영화인 226명, 변호사 70여명, 간호사 의사 약사 한의사 보건의료학생 등 보건의료인 대표자 562명이다.《동아일보》2004. 4. 3; 2004. 4. 6;《한겨레》2004. 4. 7; 2004. 4. 8; 2004. 4. 9.

5) 동아일보사(2005), p. 32.

6) 《한겨레》2004. 4. 7.

7) 《동아일보》2004. 4. 26.

8) 《세계일보》2007. 1. 31.

9) 《동아일보》2004. 4. 5.

10) 《한겨레》2004. 4. 21.

11) 《동아일보》2004. 5. 12.

12) 《동아일보》2005. 3. 1; 2004. 4. 23; 2006. 2. 11.

13) 제17대 총선 후 초대 사무총장(최고위원 겸직)에는 전 울산동구청장 김창현(金昌鉉)이, 정책위의장에는 마산갑 지구당위원장 주대환(周大煥)이, 유일한 자동 케이스 최고위원인 의원단대표에는 천영세(千永世) 의원이 각각 선출되었다. 동아일보사(2005), p. 32; 연합뉴스사(2005), p. 240.

14) 《동아일보》2004. 5. 27; 2004. 6. 24;《한겨레》2004. 10. 19; 2005. 7. 1; 2006. 2. 18; 2006. 5. 3.

15) 동아일보사(2005), p. 32.

16) 《동아일보》2005. 3. 1;《한겨레》2004. 9. 2.

17) 《동아일보》2005. 3. 1.

18) 《국민일보》2004. 7. 20;《세계일보》2004. 7. 27;《한겨레》2005. 9. 6;《문화일보》2005. 10. 22;《동아일보》2005. 11. 24; 2006. 2. 28; 2006. 7. 21;《한겨레》2007. 1. 18; 2007. 4. 25.

19) 《동아일보》2004. 7. 24; 2006. 5. 5; 2006. 7. 21; 2006. 12. 7; 2007. 7. 4.

20) 《동아일보》2009. 1. 6.

21) 《한겨레》2005. 5. 6.

22) 《동아일보》2005. 4. 15.

23) 《동아일보》2004. 5. 3.

24) 《내일신문》2005. 4. 7.

25) 《동아일보》2004. 5. 3; 《내일신문》2005. 4. 7; 《동아일보》2004. 5. 3; 《조선일보》2006. 2. 13.

26) 《한겨레》2004. 8. 20; 《조선일보》2008. 2. 5.

27) 《한겨레》2004. 7. 10.

28) 《한겨레》2006. 10. 21.

29) 《동아일보》2006. 10. 20.

30) 최기영은 1989년 건국대 애학투사건으로 기소되어 집행유예 판결을 받았으며 이정훈은 1985년 미문화원 점거사건으로 2년9개월 복역한 경력을 가진 운동권 출신이다. 《동아일보》2006. 10. 28; 이들은 2006년 10월 국정원이 발표한 바에 의하면 미국시민권자인 장민호(미국명 마이클 장)에게 포섭되어 민노당의 당직자 수백명의 신상명세서를 포함한 정계동향을 북측에 보고한 혐의를 받았다. 《동아일보》2006. 10. 28; 1심에서 이정훈은 징역 6년, 최기영에게는 징역 4년이 선고되고 2심에서는 각각 징역 3년과 징역 3년6개월로 줄어들었다가 3심에서 상고기각으로 형이 확정되었다. 《동아일보》2007. 4. 17; 2007. 8. 17; 《중앙일보》2007. 12. 14.

31) 《동아일보》2006. 10. 27.

32) 《한겨레》2005. 8. 23.

33) 《동아일보》2005. 8. 26.

34) 《동아일보》2005. 8. 30.

35) 《동아일보》2006. 11. 1.

36) 《문화일보》2006. 11. 7.

37) 《동아일보》2005. 9. 30.

38) 원내 의석은 열린우리당이 144석인 반면 한나라당은 4석을 보태 127석으로, 민주당 11석, 민노당 9석, 자민련 3석, 무소속 5석이 되어 4·30 재보선으로 만들어진 여소야대가 더 심해졌다. 《한국일보》2005. 10. 27.

39) 《동아일보》2006. 6. 2.

40) 《문화일보》2006. 5. 19.

41) 《경향신문》2006. 5. 12.

42) 《경향신문》2007. 1. 31.

43) 《경향신문》2007. 11. 16.

44) 《조선일보》2007. 11. 28.

45) 《동아일보》2004. 4. 26.

46) 《동아일보》2004. 5. 29.

47) 《동아일보》2007. 9. 22.

48) *http://intro.kdlp.org/ index.php?main_act=content&content=prin.*

49) *ibid.*

50) *ibid.*

51) 정태영(1995), pp. 461~462.

52) 정태영(1995), p. 462.

53) *http://intro.kdlp.org/index.php?main_act=content&content=prin.*

54) *http://209.85.141.104/search?q=cache:wKr5BMEoxtsJ:bigcolonel.org/bbs.*

VIII-④ 진보적 지식인들과 친북단체들

1) 이 점에 대해서는 민문홍(2008), 《현대사회학과 한국사회학의 위기: 한국사회학의 인문사회학적 대안을 찾아서》, 도서출판 길에서 잘 다루고 있다.

2) 《동아일보》 2006. 9. 1.

3) 《문화일보》 2003. 5. 3; 1998년 5월 19일 위촉된 대통령자문 정책기획위원 40명은 다음과 같다. ○학계 權萬學(경희대) 都正一(〃) 宋河重(〃) 尹聖植(고려대) 任爀白(〃) 柳勝男(국민대) 金兌基(단국대) 劉載一(대전대) 白京男(동국대) 黃台淵(〃) 金明淑(상지대) 吳淇坪(서강대) 姜明求(서울대) 金相鍾(〃) 朴贊郁(〃) 朴泰鎬(〃) 林岡源(〃) 任志淳(〃) 文龍鱗(〃) 河龍出(〃) 韓相震(〃) 金有培(성균관대) 金慶洙(〃) 金漢中(연세대) 金鍾仁(원광대) 金泰蓮(이화여대) 金孝錫(중앙대) 張公子(충북대) 李仁遠(한국과학기술원) 成炅隆(한림대) 安錫敎(한양대) ○언론계 金槿(한겨레신문 논설주간 金曙雄(한국일보 논설실장) 金種心(동아일보 논설실장) ○연구소 및 기관 金俊經(한국개발연구원) 劉承旼(〃) 柳一鎬(한국조세연구원) 呂運邦(한국교육방송원) 李長榮(한국금융연구원) 蔡旭(대외경제정책연구원). 《서울신문》 1998. 5. 50.   .

4) 자문교수들은 다음과 같다. ○가톨릭대=김종해 백창제 안병욱 이삼성 이시재 ○강원대=강치원 김인수 이병천 ○건국대=조명환 ○경남대=감정기 김남석 강인순 이은진 임영일 ○경북대=조성호 ○경상대=이심성 장상환 ○경성대=김병원 김용석 ○계명대=신현직 이종오 ○고려대=김균 김병곤 김병국 장하성 ○광운대=주동황 ○광주대=이용교 임동욱 ○국민대=조원희 ○대구대=홍덕률 ○대전대=유재일 장원 ○동아대=이범수 이학준 ○동국대=강정구 박순성 심익섭 원용진 차명제 홍윤기 ○덕성여대=오영희 ○명지대=정진민 ○방송대=김기원 ○부산대=김기섭 김창록 송문현 조한제 ○상지대=강이수 공세욱 김연명 박용규 박정원 정대화 정재일 ○서강대=문진영 ○서울대=박찬욱 안경환 정근석 정종섭 조흥식 한인섭 홍준형 ○서울신대=남찬섭 ○서원대=김연각 김진국 손문호 ○선문대=황근 ○성공회대=김동춘 권지관 김서중 김진업 김창남 손규태 유철규 이영환 이종구 정해구 조효재 조희연 진영종 ○성균관대=백선기 이효성 ○성신여대=김향기 손혁재 ○순천향대=한동우 허선 ○숭실대=유태균 ○아주대=김영래 ○연세대=김준기 홍훈 ○영남대=김태일 ○우석대=장낙인 ○원광대=엄정옥 ○인하대=김대환 윤진호 이충희 정영태 ○이화여대=박은정 유의선 ○전남대=변동현 정근식 ○전북대=권혁남 김의수 백종만 ○전주대=윤찬영 ○조선대=최양호 ○중앙대=김성천 장훈 ○창원대=조효래 ○충남대=류진석 박진도 박찬인 송용호 장하진 ○충북대=이재봉 ○한남대=박영기 ○한림대=유팔무 ○한서대=심재호 ○한성대=김상조 박헌영 ○한신대=강남훈 김상곤 김성구 김윤자 노중기 송주명 이희옥 임종대 ○한양대=김재범 김종철 이형우 ○한일장신대=김동민 ○현도대=이태수 ○극동문제연구소=강원택 ○정신문화연구원=유병용 정영국 ○세종연구소=강명세. 《한겨레》 2000. 1. 20.

5) 《문화일보》 2003. 5. 3.

6) 《동아일보》 2002. 12. 26; 《한겨레》 2002. 12. 26.

7) 《서울신문》 2002. 12. 20.

8) 《문화일보》 2003. 5. 3; 2003년 6월에 위촉된 정책기획위원회의 4개 분과의 위원 94명의 명단은 다음과 같다. ○국가발전전략분과 △통일 외교=고유환(동국대), 김연철(고려대), 김재홍(경기대), 박용옥(국방대), 백경남(동국대), 백종천(세종연구소장), 이수훈(경남대 북한대학원), 이종원(일본 닛쿄대), 최성

(통일정보센터 소장) △산업 노동=김호균(명지대), 김호식(해양수산개발원), 박준경(한국개발연구원), 박진도(충남대), 박태주(대통령직속 노동개혁 태스크포스 팀장), 배순훈(대통령직속 동북아경제중심추진위원장), 이원덕(노동연구원장), 이희범(서울산업대 총장), 장하원(한국개발연구원), 전방지(호서대), 정명채(대통령직속 농어촌대책 태스크포스 팀장), 정태인(동북아경제중심추진위), 조형제(울산대), 최홍건(서울산업기술대 총장), 한덕수(김&장 법률사무소 고문), 홍성우(전남대), 홍장표(부경대) ○국가시스템개혁분과 △정치 행정=김판석(연세대), 곽노현(방송대), 김병준(대통령직속 정부혁신지방분권위원장), 김용구(미래경영개발연구원장), 박승주(정부혁신지방분권위), 서원석(한국행정연구원), 송하중(경희대), 안성호(대전대), 안철현(경성대), 윤영진(계명대), 이춘희(신행정수도건설추진기획단장), 임혁백(고려대), 장의관 (새시대전략연구소), 정영식(전 국립공원관리공단 이사장), 정진민(명지대), 정해구(성공회대), 조재희 (대통령비서실 정책관리비서관) △재정 금융=최흥식(한국금융연구원 부원장), 손상호(금융감독위원회), 양동휴(서울대), 윤여진(이화여대), 윤원배(숙명여대), 이제민(연세대), 정기영(한국회계연구원장), 현오석(한국무역협회) ○국민통합분과 △사회 언론=곽노현(방송대), 곽배희(가정법률상담소장), 김경애(동덕여대), 김용기(경남대), 김호기(연세대), 성경륭(대통령직속 국가균형발전위원장), 송기도(전북대), 이경숙(한국여성단체연합 상임대표), 이정호(국가균형발전위), 정숙경(한국여성개발원), 주동황(광운대), 홍덕률(대구대) △복지 보건=김형식(한국재활복지대 학장), 김수현(대통령직속 빈부격차 차별시정 태스크포스 팀장), 김용익(서울대), 문진영(서강대), 박순일(한국보건사회연구원장), 백종만(전북대), 서혜경(한림대), 신현택(숙명여대), 이선동(상지대), 조흥준(울산대) ○미래전략분과 △교육 문화=김광철(동아대), 두재균(전북대 총장), 김용일(한국해양대), 박대환(조선대), 윤지희(참교육을 위한 전국학부모회), 주보돈(경북대), 진동섭(서울대), 최협(전남대) △과학 환경=김명자(서울대), 김선희(국토연구원), 김은경(한국여성민우회), 박기영(순천대), 송상용(한양대), 오길록(한국전자통신연구원장), 오세정(서울대), 유희열 (전 과학기술부 차관), 이상곤(에너지경제연구원장), 이상천(영남대 총장), 임경순(포항공대), 전도형(서강대), 조승현(전남대)《동아일보》2003. 6. 19.

9)《동아일보》2005. 2. 18.
10) 대표적 인물은 창당준비위원회 강령 제정위원장을 맡았던 안병욱(가톨릭대), 경제분야의 장상환(경상대, 전 당 정책위원장), 정치분야 조현연(성공회대), 노동분야 조돈문(가톨릭대)과 김성희(비정규노동센터 부소장) 및 김태현(민주노총 정책연구원장) 등이다. 2004년 제17대 총선에서 공약개발을 맡은 교수는 정치개혁 분야의 정영태 조연현, 경제 분야의 유철규(성공회대), 이재은(경기대), 조복현(한밭대), 박진도(충남대), 권승구(동국대) 등이 대표적이다. 사회 문화 분야에는 윤찬영(전주대), 주은선(서울대), 임준(가천의대), 정진상(경상대), 오유석(성공회대) 등이 활동한 것으로 보도되었다. 노동 사회단체로부터는 하익준(금융노조 정책실장)과 인수범(노동사회연구소 연구실장), 박인용(장애인교육연대 대표), 홍은광(진보교육연구소 연구원), 조영각(서울독립영화제 집행위원장), 문재현(마을공동체교육연구소 소장), 조준상(한겨레 기자) 등이 참여, 금융외환 분야 정책공약 개발에 참여했다. 이밖에 총선 직전 민노당 지지선언을 한 324명이 정책개발을 도왔는데 그 대표적 인물은 강정구(동국대) 김상곤(한신대) 김수행(서울대) 박거용(상명대) 안병욱(가톨릭대) 유초하(충북대) 이일화(서일대), 조돈문(가톨릭대)이다.《동아일보》2004. 4. 17.
11)《민중의 소리》2004. 10. 6.
12) 이해찬(2006), "내 인생의 행운, 박현채 선생님과의 인연", 고 박현채10주기추모집·전집발간위원회, p. 243.
13) 뉴라이트운동의 자세한 내용은 남시욱(2005), pp. 534~538을 참고할 것.
14) 윤건차 지음, 장화경 옮김(2001),《현대 한국의 사상흐름−지식인과 그 사상 1980−1990년대》, 당대, pp. 18~19; 연세대의 김호기 교수는 신영복 성공회대학 교수를 마르크스의 정치경제학을 인간주의

적으로 조명한 대표적 진보주의 지식인으로, 그리고 손호철 서강대 교수를 신좌파적 정치이론가로
각각 규정했다. 김호기(2002), 《말, 권력, 지식인》, 아르케, pp. 147~177; 《경향신문》은 2007년 진보
적 지식인들을 좌파민족주의자(강만길, 안병욱, 서중석, 임헌영, 조정래, 박태균, 한홍구, 강정구, 송
두률, 백낙청 등), 진보적 자유주의자(임현진, 임혁백, 김호기, 신율 등), 진보적 시민사회론자(최장
집, 김상조, 조국, 신광영, 신영복, 조희연, 이병천, 김동춘, 이정우 등), 마르크스주의자(오세철, 김수
행, 김세균, 손호철, 최갑수, 장상환 등), 포스트 마르크스주의자(강내희) 트로츠키주의자(정성진), 생
태주의자(김종철, 장희익 등), 근대비판주의자(홍세화, 진중권, 박노자, 윤세중, 임지현 등), 페미니즘
(이효재, 조순경)으로 나누었다. 경향신문 특별취재팀(2008), 《민주화 20년, 지식인의 죽음》, 휴마니
타스, pp. 45~49.

15) 《한겨레》2007. 1. 22; 《동아일보》2007. 2. 21.

16) 《한겨레》2007. 2. 26.

17) 체포된 실천연대 간부들은 강진구(전 집행위원장) 최한욱(집행위원장) 문경환(정책위원장) 김영란(전
조직위원장) 곽동기(한국민권연구소 상임위원)이다. 《조선일보》2008. 9. 30; 이들 가운데 김영란을
제외한 4명은 국가보안법 위반 혐의로 구속되었다; 《연합뉴스》2008. 9. 30.

18) 《한겨레》 2003. 6. 16.

19) 《내일신문》 2003. 12. 11; 《동아일보》2004. 9. 16.

20) 《동아일보》2005. 4. 5.

21) 《한겨레》2005. 8. 13.

22) 《동아일보》2004. 6. 17; 《한겨레》2004. 6. 16.

23) 《동아일보》2005. 6. 15.

24) 《한겨레》 2005. 5. 17; 2005. 2. 1.

25) 《동아일보》2005. 6. 15; 2005. 8. 16.

26) 《연합뉴스》2005. 7. 23.

27) 《연합뉴스》2005. 7. 23.

28) *http://www.kcrc.or.kr/?doc=bbs/gnuboard.php&bo_table=z_poem&wr_id=30.*

29) 《연합뉴스》2005. 7. 23.

30) 《동아일보》2006. 11. 30; 이 무렵에는 또한 남파간첩 출신의 비정향장기수 허영철이 "나는 지금도
조선노동당원이다"라고 쓴 그의 자서전 《역사는 나를 한번도 비껴가지 않았다》를 내었다. 《한겨레》
2006. 7. 7.

31) 《동아일보》2006. 6. 19.

32) 《동아일보》]2006. 6. 16.

33) 《한겨레》2006. 6. 16.

34) 《동아일보》2006. 6. 17.

35) 《한겨레》2007. 6. 15; 《동아일보》 2007. 6. 16.

36) 《동아일보》2007. 6. 17.

37) 《동아일보》2007. 8. 6.

38) 《한겨레》2001. 3. 15.

39) 《한겨레》2003. 5. 22.

40) 《한겨레》2004. 6. 10.

41) 《한겨레》2005. 9. 12.

42) 《동이일보》2005. 12. 30.

43) 《조선일보》2007. 11. 3.

44) *ibid.*

45) *ibid.*

46) 《동아일보》2007. 1. 3.

47) 《동아일보》 2007. 1. 10.

48) 《오마이뉴스》 2007. 9. 16. 19:02.

49) *http://www.eduhope.net/commune/view.php?board=eduhope-256&id=4&page= 1&SESSIONID= 3d6592b1d837518a7ae67c312f483051.*

50) *http://cham4.jinbo.net/maybbs/view.php?db=rev419&code=pds2&n=3&page=1.*

51) *ibid.*

52) 《동아일보》 2003. 4. 30.

53) 《동아일보》 2003. 5. 12.

54) 《한겨레》 2007. 7. 30; 《연합뉴스》 2007. 8. 2.

55) *http://www.tongilnews.com/article.asp?mainflag=Y&menuid=103000&articleid=45747.*

56) 《동아일보》 2005. 6. 14.

57) 《조선일보》 2006. 12. 6; 《문화일보》 2006. 12. 6.

58) 《국민일보》2008. 1. 29.

59) 《동아일보》 2005. 11. 1.

60) 《문화일보》2008. 2. 27.

61) 《동아일보》2003. 3. 18.

62) 《동아일보》2003. 4. 5.

63) 《세계일보》2003. 5. 14.

64) 《세계일보》2003. 12. 9.

65) 《세계일보》2003. 3. 12.

66) 《동아일보》2003. 3. 27.

67) 《동아일보》2005. 5. 24.

68) 《동아일보》2003. 8. 8.

69) 《동아일보》2004. 8. 13.

70) 《동아일보》 2005. 5. 16.

71) 《동아일보》2006. 5. 9; 《세계일보》 2006. 5. 10.

72) 《동아일보》 2007. 1. 9.

73) 《민중의 소리》2007. 2. 11. *http://www.vop.co.kr/new/news_view.html?serial=62979*

74) 《동아일보》2005. 6. 30.

75) 《동아일보》2005. 7. 28.

76) 《동아일보》 2005. 9. 20.

77) 《동아일보》 2006. 9. 6.

78) 《동아일보》 2006. 9. 6.

79) 《동아일보》 2005. 12. 3.

80) 《동아일보》 2005. 12. 3; 《문화일보》 2006. 12. 29.

81) 《미래한국》 2007. 12. 22.

82) 《미래한국》 2006. 9. 16.

83) 《미래한국》 2007. 10. 27.
84) 《미래한국》 2007. 10. 6.

제5부 북핵과 안보위기 시기

IX-1 17대 대선 패배의 영향

1) 《동아일보》2007. 12. 21.
2) 《한겨레》2007. 12. 18.
3) 《한겨레》2007. 12. 21.
4) 《동아일보》2007. 12. 20.
5) 더불어민주당, "우리의 발자취," *http://theminjoo.kr/history.do.*
6) 《조선일보》2008. 1. 16.
7) 《조선일보》2008. 1. 12; 《중앙일보》2008. 1. 12.
8) 《중앙일보》2008. 1. 12.
9) 《동아일보》2008. 1. 21.
10) 《동아일보》2008. 2. 11.
11) 《동아일보》2008. 1. 18.
12) 《조선일보》2008. 2. 12.
13) 《조선일보》2008. 4. 10.
14) 《한겨레》 2008. 7. 5.
15) 《조선일보》 2008. 10. 1; 《동아일보》2008. 12. 3; 《동아일보》2008. 12. 17.
16) 《동아일보》 2008. 12. 17.
17) 《동아일보》 2008. 12. 22; 《폴리뉴스》, 2009.5.17, *http://m.polinews.co.kr/m/m_article.
    html?no=40086&_adtbrdg=e#_adtReady.*
18) 《동아일보》 2008. 12. 22.

IX-2 양분된 민노당

1) 《경향신문》2007. 12. 25; 《조선일보》2007. 12. 27; 《조선일보》2007. 12. 28.
2) 《조선일보》2007. 12. 29.
3) *http://www.redian.org/news/articleView.html?idxno=8447; http://www.pressian.com/*
4) 《조선일보》2007. 12. 31; 《내일신문》2008. 1. 1.
5) 《조선일보》2008. 1. 14.
6) 《조선일보》2008. 1. 15.
7) 《조선일보》2008. 1. 29.
8) 《문화일보》2008. 1. 18; 2008. 1. 23.
9) 《문화일보》2008. 2. 2.
10) 《조선일보》2008. 2. 4.
11) 《조선일보》2008. 2. 5.

12) 《조선일보》2008. 2. 6.

13) 《동아일보》2008. 2. 16.

14) 《동아일보》2008. 2. 18.

15) 《문화일보》2008. 2. 2.

16) 《문화일보》2008. 1. 23.

17) 《동아일보》2008. 3. 3; 지식인 103명이 2008년 3월 19일 공동으로 진보신당 지지성명을 발표했는데 그 명단은 다음과 같다. 강인선(성공회대, 일본어학) 강인순(경남대, 사회학) 구춘권(영남대, 정치학) 권오영(한신대, 역사학) 김대오(한신대, 철학) 김도형(성신여대, 컴퓨터정보학) 김도희(한신대, 정치학) 김동식(한신대, 국어학) 김동우(세종대, 조각) 김동택(성균관대, 정치학) 김명희(을지의대, 의학) 김보현(성공회대, 정치학) 김상봉(전남대, 철학과) 김상조(한성대, 경제학) 김성희(한국비정규노동센터 소장, 경제학) 김연각(서원대, 정치학) 김영범(대구대, 사회학) 김영순(서울산업대, 정치학) 김용복(경남대, 정치학) 김용희(한신대, 국문학) 김원(한국정치연구회, 정치학) 김윤성(한신대, 종교학) 김재홍(관동대 학술교수) 김재훈(강원대, 사회학) 김재훈(대구대, 경제학) 김정주(경상대, 경제학) 김종법(한양대, 정치학) 김주일(한국기술교육대, 경영학) 김철웅(건양의대, 의학) 김탁환(카이스트 문화기술대학원) 김형철(비교민주주의연구센터, 정치학) 남춘호(전북대, 사회학) 노중기(한신대, 사회학) 박금혜(이화여대 사회학 강사) 박노자(노르웨이 오슬로국립대, 한국학) 박상훈(후마니타스 대표, 정치학) 박설호(한신대, 독문학) 박승우(영남대, 사회학) 박종식(한국비정규노동센터 연구위원) 박창길(성공회대, 경영학) 박해광(전남대, 사회학) 박형근(제주의대, 의학) 배대화(경남대, 러시어언어문화학) 서복경(전 국회입법연구관, 정치학) 손현숙(신라대, 역사학) 손호철(서강대, 정치학) 송주명(한신대, 정치학) 신광영(중앙대, 사회학) 신정완(성공회대, 경제학) 안현효(대구대, 경제학) 오유석(성공회대, 사회학) 우석훈(금융경제연구소 연구위원, 경제학) 유문선(한신대, 국문학) 유원섭(을지의대, 의학) 윤상우(한림대, 사회학) 윤영삼(부경대, 경영학) 윤태호(부산의대, 의학) 이광수(부산외대, 역사학) 이명원(전 서울디지털대, 국문학) 이성철(창원대, 사회학) 이영제(한국정치연구회, 정치학) 이영희(가톨릭대, 사회학) 이윤미(홍익대, 교육학) 이종래(경상대 사회과학연구원, 사회학) 이진석(서울의대, 의학) 임영일(산업노동연구소 소장, 사회학) 임운택(계명대, 사회학) 임재홍(영남대, 법학) 임 준(가천의대, 의학) 장상환(경상대, 경제학) 장석준(전 진보정치연구소 기획실장, 사회학) 전명혁(역사학연구소, 역사학) 전승우(동국대, 경영학) 전태국(강원대, 사회학) 정백근(경상의대, 의학) 정병오(서일대, 사회복지학) 정영일(동강대, 경영정보시스템학) 정원오(성공회대, 사회복지학) 정재현(충북대, 독어학) 정진상(경상대, 사회학) 정철희(전북대, 사회학) 정태석(전북대, 사회교육학) 정태인(전 청와대 국민경제비서관, 경제학) 정호기(성공회대, 사회학) 조돈문(가톨릭대, 사회학) 조명래(단국대, 도시계획학) 조복현(한밭대, 경제학) 조임영(영남대, 법학) 조진한(전 진보정치연구소 선임연구위원, 경제학) 조현연(성공회대, 정치학) 진중권(중앙대, 미학) 천정환(성균관대, 국문학) 최갑수(서울대, 서양사학) 최인이(한양대, 사회학) 최재목(영남대, 철학) 최정규(경북대, 경제학) 하승우(한양대, 정치학) 하종문(한신대, 역사학) 한상진(울산대, 사회학) 한상희(건국대, 법학) 홍기빈(금융경제연구소 연구위원, 국제정치경제학) 황선웅(연세대, 경제학) 황철민(세종대, 영화), *http://www.newjinbo.org/board/view.php*; 최장집 교수(고려대 정치학)는 지지선언에는 서명하지 않았으나 총선 투표일 전에 노회찬과 심상정을 격려방문했다. *http://www.newjinbo.org/board/view.php*.

18) *http://www.newjinbo.org/service/company.php*.

19) 《문화일보》2008. 3. 31.

20) 《조선일보》2008. 4. 10; 《문화일보》2008. 4. 10.

21) 《경향신문》 2009. 3. 30.

22) http://www.newjinbo.org/service/company.php#a.
23) 정의당 홈페이지, 타임라인, http://www.justice21.org/newhome/about/info03.html.

Ⅸ-③ 통합진보당 해산

1) 《경향신문》, 2013.8.16.
2) 《동아일보》, 2015.1.23.
3) 《한겨레》, 2014.12.19.
4) 《뉴스1》, 2015.9.10.
5) 《조선일보》, 2014.12.19; 《동아일보》, 2015.1.23.
6) 《뉴스1》, 2015.9.10.
7) 《뉴시스》, 2016.4.25.

Ⅸ-④ 촛불의 반격

1) 사건의 발단은 원래 한국경제신문사에서 무료로 운영하던 이 통신서비스를 한국PC통신이 인수하면서 전격적으로 유료화하자 이용자들이 집단적으로 반발하면서 빚어졌다. 사용자들은 당초부터 유료화 자체에는 반대하지 않았기 때문에 회사 측과 대화를 통해 유료화를 1개월 연기하는 선에서 타협이 이루어졌다. 이를 계기로 서비스의 명칭이 코텔(KORTEL)로 변경되었다가 곧 하이텔(HiTEL)로 다시 바뀌었다. 《중앙일보》, 1992.3.30.
2) 《조선일보》, 2017.6.15.
3) 《MBC》, 2004.3.12.
4) 이 프로 가운데 다우너 증상으로 주저앉은 소 대목과 인간광우병으로 사망했던 미국여성 대목, 그리고 한국인의 94.3%가 MM형 유전자를 갖고 있어 광우병에 걸린 쇠고기를 섭취할 경우 인간광우병이 발병할 확률이 약 94%라는 대목이 허위라고 서울고법에서 판시했다. 이상언, "[서소문 포럼] PD수첩은 무죄였다, 그러나 '사실'은 아니었다." 《중앙일보》, 2017.12.21.
5) 《동아일보》, 2008.5.9.
6) 《서옥식의 지식플라자》, 서옥식, 2016.5.5, http://blog.naver.com/sansiblue/220701541620.
7) 민주당은 기초단체장 3곳, 광역의원 14곳, 기초의원 6곳에서 이겨 전반적으로 대승을 거두었다. 자유선진당은 광역의원 2곳, 기초의원 2곳에서 승리하고 나머지는 무소속 후보가 차지했다. 《조선 일보》, 2008.6.5.
8) 《연합뉴스》, 2014.3.27.
9) 《연합통신》, 2013.6.22.
10) 《연합뉴스TV》, 2017.8.30.
11) 《연합뉴스TV》, 2017.4.11.
12) http://www.hani.co.kr/arti/society/society_general/637477.html.
13) 《뉴시스》, 2017.4.15.
14) 《연합뉴스》 2014.6.1.
15) 《연합뉴스》 "선택 2016"
16) 《연합뉴스》 2017.4.3.

1) 《연합뉴스》, 2017.3.10.

2) 이진동(2018), 《이렇게 시작되었다》(개마고원), p. 7, p. 227; 《JTBC 뉴스룸》, "최순실 태블릿pc 관련 '첫' 보도"(1부), 2016.10.24.

3) 《조선일보》, 2017.12.9.

4) 《産經新聞》, 2017.3.7.

5) 《한국일보》, 2016.12.9.

6) 《조선일보》, 2018.1.6.

7) 《한겨레》, 2016.11.26.

8) Voice of America, 2017.1.5.

9) 《조선일보》, 2017.2.9.

10) 이재용 삼성전자 부회장의 항소심 재판부인 서울고법 형사13부(부장판사 정형식)는 2018년 2월 5일, 1심 판결 대부분을 파기하고 최순실의 딸 정유라가 무상으로 말을 탈 수 있도록 삼성이 최순실의 회사인 코어스포츠에 용역대금을 지급한 부분(36억3484만원)만 뇌물로 판단했다. 재판부는 1심에서 뇌물 관련 유죄를 이끌어낸 제3자 뇌물수수 혐의를 이 사건에 적용할 수 없다고 판결하고 삼성의 승계작업과 포괄적 현안 및 박근혜에 대한 묵시적·명시적 부정청탁은 없었다고 판시했다. 원래 1심은 삼성이 이재용의 포괄적인 승계작업을 추진하면서 박근혜에게 묵시적 청탁을 했고, 그 대가로 정씨에게 말을 구입(72억9427만원)해주고 한국동계영재센터를 지원(16억2800만원)했다고 판시했다. 재단출연금 부분은 1심에서도 대가성이 약해 뇌물로 인정되지 않았다. 《뉴시스》, 2018.2.5. http://bizn.donga.com/3/all/20180205/88522609/2.

11) 헌법재판소, "대통령(박근혜)탄핵사건 결정문", https://ecourt.ccourt.go.kr/coelec/websquare/websquare.html?w2xPath=/ui/coelec/dta/casesrch/EP4100_M01.xml&eventno=2016헌나1.

12) 《News 1》, 2017.5.24.

13) 《Daily 월간조선 뉴스룸》, 2017.5.10.

14) 《경향신문》, 2017.8.15; 《공무원U신문》, 2017.8.17.

15) 週刊 《前進》, 2016.11.26.(2799号), zenzhin.org/zh/f.kiji/2016/11/f279901.html.

16) 《Daily 월간조선 뉴스룸》, 2017.5.10.

17) 《오마이뉴스》, 2017.5.28.

18) "정규재TV – 박대통령의 육성 반격," 《정규재TV》, 2017.1.25.

19) 《코리아리뷰》, 2017.1.15.

20) 《월간조선 뉴스룸》, 2017.9.18.

21) 《MBC》, 2017.10.8.

22) 《월간조선》, 2018년 1월호, p. 191, p. 197.

23) 《조갑제닷컴》, 2017.3.18. https://www.youtube.com/watch?v=O5N85iud.e8c.

24) 《연합뉴스》, 2017.3.16.

25) 그 당시 안민석은 묵묵부답이어서 일반 시청자들에게는 그가 이를 시인하는 듯이 들렸다. http://tbs.seoul.kr/cont/FM/NewsFactory/interview/interview.do. 그러나 발설자인 김성태는 1주일 후 같은 방송에 안민석과 함께 출현해 자신의 발언의 취지가 왜곡 전달되었다고 해명했다. 김성태는 자신은 안 의원이 3년 전인 2014년 국회 대정부질문에서 최순실과 정유라의 존재를 처음으로 세상에 알린 다음 그 후 끈질기게 그 문제를 추적하고 문제제기를 한 장본인이 그라고 했다는 것이다. 김성

태는 이어 "그 이야기를 이 방송에서 수차례 얘기했지 않습니까? 그런데 이걸 탄핵 3년 기획설로 이렇게 둔갑이 됐어요"고 말했다. 이에 안 의원은 "그래요, 제가 기획했어요. 안철수 지지율이 뜨니까 별 이상한 일이 다 있는데요"라고 화답했다. *http://tbs.seoul.kr/cont/FM/NewsFactory/interview/interview.do.*

26) 《경향신문》, 2014.4.8.

27) 《JTBC》, 2017.4.6.

28) 《중앙일보》2017.8.27.

29) "안민석, 제가 박근혜 정권 무너뜨린 원흉(?)입니다," *http://www.kukinews.com/news/article.html?no=464004.*

30) 《동아일보》, 2017.12.9.

31) 북한정권의 선동 예는 다음과 같다. "박근혜년은 배달민족의 명부에서 없애버려야 한다"(조선중앙통신, 2014.4.7), "극악무도한 박근혜 불망종들과 판가리 결산을 할 것"(국방위 중대보도, 2014.5.13.), "극악한 특등 대결광, 현대판 매국역적은 한시라도 빨리 제거해 버려야 한다"(국방위 정책국 대변인, 2014.9.27), "박근혜와 새누리당 통째로 들어내야"(《노동신문》, 2016.3.26.), "박근혜와 새누리당 통째로 들어내야"(반제민족민주전선, 2016.12.6.), "암덩어리 제거해야"(조평통 정책국대변인, 2017.3.4.), 《연합뉴스TV》, 2016.12.9., 2017.3.4; 《미래한국》, 2017.4.11, *http://www.futurekorea.co.kr/news/articleList.html?sc_section_code=S1N3&view_type=sm.*

32) 중앙선거관리위원회의 공식 집계에 의하면 후보별 득표 상황은 다음과 같다. 문재인(더불어민주당) 13,428,800표(41.08%), 홍준표(자유한국당) 7,852,849표(24.03%), 안철수(국민의당) 6,998,342표(21.41%), 유승민(바른정당) 2,208,771표(6.76%), 심상정(정의당) 2,017,458표(6.17%), *http://info.nec.go.kr*

33) 《오마이뉴스》, 2017.4.19.

X-2 문재인 정권의 성격

1) 《아시아경제》, 2016.11.26.

2) 《월간 말》, 1992.3, p. 73.

3) 문재인, 《1219 끝이 시작이다》(바다출판사: 2013), pp. 285-287, pp. 305~307.

4) 문재인(2013), pp. 310~311.

5) 《중앙일보》, 2005.3.26.

6) 《매일경제》, 2012.12.31; 《전남주간신문》, 2012.12.31.

7) 문재인(2013), pp. 238-239.

8) 《중앙일보》, 2016.12.27.

9) 《오마이뉴스》, 2017.2.22.

10) 문재인(2011), 《문재인의 운명》(가교출판), pp. 131~132.

11) 문재인(2011), pp. 137~166.

12) 《조선일보》, 2017.5.10.

13) 문재인(2011), p. 207.

14) 《한겨레21》, 2017.8.16.; 《서울신문》, 2017.8.16;《조선일보》, 2017.5.10.

15) 《한겨레21》, 2017.8.16.

16) 《조선일보》, 2017.11.18.

17) 《월간조선》, 2017.7;《조선일보》, 2017.11.18.

18) 《연합뉴스TV》, 2017.9.21.

19) 문재인 정부 요직에 지명되었다가 낙마한 장관후보는 3명(안경환 법무장관 후보, 조대엽 고용노동부 장관 후보, 박성진 중소벤처기업부장관), 차관급은 김기정(청와대 국가안보실 제2차장), 박기영(과학기술혁신본부장) 2명이다. 내각 밖 인사로는 김이수 헌법재판소장이 국회 표결에서 부결되고 이유정 헌법재판관은 인사검증과정에서 낙마해 모두 7명의 차관급 이상이 탈락했다. 《동아일보》, 2017.9.16.

20) 《조선일보》, 2018.1.6.

21) 《조선일보》, 2017.11.27.

22) 《서울신문》, 2017.11.7;《월간조선》뉴스룸, 2017.11.6.

23) 임종석은 자신이 제3대 전대협 의장 자격으로 임수경을 북한에 파견 한지도 이미 23년이 지난 2012년에도 민주통합당 사무총장 신분이면서도 자신의 트위터에 이렇게 썼다. ○반갑습니다. 전대협 출범식 생각하니, 절로 힘이 나네요(2012년 1월 13일), ○전대협, 그 이름에 부끄럽지 않도록 노력하겠습니다(2012년 1월 13일), ○언제 들어도 기분 좋은 '구국의 강철대오', 저는 요즘 잦 전대협진군가를 읊(sic)조립니다. 처음 마음 다지느라구요(2012년 1월 13일), ○전대협 노래에 '조금만 더 쳐다오. 시퍼렇게 날이 설 때까지'라는 대목이 있습니다. 요즘 즐거운 마음을 엄청 힘내고 있습니다(2012년 1월 13일), ○저도 전대협 생각하면 지금도 가슴 뜁니다(2012년 1월 14일), ○절친 '통일의 꽃' 임수경@su_corea을 소개합니다. 나이도 어린 게 꼭 저보고 임군, 임군 합니다. 제가 임양이라고 부르는 데 대한 답인 셈이죠. 89년 그녀가 보여줬던 담대함에 지금도 찬사를 보내고 싶습니다(2012년 1월 15일), 이상 임종석의 트위터, https://twitter.com/jsstorynet에서 인용○제게 '전대협의장'은 죽을 때 제 묘비에 유일하게 새기고 싶은 가장 큰 영광의 이름입니다. 이제 날이 설만큼 충분히 맞은 거 같아요. 제대로 한 번 해보려 합니다(2012년 1월 16일). 《뉴데일리》, 2012.1.21.에서 인용; 임종석 자신이 쓴 이상과 같은 트위터 기록만을 보면 그는 아직도 전대협 당시의 생각을 버리지 못한 것 같다.

24) 《중앙일보》, 2018.3.3 [이정재의 시시각각] 철 지난 주사파 논란 이젠 끝내자, "《중앙일보》, 2017.11.24.

25) 문재인의 주장과는 달리 1948년 건국설은 헌법재판소에서도 지지한 이론이다. 헌재는 2014년 12월 통합진보당을 해산하는 결정문에서 우리 헌법을 "해방 이후 1948년 대한민국의 건국과 더불어 채택한 헌법"이라고 명시했다(헌법재판소, 2014.12.19., 통합진보당해산청구사건 결정문, p. 139, https://ecourt.ccourt.go.kr/coelec/websquare/websquare.html?w2xPath=/ui/coelec/dta/casesrch/EP4100_M01.xml&eventno=2013헌다1); 역대 대통령들도 모두 1948년 건국설을 지지했다. 이명박 박근혜 두 보수정권 대통령은 물론이고, 김대중 노무현 두 진보정권 대통령도 이를 지지했다. 김대중은 1998년 광복절 경축사에서 1998년 8월 15일을 '건국 50년의 시점'이라고 규정하고, 이를 기해 제2건국운동을 펼쳐 나가자고 강조했다. 그가 추진한 제2건국범국민추진위원회의 창립선언문에도 '1948년을 정부 수립 및 건국 시점'으로 명시하고 있다. 노무현도 재임 중인 2003년과 2007년 광복절 경축사에서 1948년 8월 15일을 지칭해 각각 "민주공화국을 세웠습니다"라고 밝혔다. 박정희 대통령은 통치기간 중 단행한 개헌에서 헌법전문의 임시정부에 관한 언급을 삭제했다. 1962년 제5차 개헌헌법의 서문은 "유구한 역사와 전통에 빛나는 우리 대한국민은 3·1 운동의 숭고한 독립정신을 계승하고…"라고만 언급했다. 이 같은 입장은 전두환 정권 때 단행된 제8차 개헌 때까지 유지되었다. 초대 대통령 이승만은 대통령이 되기 이전부터 과거 자신이 수반이었던 상해임시정부 출범의 해를 기점으로 한 '민국 ○○년'이라고 쓰기를 즐겨한 탓으로 건국연도 표시에 한때 혼선이 일어났다. 공보처는 1948년을 '대한민국 30년'이라고 표현한 적이 있다. 그러나 이승만 정권은 곧 1948년을 건국의 기점으로 삼기 시작했다. 이승만은 1949년 8월 15일 광복절 기념사에서는 "민국 건설 제1회 기념일인 오늘을 우

리는 제4회 해방일과 같이 경축하게 된 것입니다"라고 연호를 바꾸었다. 그 후 1950년 8월 15일 대구시 문화극장에서 거행된 광복절 기념식에서 행한 이승만 대통령 기념사에는 '금년 8·15경축일은 민국독립 제2회 기념일'이라고 했다. 또한 1951년 8월 15일 광복절 경축 겸 남북통일 전취 국민총궐기대회에서는 '제3회 광복절'이라 표기하고 대통령 기념사에도 '독립 3주년'이라고 명시했다. 건국절에 관한 저자의 자세한 입장은 남시욱, "안타까운 국론분열," 김길자 엮음, 《건국의 발전》(대한민국사랑회출판부, 2014), pp. 137–141 참조할 것.

26) 《경향신문》, 2017.5.12.

27) 《뉴스 1》, 2017.5.12.

28) 《기독일보》, 2017.5.18.

29) 이 진혼곡의 가사를 쓴 황석영은 이 곡이 광주항쟁 과정에서 죽은 남녀를 주제로 한 넋풀이 극의 주제곡으로 만들어졌다고 말해 가사에 나오는 '임'에는 당연히 두 주인공도 포함되는 것으로 해석된다. 그러나 작곡자 김종률은 당시의 사망한 시위자 전원을 의미한다고 주장했으며 최근에는 그 '임'은 '이 땅의 민주주의를 위해 헌신하는 모든 분들'이라고 밝혔다. 김종률을 옹호하는 측은 '임'이라는 말은 '광주(민주)정신'을 의미한다고 해명했다. 이에 대해 이 곡의 재창을 반대하는 측에서는 그 '임'은 바로 공산혁명을 꿈꾼 두 남녀 주인공을 의미하며 가사 중 "산 자여 따르라"라는 대목의 내용은 윤상원의 무장투쟁정신을 의미한다고 반박한다. 그러나 이 곡을 정부 주최 기념식에서 대통령 이하 정부요인들이 제창하는 것이야말로 순수한 광주민주화운동의 정신을 훼손하고 나아가서 국가정체성을 흐리는 결과를 초래한다고 보는 것이 합당한 판단일 것이다. 북한정권이 오래전에 발간한 혁명가요집 《통일노래 100곡 모음집》(윤이상음악연구소, 1990)에 남쪽의 운동권 가요 24곡도 수록되어 있는데, 그 중에는 군가조의 이 곡도 포함되어 있다. 이상 《미디어펜》, 2016.9.16.에서 인용; 따라서 북한당국이 대한민국 전복을 위한 선동곡으로 활용하고 있는 이 공산혁명 가요를 정부 책임자들이 주먹을 불끈 쥐고 부르고 있는 셈이 된다.

30) 《연합뉴스》, 2017.4.25. ; 문재인은 2018년 3·1절 기념사에서 "광복 100주년으로 가는 동안 남북평화공동체와 경제공동체를 완성해야 한다"고 밝혔다. 청와대 웹사이트, *http://www1.president.go.kr/articles/2461.* 이 말은 듣는 이들로 하여금 그의 통일에 대한 진정한 소신이 과연 무엇인지 의문을 제기했다. 경제공동체론은 그가 2012년 18대 대선때도 제기했던 방안이지만 광복 100주년이라면 2018년 기준으로 27년이나 남은 장구한 세월이기 때문이다.

X-3 국가 운명을 손에 쥔 제3기 진보정권

1) 《중앙일보》, 2017.7.7.

2) 《중앙일보》, 2017.7.8.

3) 《조선일보》, 2017.7.8.

4) 《채널A》, 2017-07-11, 19:29.

5) 《중앙일보》, 2017.12.9.

6) 《월간조선》뉴스룸, 2017.10.31.

7) 《중앙일보》, 2017.11.24.

8) *Channel Newsasia,* 2017.11.3; 《KBS》, 2017.11.4.

9) *Wall Street Journal,* 2017.11.7; 《중앙일보》, 2017.11.8.

10) 《조선일보》, 2017.11.8.

11) White House, *National Security Strategy of the United States of America, https://www.*

whitehouse.gov/wp-content/uploads/2017/12/NSS- Final-12-18-2017-0905-2.pdf; 《조선일보》, 2017.12.20.

12) 《문화일보》, 2017.12.26.

13) 《연합뉴스》, 2017.12.15.

14) 《조선일보》, 2017.12.29.

15) 《중앙일보》, 2017.12.30.

16) 《조선일보》, 2017.12.29; 《뉴스1》, 2017.12.29.

17) 《파이낸셜뉴스》, 2018.4.26.

18) 《동아일보》, 2017.12.25. : 《국민일보》, 2018.5.16.

19) 《중앙일보》, 2017.12.6; 《서울신문》, 2017.8.16.

20) Bobbio, Norberto(1987), *Which Socialism?*(Minneapolis: University of Minnesota Press), p. 19, pp. 85~120.

참고문헌

단행본

강영주(2004), 《벽초 홍명희 평전》, 사계절.
강만길(2003), 《고쳐 쓴 한국현대사》, 창작과 비평사.
권대복 편(1985), 《진보당: 당의 활동과 사건관계 자료집》, 지양사.
교과서포럼 지음(2008), 《대안 교과서: 한국 근·현대사》, 기파랑
기든스, 앤서니 지음, 한상진·박찬욱 옮김(2006), 《제3의 길》, 생각의 나무.
김광 외(1991), 《학생운동논쟁사 2》, 일송정.
김남식(1975), 《실록 남로당》, 신현실사.
김남식(1984), 《남로당 연구 I》, 돌베개.
김대중(1986), 《대중경제론》, 청사.
김대중(1997), 《김대중의 21세기 신민경제이야기》, 산하.
김대중(1997), 《대중참여경제론》, 산하.
김대중전집편찬위원회(1989), ·《김대중전집》, 한경과연.
김동춘(1997), 《한국 사회과학의 새로운 모색》, 창작과비평사.
김두한(1963), 《피로 물들인 건국전야−김두한회고기》, 연우출판사.
김민환(2003), 《개정판 한국언론사》, 나남출판.
김성욱(2006), 《젊은 김성욱 기자의 3년 추적: 대한민국 적화보고서》, 조갑제닷컴.
김수행·김공회(2005), 《한국의 좌파경제학자들》, 서울대학교출판부.
김오성(1946), 《지도자군상》, 대성출판사.
김용기·박승옥(1989), 《한국노동운동논쟁사》, 현장문학사.
김용욱(2004), 《한국정치론》, 오름.
김용철(1992), 《노무현론》, 사회문화연구소.
김운태(2002), 《미군정의 한국통치》, 박영사.
김인걸 외(2003), 《한국현대사강의 1945~1990》, 돌베개.
김재명(2003), 《한국현대사의 비극: 중간파의 이상과 좌절》, 선인.
김준하(2002), 《대통령과 장군》, 나남출판.
김진국 외(1991), 《선진노동자의 이름으로》, 소나무.
김진성(2008), 《전교조 증후군: 전교조, 자기 덫에 걸리다》, 상 하권, 한국미래교육개발원.
김질락(1991), 《어느 지식인의 죽음》(원제 《주암산》), 행림출판.
김창순(1999), 《김창순북한연구전집 Ⅷ, 한국공산주의운동사 (하)》, 북한연구소.
김학준(1987), 《이동화평전: 한 민주사회주의자의 생애》, 민음사.
김현우(2000), 《한국정당통합운동사》, 을유문화사.
김호기(2002), 《말, 권력, 지식인》, 아르케.
남시욱(2005), 《한국보수세력연구》, 나남출판.
노경채(1996), 《한국독립당연구》, 신서원.
노무현(1994), 《여보 나좀 도와줘》, 새터.
노찬백(1995), 《한국에서의 진보적 군소정당의 실패에 관한 연구: 1987년~1992년》(경희대 박사학위
        논문)
류근일·홍진표(2005), 《지성과 반지성》, 기파랑.

리영희(1974),《전환시대의 논리》, 창작과비평사.

문한동(1994),《죽산 조봉암》, 일원.

민주주의민족전선 편(1988),《해방조선 I》, 과학과 사상.

민청학련운동계승사업회 편(2005),《실록·민청학련 4 –1974년 4월》, 학민사.

박갑동(1983),《박헌영》, 인간사.

박기출(2004),《한국정치사》, 이화.

박명림(2004),《한국 1950: 전쟁과 평화》, (주)나남출판.

박명림(2003),《한국전쟁의 발발과 기원 II, 기원과 원인》, (주)나남출판.

박명림(2003),《한국전쟁의 발발과 기원 I, 결정과 발발》, (주)나남출판.

박일원(1948),《남로당 총비판 상》, 극동정보사.

박일원(1984),《남로당의 조직과 전술》, 세계

박석률(1989),《저 푸른 하늘을 향하여》, 풀빛.

박지향 외 엮음(2006),《해방 전후사의 재인식 1, 2》, 책세상.

박태순·김동춘(1991),《1960년대의 사회운동》, 까치.

박호성(2005),《사회민주주의의 역사와 전망》, 책세상.

배순길(1995),《한국사회주의정당사》, 한마음.

백태웅(1992),《남한사회주의자의 꿈》, 노동자의벗.

선우종원(2002),《사상검사》, 계명사.

송건호 외(2004),《해방전후사의 인식 1》(개정 제3판), 한길사.

강만길·김광식 외(1985),《해방전후사의 인식 2》, 한길사.

박현채·김남식 외(1989),《해방전후사의 인식 3》, 한길사.

송남헌(1985),《해방3년사 II 1945~1946》, 까치.

스칼라피노·이정식 공저(1986),《한국공산주의운동사 2》, 돌베개.

신용하(2001),《일제강점기 한국민족사 상》, 서울대학교출판부.

신용하(2002),《일제강점기 한국민족사 중》, 서울대학교출판부

심지연(2006),《이강국 연구》, 백산서당.

심지연(1991),《인민당연구》, 경남대학교극동문제연구소.

심지연(1994),《허헌연구》, 역사비평사.

안재구(1991),《남민전의 안재구》, 새벽별.

양호민 이상우 김학준(1982),《민족통일의 전개》, 형성사.

여연구 지음/신준영 편집(2002),《나의 아버지 여운형》, 김영사.

와다 하루끼 지음/서동만 옮김(2003),《한국전쟁》, 창작과비평사.

우사연구회 엮음/강만길·심지연 지음(2000),《항일독립투장과 좌우합작》, 한울.

우사연구회 엮음/서중석 지음(2000),《남북협상–김규식의 길, 김구의 길》, 한울

우사연구회 편/심지연 저(2000),《송남헌회고록–김규식과 함께 한 길》, 한울

유영구(1993),《남북을 오고간 사람들》, 글.

윤철호 오동렬 외(1990),《그렇소, 우리는 사회주의자요!》, 일빛.

윤치영(1991),《윤치영의 20세기》, 삼성출판사.

윤한동(1992),《범민련 어떤 단체인가》, 남북문제연구소.

이기하(1961),《한국정당발달사》, 의회정치사.

이기형(2005),《여운형평전》, 실천문학사.

이만규(1946),《여운형 선생 투쟁사》, 민주문화사.

이민희 편역(1988), 《좌우익 기회주의 연구》, 아침.
이수병선생기념사업회 편(2005), 《이수병평전》, 민족문제연구소.
이원규(2005), 《약산 김원봉》, 실천문학사.
이재교·김혜준(2007), 《거꾸로 가는 민주노총》, 시대정신.
이정 박헌영 전집 편집위원회 편(2004), 《이정 박헌영 전집》, 전9권, 역사비평사.
이정식(2008), 《여운형-시대와 사상을 초월한 융화주의자》, 서울대학교출판부.
이종석(2003), 《조선로동당연구》, 역사비평사.
이진동(2018), 《이렇게 시작되었다》, 개마공원.
이현희(2003), 《이야기 인물한국사》, 청아출판사.
인촌기념회(1975), 《인촌김성수전》, 인촌기념회.
일송정 편집부(1988), 《학생운동 논쟁사》, 일송정
임경석(2004), 《이정 박헌영 일대기》, 역사비평사.
전진한(1996), 《이렇게 싸웠다》, 무역연구원.
정태영(1995), 《한국 사회민주주의정당사》, 세명서관.
정화암(1982), 《이 조국 어디로 갈것인가-나의 회고록》, 자유문고.
조갑제(2006), 《김대중의 정체》, 조갑제닷컴.
조갑제 외(2017), 《문재인의 정체》, 조갑제닷컴.
조동걸(2001), 《한국근현대사의 이상과 형상》, 푸른역사.
조용중(2004), 《대통령의 무혈혁명: 1952 여름 부산》, 나남출판.
조희연(1993), 《현대 한국 사회운동과 조직》, 한울.
조희연 편(2001), 《한국사회운동사》, 한울.
중앙일보 특별취재반(1992), 《비록 조선민주주의인민공화국》, 중앙일보사.
추헌수(1995), 《한민족의 독립운동과 임시정부의 위상》, 연세대학교 출판부.
토르쿠노프, A. V. 저 구종서 역(2003), 《한국전쟁의 진실과 수수께끼》, 에디터.
한국정신문화연구원 편(2001), 《내가 겪은 민주와 독재》, 선인.
한국역사연구회 현대사연구반(1996), 《한국현대사 3: 1960~70년대 한국사회와 변혁운동》, 풀빛.
한국정신문화연구원 현대사연구소 편(1999), 《지운 김철수》, 한국정신문화연구원 현대사연구소.
한상도(2006), 《대륙에 남긴 꿈-김원봉의 항일역정과 삶》, 역사공간.
한태수(1961), 《한국정당사》, 신태양사출판국.
황인오(1997), 《조선노동당 중부지역당》, 천지미디어.
Berkowitz, Peter, ed.(2004), *Varieties of Progressivism in America*, Stanford: Hoover Institution Press, Stanford University.
Bobbio, Norberto(1993), *Left and Right: The Significance of a Political Distinction*, Chicago: The University of Chicago Press.
Cumings, Bruce(2002), *The Origins of the Korean War*, Vol. I, Seoul: Yuksabipyungsa.
Giddens, Anthony(1994), *Beyond Left and Right: The Future of Radical Politics*, Stanford, California: Stanford University Press.
Giddens, Anthony(1998), *The Third Way: Renewal of Social Democracy*, Cambridge: Polity Press.
Johnson, Edgar A. J.(1971), *American Imperialism in the Image of Peer Gynt: Memoirs of a Professor-Bureaucrat*, Minneapolis, University of Minneapolis Press.
Kim Dae Jung(1985), *Mass-Participatory Economy, A Democratic Alternative for Korea*,

Cambridge: Harvard University Press.

Lankov, Andrei(2002), *From Stalin to Kim Il Sung: The Formation of North Korea 1945–1960*, New Brunswick, New Jersey: Rutgers University Press.

Scalapino, Robert A. & Lee, Chong-sik(1972), *Communism in Korea, Part I(The Movement)*, Berkeley and Los Angeles: University of California Press.

Suh, Dae-sook(1967), *Korean Communist Movement, 1918~1948*, Princeton: Princeton University Press;

　　　　　(1970), *Documents of Korean Communism, 1918~1948*, Princeton: Princeton University Press.

논문

강창덕(2005), "아! 4월 9일이여", 민청학련운동계승사업회 편(2005), 《실록·민청학련 4, 1974년 4월》, 학민사.

김기선, "민주운동사의 거대한 뿌리-박현채 2", 민주화기념사업회, *http://webzine.kdemocracy.or.kr.*

김기승(2002), "사회민주주의", 한국사시민강좌편집위원회 편, 《한국사강좌 25》, 일조각.

김남식(1987), "좌우합작", 《해방5년사의 재조명》, 국토통일원.

김낙중(2006), "박현채와의 인연들", 고박현대10주기추모집·전집발간위원회, 《아! 박현채》, 해밀.

김병태(2006), "대중경제론에 얽힌 이야기', 고박현채10주기추모집·전집발간위원회, 《아 박현채!》, 해밀.

김세원 증언, 한상구 구성(1991), "4월혁명 이후 전위조직과 통일운동: 사회당 인혁당 남민전", 《역사비평》15호(1991년 겨울).

김재국(2007), "5·16의 경험", 《경우신문》 2007. 9. 10.

김종엽(2007), "87년체제의 궤적과 진보논쟁", 《창작과 비판》 2007년 여름호(136호), (주)창비.

노회찬(2005), "인민노련혁명을 꿈꾸다-〈한국의 진보〉 3부작 제2부", *http://www.nanjoong.net.*

박래군, "국가보안법 7조3항의 문제점", *www.sarangbang.or.kr.*

박호성(1991), "사회민주주의는 현실적 대안인가", 《역사비평》 계간 12호(1991년 봄), 역사비평사.

서관모(1999), "80년대 말·90년대 초 변혁운동의 이론 정세"(1999년 3월 6일 숭실대 사회봉사관 212호실에서 개최된 진보정론지 발간을 위한 토론회에서 발표된 글), *http://jbreview.jinbo.net/archives/files/kmseo01.html.*

서동만(1995), "'조선공산당북조선분국' 10월 10일 창설 주장에 대하여", 《역사비평》, 계간 30호(1995년 가을호), 역사비평사.

서상일, "험난할 망정 영광스런 먼 길", 신태양편집부 편(1957), 《월간 신태양 별책-내가 걸어온 길, 내가 걸어갈 길》, 신태양사.

성공회대 민주자료관, "신노선의 등장: 비합법 전위정당 노선에서 독자적 합법진보정당 노선으로(진보정당운동의 흐름)", *http://www.demos-archives.or.kr.*

신주현(2006), "청와대에 NL386 출신 40여 명 포진", *http://www.allinkorea.net.*

이재영(2002), "2002년에 돌아보는 1997년 대선", 《이론과 실천》 2002년 신년호.

윤건차 지음, 장화경 옮김(2001), 《현대 한국의 사상흐름-지식인과 그 사상 1980-1990년대》, 당대.

윤해동(2007), "'진보라는 욕'에 대하여-메타 역사학적 비판", 《문학과 사회》2007년 여름호(제78호), 문학과 지성사.

이정식(2007), "여운형의 이상과 선택-냉전의 희생양", 《몽양 여운형과 평화통일(몽양추모학술심포지움 논문자료집)》.

이진경(2007), "마르크스주의와 진보의 이념", 《문학과 사회》2007년 여름호(제78호), 문학과 지성사.

이태복(1994), "노동운동 투신동기와 민노련·민학련 사건", 《역사비평》1994년 여름호.

이해찬(2006), "내 인생의 행운, 박현채 선생님과의 인연", 고 박현채10주기추모집·전집발간위원회, 《아! 박현채》. 해밀.

임경석(1992), "일제하 공산주의자들의 국가건설론", 《대동문화연구 27집》, 성균관대학교 대동문화연구소.

임동규(2006), "아 박현채!", 고박현채10주기추모집·전집발간위원회. 《아! 박현채》. 해밀.

임석규(2003), "청와대 '접수'한 투사들", 《한겨레21》2003. 3. 13.

장은주(2007), "'생존의 정치에서 존엄의 정치'로-오늘날 우리에게 진보란 무엇인가?", 《사회비평》 2007 여름(제36호), (주)나남.

전창일(2005), "세칭 인혁당을 말한다", 민청학련운동계승사업회 편, 《실록·민청학련 4, 1974년 4월》, 학민사.

전현수(1995), "소련군의 북한 진주와 대북한정책", 독립기념관 한국독립운동사연구소, 《한국독립운동사연구 제9집》

정용대(2002), "소앙 조용은의 삼균주의 정치사상", 《한국정치사상사》, 집문당.

정창현(1991), "1960~70년대 공안사건의 전개양상과 평가", 한국역사연구회 현대사연구반, 《한국현대사 3》, 풀빛.

전한용(1990), "특별연구 남민전", 《역사비평》, 계간 10호(1990년 가을호), 역사비평사.

정행산(1996), "인혁당사건 과연 조작인가", 《자유공론》, 1996년 8월호.

정화영(2005), "영원한 님, 그대의 길을 따라", 민청학련운동계승사업회 편(2005), 《실록·민청학련 4, 1974년 4월》, 학민사.

조봉암(1957), "내가 걸어 온 길", 권대복 편(1985), 《진보당》, 지양사.

조승수(2007), "민주노동당, 다시 광야에 서라", 《경향신문》2007. 12. 25.

최연구(1990), "80년대 학생운동의 이념적 조직적 발전과정", 조희연 편(2001), 《한국사회운동사》, 한울.

한정숙 김상봉 김종엽 김형중 박명림(2007), "특집대담: 87년 이후 20년, 사회문화적 변동과 정신풍경", 《사회비평》 2007 여름(제36호).

홍진표(2005), "민혁당 조작설은 소가 웃을 일-쓸모 있는 바보들의 쓸 데 없는 거짓말(18)", *http://www.newright.or.kr/read.php?catald=nr.*

황남준(1989), "전남지방정치와 여순사건", 박현채 외, 《해방전후사의 인식 3》, 한길사.

국내외 정부·단체 기록 및 통계자료

경찰청(1992), 《해방 이후 좌익운동권 변천사(1945년~1991년)》.

국방부전사편찬위원회(1977), 《한국전쟁사 1(개정판)》, 국방부.

국방부전사편찬위원회(1984), 《한국전쟁 요약》, 국방부.

국학진흥연구사업추진위원회(1997), 《한국독립운동사자료집-조소앙 편(4)》, 한국정신문화연구원.

국회 백범김구선생암살진상소위원회(1995), "백범김구선생암살진상보고서"

국회사무처(1971), 《국회사》(제4대 국회-제6대 국회).

단주유림선생기념사업회(1991), 《단주 유림 자료집(1)》, 백산.

당산김철전집간행위원회(2000), 《당산김철전집 1-민족의 현실과 사회민주주의》, 해냄출판사.

대검찰청 공안부(1981), 《좌익사건실록》, 대검찰청.

대한민국국회(1998), 《대한민국국회 50년사》, 국회사무처.

대한민국국회사무처(1971), 《대한민국국회사—제헌국회, 2대국회, 3대국회》, 국회사무처.

동북아전략연구소(2003), 《북한의 대남공작 전모》, 동북아전략연구소.

민족민주운동연구소(1989), 《민통련: 민주통일민중운동연합평가서(Ⅰ)—자료편》.

민주화기념사업회, "전국노동운동단체협의회 사건", http://kdemocracy.or.kr/minju/history.

민주화기념사업회, "한국노동청년연대 사건", http://kdemocracy.or.kr/minju/history

민주화운동기념사업회(2005), "1980년대의 노동운동", http://www.kdemocracy.or.kr.

민주화운동기념사업회(2005), "1980년대의 학생운동", http://kdemocracy.or.kr.

민주화실천가족운동협의회 민족민주운동연구회(1989), 《80년대의 민족민주운동 10대 조직사건》, 아침.

범청학련 남측본부, "강령과 규약", http://bchy.jinbo.net/http://bchy.jinbo.net.

삼균학회(1986), "한국독립승인결의안" 및 "한국독립에 관한 결정서", 《삼균주의연구논문집 8》.

성공회대 민주자료관, "진보정당운동의 흐름—민주노동당 원탁회의의 성과를 모아 마침내 출범의 돛 올리다", http://www.demos-archives.or.kr.

일송정 편집부(1988), 《학생운동논쟁사》, 일송정.

전국대학생대표자협의회(1997), 《전대협》, 돌베개.

전현수 강인구 편집/번역(2004), 《쉬띄꼬프일기 1946~1948》, 국사편찬위원회.

조국통일범민족연합남측본부(2000), 《범민련 10사 1》.

중앙선거관리위원회(1965), 《정당의 기구 기능과 정강 정책 당헌 등》.

중앙선거관리위원회(1968), 《대한민국정당사(1968년 증보판)》

중앙선거관리위원회(1981a), 《대한민국정당사 제1집(1945년~1972년)》.

중앙선거관리위원회(1981b), 《대한민국정당사 제2집(1972년~1980년)》.

중앙선거관리위원회, 《역대 국회의원선거 총람》.

중앙선거관리위원회(1992a), 《대한민국정당사 제3집(1980~1988)》.

중앙정보부(1973), 《북한대남공작사 제1권》.

중앙정보부(1973), 《북한대남공작사 제2권》.

한국독립당(1945), 《한국독립당 제5차 임시대표대회 선언》 부록.

한국혁명재판사편찬위원회(1962), 《한국혁명재판사 제2집》.

한국사회당(2007), "한국사회당이 걸어온 길", http://www.sp.or.kr.

The Aims and Tasks of Democratic Socialism: Declaration of the SocialistInternational, http://www.socialistinternational.org/5Congress/1-FRANKFURT/Frankfurtdecl-e.html.

http://www.danjuyurim.org/danju01_9.htm

XXIV Corps G-2 Summary, No. 41, June.

신문·잡지·방송·연감

《경향신문》 《국민일보》 《동아일보》 《로동신문》 《매일경제》 《매일신보》 《세계일보》 《서울신문》 《시민의신문》 《인천신문》 《조선일보》 《중앙일보》 《한겨레》 《미래한국신문》 http://www.dailynk.com. http://www.ohmynews.com. http://www.redian.org. http://www.tongilnews.com. http://www.vop.co.kr. 《조선중앙통신》, http://www.kcna.co.jp. 《월간조선》 《자유공론》 《민족21》 동아일보사, 《동아연감》. 연합통신사, 《연합연감》. 《야후코리아백과사전》, http://kr.dic.yahoo.com.

찾아보기 (인명)

서양인

저서 및 매체

사 항

지은이

남시욱 南時旭
· 경북 의성 출생
· 서울대 문리대 정치학과 졸업
· 서울대 대학원 정치외교학부 졸업, 석사 박사
· 독일 베를린 소재 국제신문연구소(IIJ) 수료
· 동아일보 수습 1기생 입사
· 동경특파원 정치부장 편집국장 논설실장 상무이사
· 한국신문방송편집인협회 회장
· 문화일보사 사장
· 고려대학교 석좌교수
· 세종대학교 석좌교수
· 동아일보사 부설 화정평화재단·21세기평화연구소 이사장(현)
· 수   상 : 동아대상(논설), 서울언론인클럽 칼럼상, 위암 장지연상 (신문부문),
           중앙언론문화상(신문부문), 서울시문화상(언론부문),
           홍성현 언론상 특별상, 임승준 자유언론상, 인촌상(언론부문),
           서울대언론인대상 김상철자유정의평화상, 우남이승만애국상 수상
· 주요저서 : 《항변의 계절》, 《체험적 기자론》, 《인터넷시대의 취재와 보도》,
           《한국보수세력 연구》, 《6·25전쟁과 미국》

개정증보판
한국 진보세력 연구

2009년 6월 10일 초판1쇄 인쇄
2009년 6월 20일 초판1쇄 발행
2009년 7월 20일 초판2쇄 발행
2018년 6월 25일 개정증보판1쇄 발행
2018년 8월 31일 개정증보판2쇄 발행
2018년 10월 20일 개정증보판3쇄 발행
2020년 4월 10일 개정증보판4쇄 발행

지은이 : 남시욱
발행인 : 신동설
발행처 : 청미디어
신고번호 : 제2015-000023호
신고연월일 : 2001년 8월 1일

주소 : 서울 동대문구 천호대로83길 61, 5층(화성빌딩)
Tel : (02)496-0154~5
Fax : (02)496-0156
E-mail : sds1557@hanmail.net

정가 : 28,000원
979-11-87861-13-3 (93340)